John C. Hull

Fundamentos dos Mercados Futuros e de Opções

São Paulo
2009

ISBN 0-13-017602-8

Dados Internacionais de Catalogação na Publicação (CIP)
(Câmara Brasileira do Livro, SP, Brasil)

Hull, John C., 1946 –
Fundamentos dos mercados futuros e de opções/John C. Hull; [tradução Marco Aurélio Teixeira].
– São Paulo: BM&FBOVESPA - Bolsa de Valores, Mercadorias e Futuros, 2009.

Título original: Fundamentals of futures and options markets
Bibliografia.
4. ed. norte-americana.
Inclui Manual de soluções e Cd de software.
Bibliografia.
ISBN 978-85-63177-00-1

1. Mercados futuros 2. Mercados futuros – Problemas, exercícios etc. 3. Opções (Finanças) 4. Opções (Finanças) – Problemas, exercícios etc.
I. Título.

09-12314 CDD–332.645

Índices para catálogo sistemático:
1. Mercados futuros e de opções: Economia financeira 332.645

ISBN 978-85-63177-00-1

BM&FBOVESPA – Bolsa de Valores, Mercadorias e Futuros
Praça Antonio Prado, 48
01010-901 - São Paulo, SP
Telefone (11) 2565-4000
Fax (11) 2565-7737
E-mail bmfbovespa@bmfbovespa.com.br
www.bmfbovespa.com.br

Impressão: 6ª
Ano: 10

PREFÁCIO

Este livro foi escrito para cursos de nível técnico e superior oferecidos por faculdades de administração, economia e outras. Os profissionais que desejam adquirir conhecimento prático dos mercados futuros e de opções terão nesta obra uma ferramenta útil.

Fui convencido a escrever este livro por colegas que apreciaram meu livro anterior, *Opções, Futuros e Outros Derivativos*. No entanto, avaliaram que o material era um tanto quanto avançado para seus alunos. *Fundamentos dos Mercados Futuros e de Opções* (anteriormente, intitulado *Introdução aos Mercados Futuros e de Opções*) cobre, em parte, a mesma base do livro *Opções, Futuros e Outros Derivativos*; contudo, os leitores que tiverem pouco conhecimento matemático não encontrarão dificuldades em entendê-lo. A diferença mais importante entre este livro e o anterior está no fato de que, aqui, não se faz uso de cálculo.

Esta edição pode ser utilizada de várias formas. Os professores que preferem enfocar árvores binomiais de um e dois passos para avaliação de opções podem escolher apenas os dez primeiros capítulos. Já aqueles que acham que swaps estão adequadamente cobertos por outros cursos podem omitir o Capítulo 6. Há diferentes alternativas para utilização dos Capítulos 11 ao 21. Os professores que considerarem o conteúdo dos Capítulos 14, 16, 17 ou 18 muito especializado podem deixá-los à parte. Alguns podem dedicar mais tempo aos mercados futuros e de swaps (Capítulos 1 e 6) relativamente a outros assuntos; outros preferirão estruturar seu curso enfocando os mercados de opções (Capítulos 7 a 21).

Os três novos capítulos (19 a 21) contêm pouco instrumental matemático e não se baseiam extensivamente no conteúdo dos capítulos anteriores. São adequados para as duas ou três semanas finais do curso, independentemente do assunto que tenha sido discutido.

O Capítulo 1 apresenta introdução aos mercados futuros e de opções e descreve seus diferentes modos de utilização. O Capítulo 2 desenvolve mecanismos por meio dos quais os contratos futuros e a termo funcionam. O Capítulo 3 mostra como os preços futuros e a termo podem ser determinados em inúmeras e diferentes situações, mediante métodos simples de arbitragem. O Capítulo 4 discute a utilização dos contratos futuros para fins de *hedge*. O Capítulo 5 trabalha com os mercados de taxas de juro. O Capítulo 6 cobre os mercados de swaps. O Capítulo 7 descreve os mecanismos relativos ao funcionamento dos mercados de opções. O Capítulo 8 traz algumas relações, que devem existir nos mercados de opções, para que não haja oportunidades de arbitragem. O Capítulo 9 oferece algumas estratégias de negociação envolvendo opções. O Capítulo 10 mostra como as opções podem ser apreçadas mediante árvores binomiais de um e dois passos. O Capítulo 11 discute o processo de formação de preços das opções sobre ações por meio do modelo de Black–Scholes. O Capítulo 12, continuação do 11, cobre os mercados de opções sobre índices de ações e moedas. O Capítulo 13 trata das opções sobre futuros. O Capítulo 14 analisa a volatilidade implícita da opção em função de seu preço de exercício – *smiles* de volatilidade. O Capítulo 15 traz detalhado tratamento dos parâmetros de *hedge*, ou medidas de sensibilidade, como delta, gama e vega. Além disso, inclui a questão relativa ao seguro de portfólio. O Capítulo 16 explica como calcular e utilizar o *value at risk.* O Capítulo 17 demonstra o uso de árvores binomiais de múltiplos passos para avaliação de opções americanas. O Capítulo 18 enfoca opções sobre taxas de juro. O Capítulo 19 discorre sobre opções exóticas, títulos lastreados em hipotecas (*mortgage-backed securities*, MBS) e swaps não-padronizados. O Capítulo 20 aborda produtos derivativos mais atuais: de crédito, de tempo, de energia e de seguro. O Capítulo 21 descreve os desastres mais notórios ocorridos nos mercados derivativos e ressalta as lições que podemos tirar de tais acontecimentos.

Ao término de cada capítulo (exceto o último), há sete questões (*Perguntas rápidas*), com respostas no final do livro, as quais os estudantes podem utilizar para avaliar sua compreensão em relação aos principais conceitos abordados.

O que há de novo?

Três novos capítulos foram incluídos (19, 20 e 21), cujos títulos são: *Opções exóticas e outros produtos não-padronizados*; *Derivativos de crédito, clima, energia e seguro*; e *Infortúnios com derivativos e o que podemos aprender com eles*. Em geral, os estudantes gostam bastante do conteúdo desses capítulos.

O Capítulo 5, *Mercados de taxas de juro*, foi reescrito de modo a torná-lo mais importante e de fácil entendimento.

O Capítulo 14, *Smiles de volatilidade*, foi reescrito para mostrar de forma mais precisa o que realmente ocorre na prática. Em relação à terceira edição, esse capítulo aparece em ordem anterior.

O Capítulo 16, *Value at risk*, foi reescrito visando refletir os desenvolvimentos ocorridos nessa área.

A notação utilizada também sofreu alteração. Por exemplo, S_0 e F_0 são agora utilizados, respectivamente, como notação para o preço spot e o preço a termo ou futuro no instante atual.

Além de novos exercícios, os dados foram atualizados e a apresentação, melhorada.

Software

O novo software, compatível ao Excel, denominado DerivaGem, acompanha o livro. Trata-se de evolução em relação às edições anteriores, tendo sido cuidadosamente desenvolvido para complementar o texto. Os usuários poderão calcular preços de opções, volatilidades implícitas e medidas de sensibilidade (gregas) para opções americanas, européias, exóticas e sobre taxas de juro. Além disso, o software pode ser usado para o desenvolvimento de árvores binomiais (por exemplo, Figuras 17.3 e 17.9) e para a produção de muitos e diferentes gráficos, mostrando o impacto de variáveis distintas, tanto nos preços, como nas medidas de sensibilidade das opções. No final do livro, encontra-se descrição mais detalhada desse instrumento. Atualizações podem ser obtidas por meio de *download* disponível em meu *web site*: http://www.rotman.utoronto.ca/~hull.

Slides

Centenas de slides, os quais utilizam fontes-padrão, podem ser obtidos em meu web site. Os professores que adotarem o livro serão bem-vindos e poderão adaptá-los de modo a satisfazer a suas necessidades.

Respostas às questões

Nas edições anteriores, as soluções para todos os problemas, localizados no final dos capítulos (exceto as "perguntas rápidas"), estavam disponíveis apenas no Manual dos Professores. Ao longo do tempo, muitas pessoas solicitaram-me que oferecesse as soluções de forma mais genérica. Hesitei em fazer isso, pois queria evitar que os professores utilizassem os exercícios como questões de prova.

Nesta edição, solucionei esse problema ao dividir os exercícios em dois grupos: "questões e problemas" e "questões de prova". Há mais de 200 exercícios e as respectivas respostas no Manual de Soluções do livro, publicado pela Prentice Hall. Há cerca de 70 questões de prova, cujos resultados estão disponíveis apenas no Manual do Professor.

Agradecimentos

Muitas pessoas colaboraram na produção deste livro. Acadêmicos, estudantes e profissionais que deram sugestões excelentes e de grande utilidade: Farhang Aslani, Emilio Barone, Giovanni Barone-Adesis, George Blazenko, Laurence Booth, Phelim Boyle, Peter Carr, Don Chance, J.P. Chateau, Brian Donaldson, Jerome Duncan, Steinar Ekern, Robert Eldridge, David Fowler, Louis Gagnon, Mark Garman, Dajiang Guo, Bernie Hildebrandt,

Jim Hilliard, Basil Kalymon, Patrick Kearney, Cheng-kun Kuo, Elizabeth Maynes, Izzi Nelken, Paul Potvin, Richard Rendleman, Gordon Roberts, Edward Robbins, Chris Robinson, John Rumsey, Klaus Schurger, Eduardo Schwartz, Michael Selby, Piet Sercu, Yochanan Shachmurove, Bill Shao, Stuart Turnbull, Yisong Tian, Ton Vorst, George Wang, Zhanshun Wei, Bob Whaley, Alan White, Qunfeng Yang e Jozef Zemek. Além destes, Huafeng (Florence) Wu que realizou excelente trabalho de assistência em pesquisa.

Agradeço, particularmente, a Alan White, meu grande amigo da Universidade de Toronto, com quem realizei pesquisas sobre futuros e opções nos últimos 18 anos. Durante esse período, passamos muitas horas discutindo diferentes conceitos sobre esses mercados. Muitas das novas idéias e dos novos métodos utilizados para explicar conceitos antigos são tanto dele quanto meus.

Devo agradecer, de forma especial, a muitas pessoas da Prentice Hall pelo entusiasmo, conselhos e estímulo – em particular, Mickey Cox (editor), P.J. Boardman (editor chefe) e Richard DeLorenzo (editor de produção). Sou muito grato também a Scott Barr, Leah Jewell, Paul Donnelly e Maureen Riopelle, que, em vários momentos, tiveram papel fundamental na produção deste livro.

Os comentários dos leitores a respeito do livro serão bem-vindos. Meu endereço eletrônico é hull@rotman.utoronto.ca.

John Hull
Universidade de Toronto

SUMÁRIO

Capítulo 1
INTRODUÇÃO

Em anos recentes, os mercados futuros e de opções vêm obtendo crescente importância. Atingiu-se um estágio no qual é essencial, para todos os profissionais de finanças, o entendimento do funcionamento e da utilização desses mercados e dos fatores que determinam os preços dos produtos neles negociados. Este livro aborda todos esses assuntos.

Neste capítulo de abertura, apresenta-se idéia inicial dos mercados futuros, a termo e de opções. Examina-se sua história e descreve-se, em termos gerais, como tais mercados são empregados por *hedgers*, especuladores e arbitradores. Nos próximos capítulos, detalham-se os tópicos aqui introduzidos.

1.1 CONTRATOS FUTUROS

O *contrato futuro* é um acordo para comprar ou vender um ativo em determinada data no futuro a preço previamente estabelecido. Existem muitas bolsas negociando esses contratos. As duas maiores bolsas de futuros dos Estados Unidos são a Chicago Board of Trade (www.cbot.com) e a Chicago Mercantile Exchange (www.cme.com). Na Europa, a London International Financial Futures and Options Exchange (www.liffe.com) e a Eurex (www.eurexchange.com). Entre as grandes bolsas, encontram-se também a Bolsa de Mercadorias & Futuros (www.bmf.com.br), localizada em São Paulo, a Tokyo International Financial Futures (www.tiffe.or.jp), a Singapore International Monetary Exchange (www.simex.com.sg) e a Sydney Futures Exchange (www.sfe.com.au). Para lista mais completa, veja a tabela que se encontra no final deste livro.

A seguir, examina-se como surge o contrato futuro, considerando um negócio na Chicago Board of Trade (CBOT). Em março, o investidor em Nova Iorque telefona para seu corretor com instruções para comprar 5.000 *bushels* de milho para entrega em julho.

O corretor imediatamente passa essas ordens para o operador na CBOT. No mesmo momento, outro investidor em Kansas pede ao corretor para vender 5.000 *bushels* de milho com entrega em julho. Essas instruções também são repassadas a um operador na bolsa. Os dois operadores se encontram, acordam o preço a ser pago pelo milho para entrega em julho, fechando, assim, o negócio[1].

O investidor de Nova Iorque, que concordou em comprar, assume *posição comprada em futuros* [conhecida como *long*]; o investidor em Kansas, que concordou em vender, assume *posição vendida em futuros* [conhecida como *short*]. O preço acordado entre ambos é definido como *preço futuro*. Suponha que o valor seja de 170 *cents* de dólar por *bushel*. Esse preço é determinado pelas leis de oferta e demanda, como qualquer outro preço. Se, em um momento particular, existir quantidade maior de operadores desejando vender milho para entrega em julho do que comprá-lo, o preço futuro cairá. Com isso, novos agentes entrarão no mercado para comprar milho, para entrega em julho, de forma que o equilíbrio entre compradores e vendedores será mantido. Caso existam mais operadores desejando comprar milho para julho do que vender, o preço subirá por razões análogas.

Tópicos como requerimentos de margem, procedimentos de ajuste diário, práticas de negociação, corretagens, *spreads* de compra e de venda e o papel das câmaras de compensação serão discutidos no Capítulo 2. Por ora, considera-se o seguinte resultado final dos eventos mencionados: o investidor em Nova Iorque concordou em comprar, em julho, 5.000 *bushels* de milho a 170 *cents* por *bushel* e o investidor em Kansas concordou em vender, em julho, 5.000 *bushels* de milho por 170 *cents* por *bushel*. Ambos firmaram um contrato, no qual foram estabelecidas as obrigações de compra e de venda.

1.2 HISTÓRIA DOS MERCADOS FUTUROS

Os mercados futuros remontam à Idade Média. Foram originalmente desenvolvidos para satisfazer as necessidades de produtores e comerciantes de produtos agrícolas. Considere a posição de um produtor, em abril de determinado ano, que está para colher certa quantidade de grãos em junho. Existe incerteza acerca do preço que receberá pela sua mercadoria. Em anos de escassez, possivelmente obterá preços relativamente altos – especialmente se a venda não for realizada de forma imediata. Por outro lado, em anos de excesso de oferta, o grão provavelmente será vendido a preços muito baixos. O produtor e sua família estão claramente expostos a grandes riscos.

Considere, agora, uma companhia que necessite do grão. Assim como o produtor, esta também está exposta ao risco de preço. Em alguns anos, o excesso de oferta pode criar preços favoráveis; em outros, a escassez pode fazer que os preços sejam exorbitantes.

---

[1] Como será visto mais adiante, as bolsas em que os operadores se encontram fisicamente, realizando pregão de viva voz, estão sendo substituídas aceleradamente por bolsas eletrônicas.

Diante dessa situação, faz bastante sentido, para o fazendeiro e a companhia, marcarem um encontro em abril (ou até mais cedo) e acertarem o preço para a produção que será colhida em junho. Em outras palavras, é sensato, para esses dois agentes de mercado, a negociação de um tipo de contrato futuro, que proporcionará um meio de eliminar o risco ao qual estão expostos por conta da incerteza do preço futuro do grão.

No entanto, deve-se indagar o que ocorre com o abastecimento de grãos da companhia durante o restante do ano. Terminada a época da colheita, o produto será estocado até a próxima estação. Ao decidir pelo armazenamento, a companhia não incorre em risco de preço, mas arcará com os custos da estocagem. Se o produtor ou qualquer outra pessoa armazenar o grão, tanto a companhia quanto o armazenador assumirão os riscos associados ao preço futuro desse ativo, novamente surgindo espaço para que os contratos futuros entrem em cena.

Chicago Board of Trade

A Chicago Board of Trade (CBOT) foi fundada em 1848 com a finalidade de permitir que produtores e comerciantes se encontrassem. Inicialmente, sua principal função era padronizar as quantidades e as qualidades dos grãos negociados. Em poucos anos, o primeiro contrato futuro foi desenvolvido, sendo denominado *contrato to-arrive* [mercadoria a entregar]. Especuladores logo ficaram interessados no contrato e encontraram nesse produto alternativa atrativa à negociação do grão em si. A CBOT oferece, atualmente, contratos futuros referenciados em diversos ativos, denominados ativos subjacentes, que incluem: milho, aveia, soja, farelo de soja, óleo de soja, trigo, bônus e notas do Tesouro norte-americano.

Chicago Mercantile Exchange

Em 1874, a Chicago Produce Exchange foi constituída, oferecendo mercado para manteiga, ovos, aves e outros produtos agrícolas perecíveis. Em 1898, os comerciantes de manteiga e ovos se retiraram dessa bolsa para formar a Chicago Butter and Egg Board. Em 1919, esta última passou a ter novo nome – Chicago Mercantile Exchange (CME) – sendo reorganizada para negociação de contratos futuros. Desde então, tem oferecido mercados futuros para muitas commodities, incluindo barriga de porco[N.T.] (1961), boi gordo (1964), suíno vivo (1966) e bezerro (1971). Em 1982, introduziu o contrato futuro de índice de ações Standard & Poor´s (S&P) 500.

A Chicago Mercantile Exchange começou negociar contratos futuros de moedas estrangeiras em 1972. Os futuros de moedas, ali transacionados, incluem a libra britânica, o dólar canadense, o iene japonês, o franco suíço, o marco alemão, o dólar australiano, o

---

[N.T.] Este contrato futuro, negociado na CME, refere-se à parte da barriga do porco utilizada para fazer bacon.

peso mexicano, o real brasileiro, o rand da África do Sul, o dólar da Nova Zelândia, o rublo russo e o euro. Essa bolsa também negocia o conhecido contrato futuro de eurodólar.

Negociação eletrônica

Tradicionalmente, contratos futuros têm sido negociados em sistemas de *pregão de viva voz*. Esse meio envolve o encontro físico dos operadores no recinto de negociações de uma bolsa usando complicado conjunto de sinais de mãos, para indicar os negócios que gostariam de executar. Esse sistema é usado pela Chicago Board of Trade e pela Chicago Mercantile Exchange durante o horário regular de negociação. Em anos recentes, outras bolsas substituíram o pregão de viva voz pela *negociação eletrônica*. Nesse mecanismo, os operadores inserem as requisições de negócios em um terminal e um computador central se encarrega de fazer a combinação entre compradores e vendedores. Os dois sistemas possuem defensores, mas há poucas dúvidas de que, com o tempo, todas as bolsas estarão utilizando a negociação eletrônica.

1.3 MERCADO DE BALCÃO

Nem todos os negócios são realizados no recinto das bolsas. Outro segmento, conhecido como *mercado de balcão*, é importante alternativa. Trata-se de um conjunto de *dealers*, conectados por telefones e redes computadorizadas, que não se encontram fisicamente. Os negócios são feitos por telefone entre duas instituições financeiras ou entre uma instituição financeira e um de seus clientes corporativos. É comum que tais empresas atuem como *market makers* para a maioria dos instrumentos negociados. Isso significa que estão sempre preparados para cotar os preços de compra e de venda.

As conversas telefônicas no mercado de balcão são, em geral, gravadas. Se houver controvérsia sobre o que foi acordado, utilizam-se as gravações a fim de resolver a questão. O número de negócios, em regra, é muito maior em relação ao realizado em bolsa. A grande vantagem consiste no fato de os termos do contrato não precisarem ter a mesma padronização que o contrato negociado em bolsa. Seus participantes podem negociar, livremente, os itens do contrato. A desvantagem é que, usualmente, há o risco de crédito (ou seja, existe pequeno risco de que o contrato não seja honrado). Como será visto no capítulo seguinte, as bolsas se organizaram de maneira a eliminar esse tipo de problema.

1.4 CONTRATOS A TERMO

O contrato a termo é similar ao futuro no que diz respeito à existência de compromisso para comprar e vender um ativo por determinado preço e em certa data futura. Entretanto, enquanto este primeiro contrato é negociado no mercado de balcão, o segundo é transacionado em bolsa.

Contratos a termo de moedas estrangeiras são bastante conhecidos. A maioria dos grandes bancos tem uma mesa de operações, específica para negociação de contratos a termo, em sua sala de operações de moedas estrangeiras. A Tabela 1.1 mostra as cotações da taxa de câmbio entre a libra esterlina (GBP) e o dólar norte-americano (US$) que poderiam ter sido utilizadas por um grande banco internacional no dia 19 de junho de 2000. A cotação expressa a quantidade de dólares por libra. A primeira indica que o banco está disposto a comprar libras no mercado a vista (para entrega imediata) à taxa de US$1,5118 por GBP e vender a US$1,5122 por GBP. A segunda cotação mostra que o banco aceita comprar a moeda inglesa, para entrega em um mês, a US$1,5127 por GBP e vender libras, também para entrega em um mês, a US$1,5132 por GBP. Já a terceira cotação indica que o banco se dispõe a comprar essa moeda, para entrega em três meses, a US$1,5144 por GBP e a vender a US$1,5149 por GBP, e assim sucessivamente.

Essas cotações são relativas a transações caracterizadas pela elevada quantidade de capital envolvida (ao viajar para o exterior, é possível observar que os clientes, ao comprar moeda estrangeira no varejo, encontram *spreads* entre compra e venda bem maiores que aqueles mostrados na Tabela 1.1). Depois de analisar as cotações na Tabela 1.1, uma grande companhia poderia concordar em vender £100 milhões para entrega em seis meses por US$151,72 milhões ao banco, como parte do seu programa de *hedge*.

Tabela 1.1 – Cotações a vista e a termo para a taxa de câmbio US$/GBP em 19/6/2000

	Preço de compra	Preço de venda
Mercado a vista	1,5118	1,5122
Mercado a termo – 1 mês para o vencimento	1,5127	1,5132
Mercado a termo – 3 meses para o vencimento	1,5144	1,5149
Mercado a termo – 6 meses para o vencimento	1,5172	1,5178

Nota: GBP = libra esterlina; US$ = dólar norte-americano.

Nos capítulos 2 e 3, encontram-se mais informações acerca dos mercados a termo e como os preços são determinados.

1.5 CONTRATOS DE OPÇÕES

Existem dois tipos básicos de opções: *opções de compra* [*calls*] e *opções de venda* [*puts*]. Uma opção de compra dá a seu detentor (chamado de titular da opção) o direito de comprar um ativo por certo preço em determinada data. Na opção de venda, o titular adquire o direito de vender o ativo por certo preço em determinada data. O preço acordado no contrato é conhecido como *preço de exercício* [*strike price*] e a data é chamada de *data de vencimento*, *de exercício* ou *de maturidade*. A *opção do tipo europeu* pode ser exercida apenas na data de seu vencimento; já a *opção do tipo americano* pode ser exercida a qualquer instante até seu vencimento.

Deve-se enfatizar que uma opção garante ao titular um direito, não sendo necessário que esse direito seja exercido. Esse fato distingue as opções dos contratos futuros (ou a termo). O detentor de posição comprada em futuros tem o compromisso de comprar o ativo a certo preço em determinada data no futuro. Por outro lado, o titular das opções de compra possui o direito de comprar o ativo a certo preço em determinada data no futuro. Não há custo para se posicionar em contrato futuro (exceto os custos relativos à margem de garantia, que serão discutidos no Capítulo 2). Em contraste, o investidor, que deseja ser detentor de uma opção, precisa pagar um preço pelo direito de compra ou de venda.

A maior bolsa de negociação de opções sobre ações é a Chicago Board Options Exchange-CBOE (www.cboe.com). A Tabela 1.2 fornece os preços de algumas opções do tipo americano para a Cisco em 8 de maio de 2000, com base em informações divulgadas pelo *Wall Street Journal*. Os preços de exercício são de US$50, US$65 e US$80. Os vencimentos dos contratos ocorrerão em julho e outubro de 2000, sendo possível observar que, na opção de julho, existem dois meses para o vencimento, enquanto, para a opção de outubro, faltam cinco meses. Nesse dia, o preço da ação da Cisco no mercado a vista fechou em 62 ¾[2]. Suponha que o investidor instrua seu corretor para a compra de uma *call* da Cisco, com vencimento em julho, ao preço de exercício de US$65. O corretor irá retransmitir a ordem para um operador na CBOE, o qual tentará encontrar outro operador que queira vender o contrato de opção da Cisco com o mesmo preço de exercício e vencimento. Feito isso, as duas partes negociarão o preço da opção, fechando, assim, o negócio. Assume-se que o preço acordado para a compra da *call* seja de US$7, conforme indicado na Tabela 1.2. Nos Estados Unidos, o contrato de opção sobre ações garante o direito de comprar ou vender 100 ações. Conseqüentemente, o investidor deve providenciar US$700 para remeter, por intermédio do corretor, à bolsa que, por sua vez, repassará esse valor à contraparte da transação.

No exemplo, o investidor adquiriu o direito de comprar 100 ações da Cisco por US$65 cada uma, ao custo de US$700. A contraparte da transação recebeu US$700 e concordou em vender 100 ações da Cisco por US$65, caso o investidor decida exercer a opção. Se o preço da ação dessa empresa não ultrapassar US$65 nos próximos dois meses, a opção não será exercida e o investidor perderá os US$700. Porém, se o preço da ação da Cisco superar o patamar citado, sendo a opção exercida quando a cotação atingir US$90, o investidor comprará 100 ações a US$65 cada, quando na verdade valem US$90 cada. Isso proporcionará ganho de US$2.500, ou US$1.800 ao levar em conta o custo de aquisição desses contratos.

---

[2] Nota-se que o uso de decimais foi introduzido nos Estados Unidos para preços de ação e preços de opções sobre ações no segundo semestre de 2000. Veja a Tabela 7.3 para observar algumas cotações em decimais.

Outros detalhes sobre a operação com opções e como os preços são determinados pelos operadores serão discutidos em capítulos posteriores. Nesse ponto, é importante notar que existem quatro tipos de participantes desse mercado:

- compradores de opções de compra;
- vendedores de opções de compra;
- compradores de opções de venda;
- vendedores de opções de venda.

Tabela 1.2 – Preços das opções da Cisco em 8/5/2000

	Opções de compra (*calls*)		Opções de venda (*puts*)	
Preço de exercício (US$)	Julho	Outubro	Julho	Outubro
50	$16^{7/8}$	$18^{7/8}$	$2^{11/16}$	$4^{5/8}$
65	7	$10^{7/8}$	$8^{1/4}$	$10^{5/8}$
80	2	5	$17^{1/2}$	$19^{1/2}$

Nota: cotação no mercado a vista igual a $62^{3/4}$.

Os compradores das opções possuem posições denominadas *long*. Já os vendedores detêm posições chamadas de *short*. A venda de opção é também conhecida como o *lançamento de opção*.

1.6 HISTÓRIA DOS MERCADOS DE OPÇÕES

Os primeiros negócios, envolvendo *puts* e *calls*, começaram na Europa e nos Estados Unidos no século XVIII. Nos primeiros anos, o mercado adquiriu má fama devido a certas práticas antiéticas. Uma delas refere-se a casos em que corretores recebiam opções sobre determinadas ações para que estas fossem recomendadas a seus clientes.

Associação de corretores e negociadores de opções de compra e de venda

No início do século XX, um grupo de corretoras criou a Put and Call Brokers and Dealers Association [Associação de Corretores e Negociadores de Opções de Compra e Venda]. O objetivo era desenvolver mecanismos para que compradores e vendedores de opções se encontrassem. Investidores que quisessem comprar opções procurariam uma corretora da associação. Esta, por sua vez, tentaria encontrar um vendedor ou lançador da opção entre seus próprios clientes ou de outras associadas. Se nenhum vendedor fosse encontrado, a corretora poderia lançar a opção em seu nome, por preço considerado apropriado.

O mercado de opções da Associação apresentou duas deficiências. A primeira delas consistia no fato de não existir mercado secundário. Assim, o comprador de opção não tinha o direito de revendê-la para uma terceira parte antes de seu vencimento.

O segundo problema era a inexistência de instrumentos que garantissem que o lançador da opção honrasse seu contrato. Se esse agente não cumprisse o acordo, quando a opção fosse exercida, ao comprador restaria recorrer aos tribunais, arcando com os custos.

Formação das bolsas de opções

Em abril de 1973, a Chicago Board of Trade criou a Chicago Board Options Exchange, especificamente com o objetivo de negociar opções sobre ações. Desde então, os mercados de opções se tornaram cada vez mais populares entre os investidores. A American Stock Exchange (www.amex.com) e a Philadelphia Stock Exchange (www.phlx.com) começaram a negociar opções em 1975. A Pacific Exchange (www.pacificex.com) fez o mesmo em 1976. No início da década de 1980, o volume de negócios com opções tinha crescido tão rapidamente que o número de ações, objeto dos contratos de opções negociados a cada dia, excedia o montante de transações diárias observado no mercado físico da Bolsa de Nova Iorque.

Nos anos de 1980, desenvolveram-se, nos Estados Unidos, mercados de opções sobre taxas de câmbio, índices de ações e contratos futuros. A Philadelphia Stock Exchange foi a primeira a negociar opções de moedas estrangeiras. A Chicago Board Options Exchange (CBOE) negocia opções sobre o índice de ações S&P 100 (OEX), S&P 500 (SPX), Nasdaq 100 (NDX) e Dow Jones Industrial Average (DJX). Atualmente, a maioria das bolsas, que oferece contratos futuros, também dispõe para negociação contratos de opções referenciados sobre estes primeiros. Dessa forma, na Chicago Board of Trade, existem opções sobre futuro de milho; na Chicago Mercantile Exchange, opções sobre futuro de boi gordo; e assim por diante. Observa-se, portanto, que as bolsas de opções existem em todo o mundo (veja tabela no final deste livro).

Mercado de balcão para opções

O mercado de balcão para opções tem crescido de forma muito rápida desde o início dos anos de 1980. Nos dias atuais, chega a superar o volume de opções negociado nas bolsas. A vantagem das opções de balcão está no fato de existir a possibilidade de serem montadas de forma a atender as necessidades específicas de tesoureiros de companhias ou de administradores de fundos. Por exemplo, o tesoureiro, que deseja uma *call* do tipo europeu, para garantir o direito de comprar £1,6 milhão à taxa de câmbio de US$1,5125 por libra, não irá encontrar exatamente esse produto em uma bolsa. Entretanto, é provável que muitos bancos de investimento se interessem em cotar a opção que o tesoureiro precisa no mercado de balcão.

1.7 TIPOS DE OPERADORES

Os mercados futuros, de opções e a termo têm obtido sucesso notável. Isso se explica pelo fato de atraírem muitos e diferentes tipos de operadores e pela elevada liquidez de suas negociações. Quando o investidor deseja se posicionar na ponta de um contrato, não há grandes dificuldades em encontrar a contraparte para a realização do negócio.

Três categorias de operadores podem ser identificadas: *hedgers*, especuladores e arbitradores. Os *hedgers* usam os mercados futuros, a termo e de opções para reduzir a exposição ao risco de oscilações de uma variável de mercado em período futuro. Especuladores empregam esses contratos para apostar em determinada direção dessa variável. Arbitradores tomam posições em dois ou mais instrumentos com o objetivo de travar ganhos. Nas próximas seções, discutem-se detalhadamente as atividades de cada um desses tipos de operador.

1.8 *HEDGERS*

Nesta seção, exemplifica-se o modo como os *hedgers* podem reduzir seus riscos ao utilizar contratos a termo e de opções.

Exemplo de *hedge* com contratos a termo

Suponha que no dia 19 de junho de 2000 a ImportCo, companhia sediada nos Estados Unidos, tenha conhecimento de que deverá pagar £10 milhões no dia 19 de setembro daquele ano, devido à importação de bens de um fornecedor britânico. As cotações da taxa de câmbio US$/GBP, feitas por uma instituição financeira, podem ser analisadas na Tabela 1.1. A ImportCo poderia *hedgear* seu risco por meio da compra de libras da instituição financeira para três meses adiante, em um contrato a termo ao preço de 1,5149. Essa operação teria o efeito de fixar o preço a ser pago para o exportador britânico a US$15.149.000.

Considere outra companhia norte-americana, denominada ExportCo, que exporta bens para o Reino Unido. Em 19 de junho de 2000, a empresa sabe que receberá £30 milhões daqui exatamente três meses. A ExportCo pode realizar o *hedge* de seu risco em moeda estrangeira por meio da venda de um contrato a termo para três meses de £30 milhões à taxa de câmbio de 1,5144. Isso possibilitaria travar o valor em dólares a ser recebido pela venda das libras em US$45.4322.000.

A Tabela 1.3 sintetiza as estratégias de *hedge* das duas empresas. Note-se que é possível obter melhor desempenho ao não realizar a operação, porém podem existir situações que levem a resultados desfavoráveis. Veja o caso da ImportCo. Se, no dia 19 de setembro, a taxa de câmbio for igual a 1,5000 e a companhia não tiver realizado o *hedge*, os £10 milhões, a serem pagos, custarão US$15 milhões, valor inferior a US$15.149.000. Por outro lado, se a taxa de câmbio for igual a 1,6000, os £10 milhões irão equivaler a US$16 milhões. Nessa última situação, a companhia se arrependerá de não ter feito *hedge*. A posição da ExportCo, no caso de não-realização dessa estratégia, é contrária. Se a taxa de câmbio em setembro for menor que 1,5144, a companhia preferirá fazer *hedge*; se for maior que 1,5144, ficará satisfeita se não tiver realizado a operação.

Tabela 1.3 – Estratégia de *hedge* com contratos a termo

Da mesa de operações do corretor – 19/6/2000
A empresa ImportCo deve pagar £10 milhões em 19/9/2000 por bens comprados do Reino Unido. A ExportCo receberá £30 milhões em 19/9/2000 de um cliente do Reino Unido. As cotações na Tabela 1.1 indicam que a libra para três meses pode ser vendida a US$1,5144/GBP e comprada a US$1,5149/GBP.

Estratégia de *hedge* da ImportCo
Comprar £10 milhões a termo, para vencimento em três meses, com o objetivo de travar a taxa de câmbio de 1,5149 pela libra a ser paga.

Estratégia de *hedge* da ExportCo
Vender £30 milhões a termo, para vencimento em três meses, com o objetivo de travar a taxa de câmbio de 1,5144 pela libra a ser recebida.

Esse exemplo ilustra aspecto importante do *hedge*. O preço a ser pago ou recebido pelo ativo subjacente é assegurado. Entretanto, não há segurança de que a realização da operação garanta resultado melhor em relação à situação em que o *hedge* não é feito.

Exemplo de *hedge* com opções

As opções também podem ser utilizadas em operações de *hedge*. Considere o investidor que possui 1.000 ações da Microsoft, em maio de 2000, sendo o preço unitário atual desse papel igual a US$73. O investidor está preocupado com a possibilidade de que o desenrolar dos acontecimentos, envolvendo o caso de ações antitruste contra a Microsoft, possa levar à forte queda no preço desses títulos nos próximos dois meses. Portanto, deseja proteger-se. Para tanto, poderia comprar 10 opções de venda (*puts*), para vencimento em julho, na Chicago Board Options Exchange. Isso garantirá o direito de vender o total de 1.000 ações pelo preço de exercício de US$65. Se a opção estiver cotada a US$2,50, cada contrato custará 100 × US$2,50 = US$250. O custo total da estratégia de *hedge* será 10 × US$250 = US$2.500.

A operação, sintetizada na Tabela 1.4, possui custo de US$2.500, porém garante que cada ação seja vendida por, pelo menos, US$65 até o vencimento da opção. Se o preço de mercado da Microsoft atingir valores inferiores a US$65, as opções poderão ser exercidas de forma que seja obtido o montante de US$65.000 ao se levar em conta toda a posição. Considerando-se o custo da compra das opções, a receita passa a ser de US$62.500. Caso o preço de mercado do título fique acima de US$65, as opções não serão exercidas e não valerão nada em seu vencimento. Entretanto, nesse caso, o valor da posição sempre será superior a US$65.000 (ou acima de US$62.500, quando o custo das opções for contabilizado).

Comparação de resultados

Na comparação entre as Tabelas 1.3 e 1.4, é possível notar diferença fundamental entre o uso de contratos a termo e contratos de opções para a realização de operações de *hedge*. Os contratos a termo são designados para neutralizar o risco, fixando o preço que o *hedger* pagará ou receberá pelo ativo subjacente. Os contratos de opções, ao contrário, proporcionam um seguro ao investidor, pois, além de oferecer proteção contra os movimentos adversos dos preços no futuro, permite que se beneficie com as oscilações favoráveis das cotações. Diferentemente dos contratos a termo, as opções envolvem pagamento antecipado de um valor.

Tabela 1.4 – Estratégia de *hedge* com opções

Da mesa de operações – maio de 2000
O investidor possui 1.000 ações da Microsoft e deseja proteger-se contra possível queda no preço desses títulos nos próximos dois meses. As seguintes cotações foram obtidas:

- preço atual da ação da Microsoft: US$73;
- preço da opção de venda da ação da Microsoft: US$2,50.

Estratégia do investidor
O investidor compra 10 contratos de opções de venda por 10 × 100 × US$2,50 = US$2.500.

Resultado
O investidor tem o direito de vender as 1.000 ações por, pelo menos, 1.000 × US$65 = US$65.000 durante os próximos dois meses.

1.9 ESPECULADORES

Analisa-se, agora, como os mercados futuros e de opções podem ser utilizados pelos especuladores. Enquanto os *hedgers* desejam evitar exposição a movimentos adversos no preço de um ativo, os especuladores buscam ficar posicionados no mercado, apostando em alta ou queda de preços.

Exemplo de especulação com contratos futuros

Considere um especulador norte-americano que, em fevereiro, acredita que a libra esterlina será valorizada frente ao dólar norte-americano nos próximos dois meses, estando, assim, preparado para assumir o risco de sua expectativa no valor de £250.000. A alternativa para esse agente consiste na compra de £250.000, na esperança de poder vender tal montante futuramente, obtendo lucro. Uma vez comprada a moeda, esta seria mantida em depósito rendendo juros. Outra possibilidade seria assumir uma posição longa (comprada) em quatro contratos futuros de libra, com vencimento em abril, na CME (a unidade de negociação de cada contrato é igual a £62.500). A Tabela 1.5 resume as duas alternativas, assumindo que a taxa de câmbio corrente seja 1,6470 e o preço do futuro de abril igual a 1,6410. Se a taxa de câmbio atingir 1,7000 em abril, a compra dos contratos futuros permitirá ao especulador realizar lucro de (1,7000 – 1,6410) × 250.000 = US$14.750. Por outro lado, a operação no mercado a vista implica a compra do ativo a 1,6470 em fevereiro e sua venda a 1,7000 em abril, resultando em ganho de (1,7000 – 1,6470) × 250.000 = US$13.250. Se a taxa de câmbio cair para US$1,6000, a operação com futuros resultará em perda de (1,6410 – 1,6000) × 250.000 = US$10.250, enquanto a estratégia no mercado a vista gerará prejuízo igual a (1,6470 – 1,6000) × 250.000 = US$11.750. As alternativas parecem produzir lucros e perdas pouco diferentes. No entanto, tais cálculos não levam em conta os juros recebidos e pagos no período. No Capítulo 3, será demonstrado que, quando são considerados os juros obtidos na libra e os juros pagos no dólar, o lucro ou a perda é exatamente o mesmo em ambas alternativas.

Tabela 1.5 – Especulação com contratos futuros

Da mesa de operações – fevereiro

O investidor imagina que a libra esterlina será valorizada frente ao dólar norte-americano nos próximos dois meses e gostaria de tomar posição especulativa. As seguintes cotações foram obtidas:

- taxa de câmbio corrente: 1,6470;
- preço futuro para abril: 1,6410.

Estratégias alternativas

- Comprar £250.000 por US$411.750, depositá-las em conta que renda juros por dois meses e esperar que sejam vendidas com lucro ao final do período.
- Tomar uma posição *long* (comprada) em quatro contratos futuros com vencimento em abril. Essa operação faz que o investidor assuma o compromisso de comprar £250.000 por US$410.250 em abril. Se a taxa de câmbio, no final dos próximos dois meses, ficar acima de 1,6410, o investidor terá lucro.

Resultados possíveis

- A taxa de câmbio atinge, em abril, 1,7000. O investidor receberá US$13.250 com a primeira estratégia e US$14.750 com a segunda.
- A taxa de câmbio atinge, em abril, 1,6000. O investidor terá perda de US$11.750 ao realizar a primeira estratégia e de US$10.250 ao utilizar a segunda.

Qual a diferença entre as duas alternativas? A primeira, que consiste em comprar libras no mercado a vista, requer investimento inicial de US$411.750. Já a segunda requer apenas pequeno desembolso de caixa – talvez US$25.000 – a ser depositado pelo especulador como margem de garantia. O mercado futuro permite ao agente obter alavancagem. Com desembolso inicial relativamente pequeno, o investidor pode tomar grandes posições especulativas.

Exemplo de especulação com opções

Apresenta-se, agora, exemplo no qual o especulador utiliza contratos de opções. Suponha que, em outubro, esse agente de mercado considere que o preço da ação da

Amazon.com subirá nos próximos dois meses. A cotação atual da ação é US$40 e a opção de compra, com vencimento em dezembro e preço de exercício de US$45, está sendo negociada a US$2. A Tabela 1.6 ilustra essas duas alternativas, assumindo que o especulador possui interesse em investir US$4.000. A primeira envolve a compra de 100 ações, já a segunda baseia-se na compra de 2.000 *calls* (ou seja, 20 contratos de opções de compra).

Considere que a expectativa do especulador se confirme e o preço da ação Amazon.com aumente para US$70 em dezembro. Com isso, a primeira alternativa, a compra dos papéis, produzirá um lucro de:

$$100 \times (\text{US\$}70 - \text{US\$}40) = \text{US\$}3.000$$

Entretanto, a segunda estratégia é muito mais lucrativa. A opção de compra da Amazon.com, com preço de exercício de US$45, gera lucro de US$25, pois permite que a ação, cujo valor é igual a US$70, seja comprada por US$45. Levando-se em conta as 2.000 opções negociadas, o ganho total atinge:

$$2.000 \times \text{US\$}25 = \text{US\$}50.000$$

Subtraindo-se o custo original das opções, o lucro líquido passa a ser:

$$\text{US\$}50.000 - \text{US\$}4.000 = \text{US\$}46.000$$

Tabela 1.6 – Especulação com opções

Da mesa de operações – setembro

O especulador, com US$4.000 para investir, possui a expectativa de que o preço da Amazon.com aumentará nos próximos dois meses. Foram obtidas as seguintes cotações:

- preço atual da ação: US$40;
- preço da *call* da Amazon.com, com preço de exercício de US$45: US$2.

Estratégias alternativas

- Comprar 100 ações da Amazon.com.
- Comprar 2.000 *calls* da Amazon.com (ou 20 contratos de opções de compra) com vencimento em dezembro e preço de exercício de US$45.
  O custo das duas alternativas é US$4.000.

Resultados possíveis

- O preço da ação da Amazon.com sobe, em dezembro, para US$70. O investidor obtém ganho de US$3.000 com a primeira estratégia e de US$46.000 com a segunda.
- O preço da ação da Amazon.com cai, em dezembro, para US$30. O investidor perde US$1.000 com a primeira estratégia e US$4.000 com a segunda.

A estratégia com opções é, portanto, 15 vezes mais lucrativa que a operação que envolve a compra das ações.

As opções também podem levar a perdas substancialmente maiores. Suponha que o preço das ações sofra queda, chegando a US$30 em dezembro. A primeira alternativa, a compra do lote de ações, iria gerar prejuízo de:

$$100 \times (\text{US\$}40 - \text{US\$}30) = \text{US\$}1.000$$

Pelo fato de as opções vencerem sem serem exercidas, a segunda estratégia levaria à perda de US$4.000 – que corresponde ao valor original pago pelos contratos. Esses resultados estão na Tabela 1.7.

Tabela 1.7 – Comparação entre lucros (perdas) de duas estratégias alternativas

Estratégia do investidor	Preço da ação em dezembro	
	US$30	**US$70**
Compra de ações	(US$1.000)	US$3.000
Compra de *calls*	(US$4.000)	US$46.000

Nota: foram utilizados US$4.000 para especulação com ações da Amazon.com em outubro.

Na Tabela 1.7, fica claro que as operações com opções, assim como com futuros, proporcionam meio de alavancagem. Para determinado investimento, o uso das opções pode ampliar os resultados – os bons resultados podem se tornar ótimos, mas os maus tendem a ficar piores!

Comparação de resultados

Tanto os contratos futuros, como os de opções, são instrumentos semelhantes para os especuladores, pois ambos oferecem uma maneira de obter um tipo de alavancagem. Porém, existe importante diferença entre os dois. No exemplo com futuros, citado na Tabela 1.5, a perda potencial do especulador, assim como seu ganho potencial, é muito grande. Já no exemplo com opções, visto na Tabela 1.4, não interessa quão ruim a situação fique, a perda potencial desse agente é limitada a US$4.000.

1.10 ARBITRADORES

Os arbitradores formam o terceiro grupo de participantes dos mercados futuros, a termo e de opções. A arbitragem consiste em operação na qual o lucro é travado sem risco, ao serem feitas transações simultâneas em dois ou mais mercados. Nos próximos capítulos, trata-se de como uma arbitragem é possível de ser realizada quando o preço futuro do ativo perde a paridade com seu preço a vista. Analisa-se também como essa estratégia pode ser empregada no mercado de opções. Nesta seção, explica-se o conceito de arbitragem com exemplo bastante simples.

Considere uma ação negociada na New York Stock Exchange (www.nyse.com) e na London Stock Exchange (www.stockex.com.uk). Suponha que seu preço seja de US$172 em Nova Iorque e £100 em Londres, sendo a taxa de câmbio igual a US$1,7500 por libra. O arbitrador pode, simultaneamente, comprar 100 ações em Nova Iorque e vendê-las em Londres de forma a obter lucro sem risco de:

$$100 \times [(\text{US\$}1{,}75 \times 100) - \text{US\$}172]$$

Ou seja, o lucro, sem considerar os custos operacionais, será igual a US$300. A Tabela 1.8 resume tal estratégia. Os custos dessa transação provavelmente eliminariam o lucro do pequeno investidor. Entretanto, uma grande instituição financeira teria custos operacionais bastante baixos tanto no mercado de ações, como no mercado de moedas. Com isso, essa oportunidade de arbitragem seria considerada altamente atrativa, o que a levaria a tirar a máxima vantagem possível.

As oportunidades de arbitragem, tal como a descrita, não podem durar muito tempo. Caso arbitradores comprem ações em Nova Iorque, as forças de oferta e demanda irão elevar o preço da ação em dólar. Igualmente, ao venderem as ações em Londres, o preço em libras cairá. De forma bastante rápida, os dois preços irão tornar-se equivalentes, devido à taxa de câmbio corrente. Certamente, a existência de arbitradores ávidos por lucro torna pouco provável que exista grande diferença entre os preços da ação em libras e em dólares. A partir desse exemplo, é possível notar que, com a existência desses agentes, na prática, somente pequenas situações de arbitragem serão observadas a partir de preços cotados na maior parte dos mercados financeiros. Neste livro, grande parte das discussões relativas a preços futuros, preços a termo e valores das opções estará baseada na hipótese de que não existem oportunidades de arbitragem.

Tabela 1.8 – Arbitragem

Da mesa de operações

A ação é negociada na New York Stock Exchange e na London Stock Exchange. Foram obtidas as seguintes cotações:

- New York Stock Exchange: US$172 por ação;
- London Stock Exchange: £100 por ação.
  O valor da libra é de US$1,7500.

Estratégia do arbitrador

- Comprar 100 ações em Nova Iorque.
- Vender as ações em Londres.
- Converter a receita da venda de libras para dólares.

Lucro

$100 \times [(\text{US\$}1{,}75 \times 100) - \text{US\$}172] = \text{US\$}300$

1.11 SUMÁRIO

Neste capítulo, fez-se a primeira análise dos mercados futuros, a termo e de opções. Os contratos futuros e a termo são acordos de compra ou venda de um ativo em determinado período futuro por certo preço. Os contratos futuros são negociados em bolsas, enquanto os contratos a termo são transacionados em mercados de balcão. Existem dois tipos de opções: opções de compra (*calls*) e opções de venda (*puts*). A *call* confere ao seu detentor o direito de comprar o ativo em determinada data a certo preço. A *put* garante ao titular o direito de vender o ativo por certo preço em determinada data. Os contratos de opções podem ser negociados tanto em bolsas, como no mercado de balcão.

Os mercados futuros, a termo e de opções vêm obtendo várias inovações de grande êxito. Os três principais participantes desses mercados podem ser identificados como: *hedgers*, especuladores e arbitradores. Os *hedgers* são agentes negociadores que enfrentam o risco de preço de um ativo e, assim, buscam tais mercados para reduzir ou eliminar essa exposição. Os especuladores desejam apostar nas oscilações futuras do preço do ativo. Os contratos futuros, a termo e de opções podem proporcionar a alavancagem de suas posições, sendo possível elevar tanto o ganho como a perda do investimento. Os arbitradores realizam negócios para aproveitar a discrepância entre os preços de dois mercados diferentes. Se, por exemplo, perceberem que o preço futuro do ativo não estiver em sintonia com o seu preço a vista, posições serão tomadas nos dois mercados a fim de travar lucro.

PERGUNTAS RÁPIDAS (RESPOSTAS NO FINAL DO LIVRO)

1.1 Qual a diferença entre posição *long* e posição *short* em futuros?

1.2 Explique detalhadamente a diferença entre (a) *hedging*, (b) especulação e (c) arbitragem.

1.3 Qual a diferença entre (a) entrar em posição longa em futuros quando o preço for US$50 e (b) tomar posição longa na opção de compra quando o preço de exercício for US$50?

1.4 O investidor entra em posição *short* no contrato a termo, vendendo £100.000 por US$1,5000 por libra. Quanto ele ganha ou perde se a taxa de câmbio no fim do contrato for (a) 1,4900 ou (b) 1,5200?

1.5 Suponha que você tenha lançado uma *put* da AOL Time Warner com preço de exercício de US$40 e vencimento de três meses. O preço a vista desse contrato é US$41. Que compromisso você assumiu? Quanto você pode ganhar ou perder?

1.6 Você gostaria de especular no aumento de preço de determinada ação. O preço a vista é US$29 e a opção de compra para vencimento em três meses com preço de exercício de US$30 custa US$2,90. Você tem US$5.800 para investir. Identifique duas estratégias alternativas. Descreva de maneira resumida vantagens e desvantagens de cada uma.

1.7 Suponha que você possua 5.000 ações que valem US$25 cada. Como as opções de venda podem ser utilizadas para lhe dar um seguro contra queda no valor de seu ativo durante os próximos quatro meses?

QUESTÕES E PROBLEMAS (RESPOSTAS NO MANUAL DE SOLUÇÕES)

1.8 A emissão de uma ação proporciona fundos para uma companhia. Pode-se dizer o mesmo do lançamento de opção? Discuta.

1.9 Explique por que o contrato futuro pode ser usado tanto para especulação quanto para *hedging*.

1.10 O criador de gado espera ter 120.000 libras-peso de boi gordo para vender em três meses. O contrato de boi gordo na Chicago Mercantile Exchange estabelece a entrega de 40.000 libras-peso de boi. O criador pode usar o contrato para *hedge*? Do ponto de vista do criador, quais os prós e os contras do *hedging*?

1.11 Suponha que seja julho de 2001. A companhia mineradora acabou de descobrir um pequeno depósito de ouro. A construção da mina durará cerca de seis meses. O ouro será extraído de forma mais ou menos contínua por um ano. Contratos futuros de ouro estão disponíveis na New York Commodity Exchange. Há vencimentos a cada dois meses de agosto de 2001 a dezembro de 2002. Cada contrato estabelece a entrega de 100 onças. Discuta como a companhia mineradora pode usar os mercados futuros para *hedging*.

1.12 Suponha que uma opção de compra para março com preço de exercício de US$50 custe US$2,50 e é mantida até março. Sob que circunstâncias o detentor dessa opção terá ganho? Sob que circunstâncias a opção será exercida?

1.13 Suponha que a opção de venda para junho com preço de exercício de US$60 custe US$4 e é mantida até junho. Sob que circunstâncias o detentor dessa opção terá ganho? Sob que circunstâncias a opção será exercida?

1.14 O investidor lança a opção de compra para setembro com preço de exercício de US$20. Está-se no mês de maio e o preço da ação é US$18 e o preço da opção é US$2. Descreva o fluxo de caixa do investidor sob a hipótese de manutenção da opção até setembro e preço da ação de US$25 nessa data.

1.15 O investidor lança a opção de venda para dezembro com preço de exercício de US$30. O preço da opção é US$4. Sob que circunstâncias o investidor terá lucro?

1.16 Discuta como opções em moedas estrangeiras podem ser usadas para *hedging* na situação descrita na Tabela 1.3. de tal forma que (a) a ImportCo esteja garantida de que a taxa de câmbio será menor que 1,53000 e (b) a ExportCo esteja garantida de que a taxa de câmbio será no mínimo 1,4900.

1.17 A Chicago Board of Trade oferece contrato futuro de bônus do Tesouro de longo prazo. Caracterize os prováveis usuários desse contrato.

1.18 O executivo de uma empresa aérea argumentou: "Não faz sentido usarmos futuro de petróleo. A chance de que, no futuro, o preço a vista seja menor que o preço futuro é a mesma de que o preço seja maior". Discuta o ponto de vista do executivo.

1.19 Opções e futuros são jogos de soma zero. O que você pensa dessa afirmação?

QUESTÕES DE PROVA

1.20 O preço do ouro é US$500 por onça. Contratos a termo para entrega em um ano estão disponíveis tanto para compra quanto para venda a US$700 por onça. O arbitrador pode tomar dinheiro emprestado à taxa de 10% ao ano. O que ele deve fazer? Assuma que o custo de custódia do ouro seja zero.

1.21 O preço a vista da ação é US$94 e as opções de três meses com preço de exercício de US$95 estão sendo negociadas a US$4,70. O investidor que acredita que o preço da ação vai aumentar está tentando decidir entre comprar 100 ações e comprar 2.000 opções de compra (20 contratos). Ambas as estratégias envolvem investimento de US$9.400. Que conselho você daria ao investidor? Quanto deve subir o preço da ação para que a estratégia de comprar a opção seja lucrativa?

1.22 Em 8 de maio, o investidor possui 100 ações da Cisco. Como indicado na Tabela 1.2, o preço da ação é US$$62^{3/4}$ e a opção de venda para vencimento em outubro, com preço de exercício de US$50, custa US$$4^{5/8}$. O investidor está comparando duas alternativas para limitar o risco de queda. A primeira envolve comprar uma opção de venda para outubro com preço de exercício de US$50. A segunda envolve instruir um corretor a vender as 100 ações tão logo o preço de Cisco atinja US$50. Discuta as vantagens e as desvantagens das duas estratégias.

Capítulo 2

MECÂNICA OPERACIONAL DOS MERCADOS FUTUROS E A TERMO

No Capítulo 1, explicou-se que tanto os contratos futuros quanto os contratos a termo consistem em acordos para comprar ou vender um ativo em data futura por certo preço. Os futuros são negociados em uma bolsa organizada e suas características são padronizadas. Já os contratos a termo são acordos privados entre duas instituições financeiras ou entre uma instituição financeira e um de seus clientes corporativos.

Este capítulo cobre os detalhes sobre o funcionamento dos mercados futuros. Examinam-se conceitos como especificação dos contratos, operação de contas de margem, organização das bolsas, regulação dos mercados, modo como as cotações são elaboradas e tratamento dos negócios para efeito de contabilidade e tributação. Além disso, analisam-se os contratos a termo e mostra-se a diferença entre o padrão dos pagamentos realizados por contratos futuros e a termo.

2.1 ENCERRAMENTO DAS POSIÇÕES FUTURAS

Como discutido no Capítulo 1, o contrato futuro é um acordo para comprar ou vender um ativo por certo preço em uma data futura. O leitor pode ficar surpreso ao saber que a grande maioria dos contratos futuros acaba por não ter entrega em seu vencimento. A razão disso é que a maioria dos investidores prefere encerrar suas posições antes do período de entrega especificado no contrato. Entregar ou receber sob os termos de um contrato futuro é, freqüentemente, inconveniente e, em alguns casos, bastante dispendioso. Isso pode ocorrer mesmo para o *hedger* que deseja comprar ou vender o ativo subjacente ao contrato futuro. Esse *hedger* em geral prefere fechar sua posição no mercado futuro e depois comprar ou vender o ativo pelo caminho a que está acostumado.

Fechar uma posição requer a realização de uma operação de natureza oposta à posição original. Por exemplo, o investidor que compra cinco contratos futuros de milho para julho, em 6 de maio, pode fechar sua posição em 20 de junho, vendendo (isto é, ficando *short*) cinco contratos de milho para julho. O investidor que vende cinco contratos para julho, em 6 de maio, pode fechar sua posição em 20 de junho, comprando cinco contratos para julho. Em qualquer caso, o ganho total do investidor é determinado pela variação no preço do contrato futuro entre 6 de maio e 20 de junho.

Embora a entrega seja incomum, utiliza-se parte deste capítulo para analisar os procedimentos de entrega nos contratos futuros. Isso se deve ao fato de que é a possibilidade de entrega final que amarra o preço futuro ao preço spot[1]. A compreensão dos mecanismos de entrega é essencial para o entendimento completo das relações entre preços spot e futuros.

2.2 ESPECIFICAÇÃO DO CONTRATO FUTURO

As principais bolsas que negociam contratos futuros estão listadas no fim deste livro. Quando desenvolve novo contrato, a bolsa deve especificar em detalhes a exata natureza do acordo entre as duas partes. Em particular, o ativo, o tamanho do contrato (exatamente a quantidade do ativo que deverá ser entregue por contrato) e onde e quando a entrega será realizada.

Para a qualidade do ativo e os locais de entrega, são especificadas algumas alternativas. Como regra geral, é a parte com posição *short* (a parte que assumiu o compromisso de vender o ativo) que escolhe entre as alternativas especificadas pela bolsa. Quando a parte com a posição *short* está pronta para entregar, preenche um *aviso de intenção de entrega* com a bolsa. Este indica as escolhas que foram feitas com relação à qualidade do ativo que será entregue e o respectivo local.

Ativo

Quando o ativo é uma commodity, pode haver bastante variação na qualidade dos estoques disponíveis no mercado. Quando o ativo é especificado, é importante que a bolsa estipule o tipo ou tipos da commodity que são aceitáveis para entrega. A New York Cotton Exchange especificou o ativo em seu contrato futuro de suco de laranja da seguinte forma: "padrão U.S. Grade A, com o mínimo de 57 graus de valor Brix, tendo razão entre o valor Brix e acidez não inferior a 13 por 1 nem superior a 19 por 1, com os fatores de cor e de sabor não inferiores a 37 pontos cada, com um mínimo de 19 pontos para defeitos, e com pontuação mínima total de 94 pontos" [N.T.].

A Chicago Mercantile Exchange em seu contrato futuro de tábuas de madeira sem comprimento padrão especificou o seguinte: "cada unidade de entrega consiste em tábuas de madeira de comprimento aleatório 2×4 (espessura × largura em polegadas) de 8 a 20 pés, tendo estampadas as qualidades *Construction and Standard*, *Standard and Better*,

---

[1] Como mencionado no Capítulo 1, preço spot é o preço para entrega quase imediata.

[N.T.] A concentração do suco de laranja é medida em graus Brix – medida de sólidos solúveis presentes no suco. O *ratio* ou a razão Brix/ácido cítrico é importante medida de qualidade do sabor do suco.

ou número 1 e número 2; entretanto, em nenhuma hipótese, a quantidade da qualidade Standard ou número 2 pode exceder 50%. Cada unidade de entrega deve ser manufaturada na Califórnia, Idaho, Montana, Nevada, Oregon, Washington, Wyoming, ou nas províncias canadenses de Alberta e Colúmbia Britânica, e conter tábua de madeira com qualidade estampada produzida de espécies de abetos e pinheiros conhecidos por: *alpine fir, Englemann spruce, hem-fir, lodgepole pine* e/ou *spruce pine fir*".

Para algumas commodities, uma série de tipos pode ser entregue, mas o preço a ser recebido depende do tipo escolhido. Por exemplo, na Chicago Board of Trade, o tipo especificado no contrato futuro de milho é o "número 2, amarelo", mas são permitidas trocas com o conseqüente ajustamento no preço por meio de uma fórmula estabelecida pela bolsa.

Os contratos futuros de ativos financeiros são geralmente bem definidos e sem ambigüidade. Por exemplo, não há necessidade de especificar o tipo de iene japonês. Entretanto, há características interessantes nos contratos futuros de bônus e de notas do Tesouro norte-americano negociados na Chicago Board of Trade. O ativo subjacente no contrato futuro de bônus do Tesouro refere-se a qualquer bônus de longo prazo do Tesouro norte-americano com maturidade maior que 15 anos e não *callable*[N.T.] dentro de 15 anos. No contrato futuro de notas do Tesouro, o ativo subjacente é a nota do Tesouro norte-americano com maturidade superior a 6,5 anos e inferior a 10 anos contados a partir da data da entrega. Em ambos os casos, a bolsa estabelece a fórmula para ajustar o preço recebido de acordo com o cupom e a data de vencimento do bônus. Esse aspecto será discutido no Capítulo 5.

Tamanho do contrato

O contrato especifica a quantidade do ativo a ser entregue. Esta é uma decisão importante para a bolsa. Se o tamanho do contrato for muito grande, muitos investidores, que desejam *hedgear* posições pequenas ou que querem assumir posições especulativas relativamente pequenas, ficarão impossibilitados de operar o contrato. Por outro lado, se o contrato for muito pequeno, a negociação será muito cara, posto que há custos associados a cada contrato negociado.

O tamanho correto de um contrato depende de seu provável usuário. O valor dos contratos futuros de produtos agrícolas varia de US$10.000 a US$20.000. Já os contratos futuros financeiros possuem valor bem maior. Por exemplo, o contrato futuro de bônus do Tesouro, negociado na Chicago Board of Trade, estabelece a entrega de títulos cujo valor de face é de US$100.000.

Em alguns casos, as bolsas lançaram contratos "minis" com o objetivo de atrair pequenos investidores. Por exemplo, o tamanho do contrato Mini Nasdaq 100 da bolsa

---

[N.T.] Um título não *callable* refere-se ao fato de este não ser resgatável antecipadamente por meio do exercício de uma opção de compra embutida no próprio título.

Chicago Mercantile Exchange é de 20 vezes o índice, enquanto o contrato normal é de 100 vezes o valor do índice.

Procedimentos de entrega

Os locais onde a entrega pode ser realizada devem ser especificados no contrato. Esse aspecto é de fundamental importância para commodities que envolvem custo de transporte significativo. No caso do contrato futuro de tábua de madeira sem comprimento padrão da Chicago Mercantile Exchange, o local de entrega foi especificado como se segue: "posto na ferrovia e deve também ser colocado em vagões cobertos de duas portas ou cada unidade deve ser individualmente embrulhada em papel e carregada em vagões-plataforma sem custo adicional para o comprador. A entrega deve ocorrer, em pares do tipo de abeto *hem-fir*, na Califórnia, Idaho, Montana, Nevada, Oregon e Washington e na província de Colúmbia Britânica".

Quando alternativas de locais para entrega são especificadas, o preço recebido pela parte com a posição vendedora pode ser ajustado de acordo com o local por ela escolhido. Por exemplo, no caso do contrato futuro de milho negociado na Chicago Board of Trade, as entregas podem ser realizadas em Chicago, Burns Harbor, Toledo ou St. Louis. Entretanto, entregas em Toledo e St. Louis sofrem desconto de 4 *cents* por *bushel* em comparação com o preço de Chicago.

Meses de entrega

Um contrato futuro tem como referência seu mês de entrega. A bolsa especifica o período exato, durante o mês, em que a entrega pode ser realizada. Em muitos contratos futuros, o período de entrega ocorre durante o mês inteiro.

Os meses de entrega variam de contrato para contrato e podem ser escolhidos pela bolsa para satisfazer as necessidades dos participantes do mercado. Por exemplo, futuros de moeda na Chicago Mercantile Exchange têm como meses de entrega março, junho, setembro e dezembro; milho futuro negociado na Chicago Board of Trade tem como meses de entrega janeiro, março, maio, julho, setembro, novembro e dezembro. Em qualquer momento, pode-se negociar para o primeiro mês de entrega e também para determinado número de meses de entrega à frente. A bolsa especifica quando um mês em particular terá suas negociações iniciadas. A bolsa especifica também o último dia de negociação para determinado contrato. Geralmente, a negociação cessa poucos dias antes do último dia em que as entregas podem ser realizadas.

Cotações de preço

Os preços são cotados de forma conveniente e fácil de entender. Por exemplo, preços de petróleo na New York Mercantile Exchange são cotados em dólares por barril com duas casas decimais. Preços dos futuros de bônus do Tesouro e de notas do

Tesouro na Chicago Board of Trade são cotados em dólares e trinta e dois avos de dólar. O movimento de preço mínimo que pode haver em um preço é consistente com sua forma de cotação. Assim, esse movimento é de US$0,01 para futuro de petróleo e de um trinta e dois avos de dólar para os futuros de bônus e notas do Tesouro.

Limites diários de oscilação de preço

Para a maioria dos contratos, os limites diários de oscilação dos preços são especificados pela bolsa. Se o preço se move para baixo em magnitude igual ao limite diário, diz-se que o contrato está no *limite de baixa* [*limit down*]. Se o preço se move para cima até o limite, diz-se que o contrato está no *limite de alta* [*limit up*]. O *movimento limite* [*limit move*] é uma oscilação em qualquer direção igual ao preço limite do dia. Em geral, a negociação é interrompida quando o limite de alta ou de baixa é atingido. Entretanto, em alguns casos, a bolsa tem autoridade para modificar os limites imediatamente.

O objetivo dos limites diários de preço é evitar a ocorrência de grandes movimentos de preço por causa de excesso de especulação. Porém, os limites podem tornar-se uma barreira artificial às negociações quando o preço da commodity subjacente esteja subindo ou caindo de forma muito rápida. Se os limites de preço são ou não positivos para o funcionamento dos mercados futuros é uma questão controversa.

Limites de posições

Limites de posições são o número máximo de contratos que o especulador pode manter. No contrato de tábuas de madeira sem comprimento padronizado da Chicago Mercantile Exchange, por exemplo, o limite de posição no momento do lançamento [*writing*] é de 1.000 contratos, não podendo exceder 300 em qualquer outro mês de entrega. Aqueles considerados *hedgers* pela bolsa (*bona fide hedgers*) não são afetados pelos limites de posições. O objetivo dos limites é evitar que especuladores exerçam indevida influência no mercado.

2.3 CONVERGÊNCIA ENTRE PREÇOS FUTURO E A VISTA (SPOT)

À medida que o mês de entrega de um contrato futuro se aproxima, o preço futuro converge para o preço a vista do ativo subjacente. Quando o período de entrega é alcançado, os preços futuros são iguais – ou muito próximos – ao preço a vista.

Para ver por que isso acontece, supõe-se primeiramente que o preço futuro esteja acima do preço a vista durante o período de entrega. Operadores podem arbitrar as seguintes oportunidades:

- vender o contrato futuro;
- comprar o ativo;
- realizar a entrega.

Figura 2.1 – Relação entre preços futuro e a vista com a aproximação do mês de vencimento

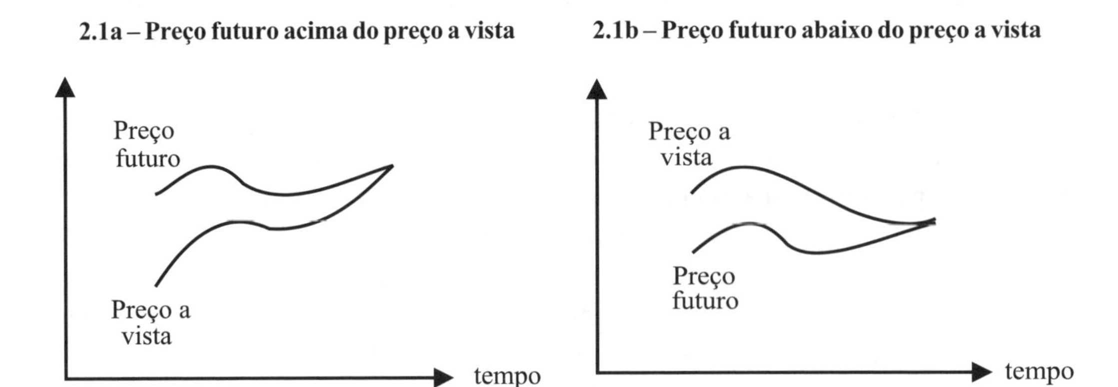

Esses passos levarão a um lucro de magnitude igual ao excesso do preço futuro sobre o preço a vista. Como os operadores certamente explorarão essa oportunidade de arbitragem, o preço futuro cairá. Suponha agora que o preço futuro esteja abaixo do preço a vista durante o período de entrega. As empresas interessadas em adquirir o ativo encontrarão boa oportunidade de comprar contratos futuros e esperar que a entrega seja realizada. Como certamente farão isso, o preço futuro tenderá a subir.

O resultado é que o preço futuro fica muito perto do preço a vista durante o período de entrega. A Figura 2.1 ilustra a convergência dos preços futuros e a vista. Na Figura 2.1a, o preço futuro está acima do preço a vista antes do mês de vencimento do contrato. Na Figura 2.1b, o preço futuro está abaixo do preço a vista antes do mês de vencimento. As circunstâncias sob as quais esses dois padrões são observados são discutidas mais adiante e no Capítulo 3.

2.4 OPERAÇÃO DE MARGENS

Se dois investidores entrarem em contato e decidirem negociar diretamente entre eles um contrato futuro de determinado ativo por certo preço, haverá obviamente riscos envolvidos. Um dos investidores pode arrepender-se do negócio e tentar voltar atrás, ou pode simplesmente não ter capacidade financeira para honrar os pagamentos. Um dos papéis da bolsa é organizar as negociações de forma que inadimplências sejam evitadas. É aqui que entram as margens.

Marcação a mercado

Para ilustrar como as margens funcionam, considera-se um investidor que entre em contato com seu corretor na terça-feira, 5 de junho, para comprar dois contratos futuros de ouro para dezembro na New York Commodity Exchange (Comex). Supõe-se que os preços correntes sejam de US$400 por onça. O tamanho do contrato é de 100 onças e o investidor contratou para comprar o total de 200 onças a esse preço. O corretor vai requerer do investidor o depósito de fundos em uma *conta margem*. O montante que deve ser depositado no momento em que o contrato é negociado é denominado de *margem inicial*. Supõe-se que esse valor seja US$2.000 por contrato ou de US$4.000 no total. No fim de cada dia de negociação, a conta margem será ajustada para refletir o ganho ou a perda do investidor. Essa prática é denominada de *marcação a mercado*.

Suponha que, ao final de 5 de junho, o preço futuro tenha caído de US$400 para US$397. O investidor teve perda de US$600 (= 200 × US$3), porque as 200 onças dos contratos de ouro com vencimento para dezembro, as quais o investidor contratou para comprar a US$400, podem agora ser vendidas por apenas US$397. O saldo da conta margem deve ser, portanto, reduzido em US$600, totalizando US$3.400. Da mesma forma, se o preço futuro do ouro, para dezembro, subisse para US$403 ao fim do primeiro dia, o saldo da conta margem seria aumentado em US$600, atingindo US$4.600. Uma operação é marcada a mercado pela primeira vez no fechamento do dia no qual foi realizada. Posteriormente, é marcada a mercado ao final de cada dia de negociação subseqüente.

Note que a marcação a mercado não é meramente um procedimento entre o corretor e o cliente. Quando há queda nos preços futuros de tal forma que a conta margem de um investidor com uma posição comprada [*long*] é reduzida em US$600, o corretor do investidor tem de pagar à bolsa US$600 e a bolsa passa o dinheiro para o corretor do investidor que tem uma posição vendida [*short*]. Do mesmo modo, quando há aumento no preço futuro, corretores das partes com posições *short* pagam o valor à bolsa e corretores das partes com posições *long* recebem dinheiro da bolsa. Mais adiante, examina-se em detalhes como isso ocorre.

O investidor está autorizado a retirar qualquer saldo que esteja em excesso ao valor da margem original.

Para garantir que o saldo da conta de margem nunca se torne negativo, fixa-se a *margem de manutenção*, que é pouco menor que a inicial. Se o saldo da conta ficar abaixo da margem de manutenção, o investidor recebe a *chamada de margem* para nivelá-lo à margem inicial do próximo dia. Os recursos extras depositados são conhecidos como *margem adicional* e, caso o investidor não os forneça, o corretor liquidará sua posição, vendendo o contrato. No caso desse investidor, o encerramento da posição neutralizaria o contrato existente por meio da venda de 200 onças de ouro para entrega em dezembro.

A Tabela 2.1 ilustra a operação de margem do cliente para uma possível seqüência de preços futuros no caso do investidor anteriormente considerado. A margem de manutenção é de US$1.500 por contrato, ou US$3.000 no total. No dia 13 de junho, o saldo da conta de margem fica US$340 abaixo do nível da margem de manutenção, o que leva o corretor a chamar margem adicional de US$1.340. A Tabela 2.1 assume que o investidor forneceu tal margem no encerramento das negociações no dia 16 de junho. Em 19 de junho, o saldo da conta cai novamente em comparação com o nível de margem de manutenção e a chamada de margem de US$1.260 é requerida. O investidor fornece essa margem no final das negociações em 20 de junho. Em 26 de junho, o investidor decide encerrar sua posição, vendendo dois contratos. O preço futuro naquele dia é US$392,30 e o investidor realiza perda acumulada de US$1.540. Note que o investidor possui margem em excesso nos dias 16, 23, 24 e 25 de junho. Na Tabela 2.1, esse excesso não é retirado.

Tabela 2.1 – Operação de margem para posição comprada em dois contratos futuros de ouro

Dia	Preço futuro (US$)	Lucro diário (perda) (US$)	Ganho acumulado (perda) (US$)	Saldo da conta de margem (US$)	Chamada de margem (US$)
	400			4.000	
5 de junho	397	(600)	(600)	3.400	
6 de junho	396,10	(180)	(780)	3.220	
9 de junho	398,20	420	(360)	3.640	
10 de junho	397,10	(220)	(580)	3.420	
11 de junho	396,70	(80)	(660)	3.340	
12 de junho	395,40	(260)	(920)	3.080	
13 de junho	393,30	(420)	(1.340)	2.660	1.340
16 de junho	393,60	60	(1.280)	4.060	
17 de junho	391,80	(360)	(1.640)	3.700	
18 de junho	392,70	180	(1.460)	3.880	
19 de junho	387	(1.140)	(2.600)	2.740	1.260
20 de junho	387	0	(2.600)	4.000	
23 de junho	388,10	220	(2.380)	4.220	
24 de junho	388,70	120	(2.260)	4.340	
25 de junho	391	460	(1.800)	4.800	
26 de junho	392,30	260	(1.540)	5.060	

Nota: a margem inicial é de US$2.000 por contrato, ou US$4.000 no total, e a margem de manutenção é US$1.500 por contrato, ou US$3.000 no total. O contrato é comprado no dia 5 de junho por US$400 e a posição é encerrada no dia 26 de junho por US$392,30. Os números da segunda coluna, exceto o primeiro e o último, representam os preços futuros no final do pregão.

Detalhes adicionais

Muitos corretores [*brokers*] pagam ao investidor juros sobre o saldo positivo de sua conta margem. Nesse caso, deixar saldo na conta não representa custo para o investidor, uma vez que a taxa de juro é competitiva com a que o investidor poderia obter em outra aplicação qualquer. No atendimento dos requerimentos de margem inicial (mas não as chamadas de margem subseqüentes), o investidor pode, em alguns casos, depositar títulos com o corretor. Letras do Tesouro são geralmente aceitas no lugar de dinheiro por cerca de 90% de seu valor de face. Ações são também aceitas no lugar de dinheiro – mas por apenas 50% de seu valor de face.

A marcação a mercado faz que o contrato futuro seja diariamente ajustado em vez de uma só vez na data de vencimento. No fim de cada dia, o ganho (a perda) do investidor é creditado (debitada) em sua conta margem, trazendo o valor do contrato de volta a zero. É como se o contrato fosse fechado e reaberto com novo preço a cada dia.

Níveis mínimos para a margem inicial e a margem de manutenção são estabelecidos pela bolsa. Os corretores, por sua vez, podem requerer margens maiores de seus clientes que aquelas especificadas pela bolsa. Entretanto, eles não podem requerer margens menores que as exigidas pela bolsa. Os níveis de margem são determinados com base na variabilidade do preço do ativo subjacente. Quanto maior for essa variabilidade, maiores serão os níveis de margem exigidos. Já a margem de manutenção é aproximadamente 75% da margem inicial.

O valor do requerimento de margem depende dos objetivos do *trader*. De um autêntico *hedger* (*bona fide hedger*), por exemplo, a companhia que produz commodity sobre a qual o contrato futuro se referencia, usualmente se exige menos margem do que de um especulador. A razão é que se julga ter menor risco de inadimplência. *Day trades* e operações de *spread* também exigem menores valores de margem do que das operações de *hegde*. Em *day trade*, o operador anuncia ao *broker* que tem a intenção de fechar a posição no mesmo dia. Na *operação de spread*, o operador simultaneamente toma uma posição longa em um contrato para determinado mês de vencimento e uma posição *short* para um contrato no mesmo ativo subjacente, mas para um outro mês de vencimento.

Note que a margem requerida é a mesma tanto para posições futuras vendidas (*short*) quanto para posições compradas (*long*). Assim é tão fácil ficar vendido em futuros como ficar comprado, ou seja, tomar posição *short* ou posição *long*. O mercado a vista não oferece essa simetria. Tomar posição longa no mercado a vista envolve a compra do ativo para entrega imediata e não apresenta problemas. Tomar posição *short* envolve a venda de um ativo que não se possui. Isso é um pouco mais complexo e pode ou não ser possível em determinado mercado. Esse assunto será discutido no próximo capítulo.

Câmara de liquidação e margens da câmara

A câmara de liquidação da bolsa (*clearinghouse* ou apenas *clearing*) auxilia a bolsa e atua como intermediária nas transações futuras. Garante a performance das partes em cada transação. A *clearing* tem determinado número de membros (membros da câmara ou membros de compensação). Corretores que não são membros da câmara devem contratar um membro de compensação para liquidar suas operações. A principal tarefa da câmara é manter o registro de todas as operações que são realizadas durante um dia de tal forma que possa calcular a posição líquida de cada um dos seus membros.

Da mesma maneira que o cliente tem de manter a conta de margem junto ao *broker*, o membro da câmara tem de manter junto à *clearing* a conta de margem. Isso é conhecido como *margem da clearing* [*clearing margin*]. As contas de margem para os membros de compensação são ajustadas para os ganhos e as perdas no fim de cada dia de negociação do mesmo modo que as contas de margem dos investidores. Entretanto, no caso do membro de compensação, há a margem original, mas não há margem de manutenção. Todos os dias, o saldo para cada contrato deve ser mantido em montante igual ao valor da margem original vezes o número de contratos em aberto. Assim, dependendo das transações realizadas durante o dia e dos movimentos de preço, o membro de compensação pode ter de colocar mais recursos em sua conta de margem ao fim de um dia. Alternativamente, pode retirar parte dos fundos já depositados. Corretores que não são membros de compensação devem manter uma conta de margem com um membro de compensação.

Para determinar o valor das margens para os membros, a *clearinghouse* calcula o número de contratos em aberto em base bruta ou em base líquida. A *base bruta* soma o total de todas as posições longas dos clientes ao total de todas as posições *short* dos clientes. A *base líquida* permite que essas posições sejam compensadas umas contra as outras. Suponha que um membro da clearing tenha dois clientes: um com uma posição longa em 20 contratos, o outro com uma posição *short* em 15 contratos. O critério de margem bruta calculará a margem da clearing com base em 35 contratos; o critério de margem líquida calculará a margem da clearing com base em 5 contratos. A maior parte das bolsas usa o critério de margeamento pelo saldo líquido das posições.

Deve ser realçado que o objetivo total do sistema de margeamento é reduzir a possibilidade de que participantes de mercado tenham de incorrer em perdas por conta de inadimplência. De forma geral, o sistema tem tido muito sucesso. Perdas provenientes de inadimplência em contratos têm sido quase inexistentes nas principais bolsas.

2.5 COTAÇÕES EM JORNAIS

Muitos jornais trazem as cotações dos mercados futuros. No *Wall Street Journal*, são diariamente encontradas na seção "Money and Investing". A Tabela 2.2. mostra as cotações apresentadas no *Wall Street Journal*, em 16 de março de 2001, sexta-feira. Estas se referem aos negócios realizados no dia anterior (isto é, 15 de março de 2001, quinta feira). As cotações de índice e moedas estão no Capítulo 3 e as de futuros de taxas de juro, no Capítulo 5.

O ativo subjacente de cada contrato futuro, a bolsa que negocia o contrato, o tamanho do contrato e como o preço é cotado são mostrados no topo de cada seção na Tabela 2.2. O primeiro ativo é o milho, negociado na Chicago Board of Trade. O tamanho do contrato é 5.000 *bushels* e o preço é cotado em *cents* de dólar por *bushel*. Os meses para os quais os contratos podem ser negociados são exibidos na primeira coluna. Em 15 de março de 2001, foram negociados os contratos de milho para vencimento em maio de 2001, julho de 2001, setembro de 2001, dezembro de 2001, março de 2002, maio de 2002, julho de 2002 e dezembro de 2002.

Tabela 2.2 – Cotações futuras de commodities publicadas no *Wall Street Journal* de 15/3/2001

FUTURES PRICES

Thursday, March 15, 2001

Open Interest Reflects Previous Trading Day.

GRAINS AND OILSEEDS

Corn (CBT) 5,000 bu.; cents per bu.

	OPEN	HIGH	LOW	SETTLE	CHANGE	LIFETIME HIGH	LIFETIME LOW	OPEN INT.
May	217½	217¾	210½	210¾	– 7	282½	206½	186,129
July	225¼	225½	218¼	218¾	– 6¾	287½	213¼	109,750
Sept	233½	233½	226½	226¾	– 7	276½	219¾	29,131
Dec	244½	244¾	237¼	237¾	– 7	275	229¼	86,793
Mr02	253¾	253¾	246¾	247	– 6¾	270	246¾	10,285
May	258	259	253½	254	– 6¼	266½	253½	2,165
July	263¼	263¾	257	257¼	– 7	279½	242	2,621
Dec	263½	264	257½	258½	– 6	272	245	3,686

Est vol 103,000; vol Wed 60,060; open int 431,377, +1,845.

Oats (CBT) 5,000 bu.; cents per bu.

	OPEN	HIGH	LOW	SETTLE	CHANGE	LIFETIME HIGH	LIFETIME LOW	OPEN INT.
May	108¾	109	105	106	– 3¼	140½	104¼	9,145
July	112½	113	109¼	110½	– 2½	131¾	109¼	3,936
Sept	113½	115	112½	113¼	– 2¼	136½	112½	693
Dec	121¼	122	118	119¼	– 2¾	140½	118	1,838

Est vol 1,607; vol Wed 1,000; open int 15,690, +99.

Soybeans (CBT) 5,000 bu.; cents per bu.

	OPEN	HIGH	LOW	SETTLE	CHANGE	LIFETIME HIGH	LIFETIME LOW	OPEN INT.
May	444	447¼	438	445½	+ 1½	604	438	71,060
July	451½	454	444	451¾	+ ½	609	444	42,238
Aug	451	454	444	450	– 1	549	444	5,244
Sept	449½	451	441½	447½	– 1¼	549	441½	4,018
Nov	453¾	455¾	446	451½	– 2¼	605	446	22,257
Ja02	463½	464½	455	460	– 2½	537½	455	1,284
Mar	472	473	464½	468½	– 3	546	464½	682
July	486½	487	479	484	– 1	521	479	184

Est vol 52,000; vol Wed 58,491; open int 147,411, –1,855.

Soybean Meal (CBT) 100 tons; $ per ton.

	OPEN	HIGH	LOW	SETTLE	CHANGE	LIFETIME HIGH	LIFETIME LOW	OPEN INT.
May	149.90	152.00	149.50	151.90	+ 2.00	189.50	149.50	42,273
July	149.50	151.00	148.90	150.90	+ 1.50	190.00	148.90	24,434
Aug	149.40	149.70	148.10	149.60	+ 1.00	190.40	148.10	8,937
Sept	148.00	148.50	147.10	148.30	+ .70	182.80	147.10	6,311
Oct	147.90	148.00	146.30	147.30	+ .40	181.00	146.30	4,829
Dec	148.20	148.50	146.50	147.40	....	180.00	146.50	13,704
Ja02	148.50	149.30	147.00	147.70	+ .20	166.50	147.00	1,305
Mar	149.50	150.00	149.00	149.60	+ .10	166.50	149.00	540

Est vol 16,500; vol Wed 29,151; open int 102,761, +492.

Soybean Oil (CBT) 60,000 lbs.; cents per lb.

	OPEN	HIGH	LOW	SETTLE	CHANGE	LIFETIME HIGH	LIFETIME LOW	OPEN INT.
May	16.20	16.33	15.81	16.08	– .11	20.68	14.72	55,792
July	16.55	16.69	16.15	16.43	– .12	20.95	15.11	34,729
Aug	16.74	16.85	16.34	16.56	– .13	20.98	15.30	8,309
Sept	16.99	16.99	16.50	16.72	– .13	21.15	15.46	4,603
Oct	17.08	17.15	16.70	16.91	– .17	20.35	15.68	5,260
Dec	17.33	17.47	16.95	17.27	– .11	21.25	16.00	11,627
Ja02	17.72	17.72	17.20	17.43	– .12	17.88	16.25	2,151
Mar	18.03	18.03	17.50	17.70	– .15	18.10	16.58	1,109
May	....	....	....	18.00	– .05	17.45	17.30	183

Est vol 21,000; vol Wed 29,106; open int 124,025, –384.

Wheat (CBT) 5,000 bu.; cents per bu.

	OPEN	HIGH	LOW	SETTLE	CHANGE	LIFETIME HIGH	LIFETIME LOW	OPEN INT.
May	284¾	285	271½	273¾	– 10	326	268	70,515
July	294¾	295¼	282½	284¾	– 9½	350	279¼	47,305
Sept	305	305	292½	295	– 9	325	285	5,420
Dec	318½	318½	307	309½	– 9	343	253	9,840
Mr02	329	329	318½	320	– 9	346	316	1,416
July	334	334	325	327	– 7	355	320	960
Dec	347	347	338	340	– 8	365	331	294

Est vol 37,000; vol Wed 27,019; open int 135,866, +2,686.

Wheat (KC) 5,000 bu.; cents per bu.

	OPEN	HIGH	LOW	SETTLE	CHANGE	LIFETIME HIGH	LIFETIME LOW	OPEN INT.
Mar	....	....	....	314	– 7	349	301	372
May	329¾	330¼	318½	320¼	– 9	352½	310	31,260
July	339½	340¼	328¾	330¼	– 9	359	317	31,275
Sept	349	349	338½	340	– 9	365½	328½	2,798
Dec	360	360	341	351½	– 8½	375	339½	3,154
Mr02	369	369	360	361	– 9	383	353	565

Est vol 8,418; vol Wed 7,384; open int 69,478, –669.

Wheat (MPLS) 5,000 bu.; cents per bu.

	OPEN	HIGH	LOW	SETTLE	CHANGE	LIFETIME HIGH	LIFETIME LOW	OPEN INT.
Mar	....	....	....	330	– 1	375½	299	7
May	335	335½	325	328	– 6½	379	319¾	14,278
July	342¾	343	332½	335¾	– 6½	381	327	10,508
Sept	350½	350¾	341	343	– 6¾	391	335½	1,720
Dec	361	361	352½	354½	– 6	389	348	560
Mr02	368	368	362½	363½	– 6	387	356	147

Est vol 5,181; vol Wed 5,117; open int 27,259, +278.

Canola (WPG)-20 metric tons; Can. $ per ton

	OPEN	HIGH	LOW	SETTLE	CHANGE	LIFETIME HIGH	LIFETIME LOW	OPEN INT.
Mar	....	....	....	285.00	+ 2.50	305.50	257.00	1,050
May	282.60	284.00	280.20	283.90	+ 2.30	305.50	259.20	38,896
July	284.00	284.80	281.30	284.70	+ 1.20	290.80	263.20	23,746
Aug	....	....	....	284.00	– 0.50	292.00	271.00	63
Sept	....	....	....	285.50	+ 0.00	288.00	268.00	1,207
Nov	287.00	287.60	284.30	287.30	+ 1.10	299.00	271.10	22,434
Ja02	....	....	....	289.50	+ 0.90	290.80	277.00	457

Est vol na; vol Wed 20,671; open int 87,853, –47.

Wheat (WPG)-20 metric tons; Can. $ per ton

	OPEN	HIGH	LOW	SETTLE	CHANGE	LIFETIME HIGH	LIFETIME LOW	OPEN INT.
Mar	....	....	....	145.00	+ 0.00	157.50	134.50	55
May	145.60	145.60	142.50	142.60	– 3.30	159.00	137.50	4,976
July	148.00	148.00	144.50	144.80	– 3.20	155.00	140.50	3,263
Oct	122.30	122.30	119.50	119.80	– 2.80	123.50	118.10	1,524
Dec	....	....	....	122.80	– 2.80	127.00	121.60	1,234

Est vol na; vol Wed 215; open int 11,052, –133.

Barley-Western (WPG)-20 metric tons; Can. $ per ton

	OPEN	HIGH	LOW	SETTLE	CHANGE	LIFETIME HIGH	LIFETIME LOW	OPEN INT.
Mar	....	....	....	130.00	+ 0.00	136.40	117.80	0
May	129.80	129.80	128.10	128.10	– 1.60	137.50	120.30	7,242
July	130.50	130.60	129.20	129.20	– 1.50	137.90	123.90	5,160
Oct	131.50	131.50	131.10	131.10	– 0.60	137.90	129.00	6,035
Dec	133.50	133.50	133.50	133.50	– 0.20	138.00	131.40	1,023

Est vol na; vol Wed 586; open int 19,460, +76.

LIVESTOCK AND MEAT

Cattle-Feeder (CME) 50,000 lbs.; cents per lb.

	OPEN	HIGH	LOW	SETTLE	CHANGE	LIFETIME HIGH	LIFETIME LOW	OPEN INT.
Mar	85.75	85.80	85.40	85.45	– .40	91.30	84.80	2,994
Apr	86.35	86.52	85.90	85.95	– .52	90.80	85.00	4,588
May	86.40	86.65	86.05	86.07	– .57	89.90	85.05	5,168
Aug	87.75	87.85	87.50	87.55	– .25	89.90	86.00	4,552
Sept	87.35	87.50	87.15	87.35	– .10	89.47	86.05	480
Oct	87.25	87.50	87.17	87.35	– .10	89.47	86.05	541
Nov	87.90	87.90	87.55	87.85	– .20	89.87	86.40	722

Est vol 1,958; vol Wed 3,932; open int 19,186, –405.

Cattle-Live (CME) 40,000 lbs.; cents per lb.

	OPEN	HIGH	LOW	SETTLE	CHANGE	LIFETIME HIGH	LIFETIME LOW	OPEN INT.
Apr	78.25	78.57	77.85	77.97	– .72	81.82	72.17	55,037
June	72.80	73.07	72.40	72.52	– .40	75.75	69.72	30,131
Aug	72.25	72.35	71.95	72.05	– .32	75.00	69.97	23,313
Oct	74.50	74.60	74.15	74.17	– .37	76.50	72.00	15,508
Dec	75.52	75.55	75.20	75.22	– .35	77.20	73.30	6,268

Est vol 21,158; vol Wed 26,579; open int 131,996, –4,182.

Hogs-Lean (CME) 40,000 lbs.; cents per lb.

	OPEN	HIGH	LOW	SETTLE	CHANGE	LIFETIME HIGH	LIFETIME LOW	OPEN INT.
Apr	65.05	66.15	64.70	65.67	+ .85	66.15	48.65	22,330
June	70.90	71.45	70.35	70.92	+ .27	71.45	55.20	14,656
July	67.00	67.50	66.45	67.22	+ .07	67.50	54.77	3,892
Aug	63.30	63.87	62.65	63.00	– .10	63.87	53.20	3,896
Oct	54.90	55.50	54.90	55.22	+ .17	55.50	46.40	3,407
Dec	52.00	53.05	52.00	52.55	+ .37	53.05	44.80	2,142

Est vol 13,808; vol Wed 9,757; open int 50,573, +436.

Pork Bellies (CME) 40,000 lbs.; cents per lb.

	OPEN	HIGH	LOW	SETTLE	CHANGE	LIFETIME HIGH	LIFETIME LOW	OPEN INT.
Mar	84.70	87.25	84.70	87.25	+ 3.00	87.25	58.00	281
May	86.00	88.52	85.55	88.50	+ 2.97	88.52	60.20	2,222
July	86.40	88.85	86.05	88.85	+ 3.00	88.85	60.10	304

Est vol 1,285; vol Wed 777; open int 2,915, –72.

FOOD AND FIBER

Cocoa (NYBOT)-10 metric tons; $ per ton.

	OPEN	HIGH	LOW	SETTLE	CHANGE	LIFETIME HIGH	LIFETIME LOW	OPEN INT.
Mar	1,038	1,040	1,000	998	– 38	1,362	707	22
May	1,021	1,033	1,004	1,015	– 25	1,222	727	30,318
July	1,030	1,036	1,018	1,028	– 24	1,245	753	21,574
Sept	1,043	1,047	1,032	1,040	– 24	1,246	776	12,674
Dec	1,053	1,059	1,048	1,056	– 23	1,237	805	14,910
Mr02	1,068	1,070	1,063	1,074	– 22	1,257	835	8,455
May	....	....	....	1,088	– 22	1,267	850	6,287
July	....	....	....	1,100	– 22	1,242	875	5,515
Sept	....	....	....	1,115	– 22	1,186	907	7,553
Dec	....	....	....	1,135	– 22	1,264	936	7,604

Est vol 9,125; vol Wed 5,515; open int 114,912, –696.

Coffee (NYBOT)-37,500 lbs.; cents per lb.

	OPEN	HIGH	LOW	SETTLE	CHANGE	LIFETIME HIGH	LIFETIME LOW	OPEN INT.
Mar	60.10	60.30	59.50	59.10	– 1.90	153.85	59.25	98
May	61.25	62.25	60.90	61.00	– 2.00	127.00	60.90	30,868
July	64.75	65.20	63.90	63.95	– 1.85	127.00	63.90	12,405
Sept	67.50	67.75	66.65	66.60	– 1.80	127.00	66.65	6,757
Dec	70.75	71.20	69.90	70.00	– 1.60	127.00	69.90	4,480
Mr02	74.25	74.90	74.05	73.50	– 1.50	107.00	74.05	2,576
May	77.00	77.00	77.00	76.35	– 1.35	87.00	77.00	188
July	79.75	79.75	79.75	79.20	– 1.20	84.00	79.75	332

Est vol 10,308; vol Wed 7,229; open int 57,704, +233.

Sugar-World (NYBOT)-112,000 lbs.; cents per lb.

	OPEN	HIGH	LOW	SETTLE	CHANGE	LIFETIME HIGH	LIFETIME LOW	OPEN INT.
May	8.79	8.97	8.74	8.92	+ .19	10.68	6.10	81,574
July	8.35	8.45	8.26	8.42	+ .14	10.12	6.21	33,186

Tabela 2.2 – Cotações futuras de commodities publicadas no *Wall Street Journal* de 15/3/2001 (continuação)

Oct	8.10	8.17	8.01	8.15	+ .13	9.88	6.27	24,806
Mr02	7.90	7.97	7.82	7.94	+ .11	9.75	6.90	10,106
May	7.76	7.80	7.74	7.82	+ .12	9.64	7.60	2,856
July	7.70	7.70	7.70	7.74	+ .11	9.60	7.62	2,970
Oct	7.70	7.70	7.70	7.73	+ .11	8.50	7.63	2,471

Est vol 21,050; vol Wed 20,306; open int 157,969, +2,812.

Sugar-Domestic (NYBOT)-112,000 lbs.; cents per lb.

May	21.28	21.31	21.28	21.29	...	21.65	18.00	1,265
July	21.45	21.45	21.45	21.45	– .02	21.80	18.39	3,555
Sept	21.53	21.54	21.50	21.50	– .04	21.99	18.69	1,529
Nov	20.86	20.86	20.86	20.86	...	21.15	18.65	1,130
Ja02	20.70	20.70	20.70	20.70	...	21.25	18.00	414
Mar	20.82	20.82	20.82	20.82	– .03	21.23	19.01	424
May	20.92	20.92	20.92	20.92	– .01	21.20	20.75	157
July	21.05	21.05	21.05	21.05	+ .03	21.25	20.90	237

Est vol 178; vol Wed 1,495; open int 8,711, –785.

Cotton (NYBOT)-50,000 lbs.; cents per lb.

May	53.01	53.05	49.93	50.09	– 2.56	70.50	49.93	35,505
July	53.90	54.05	51.05	51.30	– 2.28	71.10	51.05	14,542
Oct	54.20	54.20	52.79	52.77	– .88	67.20	52.79	1,117
Dec	54.30	54.40	52.90	53.13	– .92	67.70	52.90	15,372
Mr02	55.55	55.55	54.60	54.50	– .85	67.10	54.60	1,628
May	55.50	55.50	54.90	54.95	– .90	68.50	54.90	1,251
July	56.40	56.40	55.95	55.90	– .85	68.50	55.95	1,072
Oct	...	...	...	55.15	– 1.10	65.50	59.00	120
Dec	55.75	55.75	55.75	55.15	– 1.05	64.75	55.75	294

Est vol 15,000; vol Wed 7,514; open int 70,901, –39.

Orange Juice (NYBOT)-15,000 lbs.; cents per lb.

May	74.75	75.10	74.50	74.70	– .40	92.15	74.40	19,984
July	78.70	78.90	78.35	78.45	– .45	94.00	78.00	4,383
Sept	81.70	81.90	81.70	81.70	– .40	95.85	80.00	1,356
Nov	84.70	85.10	84.70	84.75	– .35	98.35	80.00	2,350
Ja02	...	...	...	87.75	– .35	97.00	80.20	116

Est vol 750; vol Wed 1,398; open int 28,196, –194.

METALS AND PETROLEUM

Copper-High (Cmx.Div.NYM)-25,000 lbs.; cents per lb.

Mar	80.50	80.70	80.25	80.25	– 0.15	93.90	70.20	2,989
Apr	80.80	80.85	80.50	80.60	– 0.20	93.40	70.65	3,780
May	81.40	81.50	80.75	81.05	– 0.25	93.50	78.35	35,371
June	81.40	81.50	81.40	81.30	– 0.25	93.00	80.40	1,697
July	81.60	82.05	81.40	81.55	– 0.25	93.20	78.60	10,277
Aug	81.95	82.05	81.95	81.70	– 0.25	92.50	80.90	1,173
Sept	82.20	82.40	82.10	81.90	– 0.25	93.00	79.75	3,612
Oct	...	...	...	81.95	– 0.25	92.40	81.00	1,157
Nov	...	...	...	82.05	– 0.25	91.75	81.00	958
Dec	82.10	82.10	82.10	82.15	– 0.25	92.00	79.20	5,425
Ja02	...	...	...	82.15	– 0.25	90.80	81.30	505
Feb	...	...	...	82.15	– 0.25	90.00	81.40	291
Mar	82.40	82.40	82.40	82.15	– 0.25	91.00	79.35	1,030
Apr	...	...	...	82.15	– 0.25	89.70	81.55	237
May	...	...	...	82.10	– 0.25	89.60	81.55	491
June	...	...	...	82.05	– 0.25	89.50	81.35	346
July	...	...	...	82.05	– 0.25	88.90	81.80	524

Est vol 8,000; vol Wed 11,151; open int 71,461, +1,582.

Gold (Cmx.Div.NYM)-100 troy oz.; $ per troy oz.

Mar	...	...	...	260.00	– 2.50	274.50	257.50	8
Apr	262.80	263.60	259.50	260.30	– 2.60	305.00	255.10	64,242
June	264.90	265.70	261.30	262.30	– 2.60	447.00	258.20	27,409
Aug	266.00	266.00	263.80	263.80	– 2.70	322.00	259.50	5,532
Oct	266.00	266.50	265.50	265.10	– 2.80	284.80	262.00	1,733
Dec	269.50	269.50	267.00	266.40	– 2.90	429.50	264.10	6,560
Ju02	272.00	272.00	272.00	270.20	– 3.10	385.00	269.30	4,357
Dec	276.10	276.10	276.10	274.20	– 3.40	358.00	276.10	2,097
Ju03	...	...	...	278.70	– 3.50	338.00	281.50	1,032
Dec	285.00	285.00	285.00	283.30	– 3.70	359.30	285.00	1,608
Ju04	...	...	...	288.10	– 3.90	355.00	290.30	1,470
Dec	...	...	...	292.90	– 4.10	388.00	309.00	1,424

Est vol 42,000; vol Wed 42,653; open int 123,480, –3,341.

Platinum (NYM)-50 troy oz.; $ per troy oz.

Apr	582.10	585.00	578.00	580.40	– 4.20	641.00	550.50	5,592
July	580.00	580.00	575.00	575.90	– 4.20	630.00	567.00	1,667

Est vol 779; vol Wed 498; open int 7,261, –114.

Silver (Cmx.Div.NYM)-5,000 troy oz.; cnts per troy oz.

Mar	439.5	442.5	432.0	432.5	– 10.3	552.0	432.0	124
May	447.0	447.0	434.0	435.3	– 10.5	537.0	434.0	49,630
July	448.5	448.5	438.0	439.2	– 10.5	574.0	438.0	9,286
Dec	456.0	456.0	447.0	447.0	– 10.5	680.0	447.0	5,592
Jl02	465.0	465.0	465.0	456.7	– 10.3	559.0	465.0	511
Dec	470.0	472.0	470.0	463.9	– 10.3	613.0	464.0	1,965
Dc03	485.0	485.0	485.0	474.3	– 10.3	565.0	485.0	549
Dc04	...	...	...	482.9	– 10.3	560.0	496.5	741

Est vol 11,000; vol Wed 5,249; open int 73,524, +486.

Crude Oil, Light Sweet (NYM) 1,000 bbls.; $ per bbl.

Apr	26.46	26.72	26.12	26.55	+ 0.14	34.40	15.80	61,543
May	26.64	26.93	26.35	26.82	+ 0.20	33.50	15.80	104,734
June	26.90	27.10	26.53	26.97	+ 0.20	33.75	14.56	49,218
July	26.80	27.05	26.57	27.01	+ 0.26	32.20	19.05	26,115
Aug	26.70	26.90	26.54	26.90	+ 0.31	31.60	18.40	17,290
Sept	26.59	26.70	26.36	26.74	+ 0.35	31.00	17.96	15,444
Oct	26.25	26.42	26.25	26.55	+ 0.36	30.40	19.80	11,523
Nov	26.05	26.20	26.00	26.34	+ 0.38	30.10	18.20	14,590
Dec	26.00	26.10	25.70	26.12	+ 0.40	30.50	14.90	35,959
Ja02	25.55	25.80	25.50	25.90	+ 0.42	29.00	18.90	12,365
Feb	25.31	25.60	25.31	25.68	+ 0.44	28.15	19.94	6,208
Mar	25.10	25.40	25.10	25.46	+ 0.46	27.90	18.45	4,247
Apr	24.98	25.15	24.98	25.22	+ 0.47	27.50	20.95	2,950
May	24.93	24.93	24.93	24.98	+ 0.48	27.35	20.84	3,021
June	24.40	24.60	24.40	24.74	+ 0.49	27.25	17.35	21,331
July	...	...	...	24.54	+ 0.51	25.98	19.85	1,997
Aug	24.20	24.20	24.20	24.34	+ 0.53	26.77	20.53	1,118
Sept	...	...	...	24.14	+ 0.55	24.59	20.43	5,662
Oct	...	...	...	23.94	+ 0.57	26.36	22.88	1,254
Nov	...	...	...	23.74	+ 0.59	25.50	22.77	1,011
Dec	23.25	23.35	23.15	23.53	+ 0.59	26.95	15.50	19,402
Ja03	...	...	...	23.36	+ 0.59	25.75	22.56	2,155
Feb	...	...	...	23.20	+ 0.59	24.03	22.70	467
Mar	...	...	...	23.05	+ 0.59	23.85	21.90	855
June	22.60	22.60	22.60	22.69	+ 0.59	25.05	19.82	8,075
Sept	...	...	...	22.45	+ 0.62	0.00	0.00	200
Dec	...	...	...	22.29	+ 0.64	24.44	15.92	11,882
Dc04	...	...	...	21.94	+ 0.64	24.00	16.35	5,814
Dc05	...	...	...	21.59	+ 0.65	23.00	17.00	5,054
Dc06	...	...	...	21.30	+ 0.66	22.55	19.10	1,052

Est vol 198,048; vol Wed 219,388; open int 452,586, +12,550.

Heating Oil No. 2 (NYM) 42,000 gal; $ per gal.

Apr	.7040	.7100	.6980	.7065	+ .0026	.9496	.5140	35,815
May	.6837	.6920	.6780	.6887	+ .0038	.8900	.5075	18,721
June	.6835	.6905	.6770	.6872	+ .0043	.8625	.5590	9,423
July	.6860	.6950	.6830	.6912	+ .0048	.8430	.5800	6,273
Aug	.6880	.7005	.6880	.6967	+ .0053	.8430	.5740	12,578
Sept	.7020	.7090	.6980	.7047	+ .0063	.8430	.5850	5,809
Oct	.7080	.7185	.7080	.7122	+ .0068	.8030	.5920	3,076
Nov	.7120	.7230	.7120	.7197	+ .0078	.8425	.6325	2,751
Dec	.7200	.7300	.7175	.7257	+ .0083	.8426	.6400	12,958
Ja02	.7210	.7320	.7200	.7267	+ .0088	.8170	.6800	2,709
Feb	.7150	.7270	.7135	.7197	+ .0093	.8075	.6865	2,023
Mar	.6950	.7075	.6940	.6997	+ .0088	.7875	.6660	5,946
Apr	.6794	.6860	.6760	.6802	+ .0093	.7525	.6525	897
May	.6594	.6680	.6580	.6612	+ .0103	.7070	.6500	751
June	.6479	.6480	.6479	.6507	+ .0113	.7000	.6385	1,166
July	.6459	.6575	.6459	.6487	+ .0113	.6700	.6459	107
Aug	.6494	.6494	.6494	.6522	+ .0113	.6635	.6494	116

Est vol 42,834; vol Wed 41,457; open int 121,120, +1,283.

Gasoline-NY Unleaded (NYM) 42,000; $per gal.

Apr	.8681	.8700	.8530	.8679	+ .0009	.9959	.6825	33,600
May	.8626	.8640	.8500	.8614	+ .0001	.9884	.7840	33,773
June	.8455	.8540	.8430	.8509	– .0001	.9745	.7520	16,362
July	.8325	.8375	.8280	.8353	– .0005	.9300	.7600	10,175
Aug	.8140	.8150	.8060	.8126	– .0014	.9150	.7460	13,610
Sept	.7780	.7870	.7780	.7839	– .0021	.8490	.7300	17,026
Oct	.7490	.7490	.7490	.7469	– .0021	.7950	.6800	1,290
Nov	.7275	.7275	.7275	.7259	– .0016	.7810	.6880	1,382
Dec	...	...	...	.7149	– .0001	.7470	.6650	701

Est vol 30,025; vol Wed 32,906; open int 128,002, +2,123.

Natural Gas, (NYM) 10,000 MMBtu.; $ per MMBtu's

Apr	4.900	4.980	4.870	4.927	+ .016	6.940	2.120	38,089
May	4.985	5.010	4.920	4.960	+ .001	6.220	2.119	29,702
June	5.023	5.070	4.975	5.000	– .009	6.140	2.095	19,122
July	5.100	5.110	5.020	5.043	– .016	6.140	2.095	15,476
Aug	5.099	5.130	5.040	5.068	– .021	6.095	2.102	23,166
Sept	5.079	5.100	5.030	5.048	– .021	6.040	2.137	14,964
Oct	5.089	5.110	5.030	5.058	– .021	6.060	2.133	27,152
Nov	5.260	5.260	5.180	5.185	– .019	6.140	2.275	12,521
Dec	5.360	5.360	5.250	5.305	– .019	6.270	2.415	14,547
Ja02	5.420	5.420	5.320	5.340	– .019	6.290	2.450	10,928
Feb	5.190	5.190	5.140	5.145	– .019	6.050	2.440	8,387
Mar	4.880	4.890	4.830	4.852	– .013	5.730	2.360	19,059
Apr	4.440	4.520	4.440	4.509	– .009	4.920	2.290	7,175
May	4.320	4.450	4.320	4.422	– .009	4.775	2.350	11,249
June	4.420	4.460	4.400	4.439	– .009	4.770	2.345	8,192
July	4.486	4.510	4.440	4.485	– .011	4.750	2.365	5,707
Aug	4.510	4.520	4.480	4.499	– .011	4.770	2.412	12,324
Sept	4.482	4.530	4.450	4.481	– .011	4.770	2.423	6,387
Oct	4.477	4.490	4.457	4.476	– .011	4.785	2.465	8,080
Nov	4.587	4.587	4.550	4.586	– .011	4.890	2.610	3,750
Dec	4.693	4.693	4.650	4.692	– .011	5.010	2.720	6,567

Tabela 2.2 – Cotações futuras de commodities publicadas no *Wall Street Journal* de 15/3/2001(continuação)

Ja03	4.740	4.740	4.690	4.732	–	.011	5.049	2.730	11,155
Feb	4.610	4.610	4.570	4.601	–	.011	4.874	2.695	6,268
Mar	....	....	....	4.438	–	.011	4.710	2.705	8,237
Apr	....	....	....	4.247	–	.011	4.520	2.610	5,498
May	4.240	4.240	4.240	4.217	–	.011	4.490	2.630	4,043
June	....	....	....	4.246	–	.011	4.400	2.610	2,173
July	....	....	....	4.266	–	.011	4.530	2.550	4,022
Aug	....	....	....	4.304	–	.011	4.535	2.970	4,047
Sept	4.293	4.293	4.293	4.302	–	.011	4.445	3.070	1,440
Oct	4.301	4.301	4.301	4.310	–	.011	4.455	3.480	4,196
Nov	4.423	4.423	4.423	4.432	–	.011	4.673	3.835	1,316
Dec	4.551	4.551	4.550	4.560	–	.011	4.820	3.960	1,413
Ja04	4.590	4.590	4.590	4.600	–	.011	4.880	3.950	2,508
Feb	....	....	....	4.480	–	.011	4.760	4.410	2,060
Mar	4.351	4.351	4.351	4.340	–	.011	4.510	4.351	130
Est vol 50,132; vol Wed 42,996; open int 361,052, +1,212.									
Brent Crude (IPE) 1,000 net bbls.; $ per bbl.									
Apr	24.15	24.54	23.90	24.19	+	0.26	32.88	21.60	19,187
May	25.08	25.22	24.62	25.01	+	0.17	31.95	23.18	61,673
June	25.35	25.47	24.88	25.22	+	0.09	31.50	13.55	50,655
July	25.46	25.52	24.80	25.29	+	0.05	29.95	23.05	22,558
Aug	25.35	25.48	24.79	25.28	+	0.07	30.25	23.10	16,124
Sep	25.28	25.53	24.95	25.19	+	0.10	28.74	18.35	10,891
Oct	25.17	25.17	24.99	25.05	+	0.13	29.15	22.75	3,868
Nov	24.95	25.00	24.60	24.87	+	0.17	27.04	23.15	4,057
Dec	24.80	24.80	24.42	24.67	+	0.19	29.50	13.70	26,483
Ja02	24.28	24.28	24.26	24.44	+	0.21	25.55	22.50	2,617
Feb	24.01	24.01	24.01	24.19	+	0.21	25.21	22.73	1,214
Mar	....	....	....	23.99	+	0.22	25.67	18.00	1,982
Jun	....	....	....	23.37	+	0.40	25.69	17.35	2,120
Dec	22.20	22.20	22.20	22.32	+	0.45	25.58	17.35	8,954
Est vol 105,000; vol Wed 105,000; open int 232,383, +703.									
Gas Oil (IPE) 100 metric tons; $ per ton									
Apr	208.00	212.00	206.50	209.25	–	4.50	284.50	161.00	29,838
May	208.00	211.50	206.25	208.00	–	5.00	270.50	187.50	12,848
June	210.00	212.25	208.00	210.25	–	4.50	269.00	165.00	11,724
July	211.50	213.00	210.50	211.50	–	4.75	254.50	206.00	5,432
Aug	213.75	213.75	211.75	212.75	–	4.25	248.25	206.75	3,079
Sep	214.50	214.75	213.00	214.00	–	3.75	244.75	164.00	3,097
Oct	215.00	216.25	213.50	215.25	–	3.25	261.50	168.00	2,238
Nov	....	....	....	216.00	–	3.00	244.00	214.00	2,180
Dec	215.00	217.50	214.50	216.50	–	2.75	240.00	213.25	8,956
Ja02	217.25	217.25	216.75	216.50	–	2.75	240.00	214.00	2,864
Feb	....	....	....	214.50	–	2.50	221.00	214.00	1,916
Mar	....	....	....	211.25	–	2.25	245.75	195.00	351
Jun	202.50	202.50	202.00	202.00	–	2.00	225.00	182.00	2,558
Dec	202.50	203.00	202.50	202.50	–	2.50	210.25	181.00	530
Est vol 35,000; vol Wed 22,619; open int 87,611, +500.									

EXCHANGE ABBREVIATIONS

(for commodity futures and futures options)

CANTOR-Cantor Exchange; **CBT-Chicago Board of Trade; CME**-Chicago Mercantile Exchange; **CSCE**-Coffee, Sugar & Cocoa Exchange, New York; **CMX**-COMEX (Div. of New York Mercantile Exchange); **CTN**-New York Cotton Exchange; **DTB**-Deutsche Terminboerse; **FINEX**-Financial Exchange (Div. of New York Cotton Exchange; **IPE**-International Petroleum Exchange; **KC**-Kansas City Board of Trade; **LIFFE**-London International Financial Futures Exchange; **MATIF**-Marche a Terme International de France; **ME**-Montreal Exchange; **MCE**-MidAmerica Commodity Exchange; **MPLS**-Minneapolis Grain Exchange; **NYFE**-New York Futures Exchange (Sub. of New York Cotton Exchange); **NYM**-New York Mercantile Exchange; **SFE**-Sydney Futures Exchange; **SGX**-Singapore Exchange Ltd.; **WPG**-Winnipeg Commodity Exchange.

Preços

Os três primeiros números de cada linha mostram o preço de abertura, a máxima do dia, ou seja, o preço de negociação mais alto alcançado durante o dia e a mínima alcançada durante o dia. O preço de abertura é representativo dos preços aos quais os contratos foram imediatamente negociados logo após o sino de abertura ter sido tocado. Em 15 de março de 2001, o preço de abertura de milho para maio de 2001 foi de 217½ *cents* de dólar por *bushel* e, durante o dia, o preço oscilou entre $210^{1/2}$ e $217^{3/4}$.

Preço de ajuste

O quarto número é o *preço de ajuste*. Este é uma média dos preços aos quais o contrato foi negociado pouco antes que o sinal de encerramento do pregão fosse tocado. O quinto número é a variação do preço de ajuste do dia anterior para o dia. No caso do contrato de milho para maio de 2001, o preço de ajuste de $210^{3/4}$ *cents* em 15 de março de 2001 caiu 7 *cents* de dólar em relação ao preço de ajuste de 14 de março de 2001.

O preço de ajuste é muito importante porque é usado para calcular diariamente os ganhos, as perdas e os requerimentos de margem. No caso do contrato de milho para maio de 2001, o investidor com posição *long* em um contrato teria o saldo de sua conta margem reduzida de US$350 (5.000 × 7 *cents*) entre 14 de março de 2001 e 15 de março de 2001. Da mesma forma, o investidor com posição *short* em um contrato teria o saldo de sua conta margem aumentado em US$350 entre essas duas datas.

Maiores altas e maiores baixas

O sexto e o sétimo números mostram a mais alta e a mais baixa cotações verificadas na negociação de determinado contrato durante toda a sua vida. O contrato de milho futuro para maio de 2001 foi negociado por quase um ano até 15 de março de 2001. Nesse tempo, a maior e a menor cotação foram, respectivamente, $282^{1/2}$ e $206^{1/2}$ *cents*.

Saldo de posições em aberto e volume de negociação

O final da coluna na Tabela 2.2 mostra as *posições em aberto* [*open interest*] de cada contrato. Este é o número total de contratos ainda em aberto que iguala o número de posições *long* ou, equivalentemente, o número de posições *short*. Devido a problemas na compilação dos dados, o saldo de posições em aberto refere-se ao dia anterior ao dia da negociação. Assim, no *Wall Street Journal*, de 16 de março de 2001, o saldo de posições em aberto refere-se ao fechamento de 14 de março de 2001. No caso do contrato futuro de milho para maio de 2001, o saldo de posições em aberto foi de 186.129 contratos.

No fim de cada seção, a Tabela 2.2 mostra o volume estimado de negociação em contratos de todas as maturidades em 15 de maio de 2001 e o real volume de negociação desses contratos em 14 de maio de 2001. Exibe também o saldo total de posições em aberto para todos os contratos em 14 de maio de 2001 e a mudança desse saldo em relação ao dia anterior. Considerando-se todos os contratos futuros de milho, o volume total estimado, em 15 de maio de 2001, foi de 103.000 e o volume real, em 14 de maio de 2001, de 60.060 contratos. O saldo total de posições em aberto para todos os contratos futuros de milho foi de 431.377, elevação de 1.845 em relação ao dia anterior.

Às vezes, o volume de negócios em um dia é maior que o saldo de posições em aberto ao fim do dia. Isso é indicativo de grande número de operações *day trade*.

Padrão dos preços futuros

Vários padrões de preços futuros diferentes podem ser extraídos da Tabela 2.2. O preço do futuro de ouro na New York Mercantile Exchange e o preço do futuro de trigo na Chicago Board of Trade elevam-se à medida que a maturidade (data de vencimento do contrato) aumenta. Esse aspecto é chamado de *mercado normal*. Ao contrário, o preço do contrato futuro de açúcar mundial decresce em função da maturidade. Essa situação é conhecida como *mercado invertido*. Outras commodities apresentam padrões mistos. Por exemplo, os preços dos contratos futuros de petróleo (óleo cru) primeiro aumentam e depois decrescem em função da maturidade.

2.6 KEYNES E HICKS

Chama-se a média das opiniões do mercado acerca do preço futuro de determinado ativo de *preço futuro esperado* do ativo naquele momento. Suponha que seja junho e o preço futuro do milho para setembro seja 200 *cents*. É importante perguntar qual o preço esperado do milho para setembro. Esse preço será menor, maior ou exatamente igual a 200 *cents*? Conforme ilustrado na Figura 2.1, o preço do contrato futuro converge para o nível de preço a vista à medida que o contrato se aproxima da data de vencimento. Se o preço futuro esperado é menor que 200 *cents*, o mercado deve esperar que o preço do contrato futuro para setembro decline. Isso produzirá ganhos para os detentores de posições *short* e perdas para os detentores de posições longas. Se o preço futuro esperado é maior que 200 *cents* então o contrário deve acontecer. O mercado deve esperar que o preço futuro para setembro aumente, gerando ganho para aqueles com posições longas e perdas para aqueles com posições curtas [*short*].

Os economistas John Maynard Keynes e John Kicks argumentaram que se os *hedgers* tendem a manter posições vendidas [*short*] e os especuladores tendem a manter posições compradas [*long*], o preço do contrato futuro de determinado ativo ficará abaixo de seu valor futuro esperado para o preço a vista [*spot price*]. Isso se deve ao fato de que os especuladores requerem compensação pelos riscos que estão carregando. Estes farão negócios apenas se puderem ganhar dinheiro na média. Os *hedgers* perderão dinheiro na média, mas provavelmente estarão dispostos a pagar esse preço, pois os contratos futuros reduzem seus riscos. Se *hedgers* tendem a manter posições longas, enquanto especuladores tendem a manter posições curtas, o argumento de Keynes e Hicks é de que os preços futuros praticados estarão acima do preço futuro esperado para o preço a vista por razões similares.

Quando o preço futuro está abaixo do preço futuro esperado, a situação é conhecida como *normal backwardation*; quando o preço futuro está acima do preço futuro esperado a situação é conhecida como *contango*. No próximo capítulo, examinam-se com mais detalhes as relações entre preços futuros e a vista.

2.7 ENTREGA

Como foi mencionado neste capítulo, poucos contratos futuros são mantidos até sua liquidação por meio da entrega da mercadoria. A maioria é encerrada antes do vencimento. Não obstante, é a possibilidade de eventual entrega que determina o preço futuro. Desse modo, a compreensão dos procedimentos de entrega é bastante importante.

O período no qual as entregas podem ser feitas é definido pela bolsa e varia de contrato para contrato. A decisão de quando entregar é tomada pela parte vendedora, aqui chamada de investidor A. Quando o investidor A decide entregar, o corretor do investidor A emite o *aviso de intenção de entrega* para a *clearinghouse* da bolsa. Esse aviso mostra quantos contratos serão entregues e, no caso de commodities, também especifica onde a entrega será feita e que tipo de mercadoria será entregue. A bolsa escolhe qual comprador, ou seja, qual cliente com posição compradora deverá receber a mercadoria.

Suponha que fosse o investidor B quem estava do outro lado da operação quando o investidor A abriu sua posição. É importante notar que não faz sentido pensar que será o investidor B quem receberá a mercadoria quando o investidor A decidir entregar. O investidor B pode já ter encerrado sua posição ao negociar com o investidor C, que, por sua vez, pode ter encerrado sua posição ao negociar com o investidor D e assim por diante. A regra mais comum é a bolsa escolher o comprador com a posição mais antiga para receber a mercadoria. Investidores com posição comprada têm obrigação de receber a mercadoria. Entretanto, se os avisos de intenção de entrega forem transferíveis, os investidores com posição de compra que forem escolhidos terão curto período de tempo, em geral meia hora, para encontrar outra parte com posição comprada que aceite a entrega.

No caso de commodity, receber a entrega significa aceitar o recibo de depósito de um armazém e realizar o pagamento imediatamente. A parte que está recebendo a entrega passa a ser responsável por todos os custos de armazenagem. No caso de futuros de animais vivos, há custos associados à alimentação e ao cuidado com os animais. No caso de futuros financeiros, a entrega é feita por transferências em sistemas eletrônicos. Para todos os contratos, o preço pago é baseado no preço de ajuste imediatamente precedente à data do aviso de intenção de entrega. Quando for o caso, esse preço é ajustado em função do tipo da mercadoria, local da entrega etc. Todo o procedimento de entrega, desde a emissão do aviso de intenção de entrega até a entrega propriamente dita, leva geralmente dois ou três dias.

Há três dias críticos para determinado contrato. Estes são o primeiro dia de entrega do aviso, o último dia de entrega do aviso e o último dia de negociação. O *primeiro dia de entrega do aviso* é o primeiro dia em que o aviso de intenção para realizar a entrega da mercadoria pode ser submetido à bolsa. O *último dia de entrega do aviso* é autoexplicativo. O *último dia de negociação* geralmente ocorre alguns dias antes do último dia de entrega do aviso.

Para evitar o risco de ter de receber a entrega, o investidor com posição comprada deve encerrá-la antes do primeiro dia de entrega do aviso.

Liquidação financeira

Alguns futuros financeiros, tais como índices de ações, são liquidados em dinheiro porque é inconveniente ou impossível entregar o ativo-objeto. No caso de contratos futuros do índice de ações S&P 500, por exemplo, entregar o ativo-objeto significaria entregar portfólio com 500 ações. Quando o contrato tem liquidação financeira, é simplesmente marcado a mercado no último dia de negociação, e todas as posições são declaradas encerradas. Para assegurar a convergência entre o preço futuro e o preço spot, o preço de ajuste do último dia de negociação é fixado, sendo exatamente igual o preço a vista do ativo-objeto na abertura ou no fechamento do último dia de negociação. Por exemplo, no contrato futuro do índice de ações S&P 500 negociado na Chicago Mercantile Exchange, o preço de ajuste final é baseado no preço de abertura do índice verificado na terceira sexta-feira do mês de vencimento.

2.8 TIPOS DE OPERADOR

Há dois principais tipos de operador executando negócios: corretores (*commission brokers*) e operadores especiais (*locals*). Os *corretores* seguem as instruções de seus clientes e cobram comissão por isso. Os *locals* operam para si próprios.

Os agentes que assumem uma posição, sejam *locals* sejam clientes dos corretores, podem ser classificados como *hedgers*, especuladores ou arbitradores, como discutido no Capítulo 1. Os especuladores podem ser classificados como *scalpers*, *day traders* ou *position traders*. Os *scalpers* observam as tendências de curtíssimo prazo e buscam obter lucro de pequenas variações nos preços do contrato. Em geral, mantêm suas posições apenas por poucos minutos. Os *day traders* mantêm suas posições por períodos menores de um dia, pois não querem correr o risco de variação de preços de um dia para outro. Já os *position traders* mantêm suas posições por períodos mais longos. Esperam obter lucros significativos com os principais movimentos nos mercados.

Ordens

O tipo de ordem mais simples enviada ao corretor é a *ordem a mercado* [*market order*]. Esta estabelece que a operação deve ser realizada imediatamente ao melhor preço disponível no mercado. Há outros tipos de ordem. Aqui, serão abordadas apenas as mais comuns.

A *ordem limitada* [*limit order*] especifica um preço em particular. Pode ser executada apenas àquele preço ou melhor, isto é, a um preço mais favorável ao investidor. Assim, se o preço limite é US$30 para o investidor que quer assumir uma posição de compra, a ordem será executada apenas ao preço de US$30 ou menos.

Evidentemente, não há garantias de que a ordem será executada, pois o preço limite pode não ser alcançado.

A *ordem de stop* ou *ordem stop-loss* [ordem que visa limitar o prejuízo] também especifica um preço em particular. A ordem é executada ao melhor preço disponível caso tenha havido oferta de compra ou oferta de venda àquele preço ou por outro menos favorável. Suponha que a ordem de *stop* para vender a US$30 seja emitida quando o preço de mercado for de US$35. Esta se tornará uma ordem para vender quando o preço cair a US$30. Na verdade, a ordem de *stop* se transforma em ordem a mercado tão logo o preço especificado for atingido. Em geral, o objetivo da ordem de *stop* é fechar uma posição se ocorrerem movimentos de preços desfavoráveis, ou seja, limitar a perda que pode ser incorrida.

A *ordem de stop limitada* (*stop limit order*) é a combinação entre a ordem de *stop* e a ordem limitada. A ordem se transforma em ordem limitada tão logo uma oferta de compra ou de venda seja feita a um preço igual ou menos favorável que o preço de *stop*. Dois preços devem ser especificados na ordem *stop* limitada: o preço *stop* e o preço limite. Suponha que quando o preço de mercado estiver a US$35, uma ordem de *stop* limitada para comprar seja emitida com preço de *stop* de US$40 e preço limite de US$41. Tão logo ocorra uma oferta de compra ou de venda a US$40, a ordem de *stop* limitada se transforma em ordem limitada a US$41. Se o preço de *stop* e o preço limite forem o mesmo, a ordem pode ser chamada de *ordem stop e limitada*.

A ordem *market-if-touched* (MIT) é executada ao melhor preço disponível depois de ocorrer um negócio a um preço especificado ou a um preço mais favorável que o especificado. Na verdade, a MIT transforma-se em ordem a mercado se o preço especificado for atingido. A MIT é também conhecida como *board order*. Considere o investidor que tenha posição comprada em contrato futuro e que dê instruções para fechar sua posição. A ordem de *stop* é apropriada para estabelecer o limite na perda que pode ocorrer no caso de movimentos de preços desfavoráveis. Já a MIT é apropriada para assegurar que lucros serão garantidos se movimentos de preços favoráveis ocorrerem.

A *ordem discricionária* [*market-not-held order*] é negociada como ordem a mercado, exceto pelo fato de que sua execução pode ser atrasada conforme o entendimento do corretor com objetivo de buscar melhor preço para a realização da operação.

Algumas ordens especificam prazos. A não ser quando expressamente indicado, a ordem é válida por um dia, expirando ao fim do pregão. A *ordem time-of-day* especifica um período de tempo durante o dia para que a ordem possa ser executada. A *ordem em aberto* ou a *ordem boa até o cancelamento* é efetiva até ser executada ou enquanto o contrato estiver sendo negociado. A *ordem execute ou cancele* [*fill or kill*], como o próprio nome já diz, deve ser executada imediatamente quando recebida ou então cancelada.

2.9 REGULAÇÃO

Os mercados futuros nos Estados Unidos são atualmente regulamentados em âmbito nacional pela Commodity Futures Trading Commission–CFTC (www.cftc.gov), fundada em 1974. Esse órgão é responsável pelo licenciamento de bolsas de futuros e pela aprovação de contratos. Todos os contratos novos e as alterações nos existentes têm de ser aprovados pela CFTC. Para isso, um contrato deve ter função econômica. Em outras palavras, o contrato precisa ir ao encontro da necessidade de *hedgers* e de especuladores.

A CFTC cuida do interesse público. É responsável por assegurar que os preços sejam informados ao público e que os operadores de futuros informem suas posições se estas estiverem acima de determinados níveis. A CFTC também licencia todas as pessoas que oferecem seus serviços ao público no que diz respeito a mercados futuros. Os históricos desses indivíduos são investigados e há requerimentos de capital mínimo. A CFTC também trata das reclamações que são trazidas pelo público e garante que ações disciplinadoras serão efetivadas quando se fizerem necessárias. Além disso, tem autoridade para forçar as bolsas a tomarem medidas punitivas contra os membros que violarem as regras de negociação.

Com a criação da National Futures Association–NFA (www.nfa.futures.org) em 1982, algumas das funções da CFTC foram transferidas para a própria indústria de futuros. A NFA é uma organização de pessoas que participam da indústria de mercados futuros. Seu objetivo é prevenir fraudes e assegurar que o mercado opere no melhor dos interesses do público em geral. A NFA exige que seus membros passem por um exame. Está autorizada para monitorar as negociações e tomar medidas disciplinadoras quando for o caso. A agência criou sistema eficiente para arbitramento de disputas entre as pessoas e seus membros.

De tempos em tempos, outros organismos como a Securities Exchange Commission–SEC (www.sec.gov), o Federal Reserve Board (www.federalreserve.gov) e o Departamento de Tesouro dos Estados Unidos reivindicam direitos jurisdicionais sobre alguns aspectos das negociações com futuros. Esses organismos estão interessados nos efeitos dos negócios futuros nos mercados a vista de títulos como ações, letras e bônus do Tesouro. A SEC atualmente tem poder de veto sobre a aprovação de novos contratos futuros de índice de ações ou de bônus. Entretanto, a principal responsabilidade por todos os mercados futuros e de opções é da CFTC.

Irregularidades na negociação

Na maior parte do tempo, os mercados futuros operam eficientemente e no interesse do público. Entretanto, de vez em quando, aparecem irregularidades. Um exemplo ocorre quando um grupo de investidores tenta colocar o mercado em *corner*[2]. O grupo assume posição comprada no mercado futuro e também tenta exercer algum controle sobre a oferta do ativo-objeto no mercado a vista. À medida que o vencimento se aproxima, o grupo de investidores não fecha sua posição, o que faz que o total de posições em aberto no mercado futuro exceda o estoque do bem disponível para entrega. Os detentores de posições vendidas percebem que terão dificuldades para entregar e ficam desesperados para fechar suas posições. O resultado é uma grande elevação dos preços futuro e a vista.

Os reguladores lidam com esse tipo de abuso aumentando as exigências de margem, impondo limites de posição mais severos, proibindo negócios que aumentem a posição em aberto de especuladores e forçando os participantes do mercado a fechar suas posições.

Outros tipos de irregularidades podem envolver os operadores no recinto de negociações (sala de pregão) da bolsa. Esse assunto ganhou destaque em 1989 quando foi anunciado que o FBI havia realizado investigação de dois anos, usando agentes disfarçados, na Chicago Board of Trade e na Chicago Mercantile Exchange. A investigação foi iniciada por

---

[2] Possivelmente, o exemplo mais conhecido desse procedimento envolve as atividades dos irmãos Hunt no mercado de prata nos anos de 1979 e 1980, quando suas atividades fizeram o preço subir de US$9 para US$50 a onça.

causa das reclamações registradas pela área agrícola. As queixas incluíram superfaturamento contra os clientes, não-pagamento aos clientes do resultado total das vendas e utilização pelos operadores de conhecimento das ordens dos clientes para negócios por conta própria.

2.10 CONTABILIDADE E TRIBUTAÇÃO

O detalhamento dos aspectos relativos à contabilidade e à tributação dos contratos futuros vai além do escopo deste livro. Quem desejar obter mais informações detalhadas a esse respeito deve consultar especialistas. Nesta seção, apresentam-se algumas informações gerais.

Contabilidade

A norma 52 do *Financial Accounting Board Statement* (Fasb), sobre conversão de moeda estrangeira [*foreign currency translation*], estabeleceu padrões de contabilidade nos Estados Unidos para futuros de moeda estrangeira. A norma 80, *Accounting for Futures Contracts*, estabeleceu os padrões de contabilidade para todos os demais contratos. As duas normas estabelecem que as variações no valor de mercado devem ser reconhecidas quando ocorrerem, a menos que o contrato seja qualificado como *hedge*. Quando o contrato é qualificado como *hedge*, os ganhos e as perdas são geralmente reconhecidos para efeito de contabilidade no mesmo período em que os ganhos e as perdas do item que está sendo *hedgeado* forem reconhecidos.

Considere um operador que, em setembro de 2000, assume uma posição comprada no contrato futuro de milho para vencimento em março de 2001 e fecha essa posição no fim de fevereiro de 2001. Suponha que os preços futuros sejam de 150 *cents* por *bushel* quando o contrato é aberto, de 170 *cents* por *bushel* no fim do ano 2000 e de 180 *cents* por *bushel* quando a posição é encerrada. Cada contrato estabelece a entrega de 5.000 *bushels*. Se o operador é um especulador, os ganhos para efeito de contabilidade são: 5.000 × US$0,20 = US$1.000 em 2000; e 5.000 × US$0,10 = US$500 em 2001. Se o operador estiver fazendo o *hedge* da compra de 5.000 *bushels* de milho em 2001, todo o ganho de US$1.500 será considerado, para efeito contábil, como se realizado em 2001. Esse tratamento é denominado *contabilidade de hedging* [*hedge accounting*].

Esse exemplo é mostrado na Tabela 2.3. O comportamento de ganhos e perdas em uma operação de *hedge* é algo sensível. Se o operador, no exemplo, for uma empresa que faz o *hedge* de compra de 5.000 *bushels* de milho no fim de fevereiro de 2001, o efeito do contrato futuro é assegurar que o preço pago esteja em torno de 150 *cents* por *bushel*. O tratamento contábil reflete que o preço é pago em 2001. Para esse operador, as contas em 2000 não são afetadas pela operação no mercado futuro.

Em junho de 1998, o Fasb publicou a norma 133 (FAS 133), *Accounting for Derivatives Instruments and Hedging Activities*, a qual se aplica a todos os tipos de derivativos (incluindo futuros, termos, swaps e opções) e exige que todos os derivativos sejam incluídos no balanço ao preço de mercado[3], aumentando as exigências quanto à divulgação de informações. Essa norma também dá menos espaço para que as companhias usem a regra de contabilidade para *hedge*. Para tanto, o instrumento de *hedge* deve ser altamente eficaz no que diz respeito à redução da exposição ao risco, sendo exigido a cada três meses uma avaliação de tal eficácia. A FAS 133 vale para os anos fiscais que começam após 15 de junho de 2000.

Impostos

De acordo com a lei norte-americana sobre taxação, dois pontos fundamentais são: a natureza de ganho ou perda tributáveis e o momento de reconhecimento de ganho ou perda. Estes são classificados como ganhos e perdas de capital ou como parte da receita comum.

Para uma empresa que paga impostos, os ganhos de capital são taxados à mesma taxa das rendas comuns e as perdas que podem ser deduzidas são limitadas. Perdas de capital podem ser deduzidas apenas até o limite dos ganhos de capital. A empresa pode deduzir as perdas por três anos e mantê-las registradas (carregá-las) por até cinco anos.

Tabela 2.3 – Tratamento contábil de uma operação no mercado futuro

Da mesa do operador – fevereiro de 2001
Setembro de 2000: o investidor assume posição comprada no contrato futuro de vencimento março de 2001 equivalente a 5.000 *bushels* de milho. O preço futuro é 150 *cents* por *bushel*.
Fim de 2000: preço futuro é 170 *cents* por *bushel*.
Fevereiro de 2001: o contrato é liquidado. Preço futuro é 180 *cents* por *bushel*.

Se o investidor for um especulador:

- o ganho a ser contabilizado, em 2000, será 5.000 × US\$0,20 = US\$1.000;
- o ganho a ser contabilizado, em 2001, será 5.000 × US\$0,10 = US\$500.

Se o investidor estiver fazendo *hedge* de compra de milho em 2001:

- a operação não causará impacto nas contas de 2000;
- o ganho contabilizado, em 2001, será 5.000 × US\$0,30 = US\$1.500.

Para o contribuinte que não seja empresa, os ganhos de capital de curto prazo são tributados à mesma taxa das rendas comuns, mas os de longo prazo são tributados à taxa menor (ganhos de capital de longo prazo são os ganhos provenientes da venda de ativos de capital mantidos por períodos superiores a um ano; ganhos de capital de curto prazo são os ganhos oriundos da venda de ativos de capital mantidos por períodos menores que um ano). O Taxpayer Relief Act de 1997 ampliou (nos Estados Unidos) a diferença de

[3] Anteriormente, um dos atrativos dos derivativos, em alguns casos, era o fato de que podiam ser considerados itens fora do balanço [*off-balance-sheet*].

taxas que devem ser observadas para a tributação entre renda comum e ganhos de capital de longo prazo. Para o contribuinte que não seja empresa, as perdas de capital são dedutíveis até o montante dos ganhos de capital mais as rendas comuns até US$3.000 e podem ser carregadas por prazo indeterminado.

Geralmente, as posições nos contratos futuros são tratadas como se fossem fechadas no último dia do ano fiscal. Ganhos e perdas são considerados capital. Para o contribuinte que não seja empresa, são considerados 60% de longo prazo e 40% de curto prazo.

As operações de *hedge* são exceções a essa regra. A definição de uma operação de *hedge* para efeito de tributação difere daquela utilizada por razões contábeis. As regras de tributação definem o *hedge* como uma operação que faz parte do curso natural de um negócio pelas seguintes razões:

- reduzir o risco de mudanças de preços ou flutuações de moeda relativas à propriedade que é mantida ou está para ser mantida pelo contribuinte com o objetivo de produção de renda comum;
- reduzir o risco de preço ou de mudanças de taxas de juro ou flutuações de moedas em relação aos empréstimos tomados pelo contribuinte.

Ganhos ou perdas provenientes das operações de *hedge* são tratados como renda comum. O momento de reconhecimento dos ganhos ou perdas das operações de *hedge* geralmente coincide com o momento do reconhecimento da renda ou das deduções relativas ao bem para o qual o *hedge* foi realizado.

Regras especiais se aplicam às operações com futuros de moeda estrangeira. Para fins de tributação, o contribuinte pode escolher tratar ganhos e perdas em todos os contratos futuros de moedas como renda comum, independentemente de o contrato ter sido assumido com o objetivo de *hedging* ou de especulação. Se um contribuinte não faz essa escolha, as operações em futuros de moedas estrangeiras são tratadas da mesma forma que as demais operações com futuros.

2.11 CONTRATOS A TERMO

Conforme foi explicado no Capítulo 1, os contratos a termo são similares aos contratos futuros posto que ambos são contratos para comprar ou vender um ativo em determinada data no futuro por certo preço. Entretanto, enquanto os contratos futuros são negociados em bolsa, os contratos a termo são negociados no mercado de balcão – em geral, entre duas instituições financeiras ou entre uma instituição financeira e um cliente corporativo.

Uma das partes de um contrato a termo assume *posição comprada* [*long position* ou posição longa], ou seja, concorda em comprar o ativo em uma determinada data por determinado preço. A outra parte assume *posição vendida* [*short position* ou posição curta] com o compromisso de vender o ativo naquela data pelo mesmo preço. Os contratos a termo não têm de estar em conformidade com os padrões estabelecidos por uma bolsa em particular. A data de entrega do contrato pode ser livremente pactuada entre as duas partes. Em geral, nos contratos a termo, uma única data é especificada, ao passo que nos contratos futuros há uma série de possíveis datas de entrega.

Diferentemente dos contratos futuros, os contratos a termo não são marcados a mercado diariamente. As duas partes estabelecem a liquidação do contrato para ocorrer na data de entrega. Enquanto a maioria dos contratos futuros é fechada antes da data de entrega, a maior parte dos contratos a termo é mantida até a entrega física do ativo ou a liquidação financeira. A Tabela 2.4 resume as principais diferenças entre contratos a termo e futuro.

Preço a termo e preço de entrega

O *preço a termo* de um contrato a termo é semelhante ao preço futuro em termos conceituais. O preço corrente de um contrato a termo é o preço de mercado que seria acordado hoje para entrega do ativo na data de vencimento do contrato a termo. O preço a termo difere do preço a vista e varia de acordo com a maturidade do contrato (veja, na Tabela 1.1, os preços a termo da libra esterlina no dia 19 de junho de 2000).

Suponha que seja 5 de março de 2001. O preço a termo para o ouro para entrega em 5 de setembro de 2001 é US$350 por onça. Ignore o *spread* de compra e venda (*bid-offer*). Uma companhia faz um contrato a termo, comprometendo-se a comprar ouro nesse preço. Então, o preço de US$350 por onça torna-se o preço acordado como o preço de entrega desse contrato a termo particular que a companhia negociou. À medida que o tempo passa, o *preço de entrega* desse contrato permanece constante, ou seja, US$350 por onça. Entretanto, o preço a termo para entrega de ouro em 5 de setembro de 2001 é suscetível à mudança. Por exemplo, se o preço a vista do ouro subir acentuadamente, o preço a termo em 5 de junho de 2001 poderá ser de US$375.

Tabela 2.4 – Comparação entre contratos a termo e futuro

Termo	Futuro
Contrato privado entre duas partes	Negociado em bolsa
Não-padronizado	Padronizado
Uma só data de entrega especificada	Várias datas de entrega
Liquidado no fim do contrato	Ajustado diariamente
Liquidação no vencimento por entrega ou financeira	Encerrado antes do vencimento

Resultados financeiros

Contratos a termo são liquidados na data de vencimento. Suponha que o vencimento ocorra na data T e seja:

S_T = preço a vista do ativo na data T;

K = preço de entrega ou de liquidação do contrato.

A posição comprada em um contrato a termo relativo a uma unidade do ativo vale $S_T - K$ na data de vencimento, porque permite que um ativo que vale S_T seja comprado por K. Então, $S_T - K$ é o *resultado financeiro* [*payoff*] do contrato ou seu *valor final*. Uma posição a termo vendida em uma unidade do ativo vale $K - S_T$ na data de vencimento T porque possibilita seu detentor vender por K um ativo que vale S_T. O resultado ou valor final do contrato é $K - S_T$.

Os resultados dos contratos a termo podem ser positivos ou negativos. Como não há custo para se posicionar em um contrato a termo, o lucro do contrato é equivalente a seu resultado financeiro. Os lucros de posições longas e curtas são mostrados na Figura 2.2.

Lucros de contratos a termo e futuros

Suponha que a taxa de câmbio a termo da libra esterlina para 90 dias seja 1,8381 e que essa taxa seja também o preço do contrato futuro para entrega em 90 dias. Qual a diferença entre os ganhos e as perdas dos dois contratos?

De acordo com o contrato a termo, o ganho ou a perda total são realizados no fim da vida do contrato. Já sob as condições dos contratos futuros, são realizados dia a dia devido ao procedimento de ajuste diário. Suponha que o investidor A esteja comprado em contratos a termo de libra para 90 dias no montante de £1 milhão e que o investidor B está comprado também em £1 milhão mas em contratos futuros (devido ao fato de que cada contrato futuro vale £62.500, o investidor B deve comprar um total de 16 contratos). Assumindo-se que a taxa de câmbio daqui a 90 dias venha a ser de 1,8600 o investidor A terá lucro de US$21.900 no 90º dia. O investidor B terá o mesmo ganho mas não no 90º dia e sim durante o período de 90 dias. Haverá dias em que ele terá perdas e outros em que ele terá ganhos. Porém, no total, quando as perdas forem compensadas com os ganhos, restará lucro de US$21.900 no período.

Figura 2.2 – Lucro de um contrato a termo

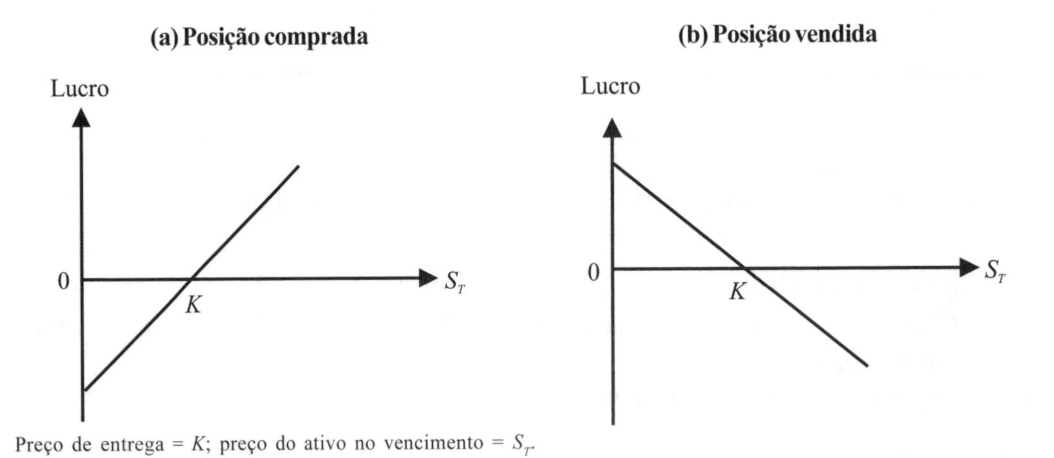

Preço de entrega = K; preço do ativo no vencimento = S_T.

Tabela 2.5 – Resultados dos contratos futuro e a termo

Da mesa do operador
Investidor A toma posição comprada em um contrato a termo para vencimento em 90 dias no valor de £1 milhão. O preço a termo é 1,8381. Investidor B assume posição comprada em um contrato futuro a vencer em 90 dias no valor de £1 milhão. O preço futuro é 1,8381. Ao final do período de 90 dias, a taxa de câmbio da libra esterlina é 1,8600.
Resultado
Cada um dos investidores A e B lucra o valor igual a: $(1{,}8600 - 1{,}8381) \times 1.000.000 = \text{US\$}21.900$
O ganho do investidor A acontece inteiramente no 90º dia, enquanto o ganho do investidor B ocorre durante o período de 90 dias, com resultados diários nesse período. Assim, em alguns dias, ele perde e, em outros, ganha, mas obtém lucro líquido no final.

Esse exemplo está sintetizado na Tabela 2.5. Usando-se a notação introduzida anteriormente, $S_T = 1{,}8600$ e $K = 1{,}8381$, o ganho da posição comprada a termo para cada £1 é:

$$S_T - K = 1{,}8600 - 1{,}8381 = \text{US\$}0{,}0219$$

Dessa forma, o ganho total para o contrato de £1 milhão é US$21.900.

2.12 COTAÇÕES EM MOEDAS ESTRANGEIRAS

Tanto contratos a termo quanto futuros são ativamente negociados em moedas estrangeiras. Entretanto, há diferença no modo em que as taxas de câmbio são cotadas nos dois mercados. Preços futuros são sempre cotados como o número de dólares norte-americanos por unidade da moeda estrangeira ou o número de centavos de dólar norte-americano por unidade da moeda estrangeira. Preços a termo são sempre cotados do mesmo jeito que os preços spot (a vista). Isso significa que, para a libra esterlina, o euro, o dólar australiano e o dólar neozelandês, as cotações a termo mostram a quantidade de dólares norte-americanos por unidade da moeda estrangeira. Com isso, tais cotações são diretamente comparáveis aos preços futuros. Para outras moedas importantes, as cotações a termo mostram a quantidade de unidades de moeda estrangeira por dólar norte-americano. Considere-se por exemplo o dólar canadense (CAD). A cotação futura de US$0,7050 por CAD corresponde ao preço a termo de CAD1,4184 por US$(1,4184 = 1/0,7050).

2.13 SUMÁRIO

Neste capítulo, examinou-se como os mercados futuros e a termo funcionam. Nos mercados futuros, os contratos são negociados em bolsa, sendo necessário que esta defina cuidadosamente a natureza precisa do que está sendo negociado, os procedimentos que serão seguidos e as normas que governarão o mercado. Contratos a termo são negociados diretamente via telefone por dois indivíduos relativamente sofisticados. Como resultado, não há necessidade de padronização do produto nem de extenso conjunto de regras e procedimentos.

A grande parte negociada dos contratos futuros não resulta na entrega do ativo-objeto [*underlying asset*]. Estes são fechados, ou seja, as posições encerradas, antes que o período de entrega seja alcançado. Entretanto, é a possibilidade de entrega final que governa a determinação dos preços futuros. Para cada contrato futuro, há um período dentro do qual as entregas podem ser realizadas, bem como procedimentos de liquidação bem definidos. Alguns contratos, como índice de ações, por exemplo, são liquidados financeiramente e não por meio da entrega do ativo-objeto.

A especificação do contrato é uma atividade importante para uma bolsa de futuros. As duas partes envolvidas em um negócio com contrato futuro devem saber o que pode ser entregue, onde a entrega pode ser realizada e quando pode acontecer. Precisam saber também detalhes relativos ao horário de negociação, forma de cotação, oscilações máximas diárias de preços permitidas etc. Novos contratos devem ser aprovados pela Commodity Futures Trading Commission (CFTC) antes que sua negociação se inicie.

Margens são aspectos importantes dos mercados futuros. Um investidor mantém uma conta de margem com seu corretor. A conta é ajustada diariamente para refletir ganhos ou perdas e, de tempos em tempos, o corretor pode requerer que essa conta seja nivelada se movimentos adversos de preços ocorrerem. O corretor pode ser membro da clearing ou manter uma conta com um membro da *clearinghouse*. Cada membro da clearing deve manter uma conta de margem com a *clearinghouse*. O saldo dessa conta é ajustado diariamente para refletir os ganhos e as perdas nas posições pelas quais o membro de compensação é responsável.

As informações sobre os preços futuros são capturadas de forma sistemática pelas bolsas e, em fração de segundos, estão disponíveis para os investidores em todo o mundo. Muitos jornais diários como o *Wall Street Journal* trazem resumo dos negócios realizados no dia anterior.

Contratos a termo diferem de contratos futuros em várias aspectos. Contratos a termo são acordos privados entre duas partes, enquanto contratos futuros são negociados nas bolsas. Há, geralmente, uma única data de entrega para o contrato a termo enquanto os contratos futuros freqüentemente envolvem várias datas de entrega. Pelo fato de os contratos a termo não serem negociados nas bolsas, não precisam ser padronizados. O contrato a termo não é ajustado ou liquidado antes da sua data de vencimento e grande parte desses contratos realmente é liquidada por meio da entrega do ativo-objeto ou mesmo financeiramente, nessa data.

Nos próximos capítulos, examina-se como os preços a termo e futuros são determinados. Aborda-se também, de forma mais detalhada, os caminhos pelos quais os contratos a termo e futuros podem ser utilizados para fins de *hedge*.

SUGESTÕES PARA LEITURAS COMPLEMENTARES

CHANCE, D. *An Introduction to Derivatives*. Orlando, FL: Dryden Press, 1997.

DUFFIE, D. *Futures Markets*. Upper Saddle River, NJ: Prentice Hall, 1989.

HICKS, J. R. *Value and Capital*. Oxford: Clarendon Press, 1939.

HORN, F. F. *Trading in Commodity Futures*. New York: New York Institute of Finance, 1984.

KEYNES, J.M. *A Treatise on Money*. London: Macmillan, 1930.

KOLB, R. *Futures, Options, and Swaps*. Oxford: Blackwell, 2000.

SCHWAGER, J. D. *A Complete Guide to the Futures Markets*. New York: John Wiley & Sons, 1984.

TEWELES, R. J.; JONES, F. J. *The Futures Game*. New York: McGraw-Hill, 1987.

PERGUNTAS RÁPIDAS (RESPOSTAS NO FINAL DO LIVRO)

2.1 Qual é a diferença entre saldo de posições em aberto (*open interest*) e volume de negociação?

2.2 Qual é a diferença entre um operador especial (*local*) e um corretor (*commission broker*)?

2.3 Suponha que você tenha assumido posição futura de venda no contrato de prata para julho ao preço de US$5,20 por onça, na New York Commodity Exchange. O tamanho do contrato é 5.000 onças. A margem inicial é US$4.000 e a margem de manutenção, US$3.000. Que variação no preço futuro provocará uma chamada de margem? O que acontece se você não atender à chamada de margem?

2.4 Suponha que, em setembro de 2000, você assuma uma posição longa (posição comprada) no contrato de óleo cru para vencimento em março de 2001. Você encerra sua posição em março de 2001. O preço futuro (por barril) foi de US$18,30 ao abrir a posição, de US$20,50 ao fechar a posição e de US$19,10 ao final de dezembro de 2000. Cada contrato implica a entrega de 1.000 barris. Qual é seu ganho total? Quando é realizado? Como é taxado se você for (a) *hedger* e (b) especulador? Considere o fim do ano fiscal em 31 de dezembro.

2.5 O que significa uma ordem de *stop* para vender a US$2? Quando deve ser utilizada? O que uma ordem limitada para vender a US$2 significa? Quando deve ser utilizada?

2.6 Qual é a diferença entre a operação de administração de contas de margem por *clearinghouse* e aquelas administradas por um corretor?

2.7 Que diferenças existem na forma como os preços são cotados no mercado futuro de moedas estrangeiras, no mercado spot de moedas estrangeiras e no mercado a termo de moedas estrangeiras?

QUESTÕES E PROBLEMAS (RESPOSTAS NO MANUAL DE SOLUÇÕES)

2.8 Nos contratos futuros, o vendedor às vezes tem a opção de estabelecer qual ativo será entregue, onde a entrega ocorrerá, quando a entrega acontecerá etc. Essas alternativas aumentam ou diminuem o preço futuro? Explique sua resposta.

2.9 Quais os aspectos mais importantes no desenho (especificação) de um novo contrato futuro?

2.10 Explique como as margens protegem investidores contra a possibilidade de inadimplemento (*default*).

2.11 O investidor assume duas posições longas em contratos futuros de suco de laranja congelado. Cada contrato implica a entrega de 15.000 libras-peso. O preço futuro corrente é 160 *cents* por libra, a margem inicial é US$6.000 por contrato e a margem de manutenção é US$4.500 por contrato. Que mudança nos preços provocaria uma chamada de margem? Sob que circunstâncias o valor de US$2.000 poderia ser sacado pelo investidor?

2.12 Se o preço futuro da commodity for maior que seu preço a vista durante o período de entrega, haverá oportunidade de arbitragem. Existirá essa oportunidade se o preço futuro for menor que o preço a vista? Explique sua resposta.

2.13 Explique a diferença entre uma ordem *market-if-touched* e uma ordem de *stop*.

2.14 Explique o que significa uma ordem de *stop* limitada para vender a US$20,30 com limite de US$20,10.

2.15 No fim de um dia, um membro da clearing está comprado em 100 contratos e o preço de ajuste é US$50.000. A margem original é US$2.000 por contrato. No dia seguinte, o membro torna-se responsável pela compensação de 20 contratos adicionais de compra que foram negociados ao preço de US$51.000. O preço de ajuste no fim desse dia é US$50.200. Quanto deve o membro depositar na sua conta de margem junto à *clearinghouse*?

2.16 No dia 1º de julho de 2001, a companhia compra a termo 10 milhões de ienes para vencimento no dia 1º de janeiro de 2002. No dia 1º de setembro de 2001, vende 10 milhões de ienes para vencimento no dia 1º de janeiro de 2002. Descreva o resultado financeiro dessa estratégia.

2.17 O preço futuro do franco suíço para entrega em 45 dias é 1,8204. O preço futuro para um contrato que será liquidado em 45 dias é 0,5479. Explique essas duas cotações. Qual delas é mais favorável para o investidor que deseja vender francos suíços?

2.18 Suponha que você chame seu corretor e lhe dê instruções para vender um contrato de suíno vivo para vencimento em julho. Descreva o que acontece a seguir.

2.19 "Especulação em mercados futuros resume-se a um puro jogo. Não é do interesse público permitir que especuladores negociem em uma bolsa de futuros". Discuta esse ponto de vista.

2.20 Identifique os contratos com maior saldo de posições em aberto na Tabela 2.2. Considere cada uma das seguintes seções separadamente: grãos e oleaginosas, gado e carne, alimento e fibras e metais e petróleo.

2.21 O que aconteceria se uma bolsa começasse a negociar um contrato em que a qualidade do ativo-objeto fosse especificada de forma incompleta?

2.22 "Quando um contrato futuro é negociado no pregão de uma bolsa, pode acontecer do saldo de posições em aberto aumentar em um contrato, ficar inalterado ou diminuir em um contrato". Explique essa afirmação.

2.23 Suponha que, em 24 de outubro de 2001, você assuma uma posição vendida para abril de 2002 no contrato futuro de boi gordo. Você fecha sua posição em 21 de janeiro de 2002. O preço futuro (por libra-peso) é 61,20 centavos de dólar quando você faz a operação, 58,30 centavos de dólar quando você fecha a posição e 58,80 centavos de dólar no fim de dezembro de 2001. Um contrato implica a entrega de 40.000 libras-peso de boi. Qual é seu lucro total? Como esse ganho será taxado se você for (a) um *hedger* ou (b) um especulador?

QUESTÕES DE PROVA

2.24 A companhia assume posição *short* (vendida) em um contrato futuro equivalente a 5.000 *bushels* de trigo ao preço de 250 centavos de dólar por *bushel*. A margem inicial é US$3.000 e a margem de manutenção é US$2.000. Que mudança de preço provocaria uma chamada de margem? Sob que circunstâncias o valor de US$1.500 poderia ser retirado da conta?

2.25 Suponha que, em 15 de março de 2001, especuladores tentaram assumir posições *short* no contrato futuro de açúcar e os *hedgers* tentaram assumir posições longas. Quais as implicações do argumento de Keynes e Hicks sobre o preço futuro do açúcar? Use a Tabela 2.2. Explique cuidadosamente qual o significado do preço esperado de uma commodity em determinada data.

2.26 Suponha que o milho possa ser estocado por 20 centavos de dólar por *bushel* por ano e que a taxa de juro livre de risco seja 5% ao ano. Como você lucraria no mercado futuro de milho em 15 de março de 2001 por meio da negociação de contratos para maio de 2001 e maio de 2002? Use a Tabela 2.2.

2.27 "Uma posição longa em um contrato a termo é equivalente a uma posição longa em uma opção de compra e uma posição *short* em uma opção de venda". Explique essa afirmação.

Capítulo 3

DETERMINAÇÃO DOS PREÇOS A TERMO E FUTURO

Neste capítulo, examina-se o modo como os preços a termo e futuros estão relacionados ao preço do ativo-objeto. Contratos a termo são mais fáceis de analisar do que contratos futuros porque não há ajuste diário – existe apenas um único pagamento na data de vencimento. Conseqüentemente, a maior parte da análise na primeira parte deste capítulo está voltada para a determinação de preços a termo em vez de preços futuros. Felizmente, pode ser demonstrado que o preço a termo e o preço futuro do ativo são bem próximos um do outro quando as datas de vencimentos são as mesmas. Na segunda parte do capítulo, utiliza-se esse resultado para analisar as propriedades dos preços futuros dos contratos referenciados em índices de ações, taxas de câmbio e outros ativos.

3.1 ATIVOS DE INVESTIMENTO VERSUS ATIVOS DE CONSUMO

Quando se trata de contratos futuros e a termo, é importante distinguir entre ativos de investimento e ativos de consumo. O *ativo de investimento* é o ativo mantido com objetivo de investimento por número significativo de investidores. Ações e bônus são claramente ativos de investimento. Ouro e prata também são exemplos. Nota-se que ativos de investimento não têm de ser mantidos exclusivamente para investimento. Prata, por exemplo, tem vários usos industriais. Entretanto, têm de satisfazer à determinada exigência, qual seja, a de que significativo número de investidores mantenha-os apenas por razões de investimento. O *ativo de consumo* é o ativo mantido basicamente para consumo. Não é mantido por razões de investimento. Exemplos de ativos de consumo são commodities como cobre, petróleo e barriga de porco.

Como será visto mais adiante neste capítulo, é possível usar argumentos de arbitragem para determinar os preços a termo e futuro do ativo de investimento a partir de seu preço a vista e de outras variáveis de mercado. Porém, não se pode fazer isso para os preços a termo e futuro de ativos de consumo.

3.2 VENDA A DESCOBERTO

Algumas das estratégias de arbitragem apresentadas neste capítulo envolvem *vendas a descoberto* [*short selling*]. Essa operação, comumente denominada *ficar short,* envolve a venda de ativo que não se possui.

Tabela 3.1 – Exemplo de venda a descoberto

Da mesa de operações
O investidor vende 500 ações da IBM, em abril, quando o preço é US$120. Compra-as de volta (para liquidar a posição) em julho, quando o preço é US$100. O dividendo de US$1 por ação é pago em maio.
Lucro
O investidor recebe 500 × US$120 em abril e deve pagar 500 × US$1 em maio. O custo para liquidar a posição é 500 × US$100. O ganho líquido (ignorando o valor tempo do dinheiro) é, portanto: (500 × US$120) – (500 × US$1) – (500 × US$100) = US$9.500.

Isso é possível para alguns – não todos – ativos de investimento. Ilustra-se como isso funciona, considerando-se a venda a descoberto de ações de determinada empresa.

Suponha que o investidor dê ordem a seu corretor para vender 500 ações da IBM. O corretor executará as instruções tomando ações emprestadas de outro cliente e vendendo-as no mercado pelos meios usuais. O investidor pode manter a posição a descoberto por quanto tempo desejar, uma vez que sempre há ações que o corretor pode tomar emprestado. Em determinado momento, entretanto, o investidor fechará sua posição por meio da compra de 500 ações da IBM. Essas ações são recolocadas na conta do cliente do qual haviam sido tomadas por empréstimo. O investidor terá lucro se o preço da ação cair ou perda se o preço da ação subir. Se, a qualquer momento em que o contrato estiver aberto, o corretor não conseguir mais tomar ações por empréstimo, o investidor estará *short-squeezed*[N.T.] e será forçado a fechar sua posição imediatamente mesmo que não seja o momento mais apropriado.

O investidor, com venda a descoberto, terá de pagar ao corretor todos os valores, como dividendos ou juros, que em geral seriam recebidos pelo título que foi vendido a descoberto. O corretor transferirá tais valores para a conta do cliente do qual os títulos foram tomados por empréstimo. Considere a posição do investidor: vende 500 ações da IBM em abril quando o preço por ação é US$120 e fecha a posição por meio da compra das ações em julho ao preço de US$100. Suponha que o dividendo de US$1 por ação seja pago em maio. O investidor recebe 500 × US$120 = US$60.000 em abril, quando a posição foi aberta. O dividendo faz que o investidor tenha de pagar 500 × US$1 =

[N.T.] Ou seja, o agente está vendido, não existe disponibilidade do ativo para empréstimo e os preços estão pressionados para cima.

US$500 em maio. O investidor paga 500 × US$100 = US$50.000 quando a posição é fechada em julho. Portanto, o ganho líquido é:

$$US\$60.000 - US\$500 - US\$50.000 = US\$9.500$$

Esse exemplo está sintetizado na Tabela 3.1.

O investidor é obrigado a manter uma *conta margem* com o corretor. A conta margem consiste de depósito feito pelo investidor junto ao corretor em dinheiro ou em títulos negociáveis com a finalidade de garantir que o investidor não fugirá e deixar sua posição *short* em aberto caso os preços das ações subam. Essa conta é similar à conta margem discutida no Capítulo 2 para contratos futuros. Uma margem inicial é requerida e se houver movimentos adversos (isto é, aumentos) no preço do ativo que está sendo vendido a descoberto, depósitos adicionais de margem serão exigidos. A conta margem não representa custo para o investidor. Isso porque são pagos juros sobre o saldo das contas margem. Se os juros oferecidos não são interessantes, títulos como Letras do Tesouro Nacional (*Treasury Bills*) podem ser usados para atender a chamada de margem. O resultado da venda dos ativos pertence ao investidor e geralmente integram a margem inicial.

Nos Estados Unidos, os reguladores permitem que uma ação possa ser vendida a descoberto apenas em *uptick* – ou seja, quando o último movimento em seu preço foi de alta. Exceções ocorrem quando os investidores estão vendendo a descoberto uma cesta de ações com vistas a replicar determinado índice.

3.3 MENSURAÇÃO DA TAXA DE JURO

Antes de entrar em detalhes de como os preços a termo e futuro são determinados, é importante discutir um pouco sobre como a taxa de juro é mensurada. A informação de que a taxa de juro para certificados de depósito de um ano é 10% ao ano pode parecer clara e sem ambigüidade. Na verdade, o significado preciso depende do modo como a taxa de juro é mensurada.

Se a taxa de juro for cotada com capitalização anual, a afirmação do banco de que a taxa de juro é 10% ao ano significará que os US$100 produzirão:

$$US\$100 \times 1{,}1 = US\$110$$

ao fim de um ano. Quando a taxa de juro é expressa com capitalização semestral, ganha-se 5% a cada seis meses, considerando-se o reinvestimento dos juros. Nesse caso, os US$100 produzirão:

$$US\$100{,}00 \times 1{,}05 \times 1{,}05 = US\$110{,}25$$

ao fim de um ano. Quando a taxa de juro é expressa com capitalização trimestral, a afirmação do banco significa que há ganho de 2,5% de juros a cada três meses, considerando-se o reinvestimento dos juros. Assim, os US$100 produzirão:

$$US\$100 \times 1{,}025^4 = US\$110{,}38$$

ao fim de um ano. A Tabela 3.2 mostra o efeito no resultado provocado pelo aumento sucessivo da freqüência de capitalização.

A freqüência da capitalização define quantas vezes o juro é capitalizado. A taxa expressa com determinada freqüência de capitalização pode ser convertida para uma taxa equivalente com freqüência de capitalização diferente. Por exemplo, na Tabela 3.2, pode-se verificar que 10,25% ao ano, com capitalização anual, correspondem a 10% ao ano, com capitalização semestral.

Tabela 3.2 – Efeito da freqüência da capitalização

Freqüência da capitalização	Valor de US$100 ao fim de um ano* (US$)
Anual (m =1)	110
Semestral (m = 2)	110,25
Trimestral (m = 4)	110,38
Mensal (m =12)	110,47
Semanal (m = 52)	110,51
Diária (m = 365)	110,52

*Quando a taxa de juro é 10% ao ano.

Pode-se pensar nas diferenças entre uma e outra freqüência de capitalização de forma análoga às diferenças entre quilômetros e milhas.

Para generalizar os resultados, suponha que a quantia A seja investida por n anos à taxa de juro de R por ano. Se a taxa for capitalizada uma vez por ano, o valor final do investimento será:

$$A\,(1 + R)^n$$

Se a taxa for capitalizada m vezes por ano, o valor final do investimento será:

$$A\left(1+\frac{R}{m}\right)^{mn} \tag{3.1}$$

Capitalização contínua

O limite com m tendendo ao infinito é conhecido como *capitalização contínua*. Com capitalização contínua, pode ser demonstrado que A investido por n anos à taxa R resulta em:

$$Ae^{Rn} \tag{3.2}$$

onde $e = 2{,}71828$. A função e^x está incluída no menu da maior parte das calculadoras eletrônicas. O cálculo da expressão da equação (3.2) não representa, portanto, problema. No exemplo da Tabela 3.2, $A = 100$; $n = 1$; e $R = 0{,}1$. Isso faz que o valor resultante de A capitalizado continuamente seja:

$$100\, e^{0,1} = \text{US\$}110{,}52$$

Esse valor (levando-se em conta apenas duas casas decimais) é o mesmo que se obteria com capitalização diária. Para efeitos práticos, a capitalização contínua pode ser considerada equivalente à capitalização diária. Compor ou capitalizar a soma em dinheiro à taxa R capitalizada continuamente por n anos envolve a multiplicação desse valor por e^{Rn}. Descontar tal valor à taxa R capitalizada continuamente envolve a multiplicação desse valor por e^{-Rn}.

Neste livro, as taxas de juro serão calculadas com capitalização contínua exceto quando o contrário for mencionado. Os leitores que estão acostumados com taxas de juro com capitalização anual, semestral ou com qualquer outro período podem estranhar esse procedimento no primeiro momento. Entretanto, as taxas de juro compostas continuamente são usadas em grande extensão no apreçamento de derivativos fazendo sentido acostumar-se a utilizá-las a partir de agora.

Suponha que R_c seja a taxa de juro com capitalização contínua e R_m seja a taxa equivalente, considerando capitalização de m vezes por ano. Das equações (3.1) e (3.2), tem-se:

$$Ae^{R_c n} = A\left(1+\frac{R_m}{m}\right)^{mn}$$

ou

$$e^{R_c} = \left(1+\frac{R_m}{m}\right)^{m}$$

Isso significa que:

$$R_c = m \ln\left(1+\frac{R_m}{m}\right) \tag{3.3}$$

e

$$R_m = m\left(e^{R_c/m} - 1\right) \tag{3.4}$$

Essas equações podem ser usadas para converter uma taxa com freqüência de capitalização de m vezes por ano em taxa de capitalização contínua e vice-versa. A função ln fornece o logaritmo natural e pode ser encontrada na maior parte das calculadoras. É definida de tal forma que se $y = \ln x$, então $x = e^y$.

Exemplos

1. Considere uma taxa de juro que esteja cotada a 10% ao ano com capitalização semestral. Da equação (3.3) com $m = 2$ e $R_m = 0{,}1$, a taxa equivalente no regime de capitalização contínua é:

$$2\ln\left(1+\frac{0{,}1}{2}\right)=0{,}09758$$

ou 9,758% ao ano.

2. Suponha que o emprestador cote a taxa de juro para empréstimo em 8% ao ano com capitalização contínua e que os juros sejam pagos trimestralmente. Da equação (3.4) com $m = 4$ e $R_c = 0{,}08$, a taxa equivalente com capitalização trimestral é:

$$4\left(e^{0{,}08/4}-1\right)=0{,}0808$$

ou 8,08% ao ano. Isso significa que no empréstimo de US$1.000, a título de juros, US$20,20 serão devidos a cada trimestre.

3.4 SUPOSIÇÕES E NOTAÇÕES

Neste capítulo, assume-se que as seguintes afirmações sejam verdadeiras para alguns participantes do mercado:

- os participantes do mercado não estão sujeitos a custos de transação quando negociam;
- o tratamento tributário para os lucros líquidos das operações é o mesmo para todos
- os participantes do mercado;
- pode-se tomar dinheiro emprestado e emprestar à mesma taxa de juro livre de risco;
- as oportunidades de arbitragem são imediatamente aproveitadas pelos participantes do mercado.

Nota-se que não se requer que tais suposições sejam verdadeiras para todos os participantes do mercado. Tudo o que se exige é que sejam verdadeiras – ou no mínimo aproximadamente verdadeiras – para uns poucos participantes do mercado como os grandes bancos de investimento. Tal suposição é razoável. De fato, é a atividade de *trading* desses participantes e sua ânsia por tirar proveito das oportunidades de arbitragem tão logo surjam que determinam a relação entre os preços a termo e a vista.

Ao longo deste capítulo, as seguintes notações serão utilizadas:

T = prazo a decorrer até a data de entrega do contrato a termo ou futuro (em anos);
S_0 = preço a vista hoje do ativo-objeto dos contratos a termo e futuro;
F_0 = preço a termo ou futuro hoje;
r = taxa de juro livre de risco, expressa em base anual e capitalizada continuamente para investimento de prazo igual ao do contrato a termo ou futuro (ou seja, para T anos).

A taxa de juro livre de risco, r, é em teoria a taxa a qual se pode emprestar ou tomar dinheiro emprestado considerando risco de crédito nulo, isto é, há certeza absoluta de que o empréstimo será pago. Freqüentemente, considera-se a taxa dos títulos do Tesouro, ou seja, a taxa a qual o governo nacional toma dinheiro em sua própria moeda.

Tabela 3.3 – Oportunidade de arbitragem quando o preço a termo da ação sem dividendos está muito alto

Da mesa de operações
O preço a termo de uma ação para o contrato com data de entrega daqui a três meses é US$43. A taxa de juro livre de risco para três meses é 5% ao ano e o preço a vista da ação é US$40. Não se espera o pagamento de dividendos.

Oportunidade
O preço a termo está muito alto quando comparado ao preço a vista da ação. O arbitrador pode:
- tomar US$40 emprestados e comprar uma ação a vista;
- vender a ação a termo para entrega em três meses.

Ao fim de três meses, o arbitrador entrega a ação e recebe US$43. O montante de dinheiro requerido para pagar o empréstimo é $40e^{0,05 \times 3/12}$ = US$40,50. Portanto, o arbitrador aufere lucro ao fim do período de três meses de US$43 – US$40,50 = US$2,50.

Na prática, as grandes instituições financeiras em geral consideram r igual à London Interbank Offer Rate (Libor) em vez da taxa dos títulos do Tesouro nas fórmulas constantes deste capítulo e no restante do livro. A Libor será discutida no Capítulo 5. É a taxa paga por bancos quando estes tomam dinheiro emprestado de outros bancos.

3.5 PREÇO A TERMO DO ATIVO PARA INVESTIMENTO

O contrato a termo mais fácil de apreçar é aquele referenciado em ativo de investimento que não produz renda a seu detentor. Ações que não pagam dividendos e títulos de renda fixa sem cupom são exemplos desse tipo de ativo[1].

[1] Alguns dos contratos mencionados na primeira parte deste capítulo (ou seja, contratos a termo referenciados em ações individuais) não são negociados na prática. Entretanto, são exemplos úteis para o desenvolvimento das idéias aqui apresentadas.

Ilustração

Considere uma posição longa (comprada) em contrato a termo de ação que não paga dividendos para vencimento em três meses. Assuma que o preço a vista da ação seja US$40 com taxa de juro livre de risco para três meses de 5% ao ano. Há estratégias disponíveis para o arbitrador em duas ações limites.

Suponha, primeiro, que o preço a termo seja relativamente alto: US$43. O arbitrador pode tomar US$40 emprestados à taxa de juro livre de risco de 5% ao ano, comprar a ação e vender o contrato a termo que lhe dará o direito de vender a ação em três meses. Ao fim do período de três meses, o arbitrador entrega a ação e recebe US$43. O montante de dinheiro requerido para pagar o empréstimo será:

$$40e^{0,05 \times 3/12} = \text{US\$}40{,}50$$

Ao realizar essa estratégia, o arbitrador fixa lucro de US$43 – US$40,50 = US$2,50 ao fim do período de três meses. Essa estratégia está resumida na Tabela 3.3.

Suponha, a seguir, que o preço a termo seja relativamente baixo, US$39. O arbitrador pode vender uma ação a descoberto, investir o dinheiro da venda à taxa de 5% ao ano por três meses e comprar contrato a termo para entrega em três meses. O resultado da venda a descoberto renderá:

$$40\,e^{0,05 \times 3/12}$$

Tabela 3.4 – Oportunidade de arbitragem quando o preço a termo da ação sem dividendos está muito baixo

Da mesa de operações

O preço a termo de uma ação para o contrato com data de entrega daqui a três meses é US$39. A taxa de juro livre de risco para três meses é 5% ao ano e o preço a vista da ação é US$40. Não se espera o pagamento de dividendos.

Oportunidade

O preço a termo está muito baixo quando comparado ao preço a vista da ação. O arbitrador pode:

- vender uma ação a descoberto, investindo o dinheiro da venda à taxa de 5% ao ano por três meses;
- comprar contrato a termo sobre uma ação para entrega em três meses.

O resultado da venda a descoberto (isto é, US$40) cresce para $40e^{0,05 \times 3/12}$ = US$40,50. No final dos três meses, o arbitrador paga US$39 e recebe a ação sob os termos do contrato. A ação é usada para encerrar a posição vendida. Portanto, o arbitrador aufere lucro ao fim do período de três meses de US$40,50 – US$39 = US$1,50.

ou US$40,50 em três meses. Ao fim desse período, o arbitrador paga US$39, recebe a ação por força da entrega do contrato a termo e a utiliza para fechar sua venda a descoberto. Conseqüentemente, aufere lucro líquido de:

$$US\$40{,}50 - US\$39 = US\$1{,}50$$

ao fim de três meses. A negociação dessa estratégia é resumida na Tabela 3.4.

Sob que circunstâncias as oportunidades de arbitragem como as das Tabelas 3.3 e 3.4 não existem? A arbitragem da Tabela 3.3 funciona quando o preço a termo é maior que US$40,50. A arbitragem da Tabela 3.4 funciona quando o preço a termo é menor que US$40,50. Pode-se, assim, deduzir que, para não haver arbitragem, o preço a termo deve ser exatamente igual a US$40,50.

Generalização

Para generalizar esse exemplo, considere o contrato a termo em ativo de investimento com preço S_0 que não produza rendimento. Usando-se a notação: T é o tempo até o vencimento; r é a taxa de juro livre de risco; e F_0 é o preço a termo. A relação entre F_0 e S_0 é:

$$F_0 = S_0\, e^{rT} \qquad (3.5)$$

Se $F_0 > S_0\, e^{rT}$, arbitradores podem comprar o ativo e vender contratos a termo referenciados no mesmo ativo.

Se $F_0 < S_0\, e^{rT}$, arbitradores podem vender o ativo a descoberto e comprar contratos a termo referenciados no mesmo ativo[2]. No exemplo, $S_0 = 40$; $r = 0{,}05$; e $T = 0{,}25$. A equação (3.4) resulta em:

$$F_0 = 40e^{0{,}05 \times 0{,}25} = US\$40{,}50$$

o que coincide com os cálculos anteriores.

Exemplo

Considere o contrato a termo de quatro meses de prazo para comprar bônus de cupom zero, cuja maturidade seja de um ano. O preço a vista do bônus é US$930 (o fato de que o bônus terá oito meses de maturidade quando o contrato a termo vencer permite considerar o contrato referenciado em bônus de cupom zero de oito meses de maturidade).

---

[2] Para conferir, de forma alternativa, se a equação (3.5) está correta, considere a seguinte estratégia: compra de uma unidade do ativo e venda de um contrato a termo pelo preço F_0 para a data T. O custo dessa estratégia é igual a S_0 e é certo o recebimento do valor F_0 na data T. Assim, S_0 deve ser igual ao valor presente de F_0, igual a $S_0 = F_0\, e^{rT}$, ou seja, $F_0 = S_0\, e^{rT}$.

Assuma que a taxa de juro livre de risco (com capitalização contínua) para quatro meses seja 6% ao ano. Como o bônus de cupom zero não produz renda, pode-se usar a equação (3.5) com $T = 4/12$; $r = 0{,}06$; e $S_0 = 930$. O preço a termo, F_0, será dado pela fórmula:

$$F_0 = 930\,e^{0{,}06 \times 4/12} = \text{US\$ } 948{,}79$$

Este seria o preço de entrega para o contrato a termo negociado hoje.

O que acontece se a venda a descoberto não for possível?

Vendas a descoberto não são possíveis para todos os ativos de investimento. A razão disso não importa muito. Pode-se derivar a equação (3.5) sem necessidade de venda a descoberto. Tudo o que se requer é que haja significante número de pessoas que carreguem o ativo puramente por razões de investimento (e, por definição, isso é sempre verdade para o ativo de investimento). Se o preço a termo for muito baixo, os investidores serão estimulados a vender o ativo e tomar posição longa em contrato a termo.

Suponha que o ativo-objeto seja ouro e que não haja custos de custódia. Se $F_0 > S_0 e^{rT}$, o investidor pode realizar a seguinte estratégia:

- tomar S_0 dólares emprestados à taxa de juro r por T anos;
- comprar uma onça de ouro;
- vender contrato a termo de uma onça de ouro.

Na data T, uma onça de ouro é vendida por F_0. O montante $S_0 e^{rT}$ é necessário para liquidar o empréstimo nessa data. O investidor tem lucro de $F_0 - S_0 e^{rT}$.

Suponha agora que $F_0 < S_0 e^{rT}$. Nesse caso, o investidor que possui uma onça de ouro pode:

- vender o ouro por S_0;
- investir os recursos à taxa de juro r pelo prazo T;
- tomar posição longa em contrato a termo de uma onça de ouro.

Na data T, o dinheiro investido acumulou $S_0 e^{rT}$. O ouro é recomprado por F_0 e o investidor lucra $S_0 e^{rT} - F_0$ em comparação à posição que teria caso o ouro tivesse sido mantido em carteira.

Como no exemplo da ação que não paga dividendos, mencionado anteriormente, pode-se esperar que o preço a termo se ajuste de maneira que nenhuma das duas oportunidades de arbitragem citadas estejam disponíveis. Isso significa que a relação mostrada na equação (3.5) é válida.

Tabela 3.5 – Oportunidade de arbitragem quando o preço a termo do bônus que paga cupom é muito alto

Da mesa de operações
O preço a termo do bônus no contrato com prazo de um ano é US$930. O preço a vista é US$900. Pagamentos de cupom de US$40 são previstos para seis meses e para um ano. As taxas de juro livres de risco para seis meses e um ano são de 9% ao ano e de 10% ao ano, respectivamente.

Oportunidade
O preço a termo é muito alto. O arbitrador pode:
- tomar US$900 emprestados e comprar o bônus a vista;
- vender o contrato a termo referenciado no bônus.

O empréstimo de US$900 foi feito tomando-se US$38,24 à taxa de 9% ao ano para seis meses e US$861,76 à taxa de 10% ao ano para um ano. O primeiro pagamento de cupom de US$40 é suficiente para pagar o principal e os juros do empréstimo de US$38,24. No fim de um ano, o segundo cupom de US$40 é recebido. É recebido também US$930 pela liquidação do contrato a termo, sendo necessários US$952,39 para pagar o principal e os juros do empréstimo de US$861,76.
O lucro líquido, portanto, é US$40 + US$930 – US$952,39 = US$17,61.

3.6 RENDA CONHECIDA

Nesta seção, discute-se o contrato a termo sobre um ativo de investimento que proporcionará renda em dinheiro ao seu detentor, cujo valor é perfeitamente previsível. Exemplos de ativos como estes incluem ações que pagam dividendos de valores conhecidos e títulos de renda fixa que pagam cupons de valores também conhecidos. Adota-se aqui o mesmo enfoque da seção anterior. Analisa-se exemplo numérico e formalizam-se os argumentos.

Ilustração

Considere posição longa em contrato a termo de um título, que paga cupom, cujo preço atual é US$900. Suponha que o contrato a termo vença daqui a um ano e o título daqui a cinco anos, de tal forma que o contrato implique a compra, daqui a um ano, de bônus de quatro anos de prazo. Suponha também que os pagamentos de cupom no valor de US$40 ocorrerão depois de seis meses e 12 meses, com o segundo pagamento de cupom acontecendo imediatamente antes da data de vencimento do contrato a termo.

Assuma que as taxas de juro livres de risco (capitalização continua) sejam de 9% ao ano e 10% ao ano para seis meses e um ano, respectivamente.

Suponha que o preço a termo de US$930 esteja relativamente alto. O arbitrador pode tomar US$900 emprestados, comprar o título e vendê-lo a termo. O primeiro pagamento de cupom tem valor presente de $40e^{-0,09 \times 0,5}$ = US$38,24. Pode-se considerar que uma parte dos US$900 – mais precisamente US$38,24 – foi tomada à taxa de 9% ao ano de tal forma que esse empréstimo poderá ser pago com o recebimento do primeiro cupom. Os restantes US$861,76 foram tomados por empréstimo à taxa de 10% ao ano pelo prazo de um ano. O montante devido ao fim de um ano é US$861,76 $e^{0,01 \times 1}$ = US$952,39. O segundo cupom colaborará com US$40 para pagamento daquele valor e US$930 serão recebidos pela entrega do título quando da liquidação do contrato a termo. Assim, o arbitrador terá lucro líquido de:

US$40 + US$930 – US$952,39 = US$17,61

Essa estratégia está resumida na Tabela 3.5.

Suponha, agora, que o contrato a termo tenha preço relativamente baixo, de US$905. O investidor, que tem o título em carteira, pode vendê-lo e comprar o contrato a termo desse título. Dos US$900 auferidos com a venda do título, US$38,24 serão investidos por seis meses à taxa de 9% ao ano de tal forma que o montante ao final do período será igual ao cupom que teria sido pago pelo título. Os US$861,76 restantes serão investidos por 12 meses à taxa de 10% ao ano e resulta em montante de US$952,39 no período. Desse total, US$40 correspondem ao segundo cupom que teria sido recebido caso o título não tivesse sido vendido e US$905 têm de ser pagos por força da liquidação financeira do contrato a termo. Assim, o investidor lucra:

US$952,39 – US$40 – US$905 = US$7,39

em comparação à situação que teria caso tivesse mantido o título em carteira. Essa estratégia está resumida na Tabela 3.6.

Tabela 3.6 – Oportunidade quando o preço a termo do título que paga cupom é muito baixo

Da mesa de operações

O preço a termo de um título para entrega em um ano é US$905. O preço a vista é US$900. Estão previstos pagamentos de cupom no valor de US$40 em seis meses e em um ano. As taxas de juro livres de risco para seis meses e um ano são de 9% e 10% ao ano, respectivamente.

Oportunidade

O preço futuro é muito baixo. O investidor que tem essa em carteira pode:

- vender o título;
- tomar posição longa em contrato a termo de forma a garantir a recompra do título em um ano.

Com os US$900 auferidos com a venda do título, US$38,24 são investidos por seis meses a 9% ao ano e US$861,76 são investidos por um ano a 10% ao ano. Essa estratégia produz fluxo de caixa de US$40 ao fim de seis meses e fluxo de caixa de US$952,39 ao fim de um ano. Os US$40 correspondem ao cupom que teria sido recebido ao fim de seis meses se o título tivesse sido mantido em carteira. Dos US$952,39, US$40 correspondem ao cupom que teria sido recebido ao fim de um ano. A liquidação do contrato a termo implica a recompra do título por US$905. Assim, a estratégia de vender o título a vista e recomprá-lo a termo produz o seguinte resultado: US$952,39 – US$40 – US$905 = US$7,39.

Essa estratégia é mais lucrativa que simplesmente manter o título em carteira por um ano.

A estratégia da Tabela 3.5 gera lucro quando o preço a termo é maior que US$912,39, enquanto a estratégia na Tabela 3.6 resulta em ganho quando o preço a termo é menor que US$912,39. Deduz-se que, para não haver oportunidades de arbitragem, o preço a termo deve ser US$912,39.

Generalização

Do exemplo, pode-se derivar uma generalização. Quando o ativo de investimento proporciona renda com valor presente igual a I durante a vida do contrato a termo:

$$F_0 = (S_0 - I)\, e^{rT} \tag{3.6}$$

No exemplo, $S_0 = 900$; $I = 40e^{-0,09 \times 0,5} + 40e^{-0,10 \times 1} = 74,433$; $r = 0,1$; e $T = 1$. Dessa maneira:

$$F_0 = (900,00 - 74,433)\, e^{0,1 \times 1} = \text{US\$}912,39$$

Tais derivações estão em acordo com os cálculos anteriores. A equação (3.6) se aplica a qualquer ativo que ofereça renda conhecida.

Se $F_0 > (S_0 - I)\, e^{rT}$, o arbitrador poderá travar lucro por meio da compra do ativo e sua venda a termo. Se $F_0 < (S_0 - I)\, e^{rT}$, o arbitrador pode travar lucro pela venda a descoberto do ativo e a compra deste a termo. Se vendas a descoberto não forem possíveis, investidores que possuem o ativo lucrarão ao vendê-lo e poderão recomprá-lo por meio da assunção de posições longas em contratos a termo[3].

Exemplo

Considere o contrato a termo de 10 meses de prazo referenciado em uma ação com preço de US$50. Assuma que a taxa de juro livre de risco (capitalizada continuamente) seja 8% ao ano para todos os prazos. Assuma também que estejam previstos dividendos de US$0,75 por ação em três, seis e nove meses. O valor presente dos dividendos, I, é dado pela fórmula:

$$I = 0,75\, e^{-0,08 \times 3/12} + 0,75\, e^{-0,08 \times 6/12} + 0,75\, e^{-0,08 \times 9/12} = 2,162$$

A variável T equivale a 10 meses. Assim o preço a termo, F_0, da equação (3.6) é dado pela fórmula:

---

[3] Outra forma de verificar se a equação (3.6) está correta é considerar a seguinte estratégia: compra de uma unidade do ativo e sua venda a termo por F_0 para entrega em T. O custo será S_0 e é certo que haverá entrada de caixa no valor de F_0 na data T e renda com valor presente de I. O dispêndio de caixa inicial é S_0. O valor presente das entradas de caixa é $I + F_0\, e^{-rT}$. Logo $S_0 = I + F_0\, e^{-rT}$ ou, de forma equivalente, $F_0 = (S_0 - I)\, e^{rT}$.

$$F_0 = (50 - 2,162)\, e^{0,08 \times 10/12} = \text{US\$}51,14$$

Se o preço a termo fosse menor que este, o arbitrador venderia a ação a vista e compraria contratos a termo. Se o preço a termo fosse maior que este, o arbitrador venderia contratos a termo e compraria a ação a vista.

3.7 RENDIMENTO CONHECIDO

Considera-se, agora, uma situação em que o ativo-objeto do contrato a termo proporciona rendimento conhecido em vez de renda conhecida. Isso significa que o rendimento é conhecido em termos de um percentual do preço do ativo no momento de seu pagamento. Suponha um ativo que pague rendimento de 5% ao ano. Isso significa que rendimento igual a 5% do preço do ativo é pago uma vez ao ano (o rendimento seria 5% ao ano com capitalização composta anual). Poderia também ser rendimento igual a 2,5% do preço do ativo pago duas vezes ao ano (o rendimento então seria de 5% ao ano com capitalização composta semestral). Na seção 3.3, explicou-se que seriam mensuradas as taxas de juro considerando-se capitalização contínua. As fórmulas que permitem transformar o rendimento com período de capitalização para outro rendimento com outro período de capitalização são idênticas àquelas mostradas para taxas de juro na seção 3.3.

Seja q o percentual que define o rendimento médio anual do ativo durante a vida do contrato a termo. Pode ser demonstrado (veja o problema 3.22) que:

$$F_0 = S_0\, e^{(r-q)T} \tag{3.7}$$

Exemplo

Considere o contrato a termo de prazo igual a seis meses referenciado em ativo que paga rendimento igual a 2% de seu valor uma vez durante o período de seis meses. A taxa de juro livre de risco (com capitalização contínua) é 10% ao ano. O preço do ativo é US$25. Nesse caso, $S_0 = 25$; $r = 0,10$; e $T = 0,5$. O rendimento é 4% ao ano com capitalização semestral. Da equação (3.3), essa taxa equivale a 3,96% ao ano com capitalização contínua. Segue que $q = 0,0396$ de tal forma que, pela equação (3.7), o preço a termo é dado por:

$$F_0 = 25\, e^{(0,10 - 0,0396) \times 0,5} = \text{US\$}25,77$$

3.8 APREÇAMENTO DE CONTRATOS A TERMO

O valor do contrato a termo no momento em que é negociado é zero. Mais adiante, pode-se demonstrar que o contrato tem valor positivo ou negativo. Usando a notação introduzida anteriormente, suponha que F_0 seja o atual preço a termo do contrato que foi negociado em algum momento no passado, a data de entrega ocorrerá em T anos e r é a taxa de juro anual livre de risco para T anos. Também são definidos:

K = preço de entrega do contrato;
f = valor do contrato a termo hoje.

A fórmula genérica, que pode ser aplicada a todos os contratos (tanto os referenciados em ativos de investimento e àqueles referenciados nos ativos de consumo), é:

$$f = (F_0 - K)\, e^{-rT} \tag{3.8}$$

Quando o contrato a termo foi primeiramente negociado, K foi estabelecido igual a F_0 e $f = 0$. À medida que o tempo passa, tanto o preço a termo, F_0, quanto o valor do contrato, f, se modificam.

Para verificar a consistência da equação (3.8), comparam-se posição longa no contrato a termo com preço de entrega F_0 com outro contrato a termo, idêntico, mas com o preço de entrega K. A diferença entre os dois é apenas o valor que deverá ser pago pelo ativo quando do vencimento do contrato. De acordo com o primeiro contrato, esse valor é F_0; de acordo com o segundo, o valor é K. A diferença de fluxo de caixa de $F_0 - K$ na data T pode ser transformada em diferença hoje igual a $(F_0 - K)\, e^{-rT}$. Portanto, o contrato com preço de entrega F_0 vale menos que o contrato com preço de entrega K em uma diferença igual a $(F_0 - K)\, e^{-rT}$. O contrato que tem preço de entrega de F_0 tem, por definição, valor igual a zero. Então, o valor do contrato que tem preço de entrega igual a K é $\left(F_0 - K\right)e^{-rT}$. Isso prova a equação (3.8). De forma similar, o valor da posição de venda a termo com preço de entrega K é:

$$(K - F_0)\, e^{-rT}$$

Exemplo

Suponha que a posição longa no contrato a termo cujo ativo-objeto seja uma ação que não paga dividendos foi negociada há algum tempo. Atualmente, o contrato tem seis meses de prazo para o vencimento. A taxa de juro livre de risco (com capitalização contínua) é 10% ao ano, o preço da ação é US\$25 e o preço de entrega é US\$24. Nesse caso, $S_0 = 25$; $r = 0{,}10$; $T = 0{,}5$; e $K = 24$. Da equação (3.5), o preço do contrato a termo para seis meses, F_0, é dado por:

$$F_0 = 25e^{0{,}1 \times 0{,}5} = \text{US\$}26{,}28$$

Da equação (3.8), o valor do contrato a termo é:

$$f = (26{,}28 - 24)\, e^{-0{,}1 \times 0{,}5} = \text{US\$}2{,}17$$

A equação (3.8) mostra que se pode apurar o valor da posição longa em contrato a termo partindo-se do pressuposto de que o preço do ativo na data do vencimento do contrato a termo é igual ao seu preço a termo F_0. Note que, quando se faz essa suposição, a posição longa no contrato a termo proporciona pagamento na data T igual a $F_0 - K$. Isso tem valor presente igual a $(F_0 - K)e^{-rT}$, que é o valor de f na equação (3.8). De forma similar, pode-se apurar o valor da posição vendida no contrato a termo, supondo-se que o preço a termo atual do ativo seja observado.

Usando a equação (3.8) em conjunto com a equação (3.5), obtém-se a seguinte expressão para o valor do contrato a termo referenciado em ativo que não gera renda:

$$f = S_0 - Ke^{-rT} \tag{3.9}$$

De modo similar, usando-se a equação (3.8) em conjunto com a equação (3.6), obtém-se a seguinte expressão para o valor da posição longa em contrato a termo referenciado em ativo de investimento que paga renda conhecida de valor presente igual a I:

$$f = S_0 - I - Ke^{-rT} \tag{3.10}$$

Finalmente, o uso da equação (3.8) em conjunto com a equação (3.7) resulta na seguinte expressão para o valor da posição longa em contrato a termo referenciado em ativo de investimento que prevê rendimento conhecido a uma taxa q:

$$f = S_0e^{-qT} - Ke^{-rT} \tag{3.11}$$

3.9 PREÇOS A TERMO E PREÇOS FUTUROS SÃO IGUAIS?

O Apêndice deste capítulo fornece um argumento sobre arbitragem que mostra que, quando a taxa de juro livre de risco é constante e a mesma para qualquer maturidade, o preço a termo do contrato com determinada data de entrega é igual ao preço futuro para o contrato que tenha data de entrega idêntica. O argumento pode ser estendido de forma a cobrir situações em que a taxa de juro é uma função conhecida de tempo.

Quando as taxas de juro variam de forma imprevisível (como de fato acontece no mundo real), preços a termo e futuro, em teoria, não são mais os mesmos. Provar essa relação entre os dois preços vai além do escopo deste livro. Entretanto, pode-se ter uma idéia da natureza dessa relação se considerada a situação em que o preço do ativo-objeto, S, é forte e positivamente correlacionado com as taxas de juro. Quando S aumenta, o detentor de posição longa em mercado futuro tem ganho imediato por causa do mecanismo do ajuste diário (marcação a mercado). A correlação positiva indica que provavelmente as taxas de juro também subiram. O ganho será investido a essa taxa de juro maior que a taxa de juro média. De forma similar, quando S diminui, o investidor tem perda imediata. Essa perda será financiada a uma taxa de juro mais baixa que a taxa de juro média. O investidor que estiver carregando contrato a termo em vez de contrato futuro não é afetado dessa maneira pelos movimentos das taxas de juro. Por conseguinte, a posição longa em futuros será mais atrativa que a posição longa em contrato a termo. Logo, quando há forte correlação positiva entre S e as taxas de juro, os preços futuros tenderão a ser mais altos que os preços a termo. Quando a correlação é fortemente negativa, pode-se argumentar que os preços a termo tenderão a ser mais altos que os preços futuros.

As diferenças teóricas entre preços a termo e futuros para contratos que têm apenas poucos meses de maturidade são, na maior parte das vezes, muito pequenas e podem ser ignoradas. Na prática, há inúmeros fatores que não estão refletidos nos modelos teóricos e que podem causar diferenças entre preços a termo e futuro. Tais fatores incluem impostos, custos operacionais e tratamento das margens pela clearing. O risco de inadimplemento da contraparte é menor no caso de contratos futuros por causa do papel da *clearinghouse*. Além disso, em certos casos, contratos futuros são mais líquidos e fáceis de serem negociados que os contratos a termo. Mas, apesar dessas considerações, é razoável considerar que preços a termo e futuros são os mesmos para a maior parte dos casos. Neste livro, utiliza-se essa suposição. Emprega-se o símbolo F_0 para representar tanto o preço futuro quanto o preço a termo do ativo.

Quanto maior for o prazo para o vencimento do contrato, maior será a diferença entre preço a termo e futuro. É perigoso, portanto, assumir que preços a termo e futuro são perfeitos substitutos um do outro. Esse ponto é particularmente relevante para os contratos futuros de eurodólar que têm maturidades em torno de 10 anos. Tais contratos serão discutidos no Capítulo 5.

Pesquisas empíricas

Algumas pesquisas empíricas realizadas para comparar os preços de contratos a termo e futuros estão relacionadas no fim deste capítulo. Cornell e Reinganum estudaram os preços a termo e futuros para a libra esterlina, o dólar canadense, o marco alemão, o iene japonês e o franco suíço entre 1974 e 1979. Eles encontraram diferenças muito pouco significativas do ponto de vista estatístico para os dois conjuntos de preços. Seus resultados foram confirmados por Park e Chen que analisaram essas moedas, com exceção do dólar canadense, no período de 1977 a 1981.

French estudou o cobre e a prata durante o período de 1968 a 1980. Os resultados para a prata mostram que os preços futuros e os preços a termo são significativamente diferentes (no nível de confiança de 5%), sendo os preços futuros geralmente superiores aos preços a termo. Os resultados para o cobre são menos precisos. Park e Chen analisaram os preços a termo e futuros de ouro, prata, prata para fazer moedas, platina, cobre e madeira compensada entre 1977 e 1981. Os resultados são similares àqueles encontrados por French para a prata. Os preços futuros e os preços a termo são significativamente diferentes, sendo os preços futuros superiores aos preços a termo. Rendleman e Carabini estudaram o mercado de letras do Tesouro norte-americano entre 1976 e 1978. Também encontraram diferenças significativas do ponto de vista estatístico entre preços a termo e futuros. Em todos esses estudos, parece claro que as diferenças observadas se devem aos fatores já mencionados: impostos, custos de operação etc.

3.10 FUTURO DE ÍNDICE DE AÇÕES

Um índice de ações espelha as mudanças no valor de uma carteira de ações hipotética. O peso da ação na carteira é proporcionalmente igual ao valor investido na ação em questão. O aumento percentual do índice em determinado período de tempo corresponde ao percentual de aumento no valor da carteira teórica. Dividendos em geral não são incluídos no cálculo da variação no valor da carteira. Nesse caso, o índice espelha ganho e perda de capital do investimento na carteira teórica[4].

Mesmo que as ações constantes do portfólio sejam as mesmas, os pesos atribuídos a cada ação da carteira em particular não permanecem fixos. Quando o preço de uma ação em particular sobe mais que os preços das outras, automaticamente o peso relativo dessa ação cresce. Alguns índices são construídos considerando a carteira teórica que tem uma unidade de cada ação. Os pesos atribuídos a cada ação são, portanto, proporcionais a seus preços, havendo ajustes nesses pesos por ocasião da distribuição de bonificações em ações. Outros índices são construídos de tal modo que os pesos relativos das ações são proporcionais ao seu valor de mercado [*market capitalization*] (preço da ação × número de ações emitidas). A carteira teórica é ajustada automaticamente quando da ocorrência de eventos como bonificações, distribuição de dividendos e novas subscrições.

Índices de ações

A Tabela 3.7 mostra os preços futuros para contratos referenciados em vários índices de ações publicados no *Wall Street Journal*, de 16 de março de 2001. Os preços são relativos ao fechamento dos negócios em 15 de março de 2001.

O Dow Jones Industrial Average é baseado em portfólio de 30 ações americanas consideradas *blue-chips*. Os pesos de cada ação são proporcionais a seus preços. O valor do contrato futuro referenciado nesse índice, negociado na Chicago Board of Trade, equivale ao valor do índice multiplicado por 10.

O índice Standard & Poor´s (S&P 500) é baseado em carteira de 500 ações diferentes: 400 de indústrias, 40 de empresas que prestam serviços públicos, 20 de companhias de transporte e 40 de instituições financeiras. Os pesos das ações na carteira em determinado momento são proporcionais a seu valor de mercado relativo. O índice abrange 80% da capitalização de mercado de todas as ações listadas na New York Stock Exchange. A Chicago Mercantile Exchange (CME) negocia dois contratos referenciados no S&P

---

[4] Exceção a essa regra é o *total return index*. Esse tipo de índice é calculado levando-se em conta que os dividendos recebidos pelas ações constantes da carteira teórica são reinvestidos na carteira.

500. Um, cujo tamanho é 250 vezes o índice (cada ponto vale US$250), e outro (o contrato de S&P 500 mini), cujo tamanho é 50 vezes o índice (cada ponto de índice corresponde a US$50). O índice Standard & Poor´s MidCap 400 é similar ao S&P 500, porém é baseado em carteira de 400 ações com valores de mercado menores que aqueles relativos às ações do S&P 500.

O índice Nikkei 225 Stock Average é baseado em portfólio de 225 ações entre as maiores companhias que são negociadas na Tokyo Stock Exchange. Os pesos das ações são estabelecidos com base em seus preços. O contrato futuro (negociado na CME) tem o valor correspondente a cinco vezes o índice.

O Nasdaq 100 é baseado em 100 ações que são negociadas na National Association of Securities Dealers Automatic Service (Nasdaq). A CME negocia dois contratos. Um vale 100 vezes o índice; outro (o minicontrato da Nasdaq 100) vale 20 vezes o valor do índice (cada ponto de variação corresponde a US$20).

O contrato futuro do índice GSCI, mostrado na Tabela 3.7, tem como ativo-objeto o índice de commodities da Goldman Sachs. Não se trata de um índice de ações. É na verdade um amplo indicador de preços de commodities. Todos os principais grupos, como energia, boi gordo, grãos e sementes, comida e fibra e metais, são representados no GSCI. Estudos realizados pela Goldman Sachs mostraram que o GSCI é negativamente relacionado ao valor do índice S&P 500, com coeficiente de correlação variando de –0,30 a –0,40.

O índice Russel 2000 é um índice de pequenas ações negociadas nos Estados Unidos. O índice U.S. Dollar é um índice *trade-weight*[N.T.] dos valores de seis moedas estrangeiras (euro, iene, libra, dólar canadense, coroa sueca e franco suíço). O índice Share Price é o All Ordinaries Share Price Index, um índice bem amplo cuja carteira é baseada nas ações australianas. O CAC-40 é um índice baseado nas 40 maiores ações negociadas na França. O DAX-30 é baseado em 30 ações negociadas na Alemanha. O FT-SE 100 é um índice baseado em uma carteira das 100 principais ações do Reino Unido listadas na London Stock Exchange. O DJ Euro Stoxx 50 Index e o DJ Stoxx 50 Index são dois diferentes índices de ações européias apurados pela Dow Jones e seus parceiros europeus. Os contratos futuros referenciados nesses índices são negociados na Eurex e seus valores correspondem a dez vezes o valor do índice, medido em euros.

Como mencionado no Capítulo 2, contratos futuros de índices de ações são liquidados financeiramente e não pela entrega do ativo-objeto. Todos os contratos são marcados a mercado ou no preço de abertura ou no preço de fechamento do índice a vista no último dia de negociação do contrato futuro, quando então as posições são encerradas. Por exemplo, contratos referenciados no S&P 500 são fechados ao preço de abertura do índice S&P 500 na terceira sexta-feira do mês de entrega. Os negócios podem ser realizados até 8:30 da manhã dessa sexta-feira.

[N.T.] Um índice *trade-weight* é aquele cujos pesos são proporcionais ao volume de negócios realizados entre os países considerados e os Estados Unidos.

Tabela 3.7 – Cotações futuras de índices de ações publicadas no *Wall Street Journal* de 16/3/ 2001

INDEX

DJ Industrial Average (CBOT)-$10 times average									
Mar	10095	10115	9980	10020	+	12	11640	9880	8,023
June	10170	10200	10060	10105	+	10	11795	9980	24,367
Sept	10260	10260	10160	10200	+	7	11330	10095	294
Est vol 19,000; vol Wed 45,038; open int 32,716, +1,471.									
Idx prl: Hi 10097.73; Lo 9980.85; Close 10031.28, +57.82.									
S&P 500 Index (CME)-$250 times index									
Mar	118000	118200	116950	117330	+	410	164260	115500	112,346
June	118080	119450	117450	118470	+	390	166660	116550	455,531
Sept	119500	120680	119300	119640	+	360	169060	117820	2,635
Dec	120700	121780	120500	120740	+	360	171460	118920	969
Mr02	....	....	....	121790	+	330	173860	120070	409
June	123500	124200	122500	123040	+	380	170550	121320	459
Est vol 113,148; vol Wed 209,907; open int 572,426, +8,748.									
Idx prl: Hi 1182.04; Lo 1166.71; Close 1173.56, +6.85.									
Mini S&P 500 (CME)-$50 times index									
Mar	116950	118200	116400	117325	+	400	150000	115400	58,162
Vol Wed 183,181; open int 99,765, −2,471.									
S&P Midcap 400 (CME)-$500 times index									
Mar	475.00	477.00	471.00	471.55	−	1.90	564.00	450.50	4,347
June	480.00	484.00	475.50	476.15	−	2.10	571.00	475.00	15,905
Est vol 3,128; vol Wed 4,403; open int 20,262, −48.									
Idx prl: Hi 479.23; Lo 471.25; Close 471.25, −2.34.									
Nikkei 225 Stock Average (CME)-$5 times index									
June	12080.	12175.	12030.	12130.	+	735	17730.	11255.	16,825
Est vol 1,233; vol Wed 2,341; open int 16,846, +81.									
Idx prl: Hi 12152.83; Lo 11433.88; Close 12152.83, +309.24.									
Nasdaq 100 (CME)-$100 times index									
Mar	181400	181800	168000	169250	−	6000	424150	168000	21,284
June	178000	184100	170800	171500	−	6100	396100	169800	47,728
Est vol 25,437; vol Wed 41,468; open int 69,062, −3,889.									
Idx prl: Hi 1813.68; Lo 1697.61; Close 1697.92, −47.16.									
Mini Nasdaq 100 (CME)-$20 times index									
Mar	1761.5	1813.0	1683.0	1692.5	−	60.0	3850.0	1676.0	65,740
Vol Wed 146,423; open int 104,082, −771.									
GSCI (CME)-$250 times nearby index									
Mar	217.00	217.00	214.40	na		na	250.00	214.40	2,503
Apr	216.90	217.00	214.40	215.50	−	.50	237.50	214.40	14,551
Est vol 3,241; vol Wed 3,807; open int 17,065, +157.									
Idx prl: Hi 217.26; Lo 214.34; Close 215.58, −.52.									
Russell 2000 (CME)-$500 times index									
Mar	458.00	458.00	450.00	452.00	−	.10	603.10	445.50	4,407
June	461.00	463.00	454.50	456.00	−	.50	574.65	454.50	16,083
Est vol 4,190; vol Wed 4,632; open int 20,490, −40.									
Idx prl: Hi 457.96; Lo 451.71; Close 452.16, −1.53.									
U.S. Dollar index (NYBOT)-$1,000 times USDX									
Mar	114.10	115.10	114.10	114.72	+	.96	118.72	108.04	828
June	113.73	115.38	113.55	114.87	+	1.00	118.13	108.18	5,297
Est vol 3,100; vol Wed 5,031; open int 8,133, +485.									
Idx prl: Hi 115.19; Lo 113.43; Close 114.71, +1.01.									
Share Price index (SFE)									
A $25 times index									
Mar	3261.0	3261.0	3197.0	3247.0	−	14.0	3395.0	3045.0	163,238
June	3284.0	3288.0	3228.0	3273.0	−	14.0	3410.0	3080.0	16,992
Sept	....	....	....	3289.0	−	16.0	3450.0	3303.0	1,442
Dec	....	....	....	3307.0	−	14.0	3435.0	3318.0	528
Est vol 28,053; vol Wed 15,314; open int 182,234, +13,838.									
Index Hi 3263.9; Lo 3204.1; Close 3242.9, −21.0.									
CAC-40 Stock index (MATIF)-Euro 10.00 x index									
Mar	5140.0	5207.5	5069.0	5176.0	+	50.0	7102.0	4489.0	370,341
Apr	5175.0	5196.5	5100.0	5195.0	+	49.0	6022.5	5032.0	12,519
May	5145.0	5180.5	5070.5	5167.0	+	50.0	5508.5	4976.5	75
June	5119.0	5154.0	5095.0	5156.0	+	51.0	7034.0	4973.0	14,742
Sept	....	....	....	5207.0	+	51.0	6013.5	4804.0	5,930
Dec	....	....	....	5261.0	+	52.0	6162.5	5892.5	913
Mr02	....	....	....	5314.0	+	51.0	....	....	2,600
Sept	....	....	....	5346.0	+	52.0	....	....	600
Est vol 117,659; vol Wed 94,843; open int 407,720, +21,514.									
DAX-30 German Stock index (EUREX)									
Euro 25 per DAX index pt.									
Mar	5850.0	5887.5	5768.5	5856.0	+	56.0	7699.0	5665.0	190,163
June	5876.5	5912.0	5793.0	5882.5	+	61.5	7364.0	5690.0	293,541
Sept	5888.0	5959.5	5888.0	5945.5	+	64.0	6952.5	5786.0	2,844
Vol Thu 125,542; open int 486,548, +49,245.									
Index Hi 5889.95 Lo 5767.06 Close 5889.95, +95.83.									
FT-SE 100 index (LIFFE)-£10 per index point									
Mar	5667.5	5718.0	5596.5	5669.0	+	45.0	6620.0	5463.0	71,880
June	5710.0	5751.5	5640.0	5709.0	+	41.5	6398.0	618.0	260,404
Sept	....	....	....	5749.0	+	39.0	6436.0	5966.5	6,750
Est vol 113,700; vol Wed 151,724; open int 339,034, +10,145.									
DJ Euro Stoxx 50 index (EUREX)-Euro 10.00 x index									
Mar	4140.0	4189.0	4086.0	4180.0	+	63.0	5536.0	3998.0	340,951
June	4135.0	4174.0	4070.0	4166.0	+	62.0	5232.0	3984.0	434,041
Sept	4195.0	4195.0	4191.0	4202.0	+	66.0	4913.0	4058.0	24,311
Vol Thu 361,073; open int 799,303, +44,714.									
Index Hi 4200.08; Lo 4088.84; Close 4200.08, +76.11.									
DJ Stoxx 50 index (EUREX)-Euro 10.00 x index									
Mar	3945.0	4000.0	3903.0	3991.0	+	51.0	5159.0	3803.0	13,901
June	3940.0	4008.0	3905.0	3999.0	+	52.0	5050.0	3811.0	14,427
Vol Thu 6,794; open int 28,334, +894.									
Index Hi 4032.16; Lo 3908.72; Close 4032.98, +91.22.									

Preços futuros de índices de ações

Um índice de ações pode ser considerado o preço de ativo de investimento que paga dividendos. O ativo de investimento é a carteira de ações que serve de base para o índice e os dividendos pagos pelo ativo de investimento são os que seriam recebidos pelo detentor desse portfólio. Em geral, dividendos proporcionam rendimento conhecido em vez de renda conhecida. Se q for a taxa de rendimento do dividendo, a equação (3.7) gerará o preço futuro, F_0, da seguinte maneira:

$$F_0 = S_0 \, e^{(r-q)T} \tag{3.12}$$

Exemplo

Considere o contrato futuro de S&P 500 de três meses de prazo. Suponha que as ações que compõem o índice proporcionem dividendos, cujo rendimento seja 1% ao ano, que o valor atual do índice seja 400 e que a taxa de juro livre de risco capitalizada continuamente seja 6% ao ano. Nesse caso, $r = 0{,}06$; $S_0 = 400$; $T = 0{,}25$; e $q = 0{,}01$. Logo, o preço futuro, F_0, será dado por:

$$F_0 = 400\, e^{(0{,}06 - 0{,}01) \times 0{,}25} = \text{US\$}405{,}03$$

Na prática, o rendimento obtido com dividendos da carteira de um índice varia semana a semana ao longo do ano. Por exemplo, grande parte dos dividendos das ações negociadas na Nyse é paga na primeira semana de fevereiro, maio, agosto e novembro de cada ano. O valor escolhido para q deve representar o rendimento médio anualizado dos dividendos durante a vida do contrato. Os dividendos utilizados para a estimação de q devem ser aqueles para os quais a data ex-dividendo ocorra durante a vida do contrato futuro. Analisando a Tabela 3.7, pode-se ver que os preços futuros para o S&P 500 aumentam em 3,8% ao ano conforme a maturidade do contrato, ou seja, quanto mais distante a data de vencimento, maior o preço. Isso ocorre quando a taxa de juro livre de risco excede o rendimento dos dividendos em 3,8% ao ano.

Arbitragem de índices

Se $F_0 > S_0\, e^{(r-q)T}$, pode-se auferir lucro por meio da compra da carteira teórica do índice no mercado a vista e a venda de contratos futuros do índice. Se $F_0 < S_0\, e^{(r-q)T}$, a estratégia reversa é que proporcionaria lucro, ou seja, a venda a descoberto das ações que compõem o índice combinada com a compra de contratos futuros. Essas estratégias são conhecidas como *arbitragem de índice*. Quando $F_0 < S_0\, e^{(r-q)T}$, a arbitragem de índice freqüentemente é realizada por fundos de pensão que possuem portfólios de ações indexados. Quando $F_0 > S_0\, e^{(r-q)T}$, a estratégia é realizada por companhias que possuem títulos de renda fixa de curto prazo em seu portfólio. Para os índices que têm carteira teórica composta de muitas ações, a estratégia de índice é realizada com carteira menor em número de ações, mas que tem comportamento semelhante à carteira do índice. Em geral, a arbitragem de índice é feita com o auxílio do aplicativo denominado *program trading*, programa de computador que gera os negócios.

Outubro de 1987

Para realizar arbitragem de índice, o operador deve ser capaz de negociar, com os preços observados no mercado, tanto o índice futuro quanto a carteira de ações que compõem o índice no mercado a vista de forma bastante rápida. Em condições normais de mercado, isso é possível usando-se o *program trading*. Além disso, nessas condições, F_0 é muito próximo de $S_0\, e^{(r-q)T}$. Exemplos de ocasiões em que o mercado se mostrou completamente fora dos padrões são os dias 19 e 20 de outubro de 1987. No dia 19, que passou a ser chamado de *Black Monday*, o mercado caiu mais de 20% e os 604 milhões de ações negociados na Nyse superaram todos os recordes anteriores. Os sistemas da bolsa ficaram sobrecarregados e se alguém tentasse colocar uma ordem para comprar ou vender uma ação naquele dia poderia ter de esperar mais de duas horas antes de ter sua ordem executada. Na maior parte do dia, os preços futuros estiveram cotados com desconto significativo em relação ao índice a vista. Por exemplo, no fechamento do pregão, o índice S&P 500 estava cotado a 225,06 (baixa de 57,88 pontos no dia), enquanto o preço futuro para o contrato de dezembro era de 201,50 (baixa de 80,75 no dia). Essa diferença era grande porque os atrasos no processamento de ordens tornaram a arbitragem de índice impossível de ser realizada. No dia seguinte, terça-feira, 20 de outubro, a Nyse introduziu medidas restritivas em caráter temporário para a utilização dos *programs trading*. Esse fato também colaborou para tornar a arbitragem de índice de difícil execução e quebrou o tradicional elo entre os índices de ações e seus respectivos futuros. Em determinado momento, o preço futuro para dezembro estava 18% abaixo do índice S&P 500 a vista. Entretanto, depois de uns poucos dias, o mercado retornou ao normal e as atividades de arbitradores asseguraram a funcionalidade da equação (3.12) que dita a relação entre preços futuros e preços a vista de índices.

Contrato futuro do índice Nikkei

A equação (3.12) não se aplica aos contratos futuros referenciados no índice de ações Nikkei 225. A razão é bastante sutil. Ao dizer que S é o valor spot do índice Nikkei 225, está-se dizendo que este é o valor da carteira teórica do índice mensurada em ienes, já que os preços das ações que compõem o índice são expressos em ienes. Entretanto, o ativo-objeto do contrato futuro de Nikkey 225, negociado na CME, possui valor em dólares igual a $5S$, ou seja, cada ponto de variação do índice futuro causa ganho ou perda de cinco dólares. Em outras palavras, o contrato futuro toma uma variável que é medida em ienes e a trata como se ela fosse expressa em dólares. Na verdade, não há possibilidade de investir em portfólio de valor igual a cinco vezes o índice a vista ($5S$). Esse investimento em dólares não está disponível. O melhor que se pode fazer é investir em portfólio cujo valor em ienes seja igual a $5S$ (ou seja, cinco vezes o número de pontos do índice a vista) ou em portfólio cujo valor seja, em dólares, igual a $5QS$, sendo Q o valor em dólares de um iene (ou seja, cinco vezes o número do índice a vista vezes o valor em dólares de um iene). Os argumentos de arbitragem que foram utilizados neste capítulo requerem que os preços spot e futuro sejam expressos na mesma moeda de forma a permitir aos investidores operar em ambos os mercados, a vista e futuro. Dessa forma, os argumentos aqui apresentados não se aplicam para o contrato de Nikkei 225.

3.11 CONTRATOS A TERMO E FUTURO DE MOEDAS

Consideram-se, agora, os contratos a termo e futuro referenciados em moedas estrangeiras. O ativo-objeto em contratos como estes consiste em determinado número de unidades da moeda estrangeira. Define-se a variável S_0 como o preço a vista atual expresso em dólares de uma unidade da moeda estrangeira e F_0 como o preço a termo ou futuro de uma unidade de moeda estrangeira. Tais definições são consistentes com a definição proposta para S_0 e F_0 para outros ativos-objeto que referenciam contratos a termo e futuros.

Todavia, como mencionado no Capítulo 2, não é necessário que haja correspondência entre as formas como as taxas de câmbio a vista e futuro são cotadas. Para a maior parte das taxas de câmbio, excetuando-se euro, dólar australiano e dólar neozelandês, a taxa de câmbio a vista ou a termo é cotada em número de unidades da moeda por um dólar.

Uma moeda estrangeira permite a seu possuidor auferir juros a uma taxa de juro livre de risco no país emissor da moeda. Pode, por exemplo, comprar títulos emitidos na moeda estrangeira. Define-se r_f como a taxa de juro estrangeira livre de risco (taxa do país emissor da moeda) para o dinheiro investido no prazo T. Como definido anteriormente, r é a taxa de juro livre de risco interna para o dinheiro investido para o mesmo período de tempo.

A relação entre F_0 e S_0 é:

$$F_0 = S_0\, e^{(r-r_f)T} \tag{3.13}$$

Esta é a conhecida relação de paridade de taxas de juro definida pela teoria de finanças internacionais. Para verificar que a fórmula é pertinente, suponha que as taxas de juro para dois anos na Austrália e nos Estados Unidos sejam de 5% e de 7%, respectivamente, e que a taxa de câmbio a vista [spot] entre o dólar australiano (AUD) e o dólar norte-americano (US$) seja US$0,6200/AUD. Da equação (3.13), a taxa de câmbio a termo para dois anos deve ser:

$$0{,}62\, e^{(0{,}07-0{,}05)\times 2} = 0{,}6453$$

Suponha primeiramente que a taxa de câmbio a termo para dois anos seja menor, por exemplo, do que 0,6300. O arbitrador pode:

- tomar emprestado AUD 1.000 à taxa de 5% ao ano por dois anos, converter para US$620 e investir esse valor à taxa de 7% (ambas as taxas são capitalizadas continuamente);
- comprar contrato a termo referente a AUD 1.105,17 ao preço de 0,6300 resultando em valor total de 1.105,17 × 0,63 = US$696,26.

Os US$620 são investidos à taxa de 7% e produzirão, ao fim de dois anos, o valor de 620 $e^{0{,}07\times 2}$ = US$713,17. Desse valor, US$696,26 serão usados na liquidação do contrato a termo quando haverá a compra de AUD 1.105,17. Tal valor é exatamente o necessário para liquidar o empréstimo de AUD 1.000, considerando-se o principal mais os juros (1.000 $e^{0{,}05\times 2}$ = 1.105,17). Essa estratégia proporciona lucro sem risco de 713,17 – 696,26 = US$16,91 (se você não ficou muito animado com esse lucro, considere uma estratégia semelhante em que o empréstimo é AUD 100 milhões!).

Suponha agora que a taxa de câmbio a termo para dois anos seja 0,6600 (ou seja, maior que 0,6453 dado pela equação 3.13). O arbitrador pode:

- tomar US$1.000 emprestados à taxa de 7% ao ano por dois anos, converter para 1.000/0,6200 = AUD 1.612,90 e investir os dólares australianos à taxa de 5%;
- vender contrato a termo referente a AUD 1.782,53 ao valor de 1.782,53 × 0,66 = US$1.176,47.

Tabela 3.8 – Cotações futuras de moedas estrangeiras publicadas no *Wall Street Journal* de 16/3/2001

CURRENCY									
Japan Yen (CME)-12.5 million yen; $ per yen (.00)									
Mar	.8270	.8297	.8160	.8174	–	.0094	1.0300	.8160	41,711
June	.8358	.8398	.8256	.8270	–	.0095	1.0219	.8256	87,632
Sept	.8475	.8475	.8345	.8363	–	.0097	1.0050	.8345	579
Dec	.8450	.8450	.8450	.8455	–	.0099	.9880	.8450	431
Est vol 23,771; vol Wed 55,559; open int 130,445, +6,474.									
Deutschemark (CME)-125,000 marks; $ per mark									
Mar	.4652	.4652	.4581	.4606	–	.0061	.4925	.4225	236
June	.4660	.4661	.4596	.4607	–	.0058	.4900	.4596	229
Est vol 217; vol Wed 161; open int 467, –172.									
Canadian Dollar (CME)-100,000 dlrs.; $ per Can $									
Mar	.6425	.6431	.6401	.6405	–	.0018	.7040	.6401	20,442
June	.6427	.6434	.6404	.6408	–	.0018	.6990	.6404	56,601
Sept	.6425	.6436	.6405	.6412	–	.0018	.6906	.6405	2,630
Dec	.6440	.6440	.6417	.6416	–	.0018	.6825	.6417	1,286
Est vol 8,574; vol Wed 27,233; open int 81,108, +998.									
British Pound (CME)-62,500 pds.; $ per pound									
Mar	1.4448	1.4488	1.4340	1.4392	–	.0064	1.6050	1.4010	14,833
June	1.4444	1.4478	1.4330	1.4374	–	.0064	1.5304	1.4060	23,641
Est vol 7,361; vol Wed 15,385; open int 38,510, –2,720.									
Swiss Franc (CME)-125,000 francs; $ per franc									
Mar	.5910	.5910	.5828	.5858	–	.0051	.6326	.5541	20,680
June	.5885	.5951	.5842	.5879	–	.0052	.6358	.5585	32,622
Est vol 14,447; vol Wed 34,342; open int 53,337, +4,514.									
Australian Dollar (CME)-100,000 dlrs.; $ per A.$									
Mar	.4960	.4960	.4908	.4925	–	.0019	.6390	.4908	18,376
June	.4956	.4971	.4898	.4924	–	.0020	.6083	.4898	23,621
Sept	.4942	.4942	.4917	.4923	–	.0021	.5622	.4917	264
Est vol 3,212; vol Wed 8,578; open int 42,329, +313.									
Mexican Peso (CME)-500,000 new Mex. peso, $ per MP									
Mar	.10438	.10445	.10395	.10403	–	.00017	.10453	.09120	13,248
Apr	....	....	....	.10298	–	.00027	.10353	.09730	390
May	....	....	....	.10198	–	.00027	.10180	.09900	848
June	.10155	.10170	.10095	.10108	–	.00027	.10170	.09070	20,061
Aug	....	....	....	.09908	–	.00027	.09800	.09800	100
Sept	....	....	....	.09815	–	.00027	.09880	.09300	2,693
Euro FX (CME)-Euro 125,000; $ per Euro									
Mar	.9116	.9120	.8965	.9009	–	.0089	.9999	.8333	38,657
June	.9121	.9130	.8960	.9010	–	.0092	.9784	.8358	59,061
Sept	.9060	.9071	.8990	.9013	–	.0093	.9634	.8379	1,178
Est vol 33,027; vol Wed 40,744; open int 99,063, –3,000.									

Os AUD 1.612,90 que estão investidos a 5% produzirão o montante de 1.612,90 $e^{0,05 \times 2}$ = AUD 1.782,53 em dois anos. A liquidação do contrato a termo implica a entrega desses AUD1.782,53 e o recebimento de US$1.176,47. Destes, 1.000 $e^{0,07 \times 2}$ = US$1.150,27 serão utilizados para pagar o empréstimo feito em dólares. A estratégia, portanto, proporciona lucro sem risco de 1.176,47 – 1.150,27 = US$26,20.

A Tabela 3.8 mostra os preços futuros em 15 de março de 2001 para a variedade de futuros de moedas diferentes negociados na Chicago Mercantile Exchange. No caso do iene japonês, os preços são expressos em número de *cents* por unidade de iene. No caso de outras moedas, os preços são expressos em número de dólares norte-americanos por unidade da outra moeda.

Quando a taxa de juro estrangeira é maior que a taxa de juro doméstica ($r_f > r$), a equação (3.13) mostra que F_0 sempre será menor que S_0 e que F_0 decresce quão maior for o prazo para o vencimento do contrato, T. Similarmente, quando a taxa de juro doméstica é maior que a taxa de juro estrangeira ($r > r_f$), a equação (3.13) mostra que F_0 será sempre maior que S_0 e que F_0 aumenta à medida que T aumenta.

Em 15 de março de 2001, as taxas de juro para o iene japonês, o dólar canadense e o euro eram mais baixas que as taxas de juro em dólares norte-americanos. Esse fato corresponde à situação em que $r > r_f$ e explica por que os preços futuros para essas moedas são maiores quão maiores forem os prazos para o vencimento dos contratos constantes da Tabela 3.8.

Na Austrália, na Grã-Bretanha e no México, as taxas de juro eram maiores que as taxas de juro norte-americanas. Trata-se, então, da situação $r_f > r$, demonstrando por que os preços futuros do peso mexicano decrescem à medida que a maturidade do contrato dessa moeda aumenta.

Exemplo

Os preços futuros do iene japonês na Tabela 3.8 aumentam à taxa de 4,6% ao ano, aproximadamente, à medida que a maturidade dos contratos aumenta. Essa variação sugere que as taxas de juro de curto prazo são mais ou menos 4,6% ao ano mais altas nos Estados Unidos que no Japão em 15 de março de 2001.

Moeda estrangeira como ativo que proporciona rendimento conhecido

Nota-se que a equação (3.13) é idêntica à equação (3.7) com q sendo substituído por r_f. Não se trata de coincidência. Uma moeda estrangeira pode ser considerada ativo de investimento que paga rendimento conhecido. O rendimento é a taxa de juro livre de risco na moeda estrangeira.

Para entender esse conceito, suponha que a taxa de juro para um ano em libras esterlinas seja 5% ao ano (para simplificar, assume-se que a taxa de juro é expressa em base de capitalização anual e o juro é pago no fim do ano).

Considere um investidor norte-americano que compra 1 milhão de libras. O investidor sabe que £50.000 de juros serão auferidos no fim de um ano. O valor desses juros em dólares vai depender da taxa de câmbio. Se a taxa de câmbio daqui a um ano for 1,50, o valor dos juros será US$75.000; se for 1,40, o valor dos juros será US$70.000 e assim por diante. O valor em dólares dos juros auferidos é 5% do valor do investimento em libras. Esses 5%, portanto, representam rendimento conhecido para o investidor norte-americano em seu investimento em libras.

3.12 FUTUROS DE COMMODITIES

Passa-se, agora, a analisar os contratos futuros referenciados em commodities. Primeiro, observa-se o impacto do armazenamento[N.T.] nos preços futuros de commodities que também são ativos de investimento, como ouro e prata[5].

Custos de armazenagem

A equação (3.5) mostra que, na ausência de custos de armazenagem, o preço a termo de uma commodity, como ouro ou prata, que é um ativo de investimento, é dado por:

$$F_0 = S_0 e^{rT} \tag{3.14}$$

Custos de armazenagem podem ser considerados renda negativa. Se U é o valor presente de todos os custos de armazenagem que serão incorridos durante a vida do contrato a termo, da equação (3.6), deduz-se que:

$$F_0 = (S_0 + U) e^{rT} \tag{3.15}$$

Exemplo

Considere o contrato futuro de ouro com vencimento em um ano. Suponha que o custo de custódia (armazenagem) do ouro seja US$2 por onça ao ano, para pagamento no fim do ano. Assuma que o preço spot do ouro seja US$450 e a taxa de juro livre de risco seja 7% ao ano para qualquer vencimento. Isso demonstra que $r = 0{,}07$; $S_0 = 450$; $T = 1$; e:

$$U = 2e^{-0{,}07\times 1} = 1{,}865$$

Da equação (3.15), o preço futuro, F_0, é dado por:

$$F_0 = (450 + 1{,}865)\, e^{0{,}07\times 1} = \text{US\$}484{,}63$$

[N.T.] Os custos de armazenagem de ouro e prata no Brasil são conhecidos como custos de custódia. Assim, quando esta última expressão for utilizada no texto, trata-se dos ativos citados.

[5] Lembre-se de que, para determinado ativo ser considerado ativo de investimento, não é necessário que seja demandado apenas com o objetivo de investimento. O que se requer é que alguns indivíduos estejam preparados para vender suas posições nesse ativo e recomprá-las por meio de contratos a termo, se estes parecerem mais atrativos. Isso explica porque a prata, apesar de seus usos industriais, pode ser considerada ativo de investimento.

Se $F_0 > 484{,}63$, o arbitrador poderá comprar ouro e vender contratos futuros de ouro para um ano e travar o lucro. Se $F_0 < 484{,}63$, o investidor que já tenha ouro em seu portfólio poderá auferir lucro vendendo ouro e comprando contratos futuros de ouro. As Tabelas 3.9 e 3.10 ilustram essas estratégias para as situações em que $F_0 =$ 500 e $F_0 = 470$.

Se os custos de armazenagem incorridos a qualquer tempo forem proporcionais ao preço da commodity, poderão ser considerados porque forneceram rendimento negativo. Nesse caso, da equação (3.7), obtém-se:

$$F_0 = S_0 \, e^{(r+u)T} \tag{3.16}$$

onde u é o custo de armazenagem por ano, expresso como proporção do preço spot.

Commodities de consumo

Para commodities que são ativos de consumo em vez de ativos de investimento, os argumentos de arbitragem usados para determinar os preços futuros precisam ser revistos cuidadosamente.

Tabela 3.9 – Oportunidade de arbitragem no mercado de ouro quando o preço futuro é muito alto

Da mesa de operações
O preço do contrato futuro de ouro para vencimento em um ano é US$500 por onça. O preço spot é US$450 por onça, e a taxa de juro livre de risco é 7% ao ano. Os custos anuais de custódia do ouro são de US$2 por onça, pagos ao final de cada período.

Oportunidade
O preço futuro é muito alto. O arbitrador pode:
- tomar US$45.000 emprestados à taxa de juro livre de risco e comprar 100 onças de ouro;
- vender o contrato futuro de ouro para entrega em um ano.

Ao fim do período de um ano, o investidor receberá US$50.000 pela entrega do ouro em face da liquidação do contrato futuro, US$48.263 serão usados para pagar o principal mais juros do empréstimo e US$200 serão usados para pagar a custódia. O ganho líquido é US$50.000 – US$48.263 – US$200 = US$1.537.

Suponha que, em vez da equação (3.15), tenha-se:

$$F_0 > (S_0 + U) \, e^{rT} \tag{3.17}$$

Para tirar vantagem dessa oportunidade, o arbitrador pode implementar a seguinte estratégia:

- tomar empréstimo no valor de S_0+U à taxa de juro livre de risco e, com esse dinheiro, comprar uma unidade da commodity, pagando os custos de armazenagem;
- vender o contrato a termo de uma unidade da commodity.

Considerando-se o contrato futuro um contrato a termo, essa estratégia proporciona lucro de $F_0 - (S_0 + U)\, e^{rT}$ na data T. A Tabela 3.9 ilustra isso para o ouro. Não há problema em implementar tal estratégia para commodities. Entretanto, à medida que os arbitradores fizerem isso, haverá tendência de aumento no preço S_0 e de queda no preço F_0 até que a equação (3.17) não seja mais verdadeira. Assim, conclui-se que a equação (3.17) não se sustenta por grande período de tempo.

Suponha agora que:

$$F_0 < (S_0 + U)\, e^{rT} \tag{3.18}$$

No caso de ativos de investimento como ouro e prata, pode-se argumentar que muitos investidores mantêm a commodity somente para investimento. Se observarem a inequação (3.18), acharão que podem auferir lucro com a seguinte estratégia:

- vender a commodity, economizar os custos de estocagem e investir o dinheiro à taxa de juro livre de risco;
- tomar posição longa em contrato a termo.

Tabela 3.10 – Oportunidade de arbitragem no mercado de ouro quando o preço do ouro é muito baixo

Da mesa de operações

O preço do contrato futuro do ouro para um ano de prazo é US$470 por onça. O preço spot é US$450 por onça, e a taxa de juro livre de risco é 7% ao ano. Os custos anuais de custódia do ouro são de US$2 por onça, pagos ao final de cada período.

Oportunidade

O preço futuro é muito baixo. O investidor que tem 100 onças de ouro em carteira para investimento pode:

- vender o ouro por US$45.000;
- tomar posição longa no mercado futuro de ouro para vencimento em um ano.

Os US$45.000 são investidos à taxa de juro livre de risco por um ano, o que resultará, no fim do período, em US$48.263. No vencimento do contrato futuro, 100 onças de ouro serão adquiridas por US$47.000. Assim, o investidor termina com 100 onças de ouro mais US$48.263 – US$47.000 = US$1.263 em dinheiro. Se permanecesse com o ouro durante o ano, o investidor teria 100 onças menos US$200 da custódia. Dessa forma, os contratos futuros melhoram a posição do investidor em US$1.263 + US$200 = US$1.463.

Essa estratégia está ilustrada na Tabela 3.10. O resultado é um lucro sem risco no vencimento do contrato a termo equivalente a $(S_0 + U) e^{rT} - F_0$. Esse lucro é relativo à situação em que o investidor estaria se tivesse mantido o ativo em carteira. Segue-se que a inequação (3.18) não pode durar muito tempo. E é exatamente porque nem a inequação 3.17 nem a (3.18) podem se manter por muito tempo que se obtém $F_0 = (S_0 + U) e^{rT}$.

Para commodities que não são mantidas para investimento em volume significativo, essa teoria não pode ser usada. Indivíduos e empresas que mantêm a *commodity* em estoque, assim o fazem por causa de seu valor de consumo – não por causa de seu valor como investimento. Eles são relutantes em vender a commodity e comprar contratos a termo porque não podem consumir contratos a termo. Assim, não se pode garantir que a inequação (3.18) não se manterá. Tudo o que se pode afirmar para uma commodity de consumo é:

$$F_0 \leq (S_0 + U) e^{rT} \tag{3.19}$$

Se os custos de armazenagem forem expressos como proporção u do preço spot, o resultado equivalente será:

$$F_0 \leq S_0 e^{(r+u)T} \tag{3.20}$$

Convenience yields

Não há necessariamente igualdade nas equações (3.19) e (3.20) porque os usuários de uma commodity de consumo podem achar que ter a propriedade da commodity física dá-lhes benefícios que não são obtidos por quem possui contratos futuros. Por exemplo, uma refinaria de petróleo provavelmente não consideraria o contrato futuro de petróleo a mesma coisa que ter o petróleo em estoque. O petróleo cru estocado pode ser utilizado no processo de refino. O mesmo não se pode fazer com o contrato futuro. Em geral, a posse do ativo físico possibilita que a indústria mantenha o processo de produção funcionando e talvez lucre na eventualidade de escassez local temporária. O contrato futuro não desempenha o mesmo papel. Os benefícios de se manter o ativo físico são às vezes referidos como *renda de conveniência* [*convenience yield*], que é proporcionada pela posse da commodity. Quando os custos de armazenagem são conhecidos e têm valor presente igual a U, a *convenience yield*, y, é definida como se segue:

$$F_0 e^{yT} = (S_0 + U) e^{rT}$$

Quando o custo de armazenagem por unidade é uma proporção fixa, u, do preço a vista, define-se y tal que:

$$F_0 e^{yT} = S_0\, e^{(r+u)T}$$

ou

$$F_0 = S_0\, e^{(r+u-y)T} \tag{3.21}$$

A *convenience yield* simplesmente mede o quanto o lado esquerdo é menor que o lado direito na equação (3.19) ou (3.20). Para ativos de investimento, a *convenience yield* deve ser zero; caso contrário, há oportunidades como aquelas mostradas na Tabela 3.10.

A Tabela 2.2 do Capítulo 2 mostra que os preços futuros de algumas commodities, como por exemplo o açúcar-mundial, tendem a diminuir à medida que a maturidade do contrato aumente. Tal padrão sugere que a *convenience yield*, y, é maior que $r + u$ para essas commodities.

A *convenience yield* reflete as expectativas do mercado em relação à disponibilidade futura da commodity. Quanto maior for a possibilidade de escassez, maior será a *convenience yield*. Se os usuários da commodity têm estoques elevados, há pouca chance de escassez no futuro próximo e a *convenience yield* tende a ser baixa. Por outro lado, baixos estoques tendem a causar altas *convenience yields*.

3.13 CUSTO DE CARREGAMENTO

A relação entre preços futuros e preços spot pode ser explicada em termos de custo de carregamento. Essa relação mede o custo de armazenagem mais os juros que são pagos para financiar o ativo menos a renda que se ganha no ativo. Para uma ação, que não paga dividendos, o custo de carregamento é r, porque não há custos de armazenagem e nenhuma renda será paga ao seu proprietário; para um índice de ações, o custo é $r - q$, porque o ativo paga a renda à taxa q. Para uma moeda, é $r - r_f$; para uma *commodity* com custos de armazenagem que são uma proporção u do preço, o custo é $r + u$, e assim por diante.

Seja o custo de carregamento c. Para o ativo de investimento, o preço futuro é:

$$F_0 = S_0\, e^{cT} \tag{3.22}$$

Para um ativo de consumo, o custo é:

$$F_0 = S_0\, e^{(c-y)T} \tag{3.23}$$

onde y é a *convenience yield*.

3.14 OPÇÕES QUANTO AO DIA DA ENTREGA

Enquanto o contrato a termo especifica que a entrega tem de ser realizada em certo dia, o contrato futuro permite que a parte com a posição *short* escolha o dia da entrega em qualquer momento durante determinado período (tipicamente essa parte tem de notificar sua intenção de realizar a entrega com alguns dias de antecedência). A possibilidade dessa escolha cria problemas para a determinação dos preços futuros. Deve-se considerar o início, o meio ou o fim do período de entrega para definir a maturidade do contrato futuro? Ainda que a maioria dos contratos futuros seja liquidada antes de seu vencimento, é importante saber quando a entrega será realizada a fim de se calcular o preço futuro teórico.

Se o preço futuro for função crescente em relação ao tempo de maturidade, pode-se inferir da equação (3.23) que $c > y$, de tal modo que os benefícios de manter o ativo em estoque (incluindo a *convenience yield* e os custos de armazenagem líquidos) são menores que a taxa de juro livre de risco. Nesse caso, o melhor para a parte com a posição *short* será entregar a *commodity* o mais cedo possível, porque o juro que ganhará no dinheiro recebido pela entrega superará os benefícios de se manter o ativo em estoque. Como regra, os preços futuros nessas circunstâncias devem ser calculados considerando-se que a entrega será realizada no início do período de entrega. Se os preços futuros forem decrescentes à medida que a maturidade aumente ($c < y$), o inverso será verdadeiro. Nesse outro caso, o melhor para a parte com a posição *short* será realizar a entrega o mais tarde possível. Os preços futuros devem, em regra, ser calculados com base nessa suposição.

3.15 PREÇO FUTURO E PREÇO A VISTA ESPERADO NO FUTURO

Uma questão que sempre aparece é se o preço futuro de um ativo é igual a seu preço esperado para o futuro. Se você tiver de adivinhar qual será o preço de um ativo daqui a três meses, seu preço futuro seria uma estimativa sem viés? No Capítulo 2, foram apresentados os argumentos de Keynes e Hicks. Esses autores argumentam que os especuladores não se sentirão desejosos de negociar contratos futuros a menos que possam lucrar com tal negociação. De modo inverso, os *hedgers* estão preparados para aceitar resultado negativo por causa dos benefícios da redução de risco que a posição futura pode proporcionar. Se houver mais especuladores com posição longa do que com posição vendida, o preço futuro tenderá a ser menor do que o preço spot esperado para o futuro.

Na média, os especuladores podem esperar a realização de ganho, porque o preço futuro converge para o preço spot na data de vencimento do contrato. Similarmente, se houver mais especuladores com posições *short* que com posições longas, o preço futuro tenderá a ser maior que o preço spot esperado no futuro.

Retorno e risco

Outra explicação para a relação entre preços futuros e preço spot esperado no futuro pode ser obtida considerando-se a relação entre risco e retorno esperado na economia. Em geral, quanto maior o risco do investimento, maior será o retorno esperado exigido pelo investidor. Os leitores familiarizados com o modelo Capital Asset Pricing Model (CAPM) sabem que há dois tipos de risco na economia: sistemático e não-sistemático.

O risco não-sistemático não importa muito ao investidor. Pode ser quase completamente eliminado pela diversificação do portfólio. O investidor não deve, portanto, requerer alto retorno esperado para incorrer em risco não-sistemático. O risco sistemático, por sua vez, não pode ser diversificado. Surge da correlação entre os retornos de determinado investimento e os retornos do mercado de ações como um todo. O investidor, geralmente, procura retorno esperado mais alto que a taxa de juro livre de risco para carregar portfólios com risco sistemático positivo. O investidor deve também estar preparado para aceitar retorno esperado mais baixo que a taxa de juro livre de risco quando o risco sistemático em determinado investimento for negativo.

Risco de posição futura

Considere o especulador que toma posição longa em contratos futuros na esperança de que o preço spot do ativo na data de vencimento esteja acima do preço futuro. Suponha que o especulador invista soma igual ao valor presente do preço futuro em investimento livre de risco e, simultaneamente, tome posição longa no contrato futuro. Assuma também que o contrato futuro possa ser tratado como o contrato a termo. Os recursos recebidos no resgate do investimento livre de risco serão usados para comprar o ativo por ocasião da data de entrega do contrato futuro. O ativo será imediatamente vendido pelo seu preço de mercado. O fluxo de caixa do especulador será:

$$\text{tempo } 0 = -F_0 e^{-rT}$$

$$\text{tempo } T = +S_T$$

onde S_T = o preço do ativo na data T.

O valor presente do investimento é:

$$-F_0 e^{-rT} + E(S_T)e^{-kT}$$

onde k é a taxa de desconto apropriada para o investimento (ou seja, o retorno esperado requerido pelos investidores no investimento) e E denota o valor esperado (significa que se quer o valor esperado do termo em parênteses). Assumindo-se que todas as oportunidades de investimento no mercado de títulos tenham valor presente líquido igual a zero, obtém-se:

$$-F_0 e^{-rT} + E(S_T)e^{-kT} = 0$$

ou

$$F_0 = E(S_T)e^{(r-k)T} \tag{3.24}$$

O valor de k depende do risco sistemático do investimento. Se S_T for não-correlacionado com o mercado de ações como um todo, o investimento terá risco sistemático igual a zero. Nesse caso, $k = r$ e a equação (3.24) mostra que $F_0 = E(S_T)$. Se S_T for positivamente correlacionado com o mercado de ações como um todo, o investimento terá risco sistemático positivo. Nesse caso, $k > r$ e a equação (3.24) mostra que $F_0 < E(S_T)$. Finalmente, se S_T for negativamente correlacionado com o mercado de ações, o investimento terá risco sistemático negativo. Nesse caso, $k < r$ e a equação (3.24) mostra que $F_0 > E(S_T)$.

Evidência empírica

Se $F_0 = E(S_T)$, o preço futuro será movimentado para cima ou para baixo apenas se o mercado mudar de opinião sobre o preço spot esperado no futuro. No longo prazo, é razoável assumir que o mercado revise suas expectativas sobre os preços spot no futuro para cima e para baixo com a mesma freqüência. Segue que, quando $F_0 = E(S_T)$, o lucro médio da carteira de contratos futuros deverá ser igual a zero no longo prazo. A situação em que $F_0 < E(S_T)$ corresponde à situação de risco sistemático positivo. Devido ao fato de que preços futuro e spot devem ser iguais na data de vencimento do contrato futuro, os preços futuros devem, em média, movimentar-se para cima. O operador deve auferir lucros no longo prazo se mantiver consistentemente portfólios de posições longas no contrato. Similarmente, a situação em que $F_0 > E(S_T)$ implica a realização de lucros no longo prazo tão maiores quanto mais posições vendidas houver no portfólio.

Como os preços futuros se comportam na prática? Parte do trabalho empírico a esse respeito está relacionada no fim deste capítulo. Os resultados são variados. O estudo de Houthakker examinou os preços futuros para trigo, algodão e milho de 1937 a 1957. O autor demonstra que lucros significativos podem ser auferidos pelo carregamento de posições longas em contratos futuros. Sugere também que o investimento em milho tem risco sistemático positivo e $F_0 < E(S_T)$. Telser contradisse as conclusões de Houthakker. Seus dados cobrem o período de 1926 a 1950 para algodão e de 1927 a 1954 para milho, concluindo não haver lucros significativos pelo carregamento de posições longas ou *short*. Segundo suas palavras: "Os dados sobre contratos futuros não oferecem evidência para contradizer a simples hipótese de que o preço futuro é um estimador não-tendencioso do preço spot esperado para a data de vencimento." Gray observou os preços futuros de milho durante o período de 1921 a 1959 e chegou a resultados similares aos de Telser. Dusak analisou os dados sobre milho, trigo e soja de 1952 a 1967 com abordagem diferente. Sua pesquisa tentou estimar risco sistemático de um investimento naquelas commodities por meio do cálculo da correlação entre os movimentos de preço na commodity e os movimentos de preços no índice S&P 500. Os resultados indicam não haver risco sistemático e dão suporte a hipótese de que $F_0 = E(S_T)$. Entretanto, um estudo mais recente realizado por Chang, usando as mesmas commodities e técnicas estatísticas mais avançadas, sustenta a hipótese de que $F_0 < E(S_T)$.

3.16 SUMÁRIO

Em quase todas as situações, o preço futuro do contrato para determinada data de entrega pode ser considerado igual ao preço a termo com data de entrega semelhante. Pode ser demonstrado, em teoria, que os dois preços devem ser rigorosamente iguais na hipótese de taxas de juro perfeitamente previsíveis.

Para efeito de entendimento dos preços futuros (ou a termo), é conveniente dividir os contratos futuros em duas categorias: aqueles referenciados em ativos que são carregados com o objetivo de investimento por significativo número de investidores e aqueles referenciados em ativos que são mantidos com o objetivo de consumo.

No caso de ativos de investimento, foram consideradas três situações diferentes:

- o ativo não gera rendimento ou renda;
- o ativo gera renda de valor conhecido em dólares;
- o ativo gera rendimento conhecido (percentual do preço do ativo).

Os resultados estão na Tabela 3.11 e mostram a obtenção de preços futuros para índices de ações, moedas, ouro e prata. Custos de armazenagem podem ser considerados renda negativa.

No caso de ativos de consumo, não é possível obter os preços futuros como uma função do preço spot e outras variáveis observáveis. Aqui, o parâmetro conhecido como *convenience yield* torna-se importante, pois mede em que extensão os detentores de commodity acreditam que a propriedade do ativo físico crie benefícios que não são gerados por contrato futuro. Tais benefícios incluem a possibilidade de auferir lucros da escassez local temporária ou da capacidade de manter o processo de produção funcionando. Pode-se estabelecer um limite superior para os preços futuros de ativos de consumo usando-se argumentos de arbitragem, mas não se pode derivar uma relação de igualdade entre preços futuro e spot.

O conceito de custo de carregamento é, às vezes, muito útil. O custo de carregamento é o custo de armazenagem ou custódia de um ativo-objeto mais o custo de financiá-lo menos o rendimento gerado por este.

No caso de ativos de investimento, o preço futuro é maior que o preço spot em um montante que reflete o custo de carregamento. No caso de ativos de consumo, o preço futuro é maior que o preço spot em um montante que reflete o custo de carregamento abatido do *convenience yield*.

Assumindo-se que o CAPM seja verdadeiro, a relação entre o preço futuro e o preço spot esperado para o futuro depende de como estão correlacionados – positivamente ou negativamente – os retornos do ativo e os retornos do mercado de ações. Correlação positiva tende a fazer que o preço futuro seja mais baixo que o preço spot esperado para o futuro; correlação negativa tende a fazer que o preço futuro seja mais alto que o preço spot esperado para o futuro. Apenas quando a correlação for zero, o preço futuro teórico será igual ao preço spot esperado para o futuro.

Tabela 3.11 – Resultados para contrato com prazo até o vencimento T em ativo de investimento com preço S_0 quando a taxa de juro livre de risco para o período de T anos é r

Ativo	Preço a termo ou futuro	Valor do contrato com preço de entrega K
Não gera renda	$S_0 e^{rT}$	$S_0 - Ke^{-rT}$
Possui renda conhecida com valor presente, I	$(S_0 - I)e^{rT}$	$S_0 - I - Ke^{-rT}$
Possui rendimento conhecido, q	$S_0 e^{(r-q)T}$	$S_0 e^{-qT} - Ke^{-rT}$

SUGESTÕES PARA LEITURAS COMPLEMENTARES

Pesquisa empírica a respeito dos preços a termo e futuro

CORNELL, B.; REINGANUM, M. Forward and Futures Prices: Evidence from Foreign Exchange Markets. *Journal of Finance* 36, pp. 1035–1045, December 1981.

FRENCH, K. A. Comparison of Futures and Forwards Prices. *Journal of Financial Economics* 12, pp. 311–342, November 1983.

PARK, H. Y.; CHEN, A. H. Differences between Futures and Futures Prices: a Further Investigation of Marking to Market Effects. *Journal of Futures Markets* 5, pp. 77–88, February 1985.

RENDLEMAN, R.; CARABINI, C. The Efficiency of the Treasury Bill Futures Markets. *Journal of Finance* 34, pp. 895–914, September 1979.

VISWANATH, P. V. Taxes and the Futures-Forward Price Difference in the 91-Day T-Bill Market. *Journal of Money Credit and Banking* 21(2), pp. 190–205, May 1989.

Pesquisa empírica a respeito da relação entre preços futuros e preços a vista esperados no futuro

CHANG, E. C. Returns to Speculators and the Theory of Normal Backwardation. *Journal of Finance* 40, pp. 193–208, March 1985.

DUSAK, K. Futures Trading and Investor Return: An Investigation of Commodity Risk Premiums. *Journal of Political Economy* 81, pp. 1387–1406, December 1973.

GRAY, R. W. The Search for a Risk Premium. *Journal of Political Economy* 69, pp. 250–260, June 1961.

HOUTHAKKER, H. S. Can Speculators Forecast Prices? *Review of Economics and Statistics* 39, pp. 143–151, 1957.

TELSER, L. G. Futures Trading and Storage of Cotton and Wheat. *Journal of Political Economy* 66, pp. 233–255, June 1958.

Relação teórica entre preços a termo e preços futuros

COX, J.; INGERSOLL, J. E.; ROSS, S. A. The Relation between Forward Prices and Futures Prices. *Journal of Financial Economics* 9, pp. 321–346, December 1981.

JARROW, R. A.; OLDFIELD, G. S. Forward Contracts and Futures Contracts. *Journal of Financial Economics* 9, pp. 373–382, December 1981.

KANE, E. J. Market Incompleteness and Divergences between Forward and Futures Interest Rates. *Journal of Finance* 35, pp. 221–234, May 1980.

RICHARD, S.; SUNDARESAN M. A Continuous-Time Model of Forward and Futures Prices in a Multigood Economy. *Journal of Financial Economics* 9, pp. 347–372, December 1981.

PERGUNTAS RÁPIDAS (RESPOSTAS NO FINAL DO LIVRO)

3.1 O banco lhe oferece uma taxa de juro de 14% ao ano com capitalização trimestral. Qual é a taxa equivalente considerando-se (a) capitalização contínua e (b) capitalização anual?

3.2 Explique o que acontece quando o investidor vende determinada ação a descoberto.

3.3 Suponha que você abriu posição em contrato a termo de seis meses de prazo referenciado em uma ação que não paga dividendos. O preço a vista é US$30 e a taxa de juro livre de risco (com capitalização contínua) é 12% ao ano. Qual é o preço a termo?

3.4 Um índice de ações está cotado a 350 pontos. A taxa de juro livre de risco é 8% ao ano (capitalização contínua) e a renda de dividendos proporcionada pelas ações que compõem a carteira do índice é 4% ao ano. Qual deve ser o preço futuro para o contrato de quatro meses de prazo?

3.5 Explique cuidadosamente por que o preço futuro do ouro pode ser calculado a partir de seu preço spot e de outras variáveis observáveis e o preço do cobre não.

3.6 Explique cuidadosamente o significado dos termos *convenience yield* e custo de carregamento. Qual a relação entre preço futuro, preço a vista ou spot, *convenience yield* e custo de carregamento?

3.7 O preço futuro de um índice de ações é maior ou menor que o valor esperado do índice para a data futura? Explique sua resposta.

QUESTÕES E PROBLEMAS (RESPOSTAS NO MANUAL DE SOLUÇÕES)

3.8 O investidor receberá em um ano US$1.100 em retorno pelo investimento de US$1.000 realizado hoje. Calcule o retorno em percentual ao ano, considerando:
a) capitalização anual;
b) capitalização semestral;
c) capitalização mensal;
d) capitalização contínua.

3.9 Que taxa de juro capitalizada continuamente corresponde à taxa de 15% ao ano capitalizada mensalmente?

3.10 Um depósito bancário paga 12% ao ano capitalizado continuamente, mas os juros são pagos trimestralmente. Considerando-se o valor do depósito de US$10.000, qual deve ser o valor dos juros pagos a cada trimestre?

3.11 A posição longa em contrato a termo referenciado em uma ação que não paga dividendos é aberta quando o preço a vista da ação é US$40 e a taxa de juro livre de risco é 10% ao ano com capitalização contínua.
a) Quais são o preço a termo e o valor inicial do contrato a termo?
b) Seis meses mais tarde, o preço da ação é US$45 e a taxa de juro livre de risco ainda é 10%. Quais são o preço a termo e o valor do contrato a termo?

3.12 A taxa de juro livre de risco é 7% ao ano com capitalização contínua e a renda com dividendos em um índice de ações é 3,2% ao ano. O valor a vista do índice é 150 pontos. Qual é o preço futuro para seis meses à frente?

3.13 Assuma que a taxa de juro livre de risco seja 9% ao ano com capitalização contínua e que a renda de dividendos em um índice de ações varia ao longo do ano. Em fevereiro, maio, agosto e novembro, são pagos dividendos de 5% ao ano. Em outros meses os dividendos são pagos à taxa de 2% ao ano. Suponha que o valor do índice em 31 de julho de 2001 seja 300. Qual é o preço futuro para o contrato com entrega para 31 de dezembro de 2001?

3.14 Suponha que a taxa de juro livre de risco seja 10% ao ano com capitalização contínua e que a renda de dividendos em um índice de ações seja 4% ao ano. O índice está cotado a 400 e o preço futuro para o contrato futuro com entrega para quatro meses a frente é 405. Que oportunidades de arbitragem existem nessa situação?

3.15 Estime a diferença entre a taxa de juro de curto prazo entre o México e os Estados Unidos em 15 de março de 2001, com as informações da Tabela 3.8.

3.16 As taxas de juro para dois meses na Suíça e nos Estados Unidos são de 3% e 8% ao ano, respectivamente, com capitalização contínua. O preço spot do franco suíço é US$0,6500. O preço futuro do franco suíço para o contrato com data de entrega daqui a dois meses é US$0,6600. Que oportunidades de arbitragem existem?

3.17 O preço a vista da prata é US$9 por onça. As taxas de custódia são de US$0,24 por onça ao ano, pagáveis antecipadamente a cada trimestre. Assumindo-se que as taxas de juro são de 10% ao ano para todas as maturidades, calcule o preço futuro da prata para entrega em nove meses.

3.18 Suponha que F_1 e F_2 sejam dois contratos futuros referenciados na mesma commodity com maturidades t_1 e t_2, sendo $t_2 > t_1$. Prove que: $F_2 \leq F_1 e^{r(t_2 - t_1)}$, sendo r a taxa de juro (suponha que seja constante). Não há custos de armazenagem. Para efeito desse problema, assuma também que contratos futuro e a termo sejam instrumentos iguais.

3.19 Quando o fluxo de caixa conhecido em moeda estrangeira é *hedgeado* por uma companhia usando-se contrato a termo, não há risco cambial. Quando o *hedge* é realizado utilizando-se contratos futuros, o processo de marcação expõe a companhia a algum risco. Explique a natureza desse risco. Em particular, é melhor para a empresa, nas situações abaixo, utilizar contratos futuros ou contratos a termo?

a. O valor da moeda estrangeira cai rapidamente durante a vida do contrato.

b. O valor da moeda estrangeira aumenta rapidamente durante a vida do contrato.

c. O valor da moeda estrangeira sobe e depois volta a seu valor inicial.

d. O valor da moeda estrangeira primeiro cai e depois volta a seu valor inicial.

Assuma que preços a termo e futuro sejam iguais.

3.20 Às vezes, argumenta-se que a taxa de câmbio a termo é uma previsão não tendenciosa da taxa de câmbio spot no futuro. Sob que circunstâncias isso ocorre?

3.21 Mostre que a taxa de crescimento no preço futuro de um índice é igual ao retorno excessivo do índice em relação à taxa de juro livre de risco. Assuma que a taxa de juro livre de risco e o rendimento dos dividendos sejam constantes.

3.22 Mostre que a equação (3.7) é verdadeira, considerando-se investimento em ativo combinado com posição *short* em contrato futuro. Assuma que todas as rendas pagas pelo ativo sejam reinvestidas no ativo. Use argumentos similares àqueles constantes das notas de rodapé 2 e 3 e explique em detalhes o que o arbitrador faria se a equação (3.7) não se verificasse.

QUESTÕES DE PROVA

3.23 A ação pagará dividendos de US$1 por ação em dois e em cinco meses. O preço da ação é US$50 e a taxa de juro livre de risco é 8% ao ano com capitalização contínua para todas as maturidades. O investidor acabou de tomar posição *short* em contrato a termo para seis meses referenciado na ação.

a) Quais são o preço a termo e o valor inicial do contrato?

b) Três meses mais tarde, o preço da ação é US$48 e a taxa de juro livre e risco é ainda de 8% ao ano. Quais são o preço a termo e o valor da posição *short* no contrato a termo?

3.24 O banco oferece à empresa a possibilidade de escolher entre tomar empréstimo a 11% ao ano e tomar ouro emprestado a 2% ao ano (no caso de empréstimo em ouro, os juros devem ser pagos em ouro; o empréstimo de 100 onças terá de ser pago daqui a um ano com 102 onças). A taxa de juro livre de risco é 9,25% ao ano e os custos de custódia são de 0,5% ao ano. Discuta se a taxa de juro para empréstimo de ouro é muito alta ou muito baixa em relação à taxa de juro do empréstimo em dinheiro. As taxas de juro dos dois empréstimos são capitalizadas anualmente. A taxa de juro livre de risco e os custos de custódia estão expressos com capitalização contínua.

3.25 A companhia que não tem certeza sobre a data exata que terá de pagar ou receber um valor em moeda estrangeira pode tentar negociar com seu banco um contrato a termo que especifique o período de tempo durante o qual a entrega pode ser realizada. A companhia quer se reservar o direito de escolher a data de entrega que melhor se ajuste a seu fluxo de caixa. Coloque-se na posição do banco. Como você apreçaria o produto que a companhia deseja?

3.26 Um operador de moeda que trabalha para um banco compra contrato a termo de 1 milhão de libras esterlinas à taxa de câmbio de 1,6000 para três meses. Ao mesmo tempo, outro operador na mesa ao lado compra 16 contratos futuros, para entrega em três meses, referenciado em libras esterlinas. O preço do contrato futuro é 1,6000 e cada contrato equivale a 62.500 libras. Em minutos, os preços a termo e futuro aumentam para 1,6040. Os dois operadores imediatamente reivindicam lucro de US$4.000. Os sistemas do banco mostram que o operador de futuros realizou lucro de US$4.000, mas o operador do contrato a termo realizou lucro de apenas US$3.900. O operador do contrato a termo imediatamente telefona para o Departamento de Sistemas para reclamar. Explique o que está acontecendo. Por que os lucros são diferentes?

3.27 O operador possui ouro como investimento de longo prazo. Pode comprar ouro por US$250 por onça e vendê-lo por US$249 por onça. Pode ainda tomar fundos emprestados a 6% ao ano, bem como investir fundos a 5,5% ao ano (ambas as taxas são expressas considerando-se a capitalização anual). Em que intervalo de preços a termo para um ano não haverá oportunidades de arbitragem para o operador? Assuma que não existe *spread* de compra e venda para preços a termo.

APÊNDICE

Prova de que preços futuros e a termo são iguais quando as taxas de juro são constantes

Este apêndice demonstra que o preço a termo e futuro são iguais quando as taxas de juro são constantes. Suponha que o contrato futuro tenha duração de n dias e F_i seja igual ao preço futuro no final do dia i ($0 < i < n$). Defina δ como a taxa de juro livre de risco ao dia (assuma como constante). Considere a estratégia a seguir[6]:

- assuma posição comprada em contratos futuros de e^{δ} no final do dia 0 (isto é, no início do contrato);
- aumente a posição comprada para $e^{2\delta}$ no final do dia 1;
- aumente a posição comprada para $e^{3\delta}$ no final do dia 2.

E assim por diante.

Essa estratégia está resumida na Tabela 3.12. No começo do dia i, o investidor possui posição comprada de $e^{\delta i}$. O lucro (possivelmente negativo) desta posição no dia i é igual a:

$$\left(F_i - F_{i-1}\right) e^{\delta i}$$

Assuma que o lucro seja capitalizado à taxa de juro livre de risco até o fim do dia n. O seu valor no final do dia n é:

$$\left(F_i - F_{i-1}\right) e^{\delta i} e^{(n-i)\delta} = \left(F_i - F_{i-1}\right) e^{n\delta}$$

O valor no final do dia n de toda a estratégia de investimento é, portanto:

$$\sum_{i=1}^{n} \left(F_i - F_{i-1}\right) e^{n\delta}$$

ou seja:

$$\left[\left(F_n - F_{n-1}\right) + \left(F_{n-1} - F_{n-2}\right) + \ldots + \left(F_1 - F_0\right)\right] e^{n\delta} = \left(F_n - F_0\right) e^{n\delta}$$

Como F_n é igual ao preço spot do ativo no final do período, S_T, o valor final da estratégia de investimento pode ser escrito como:

[6] Essa estratégia foi proposta por Cox, J. C.; Ingersoll, J. E.; Ross, S. A. no artigo The Relation between Forward Prices and Futures Prices. *Journal of Financial Economics* 9, pp. 321–346, December 1981.

$$\left(S_T - F_0\right)e^{n\delta}$$

O investimento de F_0 em um título livre de risco, combinado à estratégia apresentada, rende:

$$F_0 e^{n\delta} + \left(S_T - F_0\right)e^{n\delta} = S_T e^{n\delta}$$

no instante T. Não é requerido nenhum investimento para a posição comprada (longa) em futuros, acima descrita. Isso significa que o montante F_0 pode ser investido para fornecer o montante de $S_T e^{n\delta}$ no instante T.

Suponha, agora, que o preço a termo no final do dia 0 seja G_0. Investindo-se G_0 em título livre de risco e tomando-se posição comprada em contratos a termo no valor de $e^{n\delta}$, garante o montante de $S_T e^{n\delta}$ no instante T. Portanto, existem duas estratégias de investimento – uma que requer desembolso inicial de F_0 e outra que requer desembolso inicial de G_0 – ambas rendem $S_T e^{n\delta}$ no instante T. Isso significa que na ausência de oportunidades de arbitragem:

$$F_0 = G_0$$

Em outras palavras, o preço futuro e a termo são idênticos. Nota-se, nessa prova, que não existe nada especial sobre o período de tempo de um dia. O preço futuro, baseado em contrato com ajustes semanais, é também o mesmo que o preço a termo quando assumimos as mesmas hipóteses.

Tabela 3.12 – Estratégia de investimento que mostra como preços futuros e a termo são iguais

Dia	0	1	2	...	$n-1$	n
Preço futuro	F_0	F_1	F_2	...	F_{n-1}	F_n
Posição futura	e^{δ}	$e^{2\delta}$	$e^{3\delta}$	...	$e^{n\delta}$	0
Lucro/perda	0	$\left(F_1 - F_0\right)e^{\delta}$	$\left(F_2 - F_1\right)e^{2\delta}$	...	...	$\left(F_n - F_{n-1}\right)e^{n\delta}$
Lucro/perda capitalizados para o dia n	0	$\left(F_1 - F_0\right)e^{n\delta}$	$\left(F_2 - F_1\right)e^{n\delta}$	...	...	$\left(F_n - F_{n-1}\right)e^{n\delta}$

Capítulo 4

ESTRATÉGIAS DE *HEDGE* COM MERCADOS FUTUROS

Muitos participantes dos mercados futuros são *hedgers*. Seu objetivo é usar esses mercados para reduzir determinado risco a que possam estar expostos. Esse risco pode se referir ao preço do petróleo, à taxa de câmbio, ao nível de preços do mercado de ações ou a qualquer outra variável. O *hedge perfeito* é aquele que elimina completamente o risco. Na prática, é muito raro. Como disse certa vez um *trader*: "O único *hedge* perfeito está em um jardim japonês". Para a maioria, estudar *hedge* com contratos futuros é examinar as maneiras pelas quais podem ser construídos de tal forma que sua performance seja a mais perfeita possível.

Neste capítulo, consideram-se várias idéias associadas à forma pela qual os *hedges* são estruturados. Quando uma posição vendida ou comprada em mercados futuros é apropriada? Quais futuros devem ser utilizados? Qual é o tamanho ideal das posições futuras para reduzir o risco? Nesse estágio, restringe-se a atenção para as estratégias denominadas *hedge-and-forget*. Assume-se que nenhum esforço é feito para ajustar o *hedge* uma vez que este tenha sido realizado. O *hedger* simplesmente toma posição no mercado futuro no começo da vida do *hedge* e a fecha ao seu final. No Capítulo 15, apresentam-se estratégias dinâmicas nas quais o *hedge* é monitorado o tempo todo e os ajustes são freqüentemente efetuados.

Neste capítulo, trata-se dos contratos futuros como contratos a termos, ou seja, são ignorados os ajustes diários. Isso significa que o valor do dinheiro no tempo é ignorado na maior parte das situações, uma vez que todos os fluxos de caixa ocorrem no momento que o *hedge* é fechado.

4.1 PRINCÍPIOS BÁSICOS

Quando um indivíduo ou uma empresa decide usar mercados futuros para *hedgear* um risco, o objetivo é tomar posições que neutralizam o risco o máximo possível.

Considere-se a companhia que sabe que receberá US$10.000 para cada um centavo de aumento no preço da commodity pelos próximos três meses e perderá US$10.000

para cada um centavo de baixa no preço durante o mesmo período. Para fazer *hedge*, o tesoureiro deve tomar posição vendida em futuros que sejam apropriadas para eliminar esse risco. A posição futura deve causar perda de US$10.000 para cada centavo de alta no preço durante os próximos três meses e ganho de US$10.000 para cada centavo de queda no preço durante esse período. Se o preço da commodity cair, o ganho na posição no mercado futuro eliminará a perda na operação da companhia. Se o preço subir, a perda na posição futura será compensada pelo ganho.

Hedge de venda

O *hedge de venda*, como o descrito acima, envolve posição vendida em contratos futuros. É apropriado quando o *hedger* já possui o ativo e espera vendê-lo em algum momento no futuro. Por exemplo, poderia ser utilizado por um fazendeiro que tenha alguns suínos vivos e sabe que estarão disponíveis para venda no mercado local em dois meses. O *hedge* de venda pode também ser utilizado quando o *hedger* ainda não tem o ativo, mas o terá em algum momento no futuro. Considere, por exemplo, o exportador norte-americano que sabe que receberá euros em três meses. Ele realizará ganho se o euro aumentar em relação ao dólar e terá perda se o euro cair. A posição de venda de contratos futuros gerará perda se o euro aumentar ou ganho se este cair. O efeito disso é a eliminação do risco do exportador.

Para que se possa ter ilustração mais detalhada da operação de *hedge* de venda em situação específica, assume-se que hoje seja 15 de maio e que o produtor de petróleo acabou de negociar um contrato para vender 1 milhão de barris de petróleo. Acordou-se que o preço que será aplicado ao contrato será o preço de mercado em 15 de agosto. O produtor está na situação em que ganhará US$10.000 para cada centavo de aumento no preço durante os próximos três meses e perderá US$10.000 para cada centavo de queda no preço durante esse período. Suponha que o preço spot em 15 de maio seja US$19 por barril e o preço futuro do petróleo na New York Mercantile Exchange (Nymex) seja US$18,75 por barril. Como cada contrato da Nymex implica a entrega de 1.000 barris, a companhia pode fazer o *hedge* de sua exposição por meio da venda de 1.000 contratos futuros para vencimento em agosto. Se o produtor fechar sua posição em 15 de agosto, o efeito da estratégia será a fixação do preço em US$18,75 por barril.

Para se ter exemplo do que pode acontecer, suponha que o preço spot em 15 de agosto seja US$17,50 o barril. A companhia recebe US$17,5 milhões pelo petróleo que vende por força do contrato. Já que agosto é um mês de entrega no contrato futuro, o preço futuro em 15 de agosto deve estar bem próximo do preço spot de US$17,50 naquele dia. A companhia tem resultado aproximado de:

$$\text{US\$}18{,}75 - \text{US\$}17{,}50 = \text{US\$}1{,}25$$

por barril, ou o total de US$1,25 milhão para toda posição vendida em futuros. O valor proveniente da posição conjunta, futuros e contrato de venda, é US$18,75 por barril, ou US$18,75 milhões no total.

Para ver outro resultado, suponha que o preço do petróleo em 15 de agosto seja US$19,50 por barril. A companhia recebe US$19,50 pela entrega do petróleo e perde:

US$19,50 – US$18,75 = US$0,75

por barril na posição futura vendida. Novamente, o valor recebido da posição conjunta é US$18,75 milhões. É fácil ver que, em todos os casos, a companhia termina com US$18,75 milhões. Esse exemplo está resumido na Tabela 4.1.

Tabela 4.1 – *Hedge* de venda (*short hedge*)

Da mesa de operações – 15 de maio
O produtor de petróleo negociou o contrato para vender 1 milhão de barris. O preço de venda do contrato será o preço spot de 15 de agosto. Dados:

- preço do petróleo a vista: US$19 por barril;
- preço do contrato futuro de petróleo para agosto: US$18,75 por barril.

Estratégia de *hedge*
15 de maio: venda de 1.000 contratos futuros de petróleo para agosto.
15 de agosto: fechamento da posição.

Resultado
A companhia assegura-se que receberá preço próximo a US$18,75 por barril.
Exemplo 1: preço do petróleo em 15 de agosto é US$17,50 por barril.
A companhia recebe US$17,50 por barril de acordo com o contrato de venda. Ganha cerca de US$1,25 por barril na posição futura.

Exemplo 2: o preço do petróleo em 15 de agosto é US$19,50.
A companhia recebe US$19,50 por barril de acordo com o contrato de venda. Perde cerca de US$0,75 por barril na posição futura.

Hedge de compra

O *hedge* que envolve a tomada de posição longa (comprada) em contratos futuros é conhecido como *hedge* longo (ou *hedge* de compra). É apropriado quando a companhia sabe que terá de comprar determinado ativo no futuro e quer travar o preço agora.

Suponha que seja 15 de janeiro. A metalúrgica precisará de 100.000 libras de cobre em 15 de maio para atender o contrato. O preço a vista do cobre é 140 centavos de dólar por libra-peso e o contrato futuro para entrega em maio está cotado a 120 centavos de dólar por libra-peso. O fabricante pode *hedgear* sua posição ao tomar posição longa em quatro contratos futuros para vencimento em maio na Comex (divisão da Nymex) e fechar sua posição em 15 de maio. Cada contrato estabelece a entrega de 25.000 libras-peso de cobre. A estratégia tem o efeito de fixar o preço do cobre requerido ao preço aproximado de 120 centavos de dólar por libra-peso. O exemplo está resumido na Tabela 4.2.

Suponha que o preço do cobre em 15 de maio seja 125 centavos por libra-peso. Como maio é o mês de entrega do contrato futuro, esse preço deve estar bem próximo do preço futuro. O fabricante terá lucro de:

$$100.000 \times (\text{US\$}1{,}25 - \text{US\$}1{,}20) = \text{US\$}5.000$$

no contrato futuro. Ele paga 100.000 × US\$1,25 = US\$125.000 pelo cobre, tendo custo de US\$125.000 – US\$5.000 = US\$120.000. Alternativamente, suponha que o preço futuro seja 105 centavos de dólar por libra-peso em 15 de maio. O fabricante perderá:

$$100.000 \times (\text{US\$}1{,}20 - \text{US\$}1{,}05) = \text{US\$}15.000$$

no contrato futuro e pagará 100.000 × US\$1,05 = US\$105.000 pelo cobre. De novo, o custo total é US\$120.000 ou 120 centavos de dólar por libra-peso.

Nota-se que é melhor para a companhia usar contratos futuros que comprar o cobre em 15 de janeiro no mercado a vista. Se preferir esta última alternativa, pagará 140 centavos de dólar por libra-peso em vez de 120 centavos de dólar e incorrerá tanto em despesas com juros quanto com custos de estocagem. Para a companhia que usa cobre regularmente, a desvantagem seria a perda da *convenience yield* associada à situação de ter o cobre prontamente disponível (veja o Capítulo 3 para melhor entendimento desse conceito). Entretanto, para a companhia que não precisará do cobre até 15 de maio, a *convenience yield* é inútil.

Hedges longos ou *hedges* de compra também podem ser utilizados para eliminar parcialmente a posição *short* ou vendida já existente. Considere o investidor que vendeu determinada ação a descoberto (na gíria do mercado brasileiro, *shorteou*). Parte do risco que ele corre está relacionada com o comportamento do mercado de ações como um todo. O investidor pode neutralizar o risco tomando posição longa em contratos futuros de índice de ações. Esse tipo de estratégia de *hedging* será discutido ainda neste capítulo.

Nos exemplos das Tabelas 4.2 e 4.1, assume-se que a posição futura foi encerrada no mês de entrega. O *hedge* tem o mesmo efeito que teria se a entrega nesse contrato fosse permitida. Entretanto, receber a commodity ou entregá-la pode ter custos. Por essa razão, a entrega não é usualmente feita, mesmo quando se mantém a posição no contrato futuro em aberto até o mês de entrega. Como será visto mais adiante, os *hedgers* com posições longas usualmente evitam qualquer possibilidade de ter de receber a mercadoria encerrando sua posição antes do período de entrega.

Assumiu-se também, nos dois exemplos, que o contrato futuro é idêntico ao contrato a termo. Na prática, a marcação a mercado tem efeito muito pequeno no desempenho do *hedge*. Como foi explicado no Capítulo 2, os pagamentos e os recebimentos provenientes do contrato futuro são realizados diariamente durante toda a vida do contrato e não de uma só vez como nos contratos a termo.

Tabela 4.2 – *Hedge* de compra (*long hedge*)

Da mesa de operações – 15 de janeiro
A metalúrgica sabe que vai precisar de 100.000 libras-peso de cobre em 15 de maio para atender determinado contrato. O preço spot do cobre é 140 centavos de dólar por libra-peso e o preço futuro para maio é 120 centavos de dólar por libra-peso.

Estratégia de *hedge*
15 de janeiro: posição longa (compra) em quatro contratos para vencimento em maio.
15 de maio: fechamento da posição.

Resultado
A companhia garante para si o custo de 120 centavos de dólar por libra-peso.
Exemplo 1: o custo do cobre em 15 de maio é 125 centavos de dólar.
A companhia ganha 5 centavos por libra-peso no contrato futuro.

Exemplo 2: o custo do cobre em 15 de maio é 105 centavos de dólar.
A companhia perde 15 centavos por libra-peso no contrato futuro.

4.2 ARGUMENTOS A FAVOR E CONTRA O *HEDGE*

Os argumentos a favor da atividade de *hedge* são tão óbvios que dificilmente precisam ser declarados. As empresas, em sua maioria, estão no campo do varejo ou atacado de produtos manufaturados ou são prestadoras de serviços. Não têm habilidade para prever variáveis como taxas de juro, taxas de câmbio e preços de commodities. Faz sentido, portanto, que busquem fazer *hedge* para os riscos associados a essas variáveis. Assim, podem preocupar-se com suas atividades principais nas quais, presume-se, têm habilidades e expertise. Com o *hedge*, evitam surpresas desagradáveis como, por exemplo, alta abrupta no preço de commodities.

Na prática, muitos riscos não são *hedgeados*. Exploram-se as razões disso nesta seção.

Hedge e acionistas

Um dos argumentos contrários ao *hedge* diz que os próprios acionistas poderiam realizá-lo se quisessem, não necessitando da companhia para isso. Tal argumento é questionável, pois assume que os acionistas têm informações a respeito dos riscos a que a companhia está exposta, tanto quanto tem sua administração. Evidentemente, isso não é verdade sempre. Esse argumento também ignora comissões e outros custos de transação. Estes são menores para operações grandes que para pequenas. Portanto, a atividade de *hedge* provavelmente custa menos quando executada pela companhia que individualmente pelos acionistas. Na verdade, o tamanho dos contratos futuros torna impossível aos acionistas realizar *hedge* diretamente.

Algo que os acionistas podem fazer mais facilmente que uma companhia é diversificar riscos. O acionista que possui portfólio bem diversificado pode estar imune a muitos dos riscos aos quais a companhia está exposta. Por exemplo, além de ações da companhia que utiliza cobre, o acionista pode também ter ações da companhia que produz cobre, estando assim pouco exposto às variações do preço do cobre. Se as companhias preservarem os interesses desse tipo de acionista com carteiras bem diversificadas, poderia se afirmar que o *hedge* é desnecessário em muitas situações. Entretanto, é bastante questionável se as administrações são, na prática, influenciadas por esse tipo de argumentação.

Hedge e concorrência

Se o *hedge* não for norma em determinado setor industrial, poderá não fazer sentido para uma companhia preferir ser diferente das demais. Pressões competitivas dentro do setor podem ser tais que os preços dos bens e serviços flutuem e reflitam os custos de matéria-prima, taxas de juro, taxas de câmbio etc. Assim, a companhia que não faz *hedge* pode esperar ter margens de lucro constantes, enquanto a que faz pode esperar que suas margens de lucro flutuem.

Para ilustrar esse ponto, suponha duas joalherias, as companhias SafeandSure e TakeaChance. Assuma que a maior parte das joalherias não faz *hedge* contra os movimentos no preço do ouro e que a TakeaChance não seja exceção. Entretanto, a SafeandSure decidiu ser diferente de seus competidores e usou contratos futuros para *hedgear* suas compras de ouro para os próximos 18 meses. Se o preço do ouro subir, pressões econômicas tenderão a levar a correspondente aumento no preço atacado de jóias, de tal forma que a margem de lucro da TakeaChance não será afetada. Ao contrário, a SafeandSure terá aumento em sua margem de lucro depois de considerados os efeitos do *hedge*. Se o preço do ouro cair, pressões econômicas forçarão queda no preço de atacado das jóias. Novamente, a margem de lucro da TakeaChance não será afetada. Entretanto, a margem de lucro da SafeandSure cairá. Em condições extremas, sua margem de lucro se tornará negativa em função do *hedge* executado. Esse exemplo está sintetizado na Tabela 4.3.

Tabela 4.3 – Perigo do *hedge* quando os concorrentes não o realizam

Mudança no preço do ouro	Efeito no preço da jóia	Efeito nos lucros da companhia TakeaChance	Efeito nos lucros da companhia SafeandSure
Aumento	Aumento	Nenhum	Aumento
Queda	Queda	Nenhum	Queda

Esse exemplo mostra a importância de avaliação mais ampla quando se estiver analisando a possibilidade de realização de *hedge*. Todas as implicações que as mudanças de preços podem ter na rentabilidade da empresa devem ser levadas em consideração quando se estiver estruturando a estratégia de *hedge*.

Outras considerações

É importante observar que o *hedge* com contratos futuros pode resultar em diminuição ou aumento nos lucros da companhia em comparação à situação que esta teria caso o *hedge* não fosse realizado. No exemplo da Tabela 4.1, se o preço do petróleo cair, a companhia perderá dinheiro na venda de um milhão de barris e a posição futura proporcionará ganho que compensará aquela perda. O tesoureiro pode ser elogiado por ter previsto a situação de queda e ter feito o *hedge*. Evidentemente, a empresa fica em situação melhor do que ficaria caso o *hedge* não tivesse sido realizado. Outros executivos da organização apreciarão o trabalho do tesoureiro. Se o preço do petróleo subir, a companhia terá ganhos na venda do produto, mas a posição em mercados futuros provocará perda que eliminará o ganho. A empresa ficará em situação pior do que estaria caso o *hedge* não tivesse sido realizado. Embora a decisão de executar *hedge* seja perfeitamente lógica, o tesoureiro pode se ver em maus lençóis tentando justificá-la. Suponha que o preço do barril de petróleo seja US$21,75 no dia 15 de agosto na Tabela 4.1, de tal forma que a companhia perca US$3 por barril no contrato futuro. Pode-se imaginar como seria a conversa entre o tesoureiro e o presidente:

Presidente: Isso é terrível. Perdemos US$3 milhões nos mercados futuros no espaço de tempo de três meses. Como isso pode ter acontecido? Quero explicação detalhada sobre isso.

Tesoureiro: O objetivo dos contratos futuros era *hedgear* nossa exposição ao preço do óleo, não auferir lucro. Não se esqueça de que nós tivemos ganho de US$3 milhões em nosso negócio por conta do aumento no preço do petróleo.

Presidente: O que tem uma coisa a ver com outra? Isso é o mesmo que dizer que não temos de nos preocupar quando as nossas vendas caírem na Califórnia só porque estão subindo em Nova Iorque.

Tesoureiro: Se o preço do óleo tivesse caído....

Presidente: Não estou discutindo o que teria acontecido se o preço do óleo tivesse caído. O fato é que o preço subiu. Eu realmente não sei o que o senhor fez ao brincar com mercados futuros dessa forma. Nossos acionistas esperam que nós tenhamos boa performance nesse trimestre. Vou ter de explicar a eles que nossas ações tiveram seus ganhos reduzidos em US$3 milhões. Receio que isso signifique que não haverá bônus este ano.

Tesoureiro: Isto não é justo. Eu apenas...

Presidente: Não é justo? O senhor tem sorte de não ser demitido. O senhor perdeu US$3 milhões.

Tesoureiro: Tudo depende de como o senhor analisa isso.

É fácil ver porque muitos tesoureiros são relutantes em fazer *hedge*! O *hedge* reduz o risco para a companhia, mas pode incrementar os riscos para o tesoureiro se outros não entenderem completamente o que está sendo feito. A única solução para esse problema é assegurar que todos os executivos seniores dentro da organização entendam totalmente a natureza da atividade de *hedging* antes que seja posta em prática. Idealmente, o conselho de administração da empresa deve estabelecer uma política para fazer *hedge*. Tal decisão deve ser comunicada com clareza à alta administração e aos acionistas.

4.3 RISCO DE BASE

As operações de *hedge* nos exemplos considerados até aqui têm sido muito boas para serem verdade. O *hedger* foi capaz de identificar a data futura exata em que o ativo deveria ser comprado ou vendido. Utilizou contratos futuros para eliminar quase todo o risco de variações no preço do ativo naquela data. Na prática, fazer *hedge* não é algo tão direto assim devido às seguintes razões:

- o ativo cujo preço precisa ser *hedgeado* pode não ser exatamente o mesmo que está especificado no contrato futuro;
- o *hedger* pode não ter certeza quanto à data em que o ativo deverá ser comprado ou vendido;
- a operação de *hedge* pode requerer que o contrato futuro seja encerrado bem antes de sua data de vencimento.

Tais problemas dão origem ao que se chama de *risco de base*. Esse conceito será discutido a seguir.

Base

Em uma situação de *hedge*, a *base* pode ser definida como[1]:

base = preço spot do ativo a ser *hedgeado* – preço futuro do contrato utilizado

Se o ativo a ser *hedgeado* e o ativo-objeto do contrato futuro forem o mesmo, a base será zero na data de vencimento do contrato futuro. Antes do vencimento, a base deve ser

[1] Esta é a definição usual. Entretanto, a definição alternativa *base = preço futuro – preço spot* é utilizada particularmente quando o contrato futuro é referenciado em ativos financeiros.

positiva ou negativa. Na análise do Capítulo 3, em que o ativo-objeto é ouro, prata ou moeda com baixa taxa de juro (cujos investimentos nessa moeda pagam baixa taxa de juro), o preço futuro é maior que o preço spot. Isso significa que a base é negativa. Para muitas commodities e moedas com altas taxas de juro, o contrário é verdadeiro, e a base é positiva.

Quando o preço spot ou a vista sobe mais que o preço futuro, a base aumenta. Esse fato é conhecido como *fortalecimento da base*. Quando o preço futuro aumenta mais que o preço a vista, a base diminui. Esse processo é denominado *enfraquecimento da base*. A Figura 4.1 ilustra como a base pode mudar ao longo do tempo na situação em que é positiva antes do vencimento do contrato futuro.

Figura 4.1 – Variação da base ao longo do tempo

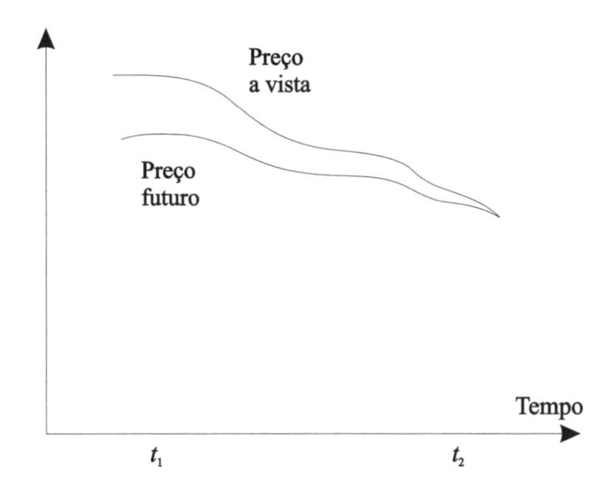

Para examinar a natureza do risco de base, utiliza-se a seguinte notação:

S_1 = preço spot (a vista) na data t_1;
S_2 = preço spot na data t_2;
F_1 = preço futuro na data t_1;
F_2 = preço futuro na data t_2;
b_1 = base na data t_1;
b_2 = base na data t_2.

Assuma que uma operação de *hedge* seja realizada na data t_1 e fechada na data t_2. Como exemplo, suponha que os preços spot e futuro, no momento em que o *hedge* será feito, sejam US$2,50 e US$2,20 e que, no momento em que o *hedge* será finalizado, os preços sejam de US$2 e US$1,90. Isso significa que $S_1 = 2{,}50$; $F_1 = 2{,}20$; $S_2 = 2$; e $F_2 = 1{,}90$.

Da definição de base:

$$b_1 = S_1 - F_1 \text{ e } b_2 = S_2 - F_2$$

No exemplo, $b_1 = 0{,}30$ e $b_2 = 0{,}10$.

Primeiramente, considere a situação do *hedger* que sabe que o ativo será vendido na data t_2 e assume posição vendida a futuro na data t_1. O preço obtido pelo ativo é S_2 e o lucro na posição futura é $F_1 - F_2$. Portanto, o preço efetivo obtido para o ativo com *hedge* é:

$$S_2 + F_1 - F_2 = F_1 + b_2$$

No exemplo, o preço é US$2,30. O valor de F_1 é conhecido na data t_1. Se b_2 fosse também conhecido nessa data, haveria *hedge* perfeito. O risco do *hedge* é a incerteza associada com b_2. É chamado de *risco de base*. Considere agora a situação em que a companhia terá de comprar o ativo na data t_2 e fazer *hedge* longo, ou seja, *hedge* de compra na data t_1. O preço efetivo a ser pago com *hedge* será:

$$S_2 + F_1 - F_2 = F_1 + b_2$$

Trata-se da mesma expressão anterior e, portanto, o preço é US$2,30. O valor de F_1 é conhecido na data t_1 e o termo b_2 representa o risco de base.

Para ativos de investimento como moedas estrangeiras, índices de ações, ouro e prata, o risco de base tende a ser muito menor que para commodities de consumo. A razão, como discutido no Capítulo 3, é que os argumentos de arbitragem levam a uma relação muito bem definida entre os preços futuro e a vista do ativo de investimento. Assim, o risco de base do ativo de investimento decorre principalmente da incerteza com relação ao nível da taxa de juro livre de risco no futuro. No caso de commodity para consumo, desequilíbrios entre oferta e procura e as dificuldades associadas ao seu armazenamento podem levar a grandes variações da *convenience yield,* que, por sua vez, provoca grande aumento no risco de base.

Às vezes, o ativo que traz exposição de risco é diferente do ativo-objeto. Em outras palavras, o ativo utilizado para *hedge* difere do ativo a ser *hedgeado*. Nesse caso, o risco de base é ainda maior. Seja S_2^* o preço do ativo-objeto do contrato futuro no momento t_2. Como já definido, S_2 é o preço do ativo que está sendo *hedgeado* no momento t_2. Ao fazer *hedge*, a companhia assegura que o preço que será pago (ou recebido) pelo ativo seja:

$$S_2 + F_1 - F_2$$

Essa expressão pode ser reescrita da seguinte forma:

$$F_1 + \left(S_2^* - F_2\right) + \left(S_2 - S_2^*\right)$$

Os termos $S_2^* - F_2$ e $S_2 - S_2^*$ representam os dois componentes da base. O termo $S_2^* - F_2$ é a base que existiria se o ativo que está sendo *hedgeado* fosse o mesmo que serve como ativo-objeto ao contrato futuro. O termo $S_2 - S_2^*$ é a base que surge da diferença entre os dois ativos.

Observe que o risco de base pode levar à melhora ou piora da posição do *hedger*. Considere o *hedge* de venda [*short hedge*]. Se inesperadamente a base aumentar, ele ganhará; se a base enfraquecer, sua posição piorará. Para o *hedge* de compra, o inverso é verdadeiro. Se a base aumentar, a posição piorará e se a base diminuir, sua posição melhorará.

Escolha do contrato

A escolha do contrato futuro que será utilizado para *hedge* é um dos fatores que afeta o risco de base. Pode ser dividida em dois componentes:

- a escolha do ativo-objeto do contrato futuro;
- a escolha do mês de vencimento do contrato.

Se o ativo a ser *hedgeado* for exatamente o ativo-objeto do contrato futuro, a primeira escolha será fácil. Em outras circunstâncias, é necessária uma cuidadosa análise para determinar quais contratos futuros têm preços mais correlacionados com o preço do ativo a ser *hedgeado*.

A escolha do mês de vencimento pode ser influenciada por vários fatores. Nos exemplos anteriores neste capítulo, assumiu-se que, quando a data de expiração do *hedge* coincide com o mês de vencimento, o contrato com essa data é o escolhido. Na verdade, é o contrato com data de vencimento posterior que deve ser escolhido nessas circunstâncias. A razão é que os preços futuros são, às vezes, bastante erráticos durante o mês de entrega. Outra razão é que o *hedger* em posição de compra corre o risco de ter de receber o ativo físico caso mantenha a posição em aberto até o mês de entrega – situação que pode ser dispendiosa e inconveniente.

Em geral, o risco de base aumenta à medida que se eleva a diferença entre a data de expiração do *hedge* e a data de vencimento do contrato futuro. Uma regra prática é, portanto, escolher um mês de entrega o mais próximo possível e posterior à data de sua expiração. Suponha que os meses de entrega sejam março, junho, setembro e dezembro para determinado contrato. Para posições de *hedge* que devem ser mantidas até dezembro, janeiro e fevereiro, o contrato de março será escolhido; para posições a serem mantidas até março, abril e maio, o contrato de junho será escolhido; e assim sucessivamente. Essa regra assume que há liquidez suficiente em todos os contratos para atender às necessidades do *hedger*. Na prática, a liquidez tende a ser maior nos contratos mais próximos. O investidor pode, em certas situações, preferir usar contratos de maturidade menor e fazer a rolagem perto do vencimento. Essa estratégia será discutida mais adiante neste capítulo.

Ilustrações

Suponha que seja 1º de março. A companhia norte-americana espera receber 50 milhões de ienes até o fim de julho. O contrato futuro de iene na Chicago Mercantile Exchange tem meses de entrega em março, junho, setembro e dezembro. O tamanho do contrato é 12,5 milhões de ienes. O critério mencionado anteriormente relativo à escolha do contrato sugere que setembro seja o mês escolhido para *hedge*.

Tabela 4.4 – Risco de base em *hedge* de venda

Da mesa de operações – 1º de março

Suponha que seja 1º de março. A companhia norte-americana espera receber 50 milhões de ienes no fim de julho. O preço do contrato futuro para setembro é 0,7800.

Estratégia

A companhia pode:

- vender quatro contratos futuros de iene para setembro em 1º de março;
- fechar o contrato quando receber os ienes no fim de julho.

Risco de base

O risco de base surge em face da incerteza quanto à diferença entre o preço a vista e o preço futuro para setembro no fim de julho.

Resultado

Quando a companhia recebe os ienes no fim de julho, observa que o preço spot era de 0,7200 e o preço futuro era de 0,7250. Segue-se que:

- base = 0,7200 – 0,7250 = –0,0050;
- ganho no futuro = 0,7800 – 0,7250 = +0,0550.

O preço efetivo em centavos de dólar por iene recebido pelo *hedger* é o preço spot no fim de julho mais o ganho no futuro: 0,7200 + 0,0550 = 0,7750.
Esse valor pode ser mostrado como o preço futuro inicial para setembro mais a base: 0,7800 – 0,0050 = 0,7750.

A companhia, portanto, vende quatro contratos futuros de iene para setembro em 1º de março. Quando o iene é recebido no fim de julho, a empresa fecha sua posição. O risco de base surge da incerteza acerca da diferença entre o preço futuro e o preço spot nessa data. Suponha que o preço futuro em 1º de março, em centavos de dólar por iene, seja 0,7800 e que os preços spot e futuro quando o contrato é encerrado sejam de 0,7200 e 0,7250, respectivamente. A base é –0,0050 e o ganho realizado no contrato futuro é 0,0550. O preço efetivo obtido em centavos por iene é o preço spot mais o ganho no futuro:

$$0{,}7200 + 0{,}0550 = 0{,}7750$$

que também pode ser reescrito como o preço futuro inicial mais a base:

$$0{,}7800 - 0{,}0050 = 0{,}7750$$

A companhia recebe o total de $50 \times 0{,}00775$ milhões de dólares, ou US$387.500. Esse exemplo está resumido na Tabela 4.4.

Para o próximo exemplo, supõe-se que seja 8 de junho. A companhia terá de comprar 20.000 barris de petróleo em algum momento em outubro ou novembro. Os contratos futuros de petróleo são negociados na Nymex para entrega em todos os meses do ano e com tamanho de 1.000 barris por contrato. De acordo com o critério sugerido, a companhia decide usar o contrato para entrega em dezembro para a realização do *hedge*. Em 8 de junho, abre posição longa de 20 contratos para dezembro. Nessa data, o preço futuro é US$18 por barril. A companhia decide comprar petróleo no mercado a vista em 10 de novembro. Nessa data, encerrará seu *hedge*. O risco de base surge da incerteza acerca de qual será a base no momento em que o *hedge* for encerrado. Os preços spot e futuro em 10 de novembro são US$20 e US$19,10 por barril, respectivamente. A base é, portanto, de US$0,90 e o preço efetivo pago é US$18,90 por barril ou US$378.000 no total. Esse exemplo está resumido na Tabela 4.5.

Tabela 4.5 – Risco de base em *hedge* de compra

Da mesa de operações – 8 de junho

A companhia sabe que vai precisar comprar 20.000 barris de petróleo entre outubro e novembro. O preço corrente do petróleo para dezembro é US$18 por barril.

Estratégia

A companhia:

- em 8 de junho, abre posição longa de 20 contratos de petróleo na Nymex;
- fecha a posição quando acredita que é o momento de comprar o petróleo.

Risco de base

O risco de base surge da incerteza do *hedger* em relação à diferença entre o preço spot e o preço futuro para dezembro no momento em que o petróleo for adquirido.

Resultado

A companhia compra o petróleo em 10 de novembro e fecha seu contrato futuro nessa data. O preço spot foi de US$20 e o preço futuro foi de US$19,10 por barril. Segue-se que:

- base = US$20 – US$19,10 = US$0,90;
- ganho do futuro = US$19,10 – US$18 = US$1,10.

O custo efetivo do petróleo adquirido em 10 de novembro menos o ganho no mercado futuro resulta em: US$20 – US$1,10 = US$18,90 por barril. O que também pode ser escrito como preço futuro inicial mais base: US$18 + US$0,90 = US$18,90 por barril.

4.4 RAZÃO DE *HEDGE* DE VARIÂNCIA MÍNIMA

A *razão de hedge* é dada pela relação entre o tamanho da posição no mercado futuro e o tamanho da exposição ao risco. Até aqui, considerou-se a razão de *hedge* igual a 1,0. Na Tabela 4.5, a exposição do *hedge* é 20.000 barris de petróleo, sendo aberta posição de venda a futuro de igual tamanho. Se o objetivo do *hedger* for minimizar o risco, a razão ótima não será necessariamente igual a 1,0.

Utilizam-se as seguintes notações:

δS = mudança no preço spot, S, durante o período de tempo igual à vida do *hedge*;
δF = mudança no preço futuro, F, durante o período de tempo igual à vida do *hedge*;
σ_S = desvio-padrão de δS;
σ_F = desvio-padrão de δF;
ρ = coeficiente de correlação entre δS e δF;
h^* = razão de *hedge* que minimiza a variância da posição do *hedger*.

No Apêndice, observa-se que:

$$h^* = \rho \frac{\sigma_S}{\sigma_F} \tag{4.1}$$

Figura 4.2 – Dependência da variância da posição do *hedger* sobre a razão de *hedge*

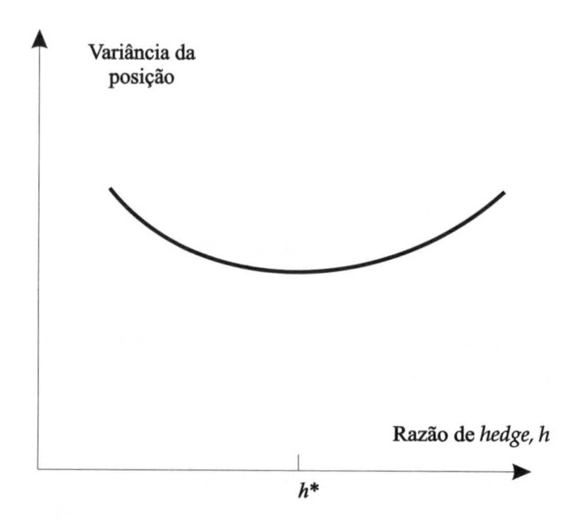

A razão ótima de *hedge* é o produto entre o coeficiente de correlação entre δS e δF e razão entre o desvio-padrão de δS e o desvio-padrão de δF. A Figura 4.2 mostra como a variância no valor da posição do *hedger* depende da razão de *hedge* escolhida.

Se $\rho = 1$ e $\sigma_F = \sigma_S$, a razão de *hedge*, h^*, será 1,0. Esse resultado é esperado porque, nesse caso, o preço futuro espelha o preço spot perfeitamente. Se $\rho = 1$ e $\sigma_F = 2\sigma_S$, a razão de *hedge*, h^*, será 0,5. Esse resultado também é esperado porque, nesse caso, o preço futuro sempre muda duas vezes mais que o preço spot.

A razão ótima de *hedge*, h^*, é a inclinação da reta que melhor se ajusta à regressão de δS contra δF, como indica a Figura 4.3. Essa dedução é intuitivamente razoável, pois se estabeleceu h^* como sendo igual à razão entre as variações de δS e as variações de δF. A *efetividade do hedge* pode ser definida como a proporção da variância que é eliminada por meio de *hedge*. Isto é, ρ^2 ou:

$$h^{*2} \frac{\sigma_F^2}{\sigma_S^2}$$

Figura 4.3 – Regressão da variação do preço a vista contra a variação do preço futuro

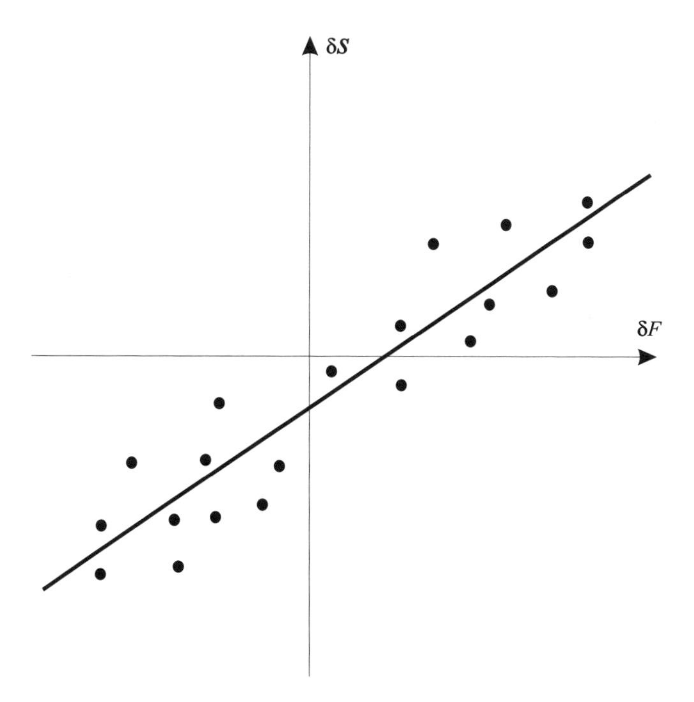

Os parâmetros ρ, σ_F e σ_S na equação (4.1) são em geral estimados a partir de dados históricos de δS e δF (a hipótese implícita é que o futuro terá padrão de comportamento igual ao passado). Escolhe-se determinado número de intervalos de tempo iguais, mas não coincidentes, e observam-se os valores de δS e δF em cada um deles.

Idealmente, cada intervalo de tempo deve ser o mesmo intervalo de tempo para o qual se deseja o *hedge*. Na prática, isso limitaria por demais o número de observações que estão disponíveis, o que obriga a usar intervalos de tempo menores.

Número ideal de contratos

Seja:

N_A = tamanho da posição a ser *hedge*ada (em unidades);
Q_F = tamanho de um contrato futuro (em unidades);
N^* = número ideal de contratos futuros para o *hedge*.

O contrato futuro deve ter valor de face de h^*N_A. O número de contratos necessários, portanto, é dado pela fórmula:

$$N^* = \frac{h^* N_A}{Q_F} \tag{4.2}$$

Tabela 4.6 – Dados para cálculo da razão de *hedge* de mínima variância

Mês i	Variação nos preços futuros por galão ($=x_i$)	Variação nos preços do combustível por galão ($=y_i$)
1	0,021	0,029
2	0,035	0,020
3	–0,046	–0,044
4	0,001	0,008
5	0,044	0,026
6	–0,029	–0,019
7	–0,026	–0,010
8	–0,029	–0,007
9	0,048	0,043
10	–0,006	0,011
11	–0,036	–0,036
12	–0,011	–0,018
13	0,019	0,009
14	–0,027	–0,032
15	0,029	0,023

Exemplo

A companhia aérea prevê comprar dois milhões de galões de combustível para jatos dentro de um mês e decide utilizar contratos futuros de óleo para aquecimento para realizar seu *hedge* (o artigo escrito por Nikkhah, sugerido ao final deste capítulo, discute esse tipo de estratégia). A Tabela 4.6 fornece, para 15 meses sucessivos, as datas das variações, a variação no preço spot do óleo para jato δS e a correspondente variação no preço futuro por galão do óleo para aquecimento, δF (utilizado para *hedge* das variações de preço durante o mês). O número de observações, n, é igual a 15. Denotam-se as i-ésimas observações para δS e δF por x_i e y_i, respectivamente. Da Tabela 4.6, tem-se:

$$\sum x_i = -0,013 \qquad \sum x_i^2 = 0,0138$$

$$\sum y_i = 0,003 \qquad \sum y_i^2 = 0,0097$$

$$\sum x_i y_i = 0,0107$$

A fórmula estatística fornece a estimativa de σ_F como:

$$\sqrt{\frac{\sum x_i^2}{n-1} - \frac{\left(\sum x_i\right)^2}{n(n-1)}} = 0,0313$$

A estimativa de σ_S é:

$$\sqrt{\frac{\sum y_i^2}{n-1} - \frac{\left(\sum y_i\right)^2}{n(n-1)}} = 0,0263$$

A estimativa de ρ é:

$$\frac{n\sum x_i y_i - \sum x_i \sum y_i}{\sqrt{\left[n\sum x_i^2 - \left(\sum x_i\right)^2\right]\left[n\sum y_i^2 - \left(\sum y_i\right)^2\right]}} = 0,928$$

Da equação (4.1), a razão de *hedge* de mínima variância, h^*, é de:

$$0,928 \times \frac{0,0263}{0,0313} = 0,78$$

Cada contrato de óleo para aquecimento negociado na Nymex corresponde a 42.000 galões de óleo. Da equação (4.2), o número ótimo de contratos é:

$$\frac{0,78 \times 2.000.000}{42.000} = 37,14$$

Arredondando-se para o número inteiro mais próximo: 37.

4.5 FUTURO DE ÍNDICE DE AÇÕES

O futuro de índice de ações pode ser utilizado para *hedgear* portfólios. Seja:

P = valor atual do portfólio;
A = valor corrente das ações objeto do contrato futuro.

Se a carteira espelhar o índice, a razão de *hedge* de 1 será apropriada. A equação (4.2) mostra que o número de contratos futuros a ser vendido é:

$$N^* = \frac{P}{A} \tag{4.3}$$

Suponha, por exemplo, que a carteira avaliada em US$1 milhão espelhe o índice de ações S&P 500. O valor corrente do índice é 1.000 e cada contrato futuro é US$250 vezes o índice. Nesse caso, P = 1.000.000 e A = 250.000, de tal forma que devem ser vendidos quatro contratos para efetivar o *hedge* do portfólio.

Quando a carteira não espelha exatamente o índice, pode-se usar o parâmetro beta (β) do modelo de apreçamento de ativos financeiros (CAPM) para determinar a razão de *hedge* apropriada. Beta é a inclinação da reta que melhor se ajusta à regressão do excesso de retorno da carteira em relação à taxa de juro livre de risco contra o excesso de retorno do mercado em relação à taxa de juro livre de risco. Quando $\beta = 1,0$, o retorno do portfólio tende a espelhar o retorno do mercado; quando $\beta = 2,0$, o excesso de retorno do portfólio tende a ser duas vezes maior que o excesso de retorno do mercado; quando $\beta = 0,5$, tende a ser metade e assim por diante.

Assumindo-se que o índice que serve de ativo-objeto ao contrato futuro é *proxy* para a carteira de mercado, pode ser demonstrado que a razão de *hedge* apropriada é o beta do portfólio. Da equação (4.2), deriva-se:

$$N^* = \beta \frac{P}{A} \tag{4.4}$$

Essa fórmula parte do princípio de que a maturidade do contrato futuro é próxima da maturidade do *hedge* e ignora os ajustes diários dos contratos futuros[2]. Para ilustrar que essa fórmula dá bons resultados, suponha que:

- valor do índice S&P 500 = 1.000;
- valor do portfólio = US$5.000.000;
- taxa de juro livre de risco = 10% ao ano;
- rendimento dos dividendos no índice = 4% ao ano;
- beta do portfólio = 1,5.

Assumiu-se que o contrato futuro de S&P 500 a quatro meses para o vencimento será utilizado para *hedgear* o valor da carteira durante os próximos três meses. O contrato futuro implica a entrega de US$250 vezes o índice. Da equação (3.12), o preço corrente do contrato futuro deve ser:

$$1.000\, e^{(0{,}10-0{,}04)\times 4/12} = 1.020{,}20$$

Da equação (4.4), o número de contratos futuros a ser vendido para *hedgear* o portfólio será:

$$1{,}5 \times \frac{5.000.000}{250.000} = 30$$

Suponha que o índice caia para 900 pontos em três meses. O preço futuro será:

$$900\, e^{(0{,}10-0{,}04)\times 1/12} = 904{,}51$$

Portanto, o ganho na posição futura será:

$$30 \times (1.020{,}20 - 904{,}51) \times 250 = \text{US\$}867$$

A perda no índice é 10%. O índice (a carteira teórica do índice) paga dividendos de 4% ao ano ou 1% ao trimestre. Quando os dividendos são levados em consideração, o investidor da carteira do índice perde 9% no período de três meses. A taxa de juro livre de risco é aproximadamente 2,5% em três meses[3].

---

[2] O ajuste conhecido como *tailing the hedge* pode ser utilizado para lidar com os ajustes diários quando o contrato futuro é *hedgeado*. Para mais detalhes, ver Duffie, D. *Futures Markets*. Upper Saddle River, NJ: Prentice Hall, 1989; Rendleman, R. A Reconciliations of Potentially Conflicting Approaches to Hedging with Futures. *Advances in Futures and Options Research* 6, 1993. O problema 4.20 trata desse assunto.

[3] Para facilitar a apresentação, foi ignorado o fato de a taxa de juro e o rendimento com dividendos serem capitalizados continuamente. Isso, na verdade, faz pouca diferença.

Devido ao fato de que o beta da carteira é 1,5, tem-se:

$$\text{retorno esperado no portfólio} - \text{taxa de juro livre de risco} =$$
$$= 1{,}5 \times (\text{retorno no índice} - \text{taxa de juro livre de risco})$$

O retorno esperado (%) é:

$$2{,}5 + [1{,}5 \times (-9{,}0 - 2{,}5)] = -14{,}75$$

Portanto, o valor esperado (incluindo os dividendos) ao fim dos três meses é:

$$\text{US\$}5.000.000 \times (1 - 0{,}1475) = \text{US\$}4.262.500$$

O valor esperado para a posição do *hedger*, incluindo o resultado do *hedge*, é:

$$\text{US\$}4.262.500 + \text{US\$}867.676 = \text{US\$}5.130.176$$

A Tabela 4.7 sumariza esses dados e apresenta cálculos semelhantes para outros valores do índice na data de vencimento do contrato futuro. Pode ser notado que o valor total da posição do *hedger* em três meses é quase independente do valor do índice. Assumiu-se que o rendimento do dividendo na carteira do índice é previsível, a taxa de juro livre de risco permanece constante e o retorno do índice durante os três meses é correlacionado com o retorno no portfólio. Na prática, essas hipóteses não se verificam perfeitamente e o *hedge* não se mostra tão eficiente quanto indicado na Tabela 4.7.

Tabela 4.7 – Desempenho do *hedge* com o índice de ações

Valor do índice em 3 meses (em US$)	900	950	1.000	1.050	1.100
Preço do futuro de índice em 3 meses (em US$)	904,51	954,76	1.005,01	1.055,26	1.105,51
Ganho (perda) na posição futura (em US$ mil)	867.676	490.796	113.916	(262.964)	(639.843)
Valor do portfólio (incluindo dividendos) em 3 meses (em US$ mil)	4.262.500	4.637.500	5.012.500	5.387.500	5.762.500
Valor total da posição em 3 meses (em US$ mil)	5.130.176	5.128.296	5.126.416	5.124.537	5.122.657

Razões para *hedgear* carteira de ações

A Tabela 4.7 mostra que o esquema de *hedge* resulta em valor para a posição do *hedger* próximo a US$5.125.000 ao fim de três meses, o que supera os US$5.000.000 iniciais em 2,5%. Não há surpresa. A taxa de juro livre de risco é 10% ao ano, ou 2,5% por trimestre. O *hedge* permitiu aumento no valor da posição a uma taxa equivalente à taxa de juro livre de risco.

É natural perguntar a razão pela qual o *hedger* deveria usar contratos futuros. Para ganhar a taxa de juro livre de risco, poderia simplesmente vender a carteira e investir os recursos em letras do Tesouro nacional.

Uma resposta a essa questão é que o *hedge* pode ser justificado se o *hedger* sentir que a escolha das ações da carteira foi bem feita. Nessas circunstâncias, pode estar incerto quanto ao desempenho do mercado de ações como um todo, mas confiante que as ações da carteira terão performance superior à do mercado (depois de realizados os ajustes para o beta da carteira). O *hedge* com futuro de índice elimina o risco que surge de movimentos de preços do mercado como um todo e deixa o *hedger* exposto apenas ao desempenho da carteira relativo ao mercado. Outra razão é o fato de ele pretender manter a carteira por longo período de tempo, desejando, assim, proteção de curto prazo para uma situação de mercado incerta. A estratégia alternativa de vender a carteira e comprar as ações de volta mais tarde implicaria custos de transação inaceitavelmente altos.

Mudança do beta

No exemplo da Tabela 4.7, o beta da carteira é reduzido a zero. Algumas vezes os contratos futuros são utilizados para mudar o beta para valor diferente de zero. No exemplo, para reduzir o beta de 1,5 para 0,75, o número de contratos vendidos deveria ser 15 em vez de 30; para aumentar o beta para 2,0, a posição no mercado futuro deveria ser a compra de 10 contratos e assim por diante. Em geral, para mudar o beta de β para β^*, onde $\beta > \beta^*$, requer-se posição vendida igual a:

$$(\beta - \beta^*)\frac{P}{A}$$

Quando $\beta < \beta^*$, é necessária uma posição comprada cujo número de contratos seja igual a:

$$(\beta^* - \beta)\frac{P}{A}$$

Exposição ao preço de ação individual

Algumas bolsas negociam contratos futuros de ações individuais, mas na maioria dos casos uma posição em uma ação individual só pode ser *hedgeada* com contratos futuros de índice de ações.

Fazer *hedge* de uma exposição ao preço de ação individual com contratos futuros de índice de ações é similar a fazer *hedge* com carteira de ações. O número de contratos futuros de índice que o *hedger* deve vender é dado por $\beta P/A$, onde β é o beta da ação, P é o valor total das ações possuídas e A é o valor corrente das ações que compõem o índice negociado a futuro. Nota-se que, embora o número de contratos negociados seja calculado da mesma forma que na situação em que a carteira de ações é *hedgeada*, o desempenho do *hedge* é consideravelmente pior. O *hedge* proporciona proteção apenas contra o risco de movimentos de mercado e esse risco é relativo a uma pequena proporção do risco total dos movimentos de preço das ações individuais. O *hedge* é apropriado quando o investidor acredita que a ação terá performance melhor do que a do mercado, mas está inseguro acerca do desempenho do mercado. O *hedge* pode também ser utilizado por banco de investimento que fez *underwriting* de nova emissão de ações e quer proteção contra os movimentos do mercado como um todo.

Tabela 4.8 – *Hedge* de portfólio com determinada ação

Da mesa de operações – junho

O investidor detém 20.000 ações da IBM. Ele está preocupado com a volatilidade do mercado durante o próximo mês. O preço de mercado da ação da IBM é US$100, o futuro do S&P 500 é 900 e o preço futuro é 908.

Estratégia

O investidor:

- vende 10 contratos futuros de S&P 500 para agosto;
- fecha a posição futura depois de um mês.

Resultado

Após um mês, o preço da ação da IBM é US$125 e o preço do contrato futuro de S&P para agosto é 1.080. O investidor ganha 20.000 × (US$125 – US$100) = US$500.000 em IBM e perde 10 × 250 × (1.080 – 908) = US$430.000 na posição futura.

Considere o investidor que, em junho, detenha 20.000 ações da IBM, cada uma avaliada em US$100. Ele acredita que o mercado estará muito volátil no mês seguinte, mas também que a ação da IBM irá se valorizar mais que o mercado. O investidor decide usar o contrato futuro de S&P com vencimento em agosto para fazer *hedge* de sua posição durante um mês. O β da IBM foi estimado em 1,1. O índice a vista é 900 e o preço futuro para o contrato de agosto é 908. Cada contrato corresponde a US$250 vezes o índice. Nesse caso, $P = 20.000 \times 100 =$ US$2.000.000 e $A = 900 \times 250 =$ US$225.000. Portanto, o número de contratos que devem ser *shorteados*, ou seja, vendidos será:

$$1{,}1 \times \frac{2.000.000}{225.000} = 9{,}78$$

Arredondando-se para o número inteiro mais próximo, o *hedger* vende 10 contratos, liquidando sua posição um mês depois. Suponha que a cotação da ação da IBM aumente para US$125 durante o mês e o preço do contrato futuro de S&P suba para 1.080. O investidor ganhará 20.000 × (US$125 – US$100) = US$500.000 em IBM e perderá 10 × 250 × (1.080 – 908) = US$430.000 no mercado futuro. O exemplo está resumido na Tabela 4.8.

Nesse exemplo, o *hedge* elimina o ganho no mercado a vista com a perda no mercado futuro. Essa compensação parece ser contraproducente. Entretanto, nem sempre se pode enfatizar que o objetivo do *hedge* é o de reduzir risco. O *hedge* tende a fazer resultados desfavoráveis menos desfavoráveis, mas também resultados favoráveis menos favoráveis.

4.6 ROLAGEM DO *HEDGE*

Algumas vezes, a data de expiração do *hedge* pode ser subseqüente às datas de entrega dos contratos. Nesse caso, o *hedger* deve rolar o *hedge* à frente fechando o contrato que está vencendo e abrindo a mesma posição no contrato com data de vencimento posterior. As posições podem ser roladas muitas vezes. Considere a companhia que deseja fazer *hedge* de venda para reduzir o risco associado com o preço a ser recebido por um ativo na data T. Se houver contratos futuros 1, 2, 3, ..., n (não todos necessariamente autorizados à negociação no presente momento) com datas de entrega em seqüência, a companhia poderá usar a seguinte estratégia:

momento t_1: vende contrato 1;
momento t_2: fecha contrato 1;
vende contrato 2;
momento t_3: fecha contrato 2;
vende contrato 3;
...
momento t_n: fecha contrato $n - 1$;
vende contrato n;
momento T: fecha contrato n.

Essa estratégia está exemplificada na Tabela 4.9. Em abril de 2001, a companhia prevê a venda de 100.000 barris de petróleo para junho de 2002 e decide *hedgear* seu risco usando a razão de *hedge* de 1,0. O preço spot é US$19. Embora os contratos futuros sejam negociados com maturidades que se estendem até vários anos à frente, supõe-se que apenas os seis primeiros meses de entrega têm liquidez suficiente para atender às necessidades da companhia. Por conseguinte, a companhia vende 100 contratos para outubro de 2001. Em setembro de 2001, rola o *hedge* à frente para o contrato de março de 2002. Em fevereiro 2002, repete a rolagem para o contrato de julho de 2002.

Como um dos resultados possíveis, supôs-se que o preço do petróleo caiu US$3 por barril, indo para US$16 por barril em junho de 2002. O preço do contrato de outubro de 2001 foi vendido a US$18,20 por barril e fechado a US$17,40 por barril, com lucro de US$0,80 por barril; o contrato de março de 2002 foi vendido a US$17 por barril e fechado a US$16,50 por barril, com lucro de US$0,50 por barril. O contrato de julho de 2002 foi vendido a US$16,30 por barril e fechado a US$15,90 por barril, com lucro de US$0,40 por barril. Nesse caso, desconsidera-se o valor do dinheiro no tempo. Os contratos futuros proporcionaram lucro total de US$1,70 por barril, compensando parte da queda de US$3 por barril no preço do petróleo.

Compensar prejuízo de US$3 com lucro de US$1,70 não parece satisfatório. Entretanto, não se pode esperar compensação total para o declínio do preço quando os preços futuros estão abaixo dos preços spot. O máximo que se pode esperar é travar o preço futuro que se aplicaria ao contrato de junho de 2002, caso este estivesse sendo ativamente negociado.

Tabela 4.9 – Rolagem do *hedge*

Da mesa de operações – abril de 2001

O preço de petróleo é US$19 por barril. A companhia terá de vender 100.000 barris de petróleo em junho de 2002 e deseja fazer *hedge* de sua posição. Os contratos futuros de petróleo são negociados na Nymex para todos os meses até um ano à frente. Entretanto, apenas os primeiros seis meses têm liquidez suficiente para atender às necessidades da companhia. O tamanho do contrato é 1.000 barris.

Estratégia

- Abril de 2001: a companhia vende 100 contratos para outubro de 2001.
- Setembro de 2001: a companhia liquida os 100 contratos para outubro de 2001 e vende 100 contratos para março 2002.
- Fevereiro de 2002: a companhia fecha os 100 contratos para março de 2002 e vende 100 contratos para julho de 2002.
- Junho de 2002: a companhia fecha os 100 contratos para julho e vende 100.000 barris de petróleo.

Resultado

- Contrato futuro para outubro de 2001: vendido em abril de 2001 por US$18,20 e encerrado em setembro de 2001 por US$17,40.
- Contrato futuro para março de 2002: vendido em setembro de 2001 por US$17 e fechado em fevereiro de 2002 por US$16,50.
- Contrato futuro para julho de 2002: vendido em fevereiro de 2002 por US$16,30 e fechado em junho de 2002 por US$15,90.
- Preço spot do petróleo em junho de 2002: US$16 por barril.

O ganho do mercado futuro, desconsiderando-se o valor do dinheiro no tempo, é (US$18,20 – US$17,40) + (US$17 – US$16,50) + (US$16,30 – US$15,90) = US$1,70 por barril.
Esse ganho elimina parte da queda de US$3 nos preços do petróleo entre abril de 2001 e junho de 2002.

Metallgesellschaft

Em alguns casos, a rolagem do *hedge* pode provocar desequilíbrios de fluxo de caixa. Essa questão foi dramaticamente ilustrada pelas atividades da companhia alemã Metallgesellschaft (MG), no início dos anos de 1990.

A MG vendeu grande volume de contratos a termo de gasolina e de óleo para aquecimento, com entrega, para prazos de 5 a 10 anos, a preços fixos que variavam de 6 a 8 centavos acima dos preços de mercado. A empresa *hedgeou* sua exposição com a compra de futuros de prazos pequenos que eram rolados continuadamente. Acontece que o preço do petróleo caiu e houve chamadas pesadas de margem nas posições futuras. A MG sofreu pressões de curto prazo em seu fluxo de caixa. Os membros da empresa, que haviam aconselhado a estratégia de *hedging*, argumentaram que as saídas de caixa de curto prazo seriam eliminadas por entradas de caixa que seriam realizadas no vencimento dos contratos a termo de longo prazo com preço fixo. Entretanto, a alta administração da companhia e seus banqueiros ficaram muito preocupados com o tamanho das saídas de caixa. A companhia fechou todas suas posições de *hedge* no mercado futuro e fez acordo com os clientes para cancelar os contratos com preço fixo. O resultado foi perda de US$1,33 bilhão[4].

4.7 SUMÁRIO

Este capítulo discutiu as várias maneiras pelas quais uma companhia pode tomar posição nos mercados futuros para eliminar a exposição ao preço de um ativo. Se a exposição for tal que a companhia ganhe quando o preço do ativo aumentar e perca quando o preço do ativo decrescer, será aconselhável o *hedge* de venda. Se a exposição for o inverso (isto é, a companhia ganha quando o preço do ativo decresce e perde quando o preço do ativo aumenta), será apropriado o *hedge* de compra.

A atividade *hedging* é uma forma de reduzir o risco. Como tal, deve ser bem-vinda pela maioria dos executivos. Na realidade, há um número de razões teóricas e práticas pelas quais as companhias não fazem *hedge*. Teoricamente, pode-se argumentar que os próprios acionistas, ao manterem carteiras bem diversificadas, podem eliminar muitos dos riscos enfrentados pela companhia. Eles não requerem que a companhia faça o *hedge* desses riscos. Na prática, a empresa pode achar que pode estar aumentando seu risco, em vez de diminuí-lo, caso nenhum de seus competidores façam *hedge*. Igualmente, um tesoureiro pode atrair a crítica dos demais executivos da companhia se o ganho obtido na variação de preços dos ativos-objeto for eliminado pelas perdas com a posição de *hedge*.

---

[4] Para detalhes, ver MG´s Trial by Essay. *Risk*, pp. 228–234, October, 1994; e Miller, M.; Culp, C. Risk Management Lessons from Metallgesellschaft. *Journal of Applied Corporate Finance* 7(4), pp. 62–76, winter 1995.

Em se tratando da atividade de *hedge*, um importante conceito é o risco de base. A base é a diferença entre o preço spot de um ativo e seu preço futuro. Risco de base é criado pela incerteza do *hedger* sobre qual será a base no vencimento do *hedge*. Risco de base é em geral maior para ativos de consumo que para ativos de investimento.

A razão de *hedge* é a razão entre o tamanho da posição nos contratos futuros e o tamanho da exposição. Nem sempre é ideal usar a razão de *hedge* igual a 1,0. Se o *hedger* desejar minimizar a variância da posição, a razão de *hedge* diferente de 1,0 pode ser apropriada. A razão ótima de *hedge* é a inclinação da reta que melhor se ajusta à regressão entre as variações no preço spot contra as variações nos preços futuros.

Os contratos futuros de índice podem ser utilizados para *hedgear* o risco sistemático da carteira de ações. O número de contratos requeridos é o beta da carteira multiplicado pela razão entre o valor do portfólio e o valor do contrato futuro. Os futuros de índice podem também ser usados para mudar o beta da carteira sem modificar as ações que a compõem.

Quando não houver liquidez no contrato futuro que vença após a expiração do *hedge*, a rolagem do *hedge* pode ser apropriada. Essa estratégia envolve o posicionamento em uma seqüência de contratos futuros. Quando o primeiro futuro estiver próximo do vencimento, será fechado e o *hedger* se posicionará em um segundo contrato com mês de entrega posterior. Quando o segundo contrato estiver perto do vencimento, será fechado e o *hedger* se posicionará em um terceiro contrato com data de vencimento posterior; e assim por diante. A rolagem do *hedge* funciona bem se houver estreita correlação entre as mudanças nos preços futuros e spot.

SUGESTÕES PARA LEITURAS COMPLEMENTARES

EDERINGTON, L. H. The Hedging Performance of the New Futures Market. *Journal of Finance* 34, pp. 157–170, March 1979.

FRANCKLE, C. T. The Hedging Performance of the New Futures Market: Comment. *Journal of Finance* 35, pp. 1273–1279, December 1980.

JOHNSON, L. L. The Theory of Hedging and Speculation in Commodity Futures Markets. *Review of Economics Studies* 27, pp. 139–151, October 1960.

MCCABE, G. M.; FRANCKLE, C. T. The Effectiveness of Rolling the Hedge Forward in the Treasury Bill Futures Market. *Financial Management* 12, pp. 21–29, summer 1983.

MILLER, M.; CULP, C. Risk Management Lessons from Metallgesellschaft. *Journal of Applied Corporate Finance* 7(4), pp. 62–76, winter 1995.

NIKKHAH, S. How End Users Can Hedge Fuel Costs in Energy Markets. *Futures,* pp. 66–67, October 1987.

STULZ, R. M. Optimal Hedging Policies. *Journal of Financial and Quantitative Analysis* 19, pp. 127–140, June 1984.

PERGUNTAS RÁPIDAS (RESPOSTAS NO FINAL DO LIVRO)

4.1 Sob que circunstâncias o (a) *hedge* de venda e (b) o *hedge* de compra são apropriados?

4.2 Explique o que significa *risco de base* quando contratos futuros são utilizados para *hedging*.

4.3 Explique o que significa *hedge perfeito*. O *hedge* perfeito sempre leva a resultado melhor que o *hedge* imperfeito? Explique sua resposta.

4.4 Sob que circunstâncias o *hedge* de mínima variância não leva à proteção contra os riscos de preço?

4.5 Dê três razões para que um tesoureiro não queira fazer o *hedge* contra uma exposição a determinado risco.

4.6 Suponha que o desvio-padrão de variações trimestrais nos preços de certa commodity seja US$0,65, o desvio-padrão das variações trimestrais no seu preço futuro seja US$0,81 e o coeficiente de correlação entre as duas variações seja 0,8. Qual é a razão ótima de *hedge* para o contrato de três meses? O que isso significa?

4.7 A companhia tem uma carteira de US$20 milhões com beta de 1,2. Ela gostaria de usar contratos futuros de S&P 500 para *hedgear* seu risco. O índice no momento é 1.080 pontos e cada contrato futuro equivale a US$250 vezes o índice. Qual é a razão de *hedge* que minimiza o risco? O que a companhia deve fazer se quiser reduzir o beta do portfólio para 0,6?

QUESTÕES E PROBLEMAS (RESPOSTAS NO MANUAL DE SOLUÇÕES)

4.8 No contrato futuro de milho da Chicago Board of Trade, os seguintes meses de entrega estão disponíveis: março, maio, julho, setembro e dezembro. Qual o contrato que deve ser utilizado para o *hedge* quando o vencimento deste ocorrer em: (a) junho, (b) julho, (c) janeiro?

4.9 O *hedge* perfeito sempre é bem-sucedido quando o objetivo é travar o preço spot corrente de um ativo para uma transação no futuro? Explique sua resposta.

4.10 Explique a razão pela qual uma posição de *hedge* de venda lucra quando a base se fortalece inesperadamente e perde quando a base enfraquece inesperadamente.

4.11 Imagine que você seja o tesoureiro de uma companhia japonesa que exporta equipamentos eletrônicos para os Estados Unidos. Como você estruturaria uma estratégia de *hedge* de moeda estrangeira? Que argumentos usaria para convencer seus colegas executivos a apoiarem essa estratégia?

4.12 Na Tabela 4.5, a companhia decide usar a razão de *hedge* igual a 0,8. Como essa decisão afeta o modo pelo qual o *hedge* é implementado e seu resultado?

4.13 “Se a razão de *hedge* de variância mínima for 1,0, o *hedge* deverá ser perfeito”. Essa afirmação é verdadeira? Explique sua resposta.

4.14 "Se não houver risco de base, a razão de *hedge* de variância mínima será sempre 1,0". Essa afirmação é verdadeira? Explique sua resposta.

4.15 "Quando a *convenience yield* é alta, *hedges* longos provavelmente serão atrativos". Explique essa afirmação. Ilustre-a com um exemplo.

4.16 O desvio-padrão das variações mensais do preço a vista de boi gordo (em centavos de libra) é 1,2. O desvio-padrão das variações mensais no preço futuro de boi gordo para o contrato mais próximo é 1,4. A correlação entre as variações de preços futuro e spot é 0,7. Suponha que seja 15 de outubro. O frigorífico comprometeu-se a comprar 200.000 libras-peso de boi gordo em 15 de novembro. O produtor quer usar o contrato futuro de dezembro para fazer o *hedge* de seu risco. Cada contrato estabelece a entrega de 40.000 libras-peso de boi gordo. Que estratégia o frigorífico deveria seguir?

4.17 O produtor de milho argumenta: "Eu não uso contratos futuros para fazer *hedge*. Meu risco real não é o preço do milho. O problema é que toda a minha colheita pode ser liquidada devido ao tempo". Discuta esse ponto de vista. O produtor deveria estimar sua produção de milho e fazer *hedge* para tentar travar um preço para a produção esperada?

4.18 No dia 1º de julho, o investidor detém 50.000 ações de determinada companhia. O preço de mercado é US$30 por ação. Ele está interessado em fazer o *hedge* contra movimentos no mercado no próximo mês e decide usar o minicontrato futuro S&P com vencimento em setembro. O índice corrente está em 1.500 pontos e o contrato futuro é US$50 vezes o índice. O beta da ação é 1,3. Que estratégia deve o investidor seguir?

4.19 Na Tabela 4.9, a companhia decide usar a razão de *hedge* de 1,5. Como essa decisão afeta o modo pelo qual o *hedge* é implementado e seu resultado?

4.20 Uma companhia norte-americana está interessada em usar contratos futuros negociados na CME para fazer *hedge* de sua exposição em dólares australianos. Defina r como a taxa de juro (para todos os vencimentos) em dólares norte-americanos e r_f como a taxa de juro (para todos os vencimentos) em dólares australianos. Assuma que r e r_f sejam constantes e que a companhia tenha contrato com data de vencimento T para *hedgear* a exposição na data t ($T > t$).

a) Aplicando os resultados do Capítulo 3, mostre que a razão ótima de *hedge* é:

$$e^{(r_f - r)(T-t)}$$

b) Demonstre que, quando t for um dia, a razão ótima de *hedge* será sempre exatamente S_0/F_0, onde S_0 = o preço spot e F_0 = o preço futuro da moeda para o contrato que vence na data T.

c) Mostre que a companhia pode se valer dos ajustes diários do contrato futuro para *hedge* que dure mais de um dia por meio do ajuste da razão de *hedge* de forma que esta sempre iguale o preço spot da moeda dividido pelo seu preço futuro.

QUESTÕES DE PROVA

4.21 A tabela a seguir traz os dados relativos às variações mensais nos preços a vista e futuro para determinada commodity. Utilize-os para calcular a razão de *hedge* de variância mínima.

Variação no preço a vista	0,50	0,61	–0,22	–0,35	0,79
Variação no preço futuro	0,56	0,63	–0,12	–0,44	0,60
Variação no preço a vista	0,04	0,15	0,70	–0,51	–0,41
Variação no preço futuro	–0,06	0,01	0,80	–0,56	–0,46

4.22 Suponha que seja 16 de julho. A companhia possui uma carteira de ações avaliada em US$100 milhões. O beta do portfólio é 1,2. A empresa gostaria de usar o contrato futuro de S&P 500, para vencimento em dezembro, da CME, para modificar o beta para 0,5 durante o período de 16 de julho a 16 de novembro. O índice corrente é 1.000 e cada contrato é US$250 vezes o índice.

(a) Que posição a companhia deve tomar?

(b) Suponha que a companhia mude de opinião e decida aumentar o beta de 1,2 para 1,5. Que posição em contratos futuros deve ser tomada?

4.23 Suponha que seja outubro de 2001. A companhia prevê que terá de comprar 1 milhão de libras-peso de cobre em cada um dos seguintes meses: fevereiro de 2002, agosto de 2002, fevereiro de 2003 e agosto de 2003. A empresa decide usar contratos futuros negociados na Comex, divisão da New York Mercantile Exchange, para fazer seu *hedge*. O contrato estabelece a entrega de 25.000 libras-peso de cobre. A margem inicial é US$2.000 por contrato e a margem de manutenção é US$1.500 por contrato. A política de *hedge* da companhia é *hedgear* 80% de sua exposição.

Os contratos com datas de vencimento até 13 meses à frente possuem liquidez suficiente para as necessidades da companhia. Sugira uma estratégia de *hedge*. Assuma que os preços de mercado (em centavos de libra esterlina) hoje e nas datas futuras sejam os discriminados abaixo. Qual é o impacto da estratégia proposta no preço que a empresa paga pelo cobre? Qual é a margem inicial em outubro de 2001? A companhia está sujeita à chamada de margem?

Data	Outubro 2001	Fevereiro 2002	Agosto 2002	Fevereiro 2003	Agosto 2003
Preço spot	72	69	65	77	88
Preço futuro mar/2002	72,30	69,10			
Preço futuro set/2002	72,80	70,20	64,80		
Preço futuro mar/2003		70,70	64,30	76,70	
Preço futuro set/2003			64,20	76,50	88,20

4.24 O administrador de um fundo tem portfólio, avaliado em US$50 milhões, com beta de 0,87. Ele está preocupado com o desempenho do mercado para os próximos dois meses e planeja usar um contrato futuro de S&P de três meses para *hedgear* o risco. O nível corrente do índice é 1.250, o contrato é 250 vezes o índice, a taxa de juro livre de risco é 6% ao ano e a renda de dividendos da carteira do índice é 3% ao ano.

a) Qual é o preço futuro teórico para o contrato com três meses de prazo?

b) Que posição deveria o administrador do fundo tomar para eliminar toda a exposição ao mercado nos próximos dois meses?

c) Calcule o efeito de sua estratégia nos retornos do fundo se o nível de mercado em dois meses for de 1.000, 1.100, 1.200, 1.300 e 1.400.

APÊNDICE

Prova para a fórmula da razão de *hedge* de mínima variância

Suponha que se pretenda vender N_A unidades de um ativo no instante t_2 e escolha-se fazer *hedge* no instante t_1 ao vender contratos futuros de N_F unidades de ativo semelhante. A razão de *hedge*, h, é igual a:

$$h = \frac{N_F}{N_A} \tag{4A.1}$$

O montante total obtido com o ativo, quando forem considerados o lucro ou a perda nos mercados futuros, Y, é igual a:

$$Y = S_2 N_A - (F_2 - F_1) N_F$$

ou

$$Y = S_1 N_A + (S_2 - S_1) N_A - (F_2 - F_1) N_F \tag{4A.2}$$

onde S_1 e S_2 são preços a vista do ativo nos instantes t_1 e t_2 e F_1; e F_2 são os preços futuros nos instantes t_1 e t_2. Da equação (4A.1), a expressão para Y na equação (4A.2) pode ser escrita:

$$Y = S_1 N_A + N_A (\delta S - h\delta F) \tag{4A.3}$$

onde:

$$\delta S = S_2 - S_1;$$
$$\delta F = F_2 - F_1.$$

Como S_1 e N_A são conhecidos no instante t_1, a variância de Y na equação (4A.3) é minimizada quando a variância de $\delta S - h\delta F$ for minimizada. A variância de $\delta S - h\delta F$ é igual a:

$$\sigma_S^2 + h^2\sigma_F^2 - 2h\rho\sigma_S\sigma_F$$

Isso pode ser escrito como:

$$(h\sigma_F - \rho\sigma_S)^2 + \sigma_S^2 - \rho^2\sigma_S^2$$

O segundo e terceiro termos não envolvem h. A variância será, portanto, minimizada quando:

$$\left(h\sigma_F - \rho\sigma_S\right)^2$$

for igual a zero. Isso ocorre quando:

$$h = \rho\frac{\sigma_S}{\sigma_F}$$

Capítulo 5
MERCADOS DE TAXAS DE JURO

Neste capítulo, abordam-se aspectos diferentes dos mercados de taxas de juro. Explica-se o conceito de taxas zero, *par yields* e a termo (forward), bem como as relações existentes entre estas. Discutem-se as convenções sobre a contagem dos dias e como são cotados, nos Estados Unidos, os bônus do Tesouro, os bônus emitidos por empresas não-financeiras e as letras do Tesouro. Mostra-se como a taxa forward pode ser calculada. Trata-se, também, da medida de duração e da sua utilização para quantificar a exposição às taxas de juro de uma companhia. Consideram-se, ainda, os mercados futuros de taxas de juro e alguns detalhes dos populares contratos futuros de bônus do Tesouro e de eurodólar negociados nos Estados Unidos, examinando-se como podem ser empregados em estratégias de *hedge* com base na duração.

5.1 TIPOS DE TAXA

Em geral, vários tipos de taxas de juro podem ser regularmente cotados para uma mesma moeda. Incluem-se as taxas de hipoteca, certificados de depósito, taxas preferenciais para empréstimos etc. Quanto maior o risco de crédito, maior a taxa de juro. Nesta seção, abordam-se três tipos de taxas de juro que são particularmente importantes nos mercados de opções e de futuros.

Taxa do Tesouro

Taxas do Tesouro são as taxas de juro aplicáveis aos empréstimos feitos pelo governo em sua própria moeda. Por exemplo, as taxas do Tesouro italiano são aquelas que o governo italiano pode tomar emprestado em liras; as taxas do Tesouro japonês são as que o governo japonês pode tomar emprestado em ienes, e assim por diante. Assume-se que não há possibilidade de o governo não honrar uma obrigação denominada em sua própria moeda[1]. Por essa razão, taxas do Tesouro são freqüentemente denominadas taxas de juro livres de risco.

Taxa Libor

Libor é abreviação de London Interbank Offer Rate. É a taxa à qual grandes bancos internacionais financiam ou fazem *funding* da maioria de suas atividades. Especificamente, é a taxa à qual um grande banco internacional está disposto a tomar dinheiro de outro grande banco internacional.

As taxas Libor são determinadas na negociação entre bancos e variam de acordo com as condições econômicas. Em geral, são maiores que as taxas do Tesouro correspondentes porque não são taxas de juro livres de risco. Sempre há alguma chance, mesmo que pequena, de que o banco tomador do empréstimo possa não cumprir sua obrigação.

Como foi mencionado no Capítulo 3, os bancos e outras grandes instituições financeiras tendem a usar a Libor em vez da taxa do Tesouro como taxa livre de risco quando estão avaliando suas transações com derivativos. A razão disso é que as instituições investem excesso de fundos no mercado de Libor assim como também se financiam no curto prazo nesse mercado. Essas instituições consideram a Libor o custo de oportunidade do capital.

Taxa *repo*

Algumas vezes, o *dealer* faz *funding* de suas atividades com *repo* ou *repurchase agreement*. Este é um contrato em que o *dealer* que possui títulos concorda em vendê-los a outra companhia e comprá-los de volta mais tarde a preço ligeiramente maior. A empresa, na verdade, está emprestando dinheiro ao *dealer*. A diferença entre o preço ao qual o título é vendido e o preço ao qual ele é recomprado é o juro que a companhia ganha. A taxa de juro é chamada de taxa *repo*. Se realizado corretamente, o empréstimo envolve muito pouco risco de crédito. Se o proprietário original dos títulos não cumprir com sua obrigação no acordo, a companhia que emprestou os recursos simplesmente fica com os títulos. Se a companhia que emprestou os recursos não cumprir com sua obrigação no acordo, o proprietário original dos títulos simplesmente fica com o dinheiro.

O tipo de *repo* mais comum é *repo overnight*, por meio do qual o acordo é renegociado a cada dia. Entretanto, acordos de longo prazo, conhecidos como *term repos*, às vezes, são utilizados.

5.2 TAXA ZERO[N.T.]

A taxa zero de n anos (abreviação para taxa *zero-coupon*) é a taxa de juro auferida no investimento que começa hoje e termina em n anos. Os juros e o principal são pagos

---

[1] A razão para essa assunção é que o governo sempre pode emitir moeda para cumprir com suas obrigações.
[N.T.] Denomina-se taxa zero a taxa dos papéis prefixados que não pagam cupom.

ao fim de *n* anos. Não há pagamentos intermediários. A taxa zero de *n* anos é, às vezes, denominada de taxa spot para *n* anos. Suponha que a taxa zero de cinco anos do Tesouro com capitalização contínua seja cotada a 5% ao ano. Isso significa que US$100 investidos à taxa de juro livre de risco por cinco anos renderiam:

$$100 \times e^{0,05 \times 5} = 128,40$$

Muitas das taxas de juro observadas diretamente no mercado não são taxas zero puras. Considere que um bônus do governo de cinco anos proporcione o cupom de 6%. O preço desse bônus não reflete exatamente a taxa zero de cinco anos porque alguns pagamentos do bônus são realizados na forma de cupons antes do fim do período de cinco anos. Mais adiante, neste capítulo, serão determinadas a taxa de juro zero do Tesouro e a taxa Libor zero a partir dos preços dos instrumentos negociados.

5.3 APREÇAMENTO DE BÔNUS

Muitos bônus oferecem cupons periodicamente. O proprietário recebe o principal ou o valor de face do bônus quando de sua maturidade. O preço teórico do bônus pode ser calculado como o valor presente de todos os fluxos de caixa que serão recebidos pelo proprietário usando as taxas zero apropriadas como as taxas de desconto. Considere a situação em que a taxa zero do Tesouro, medida com capitalização contínua, sejam as da Tabela 5.1 (explica-se mais adiante como essas taxas podem ser calculadas). Suponha que o bônus do Tesouro, de dois anos, com o principal de US$100, ofereça cupons à taxa de 6% ao ano semestralmente. Para calcular o valor presente do primeiro cupom de US$3, desconta-se esse valor à taxa de 5,0% por seis meses; para calcular o valor do segundo cupom de US$3, desconta-se à taxa de 5,8% por um ano, e assim sucessivamente. Portanto, o preço teórico do bônus é:

$$3e^{-0,05 \times 0,5} + 3e^{-0,058 \times 1,0} + 3e^{-0,064 \times 1,5} + 103e^{-0,068 \times 2,0} = 98,39$$

ou US$98,39.

Tabela 5.1 – Taxa zero do Tesouro

Maturidade (anos)	Taxa zero (%) (capitalização contínua)
0,5	5,0
1,0	5,8
1,5	6,4
2,0	6,8

Rendimento do bônus

O rendimento do bônus que tem cupons é a taxa de desconto que iguala os fluxos de caixa do bônus a seu valor de mercado. Suponha que o preço teórico do bônus de US$98,39 seja seu valor de mercado (isso significa que o preço de mercado do bônus está em exata concordância com os dados da Tabela 5.1). Se y for o rendimento (%) do bônus, expresso em capitalização contínua:

$$3e^{-y\times 0,5}+3e^{-y\times 1,0}+3e^{-y\times 1,5}+103e^{-y\times 2,0}=98,39$$

Essa equação pode ser resolvida com procedimento interativo (tentativa e erro) que resultará em $y = 6,76\%$.

Par yield[N.T.]

O *par yield* para certa maturidade é a taxa de cupom que faz que o preço do bônus seja igual a seu valor de face. Em geral, assume-se que o bônus pague cupons semestrais. Suponha que o cupom no bônus de dois anos seja c por ano ($c/2$ por seis meses). Utilizando-se a taxa zero da Tabela 5.1, o valor do bônus é igual a seu valor de face 100, quando:

$$\frac{c}{2}e^{-0,05\times 0,5}+\frac{c}{2}e^{-0,058\times 1,0}+\frac{c}{2}e^{-0,064\times 1,5}+\left(100+\frac{c}{2}\right)e^{-0,068\times 2,0}=100$$

Essa equação pode ser resolvida diretamente, o que resultará em $c = 6,87$. O *par yield* é, portanto, 6,87% ao ano, com capitalização semestral (6,75% com capitalização contínua).

De forma mais genérica, se d é o valor presente de US$1 a ser recebido na maturidade do bônus, A é o valor da anuidade que paga um dólar em cada data de pagamento de cupom e m é o número de pagamentos de cupom por ano, o *par yield* (c) deve satisfazer à equação abaixo.

$$100=A\frac{c}{m}+100d$$

de tal modo que:

$$c=\frac{(100-100d)m}{A}$$

No exemplo, $m=2,\ d=e^{-0,068\times 2}=0,87284$ e:

$$A=e^{-0,05\times 0,5}+e^{-0,058\times 1,0}+e^{-0,064\times 1,5}+e^{-0,068\times 2,0}=3,70027$$

A fórmula confirma que o *par yield* é 6,87% ao ano com capitalização semestral.

[N.T.] *Par yield* corresponde à remuneração dos títulos negociados ao par, ou seja, sem ágio ou deságio.

5.4 DETERMINAÇÃO DA TAXA ZERO DO TESOURO

Discute-se, agora, como as taxas zero do Tesouro podem ser calculadas a partir dos preços dos instrumentos que são negociados. Esse enfoque é conhecido como método de *bootstrap*. Para ilustrar a natureza desse método, considere os dados da Tabela 5.2 relativos aos preços de cinco bônus. Devido ao fato de que os três primeiros não pagam cupons, a taxa zero correspondente às maturidades desses bônus pode ser facilmente calculada. O bônus de três meses proporciona retorno de 2,5 em três meses, levando-se em conta o investimento inicial de 97,5. Com capitalização composta, a taxa zero de três meses é $(4 \times 2{,}5)/97{,}5 = 10{,}256\%$ ao ano. A equação (3.3) mostra que, quando a taxa é expressa com capitalização contínua, esta se torna:

$$4\ln\left(1+\frac{0{,}10256}{4}\right)=0{,}10127$$

ou 10,127% ao ano. O bônus de seis meses proporciona retorno de 5,1 em seis meses para o investimento inicial de 94,9. Com capitalização composta, a taxa de seis meses é $(2 \times 5{,}1)/94{,}9 = 10{,}748\%$ ao ano. A equação (3.3) mostra que, quando a taxa é expressa com capitalização contínua, esta se torna:

$$2\ln\left(1+\frac{0{,}10748}{2}\right)=0{,}10469$$

ou 10,469% ao ano. Analogamente, a taxa para um ano com capitalização contínua é:

$$\ln\left(1+\frac{10}{90}\right)=0{,}10536$$

ou 10,536% ao ano.

Tabela 5.2 – Dados para o método *bootstrap*

Principal (US$)	Tempo até o vencimento (anos)	Cupom anual (US$)*	Preço do bônus (US$)
100	0,25	0	97,5
100	0,5	0	94,9
100	1	0	90,0
100	1,5	8	96,0
100	2	12	101,6

* Supõe-se que metade do cupom seja paga a cada seis meses.

Tabela 5.3 – Taxa zero capitalizada continuamente a partir dos dados da Tabela 5.2

Maturidade (anos)	Taxa zero (%) (capitalização contínua)
0,25	10,127
0,5	10,469
1	10,536
1,5	10,681
2	10,808

O quarto bônus tem prazo de 1,5 ano. Os pagamentos são os seguintes:

- 6 meses: US$4;
- 1 ano: US$4;
- 1,5 ano: US$104.

Dos cálculos anteriores, sabe-se que a taxa de desconto para o pagamento ao fim de seis meses é 10,469% e a taxa de desconto para o pagamento ao fim de um ano é 10,536%. Sabe-se também que o preço do bônus, US$96, deve igualar o valor presente de todos os pagamentos recebidos pelo detentor do bônus. Suponha que a taxa zero para 1,5 ano seja denotada por *R*. Segue que:

$$4e^{-0,10469\times 0,5}+4e^{-0,10536\times 1,0}+104e^{-R\times 1,5}=96$$

Que pode ser simplificado para:

$$e^{-1,5R}=0,85196$$

ou

$$R=-\frac{\ln(0,85196)}{1,5}=0,10681$$

A taxa zero para 1,5 ano é, portanto, 10,681%. Esta é a única taxa zero consistente com as taxas para seis meses, um ano e os dados da Tabela 5.3.

A taxa zero para dois anos pode ser calculada de forma similar a partir da taxa zero para seis meses, um ano e 1,5 ano e a informação sobre o último bônus na Tabela 5.2. Se *R* for a taxa zero para dois anos:

$$6e^{-0,10469\times 0,5}+6e^{-0,10536\times 1,0}+6e^{-0,10681\times 1,5}+106e^{-R\times 2,0}=101,60$$

O que resulta em $R=0,10808$ ou 10,808% ao ano.

As taxas calculadas estão resumidas na Tabela 5.3. O gráfico que mostra a taxa zero em função da maturidade é conhecido como *zero curve* [curva spot]. A suposição comum é que a *zero curve* é linear entre os pontos que foram determinados com o método de *bootstrap* (isso significa que a taxa zero para 1,25 ano é $0{,}5 \times 10{,}536 + 0{,}5 \times 10{,}681 =$ 10,6085% no exemplo). Também se assume que a *zero curve* é horizontal antes do primeiro ponto e horizontal após o último ponto. A Figura 5.1 mostra a *zero curve* para os dados apresentados. Se fossem utilizados títulos de maturidades mais longas, a *zero curve* poderia ser determinada de forma mais precisa além de dois anos.

Figura 5.1 – Taxas zero obtidas pelo método de *bootstrap*

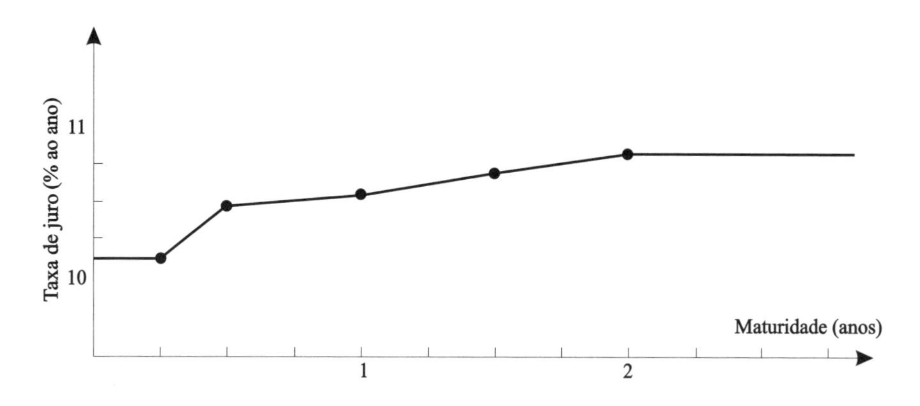

Na prática, não há necessariamente bônus com maturidade exatamente igual a 1,5 ano, 2 anos, 2,5 anos etc. O enfoque freqüentemente utilizado pelos analistas é o da interpolação dos preços dos bônus antes de serem utilizados para calcular a *zero curve*. Por exemplo, quando se sabe que o bônus de 2,3 anos com cupom de 6% é negociado por US$98 e o bônus de 2,7 anos com cupom de 6,5% é negociado por US$99, pode-se assumir que o bônus de 2,5 anos com o cupom de 6,25% seja negociado por US$98,5.

5.5 TAXAS A TERMO

Taxas de juro a termo são as taxas de juro implícitas na taxa zero corrente, para períodos futuros de tempo. Para ilustrar como são calculadas, supõe-se que a taxa zero seja aquelas mostradas na segunda coluna da Tabela 5.4. Assume-se que as taxas sejam capitalizadas continuamente. Assim, a taxa de 10% ao ano para a maturidade de um ano significa que o retorno do investimento de US$100 realizado hoje será, em um ano, igual a $100e^{0,1}$ = US$110,52; a taxa de 10,5% ao ano para dois anos significa que o retorno do investimento de US$100, realizado hoje, será, em dois anos, igual a $100e^{0,105\times 2}$ = US$123,37, e assim sucessivamente.

A taxa de juro a termo na Tabela 5.4 para o ano 2 é 11% ao ano. Esta é a taxa de juro que está implícita na taxa zero para o período de tempo entre o fim do primeiro ano e o fim do segundo. Pode ser calculada a partir da taxa zero para um ano de 10% ao ano e para dois anos de 10,5% ao ano.

Tabela 5.4 – Cálculo das taxas a termo

Ano	Taxa zero para o investimento de *n* anos (% ao ano)	Taxa a (*n*) termo no *n*-ésimo ano (% ao ano)
1	10	–
2	10,5	11
3	10,8	11,4
4	11	11,6
5	11,1	11,5

Esta é a taxa de juro para o ano 2 que, quando combinada com os 10% ao ano para o ano 1, resulta na taxa e 10,5% para dois anos. Para mostrar que a resposta correta é 11% ao ano, suponha que US$100 seja investido. A taxa de 10% para o primeiro ano e 11% para o segundo ano rende:

$$100e^{0,1}e^{0,11} = \text{US\$}123,37$$

ao final do segundo ano. A taxa de juro de 10,5% ao ano para dois anos renderia:

$$100e^{0,105\times 2}$$

que também é igual a US$123,37. Este exemplo ilustra um resultado geral: quando as taxas de juro são capitalizadas continuamente e as taxas em sucessivos períodos de tempo são combinadas, a taxa geral equivalente é simplesmente a taxa média durante o período inteiro (no exemplo, 10% para o primeiro ano e 11% para o segundo ano resultam na taxa média de 10,5% para dois anos). O resultado não é totalmente correto quando as taxas não são capitalizadas continuamente.

A taxa forward para o terceiro ano é a taxa de juro que está implícita na taxa zero, de 10,5% ao ano para dois anos e 10,8% para três anos. Essa taxa é de 11,4% ao ano. A razão é que o investimento para dois anos à taxa de 10,5% ao ano, combinado com o investimento para um ano à taxa de 11,4%, resulta no retorno médio geral de 10,8% ao ano por três anos. As outras taxas forward podem ser calculadas de forma similar e estão na terceira coluna da tabela. Em geral, se R_1 e R_2 forem as taxas zero para as maturidades T_1 e T_2, respectivamente, e R_F for a taxa de juro forward para o período de tempo entre T_1 e T_2, então:

$$R_F = \frac{R_2 T_2 - R_1 T_1}{T_2 - T_1} \tag{5.1}$$

Para ilustrar, considere que o cálculo da taxa forward para o quarto ano dos dados da Tabela 5.4 ($T_1 = 3$; $T_2 = 4$; $R_1 = 0{,}108$ e; $R_2 = 0{,}11$) e a fórmula resultam em $R_F = 0{,}116$.

Assumindo-se que as taxas zero para empréstimos e investimentos são as mesmas (o que não deixa de ser razoável para uma grande instituição financeira), o investidor pode travar a taxa forward para um período de tempo no futuro. Suponha, por exemplo, que as taxas zero sejam aquelas mostradas na Tabela 5.4.

Se o investidor tomar US$100 emprestados à taxa de 10% ao ano por um ano e investir o dinheiro à taxa de 10,5% ao ano por dois anos, o resultado será saída de caixa de $100e^{0,1}$ = US$110,52 ao fim de um ano e entrada de caixa de $100e^{0,105\times 2}$ = US$123,37 ao fim do segundo. Como US$123,37 = $110{,}52e^{0,11}$, o retorno igual à taxa forward (11%) é auferido em US$110,52 durante o segundo ano. Suponha que o investidor tome emprestado US$100 por quatro anos a 11% e invista os recursos por três anos a 10,8%. O resultado será entrada de caixa de $100e^{0,108\times 3}$ = US$138,26 ao fim do terceiro ano e saída de caixa de $100e^{0,11\times 4}$ = US$155,27 ao fim do quarto ano. Como US$155,27 = $138{,}26e^{0,116}$, há empréstimo implícito para o quarto ano à taxa forward de 11,6%.

A equação (5.1) pode ser escrita da seguinte maneira:

$$R_F = R_2 + (R_2 - R_1)\frac{T_1}{T_2 - T_1} \tag{5.2}$$

Isso mostra que se a *zero curve* for inclinada para cima entre T_1 e T_2, de tal forma que $R_2 > R_1$, então $R_F > R_2$. Analogamente, se a *zero curve* for inclinada para baixo com $R_2 < R_1$, então $R_F < R_2$.

5.6 CONTRATOS DE TAXA FORWARD (FRA)

O contrato de taxa forward [Forward Rate Agreement-FRA] é um contrato de balcão no qual determinada taxa é aplicada ao principal durante determinado período de tempo no futuro. Nesta seção, examina-se como o Forward Rate Agreement pode ser calculado em termos de taxas forward.

Considere o FRA no qual é acordado que a instituição financeira irá auferir uma taxa de juro R_K para o período de tempo entre T_1 e T_2 aplicada sobre o principal L.

Seja:

R_F = a taxa de juro Libor forward para o período entre as datas T_1 e T_2;

R = a taxa efetiva de juro Libor observada no momento T_1 para a maturidade T_2.

Aqui, desvia-se da assunção usual de capitalização contínua e assume-se que as taxas R_K, R_F e R sejam medidas com freqüência de capitalização que reflete sua maturidade. Isso significa que se $T_2 - T_1 = 0{,}5$, as taxas serão expressas com capitalização semestral; se $T_2 - T_1 = 0{,}25$, as taxas serão expressas com capitalização trimestral; e assim sucessivamente. O FRA é um contrato que implica a liquidação de dois fluxos de caixa[2]:

- momento $T_1 = -L$;
- momento $T_2 = +L\left[1 + R_K\left(T_2 - T_1\right)\right]$.

Para apreçar o FRA, nota-se que este sempre vale zero quando $R_K = R_F$[3]. Isso ocorre porque, como foi observado na seção anterior, uma grande instituição financeira pode, sem custo, travar a taxa de juro forward para um período de tempo futuro. Por exemplo, pode assegurar que ganhará a taxa de juro forward para o período de tempo entre o segundo e o terceiro ano tomando emprestado determinada soma em dinheiro para dois anos e investindo-a por três anos. Analogamente, pode assegurar que pagará a taxa de juro forward para o período de tempo entre o segundo e o terceiro ano tomando emprestado determinada soma de dinheiro por três anos e investindo-a por dois anos.

Pode-se, agora, usar argumento análogo àquele utilizado na seção 3.8 no cálculo do valor do FRA para valores de R_K diferentes de R_F. Compare dois FRAs. O primeiro promete que a taxa de juro forward R_F será auferida sobre o principal de L, entre as datas T_1 e T_2; o segundo promete que R_K será auferido sobre o mesmo principal entre as mesmas duas datas. Os dois contratos são os mesmos exceto pelos pagamentos recebidos na data T_2. O valor excedente do segundo contrato sobre o primeiro é, portanto, o valor presente da diferença entre esses dois pagamentos ou:

$$L\left(R_K - R_F\right)\left(T_2 - T_1\right)e^{-R_2 T_2}$$

onde R_2 é a taxa zero com capitalização contínua para a maturidade T_2[4]. Uma vez que o valor do FRA que promete R_F é zero, o valor do FRA que promete R_K é:

$$V = L\left(R_K - R_F\right)\left(T_2 - T_1\right)e^{-R_2 T_2} \tag{5.3}$$

---

[2] Na prática, o FRA, tal como considerado, é liquidado financeiramente na data T_1. O valor da liquidação financeira é o valor presente dos fluxos de caixa ou:

$$L\frac{1 + R_K\left(T_2 - T_1\right)}{1 + R\left(T_2 - T_1\right)} - L$$

[3] Em geral, R_K é estabelecido igual a R_F quando o FRA é primeiramente negociado.

[4] As taxas R_K, R e R_F são expressas com freqüência de capitalização correspondente a $T_2 - T_1$, enquanto R_2 é expressa com capitalização contínua.

Quando um FRA especifica que a taxa de juro R_K será paga em vez de recebida, seu valor é dado pela fórmula abaixo:

$$V = L\left(R_F - R_K\right)\left(T_2 - T_1\right)e^{-R_2 T_2}$$

Exemplo

Suponha que as taxas Libor sejam aquelas da Tabela 5.4. Considere o FRA em que se recebe a taxa de 12%, mensurada com capitalização anual, sobre principal de US$1 milhão, entre o fim do primeiro ano e o fim do segundo. Nesse caso, a taxa forward é 11% com capitalização contínua ou 11,6278% com capitalização anual. Da equação (5.3), segue que o valor do FRA é:

$$1.000.000\left(0{,}12 - 0{,}116278\right)e^{-0{,}105\times 2} = \text{US\$}3{,}017$$

Caracterização alternativa de FRA

Considere novamente o FRA que garanta que a taxa R_K será auferida entre as datas T_1 e T_2. O principal L pode ser tomado por empréstimo à taxa R na data T_1 e devolvido na data T_2. Quando essa transação é combinada com o FRA, nota-se que o FRA é equivalente aos seguintes fluxos de caixa:

- momento $T_1 = 0$;
- momento $T_2 = LR_K\left(T_2 - T_1\right)$;
- momento $T_2 = -LR\left(T_2 - T_1\right)$.

Em outras palavras, o FRA é equivalente a um contrato no qual, na data T_2, o juro sob determinada taxa, R_K, é recebido e o juro à taxa de mercado, R, é pago.

Combinando-se os dois fluxos de caixa na data T_2, observa-se que o FRA equivale a um único fluxo de caixa:

$$L\left(R_K - R\right)\left(T_2 - T_1\right)$$

Comparando-se esse fluxo com a equação (5.3), nota-se que o FRA pode ser calculado assumindo que $R = R_F$ e descontando os fluxos de caixa resultantes à taxa de juro livre de risco. Assim, demonstra-se que:

- o FRA é equivalente a um contrato no qual o juro a uma taxa predeterminada, R_K, é trocado pelo juro à taxa de mercado, R;
- o FRA pode ser calculado assumindo-se que a taxa de juro forward com certeza poderá ser observada.

Esses dois resultados serão úteis no próximo capítulo, em que serão discutidos swaps de taxas de juro.

5.7 TEORIAS SOBRE A ESTRUTURA A TERMO DA TAXA DE JURO

É natural perguntar o que determina o formato da *zero curve*. Por que, às vezes, é inclinada para baixo, outras vezes para cima e em outros casos parcialmente para cima ou para baixo? Há várias teorias diferentes para explicar o fenômeno. A mais simples é a *teoria das expectativas*, que conjectura que as taxas de juro de longo prazo devem refletir as taxas de juro de curto prazo no futuro. Mais precisamente, nessa teoria se argumenta que a taxa de juro forward correspondente a determinado período de tempo no futuro é igual à taxa zero futura esperada para aquele período.

Já na *teoria da segmentação*, não há necessariamente relação entre as taxas de juro de curto, médio e longo prazos. Sob essa teoria, um grande investidor, como fundo de pensão, investe em bônus de determinada maturidade e não troca automaticamente de uma maturidade para outra. A taxa de juro de curto prazo é determinada pela oferta e demanda no mercado de bônus de curto prazo; a taxa de juro de médio prazo é determinada pela oferta e demanda no mercado de bônus de médio prazo etc.

A teoria que, em alguns casos, é a mais atraente é a *teoria da preferência pela liquidez*, na qual se argumenta que as taxas forward devem ser maiores que as taxas zero futuras esperadas. A hipótese de sustentação dessa teoria é que os investidores preferem preservar sua liquidez e investir seus recursos por curtos períodos de tempo. Os tomadores de empréstimo, por outro lado, em geral preferem tomar a taxas fixas e por longos períodos de tempo. Se as taxas de juro oferecidas pelos bancos e outros intermediários financeiros correspondessem à teoria das expectativas, a taxa de juro de longo prazo seria igual à média das taxas de juro de curto prazo futuras esperadas. Na ausência de qualquer incentivo para fazer de outra forma, os investidores tenderiam a depositar seus recursos por curtos períodos de tempo e os tomadores de empréstimos tenderiam a escolher tomar emprestado por longos períodos de tempo. Intermediários financeiros tenderiam a financiar montantes substanciais de empréstimos de longo prazo com depósitos de curto prazo. Surgiria um risco adicional de taxa de juro. Na prática, no intuito de casar os interesses dos depositantes com os tomadores e evitar risco de taxa de juro, os intermediários financeiros aumentam as taxas de juro de longo prazo em relação às taxas de juro de curto prazo futuras esperadas. Essa estratégia reduz a demanda por empréstimos de longo prazo a taxas fixas e estimula os investidores a depositarem seus recursos por prazos mais longos.

A teoria da preferência pela liquidez leva à situação em que as taxas forward são maiores que as taxas zero futuras esperadas. A teoria também é consistente com resultados empíricos que mostram que as curvas de juros [*yield curves*] tendem a ser, mais freqüentemente, inclinadas para cima que para baixo.

5.8 CONVENÇÃO SOBRE CONTAGEM DOS DIAS

Aqui, examina-se a convenção utilizada para contagem de dias relativa à cotação das taxas de juro. Este é um assunto completamente distinto da questão de freqüência de capitalização usada para mensurar taxas de juro (para discussão deste último tema, veja a seção 3.3). A contagem de dias define a forma como os juros serão acumulados (*accrued*)[N.T.] no tempo. Em geral, sabe-se qual o juro auferido em determinado período de referência (isto é, o tempo entre os pagamentos de cupom), mantendo-se o interesse no cálculo do juro ganho em período diferente.

A convenção sobre contagem de dias em geral é expressa como *X*/*Y*. Quando se calcula o juro ganho entre duas datas, *X* define o modo pelo qual o número de dias entre duas datas é apurado e *Y* define o modo pelo qual o número total de dias no período de referência é apurado. O valor do juro auferido entre duas datas é:

$$\frac{\text{número de dias entre as datas}}{\text{número de dias do período de referência}} \times \text{juros auferidos no período de referência}$$

As três convenções que comumente são usadas nos Estados Unidos são:

- efetivo/efetivo (no período);
- 30/360;
- efetivo/360.

Utilizam-se as convenções efetivo/efetivo (no período) para bônus do Tesouro; 30/360 para bônus de empresas e municípios norte-americanos; e efetivo/360 para letras do Tesouro norte-americano e outros instrumentos do mercado monetário.

O uso de efetivo/efetivo (no período) para bônus do Tesouro indica que o juro auferido entre duas datas se baseia na razão entre os dias efetivamente transcorridos e os dias existentes no período entre pagamentos de cupons. Suponha que o principal do bônus seja US$100, as datas de pagamento de cupom sejam 1° de março e 1° de setembro e a taxa do cupom seja 8%. Deseja-se calcular o juro auferido entre 1° de março e 3 de julho. O período de referência vai de 1° de março a 1° de setembro. Nesse período, há 184 dias (efetivos), sendo auferido o juro de US$4. Há 124 dias (efetivos) entre 1° de março e 3 de julho. O juro auferido entre 1° de março e 3 de julho, por conseguinte, é:

$$\frac{124}{184} \times 4 = 2{,}6957$$

O uso de 30/360 para bônus de empresas e municípios indica que se assume que cada mês tem 30 dias e o ano possui 360 dias quando os cálculos estiverem sendo efetuados. Com 30/360, o número total de dias entre 1° de março e 1° de setembro é 180. O número total de dias entre 1° de março e 3 de julho é $(4 \times 30) + 2 = 122$. Em bônus corporativo,

---

[N.T.] O termo *accrued interest* corresponde a juros acumulados (e não juros pagos) desde o último pagamento de cupom até a data presente. Por falta de tradução melhor, o mercado brasileiro utiliza o termo juros "acruados".

com os mesmos termos do bônus do Tesouro sendo considerados, os juros auferidos entre 1º de março e 3 de julho seriam:

$$\frac{122}{180} \times 4 = 2,7111$$

O uso de efetivo/360 para os instrumentos do mercado monetário indica que o período de referência é de 360 dias. Os juros auferidos durante parte do ano são calculados dividindo-se o número efetivo de dias transcorridos por 360 e multiplicando-se pela taxa. Os juros auferidos em 90 dias são, portanto, exatamente um quarto da taxa cotada. Note que os juros auferidos em um ano inteiro de 365 dias são 365/360 vezes a taxa cotada.

5.9 COTAÇÕES

O preço cotado para um instrumento que rende juros em geral difere do preço que se pagaria caso se quisesse comprá-lo. Pode-se analisar esse conceito observando-se o modo como são cotados os bônus e letras do Tesouro nos Estados Unidos.

Bônus

Os preços dos bônus nos Estados Unidos são cotados em dólares e trinta e dois avos de dólar. O preço cotado refere-se a um bônus com valor de face de US$100. Assim, a cotação de 90-05 indica que o preço cotado para o bônus com valor de face de US$100.000 é US$90.156,25.

O preço cotado não significa a mesma coisa que o preço a vista pago pelo comprador. Em geral:

preço a vista = preço cotado + juros acumulados (*accrued*)
desde o pagamento do último cupom

Para ilustrar essa fórmula, suponha que seja 5 de março de 2001 e o bônus seja um título que paga cupom de 11%, com vencimento em 10 de julho de 2009, estando cotado a 95-16 ou US$95,50. Devido ao fato de que os cupons são pagos semestralmente nos bônus governamentais, a data mais recente de pagamento de cupom é 10 de janeiro de 2001 e o próximo cupom é 10 de julho de 2001. O número de dias entre 10 de janeiro de 2001 e 5 de março de 2001 é 54 e o número de dias entre 10 de janeiro de 2001 e 10 de julho de 2001 é 181. Em bônus com valor de face de US$100, o pagamento de cupom é US$5,50 em 10 de janeiro e 10 de julho. O juro acumulado (*accrued*) em março de 2001 é uma parte do cupom a ser pago em 10 de julho, apropriado para o detentor do bônus em 5 de março de 2001. Como a convenção efetivo/efetivo no período é utilizada para bônus, o valor desse juro é:

$$\frac{54}{181} \times \text{US\$}5{,}5 = \text{US\$}1{,}64$$

Portanto, o preço a vista para cada US$100 de valor de face do bônus, para 10 de julho de 2001 é:

$$\text{US\$}95{,}50 + \text{US\$}1{,}64 = \text{US\$}97{,}14$$

Assim, o preço a vista para US$100.000 de valor de face é US$97.140.

Letras do Tesouro

Como já mencionado, a convenção efetivo/360 é usada para letras do Tesouro nos Estados Unidos. Os preços cotados referem-se a uma letra com valor de face de US$100. Há diferença entre o preço a vista e a cotação da letra. Se Y for o preço a vista de uma letra de valor de face US$100 e n o número de dias até a maturidade dessa letra, o preço cotado será:

$$\frac{360}{n}(100 - Y)$$

Trata-se de *taxa de desconto*. Esta corresponde ao retorno em dólar anualizado proporcionado pela letra do Tesouro, expressa como percentagem do valor de face. Se para uma letra de 91 dias o preço a vista Y for 98, o preço cotado será $360/91 \times (100 - 98) = 7{,}91$.

A taxa de desconto ou preço cotado e a taxa de retorno auferida na letra não significam a mesma coisa. Esta última é calculada como o retorno em dólar dividido pelo seu custo. No exemplo, em que o preço a vista é 98, a taxa de retorno seria 2/98 ou 2,04% por 91 dias. O que corresponde a:

$$\frac{2}{98} \times \frac{365}{91} = 0{,}08186$$

ou 8,186% ao ano considerando freqüência de capitalização de 91 dias.

5.10 FUTURO DE BÔNUS DO TESOURO

A Tabela 5.5 mostra as cotações de futuros de taxas de juro publicadas no *Wall Street Journal*, em 16 de março de 2001. O contrato de taxa de juro de longo prazo mais popular é o futuro de bônus do Tesouro negociado na Chicago Board of Trade (CBOT). Nesse contrato, qualquer bônus que, no primeiro dia do mês de entrega, tenha mais de 15 anos até a maturidade e seja não *callable* dentro de 15 anos, pode ser entregue. Como será explicado adiante, a CBOT desenvolveu procedimento para ajustar o preço recebido pelo vendedor de acordo com o bônus entregue.

Os contratos futuros de notas do Tesouro e de notas do Tesouro de cinco anos também são bastante negociados. No futuro de notas, qualquer bônus governamental (ou nota) com maturidade entre 6 ½ e 10 anos pode ser entregue. No futuro de notas de cinco anos, qualquer nota entre as quatro mais recentemente leiloadas pelo Tesouro pode ser entregue.

O restante da discussão desta seção se concentra no futuro de bônus do Tesouro. Muitos outros contratos são especificados de modo similar ao da CBOT. Assim, os aspectos aqui discutidos são também aplicáveis a esses contratos.

Cotações

Os preços do futuro de bônus do Tesouro são cotados da mesma forma que os próprios bônus são cotados no mercado a vista (veja a seção 5.9). A Tabela 5.5 mostra que o preço de ajuste em 15 de março de 2001 para o vencimento de junho de 2001 era de 106-04 ou 106 4/32. O contrato envolve a entrega de bônus de US$100.000 de valor de face. Assim, a variação de US$1 na cotação futura causa variação de US$1.000 no valor do contrato futuro. As entregas podem ser realizadas em qualquer dia do mês de entrega.

Fatores de conversão

Como mencionado, o contrato futuro de bônus do Tesouro permite ao vendedor escolher qual bônus entregar entre aqueles com maturidade de mais de 15 anos e não *callable* dentro de 15 anos. Quando determinado bônus é entregue, o parâmetro conhecido como *fator de conversão* define o preço recebido pelo vendedor. O preço cotado aplicável na entrega é o produto do fator de conversão multiplicado pelo preço futuro cotado. Agregando o juro acumulado (*accrued*), como descrito na seção 5.9, o valor recebido para cada US$100 de valor de face de bônus entregue é:

$$(\text{preço futuro cotado} \times \text{fator de conversão}) + \text{juros acumulados}$$

Cada contrato implica a entrega de US$100.000 de valor de face. Suponha que o preço futuro seja 90-00, o fator de conversão para o bônus entregue seja 1,3800 e os juros acumulados nesse bônus na data da entrega sejam de US$3 para US$100 de valor de face. O valor recebido pelo vendedor (e pago pelo comprador) será:

$$(1{,}3800 \times 90) + 3 = \text{US\$}127{,}20$$

para cada US$100 de valor de face. O vendedor do contrato deveria, portanto, entregar bônus de valor de face de US$100.000 e receber US$127.200.

Tabela 5.5 – Cotações futuras de taxas de juro publicadas no *Wall Street Journal* de 16/3/2001

INTEREST RATE

Treasury Bonds (CBT)-$100,000; pts 32nds of 100%

Mar	106-15	106-26	106-03	106-14	+ 3	106-30	88-06	47,482
June	106-06	106-17	105-24	106-04	+ 3	106-17	96-21	474,584
Sept	105-15	106-02	105-12	105-22	+ 2	106-04	96-22	2,818

Est vol 225,000; vol Wed 328,320; open int 524,994, +6,141.

Treasury Notes (CBT)-$100,000; pts 32nds of 100%

Mar	06-205	107-04	106-18	06-295	+ 8.5	107-04	98-04	52,833
June	106-11	106-22	106-03	106-15	+ 8.5	106-22	99-11	495,880
Sept	106-07	106-09	106-04	106-04	+ 8.5	106-09	103-30	4,939

Est vol 226,000; vol Wed 278,130; open int 553,652, +13,722.

10 Yr Agency Notes (CBT)-$100,000; pts 32nds of 100%

Mar	101-30	102-12	01-295	102-07	+ 12.0	102-21	93-25	10,264
June	101-17	102-02	101-14	101-27	+ 11.5	02-105	98-22	46,569

Est vol 4,000; vol Wed 9,020; open int 56,833, +573.

5 Yr Treasury Notes (CBT)-$100,000; pts 32nds of 100%

Mar	105-05	05-155	105-01	05-115	+ 8.0	05-155	100-11	36,713
June	105-15	05-245	105-09	105-20	+ 9.5	05-245	101-04	329,523

Est vol 127,000; vol Wed 117,378; open int 366,236, +5,564.

2 Yr Treasury Notes (CBT)-$200,000; pts 32nds of 100%

Mar	102-24	102-31	102-24	102-29	+ 5.7	102-31	11-282	6,647
June	102-28	03-022	02-252	103-00	+ 6.2	03-022	101-12	78,842

Est vol 10,100; vol Wed 6,628; open int 85,489, -428.

30 Day Federal Funds (CBT)-$5 million; pts of 100%

Mar	94.740	94.750	94.730	94.745	+ .010	95.810	93.205	21,039
Apr	95.18	95.21	95.16	95.20	+ .04	95.21	93.21	28,536
May	95.30	95.35	95.29	95.35	+ .06	95.35	94.02	6,703
June	95.44	95.51	95.42	95.50	+ .07	95.51	94.38	5,403
July	95.62	95.62	95.55	95.60	+ .08	95.62	95.02	2,045

Est vol 14,000; vol Wed 19,184; open int 63,726, -118.

Muni Bond index (CBT)-$1,000; times Bond Buyer MBI

Mar	105-15	105-20	105-14	105-17	....	105-27	98-03	6,532
June	104-21	104-30	104-16	104-22	+ 1	105-00	101-30	11,635

Est vol 850; vol Wed 1,203; open int 18,167, -130.
Index: Close 104-30; Yield 5.30.

Treasury Bills (CME)-$1 mil.; pts of 100%

	OPEN	HIGH	LOW	SETTLE	CHANGE	YIELD	CHANGE	OPEN INT.
Mar	95.59	95.64	95.59	95.62	+ .05	4.38	-.05	3,139
June	96.06	96.13	96.06	96.11	+ .09	3.89	-.09	1,491

Est vol 485; vol Wed 780; open int 4,630, -80.

Libor-1 Mo. (CME)-$3,000,000; pts of 100%

Mar	94.95	94.99	94.95	94.99	+ .04	5.01	-.04	29,178
Apr	95.15	95.19	95.13	95.18	+ .05	4.82	-.05	19,819
May	95.32	95.40	95.31	95.38	+ .07	4.62	-.07	9,811
June	95.43	95.54	95.43	95.53	+ .09	4.47	-.09	1,030
July	95.50	95.59	95.49	95.58	+ .08	4.42	-.08	464
Aug	....	....	....	95.61	+ .08	4.39	-.08	204
Sept	....	....	....	95.67	+ .10	4.33	-.10	24

Est vol 5,710; vol Wed 7,033; open int 60,543, -267.

Eurodollar (CME)-$1 Million; pts of 100%

Mar	95.06	95.10	95.05	95.09	+ .02	4.91	-.02	516,751
Apr	95.24	95.29	95.24	95.28	+ .04	4.72	-.04	25,625
May	95.41	95.44	95.39	95.43	+ .08	4.57	-.08	3,558
June	95.43	95.55	95.43	95.53	+ .08	4.47	-.08	659,688
July	95.59	95.59	95.58	95.59	+ .12	4.41	-.12	1,012
Sept	95.50	95.64	95.50	95.62	+ .10	4.38	-.10	705,199
Dec	95.34	95.47	95.32	95.45	+ .10	4.55	-.10	391,832
Mr02	95.26	95.40	95.25	95.37	+ .09	4.63	-.09	375,936
June	95.03	95.17	95.03	95.14	+ .09	4.86	-.09	316,329
Sept	94.84	94.96	94.83	94.93	+ .09	5.07	-.09	252,106
Dec	94.61	94.73	94.60	94.71	+ .09	5.29	-.09	163,620
Mr03	94.57	94.68	94.57	94.66	+ .08	5.34	-.08	125,515
June	94.48	94.59	94.48	94.56	+ .08	5.44	-.08	99,406
Sept	94.40	94.51	94.40	94.48	+ .08	5.52	-.08	95,178
Dec	94.27	94.37	94.26	94.34	+ .08	5.66	-.08	79,656
Mr04	94.27	94.38	94.26	94.34	+ .08	5.66	-.08	76,267
June	94.21	94.30	94.18	94.27	+ .08	5.73	-.08	61,145
Sept	94.12	94.24	94.12	94.20	+ .08	5.80	-.08	60,968
Dec	94.03	94.12	94.00	94.08	+ .08	5.92	-.08	51,646
Mr05	94.01	94.12	94.01	94.09	+ .08	5.91	-.08	36,722
June	93.97	94.06	93.97	94.03	+ .08	5.97	-.08	35,002
Sept	93.91	94.01	93.91	93.97	+ .07	6.03	-.07	33,913
Dec	93.81	93.90	93.81	93.86	+ .07	6.14	-.07	25,415
Mr06	93.82	93.92	93.82	93.88	+ .06	6.12	-.06	19,542
June	93.78	93.87	93.78	93.83	+ .06	6.17	-.06	18,291
Sept	93.75	93.82	93.74	93.79	+ .06	6.21	-.06	17,857
Dec	93.65	93.73	93.64	93.69	+ .05	6.31	-.05	13,136
Mr07	....	....	....	93.72	+ .05	6.28	-.05	11,626
June	93.64	93.71	93.63	93.67	+ .04	6.33	-.04	8,488
Sept	....	....	....	93.63	+ .04	6.37	-.04	7,120
Dec	....	....	....	93.54	+ .04	6.46	-.04	7,780
Mr08	93.55	93.61	93.52	93.57	+ .04	6.43	-.04	5,289
June	93.50	93.57	93.48	93.53	+ .03	6.47	-.03	5,064
Sept	93.51	93.54	93.45	93.49	+ .03	6.51	-.03	3,976
Dec	93.42	93.45	93.36	93.40	+ .03	6.60	-.03	3,626
Mr09	....	....	....	93.43	+ .02	6.57	-.02	3,935
June	....	....	....	93.39	+ .02	6.61	-.02	3,446
Sept	....	....	....	93.35	+ .02	6.65	-.02	3,417
Dec	....	....	....	93.26	+ .01	6.74	-.01	2,465
Mr10	....	....	....	93.29	+ .01	6.71	-.01	2,534
June	....	....	....	93.25	+ .01	6.75	-.01	2,611
Sept	....	....	....	93.22	+ .01	6.78	-.01	2,694
Dec	....	....	....	93.12	....	6.88	....	2,897

Est vol 792,400; vol Wed 950,073; open int 4,338,283, +26,797.

Euro-Yen (CME)-Yen 100,000,000; pts of 100%

	OPEN	HIGH	LOW	SETTLE	CHANGE	LIFETIME HIGH	LIFETIME LOW	OPEN INT.
Mar	99.77	99.77	99.77	99.77	- .01	99.79	98.07	30,179
June	99.87	99.88	99.87	99.87	- .01	99.89	98.20	15,401
Sept	99.86	99.87	99.86	99.87	- .01	99.88	98.05	12,061
Dec	99.84	99.85	99.84	99.85	....	99.86	97.89	8,025
Mr02	99.84	99.85	99.84	99.85	- .01	99.86	97.97	4,954
June	99.83	99.84	99.83	99.83	- .01	99.85	97.87	1,851
Sept	99.78	99.78	99.77	99.78	- .01	99.79	97.84	1,432
Dec	99.67	99.67	99.67	99.67	- .01	99.68	97.77	169

Est vol 4,309; vol Wed 7,187; open int 74,062, +1,498.

Short Sterling (LIFFE)-£500,000; pts of 100%

Mar	94.45	94.51	94.45	94.50	+ .06	95.08	92.55	144,961
June	94.77	94.82	94.77	94.80	+ .04	95.08	92.49	148,665
Sept	94.95	94.98	94.93	94.97	+ .05	95.09	92.41	204,792
Dec	94.89	94.94	94.89	94.93	+ .06	95.07	92.31	88,147
Mr02	94.82	94.86	94.82	94.85	+ .05	95.13	92.34	73,235
June	94.73	94.76	94.72	94.75	+ .04	95.10	92.39	63,128
Sept	94.65	94.69	94.65	94.68	+ .04	95.11	92.38	39,315
Dec	94.60	94.63	94.59	94.62	+ .04	95.11	92.45	24,534
Mr03	94.59	94.61	94.57	94.60	+ .04	94.69	92.49	16,439
June	94.57	94.58	94.55	94.57	+ .03	94.58	92.77	15,276
Sept	94.54	94.56	94.52	94.54	+ .04	94.56	92.90	22,180
Dec	94.50	94.52	94.49	94.51	+ .03	94.52	92.92	5,222
Mr04	....	....	....	94.48	+ .03	94.43	93.01	3,759
June	....	....	....	94.47	+ .03	94.41	93.04	1,872
Sept	....	....	....	94.45	+ .03	94.16	93.35	311
Dec	....	....	....	94.45	+ .03	94.30	93.25	581

Est vol 154,768 vol Wed 213,500 open int 852,507 +8,941.

Long Gilt (LIFFE) (Decimal)-£50,000; pts of 100%

Mar	116.60	116.81	116.58	116.89	+ .41	155.74	113.10	6,212
June	117.69	118.17	117.17	118.10	+ .41	118.17	114.90	57,299

Est vol 26,977 vol Wed 32,350 open int 63,511 +3,405.

3 Month Euribor (LIFFE) Euro 1,000,000; pts of 100%

Mar	95.26	95.28	95.24	95.25	- .02	96.96	94.57	279,299
Apr	....	....	....	95.36	....	95.52	95.31	615
June	95.58	95.60	95.56	95.59	+ .02	96.85	94.50	326,977
Sept	95.80	95.83	95.78	95.82	+ .04	96.75	94.44	341,037
Dec	95.74	95.76	95.71	95.75	+ .04	96.58	92.57	210,373
Mr02	95.78	95.81	95.76	95.80	+ .04	96.48	94.33	189,331
June	95.67	95.71	95.66	95.70	+ .04	96.37	94.29	99,203
Sept	95.60	95.62	95.56	95.61	+ .04	96.25	94.24	63,845
Dec	95.46	95.47	95.40	95.46	+ .04	96.06	94.06	52,546
Mr03	95.42	95.46	95.41	95.44	+ .04	96.01	94.05	37,455
June	95.37	95.39	95.35	95.38	+ .03	95.45	93.99	21,445
Sept	95.31	95.34	95.30	95.33	+ .03	95.34	93.91	16,503
Dec	95.16	95.21	95.16	95.19	+ .03	95.21	93.80	11,770
Mr04	95.19	95.19	95.19	95.19	+ .03	95.19	93.83	3,667
June	....	....	....	95.13	+ .03	95.13	93.79	3,848
Sept	....	....	....	95.08	+ .03	95.07	93.73	2,162
Dec	....	....	....	94.95	+ .03	94.96	93.64	1,106
Mr05	....	....	....	94.94	+ .03	94.95	94.07	304

Est vol 436,581 vol Wed 545,643 open int 1,661,500 +37,266.

3 Month Euroswiss (LIFFE) SFr 1,000,000; pts of 100%

June	96.90	97.00	96.89	96.96	+ .08	97.47	95.65	65,688
Sept	97.01	97.12	97.01	97.09	+ .08	97.12	95.59	33,796
Dec	96.96	97.02	96.94	97.01	+ .07	97.02	95.45	15,382
Mr02	97.03	97.07	97.00	97.06	+ .07	97.07	95.50	8,872
June	96.97	96.99	96.97	96.99	+ .05	96.99	95.82	5,254
Sept	....	....	....	96.94	+ .05	96.85	96.19	1,133
Dec	....	....	....	96.86	+ .05	96.81	96.59	1,623

Est vol 30,483 vol Wed 31,992 open int 177,670 +8,540.

Canadian Bankers Acceptance (ME)-C$1,000,000

Mar	95.28	95.35	95.28	95.34	+ 0.06	95.35	93.16	69,439
June	95.56	95.68	95.55	95.66	+ 0.10	95.68	93.07	73,299
Sept	95.63	95.78	95.62	95.75	+ 0.12	95.78	93.06	45,109
Dec	95.47	95.59	95.46	95.58	+ 0.12	95.59	92.97	19,261
Mr02	95.31	95.38	95.31	95.38	+ 0.08	95.38	93.25	14,002
June	95.17	95.21	95.15	95.21	+ 0.05	95.21	92.95	13,095
Sept	95.01	95.05	95.01	95.07	+ 0.04	95.05	93.11	3,736
Dec	....	....	....	94.93	+ 0.04	94.81	93.06	689
Mr03	....	....	....	94.83	+ 0.04	94.58	93.98	278
June	....	....	....	94.76	+ 0.04	94.38	93.96	165
Sept	....	....	....	94.69	+ 0.04	94.37	94.32	145
Dec	....	....	....	94.62	+ 0.04	94.33	94.24	100

Est vol 29,885; vol Wed 25,957; open int 239,338, +9,450.

Tabela 5.5 – Cotações futuras de taxas de juro publicadas no *Wall Street Journal* de 16/3/2001(continuação)

10 Yr. Canadian Govt. Bonds (ME)-C$100,000									
Mar	....	....	....	105.50	+	0.10	105.25	101.80	5,505
June	105.10	105.33	104.91	105.81	+	0.10	105.40	103.30	61,851
Est vol 2,838, vol Wed 3,551; open int 67,356, −723.									
10 Yr. Euro Notional Bond (MATIF)-Euros 100,000									
Mar	90.32	90.40	90.13	90.30	+	0.05	90.55	86.33	175,093
June	90.42	90.70	90.26	90.45	+	0.06	90.70	89.19	28,708
Est vol 221,549; vol Wed 218,960; open int 187,299, +6,100.									
3 Month Euribor (MATIF)-Euros 1,000,000									
Mar	....	....	....	95.24	−	0.02	96.95	94.63	6,053
June	....	....	....	95.58	+	0.02	96.85	94.55	3,357
Sept	....	....	....	95.82	+	0.03	96.75	94.47	2,021
Dec	....	....	....	95.75	+	0.03	96.58	94.37	2,835
Mr02	....	....	....	95.79	+	0.03	96.48	94.45	2,617
June	....	....	....	95.69	+	0.03	96.29	94.35	308
Sept	....	....	....	95.60	+	0.04	96.21	94.27	475
Dec	....	....	....	95.46	+	0.03	95.97	94.10	330
Est vol 0; vol Wed 0; open int 18,059, unch.									
3 Yr. Commonwealth T-Bonds (SFE)-A$100,000									
Mar	95.44	95.57	95.43	95.54	+	0.09	95.57	94.25	0
June	95.50	95.62	95.48	95.55	+	0.05	95.62	94.94	231,145
Est vol 399,603; vol Wed 168,037; open int 231,145, −295,318.									
Euro-Yen (SGX)-Yen 100,000,000 pts Of 100%									
Mar	99.78	99.79	99.77	99.77	−	0.01	99.79	98.08	98,662
June	99.88	99.88	99.87	99.87		....	99.88	98.17	111,646
Sept	99.88	99.88	99.87	99.87	−	0.01	99.88	98.01	78,678
Dec	99.85	99.86	99.84	99.84	−	0.01	99.86	97.84	51,494
Mr02	99.86	99.86	99.84	99.84	−	0.01	99.86	98.17	37,541
June	99.85	99.85	99.83	99.83	−	0.02	99.85	98.11	33,907
Sept	99.79	99.79	99.77	99.76	−	0.01	99.79	98.35	14,517
Dec	99.70	99.70	99.68	99.67	−	0.01	99.70	98.28	3,264
Mr03	....	....	....	99.60	−	0.01	99.54	98.45	2,102
June	....	....	....	99.51		....	99.54	98.40	2,170
Sept	....	....	....	99.37		....	99.42	98.34	5,010
Est vol 25,077; vol Wed 34,493; open int 439,071, +82.									
5 Yr. German Euro-Govt. Bond (EURO-BOBL) (EUREX)-Euro 100,000; pts of 100%									
June	106.60	106.75	106.53	106.74	+	0.08	106.75	103.50	465,268
Sept	....	....	....	107.02	+	0.08	106.65	105.51	9,638
vol Thu 456,995; open int 479,927, +46,697.									
10 Yr. German Euro-Govt. Bond (EURO-BUND) (EUREX)-Euro 100,000; pts of 100%									
June	109.46	109.67	109.40	109.64	+	0.08	109.70	106.00	687,796
Sept	109.64	109.70	109.49	109.70	+	0.01	109.70	107.96	5,747
vol Thu 706,063; open int 693,543, +92,384.									
2 Yr. German Euro-Govt. Bond (EURO-SCHATZ) (EUREX)-Euro 100,000; pts of 100%									
June	103.03	103.09	102.97	103.07	+	0.03	103.22	102.27	507,068
Sept	....	....	....	102.98	+	0.03	....	....	4,304
vol Thu 379,199; open int 511,372, +57,585.									

O fator de conversão para o bônus é igual ao valor do bônus para US$1 de principal no primeiro dia do mês de entrega, supondo que a taxa de juro para qualquer maturidade seja 6% ao ano (com capitalização semestral)[5]. Para efeito de cálculo, a maturidade do bônus e os períodos até as datas de pagamento de cupom são arredondados para baixo nos três meses mais próximos. Na prática, essa medida possibilita que a CBOT produza tabelas de fácil entendimento. Se, depois do arredondamento, o bônus tiver prazo para um número exato de semestres, o primeiro cupom será pago em seis meses. Se depois do arredondamento o prazo do bônus diferir de um número exato de semestres (isto é, há um trimestre extra), o cupom será pago em três meses e os juros acumulados serão subtraídos.

Como primeiro exemplo dessas regras, considere o bônus com cupom de 10% e 20 anos e dois meses até a maturidade. Para efeito de cálculo do fator de conversão, suponha que o bônus tenha exatamente 20 anos de maturidade e que o primeiro pagamento de cupom seja feito após seis meses. Os demais pagamentos de cupom serão feitos em intervalos de seis meses até o fim de 20 anos, quando o pagamento do principal será feito. O valor de face é US$100. Se a taxa de desconto for de 6% ano com capitalização semestral (ou 3% por semestre), o valor do bônus será:

$$\sum_{i=1}^{40} \frac{5}{1,03^i} + \frac{100}{1,03^{40}} = \text{US\$146,23}$$

Dividindo-se pelo valor de face, o fator de conversão de crédito é 1,4623.

[5] Para os contratos com maturidades anteriores a março de 2000, a taxa de juro utilizada para o cálculo do fator de conversão da CBOT era de 8%.

Como segundo exemplo das regras, considere o bônus com cupom de 8% e 18 anos e quatro meses de maturidade. Para efeito do cálculo do fator de conversão, suponha que o bônus tenha exatamente 18 anos e três meses de maturidade. Descontando-se todos os pagamentos para daqui a três meses à taxa de 6% ao ano (com período de capitalização semestral), o valor será:

$$\sum_{i=0}^{36} \frac{4}{1,03^i} + \frac{100}{1,03^{36}} = \text{US\$125,83}$$

A taxa de juro para o período de três meses é $\sqrt{1,03} - 1$ ou 1,4889%. Logo, descontando-se o valor acima até o presente, o valor para o bônus de US$125,83/ 1,014889 = US$123,99. Subtraindo-se os juros acumulados de US$2, o resultado será US$121,99. Portanto, o fator de conversão é 1,2199.

Bônus mais barato para entregar

A qualquer dia durante o mês de entrega, há muitos bônus que podem ser entregues, ou seja, que atendem às exigências para entrega com vistas na liquidação do contrato futuro de bônus do Tesouro da CBOT. Esses bônus variam bastante no que diz respeito à maturidade e cupom.

Tabela 5.6 – Bônus que podem ser entregues

Bônus	Preço cotado (US$)	Fator de conversão
1	99,50	1,0382
2	143,50	1,5188
3	119,75	1,2615

A parte com a posição vendida pode escolher qual bônus é mais barato entregar. Como o vendedor receberá:

$$(\text{preço futuro} \times \text{fator de conversão}) + \text{juros acumulados}$$

O custo de aquisição do bônus é:

$$\text{preço cotado} + \text{juros acumulados}$$

O bônus mais barato de entregar é aquele em que:

$$\text{preço cotado} - (\text{preço futuro} \times \text{fator de conversão})$$

é o menor possível. Como é o vendedor quem decide o que entregar, ele pode determinar qual é o bônus mais barato para entregar examinando um de cada vez.

Exemplo

O vendedor decide entregar e está tentando escolher entre os três bônus da Tabela 5.6. Suponha que o preço futuro cotado no momento seja 93-08, ou 93,25. O custo de entrega será:

- bônus 1: 99,50 – (93,25 × 1,0382) = US$2,69;
- bônus 2: 143,50 – (93,25 × 1,5188) = US$1,87;
- bônus 3: 119,75 – (93,25 × 1,2615) = US$2,12.

O bônus mais barato para entregar é o 2.

Diversos fatores determinam qual bônus é o mais barato para entregar. Quando os rendimentos são maiores que 6%, o sistema de fator de conversão tende a favorecer a entrega de bônus com cupom baixo e maturidade longa. Quando os rendimentos são menores que 6%, o sistema tende a favorecer a entrega de bônus com cupons de maior valor e maturidade mais curta. Adicionalmente, quando a curva de rendimento é positivamente inclinada, há tendência para que os bônus com maior maturidade sejam favorecidos e, quando é negativamente inclinada, há tendência para que os bônus com pequeno prazo de maturidade sejam entregues.

Wild card play

A negociação do contrato futuro de bônus do Tesouro na CBOT encerra-se às 14:00, horário de Chicago. Entretanto, o mercado a vista de bônus do Tesouro continua negociando até as 16:00. O vendedor de futuros tem até as 20:00 para emitir aviso de intenção de entrega. Se o aviso for emitido, o preço de faturamento será calculado com base no preço de ajuste do dia. Esse preço é apurado com base nos negócios realizados em momentos próximos ao fechamento do mercado às 14:00.

Essa prática dá margem ao surgimento de uma opção conhecida como *wild card play*. Se os preços dos bônus caírem depois das 14:00, o investidor que tenha posição futura vendida poderá emitir aviso de intenção de entrega e comprar o bônus mais barato para entregar, realizando a entrega ao preço das 14:00. Se o preço não cair, o vendedor de futuros manterá a posição em aberto e esperará até o dia seguinte quando a mesma estratégia poderá ser usada.

Como em qualquer outra opção disponível para a posição vendida, a *wild card play* não é grátis. Seu valor está embutido no preço futuro, que seria mais baixo caso essa opção não existisse.

Determinação do preço futuro

O preço teórico exato para o contrato futuro de bônus do Tesouro é bastante difícil de ser apurado, pois não é fácil apreçar as opções que o vendedor tem com relação à data de entrega e à escolha do bônus que será entregue. Porém, supondo-se que tanto o bônus mais barato de entregar como a data da entrega sejam conhecidos, o contrato futuro de bônus do Tesouro será um futuro referenciado em um título que proporcionará a seu detentor uma renda conhecida[6]. A equação (3.6) mostra que o preço futuro, F_0, é relacionado ao preço spot, S_0, da seguinte maneira:

$$F_0 = (S_0 - I)e^{rT} \tag{5.5}$$

onde I é o valor presente dos cupons durante a vida do contrato futuro, T é o prazo até o vencimento do contrato futuro e r é a taxa de juro livre de risco aplicável ao período de tempo T.

Exemplo

Suponha que o bônus mais barato de ser entregue para a liquidação do contrato futuro de bônus do Tesouro tenha cupom de 12% e fator de conversão de 1,4000. Suponha também que a entrega seja realizada em 270 dias. Os cupons do bônus são pagos semestralmente. De acordo com a Figura 5.2, a última data de pagamento de cupom ocorreu há 60 dias, o próximo cupom será pago em 122 dias e, depois disso, a data seguinte de pagamento de cupom ocorrerá em 305 dias. A estrutura da taxa de juro é *flat* [horizontal] e a taxa de juro (considerando-se capitalização contínua) é 10% ao ano. Assuma que o preço corrente do bônus seja US$120. O preço a vista do bônus é obtido somando-se a esse preço cotado a proporção do próximo cupom que acumula a favor do detentor do título. Portanto, o preço a vista é:

$$120 + \frac{60}{60 + 122} \times 6 = 121{,}978$$

O cupom de US$6 será recebido depois de 122 dias (= 0,3342 ano). O valor presente é:

$$6e^{-0{,}1 \times 0{,}3342} = 5{,}803$$

---

[6] Na prática, para determinar o bônus mais barato de entregar, os analistas assumem que as taxas zero na maturidade do contrato futuro serão iguais às taxas forward hoje.

Figura 5.2 – Diagrama de tempo do exemplo

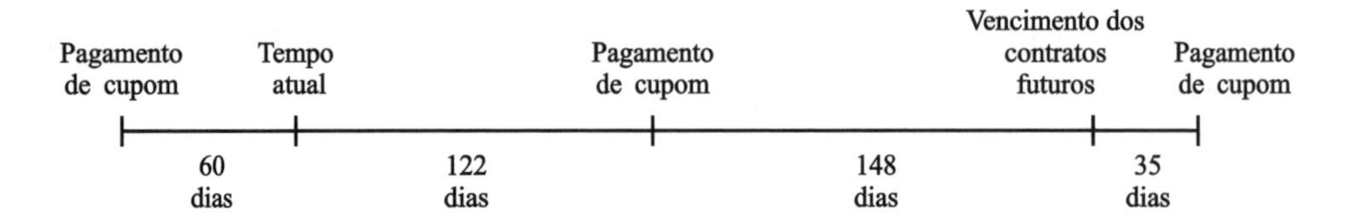

O contrato futuro vence em 270 dias (0,7397 ano). O preço futuro, se o contrato fosse referenciado no bônus de 12% ao ano, seria:

$$(121{,}978 - 5{,}803)\, e^{0{,}1 \times 0{,}7397} = 125{,}094$$

Na data de entrega, haverá 148 dias de juros acumulados. O preço futuro cotado, se o contrato fosse referenciado no título de 12%, seria calculado subtraindo-se o juro acumulado:

$$125{,}094 - 6 \times \frac{148}{305 - 122} = 120{,}242$$

O fator de conversão significa que 1,40 bônus padrão é equivalente a 1 bônus que paga 12% de cupom. O preço futuro, portanto, seria:

$$\frac{120{,}242}{1{,}40} = 85{,}887$$

5.11 FUTURO DE EURODÓLAR

Outro contrato futuro de taxas de juro norte-americano muito popular é o contrato futuro de eurodólar de três meses negociado na Chicago Mercantile Exchange (CME). O eurodólar é um dólar depositado em um banco norte-americano ou estrangeiro fora dos Estados Unidos. A taxa de juro do eurodólar é a taxa de juro auferida pelo depósito de eurodólares efetuado por um banco junto a outro. Essencialmente, é a mesma coisa que a London Interbank Offer Rate (Libor) mencionada em capítulos anteriores.

Os contratos futuros de eurodólar de três meses têm, como ativo-objeto, a taxa de juro de depósitos de eurodólares de três meses de prazo. Os meses de vencimento são março, junho, setembro e dezembro, podendo-se negociar para até 10 anos à frente. Adicionalmente, para prazos curtos, a CME autoriza negociação para outros meses, como se pode ver na Tabela 5.5.

Se Q for o preço futuro cotado para um contrato futuro de eurodólar, a bolsa definirá:

$$10.000\ [100 - 0{,}25\ (100 - Q)] \tag{5.6}$$

como o valor de um contrato. Assim, o preço de ajuste de 95,53 para junho de 2001 na Tabela 5.5 corresponde ao preço do contrato de:

$$10.000\ [100 - 0{,}25\ (100 - 95{,}53)] = \text{US\$}988.825$$

Nota-se pela equação (5.6) que a mudança de um ponto-base ou 0,01 na cotação do futuro de eurodólar corresponde à mudança no preço do contrato de US$25.

Quando chega a terceira quarta-feira do mês de entrega, o contrato é liquidado financeiramente. A última marcação a mercado faz Q ser igual a $100 - R$, onde R é a taxa de juro em eurodólar efetiva nesse dia, expressa em capitalização trimestral e na convenção de contagem de dias efetivo/360. Assim, se a taxa de juro de três meses em eurodólar na terceira quarta-feira for de 8%, a marcação a mercado final será 92 e, pela equação (5.6), o preço final do contrato será:

$$10.000\ [100 - 0{,}25\ (100 - 92)] = \text{US\$}980.000$$

Se Q for a cotação futura do eurodólar, $(100 - Q)$% será a taxa de juro futura do eurodólar para o período de três meses que se inicia na terceira quarta-feira do mês de entrega. A Tabela 5.5 indica que, em 15 de março de 2001, a taxa de juro futura para o período de três meses, a ser iniciado em 20 de junho de 2001, era de 100 – 95,53 = 4,47%. Essa taxa é expressa considerando-se a capitalização trimestral e a convenção de contagem de dias efetivo/360.

Contratos similares ao futuro de eurodólar da CME são negociados em outros países. Como se pode ver na Tabela 5.5, a CME e a SGX negociam contratos de euroiene, a Liffe e a Matif negociam contratos de euribor (ou seja, contratos na Libor de três meses para o euro) e a Liffe negocia contratos futuros de três meses de eurosuíços (a Tabela 2.2 traz o significado das abreviações das bolsas).

Taxas de juro futuras *versus* taxas de juro forward

Para pequenas maturidades (até um ano), a taxa de juro futura de eurodólar pode ser considerada como igual a taxa de juro forward. Para contratos com datas de vencimento distantes, as diferenças entre as taxas de juro futuras e forward, mencionada na seção 3.9, tornam-se importantes.

Analistas costumam fazer *ajuste de convexidade* para converter taxas de juro futura de eurodólar em taxas de juro forward. Uma forma de fazer isso é por meio do uso da fórmula:

$$\text{taxa forward} = \text{taxa futura} - \frac{1}{2}\sigma^2 t_1 t_2$$

onde t_1 é o prazo do contrato futuro, t_2 é a maturidade da taxa de juro negociada no contrato futuro e σ é o desvio-padrão das variações na taxa de juro de curto prazo em um ano. Ambas as taxas estão expressas com capitalização contínua[7]. O valor típico para σ é 1,2% ou 0,012.

Exemplo

Considere a situação em que $\sigma = 0{,}012$. Deseja-se calcular a taxa forward quando o preço do contrato futuro de eurodólar de oito anos for 94. Nesse caso, $t_1 = 8$, $t_2 = 8{,}25$ e o ajuste da convexidade é:

$$\frac{1}{2} \times 0{,}012^2 \times 8 \times 8{,}25 = 0{,}00475$$

ou 0,475%. A taxa futura é 6% ao ano em base efetivo/360 com capitalização trimestral. Isso significa 6 × 365/360 = 6,083% ao ano em base efetivo/365 com capitalização trimestral ou 6,038% com capitalização contínua. A taxa forward, por conseguinte, é 6,038 – 0,475 = 5,563% ao ano com capitalização composta.

A taxa forward é menor que a taxa futura[8]. A magnitude do ajuste é proporcional ao quadrado do prazo de maturidade do contrato futuro. Assim, o ajuste de convexidade para o contrato de oito anos é aproximadamente 64 vezes o ajuste para o contrato de um ano.

Futuro de eurodólar para apurar taxas Libor zero

As taxas Libor spot são empregadas para determinar a curva de taxas zero [*zero curve*] da Libor até um ano. Além desse prazo, o contrato futuro de eurodólar é utilizado freqüentemente. Uma vez que o ajuste de convexidade tenha sido feito, o contrato futuro de eurodólar define as taxas forward para os períodos de tempo futuros de três meses. Suponha que o i-ésimo contrato futuro de eurodólar vença na data T_i ($i = 1,2,...$). Geralmente, a taxa forward calculada a partir desse contrato se aplica ao período que vai de T_i a T_{i+1}. Essa característica possibilita o uso do procedimento de *bootstrap* para determinar as taxas zero. Suponha que F_i seja a taxa forward calculada do i-ésimo contrato futuro de eurodólar e R_i seja a taxa zero para a maturidade T_i. Da equação (5.1), tem-se:

---

[7] Essa fórmula é baseada no modelo de taxa de juro conhecido como Ho–Lee.

[8] A razão para isso foi discutida na seção 3.9. A variável que serve como ativo-objeto para o contrato futuro de eurodólar é a taxa de juro e, portanto, esta é altamente correlacionada com outras taxas de juro.

$$F_i = \frac{R_{i+1}T_{i+1} - R_iT_i}{T_{i+1} - T_i}$$

Assim:

$$R_{i+1} = \frac{F_i\left(T_{i+1} - T_i\right) - R_iT_i}{T_{i+1}}$$

Exemplo

A taxa Libor zero para 400 dias é calculada a 4,80% com capitalização contínua e, a partir da cotação futura do eurodólar, a taxa *foward* para 91 dias, com início em 400 dias, é 5,30% com capitalização contínua. Pode-se usar a equação (5.7) para obter a taxa para 491 dias:

$$\frac{0,053 \times 91 + 0,048 \times 400}{491} = 0,04893$$

ou 4,893%.

5.12 DURAÇÃO

A *duração* do bônus, como o próprio nome indica, mede quanto tempo em média o detentor deve esperar até receber os pagamentos. O bônus que não paga cupom [*zero-coupon bond*], com vencimento em n anos, tem duração de n anos. Entretanto, o bônus, que paga cupom e vence em n anos, tem duração menor que n anos, porque o detentor recebe alguns dos pagamentos antes do ano n.

Suponha que o bônus proporcione ao seu detentor fluxos de caixa c_i na data t_i ($1 \leq i \leq n$). O preço, B, e o rendimento, y (%), capitalizado continuamente, podem ser expressos como segue:

$$B = \sum_{i=1}^{n} c_i e^{-yt_i} \tag{5.8}$$

A duração, D, do bônus é definida como:

$$D = \frac{\sum_{i=1}^{n} t_i c_i e^{-yt_i}}{B} \tag{5.9}$$

Essa fórmula pode ser reescrita da seguinte maneira:

$$D = \sum_{i=1}^{n} t_i \left[\frac{c_i e^{-yt_i}}{B} \right]$$

O termo entre colchetes é a razão entre o valor presente do fluxo de caixa no momento t_i e o preço do título. O preço do bônus é o valor presente de todos os pagamentos. A duração é, portanto, a média ponderada dos prazos em que os pagamentos são feitos, sendo o peso aplicado ao tempo t_i igual à proporção do valor presente do bônus fornecido pelo fluxo de caixa que ocorre no momento t_i. A soma de todos os pesos é 1.

Tabela 5.7 – Cálculo da duração

Tempo (anos)	Fluxo de caixa (US$)	Valor presente	Peso	Tempo × Peso
0,5	5	4,709	0,050	0,025
1,0	5	4,435	0,047	0,047
1,5	5	4,176	0,044	0,066
2,0	5	3,933	0,042	0,083
2,5	5	3,704	0,039	0,098
3,0	105	73,256	0,778	2,333
Total	130	94,213	1,000	2,653

Da equação (5.8), assume-se como aproximadamente verdadeiro que:

$$\delta B = -\delta y \sum_{i=1}^{n} c_i t_i e^{-yt_i} \tag{5.10}$$

onde δy é uma variação muito pequena em y e δB é a variação correspondente em B (note que há relação negativa entre B e y. Quando o rendimento (%) do bônus aumenta, o preço do bônus cai. Quando o rendimento decresce, o preço do bônus aumenta). Das equações (5.9) e (5.10), tem-se:

$$\delta B = -BD\delta y \tag{5.11}$$

ou

$$\frac{\delta B}{B} = -D\delta y \tag{5.12}$$

A equação (5.12) é uma relação aproximada entre a variação relativa no preço do bônus e a variação em seu rendimento. Isso explica por que a duração é uma medida tão popular e amplamente utilizada.

Considere o bônus de três anos com cupom de 10% e valor de face de US\$100. Suponha que o rendimento do bônus seja 12% ao ano com capitalização contínua. Isso significa que $y = 0{,}12$. Os pagamentos de cupom no valor de US\$5 são feitos a cada seis meses. A Tabela 5.7 mostra os cálculos necessários à determinação da duração do bônus. Os valores presentes dos fluxos de caixa, usando o rendimento como taxa de desconto, são mostrados na coluna 3 (por exemplo, o valor presente do primeiro fluxo de caixa é $5e^{-0{,}12\times 0{,}5} = 4{,}709$). A soma dos números na coluna 3 dá o preço do bônus de US\$94,213. Os pesos são calculados dividindo-se os números da coluna 3 por 94,213. A soma dos números na coluna 5 dá a duração do bônus de 2,653 anos.

Pequenas variações nas taxas de juro são freqüentemente medidas em *pontos-base*. Um ponto-base é equivalente a 0,01% ao ano. O exemplo seguinte investiga a precisão da relação de duração apresentada na equação (5.11).

Exemplo

Para o bônus da Tabela 5.7, o preço do bônus, B, é 94,213 e a duração, D, é 2,653 de tal forma que a equação (5.11) indica:

$$\delta B = -94{,}213 \times 2{,}653 \delta y$$

ou

$$\delta B = -249{,}95 \delta y$$

Quando o rendimento do bônus aumenta de 10 pontos-base (= 0,1%), $\delta y = +0{,}001$. A relação de duração prevê que $\delta B = -249{,}95 \times 0{,}001 = 0{,}250$ de tal forma que o preço do bônus cai para $94{,}213 - 0{,}250 = 93{,}963$. Quão preciso é isso? Quando o rendimento do bônus aumenta de 10 pontos-base para 12,1%, o preço do bônus é:

$$5e^{-0{,}121\times 0{,}5} + 5e^{-0{,}121} + 5e^{-0{,}121\times 1{,}5} + 5e^{-0{,}121\times 2{,}0} + 5e^{-0{,}121\times 2{,}5} + 105e^{-0{,}121\times 3{,}0} = 93{,}963$$

o que, considerando-se três casas decimais, dá o mesmo preço para o bônus proporcionado pela relação de duração.

Duração modificada

A análise anterior é baseada na suposição de que y é expresso em capitalização contínua. Se y for expresso com capitalização anual, poderá ser demonstrado que a relação da equação (5.11) será:

$$\delta B = -\frac{BD\delta y}{1+y}$$

Generalizando, se y for expresso com freqüência de capitalização de m vezes ao ano:

$$\delta B = -\frac{BD\delta y}{1+y/m}$$

A variável D^*, definida por:

$$D^* = \frac{D}{1+y/m}$$

é, às vezes, referida como a *duração modificada* do bônus. Esta permite que a relação de duração seja simplificada para:

$$\delta B = -BD^*\delta y \tag{5.13}$$

para os casos em que y é expresso com freqüência de capitalização de m vezes por ano. O exemplo seguinte investiga a precisão da relação de duração modificada.

Exemplo

O bônus da Tabela 5.7 tem preço de 94,213 e duração de 2,653. O rendimento expresso em capitalização semestral é 12,3673%. A duração modificada, D^*, é:

$$D^* = -\frac{2,653}{1+0,123673/2} = 2,499$$

Da equação (5.13):

$$\delta B = -94,213 \times 2,4985\delta y$$

ou

$$\delta B = -235,39\delta y$$

Quando o rendimento (composto semestralmente) aumenta 10 pontos-base (0,1%), $\delta y = +0,001$. A relação de duração prevê que δB seja $-235,39 \times 0,001 = -0,235$, de tal forma que o preço do título caia para $94,213 - 0,235 = 93,978$. Quão preciso é isso? Quando o rendimento do bônus (composto semestralmente) aumenta de 10 pontos-base para 12,4673% (ou para 12,0941% com capitalização contínua), um cálculo exatamente similar ao do exemplo anterior mostra que o preço do bônus se modifica para 93,978. Isso mostra que a duração modificada proporciona boa precisão.

Portfólios de bônus

A duração, D, de uma carteira de bônus pode ser definida como a média ponderada das durações dos bônus individuais, com os pesos sendo proporcionais aos preços dos bônus. Assim, as equações (5.11) a (5.13) são válidas, com B sendo definido como o valor da carteira em vez do valor do bônus. Essas equações estimam a variação no valor do portfólio, para determinada variação δy nos rendimentos de todos os bônus.

É importante observar que, quando a duração é usada para carteiras de bônus, há uma suposição implícita de que os rendimentos de todos os bônus se modificam na mesma magnitude. Quando os bônus têm maturidades bastante diferentes, isso acontece apenas quando há deslocamento paralelo da curva de rendimento de títulos com cupom igual a zero. Deve-se interpretar as equações (5.11) a (5.13) como sendo as estimativas do impacto no valor de um portfólio de bônus causado por deslocamento paralelo, δy, na *zero curve*.

Figura 5.3 – Duas carteiras de bônus com a mesma duração

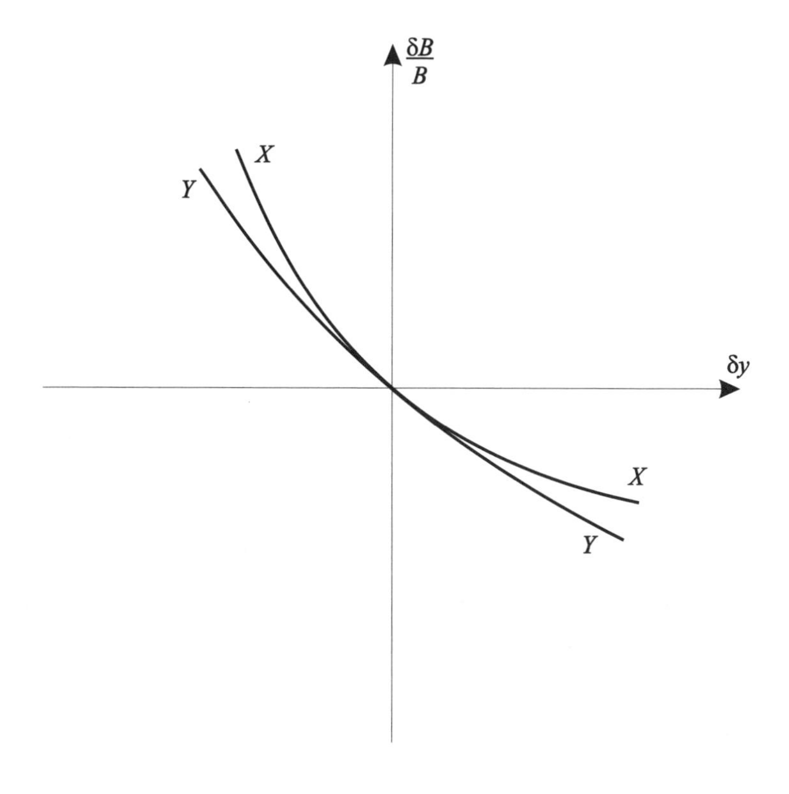

A relação de duração só é válida para pequenas variações no rendimento. Isso é ilustrado na Figura 5.3, que mostra a relação entre a percentagem de mudança no valor e no rendimento, para duas carteiras de bônus com mesma duração. A inclinação das duas curvas é a mesma na origem. Isso significa que ambas variam em valor pela mesma percentagem considerando-se pequenas variações no rendimento, o que é consistente com a equação (5.12). Para variações maiores do rendimento, as carteiras comportam-se de forma bastante diferente. O portfólio *X* tem mais curvatura em sua relação com os rendimentos que o *Y*. O fator conhecido como *convexidade* mede essa curvatura e pode ser utilizado para aperfeiçoar a relação mostrada na equação (5.12).

Hedge de carteira de ativos e passivos

As instituições financeiras freqüentemente tentam realizar *hedge* de taxas de juro buscando fazer que a duração média de seus ativos seja igual à duração média de seus passivos (passivos podem ser considerados posições *short* em bônus). Essa estratégia é conhecida como *duration matching* ou *imunização de portfólio*. Quando implementada, assegura que deslocamentos paralelos nas taxas de juro terão pouco efeito no valor da carteira de ativos e passivos. O ganho (a perda) nos ativos será eliminado pela perda (pelo ganho) nos passivos.

A estratégia de *duration matching* não imuniza o portfólio contra deslocamentos não-paralelos na *zero curve*. Essa característica é uma das imperfeições desse enfoque. Na prática, taxas de curto prazo são mais voláteis que as taxas de longo prazo e não há perfeita correlação entre estas. Algumas vezes, pode até mesmo acontecer de haver movimentos em direções contrárias nas taxas de curto e de longo prazos.

Instituições financeiras tentam freqüentemente viabilizar deslocamentos não-paralelos, dividindo a *zero curve* em segmentos e assegurando-se que estão *hedgeado*s para cada um dos segmentos. Suponha que o i-ésimo segmento seja a parte da *zero curve* situada entre as maturidades t_i e t_{i+1}. A instituição financeira examina o efeito de uma pequena variação δy em todas as taxas zero com maturidades entre t_i e t_{i+1} mantendo o resto da *zero curve* sem alteração. Se a exposição for inaceitável, operações adicionais serão realizadas em instrumentos cuidadosamente selecionados para reduzi-la. No contexto de administração bancária de carteiras de ativos e passivos, essa estratégia é conhecida como *GAP management*.

5.13 ESTRATÉGIAS DE *HEDGE* BASEADAS EM DURAÇÃO

Considere a situação em que um ativo sensível à taxa de juro, como carteira de bônus ou título do mercado monetário, esteja sendo *hedgeado* usando o contrato futuro de taxa de juro. Seja:

$F_C =$ preço do contrato futuro de taxa de juro;

D_F = duração do ativo-objeto do contrato futuro de taxa de juro na data de vencimento do contrato;

P = valor forward do portfólio que está sendo *hedgeado* na data de maturidade do *hedge*. Na prática, assume-se que o valor da carteira seja o mesmo de hoje;

D_P = duração do portfólio na data de maturidade do *hedge*.

Assumindo-se que a variação no rendimento, δy, seja a mesma para todas as maturidades, o que significa que apenas deslocamentos paralelos na curva poderão ocorrer, pode-se dizer que:

$$\delta P = -PD_P\delta y$$

Uma aproximação razoável seria:

$$\delta F_C = -F_C D_F \delta y$$

O número de contratos requerido para *hedge* contra uma δy incerta será:

$$N^* = \frac{PD_P}{F_C D_F} \tag{5.14}$$

Esta é a *razão de hedge baseada na duração*. É também, às vezes, chamada de razão de hedge baseada na sensibilidade de preço[9].

Quando o instrumento de *hedge* é um contrato futuro de bônus do Tesouro, o *hedger* deve assumir determinado bônus a ser entregue para efeito de determinação de D_F. Isso significa que o *hedger* deve estimar, no momento de realização de *hedge*, qual bônus, dentre os disponíveis, é o mais provável de ser considerado o bônus mais barato de ser entregue. Se após a realização do *hedge*, as condições do mercado de taxa de juro se modificarem de tal forma que um outro bônus passe a ser o mais barato de ser entregue, o *hedge* terá de ser ajustado, e seu desempenho pode ser pior do que se esperava.

Quando o *hedge* é construído com contratos futuros de taxas de juro, é importante colocar em mente que taxas de juro e preços futuros se movem em direções opostas. Quando as taxas sobem, os preços futuros caem. Quando as taxas caem, o contrário acontece, e os preços futuros sobem. Assim, a companhia em uma posição de potencial perda de dinheiro na hipótese de queda nas taxas de juro deve comprar contratos futuros

[9] Para discussão mais detalhada da equação (5.14), ver Rendleman, R. Duration-Based Hedging with Treasury Bond Futures. *Journal of Fixed Income* 9(1), pp. 84–91, June 1999.

para realizar *hedge*. Similarmente, a companhia em uma situação em que a elevação das taxas de juro provocará perdas deve tomar posição *short* no mercado futuro.

O *hedger* deve escolher o contrato futuro de tal forma que a duração do ativo-objeto seja a mais próxima possível do ativo a ser *hedgeado*. O futuro de eurodólar tende a ser mais utilizado para exposições às taxas de juro de curto prazo, já os contratos de bônus do Tesouro e de notas do Tesouro são utilizados para exposições de taxas de juro de longo prazo.

Hedge de carteira de bônus

Suponha que seja 2 de agosto. O administrador de fundo tem US$10 milhões investidos em bônus do governo e está preocupado com a expectativa de que as taxas de juro estarão altamente voláteis nos próximos três meses. Ele decide usar o contrato futuro de bônus do Tesouro com vencimento em dezembro para *hedgear* o valor da carteira. O preço do contrato futuro é 93-02 ou 93,0625. Como cada contrato estabelece a entrega de US$100.000 de valor de face do bônus, o valor do contrato é US$93.062,50.

A duração do portfólio de bônus em três meses será 6,8 anos. O bônus mais barato de ser entregue na liquidação do contrato futuro de bônus do Tesouro é o título com cupom de 12% ao ano e vencimento em 20 anos. O rendimento desse título no momento é 8,8% ao ano e sua duração, no vencimento do contrato futuro, será 9,2 anos. Esse exemplo está resumido na Tabela 5.8.

Tabela 5.8 – *Hedge* de carteira de bônus

Da mesa de operações – 2 de agosto

O administrador de fundos responsável por um portfólio de bônus de US$10 milhões está preocupado com a expectativa de que as taxas de juro estarão altamente voláteis nos próximos três meses. Ele decide usar o contrato futuro de bônus do Tesouro para *hedgear* o valor do portfólio. O preço desse contrato, com vencimento em dezembro, é 93-02. Isso significa que o preço do contrato é US$93.062,50.

Estratégia

Vender 79 contratos futuros de bônus do Tesouro, com vencimento em dezembro, no dia 2 de agosto.
Encerrar a posição em 2 de novembro.

Resultado

Durante o período de 2 de agosto a 2 de novembro, as taxas de juro caíram rapidamente. O valor da carteira de bônus aumentou de US$10 milhões para US$10.450.000.
Em 2 de novembro, o preço futuro do bônus do Tesouro era de 98-16. Isso corresponde ao valor do contrato de US$98.500. A perda de 79 × (US$98.500 – US$93.062,50) = US$429.562,50 foi, portanto, realizada nos contratos futuros de bônus do Tesouro.
No geral, o valor da posição do administrador mudou em apenas US$450.000 – US$429.562,50 = US$20.437,50.

Faz-se necessária uma posição *short* no contrato futuro de bônus do Tesouro para o *hedge* da carteira. Se as taxas de juro aumentarem, o ganho será auferido na posição futura e a perda será realizada no portfólio de bônus. Se as taxas caírem, a perda será realizada na posição futura, mas haverá ganho no portfólio. O número de contratos futuros a ser vendido deve ser calculado de acordo com a equação (5.14), ou seja:

$$\frac{10.000.000}{93.062,50} \times \frac{6,80}{9,20} = 79,42$$

Arredondando-se para o número inteiro mais próximo, o administrador deve vender 79 contratos.

Suponha que entre 2 de agosto e 2 de novembro, as taxas de juro caiam rapidamente e o valor da carteira aumente de US$10 milhões para US$10.450.000.

Suponha também que, em 2 de novembro, o preço do contrato futuro seja 98-16. Isso corresponde ao valor do contrato de US$98.500. A perda total no contrato futuro é:

$$79 \times (\text{US\$}98.500 - \text{US\$}93.062{,}50) = \text{US\$}429.562{,}50$$

A mudança líquida no valor do portfólio é de apenas:

$$\text{US\$}450.000 - \text{US\$}429.562{,}50 = \text{US\$}20.437{,}50$$

Devido ao fato de que o fundo incorre em perda na posição futura, o administrador pode se arrepender de ter implementado o *hedge*. Na média, pode-se esperar que metade dos *hedges* leve a tais arrependimentos. Infelizmente, não se sabe de antemão qual será essa metade!

Hedge de empréstimo a taxas flutuantes

Futuros de taxas de juro podem ser utilizados para *hedge* de taxas de juro pagas por tomador de empréstimo a taxas flutuantes. Futuros de eurodólar são ideais para esse tipo de *hedge* porque as taxas de juro de eurodólar são bastante relacionadas com as taxas de juro dos empréstimos que a companhia toma. Considere o uso do futuro de eurodólar para *hedge* de empréstimo de três meses no qual a taxa de juro é repactuada todo mês. Isso resultará em um exemplo simples. Os mesmos princípios podem ser empregados para empréstimos a prazos superiores a três meses.

Suponha que seja 29 de abril e a companhia acaba de tomar US$15 milhões emprestados para um período de três meses. A taxa de juro para cada um dos meses será a Libor para um mês mais 1%. No momento em que o empréstimo for negociado, a Libor de um mês será 8% ao ano. Assim, a companhia deve pagar 9% ao ano no primeiro mês. Como a Libor de um mês é cotada com capitalização mensal, o juro para o primeiro mês é 0,75% sobre US$15 milhões, ou US$112.500. Esse valor é conhecido no momento da negociação do empréstimo e não precisa ser *hedgeado*.

O juro pago no fim do segundo mês é determinado pela Libor de um mês vigente no início do segundo mês. Essa taxa pode ser *hedgeada* por meio de uma posição no contrato futuro de eurodólar, vencimento junho. Suponha que a cotação para esse contrato seja 91,88. Da seção 5.11, o preço do contrato é:

$$10.000\,[100 - 0{,}25\,(100 - 91{,}88)] = \text{US\$}979.700$$

A companhia perderá dinheiro se as taxas de juro aumentarem e ganhará se as taxas caírem. Por conseguinte, faz-se necessária uma posição vendida em contratos futuros. A duração do ativo-objeto do contrato futuro na data de vencimento do contrato é três meses, ou 0,25 ano. A duração do passivo que está sendo *hedgeado* é um mês, ou 0,08333 ano. Da equação (5.14), o número de contratos que deve ser usado para *hedge* do pagamento de juros do segundo mês é:

$$\frac{0{,}08333}{0{,}25} \times \frac{15.000.000}{979.700} = 5{,}10$$

Arredondando-se para o número inteiro mais próximo, serão necessários cinco contratos.

Para o terceiro mês, o contrato futuro de eurodólar para setembro pode ser utilizado. Suponha que a cotação seja 91,44, que corresponde ao valor do contrato de US$978.600. O número de contratos que deve vendido pode ser calculado como anteriormente:

$$\frac{0{,}08333}{0{,}25} \times \frac{15.000.000}{978.600} = 5{,}11$$

Novamente, após o arredondamento, serão necessários cinco contratos. Assim, cinco contratos devem ser vendidos para *hedge* da Libor a ser aplicada no segundo mês e cinco para *hedge* da Libor a ser aplicada no terceiro mês. A posição para junho será fechada em 29 de maio e a de setembro em 29 de junho.

Suponha que, em 29 de maio, a Libor de um mês seja 8,8% e o preço do contrato de junho seja 91,12, isto é, com valor de contrato de US$977.800. Assim, no contrato de junho, a companhia lucra:

$$5 \times (\text{US\$}979.700 - \text{US\$}977.800) = \text{US\$}9.500$$

Esse ganho é a compensação pelos juros extras de US$10.000 (um doze avos de 0,8% sobre US$15.000.000) que deverão ser pagos ao fim do segundo mês por força do aumento da Libor de 8% para 8,8%.

Suponha agora que, em 29 de junho, a Libor para um mês seja 9,4% e o preço futuro do contrato de setembro seja 90,16. Um cálculo similar mostra que a companhia ganha US$16.000 na posição futura, mas incorre em custos com juros extras de US$17.500 em face do aumento da Libor de um mês de 8% ao ano para 9,4% ao ano. Esse exemplo está resumido na Tabela 5.9.

Tabela 5.9 – *Hedge* de empréstimo à taxa flutuante

Da mesa de operações – 29 de abril

A companhia acabou de tomar empréstimo de US$15 milhões por três meses a uma taxa de juro igual à Libor de um mês mais 1% e quer *hedgear* seu risco. Cotações:

- taxa Libor de um mês = 8%;
- preço futuro do eurodólar para junho = 91,88;
- preço futuro de eurodólar para setembro = 91,44.

Estratégia

Vender cinco contratos para junho e cinco para setembro.
Encerrar a posição de junho em 29 de maio.
Encerrar a posição de setembro em 29 de junho.

Resultado

Em 29 de maio, a Libor de um mês estava em 8,8% e o preço do contrato futuro para junho em 91,12. A companhia ganhou 5 × (US$979.700 – US$977.800) = US$9.500, nos cinco contratos de junho. Esse ganho compensou os US$10.000 adicionais em pagamento de juros necessários no segundo mês em face do aumento da Libor de 8% para 8,8%.
Em 29 de junho, a Libor de um mês estava em 9,4% e o contrato futuro para setembro era cotado a 90,16. A companhia ganhou US$16.000 nos cinco contratos de setembro. Esse ganho compensou os US$17.500 adicionais em pagamento de juros.

5.14 SUMÁRIO

Muitas e diferentes taxas de juro são cotadas nos mercados financeiros e calculadas por analistas. A taxa zero para *n* anos ou a taxa spot para *n* anos é a taxa aplicável a um investimento de *n* anos quando todo o retorno é realizado apenas no fim. Taxas a termo (forward) são taxas aplicáveis a períodos futuros de tempo que estão implícitas nas taxas zero correntes. A *par yield* de um bônus de determinada maturidade é a taxa de cupom que faz que o bônus seja vendido pelo seu valor par.

As taxas do Tesouro devem ser diferenciadas das taxas Libor. Taxas do Tesouro são taxas às quais o governo de um país toma emprestado e, freqüentemente, são consideradas livres de risco. Taxas Libor são taxas às quais grandes bancos fazem empréstimos entre si.

Dois contratos futuros bastante conhecidos negociados nos Estados Unidos são o contrato futuro de bônus do Tesouro e o contrato futuro de eurodólar. No contrato futuro de bônus do Tesouro, o agente com posição vendida possui algumas opções de entrega interessantes:

- entregas podem ser realizadas em qualquer dia do mês de vencimento;
- há vários bônus alternativos que podem ser entregues;
- em qualquer dia do mês de entrega, o aviso de intenção de entrega pode ser emitido e entregue até as 20:00, sendo considerado o preço de ajuste das 14:00.

Todas essas alternativas tendem a reduzir o preço futuro.

O contrato futuro de eurodólar negocia a taxa de juro de três meses vigente na terceira quarta-feira do mês de entrega. Esse contrato freqüentemente é utilizado para estimar as taxas Libor forward para efeito de construção da *zero curve* da Libor.

Quando contratos de longo prazo são utilizados, é importante realizar o que se denomina ajuste de convexidade por causa do ajuste diário nos contratos futuros.

O conceito de duração é importante no *hedge* do risco de taxa de juro. A duração mede quanto, em média, o investidor tem de esperar para receber os fluxos pagos pelo título. É uma média ponderada dos prazos dos pagamentos, sendo o peso para determinado pagamento proporcional ao valor presente desse pagamento.

O principal resultado que norteia a estratégia de *hedge* baseada na duração e que foi descrita neste capítulo é:

$$\delta B = -BD\delta y$$

onde B é o preço do bônus, D é sua duração e δy é uma pequena variação no rendimento do papel (continuamente capitalizado). A equação permite avaliar a sensibilidade do preço de um bônus a pequenas mudanças em seu rendimento. Também permite ao *hedger* avaliar a sensibilidade do preço de um contrato futuro de taxa de juro a pequenas mudanças no rendimento do ativo-objeto. Se o *hedge* estiver preparado para que δy seja o mesmo para todos os bônus, o resultado possibilitará calcular o número de contratos futuros necessários para proteger um bônus ou uma carteira de bônus contra o risco de pequenas variações nas taxas de juro.

A principal suposição por trás da estratégia de *hedge* baseada na duração é que todas as taxas de juro se modificam na mesma magnitude. Isso significa que apenas deslocamentos paralelos na estrutura a termo das taxas de juro ocorrem. Na prática, taxas de juro de curto prazo são geralmente mais voláteis que as taxas de longo prazo e o desempenhodo *hedge* pode ser prejudicado se a duração do bônus que serve como ativo-objeto para o contrato futuro diferir bastante da duração do ativo que está sendo *hedgeado*.

SUGESTÕES PARA LEITURAS COMPLEMENTARES

ALLEN, S. L.; KLEINSTEIN, A. D. *Valuing Fixed-Income Investments and Derivative Securities*. New York: New York Institute of Finance, 1991.

FABOZZI, F. J. *Fixed-Income Mathematics: Analytical and Statistical Techniques*. McGraw-Hill, 1996.

FABOZZI, F. J. *Duration, Convexity, and Other Bond Risk Measures*. Frank Fabozzi Assoc., 1999.

FIGLEWSKI, S. *Hedging with Financial Futures for Institutional Investors*. Cambridge, MA: Ballinger, 1986.

GAY, G. D.; KOLB, R. W.; CHIANG, R. Interest Rate Hedging: An Empirical Test of Alternative Strategies. *Journal of Financial Research* 6, pp. 187–197, fall 1983.

KLEMKOSKY, R. C.; LASSER, D. J. An Efficiency Analysis of the T-Bond Futures Market. *Journal of Futures Market* 5, pp. 607–620, 1985.

KOLB, R. W.; CHIANG, R. Improving Hedging Performance Using Interest Rate Futures. *Financial Management* 10, pp. 72–79, fall 1981.

RESNICK, B. G.; HENNIGAR, E. The Relationship between Futures and Cash Prices for U.S. Treasury Bonds. *Review of Research in Futures Markets*, 2, pp. 282–299, 1983.

SENCHAK, A. J.; EASTERWOOD, J. C. Cross Hedging CDs with Treasury Bill Futures. *Journal of Futures Market* 3, pp. 429–438, 1983.

VEIT, W. T.; REIFF, W.W. Commercial Banks and Interest Rate Futures: a Hedging Survey. *Journal of Futures Markets* 3, pp. 283–293, 1983.

PERGUNTAS RÁPIDAS (RESPOSTAS NO FINAL DO LIVRO)

5.1 Suponha que seja 9 de janeiro de 2001 e o preço do bônus do Tesouro, com cupom de 12% e vencimento em 12 de outubro de 2009, esteja cotado a 102-07. Qual é seu preço a vista?

5.2 Suponha que as taxas de juro zero com capitalização contínua sejam as seguintes:

Vencimento (anos)	Taxa (% ao ano)
1	8
2	7,5
3	7,2
4	7
5	6,9

Calcule as taxas de juro forward para segundo, terceiro, quarto e quinto anos.

5.3 A curva de juros a termo tem inclinação positiva. Coloque em ordem de magnitude:
a) a taxa zero para cinco anos;
b) o rendimento em um bônus de cinco anos que paga cupom;
c) a taxa forward correspondente ao período entre 5 e 5,25 anos no futuro.
Qual é a resposta a essa pergunta, quando a estrutura a termo da taxa de juro tem inclinação negativa?

5.4 As taxas de juro zero para seis meses e um ano são, ambas, de 10% ao ano. Para o bônus com maturidade de 18 meses que paga um cupom de 8% ao ano (considere que o pagamento de cupom acabou de ser feito), o rendimento é 10,4% ao ano. Qual é o preço do bônus? Qual é a taxa zero para 18 meses? Todas as taxas são cotadas considerando-se capitalização semestral.

5.5 O preço de uma letra do Tesouro é cotado a 10. Que retorno capitalizado continuamente (base efetivo/ 365) o investidor deve auferir para a letra no período de 90 dias?

5.6 Quais hipóteses acerca dos movimentos na estrutura a termo da taxa de juro são consideradas pela estratégia de *hedge* baseado na duração?

5.7 Suponha que seja 30 de janeiro. Você está administrando uma carteira de bônus de US$6 milhões. A duração da carteira em seis meses será 8,2 anos. O preço do contrato futuro de bônus do Tesouro para setembro está cotado em 108-15 e o bônus mais barato para entregar terá duração de 7,6 anos em setembro. Como você deve realizar *hedge* contra as mudanças nas taxas de juro para os próximos seis meses?

QUESTÕES E PROBLEMAS (RESPOSTAS NO MANUAL DE SOLUÇÕES)

5.8 Suponha que as taxas zero para 6, 12, 18, 24 e 30 meses sejam respectivamente de 4%; 4,2%; 4,4%; 4,6%; e 4,8% ao ano com capitalização contínua. Estime o preço a vista do bônus com valor de face de US$100 que será resgatado em 30 meses e paga o cupom de 4% ao ano, semestralmente.

5.9 O bônus de três anos de maturidade proporciona um cupom de 8% semestralmente e tem preço a vista de 104. Qual é o rendimento do bônus?

5.10 Suponha que as taxas zero para 6, 12, 18 e 24 meses sejam de 5%; 6%; 6,5%; e 7%, respectivamente. Qual é a *par yield* de dois anos?

5.11 Explique cuidadosamente por que a teoria da preferência pela liquidez é consistente com a observação de que a estrutura a termo tende a ser positivamente inclinada mais freqüentemente que negativamente inclinada?

5.12 Suponha que as taxas zero com capitalização contínua sejam as seguintes:

Vencimento (anos)	Taxa (% ao ano)
1	12
2	13
3	13,7
4	14,2
5	14,5

Calcule as taxas forward para segundo, terceiro, quarto e quinto anos.

5.13 Suponha que as taxas zero com capitalização contínua sejam as da tabela a seguir. Calcule as taxas de juro forward para o segundo, terceiro, quarto, quinto e sexto trimestre.

Vencimento (meses)	Taxa (% ao ano)
3	8
6	8,2
9	8,4
12	8,5
15	8,6
18	8,7

5.14 Os preços a vista das letras do Tesouro de seis meses e um ano são de 94,0 e 89,0. Um bônus de 1,5 ano que paga cupom de US$4 a cada seis meses é correntemente vendido por US$94,84. Outro cupom de dois anos de maturidade paga cupom de US$5 a cada seis meses e é vendido por US$97,12. Calcule as taxas zero para seis meses, um ano, um ano e meio e dois anos.

5.15 O bônus de 10 anos com cupom de 8% é correntemente negociado a US$90. O bônus de 10 anos com cupom de 4% é negociado a US$80. Qual é a taxa zero para 10 anos? (dica: considere a estratégia de tomar uma posição longa em dois bônus com cupom de 4% e posição *short* em um bônus com cupom de 8%).

5.16 Suponha que seja 5 de maio de 2003. O preço cotado para o bônus governamental com cupom de 12% e data de resgate em 27 de julho de 2011 é 110-17. Qual é o preço a vista?

5.17 Suponha que o preço do bônus do Tesouro seja 101-12. Qual é o bônus mais barato de ser entregue entre os listados abaixo?

Bônus	Preço	Fator de conversão
1	125-05	1,2131
2	142-15	1,3792
3	115-31	1,1149
4	144-02	1,4026

5.18 Suponha que seja 30 de julho de 2001. O bônus mais barato para ser entregue na liquidação do contrato futuro de setembro de 2001 é o que paga cupom de 13%. A entrega é prevista para 30 de setembro de 2001. Os pagamentos de cupom são feitos em 4 de fevereiro e 4 de agosto de cada ano. A estrutura a termo da taxa de juro é horizontal e a taxa de juro com capitalização semestral é 12% ao ano. O fator de conversão para o bônus é 1,5. O preço cotado para o bônus é US$110. Calcule o preço do contrato futuro.

5.19 O investidor está procurando por oportunidades de arbitragem no mercado futuro de bônus do Tesouro. Quais complicações podem surgir devido ao fato de que a parte vendedora tem o direito de escolher para entrega qualquer bônus com maturidade superior a 15 anos?

5.20 Assumindo-se que as taxas zero sejam aquelas constantes do problema 5.13, qual será o valor de um FRA que possibilitará a seu detentor auferir ganho de 9,5% por um período de três meses daqui a um ano, sobre principal de US$1.000.000. A taxa de juro está expressa considerando-se capitalização trimestral.

5.21 Suponha que a Libor de nove meses seja 8% ao ano e a Libor de seis meses seja 7,5% ao ano (ambas com capitalização contínua). Estime o preço do futuro de eurodólar de três meses para um contrato com vencimento em seis meses.

5.22 O bônus de cinco anos com rendimento de 11% (capitalização contínua) paga cupom de 8% ao fim de cada ano.

a) Qual é o preço do bônus?

b) Qual é a duração do bônus?

c) Use a duração para calcular o efeito no preço do bônus de um decréscimo de 0,2% no rendimento do título.

d) Recalcule o preço do bônus com base em rendimento de 10,8% ao ano e verifique se o resultado é consistente com sua resposta para o item (c).

5.23 Suponha o *hedge* de um portfólio com duração de 12 anos, utilizando um contrato futuro em que o ativo-objeto tenha duração de quatro anos. Considerando-se que a taxa de juro de 12 anos é menos volátil que a taxa de juro de quatro anos, qual é o impacto no *hedge*?

5.24 Suponha que seja 20 de fevereiro. O tesoureiro da companhia percebe que, em

17 de julho, terá de emitir US$5 milhões de *commercial paper* com maturidade de 180 dias. Se o papel fosse emitido hoje, a companhia obteria US$4.820.000 (em outras palavras, receberia US$4.820.000 pela emissão e teria de pagar US$5.000.000 na data de resgate em 180 dias). O preço futuro do eurodólar, com vencimento em setembro, está cotado em 92. Como o tesoureiro deve realizar *hedge* da exposição da companhia?

5.25 Em 1º de agosto, o administrador possui uma carteira de bônus que vale US$10 milhões. A duração do portfólio em outubro será 7,1 anos. O preço atual do contrato futuro de bônus do Tesouro é 91-12 e o título mais barato de ser entregue terá duração de 8,8 anos no vencimento. Como o administrador deve imunizar o portfólio contra variações nas taxas de juro nos próximos dois meses?

5.26 Com base no problema 5.25, de que forma o administrador pode modificar a duração carteira para três anos?

5.27 Entre 28 de fevereiro de 2002 e 1º de março de 2002, você terá de escolher entre adquirir bônus governamental com cupom de 10% ao ano ou bônus corporativo com cupom de 10% ao ano. Considere cuidadosamente a convenção de contagem de dias discutida neste capítulo e decida qual dos dois bônus você prefere. Ignore o risco de inadimplência.

5.28 Suponha que o futuro de eurodólar seja cotado a 88 para vencimento daqui a 60 dias. Qual é a taxa Libor para o período entre 60 e 150 dias? Ignore a diferença entre os preços futuros e a termo para efeito desta questão.

5.29 Quando a *zero curve* é positivamente inclinada, a taxa zero para determinada maturidade é maior que a *par yield* para o mesmo prazo. Quando a *zero curve* é negativamente inclinada, o inverso é verdadeiro. Explique por que isso acontece.

5.30 A cotação do contrato futuro de eurodólar que vence daqui a seis meses é 95,20. O desvio-padrão da variação na taxa de juro de curto prazo em um ano é 1,1%. Estime o Libor a termo para o período entre 6 e 6,25 anos no futuro.

QUESTÕES DE PROVA

5.31 Um banco pode emprestar e tomar emprestado à mesma taxa de juro no mercado de Libor. A taxa de 91 dias é 10% ao ano e a taxa de 182 dias é 10,2% ao ano, ambas expressas com capitalização contínua. O preço do futuro de eurodólar para o contrato com vencimento em 91 dias é 89,5. Que oportunidades de arbitragem estão abertas ao banco?

5.32 Uma empresa canadense deseja criar um contrato futuro de taxa de juro Libor canadense por meio de contrato futuro de eurodólar e contratos a termo de moeda estrangeira. Usando um exemplo, explique como a companhia deve proceder. Para efeito deste problema, suponha que contratos futuros e a termo sejam iguais.

5.33 O portfólio A consiste de um bônus de cupom zero de um ano com valor de face de US$2.000 e um bônus de cupom zero de 10 anos com valor de face de US$6.000. O portfólio B consiste de *discount bond*[N.T.] de 5,95 anos com valor de face de US$5.000. O rendimento corrente para todos os bônus é 10% ao ano.

a) Mostre que ambos os portfólios têm a mesma duração.

b) Mostre que a percentagem de variação nos valores dos dois portfólios para 0,1% ao ano de aumento no rendimento é a mesma.

c) Qual é a percentagem de variação nos valores dos dois portfólios para um aumento nos rendimentos de 5% ao ano?

5.34 A tabela abaixo mostra os preços dos bônus:

Principal (US$)	**Prazo (anos)**	**Cupom anual (US$)***	**Preço do bônus (US$)**
100	0,50	0	98
100	1	0	95
100	1,50	6,20	101
100	2	8	104

* Supõe-se que metade do cupom seja paga a cada seis meses.

a) Calcule as taxas zero para as maturidades de 6, 12, 18 e 24 meses;

b) Quais as taxas forward para os períodos: 6 a 12 meses, 12 a 18 meses, 18 a 24 meses?

c) Quais são as *par yields* para 6, 12, 18 e 24 meses que proporcionam pagamentos semestrais de cupom?

d) Estime o preço e o rendimento de um bônus de dois anos que paga cupom semestral de 7% ao ano.

5.35 Suponha que seja 25 de junho de 2001. O preço futuro para o contrato futuro de bônus do Tesouro da CBOT é 118-23.

a) Calcule o fator de conversão para o bônus com maturidade em 1º de janeiro de 2017 que paga um cupom de 10%.

b) Calcule o fator de conversão para o bônus com maturidade em 1º de outubro de 2022 que paga um cupom de 7%.

c) Suponha que os preços cotados para os bônus em (a) e (b) sejam 169 e 136, respectivamente. Qual é o bônus mais barato de ser entregue?

[N.T.] *Discount bond* corresponde a um bônus que é resgatado no vencimento pelo seu valor de face e negociado com desconto. O rendimento obtido consiste na diferença entre o preço da aquisição e o valor de resgate do bônus.

d) Supondo que o bônus mais barato seja realmente entregue, qual será o preço a vista recebido pelo bônus?

5.36 O administrador planeja usar o contrato futuro de bônus do Tesouro para *hedgear* uma carteira de bônus nos próximos três meses. O portfólio vale US$100 milhões e, em três meses, terá duração de três anos. O preço futuro é 122, e cada contrato futuro implica a entrega de US$100.000 em bônus. O bônus que se espera ser o mais barato para entrega terá duração de nove anos no vencimento do contrato futuro. Que posição em contratos futuros é necessária?

a) Depois de um mês, o bônus que era esperado ser o mais barato para entrega foi trocado por outro com duração de sete anos. Que ajustes no *hedge* serão necessários?

b) Suponha que todas as taxas aumentem nos próximos três meses, mas as taxas de longo prazo aumentem menos que as taxas de curto prazo e as taxas de médio prazo. Qual o efeito disso no desempenho do *hedge*?

Capítulo 6
SWAPS

Swap é um acordo entre duas companhias para trocar fluxos de caixa no futuro. O acordo define as datas em que os fluxos de caixa serão pagos e de que forma serão calculados. Em geral, o cálculo dos fluxos de caixa envolve os valores futuros de uma ou mais variáveis de mercado.

O contrato a termo pode ser visto como exemplo simples de swap. Suponha que seja 1° de março de 2001 e a companhia tome posição longa no contrato a termo de um ano de prazo para comprar 100 onças de ouro ao preço de US$300 por onça. A empresa poderá vender o ouro daqui a um ano, tão logo o receba. O contrato a termo é, portanto, equivalente ao swap no qual a companhia concorda que, em 1° de março de 2002, pagará US$30.000 e receberá 100*S*, onde *S* é o preço de mercado de uma onça de ouro naquela data.

Enquanto os contratos a termo estabelecem a troca de fluxos de caixa em uma única data no futuro, os swaps implicam a ocorrência de várias trocas de fluxos de caixa em datas futuras. Os primeiros contratos de swap foram negociados no início dos anos de 1980. Desde então, o mercado tem experimentado crescimento fenomenal. Neste capítulo, analisam-se a estrutura, a utilização e o apreçamento de swap. A discussão centra-se em dois tipos de swap bastante conhecidos: swap de taxas de juro *plain vanilla* e swap de moeda *fixed-for-fixed*. Outros tipos são abordados no Capítulo 19.

6.1 MECÂNICA OPERACIONAL DO SWAP DE TAXAS DE JURO

O tipo de swap mais comum é o swap de taxas de juro "*plain vanilla*". Nesse swap, a companhia concorda pagar fluxos de caixa iguais aos juros calculados a uma taxa de juro fixa sobre determinado principal, durante certo número de anos. Em compensação, a companhia receberá juros a uma taxa de juro flutuante, sobre o mesmo principal e pelo mesmo período de tempo.

A taxa flutuante em muitos contratos de swap de taxas de juro é a London Interbank Offer Rate (Libor). O conceito dessa taxa foi introduzido no Capítulo 5. Libor é a taxa oferecida por grandes bancos a outros grandes bancos para depósitos realizados nos mercados de moedas européias. A Libor de um mês é a taxa para depósitos de um mês, a Libor de três meses é para depósitos de três meses e assim por diante. As taxas Libor são determinadas por meio da negociação entre bancos e modificam-se freqüentemente de tal modo que a oferta de fundos no mercado interbancário iguala-se à demanda por tais fundos. Assim como a Prime é, em geral, a taxa de juro de referência nos empréstimos em taxas flutuantes no mercado doméstico americano, a Libor é a taxa de referência para os empréstimos no mercado financeiro internacional. Para compreender como é utilizada, considere o empréstimo de cinco anos com taxa de juro especificada como Libor de seis meses mais 0,5% ao ano. A vida do empréstimo está dividida em dez períodos, sendo de seis meses cada um. Para cada período, a taxa de juro será estabelecida como a Libor de seis meses verificada no início do período mais 0,5% ao ano. Os juros são pagos no fim do período.

Ilustração

Considere o swap hipotético de três anos de prazo contratado em 5 de março de 2001 entre a Microsoft e a Intel. Suponha que a Microsoft concorde em pagar à Intel a taxa de juro de 5% ao ano sobre o valor de US$100 milhões. Em compensação, a Intel concorda em pagar à Microsoft a Libor de seis meses aplicada sobre o mesmo principal. Assume-se que o contrato estabeleça a troca de pagamentos a cada seis meses e a taxa de 5% seja composta semestralmente. Esse swap está representado no diagrama da Figura 6.1.

A primeira troca de pagamentos acontecerá em 5 de setembro de 2001, seis meses depois de iniciado o contrato. A Microsoft pagará à Intel US$2,5 milhões. Este é o juro relativo ao principal de US$100 milhões por seis meses a 5%. A Intel pagará à Microsoft, sobre o principal de US$100 milhões, o juro apurado pela aplicação da Libor de seis meses prevalecente seis meses antes de 5 de setembro de 2001, ou seja, em 5 de março de 2001. Suponha que essa taxa seja 4,2%. A Intel pagará a Microsoft $0,5 \times 0,042 \times$ US$100 = US$2,1 milhões[1]. Note que não há incerteza acerca da primeira troca de pagamentos posto que esta é determinada pela Libor no momento em que o contrato é firmado.

A segunda troca de pagamentos ocorrerá em 5 de março de 2002, um ano após o contrato ter sido firmado. A Microsoft pagará US$2,5 milhões à Intel. A Intel pagará à Microsoft o juro apurado sobre o principal de US$100 milhões à taxa Libor prevalecente seis meses antes de 5 de março de 2002, ou seja, em 5 de setembro de 2001. Suponha que essa taxa tenha sido de 4,8%. A Intel teria de pagar $0,5 \times 0,048 \times$ US$100 = US$2,4 milhões para a Microsoft.

---

[1] Os cálculos são levemente imprecisos porque ignoram a convenção de contagem de dias. Esse ponto será discutido detalhadamente mais adiante neste capítulo.

No total, há seis trocas de pagamentos no swap. Os pagamentos fixos são sempre de US$2,5 milhões. Os pagamentos à taxa flutuante são calculados na data de pagamento usando a Libor de seis meses vigente seis meses antes dessa data. O swap de taxa de juro é estruturado de tal forma que um lado remete a diferença entre os dois pagamentos ao outro. No exemplo, a Microsoft teria de pagar à Intel US$0,4 milhão (= US$2,5 milhões – US$2,1 milhões) em 5 de setembro de 2001 e US$0,1 milhão (= US$2,5 milhões – US$2,4 milhões) em 5 de março de 2002.

A Tabela 6.1 traz exemplo completo dos pagamentos feitos por força do swap, considerando-se um conjunto de taxas Libor de seis meses. A tabela mostra os fluxos de caixa da perspectiva da Microsoft. Observe que os US$100 milhões de principal são utilizados apenas para efeito de cálculo dos pagamentos de juros. O principal em si não é trocado. É por isso que é denominado *notional principal.*

Figura 6.1 – Swap de taxa de juro entre Microsoft e Intel

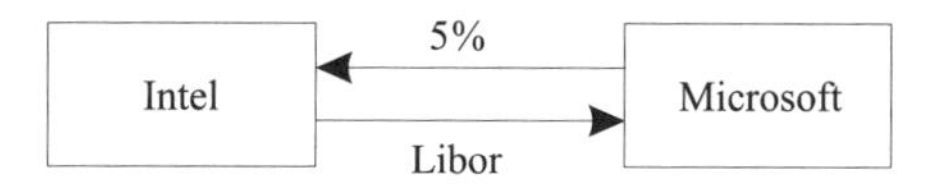

Tabela 6.1 – Fluxos de caixa da Microsoft em swap de taxa de juro quando a taxa prefixada de 5% é paga e a Libor é recebida

Data	Libor de seis meses (%)	Fluxo de caixa flutuante recebido (US$ milhões)	Fluxo de caixa fixo pago (US$ milhões)	Fluxo de caixa líquido (US$ milhões)
5/3/2001	4,2			
5/9/2001	4,8	+2,1	–2,5	–0,4
5/3/2002	5,3	+2,4	–2,5	–0,1
5/9/2002	5,5	+2,65	–2,5	+0,15
5/3/2003	5,6	+2,75	–2,5	+0,25
5/9/2003	5,9	+2,8	–2,5	+0,3
5/3/2004	6,4	+2,95	–2,5	+0,45

Se o principal fosse trocado no fim da vida do swap, a natureza do negócio não seria modificada de qualquer modo. O principal é o mesmo para ambos os pagamentos, prefixado e flutuante. A troca de US$100 milhões por US$100 milhões no fim da vida do swap é uma transação que não teria qualquer valor financeiro tanto para a Microsoft quanto para a Intel. A Tabela 6.2 mostra os fluxos de caixa da Tabela 6.1, incluindo o pagamento final do principal. Essa tabela proporciona um modo interessante de se observar o swap. Os fluxos de caixa na terceira coluna equivalem aos fluxos de posição longa em bônus com taxas flutuantes. Os fluxos de caixa na quarta coluna da tabela equivalem aos fluxos de posição *short* em bônus prefixado. A tabela indica que o swap pode ser considerado uma troca de bônus prefixado por bônus de taxa flutuante. A Microsoft, cuja posição está descrita na Tabela 6.2, está longa no título com taxas flutuantes e *short* nos títulos de taxa prefixada.

Essa caracterização dos fluxos de caixa de swap ajuda a explicar porque a taxa flutuante de swap é fixada seis meses antes de seu pagamento. Em uma nota com taxa flutuante, o juro é fixado no começo do período ao qual se aplicará a taxa e é pago no fim desse período. O cálculo dos pagamentos a taxas flutuantes em swap de taxa de juro *plain vanilla*, conforme a Tabela 6.2, reflete essa situação.

Tabela 6.2 – Fluxos de caixa da Tabela 6.1 quando há a troca final do principal

Data	Libor de seis meses (%)	Fluxo de caixa flutuante recebido (US$ milhões)	Fluxo de caixa fixo pago (US$ milhões)	Fluxo de caixa líquido (US$ milhões)
5/3/2001	4,2			
5/9/2001	4,8	+2,1	–2,5	–0,4
5/3/2002	5,3	+2,4	–2,5	–0,1
5/9/2002	5,5	+2,65	–2,5	+0,15
5/3/2003	5,6	+2,75	–2,5	+0,25
5/9/2003	5,9	+2,8	–2,5	+0,3
5/3/2004	6,4	+102,95	–102,5	+0,45

Swap para transformar passivo

Para a Microsoft, o swap poderia ser utilizado para transformar empréstimo a taxas flutuantes em empréstimo à taxa fixa. Suponha que a Microsoft decida tomar US$100 milhões emprestados à Libor mais 10 pontos-base (um ponto-base é um centésimo de 1%; assim, a taxa é Libor mais 0,1%). Tendo entrado no swap, a Microsoft terá três conjuntos de fluxos de caixa:

- paga Libor mais 0,1% pelo empréstimo;
- recebe Libor sob os termos do swap;
- paga 5% sob os termos do swap.

Esses três conjuntos de fluxos de caixa produzem pagamento líquido equivalente à taxa de 5,1%. Assim, para a Microsoft, o swap poderia transformar empréstimo à taxa flutuante de Libor mais 10 pontos-base em empréstimo à taxa fixa de 5,1%.

Para a Intel, o swap poderia ter o efeito de transformar empréstimo à taxa fixa em taxa flutuante. Suponha que a Intel tenha empréstimo de três anos no valor de US$100 milhões pelo qual paga 5,2%. Depois de realizar o swap, terá três conjuntos de fluxo de caixa:

- paga 5,2% pelo empréstimo;
- paga Libor sob os termos do swap;
- recebe 5% sob os termos do swap.

Esses três conjuntos de fluxos de caixa produzem pagamento líquido de Libor mais 0,2% (ou Libor mais 20 pontos-base). Assim, para a Intel, o swap poderia transformar empréstimos à taxa fixa de 5,2% em empréstimos à taxa flutuante de Libor mais 20 pontos-base. Esses potenciais usos do swap pela Intel e pela Microsoft estão ilustrados na Figura 6.2.

Swap para transformar ativo

Swaps também podem ser utilizados para modificar a natureza do ativo. Considere a Microsoft. O swap permite transformar o ativo que paga taxa prefixada em ativo que paga taxas flutuantes. Suponha que a Microsoft possua US$100 milhões em bônus que renderão juros de 4,7% ao ano pelos próximos três anos. Depois de realizar swap, terá três conjuntos de fluxos de caixa:

- recebe 4,7% do bônus;
- recebe Libor sob os termos do swap;
- paga 5% sob os termos do swap.

Esses três conjuntos de fluxos de caixa produzirão resultado líquido de Libor menos 30 pontos-base. Assim, um possível uso do swap pela Microsoft é transformar o ativo que rende 4,7% em ativo que renderá Libor menos 30 pontos-base.

Considere agora a Intel. O swap poderia transformar o ativo que rende taxas flutuantes em ativo que paga taxa prefixada. Suponha que a Intel tenha investimento de US$100 milhões que rende Libor menos 25 pontos-base. Depois de realizar o swap, terá três conjuntos de fluxos de caixa:

- recebe Libor menos 25 pontos-base no investimento;
- paga Libor sob os termos do swap;
- recebe 5% sob os termos do swap.

Esses três conjuntos de fluxos de caixa produzirão recebimento líquido de 4,75%. Dessa forma, um possível uso do swap para a Intel é transformar o ativo que rende Libor menos 25 pontos-base em ativo que rende 4,75%. Esses potenciais usos do swap são ilustrados na Figura 6.3.

Figura 6.2 – Uso de swap para transformar passivos da Microsoft e Intel

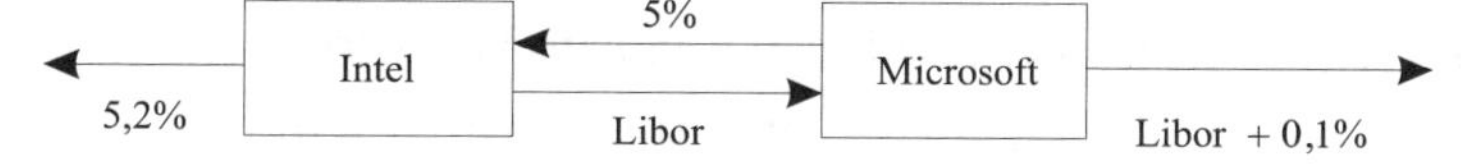

Figura 6.3 – Uso de swap para transformar ativos da Microsoft e Intel

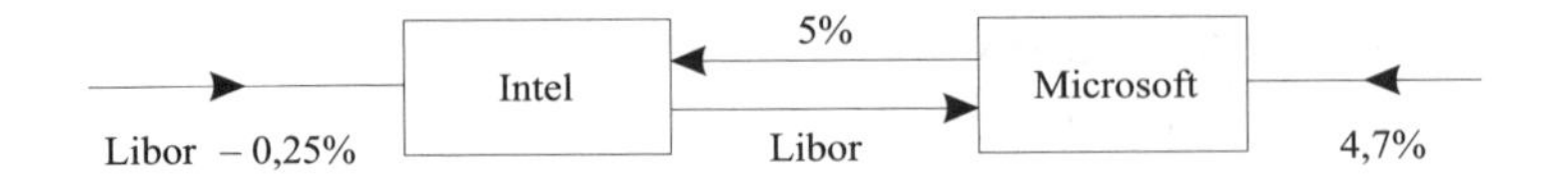

O papel do intermediário financeiro

Em geral, duas companhias não-financeiras como Intel e Microsoft não entram em contato diretamente para negociar o swap como indicado nas Figuras 6.2 e 6.3. Cada uma delas negocia com intermediários, como banco ou outra instituição financeira. Os swaps de taxas de juro *fixed-for-floating* nos Estados Unidos são estruturados de modo que a instituição financeira ganhe em torno de três ou quatro pontos-base (0,03 a 0,04%) em um par de transações que se compensam.

Figura 6.4 – Swap de taxa de juro da Figura 6.2 com intermediário financeiro

Figura 6.5 – Swap de taxa de juro da Figura 6.3 com intermediário financeiro

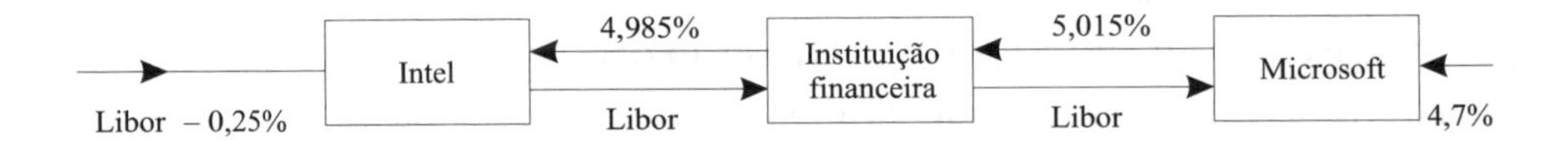

A Figura 6.4 mostra qual papel a instituição financeira pode ter na situação da Figura 6.2. Faz dois swaps que se compensam, um com a Microsoft e outro com a Intel. Assumindo-se que não haverá *default* de nenhuma das partes, a instituição financeira tem certeza de lucrar 0,03% (três pontos-base) por ano multiplicado pelo *notional principal* de US$100 milhões (isso soma US$30.000 por ano para o período de três anos). A Microsoft tem custo de empréstimo de 5,115% (em vez de 5,1%, como na Figura 6.2). A Intel tem custo pelo empréstimo de Libor mais 21,5 pontos-base (em vez de Libor mais 20 pontos-base, como na Figura 6.2).

A Figura 6.5 ilustra o papel da instituição financeira na situação da Figura 6.3. Relembrando, a instituição financeira tem certeza de que terá lucro de três pontos-base se nenhuma companhia ficar inadimplente no swap. A Microsoft acaba ganhando Libor menos 31,5 pontos-base (em vez de Libor menos 30 pontos-base, como na Figura 6.3) e a Intel, 4,735% (em vez de 4,75% como na Figura 6.3).

Note que, em cada caso, a instituição financeira tem dois contratos separados: um com a Intel e outro com a Microsoft. Na maioria das vezes, a Intel não vai ficar sabendo se a instituição financeira negociou um contrato contrário com a Microsoft e vice-versa. Se uma das companhias ficar inadimplente, a instituição financeira tem de honrar o contrato com a outra contraparte. O *spread* de três pontos-base auferido pela instituição financeira é sua remuneração por carregar o risco de inadimplência.

Posições de swap [*warehousing*]

Na prática, é pouco provável que duas companhias contatem a mesma instituição financeira no mesmo momento e desejem tomar posições opostas no mesmo swap. Por essa razão, muitas instituições financeiras grandes estão preparadas para tomar posições de swap de seus clientes sem ter uma contraparte para tomar swap na ponta contrária permitindo a compensação do risco. Essa prática é denominada *warehousing*. A instituição financeira deve cuidadosamente quantificar e *hedgear* o risco que está assumindo. Para isso, pode utilizar o mercado de bônus, os *forward rate agreements* e os futuros de taxas de juro. A forma como as instituições financeiras atuam nesse mercado como *market makers* e oferecem cotações no mercado de swaps será discutida mais adiante neste capítulo.

Convenção de contagem de dias

A convenção de contagem de dias, discutida na seção 5.8, afeta os pagamentos em swap e alguns dos números calculados no exemplo dado não refletem exatamente essas convenções. Considere, por exemplo, os pagamentos pela Libor de seis meses na Tabela 6.1. Como a Libor é uma taxa de juro do mercado monetário, normalmente é cotada na base efetivo/360. O primeiro pagamento flutuante na Tabela 6.1, baseado na taxa Libor de 4,2%, é mostrado como US$2,10 milhões. Devido ao fato de que há 184 dias entre 5 de março de 2001 e 5 de setembro de 2001, este deveria ser:

$$100 \times 0,042 \times \frac{184}{360} = \text{US\$2,1467 milhões}$$

Em geral, o fluxo de caixa baseado na taxa Libor é calculado, na data de pagamento de swap, como $LRn/360$, onde L é o principal, R é a taxa Libor em questão e n é o número de dias desde o último pagamento.

A taxa prefixada paga em operação de swap é similarmente cotada considerando-se uma base particular de contagem de dias. Como resultado, os pagamentos fixos podem não ser exatamente iguais em todas as datas de pagamento. A taxa fixa, em geral, é cotada com a convenção efetivo/365 ou 30/360. Não é, portanto, diretamente comparada com a Libor, porque se aplica a um ano inteiro. Para haver comparação, ou a taxa Libor de seis meses deve ser multiplicada por 365/360 ou a taxa fixa deve ser multiplicada por 360/365.

Para facilitar a exposição, são ignorados os conceitos sobre contagem de dias nos exemplos constantes no restante deste capítulo.

Confirmações

A confirmação é o acordo legal que fundamenta o swap. É assinada pelos representantes das duas partes. A Tabela 6.3 pode ser vista como um extrato dessa confirmação entre a Microsoft e a Intel. Um esboço dessas confirmações tem sido facilitado por meio do trabalho da International Swaps and Derivatives Association (ISDA) em Nova Iorque. Essa organização produziu um número de *Master Agreements*, cláusulas que definem em detalhes a terminologia empregada nos acordos de swap e o que acontece na eventualidade de inadimplência de qualquer dos lados etc. Certamente, a confirmação final para o swap na Tabela 6.3 requereria que as regras do *Master Agreement* da ISDA se aplicassem ao contrato.

Tabela 6.3 – Extrato de confirmação de swap *plain vanilla* entre Microsoft e Intel

Data do negócio	27/2/2001
Data efetiva	5/3/2001
Convenção de dias úteis (todas as datas)	dia útil seguinte
Calendário de feriados	EUA
Data de término	5/3/2006
Valores fixos	
Pagador dos valores fixos	Microsoft
Principal (*notional*)	US$100 milhões
Taxa fixa	5% ao ano
Convenção de contagem de dias	efetivo/365
Datas de pagamento	sempre em 5/3 e 5/9, começando em 5/9/2001 até, e inclusive, 5/3/2006
Valores flutuantes	
Pagador dos valores flutuantes	Intel
Principal (*notional*)	US$100 milhões
Taxa flutuante	Libor de seis meses
Convenção de contagem de dias	efetivo/360
Datas de pagamento	sempre em 5/3 e 5/9, começando em 5/9/2001 até, e inclusive, 5/3/2006

A Tabela 6.3 especifica que o swap se regerá pelo calendário norte-americano e pela convenção de contagem de dias denominada dia útil seguinte [*following business day convention*]. O calendário norte-americano determina os dias úteis e os feriados. A convenção utilizada determina que, se uma data de pagamento cair no fim de semana ou em feriado, o pagamento será realizado no dia útil seguinte[2]. No exemplo da Tabela 6.3,

---

[2] Outra convenção de contagem de dias às vezes especificadas nos contratos é a *modified following business day*. Esta é idêntica à *following business day convention* a não ser pelo fato de que, quando o próximo dia útil cair em um mês diferente do mês especificado, o pagamento deve ser realizado no dia útil imediatamente precedente. As convenções *preceding business day* e *modified business day* são definidas de forma análoga.

o dia 5 de setembro de 2004 é um domingo. Conseqüentemente, o pagamento relativo a essa data será em 6 de setembro de 2004.

6.2 TEORIA DA VANTAGEM COMPARATIVA

Uma explicação comumente utilizada para justificar a popularidade do swap diz respeito às vantagens comparativas. Considere o uso de swap de taxa de juro para transformar um passivo. Algumas companhias, argumenta-se, têm vantagens comparativas quando tomam empréstimos a taxas prefixadas, enquanto outras quando tomam empréstimos a taxas flutuantes. Para obter novo empréstimo, faz sentido a companhia tomá-lo no mercado no qual tenha vantagens. Como resultado, a companhia pode tomar empréstimo a taxas fixas quando deseja empréstimo a taxas flutuantes ou o contrário. O swap é utilizado para transformar o empréstimo a taxas fixas em empréstimo a taxas flutuantes e vice-versa.

Tabela 6.4 – Taxas de empréstimo que proporcionam base para a teoria da vantagem comparativa

	Fixa	Flutuante
AAACorp	10,0%	Libor de 6 meses + 0,3%
BBBCorp	11,2%	Libor de 6 meses + 1,0%

Ilustração

Suponha que as companhias AAACorp e a BBBCorp desejem tomar US$10 milhões emprestados por cinco anos, sendo as taxas oferecidas aquelas da Tabela 6.4. A AAACorp tem classificação de crédito [*rating*] AAA, enquanto a classificação da BBBCorp é BBB. Assuma que a BBBCorp deseje tomar emprestado à taxa de juro prefixada, enquanto a AAACorp queira tomar emprestado à taxa de juro flutuante relacionada à Libor de seis meses. A BBBCorp paga taxa de juro mais alta, tanto para os empréstimos à taxa fixa quanto à taxa flutuante em face de sua pior classificação de crédito.

Um aspecto relevante a ser observado nas taxas oferecidas às companhias é que a diferença entre as taxas fixas é maior que a diferença entre as flutuantes. A BBBCorp paga 1,2% mais que a AAACorp nos mercados de taxas fixas e apenas 0,7% mais que a AAACorp nos mercados de taxas flutuantes. Assim a BBBCorp parece ter vantagem comparativa nos mercados de taxas flutuantes, enquanto a AAACorp parece ter vantagem comparativa nos mercados de taxa fixa[3]. Isso é uma aparente anomalia, que pode fazer

[3] Note que a vantagem comparativa da BBBCorp no mercado de taxa flutuante não significa que pague menos que a AAACorp nesse mercado. Indica que o que a BBBCorp paga a mais que a AAACorp é menor nesse mercado. Um dos meus alunos resumiu essa situação dizendo: "A AAACorp paga mais menos no mercado de taxa fixa; a BBBCorp paga menos mais no mercado de taxa flutuante".

que o swap seja negociado. A AAACorp toma empréstimo a 10% ao ano. A BBBCorp toma empréstimo à taxa flutuante de Libor mais 1% ao ano. Assim, negociam um contrato de swap que permitirá que a AAACorp tenha empréstimo com taxa flutuante e a BBBCorp com taxa prefixada.

Para entender como o swap pode funcionar, suponha que a AAACorp e a BBBCorp entrem em contato entre si diretamente. O tipo de swap que podem negociar é mostrado na Figura 6.6. Essa operação é bastante similar ao exemplo apresentado na Figura 6.2. A AAACorp concorda em pagar à BBBCorp juros apurados à Libor de seis meses sobre US$10 milhões. Em compensação, a BBBCorp concorda em pagar à AAACorp juros de 9,95% ao ano sobre US$10 milhões.

A AAACorp tem três conjuntos de fluxos de caixa:

- paga 10% ao ano pelo empréstimo;
- recebe 9,95% ao ano da BBBCorp;
- paga Libor à BBBCorp.

O efeito líquido dos três fluxos de caixa é que a AAACorp paga Libor mais 0,05% ao ano.Essa taxa é 0,25% ao ano menor que pagaria se fosse diretamente ao mercado de taxas flutuantes. A BBBCorp tem três conjuntos de fluxos de caixa:

- paga Libor mais 1% ao ano pelo empréstimo;
- recebe Libor da AAACorp;
- paga 9,95% ao ano para a AAACorp.

O efeito líquido dos três conjuntos de fluxo de caixa é que a BBBCorp paga 10,95% ao ano. Essa taxa é 0,25% ao ano menor que pagaria se fosse diretamente ao mercado de taxas fixas.

Figura 6.6 – Swap entre AAACorp e BBBCorp com taxas da Tabela 6.4

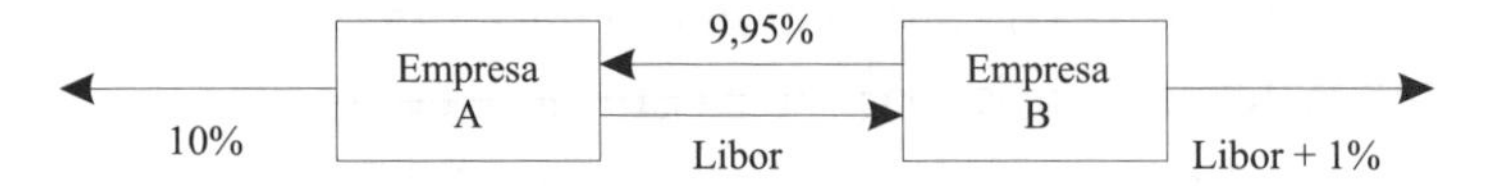

Figura 6.7 – Swap entre AAACorp e BBBCorp com as taxas da Tabela 6.4 e intermediário

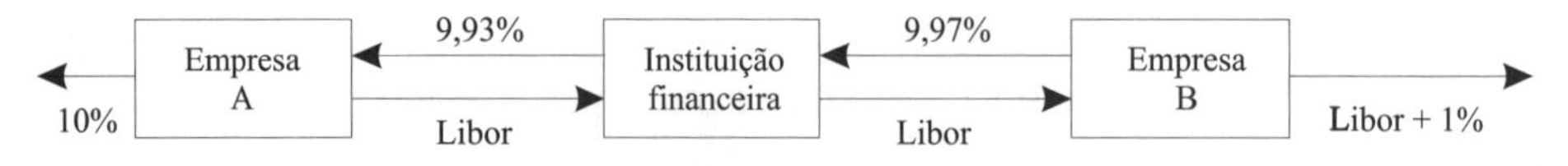

Os negócios com swap parecem melhorar a posição de ambas as companhias em 0,25% ao ano. O ganho total, portanto, é 0,5% ao ano. Pode ser demonstrado que o aparente ganho total nesse tipo de swap de taxa de juro é sempre $a - b$, onde a é a diferença entre as taxas de juro oferecidas às duas companhias no mercado de taxas fixas e b é diferença entre as taxas de juro oferecidas às companhias no mercado de taxas flutuantes. Nesse caso, $a = 1{,}2\%$ e $b = 0{,}70\%$.

Quando as companhias não negociam diretamente e utilizam uma instituição financeira, a negociação mostrada na Figura 6.7 pode ser realizada (é uma situação bastante similar ao exemplo da Figura 6.4). Nesse caso, a AAACorp toma empréstimo à Libor + 0,07%, a BBBCorp toma empréstimo a 10,97% e a instituição financeira ganha *spread* de quatro pontos-base por ano. O ganho da AAACorp é 0,23%, da BBBCorp é 0,23% e da instituição financeira é 0,04%. O ganho total das três partes é 0,5% como antes. A Tabela 6.5 traz esse exemplo.

Crítica à teoria da vantagem comparativa

A teoria da vantagem comparativa, descrita para explicar a atratividade do mercado de swap de taxa de juro, está aberta a questionamentos. Por que os *spreads* entre as taxas oferecidas a AAACorp e BBBCorp são diferentes nos mercados de taxas fixas e flutuantes? Como o mercado de swap já existe há algum tempo, seria de se esperar que esses diferenciais de taxas fossem de alguma forma arbitrados.

A razão pela qual os diferenciais de *spread* existem deve-se à natureza dos contratos disponíveis nos mercados de taxa fixa e flutuante. As taxas de 10,0% e 11,2% disponíveis a AAACorp e BBBCorp no mercado de taxas fixas são para taxas de cinco anos (por exemplo, as taxas com quais as companhias poderiam emitir bônus de cinco anos com taxas fixas). As taxas Libor + 0,3% e Libor + 1,0% disponíveis a AAACorp e BBBCorp no mercado de taxas flutuantes são taxas para seis meses. No mercado de taxas flutuantes, o emprestador, em geral, tem oportunidade de rever as taxas flutuantes a cada seis meses. Se a capacidade de crédito da AAACorp e da BBBCorp tiver caído, terá a opção de aumentar o *spread* sobre a Libor a ser cobrado. Em circunstâncias extremas, pode até mesmo recusar a rolar o empréstimo. Já os emprestadores de fundos a taxas fixas não têm a alternativa de modificar os termos do empréstimo dessa maneira[4].

Os *spreads* entre as taxas oferecidas a AAACorp e BBBCorp refletem maior probabilidade de inadimplência da BBBCorp em relação a AAACorp. Durante os próximos seis meses, há pouca chance de que uma ou outra venham a se tornar inadimplentes. Como será visto adiante, as estatísticas mostram que a probabilidade de inadimplência por uma companhia com baixa classificação de crédito (como BBBCorp) aumenta mais rapidamente do que para uma companhia com classificação de crédito alta (como AAACorp). Isso explica por que o *spread* é maior para as taxas de cinco anos que para as taxas de seis meses.

---

[4] Se o empréstimo em taxa flutuante for estruturado de tal forma que o *spread* sobre a Libor seja estabelecido antecipadamente, independentemente das variações no *rating* de crédito, na prática, a vantagem comparativa será muito pequena ou mesmo inexistente.

Tabela 6.5 – Negociação de swap de taxa de juro com base em aparente vantagem comparativa

Da mesa de operações

AAACorp e BBBCorp desejam, ambas, tomar US$10 milhões por empréstimo por cinco anos. AAACorp quer empréstimo a taxas flutuantes relacionadas a Libor de seis meses. BBBCorp quer empréstimo à taxa fixa. Essas companhias têm diferentes ofertas conforme dados abaixo:

	Fixa	Flutuante
AAACorp	10,0%	Libor de 6 meses + 0,3%
BBBCorp	11,2%	Libor de 6 meses + 1,0%

Estratégia

- AAACorp toma emprestado a 10% ao ano.
- BBBCorp toma emprestado a Libor + 1% ao ano.
- As empresas negociam um contrato de swap.

Swap sem intermediário

A negociação do swap é mostrada na Figura 6.6. AAACorp concorda em pagar a BBBCorp a Libor de seis meses sobre US$10 milhões. Em compensação, BBBCorp concorda em pagar a AAACorp 9,95% ao ano sobre US$10 milhões. O resultado líquido é que AAACorp toma empréstimo a Libor + 0,05% e a BBBCorp toma empréstimo a 10,95%. O swap melhora o resultado de ambos os lados em 0,25% ao ano.

Swap com intermediário

A negociação do swap é mostrada na Figura 6.7. Tanto AAACorp quanto BBBCorp negociam swap com intermediário financeiro. AAACorp tem custo de empréstimo de Libor + 0,07% ao ano e BBBCorp de 10,97% ao ano, enquanto o intermediário obtém *spread* de 0,04% ao ano. O swap melhorou o custo de empréstimo de ambas as companhias em 0,23% ao ano.

Depois de negociar empréstimo à taxa flutuante Libor + 1,0% e ter tomado o swap mostrado na Figura 6.7, BBBCorp obtém empréstimo equivalente à taxa de 10,97%. Os argumentos mencionados mostram que, na verdade, isso não acontece dessa forma. Na prática, a taxa paga será 10,97% apenas se BBBCorp puder continuar a tomar empréstimos a taxas flutuantes com *spread* de 1,0% sobre a Libor. Se, por exemplo, a classificação de crédito da BBBCorp cair e só puder rolar o empréstimo a Libor + 2,0%, a taxa paga subirá para 11,97%. Dado que é mais provável que aumente o *spread* sobre a Libor de seis meses para a BBBCorp em vez de cair, a taxa média esperada para os empréstimos, considerando-se a realização de swaps, é maior que 10,97%.

O swap da Figura 6.7 trava o custo de Libor + 0,07% para AAACorp para o período dos próximos cinco anos e não apenas para os próximos seis meses. Parece ser um bom negócio para a AAACorp. O lado ruim é que a companhia carrega o risco de inadimplência pela instituição financeira. Se tivesse tomado o empréstimo a taxas flutuantes pelos caminhos normais esse risco não existiria.

6.3 COTAÇÕES DE SWAP E TAXAS LIBOR ZERO

Voltemos ao swap de taxas de juro da Figura 6.1. Mostrou-se, na Tabela 6.2, que pode ser caracterizado como a diferença entre dois bônus. Embora o principal não seja trocado, pode-se assumir sem qualquer mudança no valor do swap que, no fim do contrato, a Intel paga à Microsoft o principal de US$100 milhões e a Microsoft paga à Intel o mesmo principal *notional*. Portanto, o swap equivale a uma negociação em que:

- a Microsoft emprestou à Intel US$100 milhões à Libor de seis meses;
- a Intel emprestou à Microsoft US$100 milhões à taxa de 5% ao ano.

É como dizer que a Microsoft comprou US$100 milhões de bônus da Intel com juros flutuantes (Libor) e vendeu à Intel US$100 milhões com taxa prefixada (5% ao ano). O valor do swap para a Microsoft é a diferença entre os valores dos dois bônus. Seja:
B_{fix} = valor do bônus a taxa fixa subjacente ao swap;
B_{fl} = valor do bônus a taxa flutuante subjacente ao swap.

O valor do swap para a companhia que recebe taxa flutuante e paga taxa fixa (a Microsoft no exemplo) é:

$$V_{\text{swap}} = B_{\text{fl}} - B_{\text{fix}} \tag{6.1}$$

Taxas de swap

Muitas instituições financeiras grandes são *market makers* no mercado de swap. Isso significa que estão preparadas para cotar, para várias maturidades e em diferentes moedas, ofertas de compra e venda [*bid and offer*] à taxa fixa que trocam por taxa flutuante.

Bid é a taxa fixa pela qual o *market maker* pagará valores fixos e receberá valores flutuantes; *offer* é a taxa fixa pela qual o *market maker* receberá valores fixos e pagará valores flutuantes. A Tabela 6.6 mostra cotações típicas para swaps *plain vanilla* denominados em dólares norte-americanos. Como mencionado, o *spread bid-offer* varia de três ou quatro pontos-base. A média entre as taxas fixas *bid* e *offer* é conhecida como a taxa de swap, expressa na coluna final da Tabela 6.6.

Considere novo swap em que a taxa fixa é igual à taxa do swap. Pode-se assumir que o valor desse swap seja zero (por que o *market maker* escolheria estabelecer cotações *bid* e *offer* centradas em torno da taxa de swap?). Da equação (6.1), tem-se:

$$B_{\text{fix}} = B_{\text{fl}} \tag{6.2}$$

Como mencionado na seção 5.1, bancos e outras instituições financeiras descontam fluxos de caixa do mercado de balcão a taxas de juro Libor. O bônus com taxa flutuante, subjacente ao swap, paga Libor. Como resultado, o valor desse bônus, B_{fl}, é igual ao principal *notional* do swap. Da equação (6.2), observa-se que o valor do bônus de taxa prefixada subjacente ao swap, B_{fix}, também é igual ao principal *notional* do swap. A taxa de swap é, portanto, a Libor *par yield*. É a taxa de cupom do bônus, que paga Libor, que faz que este seja avaliado ao par.

Tabela 6.6 – *Bid* e *offer* de taxas fixas para swap e taxas de swap (% ao ano)

Maturidade (anos)	*Bid*	*Offer*	Taxa de swap
2	6,03	6,06	6,045
3	6,21	6,24	6,225
4	6,35	6,39	6,37
5	6,47	6,51	6,490
7	6,65	6,68	6,665
10	6,83	6,87	6,85

Nota: os pagamentos são trocados semestralmente.

Determinação da *zero curve* da Libor

Na seção 5.11, mostrou-se como os futuros de eurodólar podem ser utilizados para determinar as taxas Libor zero. As taxas de swap também desempenham importante papel na determinação das taxas Libor zero. Como mencionado, elas definem uma série de bônus que pagam a Libor *par yield*. Essas taxas podem ser utilizadas para, por meio de *bootstrap*, derivar a *zero curve* da Libor da mesma maneira que os bônus do Tesouro são utilizados para derivação da *zero curve* das taxas do Tesouro por meio de *bootstrap* (veja a seção 5.4).

Exemplo

Suponha que a *zero curve* da Libor já tenha sido calculada para 1,5 ano (usando as taxas Libor spot e os futuros de eurodólar) e que taxas de swap da Tabela 6.6 serão utilizadas para estender a curva. As taxas zero para 6 meses, 1 ano e 1,5 ano são, respectivamente, 5,5%; 5,75%; e 5,9% ao ano com capitalização contínua. Uma vez que os swaps da Tabela 6.6 envolvem fluxos de caixa semestrais, primeiramente é necessário interpolar as taxas de swap para obter taxas para os intervalos de 0,5 ano entre os anos fechados. A taxa de swap para 2,5 anos é 6,135%, a de 3,5 anos, 6,2975% e assim por diante. Feito isso, emprega-se o método de *bootstrap* descrito na seção 5.4. Dado que a taxa de swap para dois anos é a *par yield* de dois anos, o bônus de dois anos que paga cupom semestral de 6,045% ao ano deve ser negociado ao par, de forma que:

$$3,0225e^{-0,055\times 0,5}+3,0225e^{-0,0575\times 1,0}+3,0225e^{-0,059\times 1,5}+103,0225e^{-2R}=100$$

onde R é a taxa zero para dois anos. A solução produz $R = 5{,}9636\%$. Similarmente, o bônus de 2,5 anos que paga cupom semestral de 6,135% deve ser negociado ao par de tal modo que:

$$3{,}0675e^{-0{,}055\times 0{,}5} + 3{,}0675e^{-0{,}0575\times 1{,}0} + 3{,}0675e^{-0{,}059\times 1{,}5} + 3{,}0675e^{-0{,}059636\times 2{,}0} + 103{,}0675e^{-2{,}5R} = 100$$

onde R é a taxa zero para dois anos e meio. A solução dá o valor para $R = 6{,}0549\%$.

Continuando nesse processo, pode-se obter a estrutura a termo completa. As taxas zero para 3, 4, 5, 7 e 10 anos são, respectivamente, 6,1475%, 6,2986%, 6,4265%, 6,6189% e 6,8355%.

Nos Estados Unidos, as taxas Libor spot são utilizadas para definir a *zero curve* da Libor para maturidades de até um ano. Os futuros de eurodólar são empregados para maturidades entre um e dois anos – e algumas vezes para maturidades de até cinco anos. As taxas de swap são utilizadas para calcular a *zero curve* para maturidades mais longas. Um procedimento similar é utilizado para determinar as taxas Libor zero em outros países. Por exemplo, as taxas Libor zero em francos suíços são determinadas a partir das taxas Libor spot em francos suíços, dos futuros de eurosuíços com maturidade de três meses e das taxas de swap em francos suíços.

6.4 APREÇAMENTO DE SWAP DE TAXAS DE JURO

O valor de um swap de taxa de juro é zero ou próximo a zero quando é negociado. Depois de algum tempo, seu valor pode tornar-se positivo ou negativo. Para calcular o valor de um swap, pode-se considerá-lo uma posição longa em um bônus combinada com uma posição *short* em outro bônus ou como portfólio de FRA. Em ambos os casos, são utilizadas as taxas Libor zero para fazer o desconto.

Determinação de preços de bônus

Na equação (6.1), observou-se que no swap em que se recebem pagamentos flutuantes e se pagam valores fixos:

$$V_{\text{swap}} = B_{\text{fl}} - B_{\text{fix}}$$

Na seção 6.3, essa equação foi utilizada para demonstrar que B_{fix} é igual ao principal *notional* do swap em seu início. Agora, será empregada para apreçar o swap algum tempo depois de sua contratação. Seja:

t_i = tempo até a troca do i-ésimo pagamento ($1 \leq i \leq n$);
L = principal *notional* do contrato de swap;
r_i = taxa Libor zero correspondente à maturidade t_i;
k = pagamento fixo realizado em cada data de pagamento.

O bônus com taxa prefixada, B_{fix}, pode ser apreçado como na seção 5.3. Os fluxos de caixa do bônus são k no momento t_i ($1 \leq i \leq n$) e L no momento t_n. Assim:

$$B_{fix} = \sum_{i=1}^{n} ke^{-r_i t_i} + Le^{-r_n t_n}$$

Considere, agora, o título com taxa flutuante. Imediatamente após a data de pagamento, este se torna idêntico ao novo bônus com taxa flutuante. Dessa forma, $B_{fl} = L$ imediatamente após a data de pagamento. Entre as datas de pagamento, supõe-se que B_{fl} e L sejam iguais nas datas de pagamento. Assim, desenvolve-se o seguinte raciocínio: imediatamente antes do próximo pagamento $B_{fl} = L + k^*$, onde k^* é o pagamento (já conhecido) que será realizado na próxima data de pagamento. Em nossa notação, o tempo até o próximo pagamento é t_1. O valor do swap hoje é seu valor imediatamente antes do próximo pagamento descontado à taxa r_1 para a data t_1:

$$B_{fl} = \left(L + k^*\right) e^{-r_1 t_1}$$

Na situação em que a companhia está recebendo pagamentos fixos e pagando valores flutuantes, B_{fix} e B_{fl} são calculados da mesma maneira. A equação (6.1) torna-se:

$$V_{swap} = B_{fix} - B_{fl} \quad (6.3)$$

Exemplo

Suponha que, sob os termos de um contrato de swap, a instituição financeira concordou em pagar Libor de seis meses e receber 8% ao ano (capitalização semestral) sobre o principal *notional* de US$100 milhões. O swap tem prazo remanescente de 1,25 ano. As taxas Libor com capitalização contínua para três meses, nove meses e 15 meses são de 10%; 10,5% e 11%, respectivamente. A taxa Libor de seis meses no último pagamento realizado foi de 10,2% (capitalização semestral). Nesse caso, k = US$4 milhões e k^* = US$5,1 milhões, de tal forma que:

$$B_{fix} = 4e^{-0,1\times3/12} + 4e^{-0,105\times9/12} + 104e^{-0,11\times15/12} = \text{US\$98,24 milhões}$$

$$B_{fl} = 5,1e^{-0,1\times3/12} + 100e^{-0,1\times3/12} = \text{US\$102,51 milhões}$$

Logo, o valor do swap é:

$$98{,}24 - 102{,}51 = -\,\text{US\$}4{,}27 \text{ milhões}$$

Para o banco que está na posição oposta, ou seja, pagando valores fixos e recebendo valores flutuantes, o valor do swap é de US$4,27 milhões. Note que um cálculo mais preciso teria de considerar a convenção de contagem de dias efetivo/360 para efeito de determinação de k^*.

Apreçamento de *forward rate agreements*

No capítulo 5, foram introduzidos os *forward rate agreements* (FRA). São contratos que prevêem a aplicação de determinada taxa de juro a determinado principal *notional* para determinado período no futuro. Na seção 5.6, mostrou-se que o FRA pode ser caracterizado como um contrato em que o juro a uma taxa predeterminada é trocado pelo juro a uma taxa de mercado para o período em questão. Isso indica que o swap de taxa de juro nada mais é que a carteira de *forward rate agreements*.

Considere novamente o contrato de swap entre a Intel e a Microsoft na Figura 6.1. Como ilustrado na Tabela 6.1, a Microsoft compromete-se a realizar seis trocas de fluxo de caixa. Os valores da primeira troca são conhecidos no momento em que o swap é negociado. As outras cinco trocas podem ser consideradas FRAs. A troca de 5 de março de 2002 é o FRA em que os juros apurados a 5% são trocados por juros a uma taxa para seis meses observada no mercado em 5 de setembro de 2001; a troca em 5 de setembro de 2002 corresponde ao FRA em que os juros apurados a 5% são trocados por juros apurados a uma taxa para seis meses observada no mercado em 5 de março de 2002; e assim por diante.

Como visto na seção 5.6, o FRA pode ser apreçado quando as taxas de juro forward são observáveis. Devido ao fato de que se trata de portfólio de FRAs, o swap de taxa de juro *plain vanilla* pode também ser apreçado quando as taxas de juro são observáveis. O procedimento é como se segue:

- calcular as taxas forward para cada uma das taxas Libor que são utilizadas para apurar os fluxos de caixa do swap;
- calcular os fluxos de caixa do swap, supondo-se que as taxas Libor sejam iguais às taxas forward;
- estabelecer o valor do swap igual ao valor presente desses fluxos de caixa.

Exemplo

Considere novamente a situação do exemplo anterior. Os fluxos que serão trocados em três meses já foram determinados. A taxa de 8% será trocada por 10,2%. O valor da troca para a instituição financeira é:

$$0,5 \times 100 \times (0,08 - 0,102) e^{-0,1 \times 3/12} = -1,07$$

Para calcular o valor da troca em nove meses, deve-se, primeiramente, calcular a taxa forward correspondente para o período entre três e nove meses. Da equação (5.1), essa taxa é:

$$\frac{0,105 \times 0,75 - 0,10 \times 0,25}{0,5} = 0,1075$$

ou 10,75% com capitalização contínua. Pela equação (3.4), essa taxa, com capitalização semestral, torna-se 11,044%. Portanto, o valor correspondente para a troca em nove meses é:

$$0,5 \times 100 \times (0,08 - 0,11044) e^{-0,105 \times 9/12} = -1,41$$

Para calcular o valor da troca em 15 meses, deve-se, primeiramente, calcular a taxa forward correspondente ao período entre nove e 15 meses. Pela equação (5.1), essa taxa é:

$$\frac{0,11 \times 1,25 - 0,105 \times 0,75}{0,5} = 0,1175$$

ou 11,75% com capitalização contínua. Pela equação (3.4), essa taxa torna-se 12,102%, com capitalização semestral. O valor do FRA correspondente à troca a ser realizada em 15 meses é:

$$0,5 \times 100 \times (0,08 - 0,12102) e^{-0,11 \times 15/12} = -1,79$$

O valor total do swap é:

$$-1,07 - 1,41 - 1,79 = -4,27$$

ou –US$4,27 milhões. É o mesmo valor apurado anteriormente na avaliação de preços dos bônus.

Como mencionado, a taxa fixa no swap de taxa de juro é escolhida de tal modo que o valor inicial do swap seja zero. Isso significa que a soma dos FRAs subjacentes ao swap seja igual a zero. Mas não quer dizer que o valor de cada FRA individualmente seja zero. Em geral, alguns FRAs terão valores positivos e outros, valores negativos.

Considere os FRAs subjacentes ao swap realizado entre a instituição financeira e a Microsoft na Figura 6.4:

valor do FRA para a instituição < 0 quando a taxa de juro forward > 5,015%
valor do FRA para a instituição = 0 quando a taxa de juro forward = 5,015%
valor do FRA para a instituição > 0 quando a taxa de juro forward < 5,015%

Suponha que a estrutura a termo de taxas de juro seja positivamente inclinada no momento em que o swap é negociado. Isso significa que as taxas de juro forward aumentam à medida que as maturidades dos FRAs aumentam. Dado que a soma dos valores dos FRAs é zero, a taxa de juro forward deve ser menor que 5,015% para os pagamentos mais próximos e maior que 5,015% para os pagamentos mais distantes.

Figura 6.8 – Valor do contrato forward subjacente ao swap em função da maturidade

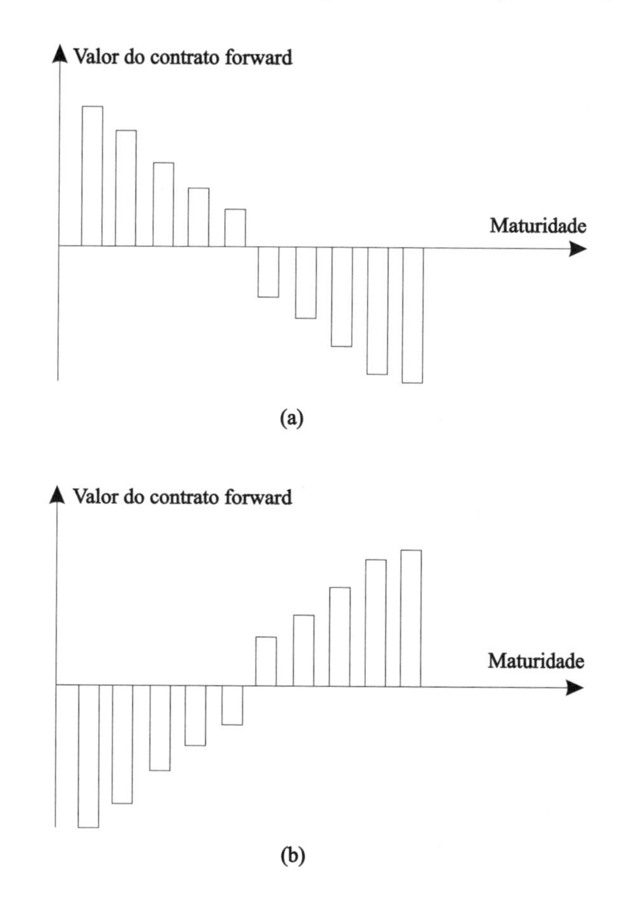

Nota: em (a) a curva de rendimento tem inclinação positiva e recebemos valores fixos; ou a curva de rendimento tem inclinação negativa e recebemos valores flutuantes. Em (b) a curva de rendimento tem inclinação positiva e recebemos valores flutuantes ou a curva de rendimento tem inclinação negativa e recebemos valores fixos.

Os valores dos FRAs mais próximos para a instituição financeira são positivos, enquanto os valores dos FRAs mais distantes são negativos. Se a estrutura a termo é negativamente inclinada no momento em que o swap é negociado, o inverso ocorre. O impacto do formato da estrutura a termo das taxas de juro nos valores dos FRAs subjacentes ao swap está resumido na Figura 6.8.

6.5 SWAP DE MOEDAS

Outro tipo de swap bastante conhecido é o *swap de moedas*. Em sua forma mais simples, esse swap envolve a troca de principal e juros em uma moeda por principal mais juros em outra moeda.

Figura 6.9 – Swap de moedas

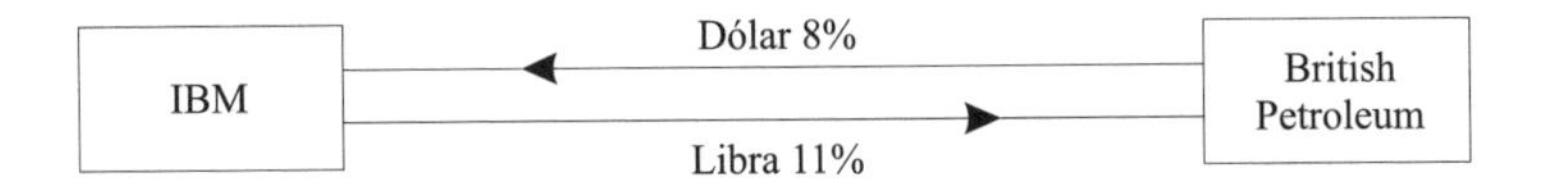

Ilustração

Considere o contrato de swap de moeda hipotético de cinco anos, firmado entre IBM e British Petroleum no dia 1° de fevereiro de 2001. Supõe-se que a IBM pague a taxa de juro prefixada de 11% em libras e receba a taxa de juro prefixada de 8% em dólares da British Petroleum. Os pagamentos de juros são feitos uma vez por ano, sendo os valores de principal de US$15 milhões e £10 milhões. Um contrato como esse é denominado contrato de swap de moeda *fixed-for-fixed* porque as taxas de juro em ambas as moedas são fixas ou prefixadas. O swap está mostrado na Figura 6.9. Inicialmente, os valores de principal fluem na direção oposta às setas. Os pagamentos de juros durante a vida do swap e o pagamento final do principal fluem na mesma direção das setas. Assim, no início do swap, a IBM paga US$15 milhões e recebe £10 milhões. A cada ano durante a vida do contrato, a IBM recebe US$1,2 milhão (= 8% de US$15 milhões) e paga £1,1 milhão (= 11% de £10 milhões). No fim da vida do swap, paga o principal de £10 milhões e recebe o principal de US$15 milhões. Esses fluxos de caixa estão na Tabela 6.7.

Tabela 6.7 – Fluxos de caixa da IBM no swap de moeda

Data	Fluxo de caixa em US$ milhões	Fluxo de caixa em £ milhões
1°/2/2001	–15	+10
1°/2/2002	+1,2	–1,1
1°/2/2003	+1,2	–1,1
1°/2/2004	+1,2	–1,1
1°/2/2005	+1,2	–1,1
1°/2/2006	+16,2	–11,1

O contrato de swap de moeda requer que o principal seja especificado para cada uma das duas moedas. Os montantes de principal são normalmente trocados no começo e no fim da vida do swap. Em geral, os valores de principal são determinados de forma a serem iguais nas duas moedas com base na taxa de câmbio do momento em que o swap é iniciado.

Swap de moedas para transformar empréstimos e ativos

Um swap similar ao apresentado pode ser utilizado para transformar empréstimos tomados em uma moeda em empréstimos tomados em outra moeda. Suponha que a IBM possa emitir bônus denominados em dólares norte-americanos no valor de US$15 milhões pagando juros de 8%. O swap tem o efeito de transformar essa transação de tal forma que a IBM tem empréstimo de £10 milhões à taxa de 11%. A troca inicial do principal converte os recursos auferidos com a venda do bônus de dólares para libras. As trocas subseqüentes por força do swap têm o efeito de trocar ("swapar") os pagamentos de juros e principal de dólares para libras.

O swap também pode ser usado para transformar a natureza dos ativos. Suponha que a IBM possa investir £10 milhões no Reino Unido com rentabilidade de 11% ao ano para os próximos cinco anos, mas sente que a moeda norte-americana vai se fortalecer em relação à libra e prefere investimento denominado em dólares. O swap tem o efeito de transformar o investimento realizado no Reino Unido em investimento de US$15 milhões nos Estados Unidos, rendendo 8%.

Tabela 6.8 – Taxas de empréstimo como base para swap de moedas

	USD*	AUD*
General Motors	5%	12,6%
Qantas Airways	7%	13%

*As taxas cotadas foram ajustadas para refletir o impacto do diferencial de impostos.

Vantagem comparativa

Os swaps de moedas podem ser motivados pela vantagem comparativa. Para ilustrar esse conceito, considera-se um exemplo hipotético. Suponha que as taxas mostradas na Tabela 6.8 representem os custos para tomar empréstimos em dólares norte-americanos (USD) e dólares australianos (AUD) para a General Motors e para a Qantas Airways. Os dados mostram que as taxas em dólares australianos são mais altas. Adicionalmente, a General Motors possui melhor classificação de crédito que a Qantas Airways, uma vez que esta tem ofertas de taxas mais favoráveis em ambas as moedas. Do ponto de vista do operador de swap, o aspecto interessante da Tabela 6.8 é que os *spreads* entre as taxas pagas pela General Motors e Qantas Airways, nos dois mercados, são diferentes. A Qantas

Airways paga 2% a mais que a General Motors no mercado de dólares norte-americanos e apenas 0,4% a mais no mercado de dólares australianos.

Essa situação é análoga àquela da Tabela 6.4. A General Motors tem vantagem comparativa no mercado de dólares norte-americanos enquanto a Qantas Airways tem vantagem comparativa no mercado de dólares australianos. Na Tabela 6.4, em que se considerou um swap *plain vanilla* de taxa de juro, argumentou-se que as vantagens comparativas eram bastante ilusórias. Aqui, são comparadas as taxas oferecidas em duas moedas diferentes. É provável que as vantagens comparativas sejam importantes. Uma possível fonte para essa vantagem comparativa é a questão de impostos. A posição da General Motors pode ser tal que empréstimos em dólares norte-americanos a levem a custos com impostos menores relativos a sua receita mundial do que empréstimos em dólares australianos. Já a posição da Qantas Airways pode ser contrária (note que as taxas de juro da Tabela 6.8 foram ajustadas para refletir esses tipos de vantagens relativas aos impostos).

Suponha que a General Motors deseje tomar empréstimos em dólares australianos e a Qantas queira empréstimos em dólares norte-americanos. Isso cria uma situação perfeita para o swap de moeda. A General Motors e a Qantas Airways fazem seus empréstimos nos mercados em que têm vantagem comparativa, isto é, General Motors no mercado de dólares norte-americanos e a Qantas no mercado de dólares australianos. Depois, podem usar o swap de moeda para transformar o empréstimo da General Motors em empréstimo em dólares australianos e o empréstimo da Qantas em empréstimo em dólares norte-americanos.

Como já foi mencionado, a diferença entre as taxas de juro em dólares norte-americanos é de 2%, enquanto a diferença entre as taxas de juro em dólares australianos é de 0,4%. Por analogia com o swap de taxa de juro, espera-se que o ganho total de todas as partes seja 2,0 – 0,4 = 1,6% ao ano.

Há várias formas possíveis de se estruturar esse swap. A Figura 6.10 mostra como o swap pode ser intermediado por uma instituição financeira. A General Motors toma emprestado em US$ e a Qantas Airways toma emprestado em AUD.

Figura 6.10 – Swap de moeda motivado por vantagem comparativa

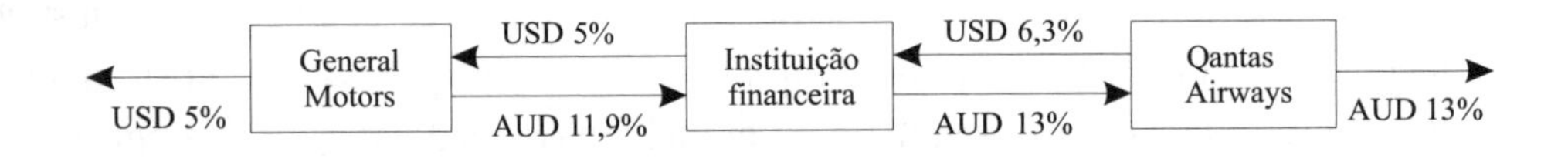

Figura 6.11 – Contrato alternativo para swap de moedas: Qantas Airways assume risco de taxa de câmbio

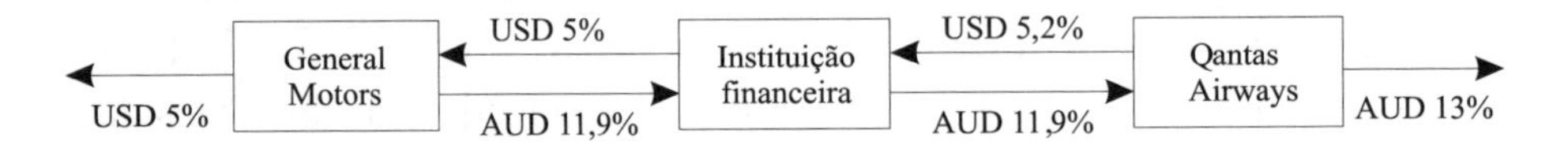

O efeito do swap é transformar a taxa de juro em dólares norte-americanos de 5% ao ano em uma taxa de juro em dólares australianos de 11,9% ao ano para a General Motors. Como resultado, a companhia terá custo 0,7% ao ano menor que teria se fosse diretamente ao mercado de dólares australianos. De forma similar, a Qantas troca o empréstimo em dólares australianos a 13% ao ano pelo empréstimo em dólares norte-americanos a 6,3% ao ano. Também terá custo 0,7% ao ano menor que teria se fosse diretamente ao mercado de dólares norte-americanos. A instituição financeira realiza ganho líquido de 0,2% ao ano. Como previsto, o ganho de todas as partes é 1,6% ao ano.

A cada ano, a instituição financeira tem ganho de US$156.000 (= 1,3% de US$12 milhões) e incorre em perda de AUD 220.000 (= 1,1% de 20 milhões). A instituição financeira pode evitar qualquer risco de taxa de câmbio mediante a compra de AUD 220.000 por ano no mercado a termo, para cada ano de vida do swap, travando o ganho líquido em dólares norte-americanos.

É possível redesenhar o swap de modo que a instituição financeira realize *spread* de 0,2% em dólares norte-americanos. A Figura 6.11 e a Figura 6.12 apresentam duas alternativas, mas estas são improváveis de serem utilizadas na prática devido ao fato de que não eliminam o risco de taxa de câmbio para a General Motors e para a Qantas Airways[5]. Na Figura 6.11, Qantas assume risco de taxa de câmbio, pois paga 1,1% ao ano em dólares australianos e 5,2% em dólares norte-americanos. Na Figura 6.12, a General Motors assume algum risco de taxa de câmbio devido ao fato de que recebe 1,1% ao ano em dólares norte-americanos e paga 13% ao ano em dólares australianos.

6.6 APREÇAMENTO DE SWAP DE MOEDAS

Na ausência de risco de inadimplência, o swap de moeda pode ser decomposto em posição de dois bônus, como é o caso do swap de taxa de juro. Considere a posição da IBM, na Tabela 6.7, algum tempo depois da troca inicial do principal. A companhia está vendida em bônus denominado em libras que paga juros de 11% ao ano e está comprada em bônus denominado em dólares que paga juros de 8% ao ano.

Define-se V_{swap} como o valor em dólares norte-americanos do swap, onde o dólar é a moeda recebida e uma outra moeda é paga:

$$V_{swap} = B_D - S_0 B_F$$

onde B_F é o valor, mensurado na moeda estrangeira, do bônus em moeda estrangeira subjacente no swap, B_D é o valor, mensurado em dólares norte-americanos, do bônus subjacente no swap e S_0 é a taxa de câmbio (expressa em número de unidades da moeda

[5] Em geral, faz sentido a instituição financeira carregar o risco de taxa de câmbio, pois tem melhores condições de fazer o *hedge* desse risco.

doméstica por unidade da moeda estrangeira). O valor do swap pode, portanto, ser determinado a partir das taxas Libor nas duas moedas, da estrutura a termo de taxas de juro na moeda local e da taxa de câmbio spot. De maneira similar, o valor do swap, em que a moeda estrangeira é recebida e dólares são pagos, é igual a:

$$V_{\text{swap}} = S_0 B_F - B_D$$

Figura 6.12 – Contrato alternativo para swap de moedas: General Motors assume o risco de taxa de câmbio

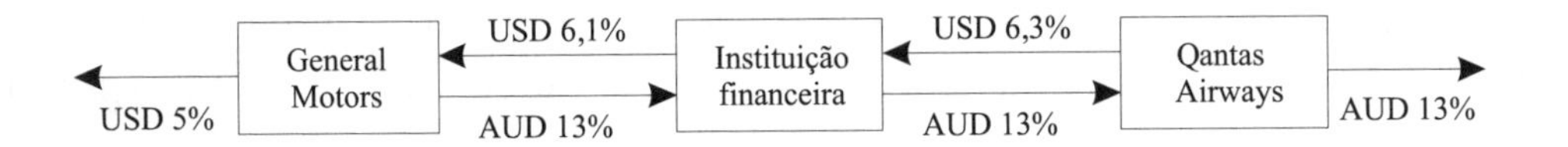

Exemplo

Suponha que a estrutura a termo das taxas de juro (curva de juros) seja horizontal tanto no Japão quanto nos Estados Unidos. A taxa de juro no Japão é 4% ao ano e a taxa nos Estados Unidos é 9% ao ano (ambas com capitalização contínua). A instituição financeira fez swap no qual recebe 5% ao ano em iene e paga 8% ao ano em dólares, uma vez ao ano. Os valores do principal nas duas moedas são de US\$10 milhões e de 1.200 milhões de ienes. O swap ainda tem três anos de vida. A taxa de câmbio corrente é 110 ienes = US\$1. Nesse caso:

$$B_D = 0,8e^{-0,09\times1} + 0,8e^{-0,09\times2} + 10,8e^{-0,09\times3} = \text{US\$9,644 milhões}$$

$$B_F = 60e^{-0,04\times1} + 60e^{-0,04\times2} + 1.260e^{-0,04\times3} = 1.230,55 \text{ milhões de ienes}$$

O valor do swap em dólares é:

$$\frac{1.230,55}{110} - 9,644 = 1,543 \text{ milhão}$$

Se a instituição financeira estivesse na posição de receber dólares e pagar iene, o valor do swap seria de – US\$1,543 milhão[N.T.].

[N.T.] Nesse exemplo, há swap decorrido. Por isso, a taxa de câmbio e as taxas de juro são diferentes daquelas vigentes quando o swap foi feito.

Decomposição em contratos forward

Uma alternativa é decompor o swap de moedas em uma série de contratos forward. Considere novamente a situação na Tabela 6.7. A IBM concordou em trocar, em todas as datas de pagamento, o fluxo positivo de US$1,2 milhão por fluxo negativo de £1,1 milhão. Concordou também em trocar, na data de vencimento, o fluxo positivo de US$15 milhões por fluxo negativo de £10 milhões. Cada uma dessas trocas representa um contrato a termo. Na seção 3.8, foi visto que os contratos a termo podem ser apreçados com base na hipótese de que o preço forward do ativo-objeto seja observável. Esta é uma maneira conveniente de apreçar os contratos forward subjacentes ao contrato de swap.

Exemplo

Considere a situação do exemplo anterior. A taxa de câmbio corrente é 110 ienes por dólar, ou 0,009091 dólar por iene. Como a diferença entre as taxas de juro em dólar e em iene é 5% ao ano, a equação (3.13) pode ser utilizada na apuração das taxas de câmbio forward para um ano, dois anos e três anos, como se segue:

$$0{,}009091e^{0{,}05\times1} = 0{,}009557$$
$$0{,}009091e^{0{,}05\times2} = 0{,}010047$$
$$0{,}009091e^{0{,}05\times3} = 0{,}010562$$

respectivamente. A troca de juros envolve o recebimento de 60 milhões de ienes e o pagamento de US$0,8 milhão. A taxa de juro livre de risco em dólares é 9% ao ano. Da equação (3.8), obtêm-se os valores dos contratos a termo correspondentes às trocas de juros, em milhões de dólares, como se segue:

$$(60\times0{,}009557-0{,}8)e^{-0{,}09\times1} = -0{,}2071$$
$$(60\times0{,}010047-0{,}8)e^{-0{,}09\times2} = -0{,}1647$$
$$(60\times0{,}010562-0{,}8)e^{-0{,}09\times3} = -0{,}1269$$

A troca final do principal envolve o recebimento de 1.200 milhões de ienes e o pagamento de US$10 milhões. Pela equação (3.8), o valor do contrato forward correspondente a essa troca, em milhões de dólares, é:

$$(1.200\times0{,}010562-10)e^{-0{,}09\times3} = 2{,}0416$$

O valor total do swap é 2,0416 – 0,1269 – 0,1647 – 0,2071 = US$1,543 milhão, o que coincide com o resultado dos cálculos no exemplo anterior.

O valor de um contrato de moeda, em geral, é zero no momento em que é negociado. Quando os dois principais, com base na taxa de câmbio vigente no momento da negociação, valem a mesma coisa, o valor do swap no momento imediatamente após a troca inicial de principal é zero. Entretanto, como no caso dos swaps de taxas de juro, isso não quer dizer que cada um dos contratos forward subjacentes ao swap tenham valor igual a zero. Pode ser demonstrado que, quando as taxas de juro nas duas moedas são significativamente diferentes, o agente, que paga os fluxos na moeda de baixa taxa de juro, está em uma posição na qual os contratos a termo subjacentes relativos às trocas de fluxo de caixa mais próximas têm valor positivo e o contrato a termo correspondente à troca final de principal tem valor esperado negativo. O agente que paga os fluxos na moeda de alta taxa de juro estará provavelmente na situação inversa, ou seja: as trocas dos fluxos de caixa mais próximos terão valores negativos e a troca do fluxo de caixa final terá valor esperado positivo.

Para aquele que paga a moeda de baixa taxa de juro, o swap tenderá a ter valor negativo durante a maior parte de sua vida. Os contratos a termo, correspondentes às trocas mais próximas, terão valores positivos e, uma vez que essas trocas tenham sido feitas, haverá tendência de que os contratos a termo remanescentes tenham, no total, valor negativo. Para aquele que paga a moeda com alta taxa de juro, o contrário é verdadeiro. O valor do swap tende a ser positivo durante a maior parte de sua vida. Esses resultados são importantes quando o risco de crédito do swap passa a ser considerado.

6.7 RISCO DE CRÉDITO

Contratos que representam negociações privadas entre duas companhias, como os de swaps, envolvem riscos de crédito. Considere a instituição financeira que negociou contratos de swap que se compensam, com duas companhias diferentes (veja as Figuras 6.4, 6.5 ou 6.7). Se ninguém ficar inadimplente, a instituição financeira estará totalmente *hedgeada*. A queda no valor de um contrato será sempre compensada por aumento no valor do outro contrato. Entretanto, há chances de que uma parte possa ficar em situação financeira difícil e ficar inadimplente. A instituição financeira ainda assim terá de honrar o contrato que tem com a outra parte.

Suponha que, algum tempo após o início dos contratos mostrados na Figura 6.4, o contrato com a Microsoft tenha valor positivo para a instituição financeira, enquanto o contrato com a Intel tenha valor negativo. Se a Microsoft ficar inadimplente, a instituição financeira pode perder todo o valor positivo que tem nesse contrato. Para manter sua posição *hedgeada*, teria de encontrar uma terceira parte desejosa de tomar a posição da Microsoft. Porém, para convencer a terceira parte a ficar com a posição da Microsoft, a instituição financeira teria de pagar-lhe valor igual ao valor do contrato com a Microsoft antes do evento de inadimplência (*default*).

A instituição financeira tem exposição a risco de crédito em swap apenas quando o valor do swap para a instituição financeira é positivo. O que acontece quando o valor é negativo e a contraparte entra em dificuldades financeiras? Em teoria, a instituição financeira poderia realizar ganho inesperado, posto que o *default* a livraria da obrigação ou passivo. Na prática, o melhor seria a contraparte vender o contrato para uma terceira parte ou refazer seus negócios de algum jeito que o valor positivo do contrato não fosse perdido. A suposição mais realista para a instituição financeira é, portanto, a seguinte: se a contraparte falir, haverá perda se o valor do swap para a instituição financeira for positivo e não haverá qualquer efeito se o valor do swap para a instituição financeira for negativo. Essa situação é resumida na Figura 6.13.

As perdas potenciais de inadimplências em swap são muito menores do que as perdas em empréstimos com o mesmo principal. Isso se deve ao fato de que o swap é apenas uma pequena fração do valor do empréstimo. As perdas potenciais de inadimplências em swap de moeda são maiores que em swaps de taxas de juro. A razão é que, como os valores de principal nas duas diferentes moedas são trocados no fim da vida do swap de moeda, este pode ter valor maior que o swap de taxa de juro.

Figura 6.13 – Risco de crédito em swap

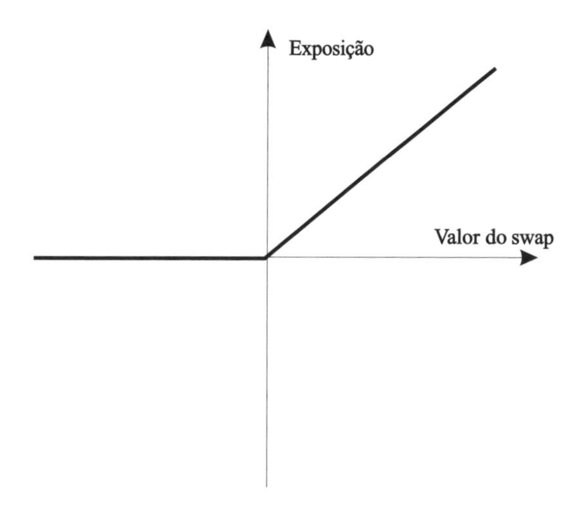

Às vezes, a instituição financeira pode prever qual dos swaps que se compensam tem maior probabilidade de ter valor positivo. Considere o swap de moedas da Figura 6.10. As taxas de juro em dólares australianos são maiores que aquelas em dólares norte-americanos. Isso significa que, à medida que o tempo passa, a instituição financeira pode achar que o swap com a General Motors tem maior probabilidade de ter valor negativo, enquanto o swap com a Qantas tem maior probabilidade de ter valor positivo. A capacidade de crédito da Qantas é, portanto, mais importante que a capacidade de crédito da General Motors.

É importante distinguir entre o risco de crédito e o risco de mercado para a instituição financeira em qualquer contrato. Como foi discutido anteriormente, o risco de crédito surge da possibilidade de *defaultt* pela contraparte quando o valor do contrato para a instituição financeira é positivo. O risco de mercado surge da possibilidade de que as variáveis de mercado como taxas de juro e de câmbio se modifiquem em uma direção que faça que o contrato, para a instituição financeira, torne-se negativo. Os riscos de mercado podem ser *hedgeados* por meio da tomada de posições em contratos que se compensam; riscos de crédito são menos fáceis de ser *hedgeados*.

6.8 SUMÁRIO

Os dois tipos mais comuns de swaps são os de taxas de juro e de moedas. No swap de taxas de juro, uma parte concorda pagar à outra juros a uma taxa fixa sobre o principal *notional* por um período de anos. Em compensação, recebe juros a uma taxa flutuante sobre o mesmo principal *notional* pelo mesmo prazo. No swap de moeda, uma parte concorda pagar juros sobre o principal *notional* em uma moeda. Em compensação, recebe juros no principal em outra moeda.

Em geral, os valores de principal não são trocados em um swap de taxa de juro. No swap de moeda, os valores de principal são trocados tanto no começo quanto no fim da vida do swap. Para a parte que paga juro na moeda estrangeira, o principal em moeda estrangeira é recebido e o principal na moeda doméstica é pago logo no início da vida do swap. No fim, o principal em moeda estrangeira é pago e o principal em moeda doméstica é recebido.

O swap de taxa de juro pode ser usado para transformar empréstimo em taxa flutuante em empréstimo em taxa de juro prefixada, ou vice-versa. Esse swap também pode ser usado para transformar investimento em taxa flutuante em investimento em taxa prefixada e vice-versa. O swap de moeda pode ser usado para transformar empréstimo em uma moeda em empréstimo em outra moeda. Também pode ser usado para transformar investimento denominado em uma moeda em investimento denominado em outra.

Há duas formas de apreçar swaps de taxas de juro e swaps de moedas. Na primeira, o swap é decomposto em posição longa em um bônus e posição *short* em outro bônus. Na segunda, considera-se um portfólio de contratos a termo.

Quando a instituição financeira toma um par de swaps que se compensam com diferentes contrapartes, fica exposta ao risco de crédito. Se uma das contrapartes ficar inadimplente quando a instituição financeira tem valor positivo no swap com esta parte, a instituição financeira perderá dinheiro porque, ainda assim, terá de honrar seu contrato de swap com a outra contraparte.

O mercado de swap será discutido no Capítulo 19.

SUGESTÕES PARA LEITURAS COMPLEMENTARES

BICKSLER, J.; CHEN, A. H. An Economic Analysis of Interest Rate Swaps. *Journal of Finance* 41(3), pp. 645–655, 1986.

DATTATREYA, R. E.; HOTTA, K. *Advanced Interest Rate and Currency Swaps: State-of-the-Art Products Strategies and Risk Management Applications*. Irwin, 1993.

HULL, J. Assessing Credit Risk in a Financial Institution's Off-Balance Sheet Commitments. *Journal of Financial and Quantitative Analysis* 24, pp. 489–502, December 1989.

HULL, J.; WHITE, A. The Impact of a Default Risk on the Price of Options and Other Derivatives Securities. *Journal of Banking and Finance* 19, pp. 299–322, 1985.

HULL, J.; WHITE, A. The Price of Default. *Risk*, pp. 101–103, September 1992.

LITZENBERGER, R. H. Swaps: Plain and Fanciful. *Journal of Finance* 47(3), pp. 831–850, 1992.

MARSHALL, J. F.; KAPNER, K. R. *Understanding Swaps*. John Wiley & Sons, 1993.

SMITH, C. W., SMITHSON, C. W.; WAKEMAN, L. M. The Evolving Market for Swaps. *Midland Corporate Finance Journal* 3, pp. 20–32, winter 1986.

TURNBULL, S. M. Swaps: A Zero Sum Game. *Financial Management* 16(1), pp. 15–21, spring 1987.

WALL, L. D.; PRINGLE, J. J. Alternative Explanations of Interest Rate Swaps: A Theoretical and Empirical Analysis. *Financial Management* 18(2), pp. 59–73, summer 1989.

PERGUNTAS RÁPIDAS (RESPOSTAS NO FINAL DO LIVRO)

6.1 As companhias A e B têm ofertas de empréstimo de US$20 milhões por cinco anos às seguintes taxas anuais:

	Taxa prefixada	Taxa flutuante
Companhia A	12,0%	Libor + 0,1%
Companhia B	13,4%	Libor + 0,6%

A companhia A requer empréstimo a taxas flutuantes; a companhia B requer empréstimo à taxa prefixada. Construa um swap para um banco em que sua posição fique sem risco, proporcione *spread* de 0,1% e que seja atrativo a ambas.

6.2 A companhia X deseja tomar emprestado dólares a uma taxa de juro prefixada. A companhia Y deseja tomar ienes a uma taxa de juro prefixada. Os montantes requeridos por ambas as companhias são aproximadamente os mesmos quando convertidos à taxa de câmbio corrente. As companhias cotaram as taxas de juro abaixo para tais empréstimos, as quais foram ajustadas para o impacto dos impostos.

	Iene	Dólar
Companhia X	5,0%	9,6%
Companhia Y	6,5%	10,0%

Estruture um swap para um banco agindo como intermediário entre as companhias, no qual seus riscos sejam compensados e proporcione margem de 50 pontos-base ao ano. Faça que o swap seja igualmente atrativo para as duas companhias e assegure-se que todos os riscos de taxa de câmbio sejam assumidos pelo banco.

6.3 O swap de taxa de juro de US$100 milhões tem prazo remanescente de 10 meses. Sob os termos do contrato, a Libor de seis meses é trocada por pagamentos semestrais de 12% ao ano. A média do *bid-offer spread* de taxas para swaps contra a Libor de seis meses, para todas as maturidades, é 10% ao ano, com capitalização contínua. A Libor de seis meses, dois meses atrás era de 9,6% ao ano. Qual é o valor corrente do swap para a parte que paga a taxa flutuante? Qual é o valor para a parte que recebe pagamentos fixos?

6.4 Explique o que é taxa de swap. Qual a relação entre taxas de swaps e *par yields*?

6.5 Um swap de moeda tem vida remanescente de 15 meses. O swap envolve a troca de juros de 14% ao ano sobre £20 milhões por juros de 10% ao ano sobre US$30 milhões, uma vez ao ano. A estrutura a termo das taxas de juro tanto no Reino Unido quanto nos Estados Unidos é horizontal e, se o swap fosse negociado hoje, as taxas de juro trocadas seriam de 8% ao ano em dólares e 11% ao ano em libras. Todas as taxas de juro são cotadas considerando capitalização anual. A taxa de câmbio corrente (dólares por libra) é 1,6500. Qual é o valor do swap para a parte que paga libra? Qual é o valor para a parte que paga dólares?

6.6 Indique a diferença entre risco de crédito e risco de mercado em um contrato financeiro.

6.7 Explique porque um banco está sujeito a risco de crédito quando intermedeia um contrato de swap.

QUESTÕES E PROBLEMAS (RESPOSTAS NO MANUAL DE SOLUÇÕES)

6.8 As companhias X e Y receberam ofertas com as seguintes taxas ao ano para investimento de 10 anos de prazo no valor de US$5 milhões.

	Taxa prefixada	Taxa flutuante
Companhia X	8,0%	Libor
Companhia Y	8,8%	Libor

A companhia X deseja investimento prefixado; a companhia Y necessita de investimento em taxa flutuante. Crie um swap a ser intermediado por um banco com *spread* de 0,2% ao ano e que seja igualmente atrativo para ambas as companhias.

6.9 A instituição financeira negociou um swap de taxa de juro com a companhia X. Sob os termos do contrato, recebe 10% ao ano e paga Libor de seis meses sobre o principal *notional* de US$10 milhões por cinco anos. Os pagamentos são feitos a cada seis meses. Suponha que a companhia X fique inadimplente no sexto pagamento (no fim de três anos) quando a taxa de juro (com capitalização semestral) é 8% ao ano para todas as maturidades. Qual é a perda para a instituição financeira? Assuma que a Libor de seis meses era de 9% ao ano na metade do terceiro ano.

6.10 A instituição financeira negociou swap de moeda de 10 anos com a companhia Y. Sob os termos do contrato, receberá juros de 3% ao ano em francos suíços e pagará juros de 8% ao ano em dólares norte-americanos. Os pagamentos de juros são trocados uma vez ao ano. Os valores de principal são de US$7 milhões e de 10 milhões de francos. Suponha que a companhia Y quebre no fim no sexto ano, quando a taxa de câmbio é US$0,80 por franco suíço. Qual será o custo para a instituição financeira? Assuma que no fim do sexto ano a taxa de juro seja 3% ao ano em francos suíços e de 8% ao ano em dólares norte-americanos para todas as maturidades. Todas as taxas são cotadas com capitalização anual.

6.11 As companhias A e B têm ofertas das seguintes taxas de juro para empréstimo, já ajustadas para o impacto do diferencial de impostos:

	A	B
Dólares norte-americanos (taxa flutuante)	Libor + 0,5%	Libor + 1,0%
Dólares canadenses (taxa prefixada)	5,0%	6,5%

Assuma que A deseja tomar emprestado em dólares norte-americanos a uma taxa de juro flutuante e B deseja tomar emprestado em dólares canadenses a uma taxa de juro prefixada. A instituição financeira está planejando criar um swap para atender às companhias no qual aufere *spread* de 50 pontos-base. Se o swap for igualmente atrativo para A e B, quais devem ser as taxas de juro que A e B pagarão?

6.12 Depois de ter feito o *hedge* de seu risco de taxa de câmbio usando contratos a termo, o *spread* da instituição financeira na Figura 6.10 provavelmente será maior ou menor que 20 pontos-base? Explique sua resposta.

6.13 "Companhias com alto risco de crédito não podem acessar os mercados de taxas prefixadas diretamente. Essas companhias provavelmente são as que pagarão taxas fixas e receberão taxas flutuantes em contratos de swaps de taxas de juro". Assuma que essa afirmação seja verdadeira. Você acha que isso aumenta ou diminui o risco de um portfólio de swaps de uma instituição financeira? Assuma que as companhias têm maior probabilidade de ficarem inadimplentes quando as taxas de juro são altas.

6.14 Por que a perda esperada de inadimplência em swap é menor que a perda esperada proveniente de inadimplência em empréstimo com o mesmo principal?

6.15 O banco percebe que seus ativos e passivos não estão casados. Tem depósitos em taxas flutuantes e fez empréstimos em taxas prefixadas. Como os swaps podem ser usados para eliminar esse risco?

6.16 Explique como você apreçaria um swap em que se troca uma taxa flutuante em uma moeda por uma taxa prefixada em outra?

6.17 A *zero curve* da Libor é horizontal no nível de 5% (capitalização contínua) até 1,5 ano. As taxas de swap para dois e três anos com pagamentos semestrais são 5,4% e 5,6% respectivamente. Estime as taxas Libor zero para as maturidades de 2; 2,5; e 3 anos (assuma que a taxa de swap para 2,5 anos seja a média das taxas de swap para dois e três anos).

QUESTÕES DE PROVA

6.18 A Libor de um ano é igual a 10%. Um banco negocia swaps em que a taxa prefixada de juros é trocada por Libor de 12 meses com os pagamentos acontecendo anualmente. As taxas de swap para dois e três anos (expressas em capitalização anual) são de 11% e 12% ao ano. Estime as taxas Libor zero para dois e três anos.

6.19 A companhia A, uma indústria britânica, deseja tomar emprestado dólares norte-americanos a uma taxa de juro prefixada. A companhia B, uma multinacional norte-americana, deseja fazer empréstimo em libras esterlinas a uma taxa prefixada de juros. Elas tiveram as seguintes ofertas cotadas em taxas ao ano, ajustadas para o diferencial de impostos:

	Libras	Dólares
Companhia A	11,0%	7,0%
Companhia B	10,6%	6,2%

Crie um swap em que um banco, agindo como intermediário, tenha seu risco de mercado compensado, aufira *spread* de 10 pontos-base ao ano e gere ganho de 15 pontos-base ao ano para cada companhia.

6.20 Sob os termos de um contrato de swap de taxas de juro, a instituição financeira concordou em pagar 10% ao ano e receber Libor de três meses com base no principal *notional* de US$100 milhões, sendo os pagamentos realizados a cada três meses. O swap tem vida remanescente de 14 meses. A média das taxas *bid* e *offer* que correntemente são *suapadas* por Libor de três meses é 12% ao ano para todas as maturidades. A Libor de três meses era, há um mês, 11,8% ao ano. Todas as taxas são compostas trimestralmente. Qual é o valor do swap?

6.21 Suponha que a estrutura a termo das taxas de juro seja horizontal nos Estados Unidos e na Austrália. A taxa de juro para os dólares norte-americanos é 7% ao ano e a taxa de juro para os dólares australianos é 9% ao ano. A taxa de câmbio corrente é 0,62 dólares australianos por um dólar norte-americano. Sob os termos de um contrato de swap, a instituição financeira paga 8% ao ano em dólares australianos e recebe 4% ao ano em dólares norte-americanos. Os valores de principal nas duas moedas são de 12 milhões de dólares norte-americanos e 20 milhões de dólares australianos. Os pagamentos são trocados todos os anos e um deles acabou de ocorrer. O swap vai durar mais dois anos. Qual é o valor do swap para a instituição financeira? Assuma que todas as taxas sejam compostas continuamente.

6.22 A companhia X tem base no Reino Unido e gostaria de tomar emprestado, por cinco anos, US$50 milhões, a uma taxa fixa de juro, em fundos norte-americanos. Entretanto, isso não foi possível porque a companhia não é muito conhecida nos Estados Unidos. Porém, a companhia tem oferta em libras, para empréstimo de cinco anos, à taxa prefixada de 12% ao ano. A companhia Y tem base nos Estados Unidos e gostaria de tomar emprestado o equivalente a US$50 milhões em libras esterlinas pelo período de cinco anos a uma taxa prefixada. Isso não foi possível, mas existe oferta de recursos em dólares norte-americano à taxa de 10,5% ao ano. Bônus do governo de cinco anos rendem atualmente 9,5% ao ano nos Estados Unidos e 10,5% ao ano no Reino Unido. Sugira um swap de moeda apropriado que proporcione *spread* de 0,5% ao ano para a instituição financeira intermediária.

Capítulo 7
MECANISMO OPERACIONAL DOS MERCADOS DE OPÇÕES

A partir do presente capítulo, a maior parte deste livro lida com opções. Este capítulo explica como os mercados de opções são organizados, qual terminologia é usada, como os contratos são negociados, como os requerimentos de margem são estabelecidos etc. Nos posteriores, examinam-se tópicos como estratégias de operações envolvendo opções, determinação de preços de opções e modos pelos quais as carteiras de opções podem ser *hedgeadas*. Concentra-se primeiramente em opções sobre ações. Detalhes de opções sobre moedas, índice e contratos futuros são oferecidos nos Capítulos 12 e 13.

Opções são fundamentalmente diferentes de contratos futuros e a termo. Uma opção dá a seu detentor o direito de fazer algo. Porém, o detentor não é obrigado a exercer esse direito. Em contraste, no contrato a termo, as duas partes têm o compromisso entre si para fazer alguma coisa. Para o *trader*, entrar em um contrato a termo ou futuro não há custos exceto os requerimentos de margem. Já a compra de uma opção requer pagamento inicial.

7.1 TIPOS DE OPÇÕES

Como foi mencionado no Capítulo 1, há dois tipos básicos de opções. A opção de compra [*call*] dá a seu detentor o direito de comprar um ativo a certo preço até determinada data. A opção de venda [*put*] dá a seu detentor o direito de vender um ativo até certa data por determinado preço. A data especificada no contrato é conhecida como *data de expiração* ou *data de exercício*, *de maturidade* ou *de vencimento*. O preço especificado no contrato é denominado *preço de exercício* [*strike price*].

As opções podem ser americanas ou européias – distinção que não tem relação com localização geográfica. As *opções americanas* podem ser exercidas a qualquer tempo até a data de vencimento, enquanto as *opções européias* podem ser exercidas apenas na data de vencimento. A maior parte das opções negociadas nas bolsas é do tipo americana.

Entretanto, opções européias são geralmente mais fáceis de analisar do que as americanas. Algumas das propriedades das opções americanas são deduzidas daquelas encontradas para as opções européias.

Opções de compra

Considere a situação do investidor que adquire opção de compra européia com preço de exercício de US$100, que lhe dá direito de comprar 100 ações da Microsoft. Suponha que o preço da ação seja US$98; a data de expiração da opção, quatro meses; e o preço de uma opção de compra de uma ação, US$5. O investimento inicial é US$500. Como se trata de opção européia, o investidor pode exercê-la apenas na data de vencimento. Se o preço nessa data for menor que US$100, o investidor claramente escolherá não exercer (não há sentido em comprar por US$100 uma ação que tem valor de mercado menor que US$100). Nessas circunstâncias, o investidor perde o investimento inicial de US$500. Se o preço da ação estiver acima de US$100 na data de expiração, a opção será exercida. Suponha, por exemplo, que o preço da ação seja US$115. Ao exercer a opção, o investidor pode comprar as 100 ações por US$100 por ação. Se as ações forem vendidas imediatamente, o investidor terá ganho de US$15 por ação, ou US$1.500, desconsiderando-se os custos de transação. Se o custo inicial da opção for levado em conta, o lucro líquido do investidor será US$1.000.

Figura 7.1 – Lucro resultante da aquisição de opção de compra européia sobre a ação da Microsoft

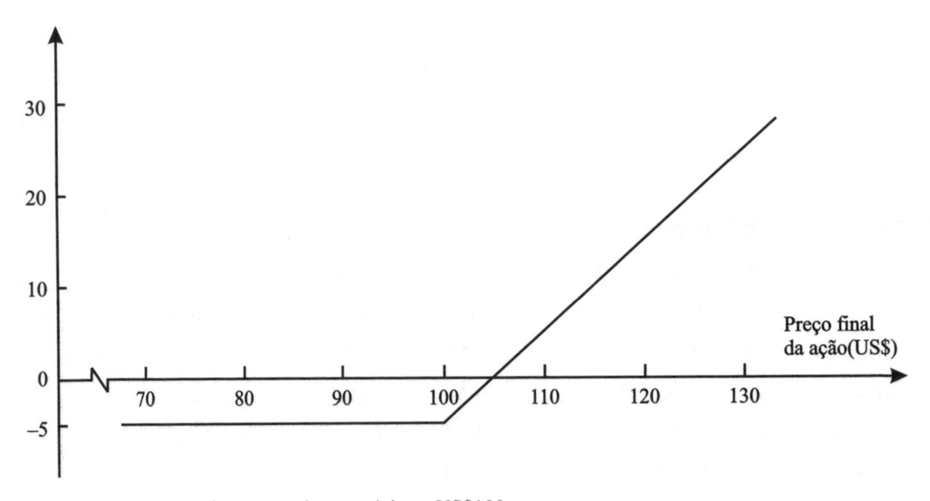

Nota: preço da opção = US$5; preço de exercício = US$100.

A Tabela 7.1 traz esse exemplo. A Figura 7.1 mostra como o lucro líquido ou a perda do investidor em uma opção, para comprar uma ação, varia com o preço final da ação. É importante observar que, às vezes, mesmo exercendo a opção, o investidor tem perda final. Suponha que, no exemplo, o preço da ação da Microsoft seja US$102 na data de expiração da opção. O investidor exerceria a opção para ter ganho de 100 × (US$102 – US$100) = US$200 e teria perda total de US$300 levando em consideração o custo inicial da opção. É tentador argumentar que o investidor não deveria exercer a opção nessas circunstâncias. Entretanto, o não-exercício resultaria na perda total de US$500, que é pior que a perda de US$300 quando o investidor exerce. Em geral, as opções de compra, na data de vencimento, sempre devem ser exercidas, se o preço da ação estiver acima do preço de exercício.

Tabela 7.1 – Lucro de opção de compra

Da mesa de operações

O investidor adquire uma opção de compra sobre 100 ações da Microsoft:

- preço de exercício = US$100;
- preço corrente da ação = US$98;
- preço da opção de compra sobre uma ação = US$5.

O investimento inicial é 100 × US$5 = US$500.

Resultado

Na data de expiração da opção, o preço da ação da Microsoft é US$115. Nessa data, a opção é exercida com ganho de:

(US$115 – US$100) × 100 = US$1.500

Se o custo inicial da opção for levado em consideração, o ganho líquido será US$1.500 – US$500 = US$1.000.

Opções de venda

Enquanto o comprador de uma opção de compra espera que o preço da ação aumente, o comprador de uma opção de venda espera que o preço caia. Considere o investidor que compre uma opção de venda européia para vender 100 ações da Oracle, com preço de exercício de US$70. Suponha que o preço corrente da ação seja US$65, a data de exercício da opção ocorra em três meses e o preço da opção para vender uma ação seja US$7. O investimento inicial é US$700. Como a opção é européia, será exercida apenas se o preço da ação ficar abaixo de US$70, na data de expiração. Suponha que o preço da ação seja US$55 nessa data. O investidor pode comprar 100 ações por US$55 e, sob os termos do contrato de opção, vender essas mesmas ações por US$70 com lucro de US$15 por ação, ou US$1.500 no total (aqui, novamente, os custos de transação foram ignorados). Se o custo inicial de US$700 for considerado, o lucro do investidor será US$800. Não há garantia de que o investidor terá lucro. Se o preço final da ação estiver acima de US$70, a opção de venda expirará sem nenhum valor e o investidor perderá US$700. A Tabela 7.2 sumariza esse exemplo. A Figura 7.2 mostra como o lucro ou a perda do investidor em uma opção, para vender uma ação, varia com o preço final da ação nesse exemplo.

Figura 7.2 – Lucro resultante da aquisição de opção de venda européia sobre a ação da Oracle

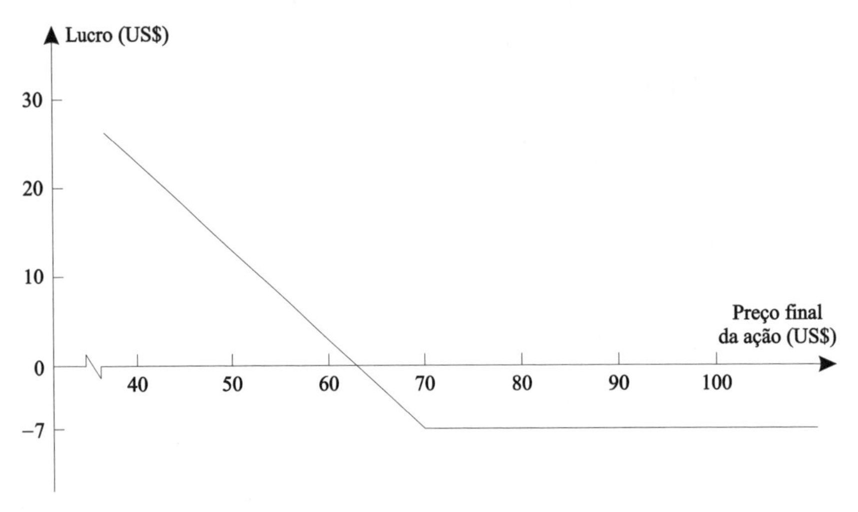

Nota: preço da opção = US$7; preço de exercício = US$70.

Tabela 7.2 – Lucro de opção de venda

Da mesa de operações

O investidor compra uma opção de venda sobre 100 ações da Oracle:

- preço de exercício = US$70;
- preço corrente da ação = US$65;
- preço da opção de venda sobre uma ação = US$7.

O investimento inicial é 100 × US$7 = US$700.

Resultado

Na data de exercício da opção, o preço da ação da Oracle é US$55. Nessa data, o investidor compra 100 ações e, sob os termos do contrato de opção, vende por US$70 por ação, realizando ganho de US$15 por ação, ou US$1.500 no total. Se o custo inicial da opção for considerado, o ganho líquido será US$1.500 – US$700 = US$800.

Exercício antecipado

Como já mencionado, as opções sobre ações são, geralmente, americanas, em vez de européias. Assim, o investidor dos exemplos já citados não teria de esperar até a data de expiração ou vencimento para exercer a opção. Veremos mais adiante algumas circunstâncias em que vale a pena exercer opções americanas antes de seu vencimento.

7.2 POSIÇÕES EM OPÇÕES

Há dois lados em todo contrato de opção. Um é o do investidor que tomou a posição longa (ou seja, comprou a opção). Outro é o do investidor que tomou a posição *short* (ou seja, vendeu, lançou ou subscreveu a opção). O lançador de uma opção recebe dinheiro na frente, mas tem obrigações potenciais no futuro. O lucro ou perda do lançador é o contrário do resultado do comprador da opção. As Figuras 7.3 e 7.4 mostram a variação no lucro ou perda em função do preço final da ação para os lançadores das opções consideradas nas Figuras 7.1 e 7.2.

Há quatro tipos de posições em opções:

- posição longa em opção de compra;
- posição longa em opção de venda;
- posição *short* em posição de compra;
- posição *short* em opção de venda.

Figura 7.3 – Lucro resultante do lançamento de opções de compra européias sobre ação da Microsoft

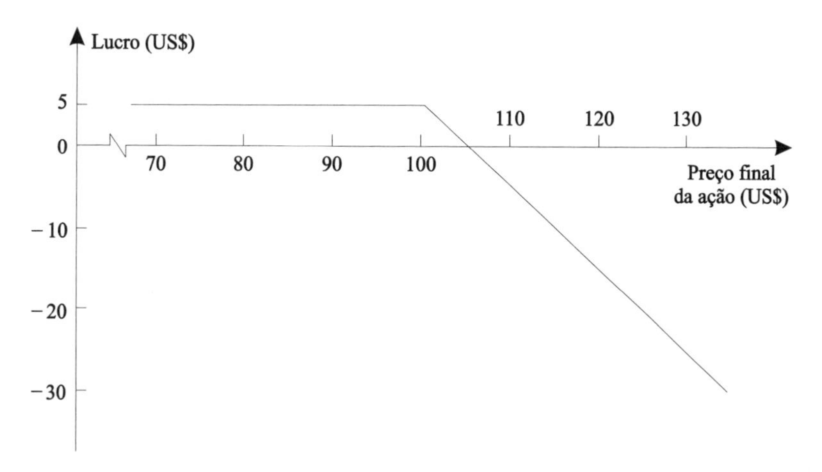

Nota: preço da opção = US$5; preço de exercício = US$100.

É sempre útil caracterizar as posições em opções européias em termos de seu valor final ou do resultado [*payoff*] do investidor na data de vencimento. O custo inicial de uma opção é incluído no cálculo. Se X for o preço de exercício e S_T, o preço final do ativo subjacente, o resultado de uma posição longa em uma opção de compra européia será:

$$\text{máx}\left(S_T - X, 0\right)$$

Isso reflete o fato de que a opção será exercida se $S_T > X$; e não será exercida se $S_T \leq X$. O resultado para o detentor de posição *short* em opção de compra européia será:

Figura 7.4 – Lucro resultante do lançamento de opções de venda européias sobre ação da Oracle

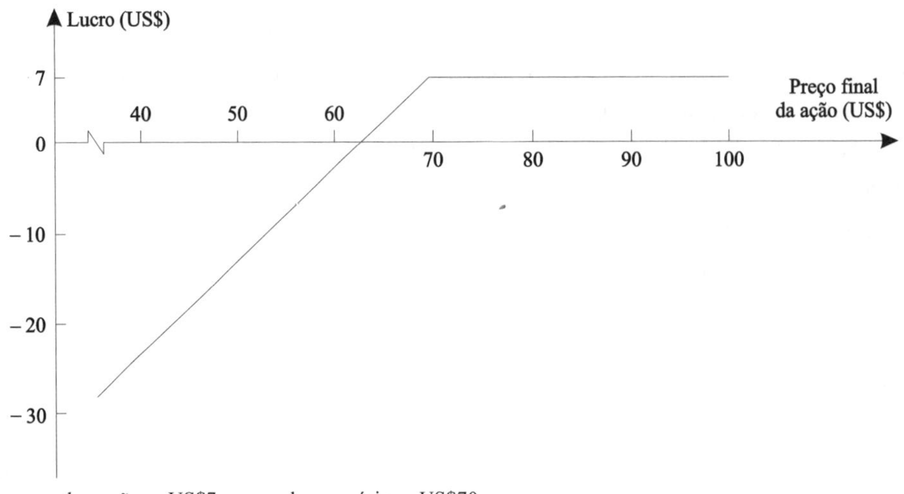

Nota: preço da opção = US$7; preço de exercício = US$70.

Figura 7.5 – *Payoffs* das posições em opções européias

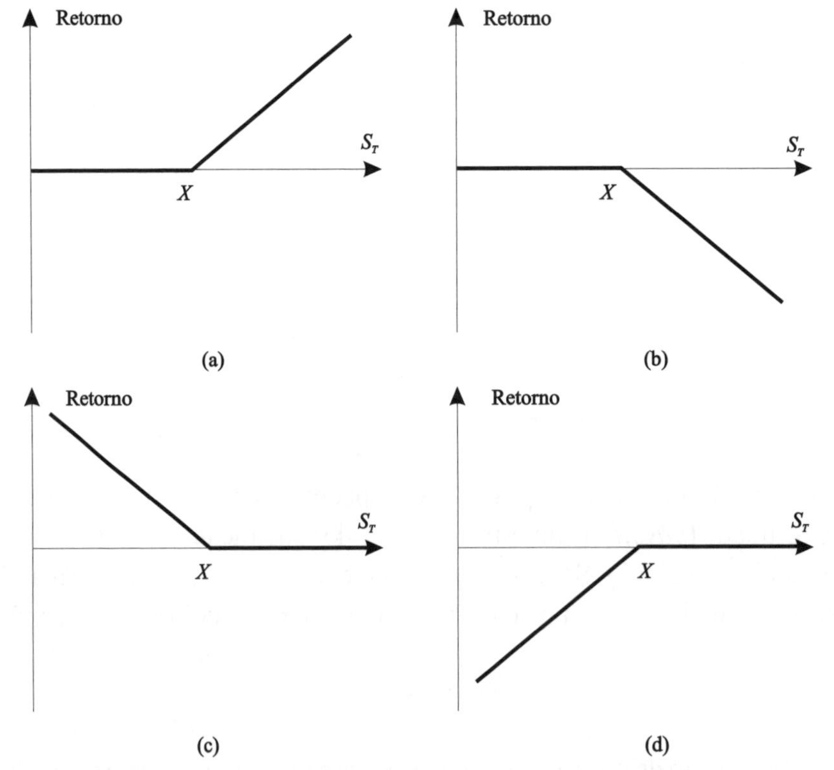

Nota: (a) posição longa em opção de compra, (b) posição *short* em opção de compra, (c) posição longa em opção de venda, (d) posição *short* em opção de venda.

$$-\text{máx}\left(S_T - X, 0\right) = \text{mín}\left(X - S_T, 0\right)$$

O resultado para o detentor de posição longa em opção de venda européia é:

$$\text{máx}\left(X - S_T, 0\right)$$

e o resultado para o detentor de posição *short* em opção de venda européia é:

$$-\text{máx}\left(X - S_T, 0\right) = \text{mín}\left(S_T - X, 0\right)$$

A Figura 7.5 ilustra esses resultados graficamente.

7.3 ATIVOS SUBJACENTES

Opções de bolsa são atualmente negociadas tendo como ativos-objetos, ou ativos subjacentes [*underlying assets*], ações, índices de ações, moedas estrangeiras e contratos futuros.

Opções sobre ações

As bolsas que negociam opções sobre ações nos Estados Unidos são a Chicago Board Options Exchange (www.cboe.com), a American Stock Exchange (www.amex.com) e a Pacific Exchange (www.pacifex.com). As opções são negociadas para mais de 500 ações diferentes. Um contrato dá a seu titular o direito de comprar ou vender 100 ações a determinado preço de exercício. O tamanho do contrato é adequado porque as ações, em geral, são negociadas em lotes de 100 ações.

Opções sobre moedas estrangeiras

A maior bolsa para negociação de opções sobre moedas estrangeiras é a Philadelphia Stock Exchange. Oferece tanto contratos de opções americanas quanto européias, para diferentes moedas. O tamanho de um contrato depende da moeda. Por exemplo, no caso da libra esterlina, o contrato dá a seu titular o direito de comprar ou vender £31.250; no caso do iene japonês, o direito de comprar ou vender 6,25 milhões de ienes. Os contratos de opções sobre moedas estrangeiras serão discutidos no Capítulo 12.

Opções sobre índices

Muitos e diferentes contratos de opções sobre índice são correntemente negociados em todo o mundo. Os mais populares nos Estados Unidos são os contratos dos índices S&P 500 (SPX), S&P 100 (OEX), Nasdaq 100 (NDX) e Dow Jones Industrial (DJX). Todos são negociados na Chicago Board Options Exchange. As opções sobre índice podem ser européias ou americanas. Por exemplo, o contrato sobre o S&P 500 é uma opção européia, enquanto sobre S&P 100 é uma opção americana. Um contrato é para comprar ou vender 100 vezes o índice ao preço de exercício especificado. A liquidação do contrato é sempre financeira e não por entrega da carteira teórica do índice. Considere, por exemplo, o contrato de opção de compra referenciado em S&P 100 com preço de exercício de 980. Se este for exercido quando o valor do índice for 992, o lançador do contrato pagará a seu detentor (o titular) a quantia de (992 – 980) × 100 = US$1.200. Esse pagamento é baseado no valor do índice no final do dia em que o pedido de exercício é solicitado. Não surpreende que os investidores esperem até o final do dia para emitir esses pedidos. Opções sobre índice serão vistas no Capítulo 12.

Opções sobre futuro

Na opção sobre futuro, o ativo subjacente é o contrato futuro. Os contratos futuros vencem um pouco depois da expiração da opção. Existem opções sobre futuro para a maior parte de ativos para os quais existem contratos futuros e, em geral, são negociadas na mesma bolsa que os futuros. Quando a opção de compra é exercida, o titular adquire do lançador uma posição longa no contrato futuro subjacente ao contrato de opção mais um valor em caixa igual ao excesso do preço futuro sobre o preço de exercício. Quando a opção de venda é exercida, o titular adquire uma posição *short* no contrato futuro subjacente ao contrato de opção mais um montante em caixa igual ao excesso do preço de exercício sobre o preço futuro. Contratos de opções sobre futuro serão abordados no Capítulo 13.

7.4 ESPECIFICAÇÃO DOS CONTRATOS DE OPÇÕES SOBRE AÇÕES

No restante deste capítulo, trata-se de opções sobre ações. Como já mencionado, a opção sobre ações negociada em bolsa nos Estados Unidos é do tipo americana, que dá o direito de comprar ou vender 100 ações de uma companhia. Os detalhes do contrato – a data de vencimento, o preço de exercício, o que acontece quando os dividendos são anunciados, que tamanho de posição os investidores podem deter etc. – são especificados pela bolsa.

Data de vencimento

Um dos itens usados para descrever uma opção sobre ação é o mês no qual ocorre a data de vencimento ou de expiração. Assim, a opção de compra sobre a ação da IBM para janeiro possui vencimento em janeiro. A data exata de expiração é às 22:59 do sábado imediatamente seguinte à terceira sexta-feira do mês de vencimento. O último dia em que as opções podem ser negociadas é a terceira sexta-feira do mês de vencimento. Em geral, o investidor, com posição longa em uma opção, tem até 16:30 dessa sexta-feira para instruir seu corretor [*broker*] a exercer a opção. O *broker* tem até 22:59 horas do dia seguinte para preencher o documento notificando a bolsa que o exercício será realizado.

As opções sobre ações têm ciclos que se iniciam em janeiro, fevereiro e março. O ciclo de janeiro consiste dos meses de janeiro, abril, julho e outubro. O ciclo de fevereiro consiste dos meses de fevereiro, maio, agosto e novembro. O ciclo de março consiste dos meses de março, junho, setembro e dezembro. Se a data de vencimento para o mês corrente ainda não foi alcançada, as opções são negociadas para vencimento no mês corrente, para o próximo e para os dois meses seguintes do ciclo. Se a data de expiração já passou, as opções são negociadas para o próximo mês, para o próximo mês imediatamente posterior e para os outros dois meses do ciclo. Por exemplo, a opção sobre ação da IBM está no ciclo de janeiro. No início de janeiro, as opções são negociadas para vencimento em janeiro, fevereiro, abril e julho; no fim de janeiro, são negociadas para fevereiro, março, abril e julho; no começo de maio, são negociadas para maio, junho, julho e outubro, e assim por diante. Quando a opção atinge a data de expiração, os negócios em novo mês são iniciados. Opções de longo prazo [*long-term options*], também conhecidas como Leaps (*long-term equity anticipation securities*), podem ser negociadas para algumas ações. Estas têm datas de expiração até três anos à frente. As datas de expiração para Leaps de ações são sempre em janeiro.

Preços de exercício

A Chicago Board Options Exchange seleciona os preços de exercício aos quais as opções podem ser lançadas de forma que estejam espaçados da seguinte forma: US$2,50; US$5 ou US$10. Quando o preço da ação é US$12, há opções sendo negociadas com preços de exercício de US$10; US$12,50 e US$15; quando o preço da ação é US$100, há negócios com preços de exercício de US$90; US$95; US$100; US$105 e US$110. Conforme será explicado adiante, as bonificações em ações e a distribuição de dividendos podem provocar o surgimento de preços de exercício fora do padrão.

Quando uma nova data de expiração é introduzida, os dois ou três preços de exercício mais próximos do preço corrente da ação são selecionados pela bolsa. Se o preço da ação se move para fora do intervalo definido pelo mais alto e pelo mais baixo preço de exercício, uma nova série, com novo preço de exercício, é introduzida. Para ilustrar essas regras, suponha que o preço da ação seja US$84, quando começam as negociações para outubro. Provavelmente, opções de compra e de venda seriam autorizadas para os preços de exercício de US$80; US$85 e US$90. Se o preço da ação aumentar para mais de US$90, serão autorizadas negociações para preço de exercício igual a US$95. Se o preço cair abaixo de US$80, é provável que uma série ao preço de exercício de US$75 seja oferecida, e assim por diante.

Terminologia

Para qualquer ativo a qualquer momento, podem ser negociados muitos e diferentes contratos de opções. Considere a ação que tenha opções para quatro datas de vencimento e cinco preços de exercício. Se as opções de compra e de venda forem negociadas para todas as datas de vencimento e para todos os preços de exercício, haverá o total de 40 diferentes contratos. Todas opções do mesmo tipo – *calls* ou *puts* – fazem parte da mesma *classe de opção*. Por exemplo, opções de compra de IBM ou *calls* de IBM são uma classe enquanto *puts* de IBM são de outra classe. Uma *série de opção* consiste de todas as opções para determinada classe com a mesma data de expiração e mesmo preço de exercício. Em outras palavras, uma série de opção se refere a um contrato negociado em particular. Assim, opções de compra de IBM 50 para outubro são uma série de opção.

As opções podem estar *dentro do dinheiro*, *no dinheiro* ou *fora do dinheiro* [*in the money*, *at the money* ou *out of the money*]. A opção dentro do dinheiro permite a seu titular fluxo de caixa positivo se exercê-la imediatamente. De modo similar, a opção no dinheiro resulta em fluxo de caixa igual a zero e a opção fora do dinheiro em fluxo de caixa negativo, caso seja exercida imediatamente. Se S for o preço da ação e X for o preço de exercício, a opção de compra estará dentro do dinheiro quando $S > X$, no dinheiro quando $S = X$ e fora do dinheiro quando $S < X$. A opção de venda está dentro do dinheiro quando $S < X$, no dinheiro quando $S = X$ e fora do dinheiro quando $S > X$. É claro que a opção será exercida apenas quando estiver dentro do dinheiro. Na ausência de custos de transação, a opção dentro do dinheiro será sempre exercida na data de vencimento se não tiver sido exercida anteriormente.

O *valor intrínseco* de uma opção é definido como o máximo entre zero e o valor que a opção teria se fosse exercida imediatamente. Para a opção de compra, o valor intrínseco é $\text{máx}(S - X, 0)$. Para a opção de venda, é $\text{máx}(X - S, 0)$. Uma opção americana dentro do dinheiro deve valer no mínimo seu valor intrínseco porque o titular pode auferir lucro igual ao valor intrínseco se exercê-la imediatamente. Quase sempre é melhor para o titular de uma opção americana dentro do dinheiro esperar até a data de vencimento do que exercer a opção imediatamente. Na data de expiração, a opção não tem *valor tempo*. O valor total de uma opção pode ser entendido como a soma do seu valor intrínseco e de seu valor tempo.

Flex options

A Chicago Board Options Exchange (CBOE) oferece *flex options* para ações e índices de ações. São opções em que os operadores no pregão da bolsa acordam termos não-padronizados, que podem envolver preços de exercício ou datas de expiração diferentes daqueles autorizados à negociação pela bolsa. Também pode envolver o tipo da opção, americana ou européia. As *flex options* constituem-se em um esforço das bolsas para retomar o volume de negócios dos mercados de balcão. A bolsa especifica um valor mínimo para os negócios com *flex options*.

Dividendos e bonificação

As opções negociadas no mercado de balcão são protegidas para dividendos. Se uma companhia anunciasse o pagamento de dividendo em dinheiro, o preço de exercício das opções referenciadas nas ações da companhia seria reduzido no dia em que a ação estivesse sendo negociada sem o dividendo (ex-dividendo), pelo valor do dividendo. As opções negociadas em bolsa, em geral, não são ajustadas para dividendos. Em outras palavras, quando ocorre o anúncio de um dividendo, não há ajustes nos termos do contrato de opção. Como será visto no Capítulo 11, esse fato tem importantes implicações no modo como as opções são apreçadas.

As opções negociadas em bolsa são ajustadas para bonificações [*split*]. A bonificação ocorre quando as ações são divididas em mais ações. Por exemplo, na bonificação 3 por 1, são emitidas três novas ações para substituir a ação existente. Como a bonificação não muda os ativos ou o potencial lucro de uma companhia, é de se esperar que não haja qualquer efeito na situação financeira dos acionistas. Como todas as ações são iguais entre si, a bonificação de 3 por 1 faria o preço de uma ação cair a um terço do seu preço anterior. Em geral, a bonificação n por m faz o preço da ação cair a m/n do seu valor anterior. Os termos do contrato de opção são ajustados para refletir as mudanças no preço da ação em função de uma bonificação. Depois da bonificação n por m, o preço de exercício será reduzido a m/n de seu valor anterior e o número de ações coberto por um contrato será aumentado para n/m da quantidade anterior. Se o preço da ação cai de forma esperada, as posições tanto do lançador quanto do comprador da opção permanecerão as mesmas.

Exemplo

Considere a opção de compra de 100 ações de uma companhia com preço de exercício igual a US$30 por ação. Suponha que a companhia faça a bonificação de 2 por 1. Os termos do contrato de opção são modificados de tal maneira que o titular terá o direito de comprar 200 ações por US$15 cada.

Opções sobre ações são ajustadas para dividendos em ações. O dividendo em ações envolve a emissão de mais ações para os acionistas existentes. Por exemplo, o dividendo em ações de 20% significa que os investidores receberão uma nova ação para cada cinco ações já possuídas. O dividendo em ações, assim como a bonificação, não tem efeito seja no valor dos ativos da empresa seja no seu lucro potencial. Espera-se, portanto, que o preço da ação caia como resultado de um dividendo em ações. O dividendo em ações de 20% é basicamente a mesma coisa do que a bonificação de 6 por 5. O preço da ação deve declinar para 5/6 de seu valor anterior. Os termos de uma opção são ajustados para refletir a queda esperada em função do dividendo em ações da mesma forma que são ajustados por conta de uma bonificação.

Exemplo

Considere uma opção de venda sobre 100 ações de uma companhia ao preço de exercício de US$15 por ação. Suponha que a companhia anuncie o dividendo em ações de 25%. Isso equivale a uma bonificação de 5 por 4. Os termos do contrato de opção são modificados de tal forma que o titular terá o direito de vender 125 ações ao preço de exercício de US$12.

Ajustes são também feitos para o caso de outros proventos. O procedimento básico é calcular o preço do benefício e depois reduzir o preço de exercício desse valor.

Limites de posição e de exercício

A CBOE sempre especifica um *limite de posição* para os contratos de opção. Este define o número máximo de contratos de opção que o investidor pode deter em um lado do mercado. Para esse fim, posições longas em *calls* e posições *short* em *puts* são consideradas o mesmo lado do mercado. Analogamente, posições *short* em *calls* e posições longas em *puts* são consideradas o mesmo lado do mercado. Os *limites de exercício* são iguais aos limites de posições. Estes definem o número máximo de contratos que podem ser exercidos por qualquer indivíduo (ou grupo de indivíduos agindo em conjunto) em qualquer período de cinco dias úteis consecutivos. As opções sobre as ações mais negociadas e de grandes empresas têm limites de posição de 75.000 contratos. As opções de *small caps* (*smaller capitalization stocks*) têm limites de posição de 60.000, 31.500, 22.500 ou 13.500 contratos.

Limites de posição e de exercício são estabelecidos para prevenir contra certa influência no mercado causada por atividades de um investidor individual ou um grupo de investidores. Entretanto, se os limites são realmente necessários é algo ainda bastante controverso.

7.5 COTAÇÕES DE JORNAIS

Muitos jornais trazem cotações de opções. No *Wall Street Journal*, as cotações de opções sobre ações podem ser diariamente encontradas sob o título *Listed Options* na seção *Money and Investing*. A Tabela 7.3 mostra um extrato das cotações publicadas em 16 de março de 2001, sexta-feira. As cotações se referem aos negócios que aconteceram no dia anterior (15 de março de 2001, quinta-feira).

A companhia cuja ação foi lançada aparece junto com o preço de fechamento da ação na primeira coluna da Tabela 7.3. O preço de exercício e o mês de vencimento aparecem na segunda e terceira colunas. Quando a opção de compra foi negociada para determinado preço de exercício e mês de vencimento, as próximas duas colunas mostram o volume de negócios e o preço do último negócio para a opção de compra. As duas colunas finais mostram as mesmas informações para as opções de venda.

O preço cotado é o preço de uma opção para comprar ou vender uma ação. Como mencionado, um contrato implica o direito de comprar ou vender 100 ações. Por conseguinte, o preço do contrato é 100 vezes o preço cotado. Como a maior parte das opções é cotada por valores menores que US$10 e algumas valem menos que US$1, os investidores não têm de ser extremamente ricos para poder negociar opções.

O *Wall Street Journal* também mostra o volume total de opções de compra e de opções de venda e o saldo de posições em aberto para opções de compra e de venda para cada bolsa. Os números reportados em 16 de março de 2001 são mostrados na Tabela 7.4. O volume é o total de contratos negociados no dia. O saldo de posições em aberto é o número de contratos por vencer.

Tabela 7.3 – Cotações de opções sobre ações publicadas no *Wall Street Journal* de 16/3/2001

LISTED OPTIONS QUOTATIONS

OPTION/STRIKE		EXP	-CALL- VOL.	-CALL- LAST	-PUT- VOL.	-PUT- LAST
ADC Tel	10	May	25	2^{06}	1035	1^{31}
AmOnline	30	Mar	608	10^{70}	...	...
40^{59}	37^{50}	Mar	505	3^{20}	220	0^{05}
40^{59}	40	Mar	3071	1^{05}	820	0^{50}
40^{59}	40	Apr	2302	3^{90}	977	3^{10}
40^{59}	42^{50}	Mar	1270	0^{20}	487	2
40^{59}	45	Mar	758	0^{05}	1456	4^{50}
40^{59}	45	Apr	1136	1^{70}	597	6^{10}
40^{59}	50	Apr	593	0^{70}	170	9^{90}
40^{59}	50	Jul	885	2^{45}	282	10^{80}
ASM Intl	12^{50}	Jun	650	3^{63}	770	1^{25}
ATT Wrls	20	Mar	15	0^{15}	525	1^{70}
18^{90}	20	Apr	1267	1^{20}	70	2^{30}
18^{90}	22^{50}	Apr	...	...	620	4^{30}
18^{90}	25	Mar	...	...	635	6^{50}
AT&T	20	Apr	390	3^{90}	742	0^{45}
23^{35}	22^{50}	Mar	1194	1^{05}	52	0^{10}
23^{35}	22^{50}	Apr	2933	2	12689	1^{10}
23^{35}	25	Mar	800	0^{05}	265	2^{40}
23^{35}	25	Apr	2011	0^{80}	3891	2^{50}
23^{35}	40	Apr	9	0^{10}	582	16^{70}
ATMI Inc	20	Sep	...	...	1000	4^{13}
Abbt L	42^{50}	Mar	...	...	521	0^{25}
46^{28}	45	Apr	2228	2^{80}	324	1^{80}
AberFitch	35	May	534	2^{85}	...	...
Actel	22^{50}	Apr	1046	1^{50}	...	...
Adelph	35	Apr	2700	5	...	...
AdobeS	25	Mar	612	1^{56}	1441	1^{56}
25	30	Mar	987	0^{25}	537	5^{50}
AdvFibCm	25	Apr	685	0^{31}	...	...
A M D	20	Mar	181	3^{60}	600	0^{05}
23^{56}	22^{50}	Mar	2855	1^{20}	232	0^{20}
23^{56}	25	Mar	1164	0^{15}	83	1^{75}
23^{56}	25	Apr	3338	1^{85}	148	3^{10}
23^{56}	25	Jul	1150	3^{70}	...	...

OPTION/STRIKE		EXP.	-CALL- VOL.	-CALL- LAST	-PUT- VOL.	-PUT- LAST
23^{56}	25	Oct	1004	5^{80}	...	...
Agilent	35	Apr	700	3^{40}	22	2^{55}
34^{85}	40	Apr	2754	1^{50}	...	...
Alamosa	12^{50}	Apr	500	0^{63}	...	...
AlbnyMlc	35	Aug	525	10^{25}	...	...
Albtsn	27^{50}	Mar	18	0^{40}	476	0^{45}
AllegTel	20	Apr	...	...	2580	3^{88}
AldWaste	20	Mar	...	...	2128	5^{20}
Allste	40	Apr	1086	1^{90}	142	1^{50}
40^{07}	42^{50}	Mar	2750	0^{10}	...	...
40^{07}	42^{50}	Apr	2080	1^{25}	30	2^{80}
AlphaInd	17^{50}	Apr	1052	1^{69}	...	...
Altera	25	Mar	777	1	122	0^{56}
25^{25}	27^{50}	Mar	121	0^{13}	645	2^{44}
Amazon	7^{50}	Apr	255	4^{13}	1040	0^{44}
11	45	Mar	...	...	1347	33^{75}
Amdocs	65	Apr	20	3	2124	9^{70}
AmExpr	40	Mar	1186	0^{50}	430	0^{60}
39^{80}	40	Apr	622	2^{50}	234	2^{50}
39^{80}	42^{50}	Apr	2181	1^{65}	140	4^{20}
AmGenl	37^{50}	Jul	525	4^{60}	20	2
39^{33}	40	Mar	494	0^{20}	20	0^{75}
Am Hom	55	Mar	2698	1^{40}	50	0^{60}
56^{56}	55	Jul	2603	6	5	4^{30}
AmintGp	95	May	...	...	1700	17^{10}
AmStd	45	Jul	...	...	1000	1
Amgen	55	Apr	510	12^{63}	99	1^{69}
65^{13}	60	Mar	716	6	172	0^{13}
65^{13}	65	Mar	455	1^{25}	634	1^{25}
65^{13}	70	Apr	737	3^{13}	225	7
65^{13}	75	Apr	524	1^{63}	300	10^{50}
65^{13}	80	Apr	1299	0^{88}	2	15
Anadrk	55	May	...	...	500	1^{80}
63^{43}	65	Mar	788	0^{40}	1020	2^{20}
63^{43}	65	Apr	1113	3^{20}	...	...

OPTION/STRIKE		EXP.	-CALL- VOL.	-CALL- LAST	-PUT- VOL.	-PUT- LAST
63^{43}	65	May	506	4^{60}	34	5^{80}
63^{43}	70	Mar	...	...	2201	7^{20}
63^{43}	70	Apr	223	1^{45}	2101	7^{70}
63^{43}	75	Mar	1	0^{25}	975	11^{50}
Analog	40	Mar	532	1^{95}	564	0^{75}
AndrxCp	45	Apr	532	2^{44}	1325	6^{13}
39^{31}	50	Apr	787	1^{38}	180	8
39^{31}	65	Apr	490	0^{50}	...	...
answthink	5	Mar	507	0^{31}	...	...
5^{28}	5	Apr	510	1^{13}	...	...
Apache	65	Mar	23	0^{10}	2800	3^{20}
61^{66}	65	Apr	24	2^{35}	2804	5^{60}
AppleC	15	Apr	36	5^{88}	3003	0^{50}
19^{69}	17^{50}	Apr	47	3^{88}	3254	1^{13}
19^{69}	20	Mar	1868	0^{31}	430	0^{44}
19^{69}	22^{50}	Apr	5587	1^{31}	82	3^{63}
19^{69}	25	Apr	870	0^{75}	98	5^{63}
19^{69}	30	Jul	1429	1^{19}	10	9^{88}
19^{69}	47^{50}	Apr	...	...	1500	1^{19}
ApldMat	30	Apr	499	19^{25}	492	0^{50}
46^{13}	40	Mar	6	8	678	0^{06}
46^{13}	40	Apr	76	9	1330	3^{50}
46^{13}	42^{50}	Mar	672	3^{50}	507	0^{25}
46^{13}	42^{50}	Apr	162	8^{63}	2864	3^{50}
46^{13}	45	Mar	1003	1^{75}	1618	0^{81}
46^{13}	45	Apr	769	5^{38}	1467	4^{25}
46^{13}	47^{50}	Mar	675	0^{63}	1733	2^{06}
46^{13}	50	Mar	2448	0^{50}	798	3^{88}
46^{13}	50	Apr	3002	3	1564	7
46^{13}	55	Apr	704	1^{69}	1837	9^{13}
AMCC	20	Apr	504	5^{38}	626	2^{06}
23^{63}	35	Mar	6	0^{06}	557	11^{13}
23^{63}	47^{50}	Apr	...	...	510	1
Ariba	17^{50}	Apr	3080	0^{63}	10	6
11^{06}	110	May	...	...	800	98^{63}

Tabela 7.4 – Volume e saldo de posições em aberto publicados no *Wall Street Journal* de 16/3/2001

Bolsa	Volume de *calls*	Posição em aberto de *calls*	Volume de *puts*	Posição em aberto de *puts*
Chicago Board	777.845	46.667.872	757.275	26.436.611
American	481.780	17.343.487	371.031	9.331.586
Philadelphia	261.970	27.454.323	226.953	14.051.375
Pacific	253.995	41.893.009	200.690	22.910.071
Total	1.775.590	133.358.691	1.555.949	72.729.643

Analisando-se a Tabela 7.3, parece ter havido oportunidades de arbitragem em 15 de março de 2001. Por exemplo, a *put* de Amazon.com para março, com preço de exercício de 45 é mostrada ao preço de 33,75. Como o preço da ação era de 11, parece que a *put* e a ação poderiam ter sido compradas e a *put* exercida imediatamente gerando lucro de 0,25. Na realidade, esses tipos de oportunidades de arbitragem quase não existem. Tanto para as opções quanto para as ações, a Tabela 7.3 mostra os preços aos quais os últimos negócios aconteceram em 15 de março de 2001. O último negócio para a *put* de março da Amazon.com, ao preço de exercício de US$45, provavelmente ocorreu muito antes do último negócio com a ação. Se a opção tivesse sido negociada no momento do último negócio da ação, o preço da *put* provavelmente teria sido maior que US$33,75.

7.6 NEGOCIAÇÃO

Tradicionalmente, as bolsas têm sido obrigadas a providenciar uma grande área aberta para que os indivíduos se encontrem e negociem opções. Isso está mudando. A Eurex, maior bolsa de derivativos européia, é totalmente eletrônica de forma que os *traders* não têm de se encontrar fisicamente. A Chicago Board Options Exchange lançou o CBOEdirect em 2001. Inicialmente, esse sistema será usado para negociar certos tipos de opções em horário diferente do horário regular, mas é provável que eventualmente seja utilizado para todos os negócios.

Market makers

A maior parte das bolsas de opções usa *market makers* para facilitar a negociação. Um *market maker* para determinada opção é um indivíduo que, quando solicitado, cota tanto os preços de oferta de compra quanto de venda para a opção [*bid* e *offer*]. O *bid* é o preço ao qual o *market maker* está disposto a comprar e o *offer* é o preço ao qual o *market maker* está disposto a vender. No momento em que *bid* e *offer* são cotadas, o *market maker* não sabe se o operador que pediu cotação quer comprar ou vender a opção. A *offer* é sempre mais alta que a *bid* e a diferença é chamada de *bid-offer spread*. A bolsa estabelece limites para o *bid-offer spread*. Por exemplo, pode especificar que o *spread* não deverá ser maior que US$0,25 para as opções com preços inferiores a US$0,50; US$0,50 para opções cujos preços se situam entre US$0,50 e US$10; US$0,75 para opções cujos preços se situem entre US$10 e US$20 e US$1 para opções avaliadas acima de US$20.

A existência do *market maker* assegura que as ordens de compra e de venda podem sempre ser executadas a determinado preço sem qualquer demora. Os *market makers*, por conseguinte, trazem liquidez ao mercado. Os *market makers* obtêm seu lucro do *bid-offer spread*. Eles utilizam algumas técnicas para *hedgear* seus riscos que serão discutidas nos capítulos posteriores.

Ordens de encerramento

O investidor que tenha comprado uma opção pode fechar sua posição emitindo ordem de encerramento [*offsetting order*] para vender a mesma opção. Similarmente, o investidor que lançou a opção pode fechar a posição por meio da emissão de ordem de encerramento para comprar a mesma opção. Quando um contrato de opção é negociado, se nenhum investidor estiver fechando uma posição já existente, o saldo de posições em aberto aumentará. Se algum investidor estiver fechando uma posição já existente e o outro não, o saldo de posições em aberto continuará o mesmo. Se ambos os investidores estiverem fechando posições já existentes, o saldo de posições em aberto diminuirá.

7.7 COMISSÕES

Os tipos de ordem que podem ser colocados junto a um corretor para negociação de opções são similares àqueles para contratos futuros (veja a seção 2.8). Uma ordem a mercado é para ser executada imediatamente; uma ordem limitada especifica o preço menos favorável ao qual a ordem pode ser executada etc.

Para o pequeno investidor, as comissões ou corretagens variam significativamente de corretor para corretor. *Discount brokers* geralmente cobram mais barato que *full-service brokers*[N.T.]. O valor real cobrado é sempre calculado com base em um custo fixo mais uma percentagem do valor financeiro da operação. A Tabela 7.5 mostra o tipo de escala de corretagem que pode ser oferecida por um *discount broker*. Com base nessa tabela, a compra de oito contratos de opção ao preço de US$3 custará US$20 + (0,02 × US$2.400) = US$68 em comissões.

Se a posição em opções for encerrada por meio de uma operação de natureza inversa, a corretagem terá de ser paga novamente. Se a opção for exercida, a corretagem será a mesma que seria cobrada do investidor para comprar ou vender a ação. Em geral, essa comissão é 1% a 2% do valor da ação.

Considere o investidor que compra um contrato de opção de compra com preço de exercício de US$50 quando o preço da ação é US$49. Suponha que o preço da opção seja US$4,50 de tal forma que o custo do contrato seja US$450. Conforme a escala da Tabela 7.5, a compra ou venda de um contrato sempre custa US$30 (a comissão máxima ou mínima é US$30 para o primeiro contrato). Suponha que o preço da ação aumente e a opção seja exercida quando esse preço atingir US$60. Assumindo-se que o investidor pague 1,5% de comissão nos negócios de ações, a comissão a ser paga quando a opção for exercida é:

$$0{,}015 \times \text{US\$}60 \times 100 = \text{US\$}90$$

[N.T.] *Discount brokers* são corretores que simplesmente executam as ordens de sues clientes. Já os *full service brokers* oferecem serviços de análise sobre as ações.

A comissão total paga, portanto, é US$120 e o lucro líquido do investidor é:

US$1.000 – US$450 – US$120 = US$430

Se o investidor vendesse a opção por US$10, em vez de exercê-la, economizaria US$60 em corretagem (a corretagem a ser paga quando uma opção é vendida é apenas de US$30 em nosso exemplo). Em geral, o sistema de corretagem tende a fazer que os pequenos investidores prefiram vender suas opções a exercê-las.

Um custo que não aparece quando se negocia opções e ações é o *bid-offer spread* do *market maker*. Suponha que, no exemplo apresentado, o *bid-offer* fosse de US$4/ US$4,50 no momento que a opção foi comprada. Pode-se assumir que um preço justo para a opção seria a metade entre a cotação de compra (*bid*) e a cotação de venda (*offer*), ou US$4,25. O custo para o comprador ou vendedor de opção operando com o *market maker* é a diferença entre o preço justo e o preço pago. Isto é, US$0,25 por opção, ou US$25 por contrato.

Tabela 7.5 – Exemplo típico de escala de corretagem de *discount broker*

Valor negociado	Comissão*
<US$2.500	US$20 + 0,02 do valor
US$2.500 a US$10.000	US$45 + 0,01 do valor
>US$10.000	US$120 + 0,0025 do valor

* A comissão máxima é US$30 por contrato para os cinco primeiros, mais US$20 para cada contrato adicional. A comissão mínima é US$30 por contrato para o primeiro contrato, mais US$2 para cada contrato adicional.

7.8 MARGENS

Nos Estados Unidos, quando ações são compradas, o investidor pode tanto pagar em dinheiro como tomar empréstimo usando a conta margem (essa estratégia é conhecida como compra na margem [*buying on margin*]). Em geral, a margem inicial é 50% do valor das ações e a margem de manutenção é 25% do valor das ações. A conta margem opera de forma similar àquela para contratos futuros (veja Capítulo 2).

Quando opções de compra e de venda são compradas, o preço da opção deve ser pago no total. Os investidores não podem comprar opções na margem, porque as opções já implicam alto grau de alavancagem. Comprar na margem aumentaria esse grau a patamares inaceitáveis. O investidor que lança opções tem de manter fundos em uma conta margem. Tanto o corretor quanto a bolsa querem garantias de que o investidor não vai ficar inadimplente se a opção for exercida. O tamanho da margem requerida depende das circunstâncias.

Lançamento de opções a descoberto

Uma opção lançada ou vendida a descoberto [*naked option*] é a venda de uma opção não combinada com uma posição comprada na ação. A margem inicial para o lançamento de uma opção de compra a descoberto é o maior dos resultados entre os seguintes cálculos:

- o valor do prêmio recebido mais 20% do valor da ação subjacente ao contrato menos o valor, se houver, ao qual a opção está fora do dinheiro;
- o valor do prêmio recebido mais 10% do preço da ação subjacente ao contrato.

Para o lançamento de uma opção de venda a descoberto, a margem será o maior dos seguintes valores:

- o valor do prêmio recebido mais 20% do preço da ação subjacente ao contrato menos o valor, se existir, ao qual a opção está fora do dinheiro;
- o valor do prêmio mais 10% do preço de exercício.

Exemplo

O investidor lança quatro opções de compra sobre uma ação a descoberto. O preço da opção é US$5, o preço de exercício é US$40 e o preço da ação é US$38. Como a opção está US$2 fora do dinheiro, o primeiro cálculo resulta em:

$$400\,[5 + 0{,}2 \times 38 - 2] = \text{US\$}4.240$$

O segundo cálculo resulta em:

$$400\,[5 + 0{,}1 \times 38] = \text{US\$}3.520$$

A margem inicial, portanto, é US$4.240. Note que se a opção tivesse sido uma *put*, estaria US$2 dentro do dinheiro e o requerimento de margem seria:

$$400\,[5 + 0{,}2 \times 38] = \text{US\$}5.040$$

Em ambos os casos, o valor obtido com a venda da opção, US$2.000, pode ser usado como parte da conta margem.

Um cálculo similar para a margem inicial (mas substituindo o valor recebido pela venda da opção pelo preço corrente de mercado) é repetido todos os dias. Retiradas podem ser feitas da conta margem quando os cálculos indicam que a margem requerida é menor que o saldo da conta margem. Quando os cálculos indicam que a margem significativamente maior é requerida, há chamada de margem.

Lançamento de opções de compra cobertas

O lançamento de opções de compra cobertas envolve a venda das opções quando já existem as ações objeto do contrato. As opções cobertas têm risco menor que as opções a descoberto, porque o pior que pode acontecer é o investidor ter de vender as ações abaixo do preço de mercado. Se as opções cobertas estiverem fora do dinheiro, nenhuma margem será requerida. As ações podem ser compradas usando a conta margem, como descrito anteriormente; e o preço recebido pela opção pode ser usado para atender parcialmente os requerimentos de margem. Se as opções estiverem dentro do dinheiro, não haverá requerimento de margem para as opções. Entretanto, para efeito de cálculo da posição do investidor, do valor da ação é abatido o valor ao qual a opção está dentro do dinheiro. Isso pode limitar o valor que o investidor pode retirar de sua conta margem caso o preço das ações aumente.

Exemplo

Um investidor nos Estados Unidos decide comprar 200 ações de uma empresa usando sua conta margem e lançar dois contratos de opções de compra dessas ações. O preço da ação é US$63; o preço de exercício é US$60 e o preço da opção (prêmio) é US$7. A conta margem permite que o investidor tome por empréstimo, 50% do preço das ações, ou US$6.300. O investidor também pode usar o prêmio recebido pela venda dos contratos de opções, US$7 × 200 = US$1.400 para financiar a compra de ações. As ações custam US$63 × 200 = US$12.600. O caixa mínimo inicialmente requerido do investidor para a realização desses negócios é calculado como se segue:

$$US\$12.600 - US\$6.300 - US\$1.400 = US\$4.900$$

No Capítulo 9, examinam-se com mais detalhes as estratégias de negociação de opções como *spreads*, combinações, *straddles* e *strangles*. Há regras especiais para o cálculo da margem requerida quando essas estratégias são utilizadas.

7.9 OPTIONS CLEARING CORPORATION

A Options Clearing Corporation (OCC) desempenha as mesmas funções, para o mercado de opções, que uma *clearinghouse* desempenha para os mercados futuros (veja Capítulo 2). Essa câmara de compensação garante que os lançadores de opções irão cumprir integralmente suas obrigações relativas aos termos dos contratos de opções e mantém registro de todas as posições compradas e vendidas. A OCC tem um número de membros e todos os negócios de opções devem ser liquidados por intermédio de um membro. Se uma corretora não for um membro da OCC, deverá contratar um membro de compensação para liquidar seus negócios. Os membros devem atender exigências de capital mínimo e contribuir com determinado valor para a formação de um fundo que pode ser utilizado se algum membro ficar inadimplente.

Ao comprar uma opção, o comprador (titular) deve pagar por ela na manhã do próximo dia útil. Os fundos são depositados junto à OCC. O lançador da opção mantém uma conta margem com o corretor, conforme mencionado. O corretor mantém uma conta margem com o membro de compensação, ou seja, o membro da OCC que é responsável pela liquidação de suas operações. O membro da OCC, por sua vez, mantém uma conta margem com a OCC. Os requerimentos de margem descritos na seção anterior são os requerimentos estabelecidos pela OCC para seus membros. Uma corretora pode requerer valores de margem maiores de seus clientes. Entretanto, está proibida de requerer depósitos de margem menores.

Exercício da opção

Quando o investidor notifica seu corretor para exercer uma opção, o corretor notifica o membro da OCC que liquida seus negócios. Esse membro coloca uma ordem de exercício com a OCC, que, aleatoriamente, seleciona um membro com uma posição *short* em aberto na mesma opção. O membro, usando procedimento preestabelecido, seleciona o investidor que lançou opções. Se for uma opção de compra, o investidor terá de vender a ação ao preço de exercício. Se for uma opção de venda, o investidor terá de comprar a ação ao preço de exercício. Diz-se que o investidor está designado. Quando a opção é exercida, o saldo de posições em aberto diminui no contrato.

Na data de expiração da opção, todas as opções no dinheiro devem ser exercidas a menos que os custos de transação sejam tão altos a ponto de eliminar o fluxo positivo proveniente do exercício. Algumas corretoras exercem automaticamente as opções para seus clientes na data de expiração quando isso for do interesse de seus clientes. Muitas bolsas também têm regras para exercício de opções que estão no dinheiro na data de expiração.

7.10 REGULAÇÃO

Mercados de opções são regulados de várias maneiras. Tanto as bolsas quanto a OCC têm regras que regulam o comportamento dos operadores. Adicionalmente, há regulamentação das autoridades tanto federais quanto estaduais (nos Estados Unidos). Em geral, os mercados de opções têm demonstrado concordância quanto a sua regulação. Não tem havido escândalos significativos ou inadimplementos por parte dos membros da OCC. Investidores podem ter um alto grau de confiança no modo como o mercado é administrado.

A Securities Exchange Commission é responsável pela regulação dos mercados de opções sobre ações, índices de ações, moedas e bônus federais. A Commodity Futures Trading Commission é responsável pela regulação dos mercados de opções sobre futuros. Os principais mercados de opções estão em Illinois e Nova Iorque. Estes fazem valer suas leis de forma bastante ativa no que diz respeito às práticas de negociação inaceitáveis.

7.11 TAXAÇÃO

A determinação dos efeitos dos impostos nas estratégias de opções pode ser ardilosa. O investidor que está em dúvida sobre essa questão deve consultar um especialista em tributos. Nos Estados Unidos, a regra geral é que (a menos que o contribuinte seja operador profissional) ganhos e perdas provenientes dos negócios com opções são taxados como ganhos ou perdas de capital. A forma que os ganhos e as perdas de capital são taxados nos Estados Unidos foi discutido na seção 2.10. Tanto para o comprador da opção quanto para o lançador, o ganho ou a perda são reconhecidos quando a opção expira sem exercício ou quando a posição em opções é fechada. Se a opção for exercida, o ganho ou a perda serão acumulados com a posição tomada em ações e reconhecidos quando a posição em ações for fechada. Por exemplo, quando a opção de compra é exercida, a parte com a posição longa é considerada como tendo comprado a ação ao preço de exercício mais o prêmio pago. Esse valor é usado como base para calcular o ganho ou a perda dessa parte quando a ação é eventualmente vendida. Similarmente, a parte com a posição *short* é considerada como tendo vendido a ação ao preço de exercício mais o prêmio recebido. Quando uma opção de venda, *put*, é exercida o lançador é considerado como tendo comprado a ação pelo preço de exercício menos o preço original da opção; o comprador é considerado como tendo vendido a ação por aquele preço.

Regra *wash sale*

Uma importante regra sobre tributação de opções, negociadas nos Estados Unidos, é a *wash sale*. Para ter melhor entendimento dessa regra, imagine que o investidor comprou uma ação ao preço de US$60 e tem planos de mantê-la em carteira por longo tempo. Se o preço da ação cair para US$40, o investidor poderá ser tentado a vender a ação e recomprá-la imediatamente apenas com o objetivo de realizar perda de US$20 para efeitos tributários. Para evitar esse tipo de situação, as autoridades responsáveis pela tributação criaram a seguinte regra: quando a recompra ocorre no período de 30 dias em relação à venda (ou seja, 30 dias antes da venda e 30 dias depois da venda), a perda verificada na venda não é dedutível. A proibição para dedução também ocorre se, no período de 61 dias, o investidor comprar opção ou contrato similar que lhe permita adquirir a ação. Assim, a venda de uma ação com prejuízo e a aquisição de uma opção de compra no período de 30 dias fará que a perda não possa ser considerada para efeito tributário. A regra *wash sale* não se aplica quando o contribuinte é um *dealer* em ações ou títulos e a perda faz parte de seu negócio.

Constructive sales

Antes de 1997, se um contribuinte, nos Estados Unidos, tivesse posição vendida em um título e posição longa em um título idêntico, os ganhos e as perdas não eram reconhecidos até que a posição *short* fosse fechada. Isso significa que as posições *short* podiam ser usadas para deferir o reconhecimento de ganhos para efeito de tributação. Essa situação foi modificada pelo *Tax Relief Act* de 1997. O ativo apreciado agora é tratado como *constructively sold* quando seu proprietário tomar uma das seguintes medidas:

- ficar *short* no ativo ou em ativo substancialmente semelhante;
- vender contratos futuros ou a termo que implique a entrega do ativo ou de ativo substancialmente semelhante;
- tomar uma ou mais posições que eliminem substancialmente toda a perda ou oportunidade de ganho.

Note que uma operação que reduza apenas o risco de perda ou apenas a oportunidade de ganho não é considerada *constructive sale*. Assim, o investidor que mantém uma posição em ações pode comprar uma opção de venda no dinheiro referenciada nessa ação sem ter essa transação considerada *constructive sale*.

Planejamento tributário utilizando opções

Profissionais da área tributária usam, em algumas situações, opções para minimizar os custos com impostos ou maximizar os benefícios com impostos. Por exemplo, às vezes, é vantajoso receber a renda de um título no país A e o ganho ou a perda de capital no país B. Isso acontece se o regime tributário do país A tem imposto baixo para juros e dividendos e altos para ganhos de capital. Essa estratégia pode ser montada ao criar no país A uma estrutura que permita manter o título nesse país e ao comprar no país B uma opção de compra para o título que essa companhia tem no país A com preço de exercício igual ao valor corrente do título. Como outro exemplo, considere a posição de uma companhia com um grande portfólio de determinada ação, cujo preço aumentou rapidamente durante o período em que tal carteira foi mantida. Suponha que a companhia deseje vender as ações. Se fizer isso no modo usual estará sujeita a ganhos de capital. Uma estratégia alternativa é tomar empréstimo por 20 anos por meio de um contrato no qual a companhia tenha a opção de pagar o empréstimo com a ação. Isso atrasa o reconhecimento dos ganhos de capital.

As autoridades, em muitas jurisdições, têm proposto legislações feitas para combater o uso de derivativos para efeito de redução de impostos. Antes de tomar uma posição em derivativos, motivado por planejamento tributário, o tesoureiro deve analisar em detalhes as chances de que a estratégia seja feita por alteração na legislação e quanto isso poderia custar à companhia.

7.12 *WARRANTS*, *EXECUTIVE STOCK OPTIONS* E *CONVERTIBLES*

Quando a opção de compra é exercida, a parte com a posição *short* adquire ações que já foram emitidas e vende-as à parte com a posição longa, ao preço de exercício. A companhia cuja ação serve de ativo subjacente à opção não se envolve nesse negócio. Já os *warrants* e as *executive stock options* são opções de compra que funcionam com uma leve diferença. Estas são lançadas pela companhia sobre suas próprias ações. Quando são exercidas, a companhia emite mais ações e vende-as ao detentor das opções ao preço de exercício. Portanto, o exercício de *warrant* ou de *executive stock option* aumenta o número de ações da companhia que estão em circulação no mercado [*outstanding*].

Warrants são opções de compra que surgem com a emissão de um bônus. São adicionados ao bônus para torná-los mais atrativos aos investidores. Em geral, os *warrants* duram vários anos. Uma vez criados, podem ser negociados de forma separada dos bônus com os quais foram originalmente vendidos.

Executive stock options são opções de compra emitidas para executivos a fim de motivá-los a trabalhar melhor os interesses dos acionistas. Em geral, são emitidas no dinheiro (*at the money*). Após certo período, os executivos podem exercê-las. As *executive stock options* não podem ser negociadas. Em geral, têm prazo de 10 a 15 anos.

Um bônus conversível [*convertible bond*] é o bônus, emitido por uma companhia, que pode ser convertido em ação, em determinadas datas, utilizando-se um fator de conversão previamente determinado. É o bônus que traz, embutida, uma opção de compra da ação da companhia. Os bônus conversíveis, assim como os *warrants* e as *executive stock options*, quando exercidos, implicam a emissão de mais ações da companhia.

7.13 MERCADOS DE BALCÃO

A maior parte deste capítulo centrou-se nos mercados de opções negociados em bolsa. O mercado de opções de balcão tem se tornado cada vez mais importante desde o início dos anos de 1980 e, atualmente, é maior que o mercado de bolsa. Como foi explicado no Capítulo 1, no mercado de balcão, instituições financeiras, tesoureiros de companhias e administradores de fundos negociam por telefone. Há ampla gama de ativos que servem de objeto às opções. As opções de balcão sobre moedas e taxas de juro são bastante conhecidas. A maior desvantagem das opções de balcão é que o lançador pode ficar inadimplente. Isso significa que o comprador está sujeito a risco de crédito. Para eliminar esse problema, os participantes do mercado têm adotado várias medidas como a que estabelece o requerimento de colateral (garantia) das contrapartes.

Os instrumentos negociados no mercado de balcão são estruturados por instituições financeiras para atender necessidades específicas de seus clientes. Algumas vezes, tais necessidades incluem a escolha de preços de exercício, datas de vencimento e tamanhos de contratos diferentes dos padrões das opções negociadas em bolsa. Em outros casos, a estrutura da opção difere das opções padrão de compra e venda. São as chamadas *opções exóticas*. No Capítulo 19, descrevem-se vários tipos de opções exóticas.

7.14 SUMÁRIO

Há dois tipos de opções: opções de compra (*calls*) e opções de venda (*puts*). A opção de compra dá ao comprador o direito de comprar o ativo subjacente a certo preço em certa data. A opção de venda dá ao seu comprador o direito de vender o ativo subjacente a certo preço, em determinada data. Há quatro possíveis posições nos mercados de opções: posição longa em opção de compra, posição *short* em opção de compra, posição longa em opção de venda e posição *short* em opção de venda. Tomar posição *short* em opção é conhecido como lançar a opção. As opções são negociadas tendo como ativo subjacente ações, índice de ações, moedas estrangeiras, contratos futuros e outros ativos.

Uma bolsa especifica os termos dos contratos de opções que negocia. Em particular, a bolsa deve indicar o tamanho do contrato, a data de expiração da opção e o preço de exercício. Nos Estados Unidos, uma opção sobre ações dá a seu comprador o direito de comprar ou vender 100 ações. As opções sobre ações expiram às 22:59 do sábado imediatamente seguinte à terceira sexta-feira do mês de vencimento. Opções são negociadas nos horários especificados para vários meses. Os preços de exercício têm intervalos de US$2,50, US$5 e US$10, dependendo do preço da ação. O preço de exercício é, em geral, próximo do preço corrente da ação quando se inicia a negociação daquela opção.

Os termos do contrato de opção não são ajustados quando da ocorrência de dividendos em dinheiro. Entretanto, são ajustados para dividendos em ações, bonificações e subscrição. O objetivo do ajuste é manter as posições do comprador e do vendedor de um contrato inalteradas.

A maior parte das bolsas de opções mantém *market maker*, o indivíduo que está preparado para cotar preços para compra (*bid*) e para venda (*offer*). *Market makers* aumentam a liquidez dos mercados e asseguram que não haverá atraso na execução das ordens. Seu lucro vem da diferença entre as cotações *bid* e *offer* (conhecida como *bid-offer spread*). As bolsas estabelecem limites máximos para *o bid-offer spread.*

Lançadores de opções têm obrigações e, portanto, têm de manter depósito de margem junto a seus corretores. Se não for um membro da Options Clearing Corporation (OCC), o corretor terá de manter uma conta margem com um membro, o qual, por sua vez, manterá uma conta margem com a OCC. Esta é responsável por manter registros de todos os contratos, executar as ordens para exercício etc.

Nem todas as opções são negociadas em bolsas. Muitas opções são negociadas por telefone no mercado de balcão. Uma vantagem do mercado de balcão de opções é que estas podem ser customizadas por uma instituição financeira para atender a necessidades específicas de tesoureiros, companhias ou de administradores de fundo.

SUGESTÕES PARA LEITURAS COMPLEMENTARES

CHANCE, D. M. *An Introduction to Derivatives*. Orlando, FL: Dryden Press, 1998.

COX, J. C.; RUBINSTEIN, M. *Options Markets*. Upper Saddle River, NJ: Prentice Hall, 1985.

KOLB, R. *Futures, Options and Swaps*. Oxford: Blackwell, 1999.

MCMILLAN, L. G. *Options as Strategic Investment*. New York: New York Institute of Finance, 1992.

PERGUNTAS RÁPIDAS (RESPOSTAS NO FINAL DO LIVRO)

7.1 O investidor compra uma *put* européia sobre uma ação por US$3. O preço da ação é US$42 e o preço de exercício é US$40. Sob que circunstâncias o investidor terá lucro? Sob que circunstâncias a opção será exercida? Desenhe um diagrama mostrando a variação do lucro do investidor em função do preço da ação na data de maturidade da opção.

7.2 O investidor vendeu uma *call* européia sobre uma ação por US$4. O preço da ação é US$47 e o preço de exercício é US$50. Sob que circunstâncias o investidor terá lucro? Sob que circunstâncias a opção será exercida? Desenhe um diagrama mostrando a variação do lucro do investidor em função do preço da ação na data de expiração da opção.

7.3 O investidor compra uma *call* com preço de exercício de X e lança uma *put* com o mesmo preço de exercício. Descreva a posição do investidor.

7.4 Explique por que corretores requerem margens quando os clientes lançam opções, mas não quando eles compram opções.

7.5 Uma opção sobre ação é negociada no ciclo fevereiro, maio, agosto e novembro. Quais opções são negociadas em (a) 1º de abril e (b) 30 de maio?

7.6 A companhia anuncia uma bonificação de 3 por 1. Explique quais as modificações nos termos do contrato para uma opção de compra com preço de exercício de US$60.

7.7 O tesoureiro de uma companhia está estruturando um programa de *hedge* envolvendo opções sobre moedas estrangeiras. Quais são os prós e os contras de se usar (a) a Philadelphia Stock Exchange ou (b) o mercado de balcão, para a realização das operações?

QUESTÕES E PROBLEMAS (RESPOSTAS NO MANUAL DE SOLUÇÕES)

7.8 Suponha que o preço de uma *call* européia para comprar uma ação por US$100 seja US$5 e a opção seja mantida até a maturidade. Sob que circunstâncias o comprador da opção terá lucro? Sob que circunstâncias a opção será exercida? Faça um diagrama ilustrando como o lucro de uma posição longa na opção depende, na data de seu vencimento, do preço da ação.

7.9 Suponha que uma opção de venda européia para vender uma ação por US$60 custe US$8 e seja mantida até sua maturidade. Sob que circunstâncias o vendedor da opção (a parte com a posição *short*) terá lucro? Sob que circunstâncias a opção será exercida? Desenhe um diagrama ilustrando como o lucro de uma posição *short* na opção depende, na data de sua expiração, do preço da ação.

7.10 Descreva o valor final do seguinte portfólio: uma posição longa em contrato a termo sobre um ativo, criada recentemente, e uma posição longa em uma *put* européia sobre esse ativo com a mesma maturidade do contrato a termo e preço de exercício igual ao preço a termo, no momento que o portfólio é criado. Mostre que a *put* européia tem o mesmo valor de uma *call* européia com o mesmo preço de exercício e maturidade.

7.11 O *trader* compra uma opção de compra com preço de exercício de US$45 e uma opção de venda com preço de exercício de US$40. Ambas as opções têm a mesma data de vencimento. A *call* custa US$3 e a *put* custa US$4. Desenhe um diagrama mostrando a variação do lucro do *trader* em função do preço do ativo.

7.12 Explique a razão pela qual uma opção americana vale, pelo menos, tanto quanto uma opção européia considerando o mesmo ativo, mesmo preço de exercício e mesma data de expiração.

7.13 Explique a razão pela qual uma opção americana vale no mínimo seu valor intrínseco.

7.14 Explique detalhadamente a diferença entre lançar uma opção de compra e comprar uma opção de venda.

7.15 O tesoureiro de uma empresa está tentando escolher entre opções e contrato a termo para *hedgear* o risco de taxa de câmbio da companhia. Discuta as vantagens e desvantagens de cada modalidade operacional.

7.16 Suponha que as taxas de câmbio *spot* e *forward* entre o dólar americano e a libra esterlina sejam as seguintes:

Spot	1,8470
90 dias	1,8381
180 dias	1,8291

Que oportunidades estão abertas para um investidor nas seguintes situações:

a) uma opção de compra européia com vencimento em 180 dias que permita comprar £1 por US$1,80 ao preço de US$0,0250?

b) uma opção de venda européia que permita vender £1 por US$1,86 ao preço de US$0,0200?

7.17 Considere a negociação de um contrato de opção de compra em uma bolsa para comprar 500 ações com preço de exercício de US$40 e maturidade em quatro meses. Explique como os termos do contrato da opção são modificados quando há:

a) dividendo em ações de 10%;

b) dividendo em dinheiro de 10%;

c) bonificação de ações de 4 por 1.

7.18 "Se a maioria das opções de compra de determinada ação está dentro do dinheiro, provavelmente o preço dessa ação subiu rapidamente nos últimos meses". Discuta essa afirmação.

7.19 Qual o efeito de um dividendo em dinheiro inesperado sobre (a) o preço de uma *call* e (b) o preço de uma *put*?

7.20 As opções sobre a ação da General Motors são do ciclo março, junho, setembro e dezembro. Que opções são negociadas em (a) 1º de março, (b) 30 de junho e (c) 5 de agosto?

7.21 Explique por que o *bid-offer spread* do *market maker* representa custo real para os investidores em opções.

7.22 O investidor americano lança cinco contratos de opções de compra descobertas ou a descoberto. O preço da opção é US$3,50, o preço de exercício é US$60 e o preço da ação é US$57. Qual é a margem inicial requerida?

QUESTÕES DE PROVA

7.23 O investidor americano compra 500 ações de uma empresa e vende cinco contratos de opção de compra sobre essa ação. O preço de exercício é US$30. O preço da opção é US$3. Qual é o investimento mínimo do investidor (a) se o preço da ação for US$28 e (b) se o preço for US$32?

7.24 O preço da ação é US$40. O preço de uma opção de venda européia de um ano sobre essa ação, com preço de exercício de US$30, está cotado a US$7 e o preço de uma opção de compra de um ano sobre a mesma ação, com preço de exercício de US$50, está cotado a US$5. Suponha que o investidor compre 100 ações, venda 100 opções de compra e compre 100 opções de venda. Desenhe um diagrama ilustrando como o lucro ou a perda do investidor variam em função do preço da ação durante o próximo ano. Como seria sua resposta se o investidor comprasse 100 ações, vendesse 200 opções de compra e comprasse 200 opções de venda?

7.25 "Se uma companhia não tem desempenho melhor que seus concorrentes, mas o mercado de ações está em alta, os executivos têm ganhos com suas opções sobre ações. Isso não faz sentido". Discuta esse ponto de vista. Você pode pensar em alternativas para o benefício de *executive stock option* que é dado aos executivos, levando em consideração esse ponto de vista?

Capítulo

PROPRIEDADES DAS OPÇÕES SOBRE AÇÕES

8

Neste capítulo, são analisados os fatores que afetam o preço das opções sobre ações. Apresentam-se vários argumentos de arbitragem para explorar as relações entre preços das opções européias e americanas e preços das ações subjacentes a tais contratos. A mais importante delas é a paridade *put–call*, que consiste na relação entre os preços de opções européias de compra e os preços de opções européias de venda.

O capítulo examina também se as opções americanas devem ser exercidas antes do vencimento ou não. Mostra que não se deve fazer o exercício de uma opção americana de compra referenciada em uma ação, que não paga dividendos, antes de sua data de expiração, porém, sob certas circunstâncias, pode ser desejável exercer a opção americana de venda antes de seu vencimento.

8.1 FATORES QUE AFETAM OS PREÇOS DAS OPÇÕES

Há seis fatores que afetam o preço das opções sobre ações:

- preço a vista da ação, S_0;
- preço de exercício, X;
- prazo até a data de expiração, T;
- volatilidade do preço da ação, σ;
- taxa de juro livre de risco, r;
- dividendos esperados durante a vida da opção.

Nesta seção, consideram-se os preços da opção quando um desses fatores muda, enquanto os demais permanecem constantes. Os resultados estão na Tabela 8.1.

As Figuras 8.1 e 8.2 mostram como os preços das opções de compra e de venda européias dependem dos cinco primeiros fatores, considerando-se que $S_0 = 50$; $X = 50$; $r =$

5% ao ano; σ = 30% ao ano; T = 1 ano; e que não há dividendos. Nesse exemplo, o preço da *call* é 7,116 e o preço da *put* é 4,677.

Preço a vista e preço de exercício

Se a opção de compra for exercida em algum momento no futuro, o valor a ser recebido [*payoff*] será igual ao valor pelo qual o preço a vista exceder o preço de exercício. Portanto, as opções de compra tornam-se mais valiosas à medida que o preço a vista aumenta e menos valiosas à medida que o preço de exercício aumenta.

Tabela 8.1 – Sumário do efeito sobre o preço da opção sobre ação em função de aumento em uma variável enquanto as outras permanecem constantes

Variável	*Call* européia	*Put* européia	*Call* americana	*Put* americana
Preço a vista da ação	+	–	+	–
Preço de exercício	–	+	–	+
Tempo até a expiração	?	?	+	+
Volatilidade	+	+	+	+
Taxa de juro livre de risco	+	–	+	–
Dividendos	–	+	–	+

Nota: + indica que aumento na variável causa elevação do preço da opção; – indica que aumento na variável causa queda no preço da opção; ? indica que a relação é incerta.

Para a opção de venda, o *payoff* no exercício é o montante pelo qual o preço de exercício excede o preço a vista. Portanto, as opções de venda comportam-se de modo oposto às opções de compra: tornam-se menos valiosas à medida que o preço da ação aumenta e mais valiosas à medida que o preço de exercício aumenta. A Figura 8.1 (a), (b), (c) e (d) ilustram o modo pelo qual os preços da *put* e da *call* variam em relação ao preço a vista e ao preço de exercício.

Prazo até a data de expiração

Considere, agora, o efeito da data de expiração (ou data de vencimento). As opções de venda e de compra americanas tornam-se mais valiosas à medida que o prazo aumenta. Considere duas opções que diferem uma da outra apenas no que diz respeito à data de vencimento. O titular de uma opção de longa vida tem muito mais oportunidades de exercício do que o titular de uma opção de vida curta. As Figuras 8.1(e) e (f) ilustram a forma como as *calls* e *puts* dependem do prazo até a expiração.

Embora, de forma geral, as opções de compra e de venda européias valham mais à medida que o tempo até a expiração aumenta, nem sempre é assim. Considere duas opções de compra européias referenciadas em uma ação: uma com data de expiração em um mês e outra com data de expiração em dois meses. Suponha que um grande dividendo seja esperado em seis meses. O dividendo fará que o preço da ação caia, de forma que a opção com vida curta possa vir a valer mais que opção de vida longa.

Figura 8.1 – Efeito das mudanças no preço da ação, no preço de exercício e na data para expiração sobre os preços das opções

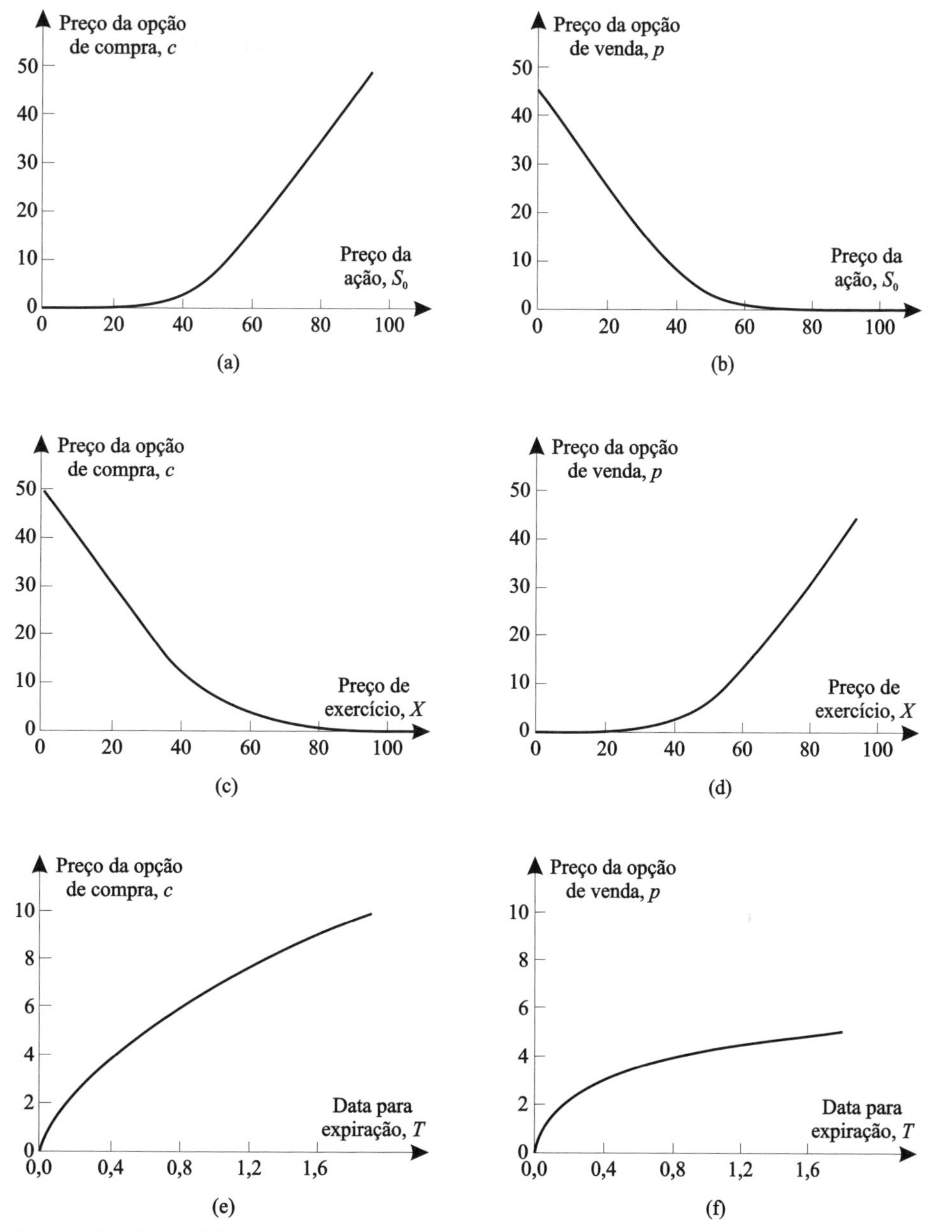

Nota: $S_0 = 50$; $X = 50$; $r = 5\%$ ao ano; $\sigma = 30\%$ ao ano; e $T = 1$.

Volatilidade

A forma precisa, pela qual a volatilidade é definida, é discutida no Capítulo 11. Em geral, a *volatilidade* do preço da ação é a medida da incerteza acerca dos movimentos de preços futuros da ação. Se a volatilidade aumentar, as chances de que o desempenho da ação será bom ou ruim aumentarão. Para o detentor da ação, esses dois resultados tendem a se cancelar. Entretanto, não é o caso para o titular de *call* ou de *put*. O titular de *call* se beneficiará dos aumentos de preço, mas terá seu risco de perda limitado caso ocorra queda de preços, já que tudo que ele pode perder é o preço da opção. De modo similar, o titular de *put* se beneficiará das quedas de preço, mas terá seu risco de perda limitado caso ocorra aumento no preço da ação. Os valores tanto das *calls* quanto das *puts,* portanto, aumentam à medida que a volatilidade aumenta. Veja as Figuras 8.2 (a) e (b).

Figura 8.2 – Efeito das mudanças na volatilidade e na taxa de juro livre de risco sobre os preços das opções

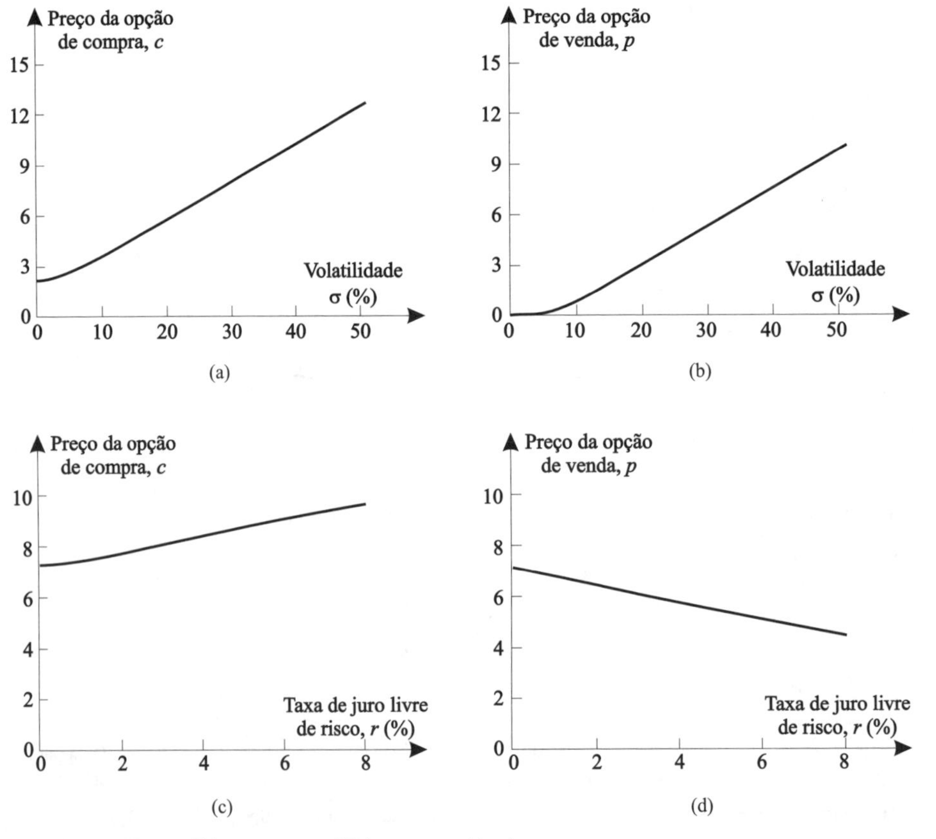

Nota: $S_0 = 50$; $X = 50$; $r = 5\%$ ao ano; $\sigma = 30\%$ ao ano; e $T = 1$.

Taxa de juro livre de risco

A taxa de juro livre de risco afeta o preço da opção de forma menos clara. Se as taxas de juro na economia aumentarem, a taxa de crescimento do preço da ação tenderá a aumentar também. Entretanto, o valor presente do fluxo de caixa futuro a ser recebido pelo detentor da opção decrescerá.

No caso das *puts*, os dois efeitos tendem a diminuir o valor da opção. Logo, o preço da opção de venda cai à medida que a taxa de juro livre de risco aumenta. Veja Figura 8.2 (d). No caso das *calls*, o primeiro efeito tende a aumentar o preço, enquanto o segundo tende a diminuir o preço da opção. Pode ser demonstrado que o primeiro efeito domina o segundo, ou seja, o preço de uma *call* sempre aumenta quando a taxa de juro livre de risco aumenta. Veja a Figura 8.2 (c).

Deve ser enfatizado que os resultados nesta seção assumem que uma das seis variáveis se altera enquanto as demais permanecem constantes. Na prática, quando as taxas de juro aumentam (caem), o preço das ações tende a cair (aumentar). O efeito líquido de aumento nas taxas de juro e queda no preço da ação pode diminuir o valor da opção de compra e aumentar o valor da opção de venda. Similarmente, o efeito líquido de queda na taxa de juro e aumento no preço da ação objeto pode aumentar o valor da opção de compra e diminuir o valor da opção de venda.

Dividendos

Os dividendos têm o efeito de reduzir o preço da ação na data ex-dividendo. Essa é uma má notícia para o valor das opções de compra e uma boa notícia para o valor das opções de venda. O valor da opção de compra é, portanto, negativamente relacionado ao tamanho de qualquer dividendo antecipado e o valor da opção de venda é positivamente relacionado ao tamanho de qualquer dividendo antecipado.

8.2 SUPOSIÇÕES E NOTAÇÃO

Neste capítulo, apresentam-se suposições similares àquelas feitas para os contratos a termo e futuro no Capítulo 3. Assume-se que existem vários participantes de mercado, como grandes bancos de investimento, para os quais:

- não há custos de transação;
- todos os lucros dos negócios (líquidos das perdas) estão sujeitos à mesma taxação;
- tomar e conceder empréstimos é possível à taxa de juro livre de risco.

Assume-se que esses participantes de mercado estão preparados para tirar vantagem de oportunidades de arbitragem quando estas surgem. Como discutido nos Capítulos 1 e 3, isso significa que qualquer oportunidade de arbitragem disponível desaparece rapidamente. Portanto, para efeito de análise é razoável supor que não há oportunidades de arbitragem.

São utilizadas as seguintes notações:

S_0 = preço a vista da ação;
X = preço de exercício da opção;
T = prazo até a expiração da opção;
S_T = preço da ação na maturidade da opção;
r = taxa de juro livre de risco capitalizada continuamente para investimento com maturidade em T;
C = valor da opção de compra americana referente a uma ação;
P = valor da opção de venda americana referente a uma ação;
c = valor da opção de compra européia referente a uma ação;
p = valor da opção de venda européia referente a uma ação.

Deve ser notado que r é a taxa de juro nominal, não a taxa real de juro. Assume-se que $r > 0$. Se assim não fosse, um investimento à taxa de juro livre de risco não ofereceria vantagens em relação a manter dinheiro sem aplicação (na verdade, se $r < 0$, manter o dinheiro em caixa seria preferível a qualquer investimento livre de risco).

8.3 LIMITES SUPERIORES E INFERIORES PARA OS PREÇOS DA OPÇÃO

Nesta seção, são derivados os limites superiores e inferiores para os preços das opções. Esses limites não dependem de qualquer suposição particular sobre os fatores mencionados na seção anterior (exceto $r > 0$). Se o preço da opção estiver acima do limite superior ou abaixo do limite inferior, haverá oportunidades para arbitradores realizarem lucros.

Limites superiores

A opção de compra americana ou européia dá a seu titular o direito de comprar uma ação por determinado preço. Não importa o que aconteça, a opção nunca pode valer mais que a ação. Logo, o limite superior para o preço de uma opção é:

$$c \leq S_0 \quad \text{e} \quad C \leq S_0$$

Se essas relações não fossem verdadeiras, o arbitrador poderia facilmente auferir lucros sem risco ao comprar a ação e vender a opção.

A opção de venda americana ou européia permite a seu titular o direito de vender uma ação ao preço de X. Não importa quanto o preço da ação caia, a opção nunca pode valer mais que X. Logo:

$$p \leq X \quad \text{e} \quad P \leq X$$

Para opções européias, sabe-se que na data de maturidade a opção não pode valer mais que X. Então, não pode valer mais que seu valor presente hoje:

$$p \leq Xe^{-rT}$$

Se não isso fosse verdade, o arbitrador poderia ter lucro sem risco ao lançar a opção e investir o dinheiro recebido na venda à taxa de juro livre de risco.

Limite inferior para opções de compra sobre ações que não pagam dividendos

O limite inferior para o preço de uma opção de compra européia que tem como ativo-objeto uma ação que não paga dividendos é:

$$S_0 - Xe^{-rT}$$

Primeiramente, analisa-se um exemplo numérico e depois uma teoria mais formal. Suponha que S_0 = US\$20; X = US\$18; r = 10% ao ano; e T = 1 ano. Nesse caso:

$$S_0 - Xe^{-rT} = 20 - 18e^{-0,1} = 3,71$$

ou US\$3,71. Considere a situação em que o preço da opção de compra européia seja US\$3, que é menor que o preço teórico mínimo de US\$3,71. O arbitrador pode comprar a opção de compra e vender a ação, tendo assim entrada de caixa de US\$20 – US\$3 = US\$17. Se esse dinheiro for investido por um ano à taxa de 10% ao ano, os US\$17 crescem para $17e^{0,1}$ = US\$18,79. Ao fim do ano, a opção expira. Se o preço da ação for maior que US\$18, o arbitrador exerce a opção por US\$18, fecha sua posição *short* e lucra:

US\$18,79 – US\$18 = US\$0,79

Se o preço da ação for menor que US\$18, a ação será comprada no mercado e a posição *short* será fechada. O arbitrador realiza ganho ainda maior. Por exemplo, se o preço da ação for US\$17, o arbitrador lucrará:

US\$18,79 – US\$17 = US\$1,79

Esse exemplo está ilustrado na Tabela 8.2.

Para desenvolver teoria mais formal, considere duas carteiras:

- portfólio A: uma opção de compra européia mais um montante em dinheiro igual a Xe^{-rT};
- portfólio B: uma ação.

Em A, o dinheiro, se investido à taxa de juro livre de risco, crescerá para X na data T. Se $S_T > X$, a opção de compra será exercida na data de expiração e o portfólio A valerá S_T. Se $S_T < X$, a opção expirará sem valor e o portfólio valerá X. Assim, no momento T o portfólio A vale:

$$\text{máx}\left(S_T, X\right)$$

O portfólio B vale S_T na data T, logo, o portfólio A, na data de expiração, vale no mínimo o valor do portfólio B. Segue-se que, na ausência de oportunidades de arbitragem, isso também é verdadeiro para o presente. Logo:

$$c + Xe^{-rT} \geq S_0$$

ou

$$c \geq S_0 - Xe^{-rT}$$

Como o pior que pode acontecer para a opção de compra é expirar sem valor, este não pode ser negativo. Isso significa que $c \geq 0$ e, por conseguinte:

$$c \geq \text{máx}\left(S_0 - Xe^{-rT}, 0\right) \quad (8.1)$$

Tabela 8.2 – Oportunidade de arbitragem quando o preço da opção de compra européia é menor que o limite inferior

Da mesa de operações

O investidor acabou de obter as seguintes cotações para a opção de compra européia sobre uma ação que não paga dividendos com preço de exercício de US$18 e prazo até a data de expiração de 1 ano:

- preço da ação: US$20;
- preço da opção: US$3.

A taxa de juro livre de risco para investimentos de 1 ano é 10% ao ano.

Oportunidade

- Comprar a opção.
- Vender a ação.
- Investir a sobra de caixa a 10% ao ano.

Resultado

Essa estratégia proporciona fluxo de caixa positivo imediato de US$20 – US$3 = US$17. Esses US$17 são investidos a 10% ao ano, o que resultará, ao final de um ano, $17e^{0,1}$ = US$18,79. A opção expira em um ano. Se o preço da ação for maior que US$18, o investidor exercerá a opção e fechará a posição com lucro de US$18,79 – US$18 = US$0,79.

Se o preço da ação for menor que US$18 ao fim de um ano, a ação será comprada no mercado e a posição vendida será fechada. O investidor obtém lucro igual a 18,79 – S_T, onde S_T é o preço da ação. Como $S_T < 18$, o lucro é, no mínimo, igual a US$0,79.

Exemplo

Considere a opção de compra européia sobre uma ação que não paga dividendos, quando o preço da ação é US$51, o preço de exercício é US$50, o prazo até a maturidade é seis meses e a taxa de juro livre de risco é 12% ao ano. Nesse caso, $S_0 = 51$; $X = 50$; $T = 0,5$; e $r = 0,12$. Da equação (8.1), o limite inferior para o preço da opção é $S_0 - Xe^{-rT}$ ou:

$$51 - 50e^{-0,12 \times 0,5} = \text{US\$3,91}$$

Limite inferior para opção de venda européia sobre ações que não pagam dividendos

Para a opção de venda européia sobre uma ação que não paga dividendos, o limite inferior para seu preço é:

$$X e^{-rT} - S_0$$

Novamente, considera-se um exemplo numérico e examina-se uma teoria mais formal. Suponha que $S_0 = \text{US\$}37$; $X = \text{US\$}40$; $r = 5\%$ ao ano; e $T = 0,5$ ano. Nesse caso:

$$X e^{-rT} - S_0 = 40\, e^{-0,05 \times 0,5} - 37 = \text{US\$2,01}$$

Suponha que o preço de uma *put* européia seja US$1, que é menor que o valor teórico mínimo de US$2,01. O arbitrador pode tomar emprestado US$38 por seis meses para comprar a *put* e a ação. Ao fim de seis meses, o arbitrador terá de pagar $38e^{0,05 \times 0,5} =$ US$38,96. Se o preço da ação estiver abaixo de US$40, o arbitrador exercerá a opção e venderá a ação por US$40, pagará o empréstimo e lucrará:

$$\text{US\$40} - \text{US\$38,96} = \text{US\$1,04}$$

Se o preço da ação for maior que US$40, o arbitrador descartará a opção, venderá a ação, pagará o empréstimo e terá lucro maior ainda. Por exemplo, se o preço da ação for de US$42, o lucro do arbitrador será:

$$\text{US\$42} - \text{US\$38,96} = \text{US\$3,04}$$

Esse exemplo está ilustrado na Tabela 8.3.

Para desenvolver teoria mais formal, considere duas carteiras:

- portfólio C: uma opção de venda européia mais uma ação;
- portfólio D: montante em dinheiro igual a $X e^{-rT}$.

Se $S_T < X$, a opção no portfólio C será exercida na data de expiração e a carteira terá valor de X. Se $S_T > X$, a opção de venda expirará sem valor e a carteira valerá S_T nessa data. Logo, o portfólio C vale:

$$\text{máx}\left(S_T, X\right)$$

na data T. Assumindo-se que o dinheiro seja investido à taxa de juro livre de risco, o portfólio D valerá X na data T. Logo, o portfólio C vale no mínimo igual ao D na data T, podendo às vezes valer mais. Assim, inexistindo oportunidades de arbitragem, também no presente o portfólio C deve valer no mínimo igual ao D. Logo:

$$p + S_0 \geq Xe^{-rT}$$

ou

$$p \geq Xe^{-rT} - S_0$$

Como o pior que pode acontecer a uma opção de venda é a expiração sem valor, este não pode ser negativo. Isso significa que:

$$p \geq \text{máx}\left(Xe^{-rT} - S_0, 0\right) \tag{8.2}$$

Tabela 8.3 – Oportunidades de arbitragem quando o preço da opção de venda européia é menor que o limite inferior

Da mesa de operações

O investidor acabou de receber as cotações abaixo para uma opção de venda européia sobre uma ação que não paga dividendos, com preço de exercício de US$40 e data de expiração em seis meses:

- preço da ação: US$37;
- preço da opção: US$1.

A taxa de juro livre de risco para seis meses é 5% ao ano.

Oportunidade

- Tomar emprestados US$38 por seis meses.
- Comprar uma opção.
- Comprar uma ação.

Resultado

No fim dos seis meses, serão necessários $38e^{0,05 \times 6/12}$ = US$38,96 para pagar o empréstimo. Se o preço da ação nessa data estiver abaixo de US$40, o investidor exercerá a opção, vendendo a ação por US$40 e lucrando US$40 – US$38,96 = US$1,04.

Se o preço da ação for maior que US$40, o investidor venderá a ação e pagará o empréstimo, obtendo lucro de $S_T - 38{,}96$, onde S_T é o preço da ação. O lucro é sempre no mínimo igual a US$1,04.

Exemplo

Considere a opção de venda européia sobre uma ação que não paga dividendos quando o preço da ação é US$38, o preço de exercício é US$40, o prazo até a maturidade é três meses e a taxa de juro livre de risco é 10% ao ano. Nesse caso, $S_0 = 38$; $X = 40$; $T = 0,25$; e $r = 0,10$. Da equação (8.2), o limite inferior para o preço dessa opção é $Xe^{-rT} - S_0$ ou:

$$40e^{-0,1\times 0,25} - 38 = \text{US\$}1,01$$

8.4 PARIDADE *PUT–CALL*

Agora, deriva-se uma relação muito importante entre p e c. Considere as duas carteiras utilizadas na seção anterior:

- portfólio A: uma opção de compra européia mais montante em dinheiro igual a Xe^{-rT};
- portfólio C: uma opção de venda européia mais uma ação.

Ambos valem:

$$\text{máx}\left(S_T, X\right)$$

na data de expiração das opções. Como as opções são européias, não podem ser exercidas antes de sua data de vencimento. Os portfólios devem, portanto, ter valores idênticos no presente.

Isso significa que:

$$c + Xe^{-rT} = p + S_0 \qquad (8.3)$$

Essa relação é conhecida como paridade *put–call* [*put–call parity*]. Mostra que o valor da opção de compra européia com determinado preço de exercício e determinada data de exercício pode ser deduzido do valor da opção de venda européia com o mesmo preço de exercício e mesma data de exercício, e vice-versa.

Se a equação (8.3) não se verifica, há oportunidades de arbitragem. Suponha que o preço da ação seja US$31, o preço de exercício US$30, a taxa de juro livre de risco 10% ao ano e o preço da opção de compra européia de três meses seja US$3 e da opção de venda européia de três meses seja US$2,25. Nesse caso:

$$c + Xe^{-rT} = 3 + 30e^{-0,1\times 3/12} = \text{US\$}32,26$$
$$p + S_0 = 2,25 + 31 = \text{US\$}33,25$$

O portfólio C está superavaliado em relação ao A. A estratégia correta de arbitragem é comprar o portfólio A e vender o C, o que envolve a compra da *call* e venda da *put* e da ação, gerando fluxo de caixa positivo de:

$$-3 + 2,25 + 31 = \text{US\$}30,25$$

Se investidos à taxa de juro livre de risco, esse valor crescerá para $30,25e^{0,1\times 0,25}$ = US$31,02 em três meses.

Se o preço da ação na data de expiração for maior que US$30, a opção de compra será exercida. Se for menor que US$30, a opção de venda será exercida. Em ambos os casos, o investidor acabará comprando uma ação por US$30. Esta poderá ser usada para fechar a posição *short*. O lucro líquido, por conseguinte, é:

$$\text{US\$}31,02 - \text{US\$}30 = \text{US\$}1,02$$

Esse exemplo está ilustrado na Tabela 8.4.

Tabela 8.4 – Oportunidade de arbitragem quando a paridade *put–call* não se verifica: preço da opção de compra muito baixo em relação ao preço da opção de venda

Da mesa de operações

O investidor acabou de receber as cotações para opções sobre uma ação cujo preço é US$31. A taxa de juro livre de risco é 10% ao ano. Ambas as opções têm preço de exercício de US$30 e data de expiração em três meses:

- opção de compra européia: US$3;
- opção de venda européia: US$2,25.

Estratégia

- Comprar a opção de compra.
- Vender a opção de venda.
- Vender a ação.

Resultado

Essa estratégia produz fluxo de caixa inicial de US$31 – US$3 + US$2,25 = US$30,25, que investidos por três meses à taxa de juro livre de risco cresce para $30,25e^{0,1\times 3/12}$ = US$31,02. No final dos três meses, são possíveis as seguintes situações:

- o preço da ação é maior que US$30. O investidor exerce a opção de compra. Isso requer comprar a ação por US$30. A posição *short* é fechada e o lucro líquido é US$31,02 – US$30 = US$1,02;
- o preço da ação é menor que US$30. A contraparte exerce a *put*. Isso faz que o investidor tenha de comprar a ação por US$30. A posição *short* é fechada e o lucro líquido, novamente, é US$31,02 – US$30 = US$1,02.

Considere uma situação alternativa. Suponha que o preço da *call* seja US$3 e o preço da *put* seja US$1. Nesse caso:

$$c + Xe^{-rT} = 3 + 30e^{-0,1\times 3/12} = \text{US\$}32,26$$

$$p + S_0 = 1 + 31 = \text{US\$}32$$

O portfólio A está superavaliado em relação ao C. O arbitrador pode vender o portfólio A, ficando *short*, e comprar o portfólio C para travar lucro. A estratégia consiste em ficar *short* na *call* e comprar a *put* e a ação, com investimento inicial de:

US$31 + US$1 – US$3 = US$29

Quando o investimento é financiado à taxa de juro livre de risco, ao fim de três meses sua liquidação exigirá $29e^{0,1\times0,25}$ = US$29,73. Como no caso anterior, a *call* ou a *put* será exercida. As posições *short* em *call* e longa em *put* fazem que a ação seja vendida por US$30. Portanto, o lucro líquido é:

US$30 – US$29,73 = US$0,27

Esse exemplo está ilustrado na Tabela 8.5.

Tabela 8.5 – Oportunidade de arbitragem quando a paridade *put–call* não se verifica: preço da opção de venda muito baixo em relação ao preço da opção de compra

Da mesa de operações

O investidor acabou de obter as seguintes cotações para opções sobre a ação cujo preço é US$31, quando a taxa de juro livre de risco é 10% ao ano. Ambas as opções têm preço de exercício de US$30 e data de expiração de três meses:

- opção de compra européia: US$3;
- opção de venda européia: US$1.

Estratégia

- Vender a *call*.
- Comprar a *put*.
- Comprar a ação.

Resultado

Essa estratégia envolve investimento de US$31 + US$1 – US$3 = US$29 no momento zero. Quando o investimento é financiado à taxa de juro livre de risco, ao fim de três meses, serão necessários $29e^{0,1\times3/12}$ = US$29,73 para liquidar o empréstimo. As possíveis situações são as seguintes:

- o preço da ação é maior que US$30. A contraparte exerce a *call*. Isso significa que o investidor tem de vender a ação por US$30. O lucro líquido é US$30 – US$29,73 = US$0,27;
- o preço da ação é menor que US$30. O investidor exerce a *put*. Isso significa que a ação é vendida por US$30. O lucro líquido novamente é US$30 – US$29,73 = US$0,27.

Opções americanas

A paridade *put–call* é válida apenas para opções européias. Entretanto, é possível derivar alguns resultados para preços de opções americanas. Pode ser mostrado (veja o problema 8.17) que:

$$S_0 - X \leq C - P \leq S_0 - Xe^{-rT} \tag{8.4}$$

Exemplo

A opção de compra americana, sobre uma ação que não paga dividendos, com preço de exercício de US$20 e maturidade de cinco meses, vale US$1,50. Suponha que o preço corrente da ação seja US$19 e a taxa de juro livre de risco seja 10% ao ano. Da equação (8.4), tem-se:

$$19 - 20 \leq C - P \leq 19 - 20e^{-0,1\times 5/12}$$

ou

$$1 \geq P - C \geq 0,18$$

mostrando que $P - C$ fica entre US$1 e US$0,18. Com C a US$1,50, P deve ficar entre US$1,68 e US$2,50. Em outras palavras, os limites superior e inferior para o preço da opção de venda americana com o mesmo preço de exercício e data de expiração da opção de compra americana são US$2,50 e US$1,68.

8.5 EXERCÍCIO ANTECIPADO: OPÇÕES DE COMPRA SOBRE AÇÕES QUE NÃO PAGAM DIVIDENDOS

Nesta seção, demonstra-se que nunca é melhor exercer uma opção de compra americana, sobre uma ação, que não paga dividendos, antes da data de expiração.

Para ilustrar o princípio básico dessa teoria, considere a opção de compra americana sobre uma ação que não paga dividendos com um mês para seu vencimento, quando o preço da ação é US$50 e o preço de exercício é US$40. A opção está bastante dentro do dinheiro e o investidor pode ser tentado a exercê-la imediatamente. Entretanto, se pretender manter a ação por mais de um mês, esta não é a melhor estratégia. A melhor decisão é manter a opção e exercê-la no fim do mês. O preço de exercício é pago um mês depois do que seria pago se a opção fosse exercida imediatamente, de tal forma que se ganha o juro sobre US$40 por um mês. Como a ação não paga dividendos, nenhuma renda da ação é sacrificada. A vantagem de esperar, em vez de exercer imediatamente, é que há chance, embora remota, de que o preço da ação caia abaixo de US$40 em um mês. Nesse caso, o investidor não exercerá e se sentirá feliz com a decisão de não ter feito o exercício antecipado!

Essa teoria mostra que não há vantagens em exercer a opção imediatamente quando o investidor planeja manter a ação pelo prazo remanescente da vida da opção (um mês, nesse caso). E se o investidor pensar que a ação está superavaliada e se perguntar se não é melhor exercer a opção e vender a ação? Nesse caso, o investidor estaria melhor se vendesse a opção, em vez de exercê-la[1]. A opção poderá ser comprada por outro investidor que queira manter a ação. Tais investidores devem existir. Se assim não fosse, o preço corrente da ação não seria US$50. O preço obtido para a opção será maior que seu valor intrínseco de US$10 devido às razões já discutidas anteriormente.

Figura 8.3 – Variação do preço da opção de compra americana ou européia sobre ações que não pagam dividendos com preço S_0

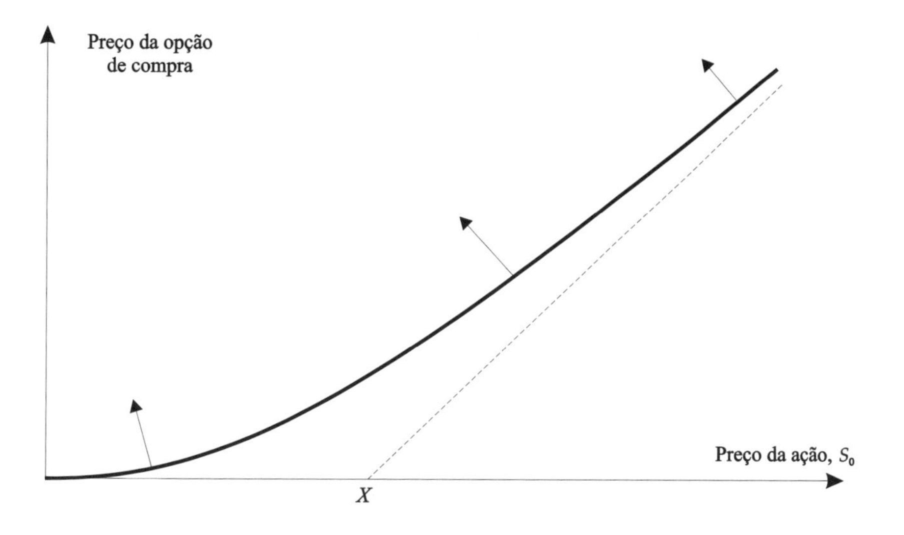

Para teoria mais formal, pode-se usar a equação (8.1):

$$c \geq S_0 - Xe^{-rT}$$

Como o titular de uma opção de compra americana tem todas as oportunidades de exercício abertas em relação ao titular de uma opção européia, pode-se dizer que:

$$C \geq c$$

Logo:

$$C \geq S_0 - Xe^{-rT}$$

[1] Como estratégia alternativa, o investidor pode manter a opção e vender a ação, ficando *short*, obtendo lucro maior que US$10.

Dado $r > 0$, segue que $C > S_0 - X$. Se fosse bom exercer antecipadamente, C seria igual a $S_0 - X$. De onde se deduz que nunca é bom exercer antecipadamente.

A Figura 8.3 mostra como o preço da opção de compra varia em função de S_0 e X. Indica que o preço da opção de compra está sempre acima de seu valor intrínseco, ou seja, $\text{máx}(S_0 - X, 0)$. Como r ou T ou a volatilidade aumentam, a linha que representa o preço da *call* em relação ao preço da ação se movimenta na direção indicada pelas setas (ou seja, se distancia de seu valor intrínseco).

Para resumir, há duas razões pelas quais a opção de compra americana sobre uma ação que não paga dividendos não deve ser exercida antecipadamente. A primeira diz respeito à proteção que oferece. A opção de compra, quando mantida em vez da ação em si, dá ao investidor um seguro contra a queda do preço da ação além do preço de exercício. Uma vez que a opção tenha sido exercida e o preço de exercício trocado pelo preço da ação, esse seguro desaparece. A segunda razão diz respeito ao valor do dinheiro no tempo. Do ponto de vista do titular da opção, quanto mais tarde for o pagamento do preço de exercício, melhor para ele.

8.6 EXERCÍCIO ANTECIPADO: OPÇÕES DE VENDA SOBRE AÇÕES QUE NÃO PAGAM DIVIDENDOS

Pode ser desejável exercer antecipadamente uma opção de venda americana sobre uma ação que não paga dividendos. Na verdade, a qualquer momento durante sua vida, a opção de venda deve sempre ser exercida antecipadamente se estiver bastante dentro do dinheiro.

Para ilustrar, considere uma situação extrema. Suponha que o preço de exercício seja US$10 e o preço da ação seja virtualmente zero. Se exercer imediatamente, o investidor terá lucro imediato de US$10. Se o investidor esperar, o ganho do exercício poderá ser menor que US$10, mas não poderá ser maior que US$10 porque preços de ações negativos são impossíveis. Adicionalmente, é preferível receber US$10 agora a receber US$10 no futuro. De onde se deduz que a opção deve ser exercida imediatamente.

Assim como a opção de compra, a opção de venda pode ser vista como um seguro. A opção de venda, quando mantida em conjunto com a ação, assegura seu titular contra a queda no preço da ação abaixo de certo nível. Entretanto, a opção de venda é diferente da opção de compra uma vez que pode ser bom para o investidor esquecer o seguro e exercer a opção antes, a fim de realizar o preço de exercício imediatamente. Em geral, o exercício antecipado da opção de venda torna-se mais atrativo à medida que S_0 decresce, r aumenta e a volatilidade diminui.

Relembrando a equação (8.2):

$$p \geq Xe^{-rT} - S_0$$

Para a opção americana com preço P, a condição:

$$P \geq X - S_0$$

deve sempre existir, pois o exercício imediato é sempre possível.

Figura 8.4 – Variação do preço de opção de venda americana com preço da ação S_0

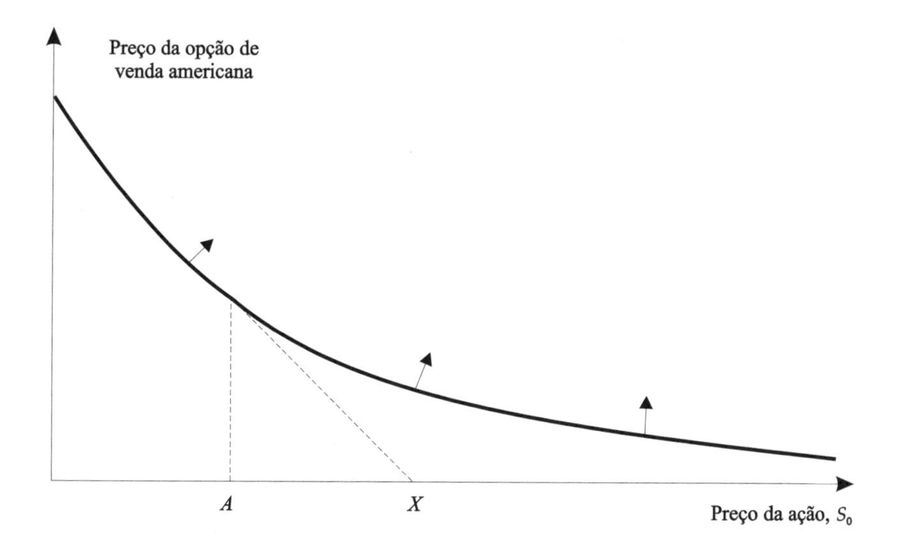

A Figura 8.4 mostra como o preço da opção de venda americana varia em função de S_0. Dado que $r > 0$, é sempre bom exercer imediatamente a opção de venda americana quando o preço da ação for muito baixo. Quando o exercício antecipado for desejável, o valor da opção é $X - S_0$. A curva representando o valor da *put*, portanto, funde-se com o valor intrínseco da *put*, $X - S_0$, para valores de S_0 muito pequenos. Na Figura 8.4, esse valor de S_0 é mostrado como o ponto A. A linha que relaciona o preço da opção de venda ao preço da ação se move na direção indicada pelas setas quando r diminui, quando a volatilidade aumenta e quando T aumenta.

Como há circunstâncias em que o exercício antecipado da opção de venda americana é desejável, conclui-se que esta é sempre mais valiosa que a opção de venda européia correspondente. Além disso, como a *put* americana às vezes vale seu valor intrínseco (veja a Figura 8.4), conclui-se que a *put* européia deve, às vezes, valer menos que seu valor intrínseco. A Figura 8.5 mostra a variação do preço da *put* européia em função do preço a vista. Note que o ponto B na Figura 8.5, em que o preço da opção é igual a seu valor intrínseco, deve representar um preço de ação maior que o ponto A na Figura 8.4. O ponto E na Figura 8.5 está onde $S_0 = 0$ e o preço da opção européia é Xe^{-rT}.

Figura 8.5 – Variação do preço de opção de venda européia com preço da ação S_0

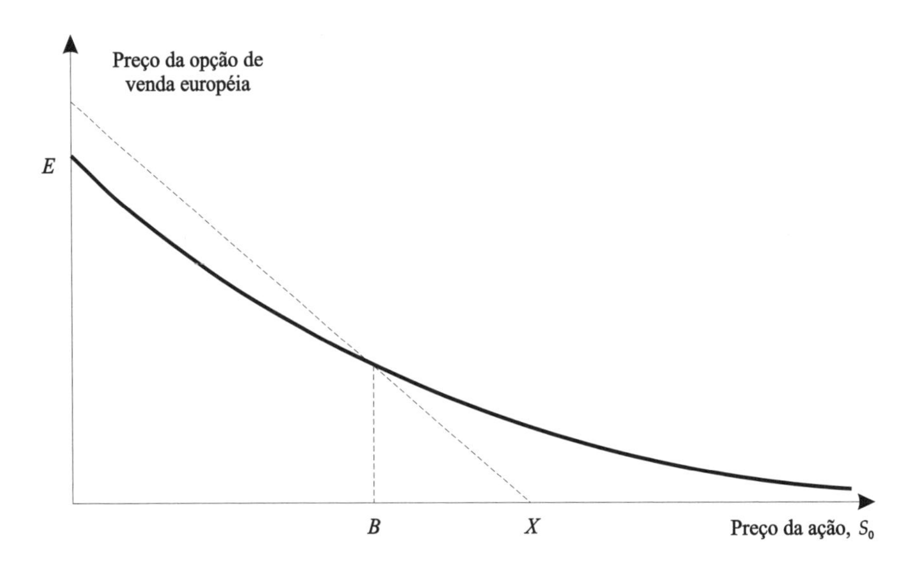

8.7 EFEITO DOS DIVIDENDOS

Os resultados apresentados até agora neste capítulo são válidos para opções sobre ações que não pagam dividendos. Nesta seção, examina-se o impacto dos dividendos. Nos Estados Unidos, as opções sobre ações negociadas em bolsas geralmente têm menos de oito meses até a maturidade. Os dividendos pagos durante a vida da opção podem ser previstos com razoável precisão. Utiliza-se *D* para denotar o valor presente dos dividendos durante a vida da opção. No cálculo de *D*, assume-se que o pagamento do dividendo ocorrerá na data ex-dividendo.

Limites inferiores para opções de compra e de venda

As carteiras A e B podem ser redefinidas como se segue:

- portfólio A: uma opção de compra européia mais montante de dinheiro igual a $D + Xe^{-rT}$;
- portfólio B: uma ação.

Uma teoria similar àquela usada para derivar a equação (8.1) mostra que:

$$c \geq S_0 - D - Xe^{-rT} \tag{8.5}$$

As carteiras C e D também podem ser redefinidas da seguinte maneira:

- portfólio C: uma opção de venda européia mais uma ação;
- portfólio D: montante em dinheiro igual a $D + Xe^{-rT}$.

Uma teoria similar àquela usada para derivar a equação (8.2) mostra que:

$$p \geq D + Xe^{-rT} - S_0 \tag{8.6}$$

Exercício antecipado

Quando os dividendos são esperados, não se pode mais afirmar que uma opção de compra americana não será exercida antecipadamente. Às vezes, pode ser desejável exercer a opção de compra antecipadamente antes da data dos ex-dividendos. Porém, nunca é desejável exercer a opção de compra em outros momentos. Esse ponto é discutido posteriormente no Capítulo 11.

Paridade *put–call*

Comparando-se os valores dos portfólios A e C, redefinidos na data de expiração da opção, observa-se que, com dividendos, a paridade *put–call* da equação (8.3) torna-se:

$$c + D + Xe^{-rT} = p + S_0 \tag{8.7}$$

Os dividendos fazem que a equação (8.4) seja modificada (veja o problema 8.18) para:

$$S_0 - D - X \leq C - P \leq S_0 - Xe^{-rT} \tag{8.8}$$

8.8 PESQUISA EMPÍRICA

Uma vez reunidos os dados apropriados, a pesquisa empírica para testar os resultados deste capítulo pode parecer ser simples de ser executada. Porém, há várias complicações:

- é importante estar certo de que os preços das opções e os preços das ações estão sendo observados exatamente no mesmo momento. Por exemplo, um teste para oportunidades de arbitragem examinando o preço ao qual o último negócio foi feito a cada dia não é apropriado. Isso foi feito no Capítulo 7, utilizando os dados da Tabela 7.3;
- é importante considerar cuidadosamente se o *trader* pode tirar vantagem de qualquer oportunidade de arbitragem. Se a oportunidade existir apenas momentaneamente, na prática, poderá não haver condições de explorá-la;
- custos de transação devem ser levados em consideração quando se tenta determinar se as oportunidades de arbitragem são possíveis;
- a paridade *put–call* se verifica apenas para opções européias. As opções negociadas em bolsa são americanas;
- os dividendos a serem pagos durante a vida da opção devem ser estimados.

Alguns dos estudos empíricos realizados foram descritos em *papers* por Bhattacharya; Galai; Gould e Galai; Klemkosky e Resnick; e Stoll, todos referenciados no fim deste capítulo. Galai e Bhattacharya testaram se os preços das opções são sempre menores que seus limites inferiores teóricos; Stoll, Gould, Galai e dois outros trabalhos de Klemkosky e Resnick testaram a consistência da paridade *put–call*. Aqui, foram levados em consideração os resultados de Bhattacharya e Klemkosky e Resnick.

O estudo de Bhattacharya examina se os limites inferiores teóricos para opções de compra se aplicam na prática. O autor utilizou dados de preços relativos a negócios com opções sobre 58 ações para o período de 196 dias entre agosto de 1976 e junho de 1977. O primeiro teste verificou se as opções satisfaziam a condição de que o preço deve ser no mínimo igual ao valor intrínseco – isto é, se $C \geq \text{máx}\left(S_0 - X, 0\right)$. Mais de 86.000 preços de opções foram examinados e 1,3% violou essa condição. Em 29% dos casos, a violação desaparecia no negócio seguinte, indicando que, na prática, os *traders* não teriam sido capazes de tirar proveito da distorção. Quando os custos de transação foram considerados, as oportunidades de arbitragem criadas pela violação desapareceram. No segundo teste, Bhattacharya observou se as opções eram vendidas por valor menor que o limite inferior $S_0 - D - Xe^{-rT}$ (veja a equação 8.5). Em 7,6% de suas observações, os preços de venda das opções foram menores que o limite inferior teórico. Entretanto, quando os custos de transação foram considerados, tais negócios não permitiam oportunidades lucrativas.

Os testes da paridade *put–call* de Klemkosky e Resnick empregaram preços de opções negociadas entre julho de 1977 e junho de 1978. Submeteram seus dados a vários testes para determinar a probabilidade de opções serem exercidas antecipadamente e descartaram aqueles para os quais o exercício era considerado provável. Ao fazer isso, justificaram o fato de tratar opções americanas como européias. Identificaram 540 situações em que existia uma oportunidade de arbitragem similar àquela da Tabela 8.4 e 540 situações em que existia a oportunidade de arbitragem similar à da Tabela 8.5. Depois que os custos de transação foram considerados, 38 oportunidades como as da Tabela 8.4 (preço da *call* muito baixo em relação ao preço da *put*) e 147 oportunidades como as da Tabela 8.5 (preço da *call* muito alto em relação ao preço da *put*) ainda eram lucrativas. As oportunidades existiram mesmo quando era admitido atraso de 5 a 15 minutos entre a percepção da oportunidade e a realização de negócios. Klemkosky e Resnick concluíram que as oportunidades de arbitragem estavam disponíveis para alguns *traders*, particularmente os *market makers*, durante o período estudado.

8.9 SUMÁRIO

Há seis fatores que afetam o valor de uma opção sobre ação: o preço a vista da ação, o preço de exercício, a data de expiração, a volatilidade do preço a vista, a taxa de juro livre de risco e os dividendos esperados durante a vida da opção. O valor da opção de compra, em geral, aumenta quando o preço a vista, o prazo até a data de expiração, a volatilidade e a taxa de juro livre de risco aumentam. O valor da *call* diminui à medida que o preço de exercício e os dividendos esperados aumentam. O valor da opção de venda aumenta quando o preço de exercício, o tempo até a data de expiração, a volatilidade e os dividendos esperados aumentam. O valor da *put* diminui à medida que o preço a vista da ação e a taxa de juro livre de risco aumentam.

É possível chegar a certas conclusões acerca do valor de opções sobre ações sem fazer qualquer suposição sobre a volatilidade dos preços dessas ações. Por exemplo, o preço da opção de compra de uma ação deve sempre ser menor do que o preço da ação propriamente dita. Similarmente, o preço da opção de venda de uma ação deve sempre ser menor que o preço de exercício da opção.

A opção de compra sobre uma ação que não paga dividendos deve valer mais do que:

$$\text{máx}\left(S_0 - Xe^{-rT}, 0\right)$$

onde S_0 é o preço da ação, X é o preço de exercício, r é a taxa de juro livre de risco e T é o tempo até a data de expiração.

A opção de venda sobre uma ação que não paga dividendos deve valer mais do que:

$$\text{máx}\left(Xe^{-rT} - S_0, 0\right)$$

Quando os dividendos com valor presente de D são esperados, o limite inferior para o preço da opção de compra torna-se:

$$\text{máx}\left(S_0 - D - Xe^{-rT}, 0\right)$$

e o limite inferior para uma opção de venda torna-se:

$$\text{máx}\left(Xe^{-rT} + D - S_0, 0\right)$$

A paridade *put–call* é a relação entre o preço, c, da opção de compra européia e o preço, p, da opção de venda européia, ambas sobre a mesma ação. Para a ação que não paga dividendos, a paridade é igual a:

$$c + Xe^{-rT} = p + S_0$$

Para a ação que paga dividendos, a paridade *put–call* é:

$$c + D + Xe^{-rT} = p + S_0$$

A paridade *put–call* não vale para opções americanas. Entretanto, é possível usar a teoria de arbitragem para obter os limites inferiores e superiores para a diferença entre os preços de opção de compra americana e opção de venda americana.

No Capítulo 11, estendem-se essas análises, incluindo suposições acerca do comportamento probabilístico dos preços das ações. Tal extensão permitirá derivar fórmulas exatas para o apreçamento das opções sobre ações européias. No Capítulo 17, abordam-se os procedimentos numéricos utilizados para apreçar as opções americanas.

SUGESTÕES PARA LEITURAS COMPLEMENTARES

BHATTACHARYA, M. Transaction Data Tests of Efficiency of the Chicago Board Options Exchange. *Journal of Financial Economics* 12, pp. 161–185, 1983.

GALAI, D. Empirical Tests of Boundary Conditions for CBOE Options. *Journal of Financial Economics* 6, pp. 187–211, 1978.

GOULD, J. P.; GALAI, D. Transactions Costs and the Relationship between Put and Call Prices. *Journal of Financial Economics* 1, pp. 105–129, 1974.

KLEMKOSKY, R. C.; RESNICK, B. G. An Ex-Ante Analysis of Put–Call Parity. *Journal of Financial Economics* 8, pp. 363–378, 1980.

KLEMKOSKY, R. C.; RESNICK, B. G. Put–Call Parity and Market Efficiency. *Journal of Finance* 34, pp. 1141–1155, December 1979.

MERTON, R. C. The Relationship between Put and Call Prices: Comment. *Journal of Finance* 28, pp. 183–184, March 1973.

MERTON, R. C. Theory of Rational Option Pricing. *Bell Journal of Economics and Management Science* 4, pp. 141–183, spring 1973.

STOLL, H. R. The Relationship between Put and Call Option Prices. *Journal of Finance* 31, pp. 319–332, May 1969.

PERGUNTAS RÁPIDAS (RESPOSTAS NO FINAL DO LIVRO)

8.1 Liste os seis fatores que afetam o preço das opções sobre ações.

8.2 Qual é o limite inferior para o preço da opção de compra de quatro meses de prazo sobre uma ação que não paga dividendos quando o preço a vista da ação é US$28, o preço de exercício é US$25 e a taxa de juro livre de risco é 8% ao ano?

8.3 Qual é o limite inferior para o preço da opção de venda européia, com prazo de um mês, sobre uma ação que não paga dividendos cujo preço a vista é US$12, o preço de exercício da opção é US$15 e a taxa de juro livre de risco é 6% ao ano?

8.4 Dê duas razões pelas quais o exercício antecipado da opção de compra americana sobre uma ação, que não paga dividendos, não é ideal. A primeira razão deve envolver o valor do dinheiro no tempo. A segunda razão deve ser válida mesmo se as taxas de juro forem zero.

8.5 "O exercício antecipado de uma opção de venda americana é um *trade-off* entre o valor do dinheiro no tempo e o valor do seguro implícito na *put*". Explique essa afirmação.

8.6 Por que uma opção de compra americana sempre vale no mínimo tanto quanto seu valor intrínseco? Isso também é verdade para as opções de compra européias? Explique sua resposta

8.7 Explique por que a teoria da paridade *put–call* para opções européias não é válida para as opções americanas.

QUESTÕES E PROBLEMAS (RESPOSTAS NO MANUAL DE SOLUÇÕES)

8.8 Qual é o limite inferior para o preço da opção de compra de seis meses de prazo sobre uma ação que não paga dividendos em que o preço da ação é US$80, o preço de exercício é US$75 e a taxa de juro livre de risco é 10% ao ano?

8.9 Qual é o limite inferior para o preço da opção de venda européia de dois meses de prazo sobre uma ação que não paga dividendos em que o preço da ação é US$58, o preço de exercício é US$65 e a taxa de juro livre de risco é 5% ao ano?

8.10 A opção de compra européia de quatro meses de prazo sobre uma ação que paga dividendos está sendo vendida por US$5. O preço da ação é US$64, o preço de exercício é US$60 e espera-se o pagamento de dividendos de US$0,80 para daqui um mês. A taxa de juro livre de risco é 12% ao ano para qualquer maturidade. Quais oportunidades de arbitragem existem?

8.11 A opção de venda européia sobre uma ação que não paga dividendos está sendo vendida por US$2,50. O preço da ação é US$47, o preço de exercício é US$50 e a taxa de juro livre de risco é 6% ao ano. Quais oportunidades de arbitragem existem?

8.12 Explique, intuitivamente, por que o exercício antecipado de uma opção de venda americana se torna mais atrativo à medida que a taxa de juro livre de risco aumenta e a volatilidade diminui.

8.13 O preço da opção de compra européia, que expira em seis meses e tem preço de exercício de US$30, é US$2. O preço da ação é US$29 e o dividendo de US$0,50 será pago em dois meses e novamente em cinco meses. A estrutura a termo das taxas de juro é *flat* (horizontal), com todas as taxas de juro livre de risco no patamar de 10%. Qual é o preço de uma opção de venda européia que expira em seis meses e tem preço de exercício de US$30?

8.14 Explique as oportunidades de arbitragem do problema 8.13 se o preço da opção de venda européia fosse US$3.

8.15 O preço da opção de compra americana sobre uma ação, que não paga dividendos, é US$4. O preço da ação é US$31, o preço de exercício é US$30 e a data de expiração ocorrerá em três meses. A taxa de juro livre de risco é 8%. Derive os limites superior e inferior para o preço de uma opção de venda americana na mesma ação e com o mesmo preço de exercício e data de expiração.

8.16 Explique as oportunidades de arbitragem do problema 8.15 se o preço da opção de venda americana fosse maior que o limite superior calculado.

8.17 Prove o resultado da equação (8.4). Dica: para a primeira parte da relação considere (a) o portfólio que tenha uma opção de compra européia mais o valor em dinheiro igual a X; (b) o portfólio que tenha uma opção de venda americana mais uma ação.

8.18 Prove o resultado da equação (8.8). Dica: para a primeira parte da relação considere (a) o portfólio que tenha uma opção de compra européia mais o valor em dinheiro igual a $D + X$;
(b) o portfólio que tenha uma opção de venda americana mais uma ação.

8.19 Mesmo quando a companhia não paga dividendos, há tendência de que as *stock executive options* sejam exercidas antecipadamente (veja a seção 7.12 para a discussão sobre *executive stock options*). Dê uma possível razão para isso.

8.20 Use o software DerivaGem para verificar se as Figuras 8.1 e 8.2 estão corretas.

QUESTÕES DE PROVA

8.21 As opções de compra e de venda sobre uma ação, ambas européias, possuem preço de exercício de US$20 e data de expiração em três meses. Ambas estão sendo vendidas por US$3. A taxa de juro livre de risco é 10% ao ano, o preço a vista da ação é US$19 e um dividendo de US$1 será pago em um mês. Identifique as oportunidades de arbitragem.

8.22 Suponha que c_1, c_2 e c_3 são preços de opções de compra européias com preços de exercícios X_1, X_2 e X_3 respectivamente, onde $X_3 > X_2 > X_1$ e $X_3 - X_2 = X_2 - X_1$. Todas as opções têm a mesma data de expiração. Mostre que:
$c_2 \leq 0,5(c_1 + c_3)$
Dica: considere um portfólio que é longo em uma opção com preço de exercício X_1, longo em uma opção com preço de exercício X_3 e *short* em duas opções com preço de exercício X_2.

8.23 Qual é o resultado correspondente ao do problema 8.22 para opções de venda européias?

8.24 Suponha que você seja o administrador e único proprietário de uma companhia altamente alavancada. Todos os débitos irão vencer em um ano. Se nesse período, o valor da companhia for maior que o valor de face do débito, você pagará o débito. Se o valor da companhia for menor que o valor de face do débito, você declara falência e os credores passarão a ter a posse da companhia.
a) Expresse sua posição sob a forma de uma opção sobre o valor da companhia.
b) Expresse a posição dos credores sob a forma de opções sobre o valor da companhia.
c) O que você pode fazer para aumentar o valor de sua posição.

Capítulo

9 ESTRATÉGIAS DE OPERAÇÕES ENVOLVENDO OPÇÕES

O padrão de lucro de investimento em uma única opção sobre ação foi discutido no Capítulo 7. Neste capítulo, trata-se de modo mais completo de vários outros modelos que mostram lucros obtidos com o uso de opções. O ativo subjacente, ou ativo-objeto, é considerado uma ação. Resultados similares podem ser atingidos para outros ativos subjacentes, como moedas estrangeiras, índices de ações e contratos futuros. Nota-se também que as opções utilizadas nessas estratégias são européias. Opções americanas podem produzir resultados um pouco diferentes devido à possibilidade de exercício antecipado.

Na primeira seção, observa-se o que acontece quando uma posição em uma opção sobre ação é combinada com uma posição na própria ação. Examinam-se os padrões de lucro obtidos quando o investimento é feito em duas ou mais diferentes opções na mesma ação. Um dos atrativos das opções é que podem ser utilizadas para criar diferentes funções de *payoff*. Se opções européias estivessem disponíveis para todos os preços de exercício possíveis, teoricamente poderia ser criada qualquer função de *payoff*.

Para facilitar a exposição, neste capítulo, ignora-se o valor do dinheiro no tempo quando do cálculo do lucro de uma estratégia. O lucro é calculado como o pagamento final menos o custo inicial, não como o valor presente do pagamento final menos o custo inicial.

9.1 ESTRATÉGIAS ENVOLVENDO OPÇÃO E AÇÃO

Há várias estratégias de operação envolvendo uma simples opção sobre uma ação e a própria ação. Os lucros dessas estratégias estão ilustrados na Figura 9.1. Nessa figura, e nas demais deste capítulo, a linha pontilhada mostra a relação entre o lucro e o preço da ação para cada título que compõe o portfólio, individualmente, enquanto a linha cheia mostra a relação entre o lucro e o preço da ação para o portfólio como um todo.

Na Figura 9.1(a), o portfólio consiste de posição longa (comprada) em uma ação mais posição *short* (vendida) em uma opção de compra. Essa estratégia é conhecida como *lançamento de call coberta*. A posição longa na ação cobre ou protege o investidor de perda na posição *short* em *call*, que poderá ocorrer se houver acentuado aumento no preço da opção.

Figura 9.1 – Padrões de lucro

a) Posição longa em uma ação combinada com posição *short* em uma *call*

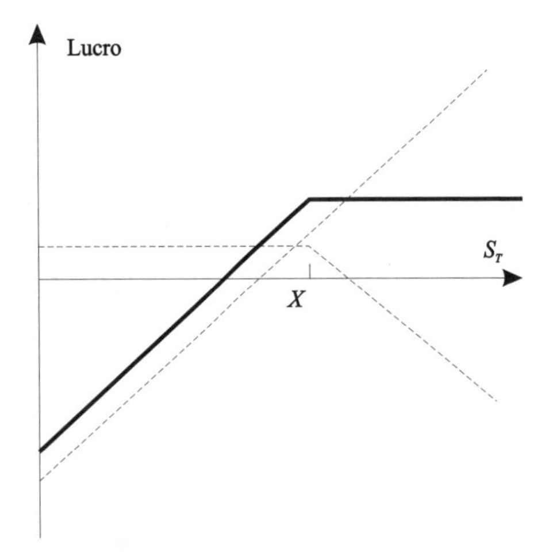

b) Posição *short* em uma ação combinada com posição longa em uma *call*

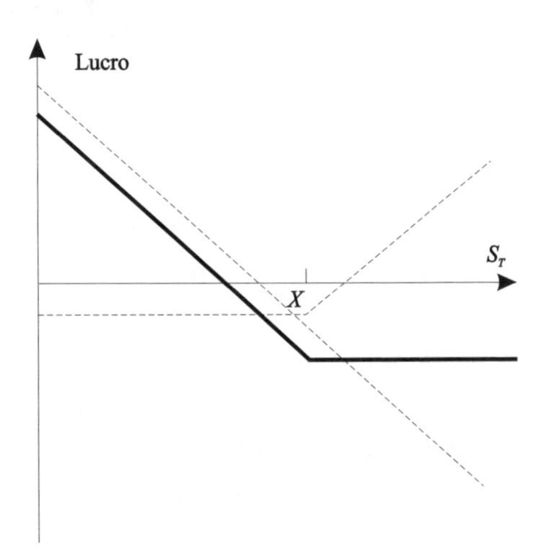

c) Posição longa em uma ação combinada com posição longa em uma *put*

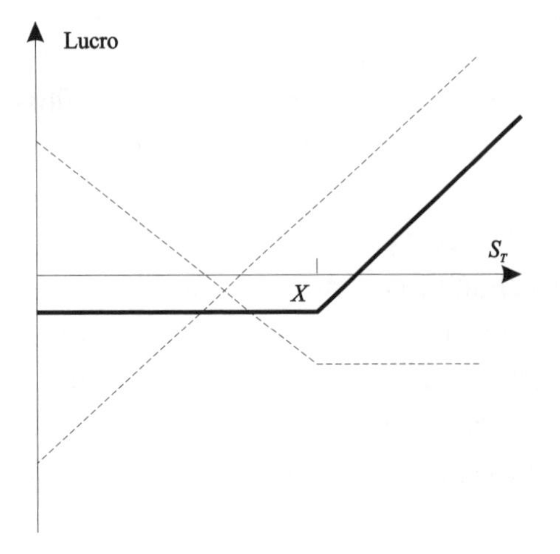

d) Posição *short* em uma ação combinada com posição *short* em uma *put*

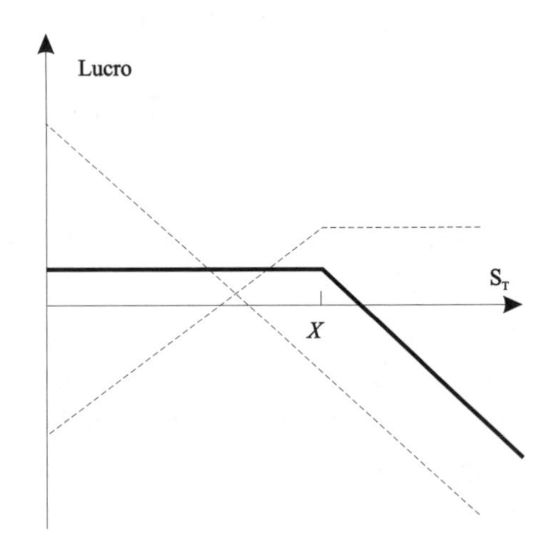

Na Figura 9.1(b), a posição *short* na ação é combinada com a posição longa na opção de compra. Essa posição é oposta ao lançamento da *call* coberta. Na Figura 9.1(c), a estratégia de investimento envolve a compra de uma opção de venda sobre uma ação e a compra da própria ação. O enfoque é, às vezes, denominado estratégia de *hedge* com opção de venda (*protective put*). Na Figura 9.1(d), a posição *short* na opção de venda é combinada com a posição *short* na ação. Esta é uma posição oposta à *protective put*.

Os padrões de lucro nas Figuras 9.1(a), (b), (c) e (d) têm a mesma forma dos discutidos no Capítulo 7 para posição *short* em *put*, longa em *put*, longa em *call* e *short* em *call*, respectivamente. A paridade *put–call* proporciona um modo de entender a razão disso. Do Capítulo 8, pode-se lembrar que a paridade *put–call* é dada por:

$$p + S_0 = c + Xe^{-rT} + D \tag{9.1}$$

onde p é o preço da *put* européia, S_0 é o preço da ação, c é o preço da *call* européia, X é o preço de exercício de ambas as opções, r é a taxa de juro livre de risco, T é o tempo até a maturidade das opções e D é o valor presente dos dividendos a serem pagos durante a vida da opção.

A equação (9.1) mostra que a posição longa em *put* combinada com posição longa em ação é equivalente à posição longa em *call* mais determinado valor ($= Xe^{-rT} + D$) em dinheiro. Isso explica por que o padrão de lucro na Figura 9.1(c) é similar ao de uma posição longa em *call*. A posição na Figura 9.1(d) é o inverso da Figura 9.1(c) e, por conseguinte, produz padrão de lucro similar ao de uma posição *short* em *call*.

A equação (9.1) pode ser reescrita da seguinte forma:

$$S_0 - c = Xe^{-rT} + D - p$$

Em outras palavras, a posição longa em uma ação combinada com uma posição *short* em *call* é equivalente à posição *short* em *put* mais determinado valor em dinheiro ($= Xe^{-rT} + D$). Essa igualdade explica por que o padrão de lucro na Figura 9.1(a) é similar ao de uma posição *short* em *put*. A posição da Figura 9.1(b) é o inverso da Figura 9.1(a) e, portanto, produz padrão de lucro similar ao de uma posição longa em *put*.

9.2 *SPREADS*

Uma estratégia de operação de *spread* envolve tomar posição em duas ou mais opções do mesmo tipo (ou seja, duas ou mais *calls* ou duas ou mais *puts*).

Spreads de alta (*bull spreads*)

Um dos mais conhecidos tipos de *spread* é o *bull spread* ou *spread* de alta, que pode ser criado por meio da compra de uma opção de compra sobre uma ação com determinado preço de exercício e a venda de uma opção de compra sobre a mesma ação com preço de exercício maior. Ambas as opções têm a mesma data de expiração. A estratégia está ilustrada na Figura 9.2. Os lucros das duas opções tomados separadamente são mostrados pelas linhas pontilhadas. O lucro da estratégia como um todo é a soma dos lucros produzidos pelas linhas pontilhadas e está indicado pela linha cheia. Como o preço da *call* sempre cai à medida que o preço de exercício aumenta, o valor da opção vendida será sempre menor que o valor da opção comprada. Portanto, *spread* de alta, quando formado por opções de compra, requer investimento inicial.

Figura 9.2 – *Spread* de alta estruturado com opções de compra

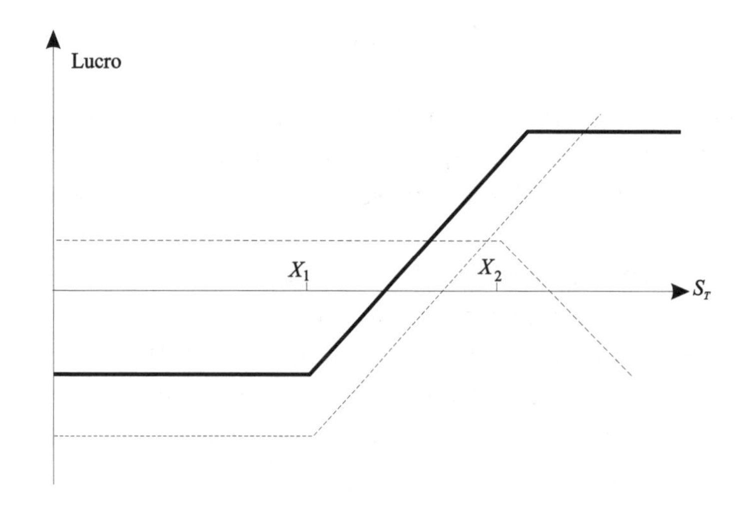

Tabela 9.1 – *Payoff* de *spread* de alta

Intervalo de preços da ação	*Payoff* da posição longa em *call*	*Payoff* da posição *short* em *call*	*Payoff* total
$S_T \geq X_2$	$S_T - X_1$	$X_2 - S_T$	$X_2 - X_1$
$X_1 < S_T < X_2$	$S_T - X_1$	0	$S_T - X_1$
$S_T \leq X_1$	0	0	0

Suponha que X_1 seja o preço de exercício da opção de compra adquirida, X_2 seja o preço de exercício da opção de compra vendida e S_T seja o preço da ação na data de vencimento das opções. A Tabela 9.1 mostra o recebimento (*payoff*) total de *bull spread* em diferentes circunstâncias. Se o preço da ação tiver bom desempenho e for maior que o preço de exercício mais alto, o recebimento será a diferença entre os dois preços de exercício, ou $X_2 - X_1$. Se o preço da ação na data de expiração ficar entre os dois preços de exercício, o recebimento será $S_T - X_1$. Se o preço da ação na data de expiração for menor que o menor preço de exercício, o *payoff* será zero. O lucro na Figura 9.2 é calculado ao subtrair o investimento inicial do *payoff*.

A estratégia *bull spread* limita tanto o potencial de lucro quanto o de perda. Pode ser entendida como a situação do investidor que comprou uma opção de compra a determinado preço de exercício X_1 e resolveu abrir mão de parte do potencial de lucro por meio da venda da opção de compra com preço de exercício, X_2 ($X_2 > X_1$). Em compensação, pela desistência de parte do potencial de lucro, o investidor recebe o valor da opção com preço de exercício X_2. Três tipos de *bull spreads* podem ser verificados:

- ambas as *calls* inicialmente fora do dinheiro;
- uma *call* inicialmente dentro do dinheiro e a outra inicialmente fora do dinheiro;
- ambas as *calls* inicialmente dentro do dinheiro.

Os *bull spreads* mais agressivos são os do tipo 1. Estes custam muito pouco e têm pequena probabilidade de produzir resultado alto ($= X_2 - X_1$). Quando se move do tipo 1 para o 2 e do tipo 2 para o 3, os *spreads* ficam mais conservadores.

Figura 9.3 – *Spread* de alta estruturado com opções de venda

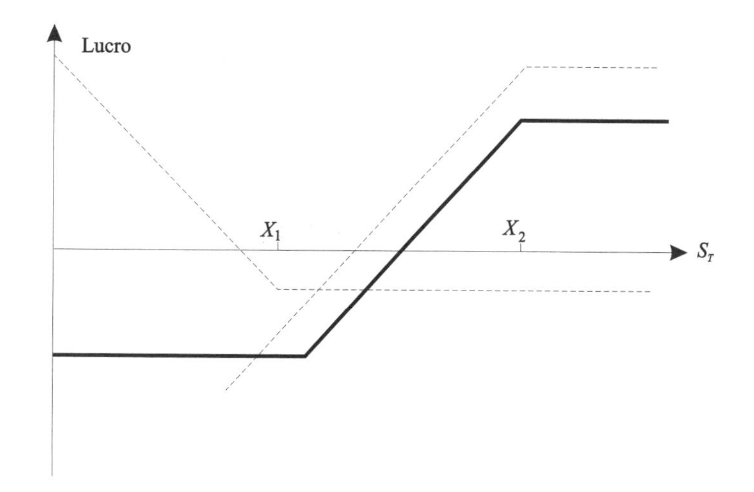

Exemplo

O investidor compra por US\$3 a *call* com preço de exercício de US\$30 e vende por US\$1 a *call* com preço de exercício de US\$35. O resultado desse *spread* é US\$5 se o preço da ação ficar acima de US\$35 e zero se o resultado ficar abaixo de US\$30. Se o preço da ação ficar entre US\$30 e US\$35, o resultado é o valor pelo qual o preço da ação excede US\$30. O custo dessa estratégia é US\$3 – US\$1 = US\$2. Portanto, o lucro é:

Intervalo de preços da ação	Lucro
$S_T \leq 30$	-2
$30 < S_T < 35$	$S_T - 32$
$S_T \geq 35$	3

Spreads de alta podem também ser criados pela compra de *put* com baixo preço de exercício e a venda de *put* com alto preço de exercício, como está ilustrado na Figura 9.3. Diferentemente dos *spreads* de alta criados com *calls*, estes envolvem fluxo de caixa positivo para o investidor no início (ignorando-se os requerimentos de margem) e resultado final negativo ou zero.

Spreads de baixa (_bear spread_)

O investidor que realiza *spread* de alta espera que o preço da ação aumente. Por analogia, o investidor que entra em *spread* de baixa (*bear spread*) tem expectativa de que o preço da ação caia. Assim como ocorre com o *bull spread*, o *spread* de baixa pode ser criado por meio da compra de opção de compra com preço de exercício e a venda de opção de compra com outro preço de exercício. Entretanto, no caso do *spread* de baixa, o preço de exercício da opção comprada é maior do que o preço de exercício da opção vendida. Na Figura 9.4, o lucro do *spread* é representado pela linha cheia. O *spread* criado a partir de duas *calls* envolve o recebimento de fluxo de caixa inicial (desconsiderando-se os requerimentos de margem), porque o preço da *call* vendida é maior que o preço da *call* comprada.

Figura 9.4 – _Spread_ de baixa estruturado com opções de compra

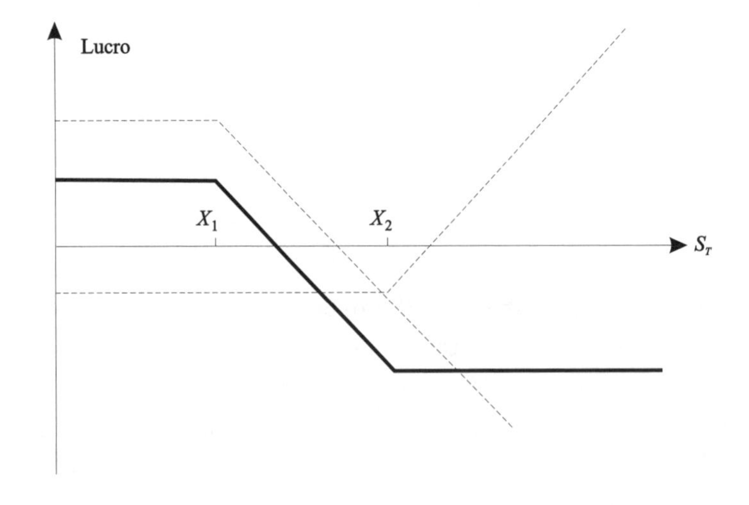

Suponha que os preços de exercício sejam X_1 e X_2, sendo $X_1 < X_2$. A Tabela 9.2 traz os *payoffs* em função de *spread* de baixa em diferentes circunstâncias. Se o preço da ação for maior que X_2, o *payoff* será negativo em $-(X_2 - X_1)$. Se o preço da ação for menor que X_1, o *payoff* será zero. Se o preço da ação ficar entre X_1 e X_2, o *payoff* será $-(S_T - X_1)$. O lucro é calculado adicionando-se o custo inicial ao *payoff*.

Exemplo

O investidor compra por US$1 a opção de compra com preço de exercício de US$35 e vende por US$3 a opção de compra com preço de exercício de US$30. O *payoff* dessa estratégia de *spread* de baixa é US$5 se o preço da ação ficar acima de US$35 e zero se o preço da ação ficar abaixo de US$30. Se o preço da ação ficar entre US$30 e US$35, o resultado será $-(S_T - 30)$. O investimento gera US$3 – US$1 = US$2 de início. Portanto, o lucro é:

Intervalo de preços da ação	Lucro
$S_T \leq 30$	+2
$30 < S_T < 35$	$32 - S_T$
$S_T \geq 35$	–3

Figura 9.5 – *Spread* de baixa estruturado com opções de venda

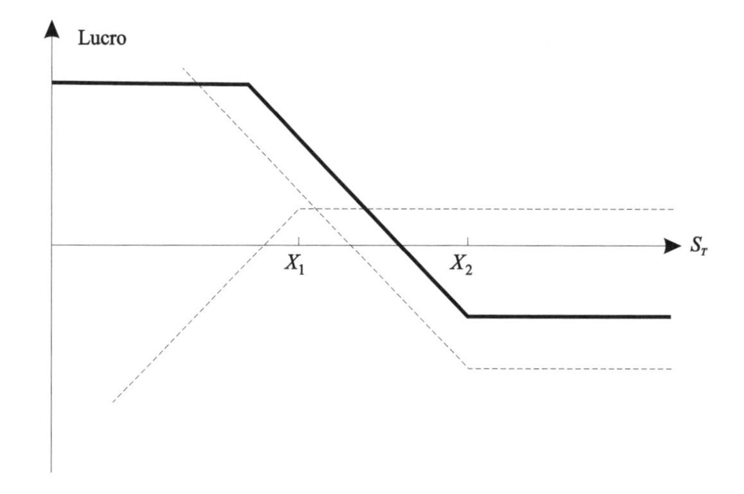

Da mesma forma que o *spread* de alta, o *spread* de baixa limita tanto o potencial de ganho, como o risco de baixa. Os *spreads* de baixa podem ser criados com opções de venda em vez de opções de compra. O investidor compra a *put* com alto preço de exercício e vende a *put* com baixo preço de exercício, como está ilustrado na Figura 9.5. Os *spreads* de baixa criados com *puts* requerem desembolso inicial. Em essência, o investidor comprou a *put* com determinado preço de exercício e preferiu abrir mão de parte do potencial de lucro por meio da venda da *put* com preço de exercício mais baixo. Em compensação, por ter entregado parte do potencial de lucro, o investidor recebe o prêmio da opção vendida.

Tabela 9.2 – *Payoff* de *spread* de baixa

Intervalo de preços da ação	*Payoff* da posição longa em *call*	*Payoff* da posição *short* em *call*	*Payoff* total
$S_T \geq X_2$	$S_T - X_2$	$X_1 - S_T$	$-(X_2 - X_1)$
$X_1 < S_T < X_2$	0	$X_1 - S_T$	$-(S_T - X_1)$
$S_T \leq X_1$	0	0	0

Spreads borboleta (*butterfly spread*)

O *spread* borboleta ou *butterfly spread* envolve posições em opções com três diferentes preços de exercício. Esse *spread* pode ser criado pela compra da opção de compra com preço de exercício, X_1, relativamente baixo; a compra da opção de compra com preço de exercício, X_3, relativamente alto; e a venda de duas opções de compra com preço de exercício, X_2, eqüidistante de X_1 e X_3. Geralmente, X_2 é próximo do preço a vista da ação. O padrão de lucros dessa estratégia é mostrado na Figura 9.6. O *butterfly spread* gera lucro se o preço da ação ficar próximo de X_2, mas provoca pequena perda se houver movimentos significativos no preço da ação em qualquer direção. É, portanto, uma estratégia apropriada para o investidor que sente que movimentos significativos nos preços da ação são pouco prováveis.

Figura 9.6 – *Spread* borboleta estruturado com opções de compra

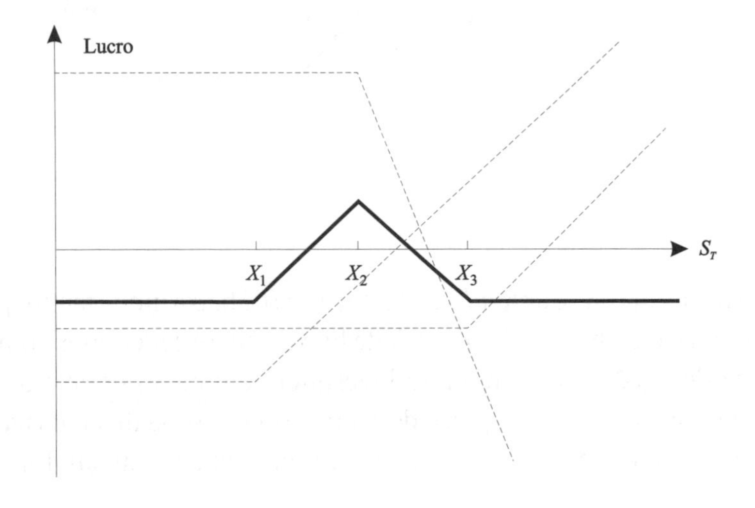

Essa estratégia requer pequeno desembolso inicial. O *payoff* do *butterfly spread* é mostrado na Tabela 9.3.

Suponha que determinada ação tenha o valor de US$61. Considere o investidor que acredita que um movimento de preço significativo nos próximos seis meses seja improvável. Os preços de mercado das opções de compra para seis meses são os seguintes:

Preços de exercício (US$)	Preços das opções de compra (US$)
55	10
60	7
65	5

O investidor pode criar *butterfly spread* comprando a opção de compra com preço de exercício de US$55 e a opção de compra com preço de exercício de US$65 e vendendo duas opções de compra com preço de exercício de US$60. O custo é US$10 + US$5 – (2 × US$7) = US$1 para criar o *spread*. Se o preço da ação em seis meses for maior que US$65 ou menor que US$55, o recebimento total será zero e o investidor incorrerá em perda líquida de US$1. Se o preço da ação estiver entre US$56 e US$64, haverá lucro. O lucro máximo, US$4, ocorre quando o preço da ação em seis meses for US$60. O exemplo é sumarizado na Tabela 9.4.

Spreads borboleta podem ser criados também com opções de venda. O investidor compra a *put* comum com baixo preço de exercício e a *put* com alto preço de exercício e vende duas *puts* com preço de exercício intermediário, como ilustrado na Figura 9.7. No exemplo, o *butterfly spread* pode ser criado com a compra da *put* com preço de exercício de US$55 e da *put* com preço de exercício de US$65 e a venda de duas *puts* com preço de exercício de US$60. Se todas as opções forem européias, o uso de opções de venda produzirá exatamente o mesmo *spread* que produziria se as opções de compra fossem utilizadas. A paridade *put–call* mostra que o investimento inicial é idêntico em ambos os casos.

Tabela 9.3 – *Payoff* de *spread* borboleta

Intervalo de preços da ação	*Payoff* da primeira posição longa em *call*	*Payoff* da segunda posição longa em *call*	*Payoff* das posições *short* em *calls*	*Payoff* total*
$S_T < X_1$	0	0	0	0
$X_1 < S_T < X_2$	$S_T - X_1$	0	0	$S_T - X_1$
$X_2 < S_T < X_3$	$S_T - X_1$	0	$-2(S_T - X_2)$	$X_3 - S_T$
$S_T > X_3$	$S_T - X_1$	$S_T - X_3$	$-2(S_T - X_2)$	0

* Esses *payoffs* são calculados utilizando-se a relação $X_2 = 0{,}5(X_1 + X_3)$.

Tabela 9.4 – Uso de *spread* borboleta

Da mesa de operações

A ação é negociada por US$61. Os preços das opções de compra que expiram em seis meses são:

- preço de exercício = US$55, preço da opção de compra = US$10;
- preço de exercício = US$60, preço da opção de compra = US$7;
- preço de exercício = US$65, preço da opção de compra = US$5.

O investidor acha improvável que os preços da ação sofram movimentos significativos em seis meses.

Estratégia

O investidor constrói um *butterfly spread* da seguinte forma:

- compra uma *call* com preço de exercício de US$55;
- compra uma *call* com preço de exercício de US$65;
- vende duas *calls* com preço de exercício de US$60.

O custo é US$10 + US$5 – (2 × US$7) = US$1. A estratégia produz perda líquida (máxima de US$1) se o preço da ação se mover para fora do intervalo de US$56 a US$64, mas resulta em lucro se o preço ficar dentro desse intervalo. O lucro máximo de US$4 é auferido se o preço da ação for US$60 na data de vencimento.

Pode-se ficar *short* em *butterfly spread*, ou seja, vender o *spread*, por meio de operação contrária. O investidor vende as opções com preços de exercício X_1 e X_3 e compra duas opções com o preço de exercício intermediário X_2. Essa estratégia produz lucro modesto se houver movimento de preços significativo.

Figura 9.7 – *Spread* borboleta estruturado com opções de venda

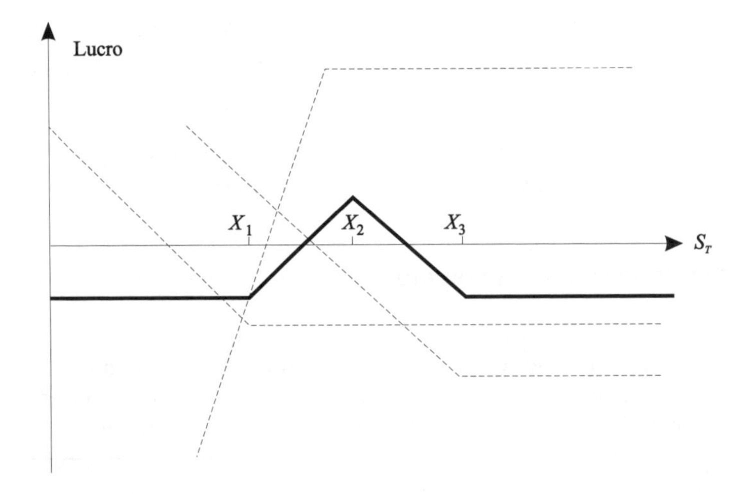

Spreads calendário

Até agora, as opções usadas para construir *spread* têm as mesmas datas de expiração. Aqui, examinam-se os *spreads* calendários em que as opções têm o mesmo preço de exercício e datas de expiração diferentes.

O *spread* calendário pode ser criado com a venda de uma opção de compra com determinado preço de exercício e com a compra de uma opção de compra com o mesmo preço de exercício, mas vencimento posterior. Quanto maior o prazo de vencimento da opção, mais dispendiosa esta será. O *spread* calendário, portanto, requer investimento inicial. Os diagramas de lucro para os *spreads* calendário são em geral produzidos de modo a mostrar o lucro quando a opção de prazo mais curto expira na hipótese de que a opção de maturidade longa será vendida nessa data. O padrão de lucro para o *spread* calendário estruturado com opções de compra é mostrado na Figura 9.8. Esse padrão é similar ao daquele relativo ao *butterfly spread* da Figura 9.6. O investidor terá lucro se o preço da ação, na data de expiração da opção de maturidade curta, estiver próximo de seu preço de exercício. Entretanto, ocorrerá perda se o preço da ação estiver significativamente acima ou significativamente abaixo desse preço de exercício.

Figura 9.8 – *Spread* calendário estruturado com duas opções de compra

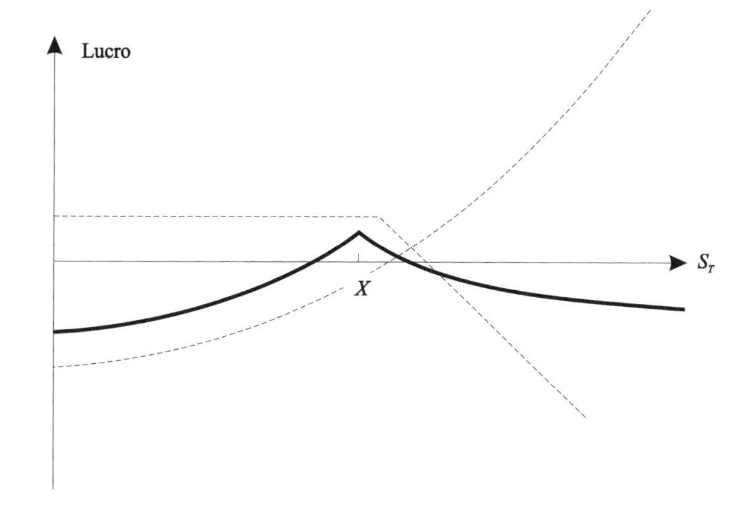

Para entender o padrão de lucro de *spread* calendário, suponha o que acontecerá se o preço da ação for muito baixo quando a opção de curta maturidade expirar. Essa opção não terá nenhum valor e o valor da opção de maturidade longa será próximo a zero. Portanto, o investidor incorre em perda, próxima ao custo inicial, para criar o *spread*. Considere agora o que acontece se o preço da ação, S_T, for muito alto quando a opção de maturidade curta expirar. A opção de maturidade curta gera custo de $S_T - X$ e a opção de maturidade longa (assumindo-se que exercício antecipado não seja o melhor) valerá um pouco mais que $S_T - X$, em que X é o preço de exercício das opções. Aqui, novamente, o investidor tem perda líquida próxima ao custo inicial da criação do *spread*. Se S_T estiver próximo a X, a opção de maturidade curta gerará desembolso pequeno ou nenhum fluxo de caixa. Entretanto, a opção de longa maturidade é ainda bastante valiosa. Nesse caso, haverá lucro significativo.

No *spread calendário neutro* [*neutral calendar spread*], escolhe-se o preço de exercício próximo ao preço corrente da ação. O *spread calendário altista* [*bullish calendar spread*] requer preço de exercício alto, enquanto o *spread calendário baixista* [*bearish calendar spread*] requer preço de exercício mais baixo.

Os *spreads* calendários podem ser criados tanto com opções de venda quanto com opções de compra. O investidor compra a opção de venda de longa maturidade e vende a opção de venda de curta maturidade. Como mostrado na Figura 9.9, o padrão de lucro é semelhante ao obtido com opções de compra.

Figura 9.9 – *Spread* calendário estruturado com duas opções de venda

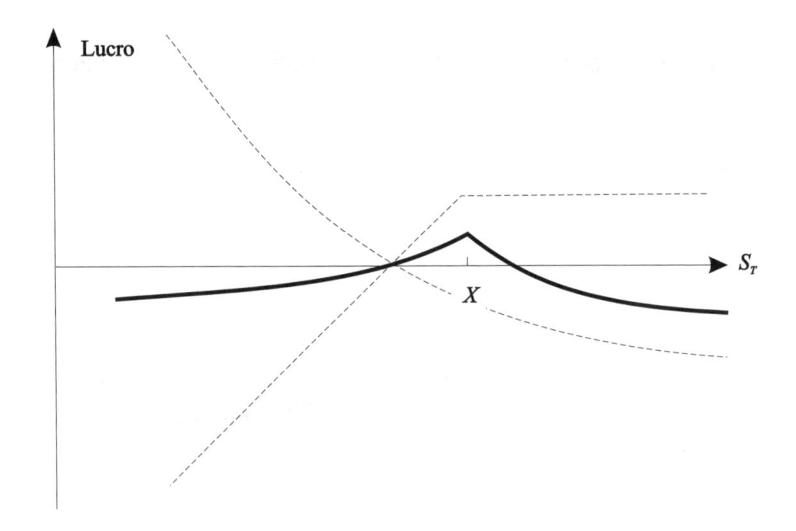

O *spread calendário reverso* é o oposto daqueles mostrados nas Figuras 9.8 e 9.9. O investidor compra a opção de maturidade curta e vende a opção de maturidade longa. Haverá lucro pequeno se o preço da ação na data da expiração da opção de maturidade curta estiver bem acima ou bem abaixo de seu preço de exercício. Porém, poderá haver perda significativa se o preço estiver próximo ao preço de exercício.

Spreads diagonais

Spreads de alta, de baixa e calendário podem, todos, ser criados com posições longas em *call* e *short* em outra. Nos *spreads* de alta e de baixa, as *calls* têm diferentes preços de exercício e a mesma data de expiração. Nos *spreads* calendários, as *calls* têm os mesmos preços de exercício e diferentes datas de expiração. No *spread diagonal* tanto as datas de expiração quanto os preços de exercício das opções de compra são diferentes. Isso aumenta o intervalo de padrões de lucro que são possíveis.

9.3 COMBINAÇÕES

Combinação é uma estratégia de operações com opções, que envolve tomar posições em *calls* e *puts* sobre a mesma ação. Analisam-se, aqui, estratégias como *straddles, strips, straps* e *strangles*.

Straddle

Combinação bastante conhecida é o *straddle*, que envolve a compra de opção de compra e de opção de venda com o mesmo preço de exercício e com a mesma data de expiração. O padrão de lucro é mostrado na Figura 9.10. O preço de exercício é X. Se o preço da ação na data de expiração ficar próximo ao preço de exercício, o *straddle* provocará perda. Entretanto, se houver movimento suficientemente grande em qualquer direção, poderá haver lucro significativo. O *payoff* do *straddle* é calculado na Tabela 9.5.

Tabela 9.5 – *Payoffs* de *straddle*

Intervalo de preços da ação	***Payoff* da posição longa em *call***	***Payoff* da posição *short* em *call***	***Payoff* total**
$S_T \leq X$	0	$X - S_T$	$X - S_T$
$S_T > X$	$S_T - X$	0	$S_T - X$

Um *straddle* é apropriado quando o investidor espera movimento grande no preço da ação, mas não sabe em que direção ocorrerá. Considere que o investidor espera que o preço de determinada ação, que vale US$69, sofra alteração muito grande em três meses. O investidor pode criar *straddle* comprando a *put* e a *call* com preço de exercício de US$70 e data de expiração em três meses. Suponha que a *call* custe US$4 e a *put* custe US$3. Se o preço da ação ficar em US$69, é fácil ver que a estratégia gerará prejuízo de US$6 (o gasto de US$7 é feito no momento inicial, a *call* expira sem valor e a *put* expira valendo US$1).

Se o preço da ação se mover para US$70, haverá perda de US$7 (isso é o pior que pode acontecer). Todavia, se o preço da ação atingir US$90, haverá lucro de US$13. Se o preço da ação se mover para baixo, a US$55, haverá lucro de US$8 e assim por diante. O exemplo está na Tabela 9.6.

O *straddle* parece ser uma estratégia de operação natural para ser usada quando é esperada grande variação no preço da ação de uma companhia, por exemplo, quando há oferta para comprar a empresa ou quando o resultado de importante ação judicial está para ser anunciado. Entretanto, não necessariamente funciona assim. Se o ponto de vista geral do mercado for que haverá grande variação no preço da ação brevemente, tal visão estará refletida nos preços das opções. Assim, as opções sobre a ação vão estar bastante mais caras que as opções sobre ações similares para as quais nenhuma grande variação de preços é esperada. Para que o *straddle* seja uma estratégia efetiva, o investidor deve acreditar que haverá movimentos grandes no preço da ação e que essa expectativa seja diferente da opinião geral do mercado ou da maioria de seus participantes.

O *straddle* na Figura 9.10 é, às vezes, denominado *bottom straddle* ou *straddle de compra*. O *top straddle* ou *straddle de venda* é a posição contrária que pode ser criada, ao se vender uma *call* e uma *put* com mesmo preço de exercício e mesma data de expiração. Trata-se de estratégia bastante arriscada. Se o preço da ação na data de expiração for próximo ao preço de exercício, haverá grande lucro. Porém, a perda em função de grande oscilação nos preços para qualquer dos lados será ilimitada.

Figura 9.10 – *Straddle*

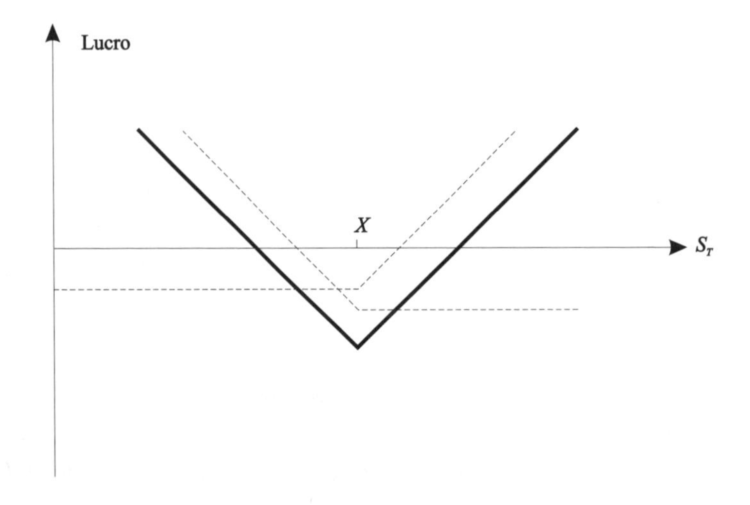

Figura 9.11 – Padrões de lucro advindos de *strip* e de *strap*

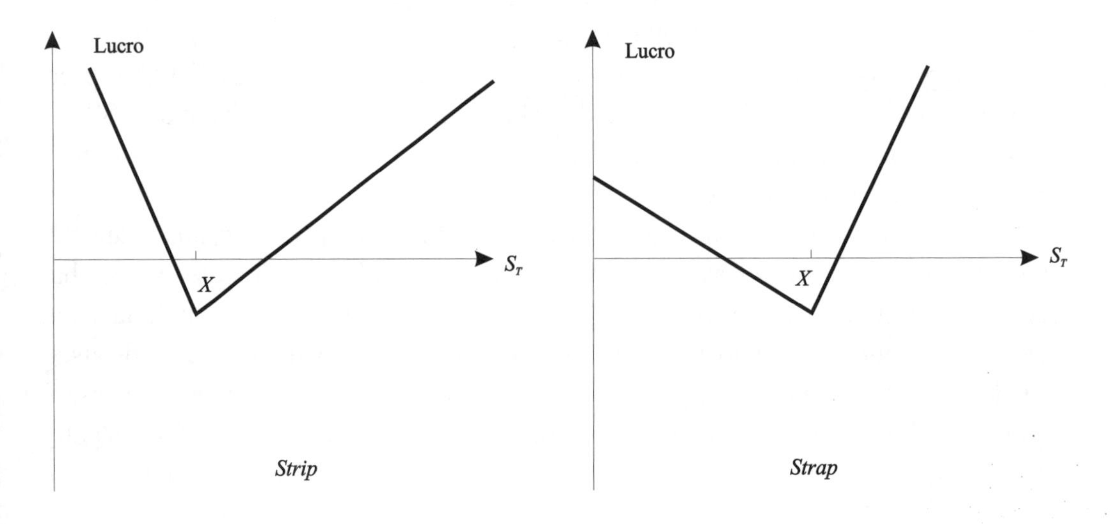

Strips e *straps*

O *strip* consiste em posição longa em uma opção de compra e em duas opções de venda com mesmo preço de exercício e mesma data de expiração. O *strap* consiste em posição longa em duas opções de compra e em uma opção de venda com mesmos preços de exercício e mesmas datas de expiração. Os padrões de lucro de *strips* e *straps* são mostrados na Figura 9.11. No *strip,* o investidor está apostando que haverá grande movimento de preço da ação e considera que há mais probabilidade de queda do que de alta.

Tabela 9.6 – Uso de *straddle*

Da mesa de operações

A ação é negociada a US$69. A *call* de três meses com preço de exercício de US$70 custa US$4, enquanto a *put* de três meses com o mesmo preço de exercício custa US$3. O investidor tem a expectativa de que o preço da ação sofrerá variação muito grande (para cima ou para baixo) nesses três próximos meses.

Estratégia

O investidor compra tanto a *put* quanto a *call.* O pior que pode acontecer é o preço da ação ficar em US$70 em três meses. Nesse caso, a estratégia implicará perda de US$7. Quanto mais longe de US$70 o preço da ação se situar, mais lucrativa será a estratégia. Por exemplo, se o preço da ação for US$90, a estratégia proporcionará lucro de US$13. Se o preço da ação ficar em US$55, a estratégia permitirá lucro de US$8.

No *strap,* o investidor também aposta em um movimento de preço da ação substancial. Porém, nesse caso, é mais provável aumento no preço da ação do que queda.

Strangles

Em um *strangle*, algumas vezes chamado de *combinação vertical de baixa*, o investidor compra uma *put* e uma *call* com mesma data de expiração e preços de exercício diferentes. O padrão de lucro obtido é mostrado na Figura 9.12. O preço de exercício da opção de compra, X_2, é mais alto do que o preço de exercício da opção de venda, X_1. A função de *payoff* para o *strangle* é calculada na Tabela 9.7.

Strangle é uma estratégia de operação similar a *straddle*. O investidor aposta que haverá grande movimento de preço, mas está incerto se ocorrerá aumento ou queda. Comparando-se a Figura 9.12 e 9.10, observa-se que o preço da ação tem de se mover mais em um *strangle* do que em um *straddle* para que o investidor tenha lucro. Entretanto, o risco de perda que acontecerá se o preço ficar sem grandes alterações será menor em um *strangle*. O padrão de lucro obtido com *strangle* depende de quão próximos os preços de exercício estejam. Quanto mais distantes estiverem, menor será o risco de perda e maior terá de ser o movimento do preço da ação para que ocorra lucro.

Tabela 9.7 – *Payoffs* de *strangle*

Intervalo de preços da ação	*Payoff* da *call*	*Payoff* da *put*	*Payoff* total
$S_T \leq X_1$	0	$X_1 - S_T$	$X_1 - S_T$
$X_1 < S_T < X_2$	0	0	0
$S_T \geq X_2$	$S_T - X_2$	0	$S_T - X_2$

Figura 9.12 – *Strangle*

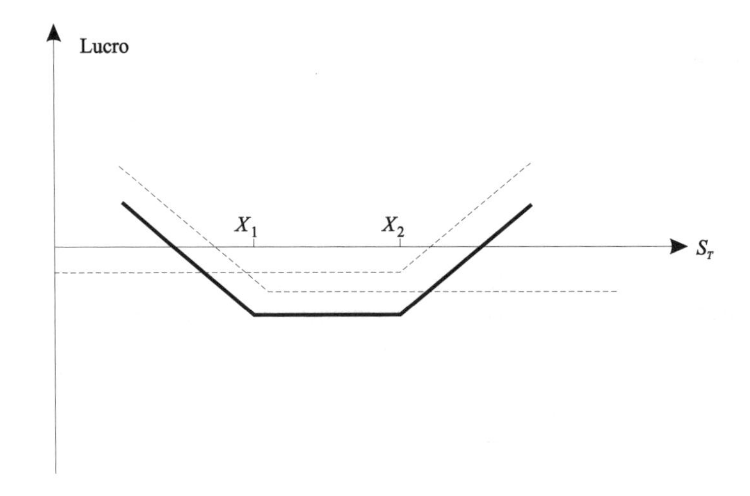

A venda do *strangle* é denominada, algumas vezes, de *combinação vertical de alta*. Essa estratégia pode ser apropriada quando o investidor prevê que forte movimento no preço da ação será pouco provável. Entretanto, assim como ocorre com a venda do *straddle*, trata-se de estratégia de risco que envolve potencial de perda ilimitado.

9.4 OUTROS *PAYOFFS*

Neste capítulo, foram demonstrados apenas alguns modos de como as opções podem ser utilizadas para produzir relações interessantes entre lucro e preço da ação. Se as opções européias, que expiram na data T, estivessem disponíveis para cada preço de exercício possível, qualquer função de *payoff* na data T poderia, teoricamente, ser obtida. O exemplo mais fácil desse conceito envolve uma série de *butterfly spreads*. Lembre-se de que *spread* borboleta é criado pela compra de opções com preços de exercício X_1 e X_3 e a venda de duas opções com preço de exercício X_2, em que $X_1 < X_2 < X_3$ e $X_3 - X_2 = X_2 - X_1$. A Figura 9.13 mostra o *payoff* de *butterfly spread*. O padrão poderia ser descrito como um objeto pontiagudo (*spike*). À medida que X_1 e X_3 se movem para mais perto um do outro, o *spike* se torna menor. Por meio de combinações criteriosas de grande número de pequenos *spikes*, qualquer função de *payoff* pode ser aproximada.

Figura 9.13 – *Payoff* de *spread* borboleta

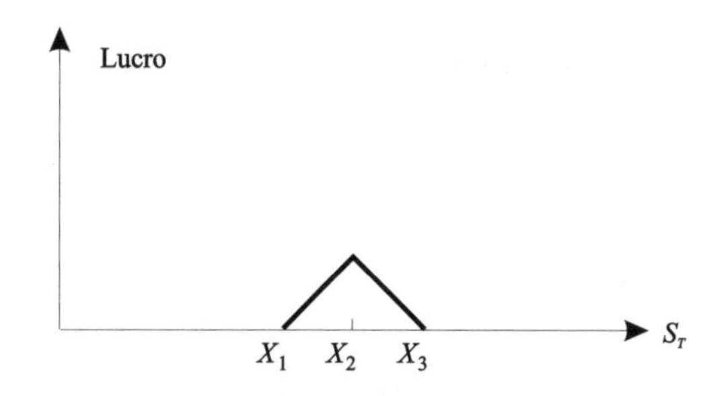

9.5 SUMÁRIO

Várias estratégias comuns de operação envolvem uma única opção e a ação subjacente. Por exemplo, o lançamento da opção de compra coberta envolve a compra da ação e a venda da opção de compra; a *protective put* envolve a compra da opção de venda e a compra da ação. A primeira é semelhante a vender a opção de venda; a última é semelhante a comprar a opção de compra.

Spreads também podem envolver tanto posições em duas ou mais opções de compra ou posições em duas ou mais opções de venda. O *spread* de alta pode ser criado pela compra de *call* (*put*) com baixo preço de exercício e a venda de *call* (*put*) com alto preço de exercício. O *spread* de baixa pode ser criado pela compra de *call* (*put*) com alto preço de exercício e a venda de *call* (*put*) com baixo preço de exercício. O *butterfly spread* envolve a compra de *calls* (*puts*) com baixo e alto preço de exercício e a venda de duas *calls* (*puts*) com preço de exercício intermediário. O *spread* calendário consiste na venda de *call* (*put*) com prazo até a data de expiração curto e a compra de *call* (*put*) com prazo até a expiração maior. O *spread* diagonal envolve posição longa em uma opção e *short* em outra opção de tal modo que ambos os preços de exercício e as datas de expiração sejam diferentes.

As combinações implicam a tomada de posição tanto em *calls* quanto em *puts* da mesma ação. O *straddle* envolve posição longa em *call* e posição longa em *put* com mesmo preço de exercício e data de expiração. O *strip* consiste em posição longa em *call* e em duas *puts* com mesmo preço de exercício e data de expiração. O *strap* consiste em posição longa em duas *calls* e em uma *put* com mesmo preço de exercício e data de expiração. O *strangle* envolve posição longa em *call* e em *put* com diferentes preços de exercício e mesma data de expiração. Há muitos outros modos pelos quais opções podem ser usadas de forma a produzir interessantes funções de *payoff*. Não se constitui, portanto, uma surpresa, o fato de que a negociação com opções tem aumentado em popularidade e continua a fascinar os investidores.

SUGESTÕES PARA LEITURAS COMPLEMENTARES

BOOKSTABER, R. M. *Option Pricing and Strategies in Investing*. Reading, MA: Addison–Wesley, 1981.

DEGLER, W. H.; BECKER, H. P. 19 Option Strategies and When to Use Them. *Futures*, June 1984.

MCMILLAN, L. G. *Options as a Strategic Investment*. New York: New York Institute of Finance, 1992.

SLIVKA, R. Call Option Spreading. *Journal of Portfolio Management* 7, pp. 71–76, spring 1981.

WELCH, W. W. *Strategies for Put and Call Option Trading*. Cambridge, MA: Winthrop, 1982.

YATES, J. W.; KOPPRASCH, R. W. Writing Covered Call Options: Profits and Risks. *Journal of Portfolio Management* 6, pp. 741–780, fall 1980.

PERGUNTAS RÁPIDAS (RESPOSTAS NO FINAL DO LIVRO)

9.1 Qual é o significado de *protective put*? Que posição em opções de compra é equivalente a uma *protective put*?

9.2 Explique os dois modos pelos quais o *spread* de baixa pode ser criado.

9.3 Quando é apropriado para o investidor comprar *spread* borboleta (*butterfly spread*)?

9.4 Opções de compra sobre uma ação estão disponíveis com preços de exercício de US$15, US$17,50 e US$20. A data de expiração ocorre em três meses. Seus preços são US$4, US$2 e US$0,50, respectivamente. Explique como as opções podem ser usadas para criar *butterfly spread*. Construa uma tabela mostrando como o lucro varia em função do preço da ação para o *butterfly spread*.

9.5 Qual estratégia de operação cria um *spread* calendário reverso?

9.6 Qual é a diferença entre *strangle* e *straddle*?

9.7 A opção de compra com preço de exercício de US$50 custa US$2. A opção de venda com preço de exercício de US$45 custa US$3. Explique como criar *strangle* com essas duas opções. Qual é o padrão dos lucros desse *strangle*?

QUESTÕES E PROBLEMAS (RESPOSTAS NO MANUAL DE SOLUÇÕES)

9.8 Use a paridade *put–call* para relacionar o investimento inicial para *spread* de alta com opções de compra e o investimento inicial para *spread* de alta com opções de venda.

9.9 Explique de que forma um *spread* de baixa agressivo pode ser criado usando opções de venda.

9.10 Suponha que as opções de venda sobre uma ação com preços de exercício de US$30 e US$35 custem US$4 e US$7, respectivamente. Como as opções podem ser usadas para criar (a) *spread* de alta e (b) *spread* de baixa? Construa uma tabela que mostre o lucro e os *payoffs* para ambos os *spreads*.

9.11 Use a paridade *put–call* para mostrar que o custo de um *butterfly spread* criado para opções de venda européias é idêntico ao custo de um *butterfly spread* criado com opções de compra européias.

9.12 A opção de compra com preço de exercício de US$60 custa US$6. A opção de venda com mesmo preço de exercício e mesma data de expiração custa US$4. Construa uma tabela que mostre o lucro de um *straddle*. Para qual intervalo de preços, para a ação, o *straddle* resulta em perda?

9.13 Construa uma tabela mostrando o *payoff* de um *spread* de alta quando *puts* com preços de exercício X_1 e X_2 são utilizadas ($X_2 > X_1$).

9.14 O investidor acredita que o preço de uma ação terá um salto, mas não sabe se para cima ou para baixo. Identifique seis estratégias de operação diferentes que o investidor pode negociar e explique as diferenças entre as mesmas.

9.15 Como se pode criar um contrato a termo sobre uma ação com determinado preço de entrega e data de entrega a partir de opções?

9.16 Um *box spread* é uma combinação de *spread* de alta com preços de exercício X_1 e X_2 e *spread* de baixa com os mesmos preços de exercício. As datas de expiração de todas as opções são as mesmas. Quais são as características do *box spread* ?

9.17 Qual é o resultado quando, em um *strangle*, o preço de exercício da *put* é maior do que o preço de exercício da *call*?

9.18 Um dólar australiano vale US$0,64. O *spread* borboleta de um ano é estruturado usando opções de compra européias com preços de exercício de US$0,60, US$0,65 e US$0,70. A taxa de juro livre de risco nos Estados Unidos e na Austrália são 5% e 4%, respectivamente. A volatilidade da taxa de câmbio é 15%. Use o software DerivaGem para calcular o custo de criação de uma posição de *butterfly spread*. Mostre que o custo é o mesmo se opções de venda européias forem usadas em vez de opções de compra européias.

QUESTÕES DE PROVA

9.19 Três opções de venda sobre uma ação têm a mesma data de expiração e preços de exercício de US$55, US$60 e US$65. Os preços de mercado são US$3, US$5 e US$8, respectivamente. Explique como se pode criar um *butterfly spread*. Construa uma tabela mostrando o lucro da estratégia. Para qual intervalo de preços a vista o *butterfly* provocaria perdas?

9.20 O *spread* diagonal é criado por meio da compra de uma opção de compra com preço de exercício X_2 e data de expiração T_2 e uma venda de uma opção de compra com preço de exercício X_1 e data de expiração T_1 ($T_2 > T_1$). Desenhe um diagrama mostrando o lucro quando (a) $X_2 > X_1$ e (b) $X_2 < X_1$.

9.21 Desenhe um diagrama mostrando a variação do lucro ou perda de um investidor em relação ao preço final da ação para um portfólio que consiste em:

a) uma ação e posição *short* em uma opção de compra;

b) duas ações e posição *short* em uma opção de compra;

c) uma ação e posição *short* em duas opções de compra;

d) uma ação e posição *short* em quatro opções de compra.

Em cada caso, suponha que a opção de compra tenha preço de exercício igual ao preço corrente da ação.

Capítulo 10

INTRODUÇÃO ÀS ÁRVORES BINOMIAIS

Uma técnica muito útil e conhecida para apreçar a opção sobre ação envolve a construção da chamada *árvore binomial*. Trata-se de diagrama que representa os diferentes caminhos que podem ser seguidos pelo preço da ação durante a vida da opção. Neste capítulo, tem-se o primeiro contato com árvores binomiais e suas relações com o importante princípio *risk-neutral valuation*. Aqui, a abordagem geral é semelhante àquela adotada em artigo publicado por Cox, Ross e Rubinstein em 1979.

O material deste capítulo é introdutório. Mais detalhes sobre procedimentos numéricos envolvendo árvores binomiais estão no Capítulo 17.

10.1 MODELO BINOMIAL DE UM PASSO

Considere uma situação muito simples: o preço da ação é US$20 e sabe-se que, ao fim de três meses, será US$22 ou US$18. Está-se interessado no apreçamento de uma opção de compra européia que dá o direito de comprar uma ação por US$21 em três meses. Essa opção terá um dos dois valores ao fim de três meses. Se o preço da ação for US$22, o valor da opção será US$1; se o preço da ação for US$18, o preço da opção será zero. A situação é ilustrada na Figura 10.1.

Uma teoria bem simples pode ser usada para apurar o preço da opção nesse exemplo. A única hipótese necessária é que não existem oportunidades de arbitragem. Constrói-se uma carteira com uma ação e uma opção de tal maneira que não haja incerteza sobre o valor do portfólio ao fim de três meses. Pode-se argumentar que, como o portfólio não tem risco, o retorno que proporciona deve ser igual à taxa de juro livre de risco. Isso dará condições de apurar seu custo e, em conseqüência, determinar o preço da opção. Como há dois títulos (a ação e a opção sobre a ação) e apenas dois resultados possíveis, é sempre viável criar um portfólio livre de risco.

Considere o portfólio que consiste em uma posição longa (comprada) em Δ ações e uma posição *short* (vendida) em uma opção de compra. Calcula-se o valor de Δ, o que faz que o portfólio seja sem risco. Se o preço da ação subir de US\$20 para US\$22, o valor das ações será 22Δ e o valor da opção será US\$1, de tal modo que o valor total do portfólio seja $22\Delta - 1$. Se o preço da ação cair de US\$20 para US\$18, o valor das ações será 18Δ e o valor da opção será zero, de tal forma que o valor total do portfólio seja 18Δ.

Figura 10.1 – Oscilação no preço da ação em exemplo numérico

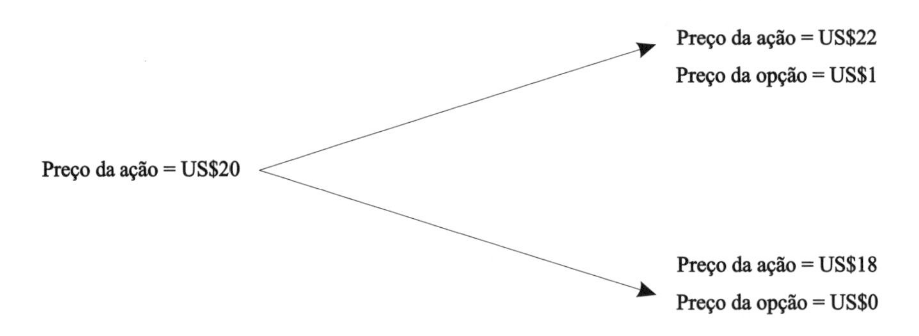

O portfólio será sem risco se o valor de Δ for escolhido de modo que o valor final do portfólio seja o mesmo para ambas alternativas. Isso significa que:

$$22\Delta - 1 = 18\Delta$$

ou

$$\Delta = 0{,}25$$

Portanto, um portfólio sem risco é longo em 0,25 ação e *short* em uma opção. Se o preço da opção subir para US\$22, o valor do portfólio será:

$$22 \times 0{,}25 - 1 = 4{,}5$$

Se o preço da ação cair para US\$18, o valor do portfólio será:

$$18 \times 0{,}25 - 1 = 4{,}5$$

Independentemente do movimento de preço da ação, para cima ou para baixo, o valor do portfólio será sempre US\$4,50 ao fim da vida da opção.

Portfólios sem risco devem, na ausência de oportunidades de arbitragem, render a taxa de juro livre de risco. Suponha que, nesse caso, a taxa de juro livre de risco seja 12% ao ano. Então, o valor do portfólio hoje deve ser o valor presente de US\$4,5 ou:

$$4,5e^{-0,12\times3/12} = 4,367$$

Sabe-se que o valor do preço da ação hoje é US$20. Suponha que o preço da opção seja f. O valor do portfólio hoje é:

$$20 \times 0,25 - f = 5 - f$$

Isso significa que:

$$5 - f = 4,367$$

ou

$$f = 0,633$$

Isso mostra que, na ausência de oportunidades de arbitragem, o valor corrente da opção deve ser 0,633. Se o valor da opção fosse maior que 0,633, o portfólio custaria menos que 4,367 e renderia mais que a taxa de juro livre de risco. Se o valor da opção fosse menor que 0,633, ficar *short* no portfólio proporcionaria um meio de tomar dinheiro emprestado a uma taxa menor que a taxa de juro livre de risco.

Generalização

Pode-se generalizar a teoria apresentada considerando-se uma ação cujo preço é S_0 e uma opção sobre essa ação cujo preço corrente é f. Supõe-se que a opção tenha o prazo T e que, durante a vida da opção, o preço da ação possa subir de S_0 para novo nível, S_0u, ou cair de S_0 para novo nível, S_0d ($u>1$; $d<1$). O aumento proporcional no preço da ação quando ocorre o movimento de alta é de $u - 1$; a queda proporcional quando ocorre o movimento de baixa é de $1 - d$. Se o preço da ação se mover para S_0u, o *payoff* da opção será f_u; se o preço da ação se mover para baixo para S_0d, o *payoff* da opção será f_d. Essa situação é ilustrada na Figura 10.2.

Como antes, supõe-se um portfólio com posição longa em Δ ações e posição *short* em uma opção. Calcula-se o valor de Δ, o que faz que o portfólio seja sem risco. Se houver movimento para cima no preço da ação, o valor do portfólio no fim da vida da opção será:

$$S_0u\Delta - f_u$$

Havendo movimento para baixo no preço da ação, o valor será:

$$S_0d\Delta - f_d$$

Os dois valores são iguais quando:

$$S_0 u\Delta - f_u = S_0 d\Delta - f_d$$

ou

$$\Delta = \frac{f_u - f_d}{S_0 u - S_0 d} \tag{10.1}$$

Nesse caso, o portfólio é sem risco e deve render a taxa de juro livre de risco. A equação (10.1) mostra que Δ é a razão entre a mudança no preço da opção e a mudança no preço da ação à medida que se move entre os nós.

Se a taxa de juro livre de risco for denotada por r, o valor presente do portfólio será:

$$\left(S_0 u\Delta - f_u\right)e^{-rT}$$

O custo para montar o portfólio será:

$$S_0\Delta - f$$

Continuando, tem-se:

$$S_0\Delta - f = \left(S_0 u\Delta - f_u\right)e^{-rT}$$

ou

$$f = S_0\Delta - \left(S_0 u\Delta - f_u\right)e^{-rT}$$

Figura 10.2 – Preços da ação e da opção em árvore binomial genérica de passo único

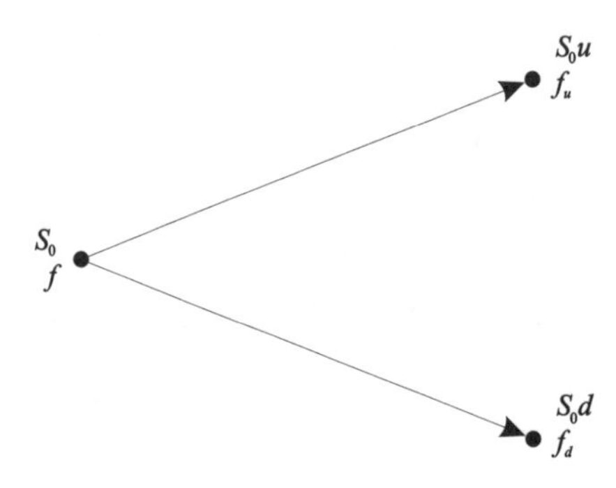

Substituindo-se Δ pelo seu valor na equação (10.1) e simplificando-se, pode-se reduzir a equação anterior por:

$$f = e^{-rT}\left[pf_u + (1-p)f_d\right] \tag{10.2}$$

em que

$$p = \frac{e^{rT} - d}{u - d} \tag{10.3}$$

As equações (10.2) e (10.3) permitem que uma opção seja apreçada quando for utilizado modelo binomial de um passo.

No exemplo anterior (veja a Figura 10.1), $u = 1,1$; $d = 0,9$; $r = 0,12$; $T = 0,25$; $f_u = 1$; e $f_d = 0$. Da equação (10.3), tem-se:

$$p = \frac{e^{0,12\times3/12} - 0,9}{1,1 - 0,9} = 0,6523$$

e da equação (10.2):

$$f = e^{-0,12\times0,25}\left(0,6523\times1 + 0,3477\times0\right) = 0,633$$

Esse resultado confere com a resposta obtida anteriormente nesta seção.

Irrelevância do retorno esperado da ação

A fórmula de apreçamento de opção apresentada na equação (10.2) não envolve as probabilidades de o preço da ação se mover para cima ou para baixo. Por exemplo, tem-se o mesmo preço para uma opção quando a probabilidade do movimento de subida for 0,5, assim como quando essa probabilidade for de 0,9. Isso é surpreendente e não parece ser intuitivo. É natural que à medida que a probabilidade de movimento de subida no preço de uma ação aumente, o valor de uma opção de compra sobre essa ação também aumente e o valor da opção de venda nessa ação caia. Porém, este não é o caso.

A razão é que não se está apreçando a opção em termos absolutos. Calcula-se seu valor em termos do preço do ativo-objeto. As probabilidades de haver subida ou descida já estão incorporadas no preço da ação. Portanto, não é preciso considerá-las novamente ao apreçar a opção em termos do preço da ação.

10.2 *RISK-NEUTRAL VALUATION*

Embora não seja necessário fazer qualquer suposição sobre as probabilidades de subida e descida no preço da ação para derivar a equação (10.2), é natural interpretar a variável p na equação (10.2) como a probabilidade de movimento de subida no preço da ação. A variável $(1 - p)$ é a probabilidade de movimento de descida e a expressão:

$$pf_u + (1 - p)f_d$$

é o *payoff* esperado da opção. Com essa interpretação de p, a equação (10.2) afirma que o valor esperado de uma opção hoje é seu valor futuro esperado descontado à taxa de juro livre de risco.

Investiga-se agora o retorno esperado da ação quando se atribui a probabilidade p a um movimento de subida. O preço esperado da ação no momento T, $E(S_T)$, é dado por:

$$E(S_T) = pS_0u + (1-p)S_0d$$

ou

$$E(S_T) = pS_0(u-d) + S_0d$$

Substituindo-se p pelo seu valor na equação (10.3), tem-se:

$$E(S_T) = S_0e^{rT} \tag{10.4}$$

que mostra que o preço da ação cresce, em média, à taxa de juro livre de risco. Estabelecer a probabilidade de movimento de subida igual a p é, portanto, equivalente a afirmar que o retorno em uma ação é igual à taxa de juro livre de risco.

Em um mundo *risk-neutral*, todos os indivíduos são indiferentes ao risco. Os investidores não requerem compensação para carregar risco e o retorno esperado de todos os títulos é a taxa de juro livre de risco. A equação (10.4) mostra que se assume um mundo *risk-neutral* quando se estabelece a probabilidade de movimento de subida igual a p. A equação (10.2) mostra que o valor de uma opção é o seu *payoff* esperado em um mundo *risk-neutral* descontado pela taxa de juro livre de risco.

Esse resultado é um exemplo de um princípio geral muito importante em apreçamento de opções conhecido como *risk-neutral valuation*. Este estabelece que se pode assumir com completa impunidade o mundo *risk-neutral* quando do apreçamento de opções. Os preços resultantes estão corretos não apenas para o mundo *risk-neutral*, mas em qualquer outro mundo.

Exemplo binomial de um passo revisto

Aqui, retorna-se ao exemplo da Figura 10.1 e mostra-se que o *risk-neutral valuation* dá o mesmo resultado que a teoria de não-arbitragem. Na Figura 10.1, o preço da ação é US\$20 e em três meses sobe para US\$22 ou cai para US\$18. A opção é de compra européia com preço de exercício de US\$21 e data de expiração em três meses. A taxa de juro livre de risco é 12% ao ano.

Já se definiu como p a probabilidade de movimento de subida no preço da ação em um mundo *risk-neutral*. Pode-se calcular p a partir da equação (10.3). Alternativamente, argumenta-se que o retorno esperado da ação em um mundo *risk-neutral* deve ser igual à taxa de juro livre de risco de 12%. Isso significa que p deve satisfazer a equação:

$$22p + 18(1-p) = 20e^{0,12\times3/12}$$

ou

$$4p = 20e^{0,12\times3/12} - 18$$

Isto é, p deve ser 0,6523.

No fim de três meses, a opção de compra terá 0,6523 probabilidade de valer 1 e 0,3477 de probabilidade de valer zero. Portanto, seu valor esperado é:

$$0,6523 \times 1 + 0,3477 \times 0 = 0,6523$$

Em um mundo *risk-neutral*, esse valor deve ser descontado pela taxa de juro livre de risco. Logo, o valor da opção hoje é:

$$0,6523e^{-0,12\times3/12}$$

ou US$0,633. Esse resultado é o mesmo obtido anteriormente, demonstrando que as teorias de não-arbitragem e *risk-neutral valuation* produzem as mesmas respostas.

Mundo real *versus* mundo *risk-neutral*

Deve ser enfatizado que p é a probabilidade de movimento de subida apenas em um mundo *risk-neutral*. Em geral, essa probabilidade não é a mesma de movimento de subida no mundo real. No exemplo, $p = 0,6523$. Quando a probabilidade de movimento de subida é 0,6523, o retorno esperado da ação é a taxa de juro livre de risco de 12%. Suponha que, no mundo real, o retorno esperado de uma ação seja 16% e q seja a probabilidade de movimento de subida nesse mundo real. Segue-se, então, que:

$$22q + 18(1-q) = 20e^{0,16\times3/12}$$

de tal forma que $q = 0,7041$.

Portanto, o *payoff* esperado para a opção no mundo real é:

$$q \times 1 + (1-q) \times 0$$

que é igual a 0,7041. Infelizmente, não é fácil saber a taxa de desconto correta para aplicar ao *payoff* esperado no mundo real. A posição em uma opção de compra é mais arriscada que a posição na ação. Como resultado, a taxa de desconto a ser aplicada ao *payoff* de uma opção de compra é maior que 16%. Sem saber o valor da opção, não se sabe quão maior que 16% ela deve ser[1]. O uso do *risk-neutral valuation* é conveniente, porque se sabe que nesse mundo o *payoff* esperado de todos os ativos (e, portanto, a taxa de desconto a ser usada para todos os *payoffs* esperados) é a taxa de juro livre de risco.

10.3 ÁRVORE BINOMIAL DE DOIS PASSOS

Pode-se estender a análise para a árvore binomial de dois passos como a da Figura 10.3. Aqui, o preço da ação começa em US$20 e a cada passo sobe 10% ou cai 10%. Supõe-se que o tempo de cada passo seja três meses e que a taxa de juro livre de risco seja 12% ao ano. Como antes, considera-se uma opção com preço de exercício de US$21.

Figura 10.3 – Preços da ação em árvore binomial de dois passos

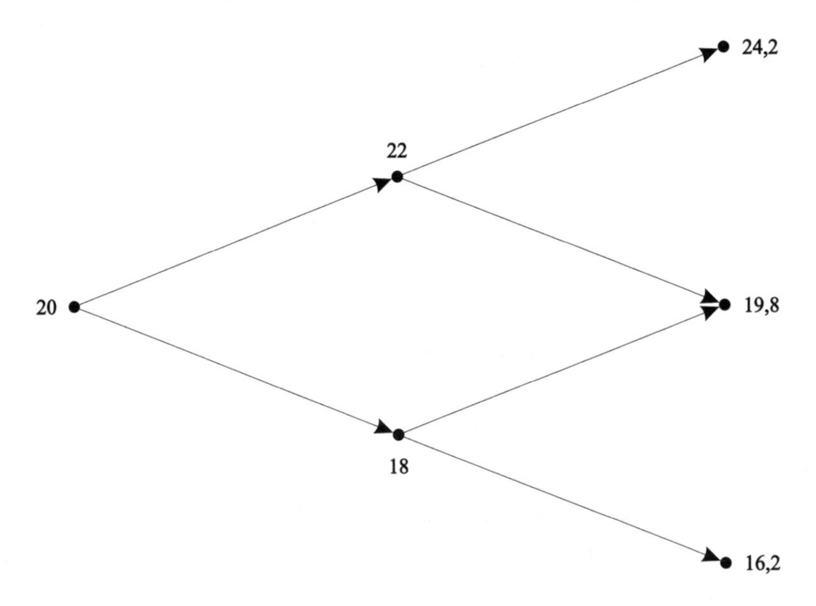

O objetivo da análise é calcular o preço da opção no nó inicial da árvore. Isso pode ser feito aplicando-se repetidamente os princípios estabelecidos anteriormente neste capítulo. A Figura 10.4 mostra a mesma árvore da Figura 10.3, mas com o preço da ação e o preço da opção em cada nó (o preço da ação é o número superior e o preço da opção é o número inferior). Os preços da opção nos nós finais da árvore podem ser facilmente calculados. São os *payoffs* da opção. No nó D, o preço da ação é 24,2 e o preço da opção é 24,2 – 21 = 3,2; nos nós E e F, a opção está fora do dinheiro e seu valor é zero.

No nó C, o preço da opção é zero, pois ele leva ao nó E ou ao nó F, ambos com preço da opção igual a zero. Calcula-se o preço da opção no nó B, focando-se a atenção

[1] Como o valor correto da opção é 0,633, pode-se deduzir que a taxa de desconto correta é 42,58%. Isso ocorre porque $0,633 = 0,7041e^{-0,4258\times3/12}$.

na parte da árvore mostrada na Figura 10.5. Usando-se a notação introduzida anteriormente neste capítulo, $u = 1,1$; $d = 0,9$; $r = 0,12$; e $T = 0,25$, tem-se $p = 0,6523$. A equação (10.2) dá um valor para a opção no nó B de:

$$e^{-0,12\times 3/12}\left(0,6523\times 3,2+0,3477\times 0\right)=2,0257$$

Ainda resta calcular o preço da opção no nó inicial A. Para isso, é necessário concentrar-se no primeiro passo da árvore. Sabe-se que o valor da opção no nó B é 2,0257 e que no nó C o valor é zero. A equação (10.2) dá, portanto, um valor para o nó A, assim definido:

$$e^{-0,12\times 3/12}\left(0,6523\times 2,0257+0,3477\times 0\right)=1,2823$$

O valor da opção é, portanto, US$1,2823.

Note que esse exemplo foi construído de tal forma que u e d (os movimentos proporcionais de subida e descida) são os mesmos em cada nó da árvore e que os tempos dos passos são iguais. Como resultado, a probabilidade *risk-neutral*, p, como calculada pela equação (10.3), é a mesma em cada nó.

Figura 10.4 – Preços da ação e da opção em árvore binomial de dois passos

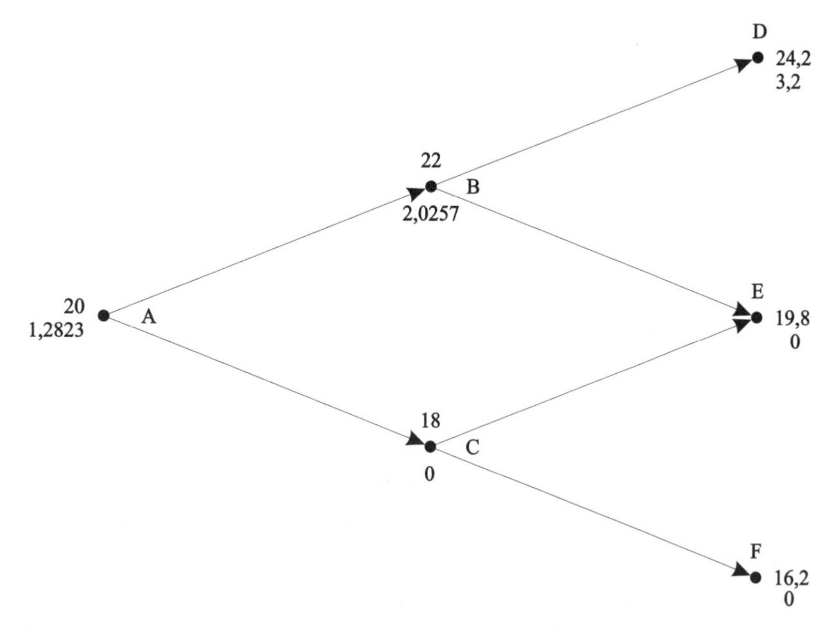

Nota: em cada nó, o número superior é o preço da ação e o número inferior é o preço da opção.

Figura 10.5 – Apreçamento do preço da opção no nó B

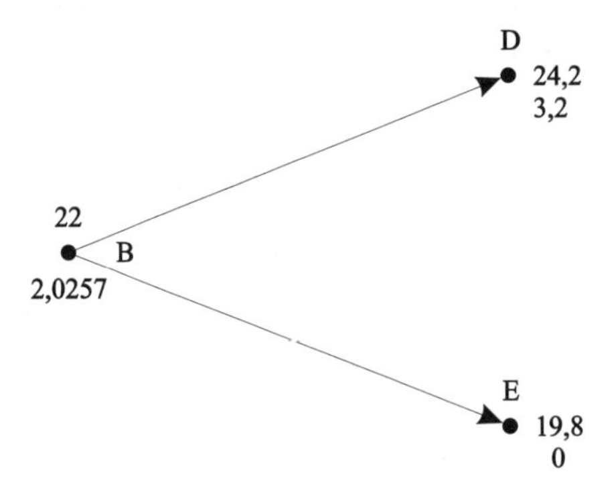

Generalização

Pode-se generalizar o caso de dois intervalos de tempo ou passos, considerando-se a situação da Figura 10.6. O preço inicial da ação é S_0. Durante cada intervalo de tempo, o preço sobe para u vezes seu valor inicial ou diminui para d vezes. A notação para o valor da opção é mostrada na árvore (por exemplo, depois de dois movimentos ascendentes, o valor da opção é f_{uu}). Supõe-se que a taxa de juro livre de risco seja r e que o intervalo de tempo a cada passo seja δt anos.

A aplicação repetida da equação (10.2) resulta em:

$$f_u = e^{-r\delta t}\left[pf_{uu} + (1-p)f_{ud}\right] \tag{10.5}$$

$$f_d = e^{-r\delta t}\left[pf_{ud} + (1-p)f_{dd}\right] \tag{10.6}$$

$$f = e^{-r\delta t}\left[pf_u + (1-p)f_d\right] \tag{10.7}$$

Substituindo-se na equação (10.7) os valores das equações (10.5) e (10.6), tem-se:

$$f = e^{-2r\delta t}\left[p^2 f_{uu} + 2p(1-p)f_{ud} + (1-p)^2 f_{dd}\right] \tag{10.8}$$

Isso é consistente com o princípio de *risk-neutral valuation* mencionado anteriormente. As variáveis p^2, $2p(1-p)$ e $(1-p)^2$ são as probabilidades dos nós finais superior, intermediário e inferior serem alcançados. O preço da opção é igual a seu *payoff* esperado em um mundo *risk-neutral* descontado à taxa de juro livre de risco.

À medida que adicionamos mais passos à árvore binomial, o princípio de *risk-neutral valuation* se mantém. O preço da opção é sempre igual a seu *payoff* esperado em um mundo *risk-neutral*, descontado à taxa de juro livre de risco.

Figura 10.6 – Preços da ação e da opção em árvore genérica de dois passos

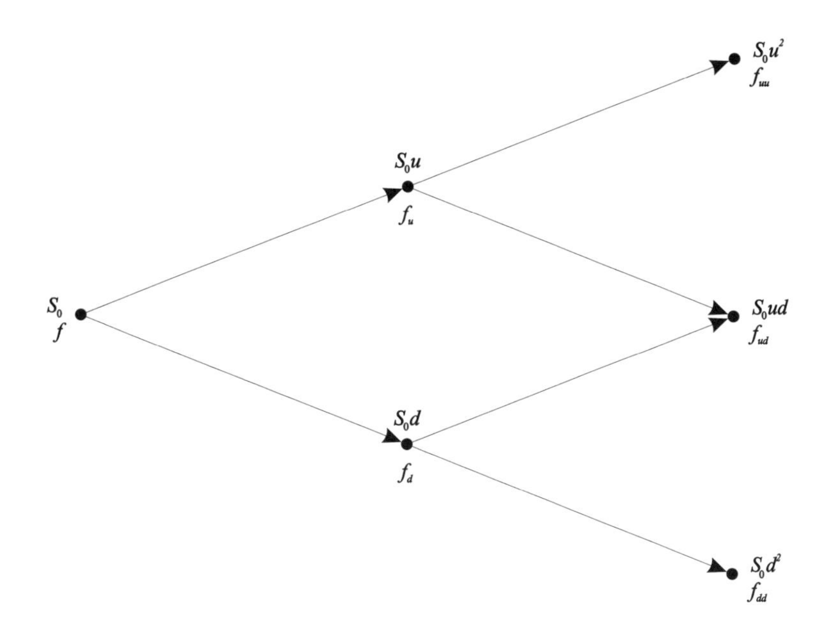

10.4 EXEMPLO COM OPÇÃO DE VENDA

Os procedimentos descritos neste capítulo podem ser empregados para apreçar qualquer derivativo dependente de uma ação cujas mudanças de preços são binomiais. Considere a opção de venda européia de dois anos com preço de exercício de US$52 sobre uma ação cujo preço corrente é US$50. Suponha que haja dois intervalos de tempo de um ano e a cada passo o preço da ação suba ou caia 20% e que a taxa de juro livre de risco seja 5%.

A árvore é mostrada na Figura 10.7. O valor da probabilidade *risk-neutral*, p, é dado por:

$$p = \frac{e^{0,05 \times 1} - 0,8}{1,2 - 0,8} = 0,6282$$

Os preços finais possíveis para a ação são: US$72, US$48 e US$32. Nesse caso, $f_{uu} = 0$; $f_{ud} = 4$; e $f_{dd} = 20$. Da equação (10.8):

$$f = e^{-2 \times 0,05 \times 1}\left(0,6282^2 \times 0 + 2 \times 0,6282 \times 0,3718 \times 4 + 0,3718^2 \times 20\right) = 4,1923$$

O valor da *put* é US$4,1923. Esse resultado também pode ser obtido com a equação (10.2) e trabalhando-se de trás para frente na árvore, um passo de cada vez.

A Figura 10. 7 mostra os preços intermediários da opção que são calculados.

Figura 10.7 – Uso de árvore de dois passos para apreçar uma opção de venda européia

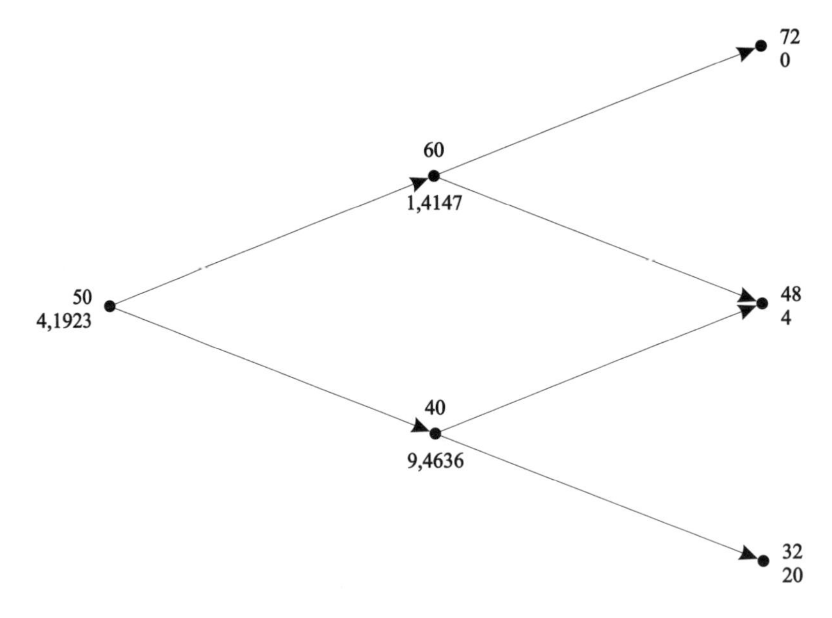

Nota: em cada nó, o número superior é o preço da ação e o número inferior é o preço da opção.

10.5 OPÇÕES AMERICANAS

Até aqui, foram consideradas apenas opções européias. Examinam-se agora as opções americanas e como podem ser apreçadas utilizando-se uma árvore binomial como a das Figuras 10.4 ou 10.7. O procedimento é trabalhar de trás para frente ao longo da árvore, ou seja, do fim para o início, testando a cada nó para verificar se o exercício antecipado é recomendável. Os valores da opção nos nós finais são os mesmos apurados para as opções européias. Para os nós anteriores, o valor é o maior dos seguintes valores:

- o valor dado pela equação (10.2);
- o *payoff* relativo a um exercício antecipado.

A Figura 10.8 mostra como a Figura 10.7 é afetada se a opção for americana em vez de européia. Os preços da ação e suas probabilidades são imutáveis. Os valores para a opção nos nós finais também não se modificam. No nó B, a equação (10.2) fornece valor para a opção de US\$1,4147, enquanto o *payoff* de um exercício antecipado é negativo (= –US\$8). Evidentemente, o exercício antecipado não é recomendável no nó B; o valor da opção nesse nó é US\$1,4147. No nó C, a equação (10.2) fornece um valor para a opção de US\$9,4636, enquanto o *payoff* de um exercício antecipado é US\$12. Nesse caso, o exercício antecipado é ótimo e o valor da opção no nó é US\$12. No nó inicial A, o valor dado pela equação (10.2) é:

$$e^{-0,05\times 1}\left(0,6282\times 1,4147+0,3718\times 12,0\right)=5,0894$$

e o *payoff* de um exercício antecipado é US$2. Nesse caso, o exercício antecipado não é recomendável. O valor da opção é, portanto, US$5,0894.

Mais detalhes sobre o uso das árvores binomiais para o apreçamento de opções americanas estão no Capítulo 17.

Figura 10.8 – Uso de árvore de dois passos para apreçar opção de venda americana

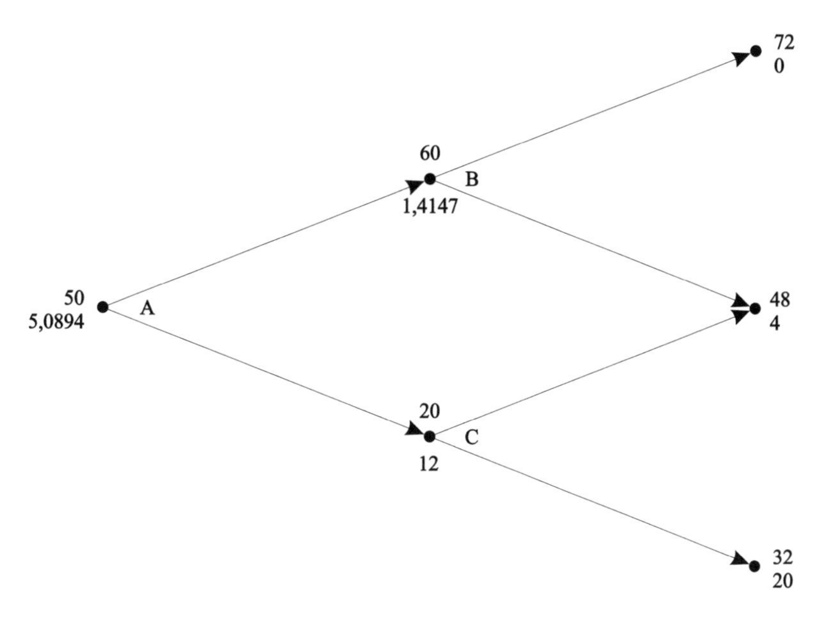

Nota: em cada nó, o número superior é o preço da ação e o número inferior é o preço da opção.

10.6 DELTA

Neste estágio, é apropriado discutir o *delta*, um parâmetro importante no apreçamento e no *hedge* com opções.

O delta de uma opção sobre uma ação é a relação entre a mudança no preço da opção e a mudança no preço da ação. Pode ser entendido como o número de unidades da ação que devem ser compradas para cada opção vendida no intuito de se criar *hedge* sem risco. É o Δ introduzido anteriormente neste capítulo. A construção de *hedge* sem risco é, às vezes, chamada de *delta hedging*. O delta de uma opção de compra é positivo, enquanto o delta de uma opção de venda é negativo.

Da Figura 10.1, pode-se calcular o valor do delta de uma opção de compra da seguinte maneira:

$$\frac{1-0}{22-18} = 0,25$$

A explicação é que quando o preço da ação muda de US$18 para US$22, o preço da opção passa de US$0 para US$1.

Na Figura 10.4, o delta correspondente aos movimentos no preço da ação no primeiro passo, ou seja, no primeiro intervalo de tempo é:

$$\frac{2,0257-0}{22-18}=0,5064$$

O delta para os movimentos de preço no segundo passo é:

$$\frac{3,2-0}{24,2-19,8}=0,7273$$

se existir oscilação para cima no primeiro passo ou

$$\frac{0-0}{19,8-16,2}=0$$

se existir oscilação para baixo no primeiro passo.

Da Figura 10.7, o delta é:

$$\frac{1,4147-9,4636}{60-40}=-0,4024$$

no fim do primeiro passo ou:

$$\frac{0-4}{72-48}=-0,1667$$

ou

$$\frac{4-20}{48-32}=-1$$

no fim do segundo passo.

Os exemplos de dois passos mostram que o delta se modifica ao longo do tempo (na Figura 10.4, o delta muda de 0,5064 para 0,7273 ou 0; na Figura 10.7, passa de –0,4024 para –0,1667 ou –1). Assim, a fim de se manter *hedge* sem risco usando-se uma opção e uma ação, é preciso ajustar periodicamente as posições na ação. Esta é uma característica das opções, a qual se retorna nos Capítulos 11 e 15.

10.7 ÁRVORES BINOMIAIS NA PRÁTICA

Os modelos binomiais apresentados até aqui têm sido tratados de forma bastante simples, o que não corresponde à realidade. Um analista pode esperar obter apenas aproximação muito imprecisa do preço de uma opção assumindo que os movimentos de preço durante a vida da opção consistem em um ou dois passos binomiais.

Quando as árvores binomiais são utilizadas na prática, a vida da opção é dividida em 30 ou mais passos. Em cada um, há movimento binomial no preço da ação. Com 30 passos, são considerados 31 preços finais para a ação e 2^{30}, ou cerca de um bilhão, de possíveis caminhos para os preços da ação.

Os valores de u e d são determinados a partir da volatilidade do preço da ação, σ. O modelo de Cox, Ross e Rubinstein define:

$$u = e^{\sigma\sqrt{\delta t}}$$

e

$$d = \frac{1}{u}$$

Portanto, o conjunto completo de equações que define a árvore é:

$$u = e^{\sigma\sqrt{\delta t}}, \; d = e^{-\sigma\sqrt{\delta t}}$$

$$p = \frac{e^{r\delta t} - d}{u - d}$$

No Capítulo 17, há discussão adicional dessas fórmulas e de idéias práticas envolvendo construção e uso de árvores binomiais.

10.8 SUMÁRIO

Este capítulo permitiu uma primeira visão do apreçamento de opções sobre ações. Se os movimentos de preço da ação durante a vida da opção são governados por uma árvore binomial de um passo, é possível construir portfólio sem risco, composto de uma opção sobre uma ação e da própria ação. Em um mundo sem oportunidades de arbitragem, os portfólios sem risco devem render a taxa de juro livre de risco. Isso possibilita estabelecer o preço da opção em termos da ação. É interessante notar que nenhuma hipótese sobre as probabilidades de movimentos de alta e de baixa do preço da ação é requerida a cada nó da árvore.

Quando os movimentos de preço da ação são governados por uma árvore binomial de vários passos, pode-se tratar cada passo binomial separadamente e trabalhar do fim para o início da árvore para obter o preço corrente da opção. Novamente, utiliza-se apenas o princípio de não-arbitragem e não se requer hipóteses acerca das probabilidades de movimentos de preço para cima e para baixo a cada nó da árvore.

Outro enfoque para apreçar opções sobre ações envolve a teoria *risk-neutral valuation*, um princípio que afirma que se pode assumir que o mundo é *risk-neutral* quando se está apreçando opções em termos de ação. Este capítulo mostrou, por meio de exemplos numéricos e de álgebra, que as teorias de não-arbitragem e *risk-neutral valuation* são equivalentes e levam aos mesmos preços de opções.

O delta de uma opção de ação, Δ, considera o efeito de uma pequena mudança no preço da ação na mudança no preço da opção. É a razão entre a mudança no preço da opção em relação à mudança no preço da ação. Para uma posição sem risco, o investidor deve comprar Δ ação para cada opção vendida. Uma análise em árvore binomial típica mostra que o delta se modifica durante a vida da opção. Isso significa que, para *hedgear* uma posição específica em opções, tem-se de mudar a posição na ação periodicamente.

No próximo capítulo, examina-se o enfoque analítico de Black e Scholes para apurar o preço de opções sobre ações. Nos Capítulos 12 e 13, outros tipos de opções serão revistos. No Capítulo 15, são consideradas as estatísticas de *hedge* como o delta. No Capítulo 17, retornar-se às árvores binomiais e tem-se discussão mais completa de como podem ser implementadas.

SUGESTÕES PARA LEITURAS COMPLEMENTARES

COX, J.; ROSS, S.; RUBINSTEIN, M. Option Pricing: A Simplified Approach. *Journal of Financial Economics* 7, pp. 229–264, October 1979.

RENDLEMAN, R.; BARTTER, B. Two State Option Pricing. *Journal of Finance* 34, pp. 1092–1110, 1979.

PERGUNTAS RÁPIDAS (RESPOSTAS NO FINAL DO LIVRO)

10.1 O preço corrente da ação é US$40. Sabe-se que no fim de um mês o preço será US$42 ou US$38. A taxa de juro livre de risco é 8% ao ano com capitalização contínua. Qual é o valor da opção de compra européia de um mês com preço de exercício de US$39?

10.2 Explique as teorias de não-arbitragem e de *risk-neutral valuation* para apreçar uma opção européia usando árvore binomial de um passo.

10.3 Qual é o significado do delta de uma opção sobre uma ação?

10.4 O preço corrente da ação é US$50. Sabe-se que no fim de seis meses o preço será US$45 ou US$55. A taxa de juro livre de risco é 10% ao ano com capitalização contínua. Qual é o valor da opção de venda européia de seis meses de prazo com preço de exercício de US$50?

10.5 O preço corrente da ação é US$100. Em cada um dos próximos dois semestres, espera-se subida ou queda de 10% no preço. A taxa de juro livre de risco é 8% ao ano com capitalização contínua. Qual é o valor da opção de compra européia de um ano com preço de exercício de US$100?

10.6 Para a situação considerada na questão 10.5, qual é o preço da opção de venda européia de um ano com preço de exercício de US$100? Verifique se a opção de compra européia e a opção de venda européia satisfazem a paridade *put–call*.

10.7 Considere a situação em que os movimentos de preço durante a vida de uma opção européia são governados por árvore binomial de dois passos. Explique a razão pela qual não é possível construir uma posição em uma ação e em uma opção que permaneça sem risco para a vida inteira da opção.

QUESTÕES E PROBLEMAS (RESPOSTAS NO MANUAL DE SOLUÇÕES)

10.8 O preço corrente da ação é US$50. Sabe-se que no fim de dois meses o preço será US$53 ou US$48. A taxa de juro livre de risco é 10% ao ano com capitalização contínua. Qual é o valor da opção de compra européia de dois meses com preço de exercício de US$49? Use a teoria de não-arbitragem.

10.9 O preço corrente da ação é US$80. Sabe-se que no fim de quatro meses o preço será US$75 ou US$85. A taxa de juro livre de risco é 5% ao ano com capitalização contínua. Qual é o valor da opção de venda européia de quatro meses com preço de exercício de US$80? Use a teoria de não-arbitragem.

10.10 O preço corrente da ação é US$40. Sabe-se que no fim de três meses o preço será US$45 ou US$35. A taxa de juro livre de risco composta trimestralmente é 8% ao ano. Calcule o valor da opção de venda européia de três meses sobre uma ação com preço de exercício de US$40. Verifique se as teorias de não-arbitragem e *risk-neutral valuation* produzem as mesmas respostas.

10.11 O preço corrente da ação é US$50. No fim de cada um dos próximos dois trimestres, espera-se alta de 6% ou queda de 5%. A taxa de juro livre de risco é 5% ao ano com capitalização contínua. Qual é o valor da opção de compra européia de seis meses com preço de exercício de US$51?

10.12 Para a situação considerada no Problema 10.11, qual é o valor da opção de venda européia de seis meses com preço de exercício de US$51? Verifique se os preços da opção de compra européia e da opção de venda européia satisfazem a paridade *put–call*. Se a opção de venda fosse americana, seria recomendável o exercício antecipado em qualquer dos nós da árvore?

10.13 O preço corrente da ação é US$25. Sabe-se que, no fim de dois meses, o preço será US$23 ou US$27. A taxa de juro livre de risco é 10% ao ano com capitalização contínua. Suponha que S_T seja o preço da ação no fim de dois meses. Qual é o valor de um derivativo que produz *payoff* de S_T^2 nessa data?

QUESTÕES DE PROVA

10.14 O preço corrente da ação é US$50. Sabe-se que no fim de seis meses o preço será US$60 ou US$42. A taxa de juro livre de risco com capitalização contínua é 12% ao ano. Calcule o valor da opção de compra européia de seis meses sobre uma ação com preço de exercício de US$48. Verifique se as teorias de não-arbitragem e *risk-neutral* produzem os mesmos resultados.

10.15 O preço corrente da ação é US$40. No fim de cada um dos próximos dois trimestres, espera-se alta de 10% ou queda de 10%. A taxa de juro livre de risco é 12% ao ano com capitalização contínua.

a) Qual é o valor da opção de venda européia de seis meses com preço de exercício de US$42?

b) Qual é o valor da opção de venda americana de seis meses com preço de exercício de US$42?

10.16 Usando o enfoque de "tentativa e erro", estime quão alto deve ser o preço de exercício no problema 10.15 para que o exercício antecipado seja recomendável.

Capítulo 11
APREÇANDO OPÇÕES SOBRE AÇÕES: O MODELO DE BLACK E SCHOLES

No início dos anos de 1970, Fischer Black, Myron Scholes e Robert Merton fizeram avanço notável na questão de apuração de preços das opções[1]. Esses estudos envolveram o desenvolvimento do chamado modelo de Black e Scholes. Esse método tem tido grande influência no modo pelo qual os operadores apreçam e fazem *hedge* com opções. Também tem sido base para o crescimento e o sucesso da engenharia financeira nos anos de 1980 e 1990. O reconhecimento da importância do modelo veio em 1997, quando Myron Scholes e Robert Merton foram agraciados com o Prêmio Nobel de Economia. Infelizmente, Fischer Black faleceu em 1995. Não fosse por isso, sem dúvida nenhuma, teria sido um dos vencedores do prêmio.

Neste capítulo, apresenta-se o modelo de Black e Scholes para apreçar opções de compra e opções de venda européias sobre ações que não pagam dividendos e discutem-se as hipóteses sobre as quais o modelo se baseia. Considera-se também, de forma mais completa que nos capítulos anteriores, o significado da volatilidade e mostra-se como pode ser estimada a partir de dados históricos ou estar implícita nos preços das opções. Mais ao fim do capítulo, verifica-se como os resultados do modelo podem ser estendidos para tratar de opções européias, de compra e de venda, sobre ações que pagam dividendos.

11.1 HIPÓTESES SOBRE A EVOLUÇÃO DOS PREÇOS DAS AÇÕES

Um modelo de apreçamento de preço de uma opção sobre ação deve ter algumas hipóteses sobre o modo como os preços das ações evoluem ao longo do tempo. Se o

[1] Ver Black; Scholes. The Pricing of Options and Corporate Liabilities. *Journal of Political Economy* 81, pp. 637–659, May–June 1973; e Merton, R. C. Theory of Rational Option Pricing. *Bell Journal of Economics and Management Science* 4, pp. 141–183, spring 1973.

preço da ação hoje for US$100, qual será a distribuição de probabilidade do preço em um dia, em uma semana ou em um ano?

A suposição subjacente ao modelo de Black e Scholes é que (na ausência de dividendos) os preços das ações seguem *caminho aleatório* [*random walk*]. As variações percentuais no preço da ação em um período de tempo curto são normalmente distribuídas. Seja:

μ = retorno esperado na ação;

σ = volatilidade do preço a vista.

A média da variação percentual no período δt é $\mu\delta t$. O desvio-padrão das variações percentuais é $\sigma\sqrt{\delta t}$. Portanto, a hipótese implícita no modelo de Black e Scholes é:

$$\frac{\delta S}{S} \sim \phi\left(\mu\delta t, \sigma\sqrt{\delta t}\right) \tag{11.1}$$

onde δS é a mudança no preço da ação, S, no tempo δt e $\phi(m, s)$ representa a distribuição normal com média m e desvio-padrão s.

Distribuição lognormal

Pode ser demonstrado que a hipótese do caminho aleatório faz que o preço da ação, em qualquer momento futuro, tenha distribuição lognormal. O formato geral de uma distribuição lognormal é mostrado na Figura 11.1. Pode-se contrastá-la com uma distribuição mais familiar, a distribuição normal, na Figura 11.2. Enquanto a variável com distribuição normal pode assumir valores positivos e negativos, a variável com distribuição lognormal assume apenas valores positivos. A distribuição normal é simétrica; a distribuição lognormal é desviada para o lado com a média, a mediana e a moda diferentes.

A variável com distribuição lognormal tem a propriedade de ter seu logaritmo natural normalmente distribuído. A hipótese assumida pelo modelo de Black e Scholes, portanto, implica que $\ln S_T$ é normal, onde S_T é o preço da ação na data futura T. Pode-se demonstrar que a média e o desvio-padrão de $\ln S_T$ são iguais a:

$$\ln S_0 + \left(\mu - \frac{\sigma^2}{2}\right)T$$

e

$$\sigma\sqrt{T}$$

onde S_0 é o preço corrente da ação. Pode-se escrever o resultado da seguinte forma:

$$\ln S_T \sim \phi\left[\ln S_0 + \left(\mu - \frac{\sigma^2}{2}\right)T, \sigma\sqrt{T}\right] \tag{11.2}$$

Figura 11.1 – Distribuição lognormal

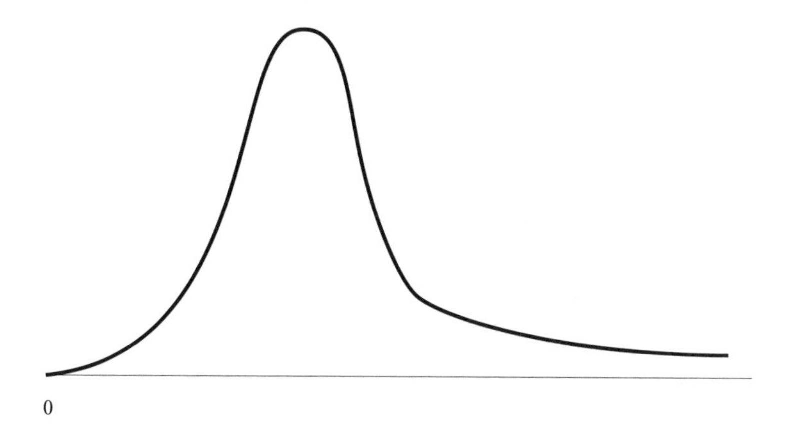

Figura 11.2 – Distribuição normal

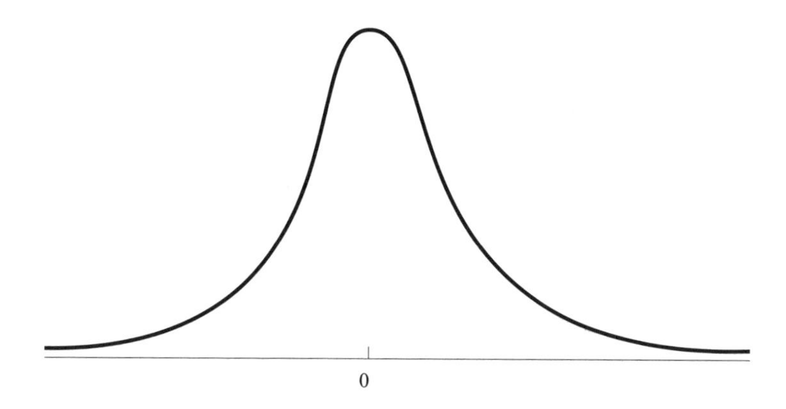

O valor esperado ou o valor médio de S_T, $E(S_T)$, é dado por:

$$E\left(S_T\right) = S_0 e^{\mu T} \tag{11.3}$$

O que se encaixa na definição de μ como o retorno esperado. Pode-se demonstrar que a variância de S_T, $\text{var}(S_T)$, é igual a:

$$\text{var}\left(S_T\right) = S_0^2 e^{2\mu T}\left(e^{\sigma^2 T} - 1\right)$$

Exemplo

Considere uma ação com preço inicial de US$40, retorno esperado de 16% ao ano e volatilidade de 20% ao ano. Da equação (11.2), a distribuição de probabilidade do preço da ação, S_T, em seis meses é dada por:

$$\ln S_T \sim \phi\left[\ln 40 + \left(0{,}16 - \frac{0{,}2^2}{2}\right)0{,}5;\, 0{,}2\sqrt{0{,}5}\right]$$

ou

$$\ln S_T \sim \phi(3{,}759;\, 0{,}141)$$

Há 95% de probabilidade de uma variável, com distribuição normal, ter um valor dentro do intervalo entre a média menos 1,96 desvio-padrão e a média mais 1,96 desvio-padrão. Logo, com 95% de confiança:

$$3{,}759 - 1{,}96 \times 0{,}141 < \ln S_T < 3{,}759 + 1{,}96 \times 0{,}141$$

o que implica:

$$e^{3{,}759-1{,}96\times 0{,}141} < S_T < e^{3{,}759+1{,}96\times 0{,}141}$$

ou

$$32{,}55 < S_T < 56{,}56$$

Portanto, há 95% de probabilidade de que o preço da ação, daqui a seis meses, fique entre 32,55 e 56,56. A média e variância de S_T são:

$$40e^{0{,}16\times 0{,}5} = 43{,}33$$

e

$$40^2 e^{2\times 0{,}16\times 0{,}5}\left(e^{0{,}2\times 0{,}2\times 0{,}5} - 1\right) = 37{,}93$$

Da equação (11.2), pode ser demonstrado que:

$$\ln \frac{S_T}{S_0} \sim \phi\left[\left(\mu - \frac{\sigma^2}{2}\right)T,\, \sigma\sqrt{T}\right] \tag{11.4}$$

Quando $T = 1$, a expressão $\ln(S_T/S_0)$ é o retorno da ação em um ano capitalizado continuamente[2]. A média e o desvio-padrão do retorno capitalizado continuamente em um ano são, portanto, $\mu - \sigma^2/2$ e σ, respectivamente.

[2] Como foi discutido no Capítulo 3, é importante distinguir entre retorno capitalizado continuamente e retorno com capitalização anual. O primeiro é $\ln(S_T / S_0)$. O último é $(S_T - S_0)/S_0$.

Exemplo

Considere a ação com retorno esperado de 17% ao ano e volatilidade de 20% ao ano. A distribuição de probabilidade para a taxa de retorno (capitalizada continuamente) verificada para um ano é normal, com média:

$$0{,}17 - \frac{0{,}2^2}{2} = 0{,}15$$

ou 15% e desvio-padrão de 20%. Como há 95% de chance de que uma variável normalmente distribuída fique no intervalo formado pela média menos 1,96 desvio-padrão e média mais 1,96 desvio-padrão, pode-se estar 95% confiante de que o retorno observado em um ano vai estar entre –24,2% e +54,2%.

Analisa-se agora, com mais detalhes, a natureza do retorno esperado e da volatilidade no modelo que considera os preços das ações com distribuição lognormal.

11.2 RETORNO ESPERADO

O retorno esperado, μ, demandado pelos investidores para investir em uma ação, depende do risco da ação. Quanto maior o risco, maior o retorno demandado. O retorno também depende do nível das taxas de juro na economia. Quanto maior for a taxa de juro livre de risco, maior será o retorno esperado requerido para qualquer ação. Felizmente, não deve haver preocupação com os fatores determinantes de μ, pois o valor de uma opção, quando expressa em termos do valor da ação, não depende de μ. Não obstante, há um aspecto do retorno esperado da ação que freqüentemente causa confusão e precisa ser explicado.

A equação (11.1) mostra que $\mu\delta t$ é a mudança percentual esperada no preço da ação em período curto de tempo, δt. Isso significa que μ é o retorno esperado em período de tempo curto δt. Esse retorno é expresso com a capitalização do período δt e no limite, à medida que δt tende a zero o retorno é continuamente capitalizado. É natural assumir também que μ é o retorno esperado da ação, capitalizado continuamente, para longo período de tempo. Entretanto, não é o caso. O retorno capitalizado continuamente para T anos é igual a:

$$\frac{1}{T}\ln - \frac{S_T}{S_0}$$

e a equação (11.4) indica que o valor esperado dessa expressão é igual a $\mu - \sigma^2/2$. A razão para a distinção entre μ na equação (11.1) e $\mu - \sigma^2/2$ na equação (11.4) é sutil, mas muito importante. Inicia-se com a equação (11.3):

$$E(S_T) = S_0 e^{\mu T}$$

Aplicam-se os logaritmos e obtém-se:

$$\ln\left[E\left(S_T\right)\right]=\ln\left(S_0\right)+\mu T$$

É tentador fazer a afirmação de que $\ln[E(S_T)]=E[\ln(S_T)]$ de tal modo que $E[\ln(S_T)]-\ln(S_0)=\mu T$ ou $E[\ln(S_T/S_0)]=\mu T$. Porém, não se pode fazer isso, porque ln é uma função não-linear. De fato, $\ln[E(S_T)]>E\ln(S_T)$ de tal forma que $E[\ln(S_T/S_0)]<\mu T$. Isso está consistente com a equação (11.4).

Considere-se um grande número de períodos de tempo cuja extensão seja δt. Seja S_i o preço da ação no fim do i-ésimo intervalo e δS_i como $S_{i+1}-S_i$. De acordo com as hipóteses definidas para o comportamento do preço da ação, a média dos retornos da ação em cada intervalo é próxima a μ. Em outras palavras, μ é bem próximo da média aritmética de $\delta S_i/S_i$. Porém, o retorno esperado para todo o período de tempo coberto pelos dados, expresso em capitalização composta para o período δt, é próximo de $\mu-\sigma^2/2$ e não μ[3]. Um exemplo simples, a seguir, ilustra esse fato.

Exemplo

Suponha a seguinte seqüência de retornos anuais para uma ação, medidos com o uso de capitalização anual:

15%, 20%, 30%, –20%, 25%

A média aritmética dos retornos, calculada pela soma desses retornos dividida por 5, é 14%. Entretanto, o investidor ganharia menos de 14% ao ano se tivesse investido na ação por cinco anos. O valor do investimento de US$100, ao fim dos cinco anos, seria:

$$100\times1{,}15\times1{,}20\times1{,}30\times0{,}80\times1{,}25=\text{US\$}179{,}40$$

Em contraste, o retorno de 14%, com capitalização anual, produziria:

$$100\times1{,}14^5=\text{US\$ }192{,}54$$

O retorno médio efetivo auferido pelo investidor, com capitalização anual, é:

[3] Se o *retorno bruto* for definido como um mais o retorno regular, o retorno bruto para todo o período de tempo coberto pelos dados é uma média geométrica dos retornos brutos de cada intervalo de tempo de extensão δt e não a média aritmética. A média geométrica de um conjunto de números é sempre menor que a média aritmética a não ser que os números sejam iguais.

$$(1,7940)^{1/5} - 1 = 0,124$$

ou 12,4% ao ano.

Nesta seção, os argumentos mostram que o termo *retorno esperado* é ambíguo, pois pode tanto ser μ quanto $\mu - \sigma^2/2$. Neste livro, a não ser quando expressamente dito, utiliza-se μ para se referir ao retorno esperado.

11.3 VOLATILIDADE

A volatilidade de uma ação, σ, é a medida da incerteza sobre os retornos proporcionados pela ação. Ações da "velha economia", em geral, têm volatilidade entre 20% e 40% ao ano. Já as ações da "nova economia" possuem volatilidade entre 40% e 60% ao ano.

Com base na equação (11.4), a volatilidade do preço de uma ação pode ser definida como sendo o desvio-padrão do retorno proporcionado pela ação em um ano, sendo o retorno expresso com base em capitalização contínua. Da equação (11.2), $\sigma\sqrt{T}$ é o desvio-padrão de $\ln S_T$.

Quando T é muito pequeno, a equação (11.1) mostra que $\sigma\sqrt{T}$ é aproximadamente igual ao desvio-padrão da variação percentual no preço da ação na data T. Suponha que $\sigma = 0,3$ ou 30% ao ano e que o preço corrente da ação seja US$50. O desvio-padrão da variação percentual no preço da ação em uma semana será, aproximadamente:

$$30 \times \sqrt{\frac{1}{52}} = 4,16\%$$

O movimento do desvio-padrão no preço da ação, em uma semana, é, portanto, $50 \times 0,0416$ ou US$2,08.

A equação (11.1) mostra que a incerteza sobre o preço futuro da ação, medido pelo seu desvio-padrão, aumenta – pelo menos aproximadamente – com a raiz quadrada do prazo analisado. Por exemplo, o desvio-padrão do preço da ação em quatro semanas é cerca de duas vezes o desvio-padrão para uma semana.

11.4 ESTIMAÇÃO DA VOLATILIDADE A PARTIR DE DADOS HISTÓRICOS

O registro dos movimentos de preço das ações pode ser usado para estimar a volatilidade. O preço da ação é observado em intervalos fixos (diária, semanal ou mensalmente). Seja:

$n + 1$ = número de observações;

S_i = preço da ação no fim do i-ésimo intervalo ($i = 0, 1, ..., n$);

τ = extensão do intervalo de tempo em anos.

Seja também:

$$u_i = \ln\left(\frac{S_i}{S_{i-1}}\right)$$

Uma estimativa, s, do desvio-padrão de u_i é dada por:

$$s = \sqrt{\frac{1}{n-1}\sum_{i=1}^{n}(u_i - \bar{u})^2}$$

ou

$$s = \sqrt{\frac{1}{n-1}\sum_{i=1}^{n}u_i^2 - \frac{1}{n(n-1)}\left(\sum_{i=1}^{n}u_i\right)^2}$$

onde $\bar{u}$ é a média de u_i.

Da equação (11.4), o desvio-padrão de u_i é $\sigma\sqrt{\tau}$. Portanto, a variável s é uma estimativa de $\sigma\sqrt{\tau}$. Segue-se que σ pode ser estimado como $\hat{\sigma}$, onde:

$$\hat{\sigma} = \frac{s}{\sqrt{\tau}}$$

Pode-se demonstrar que o erro-padrão dessa estimativa é de aproximadamente $\hat{\sigma}\sqrt{2n}$

A escolha do valor apropriado para n não é fácil. Mais dados produzem melhores resultados, mas σ se modifica ao longo do tempo e dados muito antigos podem não ser relevantes para prever o futuro. Um procedimento que parece funcionar razoavelmente bem é usar os preços de fechamento diários dos mais recentes 90 a 180 dias. Uma maneira prática de se proceder é estabelecer n igual ao número de dias para os quais a volatilidade está sendo apurada. Assim, se a volatilidade a ser usada é para apreçar uma opção de dois anos, dois anos de dados históricos serão utilizados.

Há importante conceito acerca de como o tempo deve ser mensurado, em dias de calendário ou dias de negociação, ao se estimar e usar os parâmetros de volatilidade. Essa questão será discutida mais adiante.

Exemplo

A Tabela 11.1 traz uma possível seqüência de preços de ação durante 21 dias de negociação consecutivos. Nesse caso:

$$\sum u_i = 0,09531 \text{ e } \sum u_i^2 = 0,00326$$

O desvio-padrão estimado dos retornos diários é:

$$\sqrt{\frac{0,00326}{19} - \frac{0,09531^2}{380}} = 0,01216$$

Tabela 11.1 – Cálculo da volatilidade

Dia	Preço de fechamento da ação (US$)	Preço relativo S_i/S_{i-1}	Retorno diário $u_i = \ln(S_i/S_{i-1})$
0	20,00		
1	20,10	1,00500	0,00499
2	19,90	0,99005	−0,01000
3	20,00	1,00503	0,00501
4	20,50	1,02500	0,02469
5	20,25	0,98780	−0,01227
6	20,90	1,03210	0,03159
7	20,90	1,00000	0,00000
8	20,90	1,00000	0,00000
9	20,75	0,99282	−0,00720
10	20,75	1,00000	0,00000
11	21,00	1,01205	0,01198
12	21,10	1,00476	0,00475
13	20,90	0,99052	−0,00952
14	20,90	1,00000	0,00000
15	21,25	1,01675	0,01661
16	21,40	1,00706	0,00703
17	21,40	1,00000	0,00000
18	21,25	0,99299	−0,00703
19	21,75	1,02353	0,02326
20	22,00	1,01149	0,01143

ou 1,216%. Assumindo-se 252 dias de negociação por ano, $\tau = 1/252$, os dados dão uma estimativa para a volatilidade anual de $0,01216\sqrt{252} = 0,193$ ou 19,3%. O erro-padrão dessa estimativa é igual a:

$$\frac{0,193}{\sqrt{2 \times 20}} = 0,031$$

ou 3,1% ao ano.

A análise acima assume que a ação não paga dividendos. Pode ser adaptada para incluir ações que pagam dividendos. O retorno, u_i, durante um intervalo de tempo que inclui um dia ex-dividendo é dado por:

$$u_i = \ln \frac{S_i + D}{S_{i-1}}$$

onde D é o valor do dividendo. O retorno, em outros intervalos de tempo, também é:

$$u_i = \ln \frac{S_i}{S_{i-1}}$$

Como os impostos afetam bastante a determinação dos retornos em dias próximos a datas ex-dividendos, é melhor excluir todos os dados de intervalos que incluem datas ex-dividendos quando se estiver usando dados diários ou semanais.

11.5 HIPÓTESES SUBJACENTES AO MODELO DE BLACK E SCHOLES

As hipóteses de Black e Scholes, quando derivaram sua fórmula de apreçamento de opções, foram as seguintes:

- o comportamento do preço da ação corresponde a um modelo lognormal (já discutido anteriormente neste capítulo) com μ e σ constantes;
- não há custos de transação ou impostos, todos os títulos são perfeitamente divisíveis;
- não há dividendos sobre as ações durante a vida da opção;
- não há oportunidades de arbitragem sem risco;
- a negociação de títulos e ações é contínua;
- os investidores podem tomar emprestados ou emprestar recursos à mesma taxa de juro livre de risco;
- a taxa de juro de curto prazo livre de risco, r, é constante.

Algumas dessas hipóteses foram flexibilizadas por outros pesquisadores. Por exemplo, variações da fórmula de Black e Scholes podem ser usadas quando r e σ são funções do tempo e, como será visto mais adiante neste capítulo, a fórmula pode ser ajustada para levar em consideração os dividendos.

11.6 ANÁLISE DE BLACK, SCHOLES E MERTON

A análise de Black, Scholes e Merton é análoga à análise de não-arbitragem utilizada no Capítulo 10 para apreçar opções quando as variações de preço são binomiais. Constrói-se um portfólio sem risco, envolvendo uma posição em opção e uma posição na ação. Na ausência de oportunidades de arbitragem, o retorno do portfólio deve ser a taxa de juro livre de risco, r. Isso resulta em uma equação diferencial que deve ser satisfeita pela opção.

A razão pela qual deve se tomar um portfólio sem risco é que tanto o preço da ação como o preço da opção são afetados pela mesma fonte de incerteza: os movimentos no preço da ação. Em qualquer período curto de tempo, o preço de uma opção de compra é perfeita e positivamente correlacionado com o preço da ação; o preço de uma opção de venda é perfeita e negativamente correlacionado com o preço da ação. Em ambos os casos, quando um apropriado portfólio de ação e opção é construído, o ganho ou a perda da posição em ação sempre compensa o ganho ou a perda na posição de opção, de tal forma que o valor do portfólio no fim do período curto de tempo é conhecido com certeza.

Suponha, por exemplo, que em determinado ponto do tempo a relação entre uma pequena mudança no preço da ação, δS, e a resultante da pequena mudança no preço da opção de compra européia, δc, seja dada por:

$$\delta c = 0{,}4\delta S$$

Isso significa que a inclinação da linha que representa a relação entre c e S é 0,4 – como indica a Figura 11.3. O portfólio sem risco consistiria em:

- uma posição longa em 0,4 ação;
- uma posição *short* em uma opção de compra.

Figura 11.3 – Relação entre *c* e *S*

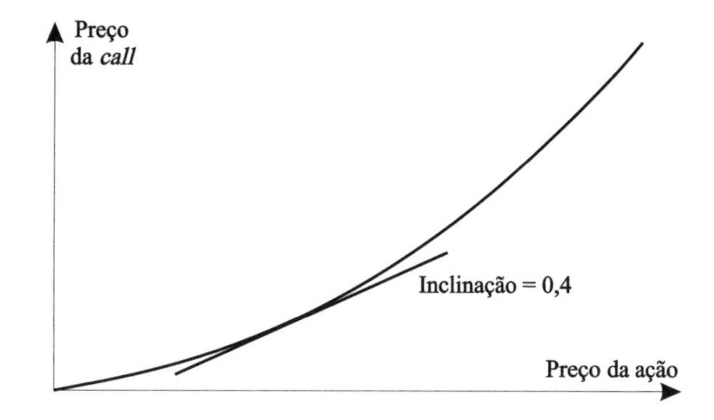

Há uma importante diferença entre a análise Black, Scholes e Merton e a análise do modelo binomial do Capítulo 10. Na análise Black, Scholes e Merton, a posição construída é sem risco para apenas um pequeno período de tempo (teoricamente, permanece sem risco apenas por um período de tempo instantâneo). Para permanecer sem risco, deve ser freqüentemente ajustada ou *rebalanceada*[4]. Por exemplo, a relação entre δc e δS pode mudar de $\delta c = 0{,}4\delta S$ hoje para $\delta c = 0{,}5\delta S$ em duas semanas (se isso acontecer, 0,1 ação extra deve ser comprada para cada opção vendida para manter o portfólio sem risco).

Não obstante, é verdade que o retorno de um portfólio sem risco para qualquer período curto de tempo deve ser a taxa de juro livre de risco. Este é um elemento essencial na teoria de Black, Scholes e Merton e que conduz a suas fórmulas de preço.

---

[4] Examina-se o rebalanceamento de portfólios com mais detalhes no Capítulo 15.

Figura 11.4 – Área sombreada representa $N(x)$

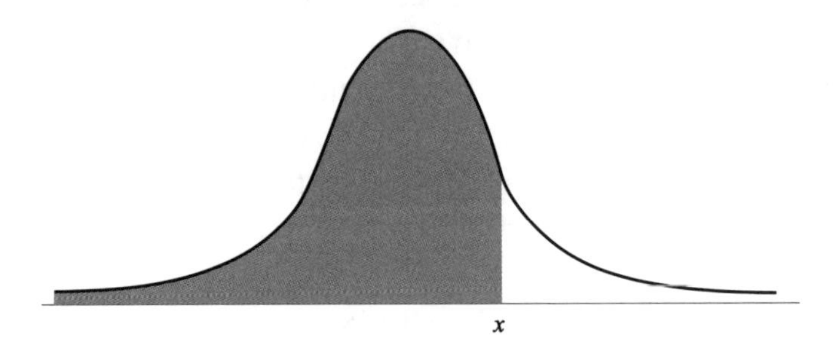

Fórmulas de precificação

As fórmulas de Black e Scholes para os preços de opções de compra e de venda européias para ações que não pagam dividendos são[5]:

$$c = S_0 N(d_1) - Xe^{-rT} N(d_2) \quad (11.5)$$

$$p = Xe^{-rT} N(-d_2) - S_0 N(-d_1) \quad (11.6)$$

onde

$$d_1 = \frac{\ln(S_0/X) + (r + \sigma^2/2)T}{\sigma\sqrt{T}}$$

$$d_2 = \frac{\ln(S_0/X) + (r - \sigma^2/2)T}{\sigma\sqrt{T}} = d_1 - \sigma\sqrt{T}$$

A função $N(x)$ é a função de probabilidade cumulativa para uma variável padronizada normal. Em outras palavras, é a probabilidade de que a variável com distribuição normal padrão, $\phi(0,1)$, seja menor que x. Essa situação é ilustrada na Figura 11.4. O restante da notação nas equações (11.5) e (11.6) já é conhecido. As variáveis c e p são os preços das opções de compra e de venda européias; S_0 é o preço da ação; X é o preço de exercício; r é a taxa de juro livre de risco (expressa em capitalização contínua); T é o tempo até a data de expiração; e σ é a volatilidade do preço da ação. Como o preço da opção de compra americana, C, é igual ao preço da opção de compra européia, c, para uma ação que não paga dividendos, a equação (11.5) também dá o preço de uma opção de compra americana. Infelizmente, ainda não foi criada uma fórmula analítica para o preço de uma opção de venda

[5] O software que acompanha este livro pode ser utilizado para executar os cálculos de Black e Scholes em opções sobre ações, moedas, índices e contratos futuros.

americana sobre uma ação que não paga dividendos. Analisam-se procedimentos numéricos que podem ser usados para apreçar opções americanas no Capítulo 17.

Em teoria, a fórmula de Black e Scholes é correta apenas se a taxa de juro de curto prazo, r, for constante. Na prática, a fórmula é utilizada com a taxa de juro, r, sendo estabelecida igual à taxa de juro livre de risco para o investimento que tem prazo T.

Propriedades das fórmulas de Black e Scholes

Uma prova completa das fórmulas de Black e Scholes vai além do escopo deste livro. Nesse estágio, observa-se que as fórmulas têm propriedades gerais corretas, considerando o que acontece quando alguns dos parâmetros tomam valores extremos.

Quando o preço da ação, S_0, torna-se muito grande, é quase certo que uma opção de compra será exercida. Esta, então, fica muito similar a um contrato a termo com preço de entrega igual a X. Da equação (3.9), pode-se esperar que o preço da opção de compra seja:

$$S_0 - Xe^{-rT}$$

Na verdade, este é o preço da opção de compra dado pela equação (11.5) visto que, quando S_0 se torna muito grande, tanto d_1 quanto d_2 tornam-se também muito grandes, e $N(d_1)$ e $N(d_2)$ estão bem próximos de 1.

Quando o preço da ação se torna muito grande, o preço de uma opção de venda européia, p, aproxima-se de zero. Esse resultado é consistente com a equação (11.6), porque $N(-d_1)$ e $N(-d_2)$ são próximos de zero quando S_0 é grande.

Quando o preço da ação se torna muito pequeno, tanto d_1 quanto d_2 tornam-se muito grandes e negativos. $N(d_1)$ e $N(d_2)$ são, então, muito próximos a zero, e a equação (11.5) produz preços próximos a zero para a opção de compra. Esse resultado é consistente com as expectativas. Também, $N(-d_1)$ e $N(-d_2)$ tornam-se próximos a 1, de tal forma que o preço da opção de venda, dado pela equação (11.6), seja próximo de $Xe^{-rT} - S_0$. Esse resultado também está consistente com as expectativas.

Função da distribuição normal cumulativa

O único problema na aplicação das equações (11.5) e (11.6) é o cálculo da função de distribuição normal cumulativa, N. Tabelas para N se encontram no fim deste livro. A função também pode ser calculada por meio de aproximação polinomial, o que dá uma precisão até a sexta casa decimal.

$$N(x) = 1 - N'(x)\left(a_1k + a_2k^2 + a_3k^3 + a_4k^4 + a_5k^5\right) \text{quando } x \geq 0$$

$$N(x) = 1 - N(-x) \text{quando } x < 0$$

onde:

$$k = \frac{1}{1+\gamma x}$$

$\gamma = 0{,}2316419$
$a_1 = 0{,}319381530$
$a_2 = -0{,}356563782$
$a_3 = 1{,}781477937$
$a_4 = -1{,}821255978$
$a_5 = 1{,}330274429$

e

$$N'(x) = \frac{1}{\sqrt{2\pi}} e^{-x^2/2}$$

Exemplo

O preço da ação, seis meses antes da expiração da opção, é US$42; o preço de exercício da opção é US$40; a taxa de juro livre de risco é 10% ao ano; e a volatilidade é 20% ao ano. Isso significa que $S_0 = 42$; $X = 40$; $r = 0{,}1$; $\sigma = 0{,}2$; $T = 0{,}5$:

$$d_1 = \frac{\ln(42/40) + (0{,}1 + 0{,}2^2/2) \times 0{,}5}{0{,}2\sqrt{0{,}5}} = 0{,}7693$$

$$d_2 = \frac{\ln(42/40) + (0{,}1 - 0{,}2^2/2) \times 0{,}5}{02\sqrt{0{,}5}} = 0{,}6278$$

e

$$Xe^{-rT} = 40e^{-0{,}1\times 0{,}5} = 38{,}049$$

Logo, se a opção for uma *call* européia, seu valor, c, será dado por:

$$c = 42N(0{,}7693) - 38{,}049N(0{,}6278)$$

Se a opção for uma *put* européia, seu valor, p, será dado por:

$$p = 38{,}049N(-0{,}6278) - 42N(-0{,}7693)$$

Usando-se a aproximação polinomial apresentada ou as tabelas no fim do livro, obtêm-se:

$$N(0{,}7693) = 0{,}7791 \qquad N(-0{,}7693) = 0{,}2209$$
$$N(0{,}6278) = 0{,}7349 \qquad N(-0{,}6278) = 0{,}2651$$

De tal forma que:

$$c = 4{,}76 \qquad p = 0{,}81$$

Ignorando-se o valor do dinheiro no tempo, o preço da ação tem de subir de US$2,76 para o comprador da *call* chegar ao *break even* (ou seja, para não ter lucro e nem prejuízo com a opção). Similarmente, o preço da ação tem de cair de US$2,81 para o comprador da *put* chegar ao *break even*.

11.7 *RISK-NEUTRAL VALUATION*

Um resultado muito importante no apreçamento de derivativos é conhecido como *risk-neutral valuation*. Esse princípio foi introduzido no Capítulo 10 e pode ser expresso da seguinte maneira: qualquer título cujo preço dependa do preço de outros títulos pode ser apreçado supondo-se que os investidores são indiferentes ao risco.

Note que o *risk-neutral valuation* não afirma que os investidores são indiferentes ao risco, mas que derivativos como opções podem ser apreçados com base na hipótese de que os investidores são indiferentes ao risco. Isso significa que as preferências de risco dos investidores não afetam o valor de uma opção sobre ação quando seu preço é expresso como uma função do preço da ação objeto. Isso explica por que as equações (11.5) e (11.6) não envolvem o retorno esperado da ação, μ.

Risk-neutral valuation é uma ferramenta poderosa, porque, em um mundo *risk-neutral*, verificam-se dois resultados particularmente simples:

- o retorno esperado de todos os títulos é a taxa de juro livre de risco;
- a taxa de juro livre de risco é a taxa de desconto apropriada para ser aplicada a qualquer fluxo de caixa futuro.

Opções e outros derivativos que proporcionam *payoff* em uma data particular podem ser apreçados usando *risk-neutral valuation*. O procedimento é o seguinte:

- assuma que o retorno esperado do ativo subjacente seja a taxa de juro livre de risco (isto é, assuma que $\mu = r$);
- calcule o *payoff* esperado da opção na sua data de maturidade;
- desconte o *payoff* esperado à taxa de juro livre de risco.

Aplicação para contratos a termo

Esse procedimento pode ser utilizado para derivar as fórmulas de Black e Scholes, mas a matemática é bastante complicada e não será apresentada aqui. Em vez disso, como ilustração, o procedimento será empregado para apreçar um contrato a termo de uma ação que não paga dividendos (esse contrato já foi apreçado no Capítulo 3, com enfoque diferente). Supõe-se que as taxas de juro sejam constantes e iguais a r. Considere uma posição longa em contrato a termo que matura na data T com preço de entrega igual a K. O valor do contrato na data de maturidade é:

$$S_T - K$$

O valor esperado de S_T foi mostrado anteriormente neste capítulo como $S_0 e^{\mu T}$. Em um mundo *risk-neutral*, esse valor se torna $S_0 e^{rT}$. Portanto, o *payoff* esperado do contrato na data de maturidade é:

$$S_0 e^{rT} - K$$

Descontando-se tal valor à taxa de juro livre de risco, r, para o prazo T, tem-se o valor, f, para o contrato a termo hoje:

$$f = e^{-rT}\left(S_0 e^{rT} - K\right) = S_0 - Ke^{-rT}$$

Esse valor está de acordo com o resultado da equação (3.9).

11.8 VOLATILIDADES IMPLÍCITAS

O único parâmetro das fórmulas de apreçamento de Black e Scholes que não pode ser observado diretamente é a volatilidade do preço a vista. Anteriormente, neste capítulo, foi visto como a volatilidade pode ser estimada a partir dos dados históricos relativos aos preços da ação. Agora, calcula-se a *volatilidade implícita* no preço de uma opção verificado no mercado[6].

Para ilustrar a idéia básica, suponha que o valor de uma opção de compra sobre uma ação que não paga dividendos seja 1,90, quando $S_0 = 21$; $X = 20$; $r = 0{,}1$; e $T = 0{,}25$. A volatilidade implícita é o valor de σ que, quando substituído na equação (11.5), resulta em $c = 1{,}90$. Não é possível inverter a equação (11.5) de tal forma que σ possa ser expresso em função de S_0, X, r, T e c, mas por meio de um processo de procura interativa pode-se achar o valor de σ. Pode-se começar tentando que $\sigma = 0{,}20$. Isso dá o valor de c igual a 1,76, que é muito baixo. Como c é uma função crescente de σ, requer-se valor maior para σ. Pode-se tentar 0,30. Isso dá o valor para c de 2,10, que é muito alto e significa que σ deve estar entre 0,20 e 0,30. A próxima tentativa é 0,25. Esta também se mostra muito alta, indicando que σ deve estar entre 0,20 e 0,25. Procedendo-se dessa maneira, pode-se estreitar o intervalo para σ a cada interação e, por conseguinte, calcular o valor correto de σ com precisão[7].

[6] As volatilidades implícitas para opções européias e americanas sobre ações, índices de ações, moedas estrangeiras e futuros podem ser calculadas usando o software DerivaGem oferecido com este livro.

[7] Esse método é apresentado apenas para ilustração. Na prática, outros mais poderosos podem ser utilizados.

Nesse exemplo, a volatilidade implícita é 0,242 ou 24,2% ao ano.

As volatilidades implícitas podem ser utilizadas para monitorar a opinião do mercado acerca da volatilidade de uma ação em particular. Os analistas sempre calculam as volatilidades implícitas para as opções ativamente negociadas, usando-as para calcular o preço de uma opção, sobre a mesma ação, menos negociada. A forma como isso é feito está descrita no Capítulo 14. É importante notar que os preços das opções muito dentro do dinheiro e muito fora do dinheiro são, de certa forma, insensíveis à volatilidade. Portanto, as volatilidades implícitas calculadas a partir dos preços dessas opções não são confiáveis.

11.9 CAUSAS DA VOLATILIDADE

Abordam-se, agora, as causas da volatilidade. Alguns analistas defendem que a volatilidade do preço de uma ação é motivada unicamente pela chegada aleatória de novas informações acerca dos retornos futuros da ação. Outros sustentam que a volatilidade é gerada em boa parte pela negociação. Uma questão interessante, portanto, é se a volatilidade é a mesma quando a bolsa está aberta e quando está fechada.

Fama e French (referências no final do capítulo) testaram essa questão empiricamente. Coletaram dados sobre os preços das ações no fim de cada dia de negociação por um longo período de tempo e calcularam:

- a variância dos retornos dos preços das ações entre o fechamento de um dia e o fechamento do dia seguinte quando não há dias sem negociação entre estes;
- a variância dos retornos dos preços das ações no fechamento da sexta-feira e o da segunda-feira.

Se dias de negociação e dias sem negociação são equivalentes, a variância na segunda situação deve ser três vezes maior que a variância na primeira situação. Fama achou que era apenas 22% maior. Os resultados de French foram similares: apenas 19% maior.

Tais resultados sugerem que a volatilidade é muito maior quando a bolsa está aberta do que quando está fechada. Os proponentes do ponto de vista tradicional, de que a volatilidade é causada unicamente por novas informações, sentem-se tentados a argumentar que a maior parte de novas informações sobre ações chega durante as horas de negociação[8]. Entretanto, estudos sobre os preços futuros de commodities agrícolas, os quais dependem largamente do clima, mostraram que possuem comportamento bem parecido com o dos preços das ações; ou seja, são mais voláteis durante as horas de negociação. Presumivelmente, informações climáticas têm a mesma probabilidade de surgir a qualquer dia. A única conclusão razoável parece ser a de que a volatilidade em grande extensão é causada também pela negociação[9].

---

[8] Na verdade, essa argumentação é questionável. Freqüentemente, informações importantes (por exemplo, aquelas relativas a vendas e lucros) são feitas quando as bolsas estão fechadas.

[9] Para mais detalhes, ver o artigo de French e Roll, relacionado no final deste capítulo. No Capítulo 15, quando do exame dos esquemas de seguro de portfólio, considera-se como a negociação pode gerar volatilidade.

Quais são as implicações de tudo isso para a mensuração da volatilidade e para o modelo de Black e Scholes? Os resultados sugerem que os dias em que a bolsa está fechada devem ser ignorados quando as volatilidades são calculadas a partir de dados históricos e quando as volatilidades são usadas para apreçar as opções. Por exemplo, a volatilidade por ano deve se calculada a partir da volatilidade diária, utilizando-se a fórmula:

$$\text{volatilidade ao ano} = \text{volatilidade por dia de negociação} \times \sqrt{\text{número de dias de negociação por ano}}$$

Este é o enfoque utilizado em relação aos dados da Tabela 11.1. Em geral, é utilizado pelos operadores. O número de dias de negociação de ações, em um ano, é 252.

11.10 DIVIDENDOS

Até aqui, assumiu-se que a ação sobre a qual a opção foi lançada não paga dividendos. Na prática, nem sempre é o caso. Para estender os resultados, suponha que os dividendos pagos durante a vida da opção possam ser previstos com certeza. Quando as opções duram períodos de tempo relativamente curtos (menores que um ano), essa suposição é razoável.

Considere que a data, na qual os dividendos são pagos, seja a data ex-dividendo. Nessa data, o preço da ação declina de um valor igual aos dividendos[10]. O efeito é a diminuição no valor das *calls* e aumento no valor das *puts*.

Opções européias

As opções européias podem se analisadas ao se assumir que o preço da ação é a soma de dois componentes: um sem risco, que será usado para pagar os dividendos conhecidos durante a vida da opção, e um com risco. O componente sem risco, em qualquer momento, é o valor presente do valor de todos os dividendos previstos para a vida da opção, descontados da data ex-dividendos até o presente pela taxa de juro livre de risco. A fórmula de Black e Scholes está, portanto, correta se S_0 é igual ao componente com risco. Operacionalmente, isso significa que a fórmula de Black e Scholes pode ser usada desde que o preço da ação seja reduzido do valor presente de todos os dividendos durante a vida da opção, com o desconto sendo feito a partir das datas ex-dividendos à taxa de juro livre de risco. Um dividendo é incluído nos cálculos apenas se sua data ex-dividendo ocorrer durante a vida da opção.

---

[10] Devido aos impostos, o preço da ação cai menos que o valor dos dividendos. Para levar esse fenômeno em consideração, interpreta-se a palavra dividendo, no contexto de apreçamento de opções, como uma redução no preço da ação na data ex-dividendo que ocorre por causa da distribuição do dividendo. Assim, se o dividendo de US$1 por ação for antecipado e o preço da ação cair 80% do valor do dividendo na data ex-dividendo, deve-se assumir, para efeito dessa análise, que o dividendo é de US$0,80.

Exemplo

Considere uma opção de compra européia sobre uma opção com datas ex-dividendos em dois e cinco meses. Estima-se que o dividendo a ser pago em cada data ex-dividendo seja US$0,50. O preço corrente da ação é US$40, o preço de exercício é US$40, a volatilidade do preço a vista é 30% ao ano, a taxa de juro livre de risco é 9% ano e o tempo até a maturidade é de seis meses. O valor presente dos dividendos é:

$$0,5e^{-0,09\times 2/12} + 0,5e^{-0,09\times 5/12} = 0,9741$$

O preço da opção pode, portanto, ser calculado a partir da fórmula de Black e Scholes com $S_0 = 39,0259$; $X = 40$; $r = 0,09$; $\sigma = 0,3$; e $T = 0,5$.

$$d_1 = \frac{\ln(39,0259/40) + (0,09 + 0,3^2/2)\times 0,5}{0,3\sqrt{0,5}} = 0,2017$$

$$d_2 = \frac{\ln(39,0259/40) + (0,09 + 0,3^2/2)\times 0,5}{0,3\sqrt{0,5}} = 0,0104$$

Usando-se a aproximação polinomial, tem-se:

$$N(d_1) = 0,5800 \text{ e } N(d_2) = 0,4959$$

E, pela equação (11.5), o preço da opção é:

$$39,0259 \times 0,5800 - 40e^{-0,09\times 0,5} \times 0,4959 = 3,67$$

ou US$3,67.

Com esse procedimento, σ na fórmula de Black e Scholes deve ser a volatilidade do componente de risco do preço da ação – não a volatilidade do preço da ação em si. Na prática, assume-se que os dois valores sejam os mesmos. Na teoria, a volatilidade do componente de risco é aproximadamente $S_0/(S_0 - D)$ vezes a volatilidade do preço da ação, onde D é o valor presente dos dividendos e S_0 é o preço da ação.

Opções de compra americanas

No Capítulo 8, foi visto que as opções de compra americanas nunca devem ser exercidas antecipadamente quando a ação não paga dividendos. Quando os dividendos são pagos, às vezes, é recomendável o exercício antecipado, imediatamente antes de a ação passar a ser negociada na condição ex-dividendos. A razão disso é fácil de ser entendida. O dividendo diminuirá o valor tanto da ação quanto da opção de compra. Se o dividendo for suficientemente grande e a opção de compra estiver suficientemente dentro do dinheiro, poderá ser interessante abandonar o valor-tempo remanescente da opção para evitar os efeitos adversos do dividendo sobre o preço da ação.

Na prática, as opções de compra costumam ser exercidas antecipadamente, imediatamente antes do término da data ex-dividendo. Na análise do Apêndice, localizado no fim do capítulo, indica-se o porquê disso e consideram-se as condições sob as quais o exercício antecipado é recomendável. Aqui, descreveu-se o procedimento sugerido por Fischer Black para apreçar opções americanas sobre ações que pagam dividendos.

Aproximação de Black

A aproximação de Black envolve o cálculo dos preços de duas opções européias:

- uma opção cuja data de expiração seja igual a de uma opção americana;
- uma opção cuja data de expiração ocorre imediatamente antes da última data ex-dividendo dentro da vida da opção.

O preço de exercício, o preço inicial da ação e a taxa de juro livre de risco e a volatilidade são os mesmos para as opções sob consideração. O preço da opção americana será igual ou maior aos dessas duas opções européias.

Exemplo

Retorna-se ao exemplo anterior e supõe-se que a opção seja americana e não européia. O valor presente do primeiro dividendo é:

$$0,5e^{-0,09\times 2/12} = 0,4926$$

O valor da opção, sob a hipótese de que sua data de expiração ocorre imediatamente antes da data ex-dividendo final, pode ser calculado usando a fórmula de Black, com $S_0 =$ 39,5074; $X = 40$; $r = 0,09$; $\sigma = 0,30$; e $T = 0,4167$. O valor é US\$3,52. A aproximação de Black envolve apurar o maior entre esse valor e o valor da opção quando o exercício só pode ser realizado no fim de seis meses. No exemplo anterior, foi visto que o último é US\$3,67. A aproximação de Black, portanto, atribui o valor de US\$3,67 para a opção americana.

11.11 SUMÁRIO

A hipótese básica assumida no apreçamento de opções sobre ações é que o preço de uma ação em alguma data futura, dado seu preço hoje, é lognormal. A implicação disso é que os retornos de uma ação em um período de tempo, capitalizados continuamente, são normalmente distribuídos. A incerteza sobre os preços futuros das ações aumenta quanto maior o prazo. É possível afirmar que o desvio-padrão do preço da ação é proporcional à raiz quadrada do horizonte de tempo considerado.

Para estimar empiricamente a volatilidade do preço da ação, σ, é preciso observar os preços da ação em intervalos de tempo fixos (diária, semanal e mensalmente). Para cada período de tempo, calcula-se o logaritmo natural da razão entre o preço da ação, no fim de cada intervalo de tempo, e o preço da ação, no início desse período. Estima-se a volatilidade, como o desvio-padrão desses números dividido pela raiz quadrada do prazo da opção, em anos. Em geral, ignoram-se os dias em que a bolsa está fechada, para efeito de mensuração do tempo.

O apreçamento do preço de opções sobre ações envolve a criação de portfólio sem risco na opção e na ação. Como tanto o preço da ação quanto o preço da opção dependem da mesma fonte de incerteza, esse portfólio pode ser obtido. Tal posição permanece sem risco apenas por breve período de tempo. Entretanto, o retorno em uma posição sem risco sempre deve ser a taxa de juro livre de risco se não houver oportunidades de arbitragem. É esse fato que permite que a opção seja apreçada em termos do preço da ação. A equação original de Black e Scholes dá o valor de uma opção de compra ou de venda européia sobre uma ação que não paga dividendo, em termos de cinco variáveis: o preço da ação, o preço de exercício, a taxa de juro livre de risco, a volatilidade e o prazo até a expiração.

Surpreendentemente, o retorno esperado na ação não entra na fórmula de Black e Scholes. Há um princípio geral conhecido como *risk-neutral valuation,* que afirma que qualquer título cujo preço dependa de outros pode ser apreçado na suposição de que o mundo é *risk-neutral*. O resultado é bastante útil na prática. Em um mundo *risk-neutral*, o retorno esperado de todos os títulos é a taxa de juro livre de risco, que também é a taxa de desconto correta para os fluxos de caixa esperados.

A volatilidade implícita é a volatilidade que, quando utilizada no modelo de Black e Scholes ou em suas extensões, resulta no preço de mercado da opção. Os operadores monitoram as volatilidades implícitas e, algumas vezes, utilizam a volatilidade implícita de uma ação para calcular o preço para outras opções sobre a mesma ação. Os resultados empíricos mostram que a volatilidade do preço de uma ação é muito maior quando a bolsa está aberta do que quando está fechada. Isso sugere que a negociação, por si mesma, provoca volatilidade.

Os resultados do modelo de Black e Scholes podem ser facilmente estendidos para opções de compra e de venda européias sobre ações que pagam dividendos. Um procedimento é usar a fórmula de Black e Scholes com o preço da ação deduzido pelo valor presente dos dividendos que serão pagos durante a vida da opção, e com a volatilidade igual ao preço da ação e líquida do valor presente de seus dividendos. Fischer Black sugeriu um método de aproximação para apreçar as opções americanas sobre ações que pagam dividendos. Seu enfoque envolve escolher entre o maior preço de duas opções européias: a primeira expira na mesma data da opção americana; a segunda expira imediatamente antes da data ex-dividendo final.

SUGESTÕES PARA LEITURAS COMPLEMENTARES

Sobre a fórmula de Black e Scholes e suas extensões

BLACK, F. Fact and Fantasy in the Use of Options and Corporate Liabilities. *Financial Analysts Journal* 31, pp. 36–41; 61–72, July–August 1975.

BLACK, F.; SCHOLES, M. The Pricing of Options and Corporate Liabilities. *Journal of Political Economy* 81, pp. 637–659, May–June 1973.

HULL, J. *Options, Futures, and Other Derivatives*. Upper Saddle River, NJ: Prentice Hall, 2000.

MERTON, R. C. Theory of Rational Option Pricing. *Bell Journal of Economics and Management Science* 4, pp. 141–183, spring 1973.

SMITH, C. W. Option Pricing: A Review. *Journal of Financial Economics* 3, pp. 3–51, March 1976.

Sobre as causas da volatilidade

FAMA, E. E. The Behavior of Stock Market Prices. *Journal of Business* 38, pp. 34–105, January 1965.

FRENCH, K. R. Stock Returns and Weekend Effect. *Journal of Financial Economics* 8, pp. 55–69, March 1980.

FRENCH, K.; ROLL, R. Stock Return Variances: The Arrival of Information and the Reaction of Traders. *Journal of Financial Economics* 17, pp. 5–26, September 1986.

PERGUNTAS RÁPIDAS (RESPOSTAS NO FIM DO LIVRO)

11.1 Que suposição o modelo Black e Scholes faz acerca da distribuição de probabilidade do preço da ação em um ano? O que esse modelo assume sobre a taxa de retorno da ação composta continuamente durante o ano?

11.2 A volatilidade do preço de uma ação é 30% ao ano. Qual é o desvio-padrão da mudança percentual no preço em um dia de negociação?

11.3 Explique como o *risk-neutral valuation* pode ser usado para derivar as fórmulas de Black e Scholes.

11.4 Calcule o preço da opção de venda européia de três meses sobre uma ação que não paga dividendos com preço de exercício de US$50, com preço corrente de US$50, taxa de juro livre de risco de 10% ao ano e volatilidade de 30% ao ano.

11.5 Nos cálculos do exemplo anterior, que diferença faria se existisse a expectativa de um dividendo de US$1,50 em dois meses?

11.6 Qual é o significado de volatilidade implícita? Como você calcularia a volatilidade implícita para o preço de uma opção de venda européia?

11.7 O que é a aproximação de Black para o apreçamento de opção de compra americana sobre ação que paga dividendo?

QUESTÕES E PROBLEMAS (RESPOSTAS NO MANUAL DE SOLUÇÕES)

11.8 O preço corrente da ação é US$40. Suponha que o retorno esperado dessa ação seja 15% e sua volatilidade, 25%. Qual é a distribuição de probabilidade para a taxa de retorno (com capitalização contínua) auferida sobre o período de um ano?

11.9 A ação tem retorno esperado de 16% ao ano e volatilidade de 35%. O preço corrente é US$38.

a) Qual é a probabilidade de que uma opção de compra européia sobre a ação, com preço de exercício de US$40 e seis meses de prazo, seja exercida?

b) Qual é a probabilidade de que uma opção de venda européia sobre a ação, com o mesmo preço de exercício e prazo de maturidade, seja exercida?

11.10 Prove, com a notação apresentada neste capítulo, que o intervalo de confiança de 95% para S_T está entre:

$$S_0 e^{(\mu-\sigma^2/2)T-1{,}96\sigma\sqrt{T}} \quad \text{e} \quad S_0 e^{(\mu-\sigma^2/2)T+1{,}96\sigma\sqrt{T}}$$

11.11 O administrador de um portfólio anuncia que a média dos retornos realizados em cada um dos últimos 10 anos é 20% ao ano. Sob quais aspectos essa afirmação é enganosa?

11.12 Assuma que uma ação, que não paga dividendos, tenha retorno esperado de μ e volatilidade de σ. Uma instituição financeira inovadora acaba de anunciar que vai negociar um derivativo que proporciona *payoff* de um montante em dólares, na data T, igual a:

$$\frac{1}{T}\ln\left(\frac{S_T}{S_0}\right)$$

As variáveis S_0 e S_T denotam os valores do preço da ação na data zero e na data T, respectivamente.

a) Descreva o *payoff* desse derivativo.

b) Use o *risk-neutral valuation* para calcular o preço do derivativo na data zero.

11.13 Qual é o preço de uma opção de compra européia, sobre uma ação que não paga dividendos, quando o preço da ação é US$52, o preço de exercício é US$50, a taxa de juro livre de risco é 12% ao ano, a volatilidade é 30% ao ano e o prazo até a data de expiração é de três meses?

11.14 Qual é o preço de uma opção de venda européia, sobre uma ação que não paga dividendos, quando o preço corrente da ação é US$69, o preço de exercício é US$70, a taxa de juro livre de risco é 5% ao ano, a volatilidade é 35% ao ano e o prazo até a data de expiração é de seis meses?

11.15 A opção de compra, sobre uma ação que não paga dividendo, tem valor de mercado de US$2,50. O preço da ação é US$15, o preço de exercício é de US$13, o prazo até a maturidade é de três meses e a taxa de juro livre de risco é de 5% ao ano. Qual é a volatilidade implícita?

11.16 Mostre que a fórmula de Black e Scholes para uma opção de compra fornece preço que tende a ser máx($S_0 - X$, 0) conforme $T \to 0$.

11.17 Explique cuidadosamente por que o enfoque de Black para apreçar uma opção de compra americana sobre uma ação que paga dividendo pode dar uma resposta aproximada mesmo quando apenas um dividendo é antecipado. A resposta dada pelo enfoque de Black subestima ou superestima o verdadeiro valor da opção? Justifique sua resposta.

11.18 Considere uma opção de compra americana sobre uma ação. O preço da ação é US$70, o prazo até a maturidade da opção é de oito meses, a taxa de juro livre de risco é de 10% ao ano, o preço de exercício é de US$65 e a volatilidade é de 32%. Um dividendo de US$1 é esperado para daqui a três meses e novamente daqui a seis meses. Utilize os resultados do Apêndice para mostrar que nunca é desejável exercer uma opção em qualquer das datas de pagamento de dividendos. Use o software DerivaGem para calcular o preço da opção.

11.19 O preço corrente da ação é US$50 e a taxa de juro livre de risco é de 5%. Use o software DerivaGem para transformar os dados da tabela de opções de compra européias sobre a ação em uma tabela de volatilidades implícitas, assumindo a inexistência de dividendos. Os preços das opções estão consistentes com a fórmula de Black e Scholes?

	Maturidade (meses)		
Preço de exercício (US$)	3	6	12
45	7	8,3	10,5
50	3,50	5,2	7,5
55	1,60	2,9	5,1

11.20 Mostre que as fórmulas de Black e Scholes para opções de compra e de venda satisfazem a paridade *put–call*.

11.21 Demonstre que a probabilidade de exercício de uma opção de compra européia em um mundo *risk-neutral*, com a notação introduzida neste capítulo, é $N(d_2)$. Qual é a expressão para o valor de um derivativo com *payoff* de US$100 se o preço da ação na data T for maior que X.

QUESTÕES DE PROVA

11.22 O preço corrente da ação é US$50. Assuma que seu retorno esperado seja 18% ao ano e sua volatilidade de 30% ao ano. Qual é a distribuição de probabilidade para o preço da ação em dois anos? Calcule a média e o desvio-padrão da distribuição. Determine os intervalos de confiança de 95%.

11.23 Suponha que as observações relativas ao preço da ação (em dólares) ao fim de cada uma das 15 semanas consecutivas seja as seguintes: 30,2; 32,0; 31,1; 30,1; 30,2; 30,3; 30,6; 33,0; 32,9; 33,0; 33,5; 33,5; 33,7; 33,5; 33,2. Estime a volatilidade do preço da ação. Qual é o erro-padrão de sua estimativa?

11.24 A instituição financeira planeja oferecer um derivativo com *payoff* em dólares igual a S_T^2 na data T, onde S_T é o preço da ação na data T. Assuma que não haja dividendos. Defina outras variáveis necessárias ao uso do *risk-neutral valuation* para calcular o preço do derivativo na data zero (dica: o valor esperado de S_T^2 pode ser calculado a partir da média e variância de S_T dada na Seção 11.1).

11.25 Considere uma opção sobre uma ação que não paga dividendos. O preço da ação é US$30, o preço de exercício da opção é US$29, a taxa de juro livre de risco é 5% ao ano, a volatilidade é 25% ao ano e o prazo até a maturidade é quatro meses.

a) Qual é o preço da opção se for uma opção de compra européia?
b) Qual é o preço da opção se for uma opção de compra americana?
c) Qual é o preço da opção se for uma opção de venda européia?
d) Apure se a paridade *put–call* é observada.

11.26 Suponha que a ação, no problema 11.25, seja negociada na condição ex-dividendo em 1,5 mês. O valor esperado do dividendo é de US$0,50.

a) Qual é o preço da opção se for uma opção de compra européia?
b) Qual é o preço da opção se for uma opção de venda européia?
c) Utilize os resultados do Apêndice deste capítulo para determinar se há alguma circunstância sob a qual a opção é exercida antecipadamente.

11.27 Considere uma opção de compra americana em que o preço corrente da ação é US$18, o preço de exercício da opção é US$20, o tempo até a maturidade é de seis meses, a volatilidade é de 30% ao ano e a taxa de juro livre de risco é de 10% ao ano. São esperados dois dividendos de US$0,40 durante a vida da opção e as datas ex-dividendos ocorrem no fim de dois e cinco meses. Use a aproximação de Black e o software DerivaGem para apreçar a opção. Suponha, agora, que o dividendo seja D em cada data ex-divivendo. Use os resultados do Apêndice para determinar quão alto pode ser D sem que a opção americana seja exercida antecipadamente.

APÊNDICE

Exercício antecipado de opção de compra americana que paga dividendos

No Capítulo 8, foi visto que não é ideal exercer uma opção de compra americana sobre uma ação que não paga dividendos antes de sua data de expiração. Argumento similar mostra que os únicos momentos em que uma opção de compra sobre uma ação que paga dividendos deve ser exercida são imediatamente antes de sua data ex-dividendo e na data de expiração. Assume-se que n datas ex-dividendos sejam esperadas e t_1, t_2, ..., t_n sejam os momentos no tempo imediatamente antes de a ação se tornar ex-dividendo, com $t_1 < t_2 < ... < t_n$. Os dividendos terão as seguintes notações: D_1, D_2, ..., D_n.

Em primeiro lugar, considera-se a possibilidade de um exercício antecipado imediatamente antes da última data ex-dividendo (isto é, no momento t_n). Se a opção for exercida no momento t_n, o investidor receberá:

$$S(t_n) - X$$

Se a opção não for exercida, o preço da ação cairá para $S(t_n) - D_n$. Conforme o Capítulo 8, o limite inferior do preço da opção será:

$$S(t_n) - D_n - Xe^{-r(T-t_n)}$$

Se:

$$S(t_n) - D_n - Xe^{-r(T-t_n)} \geq S(t_n) - X$$

ou seja:

$$D_n \leq X\left(1 - e^{-r(T-t_n)}\right) \qquad (11A.1)$$

o exercício no momento t_n não é ótimo. Por outro lado, se:

$$D_n > X\left(1 - e^{-r(T-t_n)}\right) \qquad (11A.2)$$

pode ser demonstrado que é sempre ideal exercer no momento t_n para um valor de $S(t_n)$ suficientemente elevado. A desigualdade da equação (11A.2) provavelmente será satisfeita quando a data ex-dividendo final estiver bastante próxima do vencimento da opção (ou seja, quando $T - t_n$ for pequeno) e o dividendo for grande.

Considere, agora, o momento t_{n-1}, a penúltima data ex-dividendo. Se a opção for exercida no momento t_{n-1}, o investidor receberá:

$$S(t_{n-1}) - X$$

Se a opção não for exercida no momento t_{n-1}, o preço da ação cairá para $S(t_{n-1}) - D_{n-1}$ e o instante subseqüente em que o exercício poderá ocorrer será t_n. O limite inferior do preço da opção, caso não seja exercida no momento t_{n-1}, será:

$$S\left(t_{n-1}\right) - D_{n-1} - Xe^{-r\left(t_n - t_{n-1}\right)}$$

Se:

$$S\left(t_{n-1}\right) - D_{n-1} - Xe^{-r\left(t_n - t_{n-1}\right)} \geq S\left(t_{n-1}\right) - X$$

ou

$$D_{n-1} \leq X\left(1 - e^{-r\left(t_n - t_{n-1}\right)}\right)$$

o exercício no momento t_{n-1} não é ideal. Similarmente, para qualquer $i < n$, se:

$$D_i \leq X\left(1 - e^{-r\left(t_{i+1} - t_i\right)}\right)$$

não é ideal realizar o exercício no momento t_i.

A desigualdade considerada na equação (11A.3) é aproximadamente equivalente a:

$$D_i \leq Xr\left(t_{i+1} - t_i\right) \tag{11A.3}$$

Assumindo-se que X seja bastante próximo do preço corrente da ação, o rendimento do dividendo sobre a ação deverá estar próximo ou acima da taxa de juro livre de risco para que essa desigualdade não seja satisfeita. Em geral, este não é o caso.

Pode-se concluir, a partir das análises, que, na maior parte das circunstâncias, o único momento que precisa ser considerado para o exercício antecipado das opções de compra americanas é a data ex-dividendo final, t_n. Além disso, se a desigualdade da equação (11A.3) for consistente para $i = 1, 2, .., n-1$ e a desigualdade da equação (11A.1) for também consistente, haverá a certeza de que o exercício antecipado nunca será ideal.

Exemplo

Considere o exemplo utilizado neste capítulo para apreçar uma opção européia sobre uma ação que paga dividendos: $S_0 = 40$; $X = 40$; $r = 0{,}09$; $\sigma = 0{,}30$; $t_1 = 0{,}1667$; $t_2 = 0{,}4167$; $T = 0{,}5$; e $D_1 = D_2 = 0{,}5$. Suponha que a opção seja americana em vez de européia. Nesse caso:

$$X\left(1-e^{-r(t_2-t_1)}\right)=40\left(1-e^{-0,09\times0,25}\right)=0,89$$

Como esse valor é maior que 0,5, a partir da equação (11A.3), a opção nunca deverá ser exercida na primeira data ex-dividendo. Da mesma forma:

$$X\left(1-e^{-r(T-t_2)}\right)=40\left(1-e^{-0,09\times0,08333}\right)=0,30$$

Como esse valor é menor que 0,5, a partir da equação (11A.1), conclui-se que quando a opção está suficientemente dentro do dinheiro, deve ser exercida na segunda data ex-dividendo.

Capítulo 12

OPÇÕES SOBRE ÍNDICES DE AÇÕES E MOEDAS

Neste capítulo, trata-se de apreçamento de opções sobre índices de ações e moedas. Como primeiro passo, alguns dos resultados dos Capítulos 8, 10 e 11 são estendidos para cobrir as opções européias sobre uma ação com rendimento conhecido de dividendos. Desenvolve-se, então, o raciocínio de que tanto índices de ações quanto moedas são análogos às ações que pagam dividendos a uma taxa. Isso permite que os resultados para opções sobre ações que pagam dividendo a uma taxa também sejam aplicados a esses tipos de opções.

12.1 REGRA SIMPLES

Nesta seção, produz-se uma regra simples que permite que os resultados obtidos para opções européias sobre ações que não pagam dividendos possam ser estendidos e aplicados às opções européias sobre ações que pagam dividendos conhecidos.

Considere a diferença entre uma ação que paga dividendo a uma taxa q ao ano e uma ação semelhante que não paga dividendo. Ambas as ações devem proporcionar o mesmo retorno total (dividendos mais ganhos de capital). O pagamento do dividendo faz que o preço da ação caia em montante igual ao do dividendo. O pagamento do dividendo à taxa q, portanto, faz que a taxa de crescimento do preço da ação seja menor do que seria, em magnitude igual a q. Se, com o rendimento de dividendo q, o preço da ação cresce de S_0, hoje, para S_T na data T, então, na ausência de dividendos, cresceria de S_0 hoje para $S_T e^{qT}$ em T. Alternativamente, na ausência de dividendos cresceria de $S_0 e^{-qT}$, hoje, para S_T na data T.

Esse argumento mostra que há a mesma distribuição de probabilidade para o preço da ação na data T em cada um dos seguintes casos:

- a ação inicia com preço S_0 e paga dividendo à taxa q;
- a ação inicia com preço $S_0 e^{-qT}$ e não paga dividendo.

Isso leva a uma regra simples. Quando se apreça uma opção européia de prazo T sobre uma ação, que paga dividendos conhecidos à taxa q, reduz-se o preço corrente da ação de S_0 para S_0e^{-qT}, e apreça-se a opção como se esta não tivesse dividendos.

Limites inferiores para o preço das opções

Como primeira aplicação dessa regra, considere o problema de determinação dos limites de preço de uma opção européia sobre uma ação que paga dividendo à taxa q. Substituindo-se S_0e^{-qT} por S_0 na equação (8.1), observa-se que o limite inferior para o preço de uma *call* européia é dado por:

$$c \geq S_0e^{-qT} - Xe^{-rT} \tag{12.1}$$

Pode-se provar esse resultado considerando os seguintes portfólios:

- portfólio A: uma *call* européia mais um montante em dinheiro igual a Xe^{-rT};
- portfólio B: e^{-qT} ações com dividendos reinvestidos em ações adicionais.

Em A, o dinheiro, se investido à taxa de juro livre de risco, crescerá para X na data T. Se $S_T > X$, a opção de compra será exercida na data T e o portfólio valerá S_T. Se $S_T < X$, a opção expirará sem valor e o portfólio valerá X. Logo, na data T, A valerá:

$$\text{máx}(S_T, X)$$

Como os dividendos são reinvestidos, o portfólio B se transforma em uma ação na data T. Vale, portanto, S_T na data T. Então, em T, o portfólio A tem valor no mínimo igual ao B, valendo mais em algumas situações. Na ausência de oportunidades de arbitragem, essa conclusão também deve ser verdadeira hoje. Logo:

$$c + Xe^{-rT} \geq S_0e^{-qT}$$
$$c \geq S_0e^{-qT} - Xe^{-rT}$$

Para obter limite inferior para a opção de venda européia, pode-se substituir S_0 por S_0e^{-qT} na equação (8.2):

$$p \geq Xe^{-rT} - S_0e^{-qT} \tag{12.2}$$

Esse resultado pode também ser provado diretamente ao se considerar:

- portfólio C: uma *put* européia mais e^{-qT} ações com os dividendos sendo reinvestidos em ações adicionais;
- portfólio D: montante em dinheiro igual a Xe^{-rT}.

Paridade *put–call*

Substituindo-se S_0 por S_0e^{-qT} na equação (8.3), obtém-se a paridade *put–call* para uma opção sobre uma ação que paga dividendos à taxa q:

$$c + Xe^{-rT} = p + S_0e^{-qT} \tag{12.3}$$

Esse resultado também pode ser provado diretamente quando considerado:

- portfólio A: uma opção de compra européia mais montante em dinheiro igual a Xe^{-rT};
- portfólio C: uma opção de venda européia mais e^{-qT} ações com dividendos sendo reinvestidos em ações adicionais.

Os dois portfólios, na data T, valem máx(S_T, X). Estes devem, portanto, ter o mesmo valor hoje e, assim, a paridade *put–call* na equação (12.3) é verificada. Para opções americanas, a paridade *put–call* é (ver o problema 12.12):

$$S_0e^{-qT} - X \leq C - P \leq S_0 - Xe^{-rT}$$

12.2 FÓRMULAS DE APREÇAMENTO

Ao substituir S_0 por S_0e^{-qT} nas fórmulas de Black e Scholes, equações (11.5) e (11.6), obtém-se o preço, c, para uma opção de compra européia e o preço, p, para uma opção de venda européia sobre uma ação que paga dividendos à taxa q da seguinte maneira:

$$c = S_0e^{-qT}N(d_1) - Xe^{-rT}N(d_2) \tag{12.4}$$

$$p = Xe^{-rT}N(-d_2) - S_0e^{-qT}N(-d_1) \tag{12.5}$$

Como:

$$\ln\frac{S_0e^{-qT}}{X} = \ln\frac{S_0}{X} - qT$$

d_1 e d_2 são dados por:

$$d_1 = \frac{\ln(S_0/X) + (r - q + \sigma^2/2)T}{\sigma\sqrt{T}}$$

$$d_2 = \frac{\ln(S_0/X) + (r - q - \sigma^2/2)T}{\sigma\sqrt{T}} = d_1 - \sigma\sqrt{T}$$

Esses resultados foram derivados por Merton[1]. Como mencionado no Capítulo 11, a palavra *dividendo* deve, para efeito de apreçamento de opções, ser definida como a redução no preço da ação na data ex-dividendo advinda do anúncio da distribuição de dividendos. Se a taxa de dividendos é conhecida, mas não é constante durante a vida da opção, as equações (12.4) e (12.5) ainda são verdadeiras, com q igual ao rendimento de dividendos médio anual.

12.3 ÁRVORES BINOMIAIS

Examina-se, agora, o efeito do rendimento de dividendos igual a q nos resultados do modelo binomial do Capítulo 10.

Considere a situação na Figura 12.1, na qual o preço de uma ação começa em S_0 e se move para cima até S_0u ou para baixo até S_0d. Como no Capítulo 10, definiu-se p como a probabilidade de movimento de subida em um mundo *risk-neutral*. O retorno total proporcionado pela ação em um mundo *risk-neutral* deve ser a taxa de juro livre de risco, r. Os dividendos proporcionam retorno igual a q. O retorno sob a forma de ganhos de capital deve ser, portanto, $r-q$. Isso significa que p deve satisfazer à seguinte condição:

$$pS_0u+(1-p)S_0d=S_0e^{(r-q)T} \tag{12.6}$$

ou

$$p=\frac{e^{(r-q)T}-d}{u-d} \tag{12.7}$$

Figura 12.1 – Preço da ação e da opção em árvore binomial de um passo

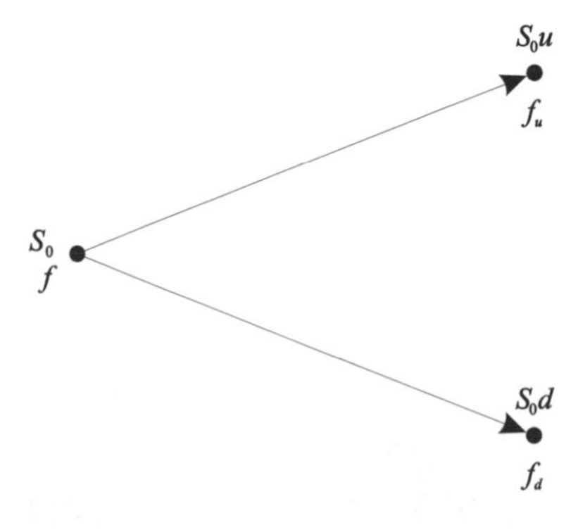

Como visto no Capítulo 10, o valor do derivativo no momento zero é o *payoff* esperado em um mundo *risk-neutral*, descontado à taxa de juro livre de risco.

---

[1] Ver Merton R. C., Theory of Rational Option Pricing. *Bell Journal of Economics and Management Science* 4, pp. 141–183, spring 1973.

$$f = e^{-rT}\left[pf_u + (1-p)f_d\right] \tag{12.8}$$

Exemplo

Suponha que o preço inicial de uma ação seja US$30 e que irá se mover para cima até US$36 ou para baixo até US$24 durante o período de seis meses. A taxa de juro semestral livre de risco é 5% e espera-se que a ação pague dividendo de 3% durante o semestre. Nesse caso, $u = 1{,}2$; $d = 0{,}8$ e:

$$p = \frac{e^{(0,05-0,03)\times 6/12} - 0,8}{1,2-0,8} = 0,5251$$

Considere a opção de venda de seis meses sobre uma ação com preço de exercício de US$28. Se o preço da ação subir, o *payoff* será zero; se cair, será US$4. Portanto, o valor da opção será:

$$e^{-0,05\times 0,5}\left[0,5251\times 0 + 0,4749\times 4\right] = 1,85$$

12.4 OPÇÕES SOBRE ÍNDICES DE AÇÕES

Como foi abordado no Capítulo 7, várias bolsas negociam opções sobre índices de ações. Alguns índices apuram o movimento do mercado como um todo. Outros são baseados no comportamento de um setor em particular (por exemplo, informática, petróleo e gás, transporte ou telefonia).

Cotações

A Tabela 12.1 mostra as cotações para opções sobre os índices Dow Jones Industrial Average (DJX), Nasdaq (NDX), Russel 2000 (RUT), S&P 100 (OEX) e S&P 500 (SPX) da forma como apareceram na seção *Money and Investing* do *Wall Street Journal*, no dia 16 de março de 2001, sexta-feira. Todas as opções são negociadas na Chicago Board Options Exchange e todas são européias, exceto o contrato sobre S&P 100, que é americana. As cotações referem-se aos preços aos quais os últimos negócios foram feitos no dia 15 de março de 2001, quinta-feira. Os preços de fechamento dos índices DJX, NDX, RUT, OEX e SPX, no dia 15 de março de 2001, foram 100,31; 1.697,92; 452,16; 600,71; e 1.173,56, respectivamente.

Um contrato de opção sobre índice de ações é 100 vezes o índice (note que o Dow Jones usado para opções é 0,01 vezes a cotação usual desse índice). As opções sobre índices são liquidadas em dinheiro. Por exemplo, no exercício da opção, o titular de uma opção de compra recebe $S - X$ em dinheiro do lançador da opção, onde S é o valor do índice no fechamento do dia de negociação em que a opção foi exercida e X é o preço de exercício. De modo similar, o titular de uma opção de venda recebe $X - S$ em dinheiro do lançador.

Tabela 12.1 – Cotações de opções sobre índices de ações publicadas no *Wall Street Journal* de 15/03/2001

Thursday, March 15, 2001

Volume, last, net change and open interest for all contracts. Volume figures are unofficial. Open interest reflects previous trading day. p-Put c-Call

CHICAGO

STRIKE		VOL.	LAST	NET CHG.	OPEN INT.
DJ INDUS AVG(DJX)					
Jun	72 p	57	0^{30}	– 0^{05}	115
Jun	80 p	10	0^{65}	– 0^{15}	4,999
Apr	84 p	10	0^{25}	...	...
Jun	84 p	20	1	– 0^{10}	1,016
Jun	88 p	5	1^{25}	– 0^{15}	227
Apr	90 p	40	0^{50}	...	...
Jun	90 p	126	1^{60}	...	5,080
Sep	90 p	93	2^{50}	– 0^{15}	203
Apr	92 p	1,787	0^{85}	– 0^{15}	5,604
Jun	92 p	45	1^{90}	– 0^{25}	2,381
Sep	92 p	59	3	+ 0^{35}	503
Mar	96 c	8	4^{50}	+ 0^{40}	114
Mar	96 p	170	0^{05}	– 0^{15}	12,199
Apr	96 c	6	5^{80}	– 0^{90}	3
Apr	96 p	572	1^{75}	– 0^{10}	5,670
Jun	96 c	3	7^{80}	– 1^{90}	489
Jun	96 p	628	3^{10}	– 0^{40}	4,967
Sep	96 p	23	4^{20}	...	6,374
Mar	98 c	20	1^{90}	– 0^{10}	32
Mar	98 p	746	0^{05}	– 0^{35}	1,502
Apr	98 c	49	4^{40}	– 0^{10}	8,116
Apr	98 p	836	2^{20}	...	6,469
Mar	100 c	2,323	0^{70}	– 0^{30}	3,849
Mar	100 p	4,550	0^{30}	– 0^{70}	14,425
Apr	100 c	463	3^{60}	+ 0^{20}	8,549
Apr	100 p	1,502	2^{85}	– 0^{15}	10,208
Jun	100 c	1,125	5	...	1,292
Jun	100 p	3,119	4^{10}	– 0^{30}	7,207
Sep	100 c	2	7^{50}	+ 0^{50}	30
Sep	100 p	934	5^{70}	...	4,295
Mar	102 c	478	0^{10}	– 0^{15}	3,901
Mar	102 p	1,638	1^{65}	– 0^{60}	5,648
Apr	102 c	148	2^{60}	– 0^{05}	629
Apr	102 p	103	3^{80}	– 0^{40}	9,441
Jun	102 c	29	4^{10}	– 0^{40}	2,295
Jun	102 p	513	5	+ 0^{70}	2,313
Mar	103 c	49	0^{05}	– 0^{15}	470
Mar	103 p	305	2^{80}	– 0^{30}	1,577
Mar	104 p	740	3^{80}	– 0^{70}	8,693
Apr	104 c	77	1^{60}	+ 0^{10}	1,698
Apr	104 p	197	5^{10}	– 0^{50}	13,625
Jun	104 c	2	3^{70}	+ 0^{50}	2,484
Jun	104 p	230	6^{20}	+ 0^{20}	5,149
Sep	104 p	1	7^{40}	+ 0^{40}	996
Mar	105 p	127	4^{80}	– 0^{10}	1,536
Mar	106 p	181	6	+ 0^{30}	5,792
Apr	106 c	637	1	– 0^{20}	679
Apr	106 p	41	6^{10}	+ 0^{30}	43,208
Jun	106 c	82	2^{50}	+ 0^{20}	243
Jun	106 p	61	7^{30}	+ 0^{30}	698
Mar	107 p	2	6^{60}	– 0^{10}	652
Mar	108 p	214	8	...	3,962
Apr	108 c	15	0^{95}	+ 0^{40}	1,226
Apr	108 p	20	8	– 0^{60}	70,397
Jun	108 p	53	8^{40}	– 0^{60}	1,917
Sep	108 p	11	9^{30}	+ 0^{30}	746
Mar	110 p	107	9^{50}	– 0^{10}	8,010
Apr	110 c	1,022	0^{35}	...	7,752
Apr	110 p	58	9^{50}	– 0^{10}	376
Jun	110 p	34	9^{80}	– 0^{40}	1,253
Mar	112 p	11	12	– 1^{40}	1,166
Apr	112 c	900	0^{25}	+ 0^{05}	5,217
Jun	112 p	1	10^{10}	– 1^{90}	622
Sep	112 p	1	12	– 0^{20}	390
Call Vol.		9,262	Open Int.		178,509
Put Vol.		22,787	Open Int.		361,587
NASDAQ-100(NDX)					
Apr	1200 p	17	7	– 1^{10}	980
May	1200 p	17	18	– 1	891
Apr	1300 p	26	12	– 6	144
Apr	1400 p	62	29^{10}	– 0^{90}	1,827
May	1400 p	45	48	– 4	1,261
Apr	1500 p	104	53	+ 3	517
Mar	1550 p	20	0^{25}	– 1^{75}	252
Apr	1550 p	6	42	– 16^{40}	228
Mar	1600 p	665	1^{25}	– 2^{95}	603
Apr	1600 p	51	58	– 12	940
Jun	1600 p	1	130^{40}	+ 10^{40}	832
Mar	1650 c	17	42^{20}	– 46^{80}	...
Mar	1650 p	388	15	– 1^{20}	1,284
Apr	1650 p	2	75	– 12	597
Mar	1700 c	217	20	– 55	263
Mar	1700 p	1,358	25	...	2,149
Apr	1700 p	10	133	– 1^{80}	844
May	1700 p	10	135	– 10	21
Jun	1700 c	2	203	– 17	26
Jun	1700 p	3	180	...	799
Mar	1750 c	105	4	– 30^{40}	157
Mar	1750 p	191	65	+ 23^{20}	541
Apr	1750 c	6	110	– 15	6
Apr	1750 p	363	152	+ 30	30
Mar	1800 c	248	1	– 20^{90}	330
Mar	1800 p	209	100	+ 15	784
Apr	1800 c	1	120	+ 23	87
Apr	1800 p	80	170	+ 15	421
Jun	1800 c	3	195	+ 15	36
Jun	1800 p	16	230	+ 8	929
Mar	1850 c	536	1^{25}	– 7^{25}	177
Mar	1850 p	2	158^{30}	+ 33^{30}	227
Apr	1850 c	29	73^{80}	– 38^{20}	118
Apr	1850 p	6	199	– 1	91
Mar	1900 c	359	0^{60}	– 3	520
Mar	1900 p	39	190	+ 60	1,270
Apr	1900 c	292	69^{30}	– 18^{50}	838
Apr	1900 p	56	241	+ 16	120
May	1900 c	1	142	+ 33^{90}	44
Jun	1900 c	26	120	– 30	163
Mar	1950 c	113	0^{10}	– 1^{65}	725
Mar	1950 p	82	200	+ 30	1,662
Apr	1950 c	5	80	+ 15	767
Apr	1950 p	23	245	– 5	525
Mar	2050 c	10	0^{25}	– 0^{25}	578
Mar	2050 p	103	350	+ 85	2,315
Apr	2050 c	280	30	– 11^{50}	271
Apr	2050 p	107	308	– 34^{50}	52
May	2050 c	1	86	– 2	461
Mar	2100 p	3	395	+ 45	1,439
Apr	2100 c	240	33	– 1	462
Apr	2100 p	100	395	+ 15	305
Jun	2100 c	1	78^{60}	– 31^{40}	51
Mar	2150 c	1	0^{20}	– 0^{30}	425
Mar	2150 p	98	370	+ 70	256
Apr	2150 p	4	455	+ 40^{30}	14
Mar	2200 c	6	0^{15}	– 0^{35}	1,356
Mar	2200 p	12	435	– 60^{30}	579
Apr	2200 c	3	15^{60}	– 4^{90}	53
Apr	2200 p	1	470	+ 185	18
May	2200 p	300	435	– 47	600
Jun	2200 c	1	61	+ 5	61
Jun	2200 p	52	455	+ 2^{40}	283
Mar	2250 c	15	0^{05}	– 0^{05}	412
Mar	2250 p	7	544	+ 26	170
Apr	2250 c	57	10	– 8^{20}	13
Mar	2300 c	3	1^{50}	+ 1	1,164
Mar	2300 p	1	525	+ 237	1,138
Apr	2300 c	23	7	– 3^{90}	438
Apr	2300 p	4	583^{10}	+ 188	240
Jun	2300 p	1	555^{90}	+ 0^{90}	93
Mar	2350 p	51	659^{40}	+ 220	575
Mar	2400 p	5	685	+ 10	1,338
Apr	2400 c	2	8^{60}	+ 2^{60}	163
Jun	2400 c	27	33	– 2	1,016
Jun	2400 p	4	615^{90}	– 68^{10}	500
Apr	2450 p	2	685	– 25	...
Mar	2500 p	3	805	+ 5	542
Apr	2500 c	12	2^{70}	– 1^{80}	1,268
May	2500 c	39	9^{50}	...	2
May	2500 p	3	696^{20}	...	...
Mar	2600 c	10	0^{05}	– 0^{45}	760
Mar	2600 p	8	900	+ 66^{80}	785
Apr	2600 c	5	1^{70}	– 0^{95}	799
Apr	2600 p	3	805	– 30	87
Mar	2700 p	1	910	– 75	332
Apr	2800 c	1	1	– 0^{30}	2,726
May	2900 c	7	3	+ 0^{50}	216
Jun	2900 c	7	7	+ 1^{10}	1,067
Apr	2950 c	12	0^{70}	– 2^{40}	973
Jun	3050 c	10	3	+ 0^{30}	143
Call Vol.		2,732	Open Int.		66,026
Put Vol.		4,605	Open Int.		52,260
RUSSELL 2000(RUT)					
Mar	450 c	10	3^{60}	– 31^{70}	10
Mar	450 p	460	1^{40}	– 0^{85}	1,243
Apr	450 p	1,644	17	– 3	500
Mar	460 c	15	1^{90}	– 4^{90}	406
Mar	460 p	29	9^{10}	+ 2^{90}	498
Apr	460 c	100	13^{50}	– 2^{50}	651
Apr	460 p	201	22^{80}	+ 1^{20}	401
Mar	470 c	10	0^{60}	– 9^{90}	11
Apr	470 p	500	24^{50}	+ 1	1,000
Mar	500 p	100	48	+ 2^{80}	456
May	500 c	10	7^{50}	– 1^{10}	298
Apr	510 c	13	3	...	...
Call Vol.		158	Open Int.		7,706
Put Vol.		[illegible]7	Open Int.		15,139
S & P 100(OEX)					
Apr	500 p	311	2	– 0^{70}	1,515
May	500 p	24	3^{50}	– 1	186
Jun	500 p	1	5^{50}	– 0^{30}	180
Apr	510 p	14	2^{75}	– 0^{95}	1,233
Mar	540 p	847	0^{10}	– 0^{15}	3,610
Apr	540 p	288	5	– 1^{70}	4,208
Jun	540 p	10	11^{10}	– 2^{40}	538
Mar	550 c	5	52	+ 6^{10}	7
Mar	550 p	749	0^{05}	– 0^{45}	5,503
Apr	550 p	147	7^{10}	– 1^{30}	806
Apr	555 p	25	7^{20}	...	...
Mar	560 p	857	0^{10}	– 0^{70}	8,327
Apr	560 c	1	55^{50}	...	...
Apr	560 p	124	8^{20}	– 1^{10}	2,851
Jun	560 p	122	15^{10}	+ 1^{10}	794
Mar	570 p	2,136	0^{30}	– 1^{30}	4,696
Apr	570 c	10	47	+ 6^{60}	10
Apr	570 p	159	10^{70}	– 1^{80}	1,802
Apr	575 p	4	11^{50}	...	...
Mar	580 p	2,164	1	– 1^{50}	7,552
Apr	580 p	320	13^{40}	– 0^{60}	3,252
May	580 p	14	18^{70}	– 1^{30}	3,418
Jun	580 c	122	48^{50}	– 1^{50}	5
Jun	580 p	123	21	– 3^{40}	248
Apr	585 p	1	14^{30}	...	...
Mar	590 c	157	11	– 1	772
Mar	590 p	3,264	1^{70}	– 3^{10}	3,765
Apr	590 c	26	29^{90}	+ 1^{40}	34
Apr	590 p	46	15	– 3^{50}	1,431
May	590 p	2	21	...	...
Apr	595 p	27	18^{20}	...	...
Mar	600 c	6,508	5^{70}	– 1^{20}	3,563
Mar	600 p	8,644	4^{70}	– 4^{30}	7,950
Apr	600 c	393	23^{90}	+ 2^{90}	465
Apr	600 p	828	20^{50}	– 3^{30}	3,411
May	600 p	105	24	– 5	370
Jun	600 c	1	35^{40}	+ 0^{10}	3
Jun	600 p	19	28	– 2^{50}	316
Mar	605 c	4,300	2^{35}	– 1^{95}	2,019
Mar	605 p	1,901	7^{30}	– 4^{70}	2,035
Apr	605 c	281	20	+ 0^{10}	47
Apr	605 p	23	23^{30}	– 1^{70}	165
Mar	610 c	6,920	1^{75}	– 1^{25}	4,489
Mar	610 p	2,738	10	– 6	2,208
Apr	610 c	98	17^{10}	...	191
Apr	610 p	95	25^{30}	– 3^{20}	714
May	610 p	4	31^{50}	...	...
Mar	615 c	1,773	0^{60}	– 1^{40}	3,267
Mar	615 p	662	20^{80}	+ 0^{80}	2,077

Tabela 12.1 – Cotações de opções sobre índices de ações publicadas no *Wall Street Journal* de 15/03/2001

Apr	615 c	32	15	+ 0^{50}	332
Apr	615 p	2	28	− 5	315
Mar	620 c	4,149	0^{30}	− 1	3,881
Mar	620 p	1,807	20^{80}	− 4^{20}	3,965
Apr	620 c	352	13^{20}	+ 1	599
Apr	620 p	131	29^{10}	− 4^{90}	3,294
May	620 c	157	19^{30}	+ 1^{30}	25
May	620 p	10	35^{10}	− 4^{90}	99
Jun	620 c	6	26	− 0^{50}	885
Jun	620 p	8	37^{50}	− 3^{40}	1,159
Mar	625 c	1,281	0^{15}	− 0^{45}	1,792
Mar	625 p	55	24	− 5	810
Apr	625 c	79	11^{20}	+ 0^{20}	180
Apr	625 p	7	30^{30}	+ 4^{30}	182
Mar	630 c	1,874	0^{05}	− 0^{35}	3,458
Mar	630 p	928	29	− 5	2,106
Apr	630 c	156	9^{60}	+ 0^{30}	870
Apr	630 p	146	35^{20}	− 4^{30}	1,355
May	630 c	1,187	16	+ 2	16
May	630 p	9	40	− 3	331
Mar	635 c	1,313	0^{05}	− 0^{15}	2,697
Mar	635 p	456	35^{20}	− 2^{80}	735
Apr	635 c	15	8^{20}	+ 0^{70}	60
Apr	635 p	5	38^{50}	+ 3^{50}	644
Mar	640 c	488	0^{05}	− 0^{10}	4,378
Mar	640 p	110	40	− 5	634
Apr	640 c	93	6^{50}	− 0^{20}	951
Apr	640 p	80	43^{40}	− 9^{60}	711
May	640 c	8	11^{10}	− 0^{20}	64
May	640 p	22	47^{30}	− 3^{70}	396
Jun	640 c	24	15^{50}	+ 1	164
Jun	640 p	12	48^{50}	− 4^{50}	614
Mar	645 c	265	0^{10}	− 0^{05}	2,420
Mar	645 p	147	44^{30}	− 4^{20}	1,227
Apr	645 c	41	5	− 1	448
Apr	645 p	48	47^{50}	+ 9	166
Mar	650 c	121	0^{05}	− 0^{05}	5,151
Mar	650 p	129	50^{90}	− 4^{10}	407
Apr	650 c	300	4^{20}	− 0^{60}	2,160
Apr	650 p	32	52^{50}	− 4	2,016
May	650 c	27	9^{20}	+ 1^{20}	169
Mar	655 p	23	55	− 5	108
Apr	655 c	73	3^{50}	+ 0^{40}	259
Apr	655 p	9	54	− 2^{50}	435
Mar	660 c	1,022	0^{05}	...	4,351
Mar	660 p	42	59	− 6	386
Apr	660 c	111	3^{10}	− 0^{50}	2,959
Apr	660 p	169	61^{10}	− 3^{90}	456
May	660 c	220	6^{50}	− 2	178
Mar	665 c	65	0^{05}	...	4,248
Mar	665 p	1	61	− 9	94
Apr	665 c	150	2^{40}	− 0^{25}	175
Mar	670 c	95	0^{05}	...	4,657
Mar	670 p	641	69	− 8	765
Apr	670 c	185	1^{60}	− 0^{40}	704
Apr	670 p	45	72^{50}	+ 3^{50}	447
May	670 p	13	70	+ 3	138
Mar	675 c	401	0^{05}	...	3,505
Mar	675 p	365	74^{30}	− 6^{70}	706
Apr	675 c	81	1^{55}	− 0^{45}	459
Apr	675 p	50	71	− 3	7
Mar	680 p	108	78^{50}	− 6^{50}	150
Apr	680 c	85	1^{30}	− 0^{15}	1,587
Apr	680 p	19	79	− 8^{20}	533
May	680 c	327	3^{50}	+ 0^{70}	63
Jun	680 p	10	78	− 9	503
Apr	690 c	248	0^{95}	− 0^{05}	3,011
Apr	690 p	109	90	− 10	353
May	690 c	291	2^{30}	− 0^{10}	186
May	690 p	10	90	+ 6^{80}	47
Mar	700 p	25	98^{50}	− 4^{50}	66
Apr	700 c	65	0^{60}	− 0^{35}	2,933
Apr	700 p	9	98^{50}	− 9^{20}	953
Apr	705 c	30	0^{55}	+ 0^{05}	389
Apr	705 p	10	103	...	...
Apr	720 c	231	0^{20}	− 0^{15}	1,024
Apr	720 p	9	116	− 5^{80}	149
Apr	725 p	11	120^{10}	+ 46^{10}	12
Apr	730 c	125	0^{25}	− 0^{20}	837
May	730 p	14	125^{70}	+ 48	25
Jun	740 p	60	138	− 1^{70}	50
May	750 p	16	145^{70}	+ 49^{10}	7
May	760 c	4	0^{35}	− 0^{75}	210
May	760 p	3	155^{90}	+ 8^{50}	4

Call Vol. .... 35,250 Open Int. 171,210
Put Vol. .... 34,927 Open Int. 117,069

S & P 500(SPX)

Jun	750 c	300	432	− 1^{95}	306
Jun	750 p	14	0^{90}	− 0^{10}	6,555
Jun	800 p	161	1^{40}	− 0^{35}	3,039
Jun	850 p	1	2^{70}	− 0^{30}	924
Jun	900 c	1	291	+ 11	415
Jun	900 p	79	4^{10}	− 0^{50}	25,204
Apr	950 p	391	2^{20}	− 0^{65}	1,974
Jun	950 p	4	7^{40}	+ 1^{20}	6,802
Apr	975 p	1,225	3^{10}	− 0^{40}	656
Mar	995 c	5	181	− 60^{10}	11,324
Mar	995 p	100	0^{05}	− 0^{05}	25,234
Jun	995 c	955	198	...	914
Jun	995 p	603	11	...	4,941
Apr	1005 p	641	4	− 1^{10}	714
Mar	1025 p	200	0^{05}	− 0^{25}	8,705
Apr	1025 p	292	6	− 1^{60}	4,829
Mar	1050 p	320	0^{05}	− 0^{55}	9,692
Apr	1050 c	6	133	+ 3	8
Apr	1050 p	1,055	8	− 1^{50}	6,341
Jun	1050 p	1,488	18^{50}	+ 1^{60}	6,702
Apr	1075 p	2,394	11	− 0^{30}	10,504
Mar	1100 p	842	0^{10}	− 0^{70}	28,705
Apr	1100 c	1	92^{50}	+ 1^{50}	57
Apr	1100 p	5,741	14	− 3	8,970
May	1100 p	363	22^{50}	− 2^{50}	3,078
Jun	1100 c	301	113^{40}	− 5^{60}	216
Jun	1100 p	33	28^{30}	− 2^{20}	16,096
Mar	1125 p	1,303	0^{25}	− 1^{75}	4,529
Apr	1125 p	261	19^{50}	− 3^{50}	3,737
May	1125 p	872	27^{50}	− 4^{50}	3,996
Jun	1125 c	1,000	93^{50}	+ 6^{50}	7
Mar	1150 c	908	22^{80}	− 0^{20}	1,801
Mar	1150 p	4,934	1^{40}	− 4^{60}	12,363
Apr	1150 c	2,755	55	+ 3	189
Apr	1150 p	4,247	27^{50}	− 2^{50}	19,128
May	1150 c	10	69	+ 5	105
May	1150 p	7,741	36	− 3	6,656
Jun	1150 c	251	77	− 4	604
Jun	1150 p	712	42	− 5	9,383
Mar	1175 c	2,250	2^{80}	− 6^{40}	2,960
Mar	1175 p	7,401	6	− 8^{50}	13,344
Apr	1175 c	180	38^{70}	+ 0^{60}	426
Apr	1175 p	2,735	37^{50}	− 4	7,992
May	1175 c	11	54	...	...
May	1175 p	3,716	45^{20}	− 4^{80}	5,557
Jun	1175 c	2,122	62	+ 2	5,192
Jun	1175 p	3,891	52^{40}	− 0^{60}	7,969
Mar	1200 c	5,969	1	− 2	6,286
Mar	1200 p	3,639	28	− 8	16,866
Apr	1200 c	2,131	25^{50}	− 0^{50}	5,447
Apr	1200 p	1,265	48	− 4	16,070
May	1200 c	405	41	+ 4	1,565
May	1200 p	451	58	− 4	4,572
Jun	1200 c	6,731	51	+ 8	7,620
Jun	1200 p	6,344	61	− 6^{50}	19,356
Mar	1210 c	651	0^{40}	− 0^{85}	965
Mar	1210 p	37	33	+ 1^{50}	1,483
Mar	1220 c	969	0^{50}	− 0^{60}	12,315
Mar	1220 p	55	40^{50}	+ 1	1,962
Mar	1225 c	2,365	0^{15}	− 0^{65}	12,754
Mar	1225 p	1,667	53	− 5	13,057
Apr	1225 c	1,497	16	− 1	3,307
Apr	1225 p	2,651	62	− 15	6,856
May	1225 c	1,950	30	+ 5^{10}	120
May	1225 p	2	70^{20}	− 9^{80}	1,079
Jun	1225 c	1,004	37	− 4	8,086
Jun	1225 p	34	76	− 8	12,360
Mar	1230 c	250	0^{10}	− 0^{65}	10,959
Mar	1230 p	60	56^{50}	− 11^{50}	3,435
Mar	1240 c	106	0^{10}	− 0^{40}	5,757
Mar	1240 p	7	69	+ 2	4,573
Mar	1250 c	292	0^{05}	− 0^{30}	22,662
Mar	1250 p	642	76	− 6	24,292
Apr	1250 c	5,455	10	− 1	11,780
Apr	1250 p	318	79^{10}	− 8^{90}	19,663
May	1250 c	1,036	19^{40}	+ 1^{30}	857
May	1250 p	67	84^{50}	− 8^{50}	973
Jun	1250 c	6	26^{90}	− 0^{10}	15,503
Jun	1250 p	1	92^{50}	− 9	20,443
Mar	1260 p	55	87^{50}	+ 5^{50}	5,848
Mar	1270 c	4	0^{05}	− 0^{95}	1,775
Mar	1275 c	1,943	0^{20}	...	25,578
Mar	1275 p	982	103	− 4	22,621
Apr	1275 c	4,461	6	+ 0^{90}	14,980
Apr	1275 p	380	105	− 10	12,176
May	1275 c	1	15^{90}	+ 5	4,304
May	1275 p	3	103	+ 1	3,811
Jun	1275 c	1	19	+ 2^{50}	6,297
Jun	1275 p	331	110	+ 5	8,895
Mar	1280 c	2	0^{05}	...	3,545
Mar	1280 p	201	104	+ 8	700
Mar	1300 p	188	127^{50}	− 8^{50}	16,140
Apr	1300 c	438	3	− 0^{30}	6,898
Apr	1300 p	5,751	123^{60}	− 12^{40}	6,859
May	1300 c	1,466	8^{50}	+ 0^{30}	4,529
May	1300 p	74	124	− 4	538
Jun	1300 c	624	13	+ 1^{50}	7,270
Jun	1300 p	117	125^{50}	− 5^{80}	13,561
Mar	1310 p	3	135^{70}	...	316
Mar	1325 c	230	0^{10}	+ 0^{05}	47,196
Mar	1325 p	377	148	− 10	42,279
Apr	1325 c	1,139	1^{75}	− 0^{30}	14,036
Apr	1325 p	211	146^{50}	− 18^{50}	2,854
May	1325 c	25	6	...	273
May	1325 p	70	145	+ 1	92
Jun	1325 c	10	10	+ 2	5.168
Jun	1325 p	1,002	148	− 10	5,835
Mar	1350 p	174	177^{20}	− 5^{80}	38,269
Apr	1350 c	490	1	...	14,129
Apr	1350 p	6.113	173	+ 3^{50}	1,744
May	1350 c	114	3^{10}	...	2,434
Jun	1350 c	505	5^{90}	− 1^{70}	6,873
Mar	1375 p	132	201	− 7	9,898
Apr	1375 c	140	0^{50}	− 0^{25}	16,347
Apr	1375 p	51	196	− 4^{50}	814
Jun	1375 c	1	4^{50}	...	3,788
Mar	1380 p	1	207	+ 12	1,703
Mar	1400 p	581	226	− 14	11,624
Apr	1400 p	97	218	+ 3	837
May	1400 p	14	216	+ 4	512
Jun	1400 p	79	205^{50}	− 15^{50}	8.920
Mar	1425 p	9	252	− 5	10,341
Apr	1425 c	2	0^{30}	+ 0^{05}	9.371
May	1425 p	2	241	+ 83	50
Jun	1425 p	125	236	+ 4	6,896
Mar	1450 p	36	276	+ 7	6,135
Apr	1450 p	3	269	+ 1^{50}	230
May	1450 c	26	0^{60}	− 0^{10}	233
May	1450 p	4	265	...	...

LEAPS-LONG TERM

DJ INDUS AVG - CB

Jun 02	100	p	2	7^{70}	+ 0^{60}	243
Dec 02	100	c	15	16^{60}	− 0^{20}	79
Dec 02	100	p	35	8^{40}	− 1	865
Dec 02	108	c	4	12	− 2^{90}	446
Dec 02	108	p	3	12^{80}	+ 0^{60}	902

Call Vol. .... 19 Open Int. 8,367
Put Vol. .... 40 Open Int. 16,890

S & P 100 - CB

Dec 01	190	p	4	1^{90}	+ 0^{05}	490

Call Vol. .... 0 Open Int. 1,050
Put Vol. .... 4 Open Int. 5,087

S & P 500 - CB

Dec 01	90	p	13	3^{60}	− 0^{50}	2,008
Dec 01	100	p	3	3^{10}	+ 0^{30}	1,324
Dec 03	100	p	29	7^{40}	+ 0^{40}	3,026
Dec 01	110	p	9	5^{50}	...	21,879
Dec 02	110	p	221	8^{30}	+ 0^{20}	27,363
Dec 03	110	p	10	9^{60}	− 0^{40}	822
Dec 01	120	p	50	8^{50}	− 1^{60}	38,210
Dec 02	120	p	5	11^{70}	+ 0^{20}	4,968
Dec 03	120	p	6	12^{70}	− 0^{90}	9,267
Dec 02	127^{50}	p	5	5^{70}	...	203
Dec 01	130	p	459	13^{70}	+ 0^{10}	29,336
Dec 02	130	p	20	15^{90}	− 0^{10}	6,690
Dec 03	130	p	37	16^{90}	− 0^{70}	12,315
Dec 01	135	p	45	16^{80}	− 1	25,321
Dec 01	140	c	3	2^{45}	+ 0^{15}	7,951
Dec 01	140	p	156	20^{30}	+ 0^{10}	42,525
Dec 03	140	p	1	20^{50}	...	11,175
Dec 01	145	p	2	23^{70}	+ 4^{80}	5
Dec 01	145	p	40	24^{40}	+ 5^{40}	3.430
Dec 01	150	p	95	28^{70}	− 2	3,743
Dec 03	160	p	2	31^{70}	...	11,536
Dec 01	180	c	3	0^{05}	− 0^{60}	58
Dec 02	180	p	10	50	+ 0^{50}	13,958

Call Vol. .... 6 Open Int. 405,282
Put Vol. .... 1,218 Open Int. 544,821

Exemplo

Considere, na Tabela 12.1, o contrato de opção de venda para abril sobre o S&P 100, com preço de exercício de 620. Trata-se de opção americana com data de expiração em 21 de abril de 2001. O custo do contrato é igual a $29{,}10 \times 100 =$ US\$2.910. O valor do índice no fechamento das negociações, no dia 15 de março de 2001, é de 600,71. Portanto, a opção está dentro do dinheiro. Se o contrato de opção fosse exercido, o titular receberia $(620 - 600{,}71) \times 100 =$ US\$1.929 em dinheiro. Esse valor é menor que o valor do contrato, o que indica que o exercício antecipado não é recomendável em 15 de março de 2001.

A Tabela 12.1 mostra que, além das opções de prazo relativamente curtos, as bolsas negociam contratos de maturidade mais longa, conhecidos como Leaps, os quais foram mencionados no Capítulo 7. A sigla Leaps (*long-term equity anticipation securities*) foi criada pela CBOE. Leaps são opções negociadas em bolsa cuja maturidade é de até três anos. Para efeito de cotação do preço de exercício e do preço da opção, o índice é dividido por cinco. O contrato de opção é 100 vezes um quinto do índice (ou 20 vezes o índice). Leaps sobre índices têm datas de vencimento em dezembro. Como foi mencionado no Capítulo 7, a CBOE e várias outras bolsas também negociam Leaps para ações individuais. Estas têm data de expiração em janeiro.

A CBOE também negocia opções flexíveis [*flex options*] sobre índices. Como visto no Capítulo 7, tratam-se de opções em que os operadores podem escolher a data de expiração, o preço de exercício e se opção é americana ou européia.

Seguro de portfólio

Administradores podem usar opções sobre índices para limitar o risco de queda no valor das carteiras. Suponha que o valor de um índice hoje seja S_0. Considere o administrador responsável por um portfólio bem diversificado, cujo beta seja 1,0. Beta igual a 1,0 quer dizer que o retorno do portfólio espelha o retorno do índice. Se o rendimento de dividendos do portfólio é o mesmo do que no índice, espera-se que a mudança percentual no valor do portfólio seja aproximadamente igual à mudança percentual no valor do índice. Cada contrato de S&P 500 é 100 vezes o índice. Então, o portfólio estará protegido contra a possibilidade de o índice cair abaixo de X se, para cada $100S_0$ dólares do portfólio, o administrador comprar um contrato de opção de venda ao preço de exercício X. Suponha que o portfólio tenha o valor de US\$500.000 e o valor do índice seja 1.000. O portfólio vale 500 vezes o índice. O administrador pode obter o seguro contra a queda no valor do portfólio abaixo de US\$450.000 para os próximos três meses comprando cinco contratos de opção de venda com preço de exercício de 900. Para ilustrar, considere a situação em que o índice cai para 880 em três meses. O portfólio passará a valer US\$440.000. O *payoff* das opções será $5 \times (900 - 880) \times 100 =$ US\$10.000, trazendo o valor total do portfólio para o valor segurado de US\$450.000. Esse exemplo está resumido na Tabela 12.2.

Tabela 12.2 – Uso de opções para proteger o valor de um portfólio que reflete o índice S&P 500

Da mesa de operações
O administrador, que tem portfólio de US$500.000 sob sua responsabilidade, está preocupado com possível declínio do mercado durante os próximos três meses e gostaria de usar opções sobre índice como *hedge*. O portfólio espelha o índice S&P de forma bastante aproximada. O índice está cotado em 1.000 pontos.

Estratégia
O administrador compra cinco contratos de opção de venda com preço de exercício de 900. Essa estratégia é apropriada para assegurar que o valor da posição não cairá abaixo de US$450.000.

Resultado
O índice caiu para 880 em três meses. O portfólio passou a valer US$440.000. O *payoff* das opções foi de $5 \times (900 - 880) \times 100$ = US$10.000, o que leva ao valor total do portfólio de US$440.000 + US$10.000 = US$450.000.

Quando o beta do portfólio não for igual a 1,0

Se não se espera que os retornos do portfólio sejam iguais aos retornos do índice, pode-se usar o Capital Asset Pricing Model (CAPM). Esse modelo estabelece que o retorno excessivo em relação à taxa de juro livre de risco, esperado para um portfólio, é igual a beta vezes o retorno excessivo em relação à taxa de juro livre de risco esperado de um índice de mercado. Suponha que o portfólio de US$500.000, apresentado anteriormente, tenha um beta de 2,0 em vez de 1,0. Considere, além disso, que a taxa de juro livre de risco corrente é 12% ao ano e os rendimentos de dividendos no portfólio e no índice são de 4% ao ano. Como antes, assume-se que o índice S&P seja 1.000. A Tabela 12.3 traz a relação esperada entre o nível do índice e o valor do portfólio em três meses. Para ilustrar a seqüência de cálculos necessários à derivação da Tabela 12.3, a Tabela 12.4 mostra o que acontece quando o valor do índice em três meses é de 1.040.

Suponha que S_0 seja o valor do índice. Pode ser demonstrado que para cada $100S_0$ dólares do portfólio, um total de beta opções de venda deve ser comprado. O preço de exercício deve ser o valor que se espera que o índice tenha quando o valor do portfólio alcançar o valor segurado. Suponha que o valor segurado seja US$450.000, como no caso do beta = 1,0. A Tabela 12.3 indica que o preço de exercício apropriado para a opção de venda é 960.

Nesse caso, $100S_0$ = US$100.000 e beta = 2,0. Portanto, dois contratos de opção de venda devem ser adquiridos para cada US$100.000 do portfólio. Como o portfólio vale US$500.000, deve ser adquirido o total de 10 contratos.

Para ilustrar que o resultado requerido é obtido, considere o que acontece se o valor do índice cair para 880. Como mostra a Tabela 12.3, o valor do portfólio passa a ser de US$370.000. As opções de venda têm *payoff* de (960 – 880) × 10 × 100 = US$80.000, valor exatamente necessário para levar o valor do portfólio de US$370.000 para US$450.000. Esse exemplo está resumido na Tabela 12.5.

Tabela 12.3 – Relação entre o valor do índice e o valor do portfólio quando beta = 2,0

Valor do índice em três meses	Valor do portfólio em três meses (US$)
1.080	570.000
1.040	530.000
1.000	490.000
960	450.000
920	410.000
880	370.000

Tabela 12.4 – Cálculos da Tabela 12.3 quando o valor do índice é de 1.040 em três meses

Valor do índice em três meses	1.040
Retorno de uma mudança no índice	40/1.000 ou 4% em 3 meses
Dividendos do índice	0,25 × 4 = 1% em 3 meses
Retorno total do índice	4 + 1 = 5% em 3 meses
Taxa de juro livre de risco	0,25 × 12 = 3% por 3 meses
Retorno excessivo do índice em relação à taxa de juro	5 – 3 = 2% em 3 meses
Retorno excessivo do portfólio em relação à taxa de juro	2 × 2 = 4% em 3 meses
Retorno do portfólio	3 + 4 = 7% em 3 meses
Dividendos do portfólio	0,25 × 4 = 1% em 3 meses
Aumento do valor do portfólio	7 – 1 = 6% em 3 meses
Valor do portfólio	US$500 mil × 1,06 = US$530 mil

Apreçamento

No apreçamento de índices futuros (Capítulo 3), assumiu-se que o índice poderia ser tratado como um título que paga rendimento de dividendos conhecido. No apreçamento de opções sobre índice, podem ser feitas suposições semelhantes. Isso significa que as equações (12.1) e (12.2) fornecem limite inferior para as opções sobre índice européias; a equação (12.3) é o resultado da paridade *put–call* para opções sobre índice européias; e as equações (12.4) e (12,5) podem ser utilizadas para apreçar opções européias sobre índices. Em todos esses casos, S_0 é igual ao valor do índice, σ é igual à volatilidade do índice e q é igual à taxa média anual de dividendos do índice, durante a vida da opção. O cálculo de q deve incluir apenas dividendos cujas datas ex-dividendos ocorram durante a vida da opção.

Nos Estados Unidos, as datas ex-dividendos tendem a ocorrer durante a primeira semana de fevereiro, maio, agosto e novembro. Para qualquer data, o valor correto de q

provavelmente dependerá do prazo da opção. Isso também se verifica para alguns índices estrangeiros. Por exemplo, no Japão, todas as companhias tendem a usar as mesmas datas ex-dividendo.

Tabela 12.5 – Uso de opções para proteger o valor de um portfólio que tem beta = 2,0

Da mesa de operações
O administrador, que tem um portfólio de US$500.000 sob sua responsabilidade, está preocupado com a possibilidade de as cotações caírem de forma muito rápida durante os próximos três meses e gostaria de usar opções sobre índice como *hedge*. O portfólio tem beta igual a 2,0 e o índice S&P 500 está cotado em 1.000. O rendimento com dividendos previsto no índice e no portfólio é de 4% ao ano e a taxa de juro livre de risco é de 12% ao ano.

Estratégia
O administrador compra 10 contratos de opção de venda com preço de exercício de 960. A estratégia é apropriada para assegurar que o valor do portfólio não cairá abaixo de US$450.000.

Resultado
O índice caiu para 880 em três meses. O portfólio passou a valer US$370.000. O *payoff* das opções foi de $10 \times (960 - 880) \times 100$ = US$80.000, o que leva ao valor total do portfólio de US$370.000 + US$80.000 = US$450.000.

Exemplo

Considere uma opção de compra européia sobre o índice S&P 500 a dois meses da data de expiração. O valor corrente do índice é 930, o preço de exercício é 900, a taxa de juro livre de risco é 8% ao ano e a volatilidade do índice é 20% ao ano.

Rendimentos com dividendos de 0,2% e 0,3% são previstos no primeiro e no segundo mês, respectivamente. Nesse caso, $S_0 = 930$; $X = 900$; $r = 0,08$; $\sigma = 0,2$; e $T = 2/12$. O dividendo total durante a vida da opção é 0,2 + 0,3 = 0,5%, ou 3% ao ano. Logo, $q = 0,03$ e:

$$d_1 = \frac{\ln(930/900) + (0,08 - 0,03 + 0,2^2/2) \times 2/12}{0,2\sqrt{2/12}} = 0,5444$$

$$d_2 = \frac{\ln(930/900) + (0,08 - 0,03 - 0,2^2/2) \times 2/12}{0,2\sqrt{2/12}} = 0,4628$$

$$N(d_1) = 0,7069 \quad N(d_2) = 0,6782$$

de tal forma que o preço da opção de compra, c, dado pela equação (12.4) seja:

$$c = 930 \times 0,7069e^{-0,03\times 2/12} - 900 \times 0,6782e^{-0,08\times 2/12} = 51,83$$

Um contrato, portanto, custaria US$5.183.

Se o valor absoluto dos dividendos, que serão pagos nas ações subjacentes ao índice, for conhecido (em vez da taxa de dividendos), a fórmula básica de Black e Scholes pode ser empregada, com o preço inicial da opção sendo reduzido do valor presente dos dividendos. Esse enfoque foi recomendado no Capítulo 11 para uma ação que paga dividendos. Entretanto, sua implementação para um índice cuja carteira teórica inclua muitas ações pode ser dificultada já que se requer conhecimento dos dividendos que serão pagos por todas as ações.

Em algumas circunstâncias, é recomendável exercer as opções de venda americanas sobre um índice antes da data de expiração. Em contexto menor, isso também é verdade para opções de compra sobre um índice. Os preços das opções americanas sobre índice, por conseguinte, são sempre moderadamente maiores que os preços das opções européias correspondentes. Examinam-se procedimentos numéricos para o apreçamento de opções americanas sobre índices de ações no Capítulo 17.

12.5 OPÇÕES SOBRE MOEDAS

Opções americanas e européias sobre moedas estrangeiras são ativamente negociadas tanto no mercado de balcão quanto em bolsas. A Philadelphia Stock Exchange iniciou a negociação de opções sobre moedas em 1982. Desde então, o tamanho desse mercado tem crescido muito rapidamente. As moedas negociadas incluem o dólar australiano, a libra esterlina, o dólar canadense, o marco alemão, o iene japonês, o franco francês e o franco suíço. Para a maior parte dessas moedas, a Philadelphia Stock Exchange negocia tanto opções européias quanto americanas. Volume significativo de opções sobre moedas é também negociado fora das bolsas. Muitos bancos e outras instituições financeiras estão preparados para vender ou comprar opções sobre moedas estrangeiras cujos preços de exercício, datas de expiração e outras características são estabelecidos sob medida, de maneira a atender às necessidades de seus clientes corporativos.

Para uma corporação que deseja *hedgear* sua exposição contra o risco das taxas de câmbio estrangeiras, as opções sobre moedas é alternativa bastante interessante aos contratos a termo. A companhia que tem libras esterlinas para receber, em data futura conhecida, pode *hedgear* seu risco, por meio da compra de opções de venda sobre a libra, cuja data de expiração coincide com a data prevista para recebimento dos valores. A estratégia garante que o valor da libra não será menor que o preço de exercício, embora permita à companhia se beneficiar de movimentos favoráveis da taxa de câmbio. De forma similar, a companhia que tem uma obrigação em libras, em data futura conhecida, pode *hedgear* comprando opções de compra sobre a libra com data de expiração coincidente com o vencimento da obrigação. Isso garante que o custo da libra não será maior que determinado valor e, ao mesmo tempo, permite que a companhia possa se beneficiar de movimentos favoráveis da taxa de câmbio. Enquanto um contrato a termo [*forward*] trava a taxa de câmbio de uma transação futura, uma opção proporciona um tipo de seguro. Tal seguro não é gratuito. Não há custo para se tomar uma posição em um contrato forward, porém, na opção, é exigido um prêmio que deve ser pago antecipadamente.

Cotações

A Tabela 12.6 mostra preços de fechamento de algumas opções sobre moedas negociadas na Philadelphia Stock Exchange no dia 15 de março de 2001, quinta-feira, da forma reportada pelo *Wall Street Journal* do dia 16 de março de 2001, sexta-feira. A data precisa de expiração de uma opção sobre moeda estrangeira é o sábado que antecede a terceira quarta-feira do mês de maturidade. Os tamanhos dos contratos estão indicados no início de cada seção da tabela. Os preços das opções estão expressos em dólares por unidade de moeda estrangeira. Para o iene japonês, os preços estão em centésimos de centavos. Para outras moedas, estão em *cents*. Assim, um contrato de opção de compra sobre o euro, com preço de exercício de 90 *cents* e exercício no mês de junho, daria a seu titular o direito de comprar 62.500 euros por US\$56.250 (= 0,90 × 62.500). O preço do contrato indicado é 2,34 *cents* de dólar, de tal forma que um contrato custaria 62.500 × 0,0234 = US\$1.462,50. A taxa de câmbio *spot* é mostrada como 88,15 *cents* por euro.

Apreçamento

Para apreçar opções sobre moedas, define-se S_0 como a taxa de câmbio *spot*. Para ser mais exato, S_0 é o valor de uma unidade da moeda estrangeira em dólares norte-americanos. Como já notado no Capítulo 3, uma moeda estrangeira é semelhante a uma ação que paga rendimento de dividendo conhecido. O proprietário da moeda estrangeira recebe rendimento igual à taxa de juro livre de risco, r_f, na moeda estrangeira. As equações (12.1) e (12.2), com q sendo substituído por r_f, dá os limites para o preço da opção de compra européia, c, e para o preço da opção de venda européia, p:

$$c \geq S_0 e^{-r_f T} - Xe^{-rT}$$

$$p \geq Xe^{-rT} - S_0 e^{-r_f T}$$

A equação (12.3), com q substituído por r_f, fornece a paridade *put–call* para opções sobre moedas:

$$c + Xe^{-rT} = p + S_0 e^{-r_f T}$$

Finalmente, as equações (12.4) e (12.5) proporcionam fórmulas para os preços das opções sobre moeda quando q é substituído por r_f:

$$c = S_0 e^{-r_f T} N(d_1) - Xe^{-rT} N(d_2) \quad (12.9)$$

$$p = Xe^{-rT} N(-d_2) - S_0 e^{-r_f T} N(-d_1) \quad (12.10)$$

onde

$$d_1 = \frac{\ln(S_0/X) + (r - r_f + \sigma^2/2)T}{\sigma\sqrt{T}}$$

$$d_2 = \frac{\ln(S_0/X) + (r - r_f - \sigma^2/2)T}{\sigma\sqrt{T}} = d_1 - \sigma\sqrt{T}$$

Tanto a taxa de juro doméstica, r, quanto a estrangeira, r_f, são taxas para a maturidade T. Opções de compra e de venda sobre moedas estrangeiras são simétricas, posto que uma opção de venda para vender a moeda A por moeda B a um preço de exercício X é o mesmo que uma opção de compra para comprar B com a moeda A, a um preço de exercício $1/X$.

Tabela 12.6 – Cotações de opções sobre moedas na Philadelphia Exchange publicadas no *Wall Street Journal* de 16/03/2001

PHILADELPHIA EXCHANGE OPTIONS

		CALLS VOL.	CALLS LAST	PUT VOL.	PUT LAST
ADllr					54.26
50,000 Australian Dollar EOM-European.					
51	Apr	4	0.44	...	...
ADollr					54.26
50,000 Australian Dollars-European Style.					
52	Mar	...	...	4	2.71
ADollr					54.26
50,000 Australian Dollars-cents per unit					
53	Jun	1	0.41	...	...
CDollr					66.48
50,000 Canadian Dollars-European Style.					
66	Mar	...	...	20	1.76
67^{50}	Mar	...	...	20	3.35
67^{50}	Sep	...	...	20	3.37
CDollr					66.48
50,000 Canadian Dollars-cents per unit.					
71^{50}	Mar	...	...	20	7.90
72^{50}	Mar	...	...	20	8.40
74^{50}	Mar	...	...	20	10.42
75	Mar	...	...	20	10.86
CDollr					66.48
50,000 Canadian Dollars-cents per unit					
64	Jun	8	0.85	...	...
JYen					93.49
6,250,000 J.Yen EOM-European style.					
87^{50}	Mar	...	...	30	5.55
JYen					93.15
6,250,000J.Yen-100ths of a cent per unit.					
81^{50}	Mar	...	...	5	0.30
82^{50}	Apr	2	1.10	2	1.44
83	Apr	...	...	5	1.51
JYen					92.53
6,250,000J.Yen-EuropeanStyle.					
77	Mar	110	5.80	...	...
79	Sep	110	6.40	...	...
82	Mar	22	0.93	...	...
84	Jun	22	1.95	...	...
Euro					88.15
62,500 Euro-European style					
88	Mar	...	...	8	0.25
94	Jun	...	...	10	4.40
98	Jun	...	...	5	7.48
104	Mar	8	0.55	...	...
Euro					88.15
62,500 Euro-European style.					
92	Apr	2	0.73	...	...
96	Mar	...	...	5	5.38
Euro					88.15
62,500 Euro-cents per unit.					
88	Apr	...	...	10	0.43
90	Jun	22	2.34	1	2.35
94	Mar	...	...	3	3.65
114	Mar	...	...	2	23.55
SFranc					57.83
62,500 Swiss Franc EOM-European style.					
59	Apr	2	1.00	...	...
SFranc					57.83
62,500 Swiss Francs-European Style.					
58	Apr	16	1.30	...	...
60	Apr	16	0.34	...	...
SFranc					57.83
62,500 Swiss Francs-cents per unit.					
58	Apr	6	1.38	...	...
60	Sep	2	1.90	...	...
Call Vol. 1,221		Open Int. 12,520			
Put Vol. 3,926		Open Int. 12,955			

Exemplo

Considere uma opção de compra européia de quatro meses sobre a libra esterlina. Suponha que a taxa de câmbio corrente seja 1,6000, o preço de exercício de 1,6000, a taxa de juro livre de risco nos Estados Unidos de 8% ao ano, a taxa de juro livre de risco na Grã-Bretanha de 11% ao ano e o preço da opção de 4,3 *cents*. Nesse caso, $S_0 = 1{,}6$; $X = 1{,}6$; $r = 0{,}08$; $r_f = 0{,}11$; $T = 0{,}3333$; e $c = 0{,}043$. A volatilidade implícita pode ser calculada por tentativa e erro. A volatilidade de 20% fornece o preço de 0,0639; a volatilidade de 10% fornece o preço de 0,0285, e assim por diante. A volatilidade implícita é igual a 14,1%.

Da equação (3.13), a taxa forward, F_0, para a maturidade T é dada por:

$$F_0 = S_0 e^{(r-r_f)T}$$

Assim, as equações (12.9) e (12.10) podem ser simplificadas para :

$$c = e^{-rT}\left[F_0 N(d_1) - XN(d_2)\right] \tag{12.11}$$

$$p = e^{-rT}\left[XN(-d_2) - F_0 N(-d_1)\right] \tag{12.12}$$

onde

$$d_1 = \frac{\ln(F_0/X) + \sigma^2 T/2}{\sigma\sqrt{T}}$$

$$d_2 = \frac{\ln(F_0/X) - \sigma^2 T/2}{\sigma\sqrt{T}} = d_1 - \sigma\sqrt{T}$$

Note que, para que as equações (12.11) e (12.12) possam ser aplicadas, as maturidades dos contratos forward e de opções devem ser as mesmas.

Em algumas circunstâncias, é recomendável exercer opções americanas sobre moedas antes da maturidade. Assim, opções americanas sobre moedas valem mais que as européias. Em geral, opções de compra sobre moedas de alta taxa de juro e opções de venda sobre moedas de baixa taxa de juro têm mais probabilidade de serem exercidas antes da maturidade. A razão é que a moeda que paga altas taxas de juro tende a se desvalorizar ante o dólar, enquanto a moeda que paga baixa taxa de juro tende a se apreciar. Infelizmente, não existem fórmulas analíticas para o apreçamento de opções americanas sobre moedas. Abordam-se os procedimentos numéricos no Capítulo 17.

12.6 SUMÁRIO

A fórmula de Black e Scholes para apreçar opções européias sobre uma ação que não paga dividendos pode ser estendida para cobrir opções européias sobre uma ação que paga rendimento de dividendos conhecido. Isso é bastante útil porque grande número de outros ativos, sobre os quais as opções são lançadas, pode ser considerado análogo a uma ação que paga rendimento de dividendos. Este capítulo usou as seguintes premissas:

- um índice de ações é análogo a uma ação que paga rendimento de dividendo, sendo tal rendimento igual ao das ações que o compõem;
- uma moeda estrangeira é análoga a uma ação que paga um rendimento de dividendo, sendo tal rendimento igual à taxa de juro livre de risco na moeda estrangeira.

A extensão do modelo de Black e Scholes pode, portanto, ser utilizada para apreçar opções européias sobre índices de ações e moedas estrangeiras. Como será visto no Capítulo 17, essas analogias são úteis também no apreçamento de opções americanas sobre esses ativos por procedimentos numéricos.

Opções sobre índice são liquidadas financeiramente. No exercício de um contrato de opção de compra de índice, o titular recebe 100 vezes o valor pelo qual o índice exceder o preço de exercício. De forma similar, no exercício de uma opção de venda de índice, o titular recebe 100 vezes o montante pelo qual o preço de exercício exceder o índice. Opções sobre índice podem ser usadas para seguro de portfólio. Se o valor do portfólio refletir o índice, será apropriado comprar um contrato de opção de venda para cada $100S_0$ dólares investidos no portfólio, onde S_0 é o valor do índice. Se o portfólio não espelhar o índice, serão necessários beta contratos de opção de venda para cada $100S_0$ dólares investidos no portfólio, onde beta é o beta do portfólio calculado com o CAPM. O preço de exercício das opções compradas deve refletir o nível de seguro requerido.

Opções sobre moedas são negociadas tanto em bolsa como em mercado de balcão. Podem ser utilizadas por tesoureiros de companhias para *hedgear* sua exposição em moeda estrangeira. Por exemplo, o tesoureiro de uma companhia norte-americana, a qual receberá libras esterlinas em certa data no futuro, pode fazer *hedge* comprando opções de venda cuja maturidade coincida com a data do recebimento. De modo similar, o tesoureiro da companhia norte-americana, a qual pagará libras esterlinas em determinada data no futuro, pode fazer *hedge* por meio da compra de opções de compra para a mesma maturidade da obrigação.

SUGESTÕES PARA LEITURAS COMPLEMENTARES

Geral

MERTON, R. C. Theory of Rational Option Pricing. *Bell Journal of Economics and Management Science* 4, pp. 141–183, spring 1973.

STOLL, H. R.; WHALEY, R. E. New Option Instruments; Arbitrageable Linkages and Valuation. *Advances in Futures and Options Research* 1, pp. 25–62, 1986.

Opções sobre índices de ações

CHANCE, D. M. Empirical Tests of the Pricing of Index Call Options. *Advances in Futures and Options Research* 1, pp. 141–166, 1986.

Opções sobre moedas

AMIN, K.; JARROW, R. A. Pricing Foreign Currency Options under Stochastic Interest Rates. *Journal of International Money and Finance* 10, pp. 310–329, 1991.

BIGER, N.; HULL, J. C. The Valuation of Currency Options. *Financial Management* 12, pp. 24–28, spring 1983.

BODURTHA, J. N.; COURTADON, G. R. Tests of an American Option Pricing Model on the Foreign Currency Options Market. *Journal of Financial and Quantitative Analysis* 22, pp. 153–167, June 1987.

GARMAN, M. B.; KOHLHAGEN, S. W. Foreign Currency Option Values. *Journal of International Money and Finance* 2, pp. 231–237, December 1983.

GRABBE, J. O. The Pricing of Call and Put Options on Foreign Exchange. *Journal of International Money and Finance* 2, pp. 239–253, December 1983.

PERGUNTAS RÁPIDAS (RESPOSTAS NO FINAL DO LIVRO)

12.1 O portfólio vale US$10 milhões e tem beta igual a 1,0. O índice S&P 100 está em 800 pontos. Explique como uma opção de venda sobre S&P 100, com preço de exercício de 700, pode ser usado para proporcionar seguro de portfólio.

12.2 "Se soubermos apreçar opções sobre ações que pagam rendimentos de dividendo, saberemos apreçar opções sobre índices de ações e moedas". Explique essa afirmação.

12.3 Um índice de ações está em 300 pontos. O dividendo do índice é de 3% ao ano e a taxa de juro livre de risco, 8% ao ano. Qual é o limite inferior para o preço da opção de compra européia de seis meses de prazo sobre esse índice, com preço de exercício de 290?

12.4 O valor corrente de uma moeda é US$0,80. Para cada um dos próximos dois meses, espera-se aumento ou diminuição de seu valor na ordem de 2%. As taxas de juro livres de risco, doméstica e estrangeira, são 6% e 8%, respectivamente. Qual é o valor da opção de compra européia de dois meses com preço de exercício de US$0,80?

12.5 Explique como as empresas podem usar opções sobre moedas para *hedgear* seu risco de taxas de câmbio.

12.6 Calcule o valor de uma opção européia de três meses, no dinheiro, sobre um índice de ações cujo valor corrente é de 250. A taxa de juro livre de risco é 10% ao ano, a volatilidade do índice é 18% ao ano e o dividendo sobre o índice é de 3% ao ano.

12.7 Calcule o valor de uma opção de venda européia de oito meses sobre uma moeda com preço de exercício de 0,50. A taxa de câmbio corrente é igual a 0,52, a volatilidade da taxa de câmbio é de 12% e as taxas de juro livre de risco doméstica e estrangeira são de 4% e 8% ao ano, respectivamente.

QUESTÕES E PROBLEMAS (RESPOSTAS NO MANUAL DE SOLUÇÕES)

12.8 Suponha que uma bolsa construa um índice que trava o retorno – incluindo dividendos – de determinado portfólio. Explique como você apreçaria (a) contratos futuros e (b) opções européias sobre o índice?

12.9 Uma moeda estrangeira é correntemente cotada a US\$1,50. As taxas de juro livres de risco, doméstica e estrangeira, são 5% e 9%, respectivamente. Calcule o limite inferior para o valor de uma opção de compra de seis meses sobre a moeda com preço de exercício de US\$1,40 se for (a) européia e (b) americana.

12.10 Considere um índice de ações cujo valor corrente é 250. O dividendo do índice é de 4% ao ano e a taxa de juro livre de risco é de 6% ao ano. Uma opção de compra européia de três meses sobre o índice, com preço de exercício de 245, vale US\$10. Qual é o valor da opção de venda de três meses sobre o índice com preço de exercício de 245?

12.11 Um índice tem valor corrente de 696 e volatilidade de 30% ao ano. A taxa de juro livre de risco é 7% ao ano e o índice paga dividendo de 4% ao ano. Calcule o valor da opção de venda européia de três meses com preço de exercício de 700.

12.12 Mostre que se C é o preço de uma opção de compra americana com preço de exercício X e maturidade T sobre uma ação que paga dividendos à taxa q, e P é o preço de uma opção de venda americana sobre a mesma ação, com a mesma maturidade e preço de exercício, então:

$$S_0e^{-qT} - X < C - P < S_0 - Xe^{-rT}$$

onde S_0 é o preço da ação, r é a taxa de juro livre de risco e $r > 0$.

Dica: para obter a primeira metade da inequação, considere possíveis valores do:

- portfólio A: uma opção de compra européia mais o montante X em dinheiro, investido à taxa de juro livre de risco;
- portfólio B: uma opção de venda americana mais e^{-qT} ações com dividendos reinvestidos na ação.

Para obter a segunda metade da inequação, considere possíveis valores do:

- portfólio C: uma opção de compra americana mais o valor em dinheiro de Xe^{-rT} investido à taxa de juro livre de risco;
- portfólio D: uma opção de venda européia mais uma ação com os dividendos sendo reinvestidos na ação.

12.13 Mostre que uma opção de compra sobre uma moeda tem o mesmo preço da opção de venda sobre essa moeda quando o preço forward é igual ao preço de exercício.

12.14 Você acha que a volatilidade de um índice de ações é maior ou menor que a volatilidade de uma ação comum? Explique sua resposta.

12.15 O custo de seguro de portfólio aumenta ou diminui quando o beta do portfólio cresce? Explique sua resposta.

12.16 Suponha que um portfólio tenha valor de US$60 milhões e o S&P 500 esteja a 1200. Se o valor do portfólio espelhar o valor do índice, que opções devem ser compradas para proporcionar proteção contra a queda no valor do portfólio abaixo de US$54 milhões no prazo de um ano?

12.17 Considere a situação do problema 12.16. Suponha que o portfólio tenha beta de 2,0, taxa de juro livre de risco de 5% ao ano e dividendos tanto no portfólio quanto no índice de 3% ao ano. Quais opções têm de ser compradas para proporcionar proteção contra a queda no valor do portfólio abaixo de US$54 milhões no prazo de um ano?

QUESTÕES DE PROVA

12.18 Use o software DerivaGem para calcular as volatilidades implícitas para a opção de compra e a opção de venda para junho sobre o índice Dow Jones Industrial Average, ambas com preço de exercício de 100, constantes da Tabela 12.1. O valor do DJX em 15 de março de 2001, era de 100,31. Assuma que a taxa de juro livre de risco seja 4,5% e os dividendos de 2%. As opções expiram em 16 de junho de 2001. As cotações para as duas opções estão consistentes com a paridade *put–call*?

12.19 Um índice está no nível de 300 pontos. No fim de cada um dos dois próximos trimestres, espera-se que haja aumento ou diminuição da ordem de 10%. A taxa de juro livre de risco é de 8% ao ano e os dividendos sobre o índice de 3% ao ano. Qual é o valor da opção de venda de seis meses sobre o índice, com preço de exercício de 300, se esta for (a) européia e (b) americana?

12.20 Suponha que o preço *spot* do dólar canadense seja US$0,75 e que a taxa de câmbio entre as duas moedas tenha volatilidade de 4% ao ano. A taxa de juro livre de risco no Canadá é de 9% e nos Estados Unidos de 7% ao ano. Calcule o valor da opção de compra européia para comprar um dólar canadense por US$0,75 em nove meses. Use a paridade *put–call* para calcular o preço de uma opção de venda européia para vender um dólar canadense por US$0,75 em nove meses. Qual é o preço de uma opção de compra para comprar US$0,75 com um dólar canadense em nove meses?

12.21 Um fundo mútuo anuncia que os salários de seus administradores vão depender do desempenho do fundo. Se o fundo perder dinheiro, os salários serão zero. Se o fundo fizer lucro, os salários serão proporcionais ao lucro. Descreva o salário dos administradores como uma opção. Como um administrador tende a se comportar com esse tipo de remuneração?

Capítulo 13

OPÇÕES SOBRE FUTUROS

As opções consideradas até aqui dão a seu titular o direito de comprar ou vender determinado ativo em certa data. Estas são, às vezes, denominadas *opções sobre spot* ou *opções de spot*[N.T.], porque, quando são exercidas, ocorre venda ou compra de ativos ao preço acordado. Neste capítulo, trata-se de *opções sobre futuros*, também denominadas *opções de futuros*. Nesses contratos, o exercício da opção dá a seu titular uma posição em contratos futuros.

A Commodity Futures Trading Commission autorizou a negociação de opções sobre futuros experimentalmente em 1982. Em 1987, foi aprovada em caráter permanente. Desde então, a popularidade desses contratos junto aos investidores tem crescido rapidamente.

Neste capítulo, abordam-se as opções sobre futuros, seu funcionamento e suas diferenças em relação às opções sobre spot. Examinam-se as opções européias sobre futuros e seu apreçamento com árvores binomiais ou fórmulas similares àquelas criadas por Black e Scholes para opções sobre ações. Explora-se também a relação entre o apreçamento de opções sobre futuros e opções sobre spot.

13.1 NATUREZA DAS OPÇÕES SOBRE FUTUROS

A opção sobre futuro é um direito, mas não uma obrigação, de abrir uma posição no mercado futuro a certo preço, em determinada data. Especificamente, a opção de compra sobre futuros é o direito de tomar uma posição comprada ou longa [*long*] em contratos futuros a certo preço; a opção de venda é o direito de assumir uma posição vendida [*short*] em contratos futuros a certo preço. A maior parte das opções sobre futuros é americana, ou seja, pode ser exercida a qualquer momento durante a vida do contrato.

[N.T.] No Brasil, as opções sobre spot são denominadas opções sobre o mercado a vista ou opções sobre disponível.

Tabela 13.1 – Opções de compra sobre futuros

Da mesa de operações
O investidor compra uma opção de compra para julho sobre o contrato futuro de ouro. O tamanho do contrato é 100 onças. O preço de exercício é 300.

Decisão de exercício
O investidor exerce quando o contrato de ouro para julho está cotado em 340 e o preço de ajuste mais recente é 338.

Resultado
O investidor recebe uma posição longa no contrato futuro mais valor em dinheiro igual a (338 – 300) × 100 = US$3.800. O investidor decide fechar a posição longa em futuro imediatamente para obter o ganho de (340 – 338) × 100 = US$200. Portanto, o *payoff* total proveniente da decisão de exercer é US$4.000.

Tabela 13.2 – Opções de venda sobre futuros

Da mesa de operações
O investidor compra a opção de venda sobre futuros de milho para setembro. O tamanho do contrato é 5.000 *bushels*. O preço de exercício é 200 *cents*.

Decisão de exercício
O investidor exerce quando o preço futuro de milho para setembro é 180 e o mais recente preço de ajuste é 179.

Resultado
O investidor recebe uma posição *short* em contratos futuros mais valor em dinheiro de (2,00 – 1,79) × 5.000 = US$1.050. O investidor decide fechar sua posição *short* em futuros imediatamente tendo perda de (1,80 – 1,79) × 5.000 = US$50. O *payoff* total proveniente da decisão de exercício é, portanto, US$1.000.

Para ilustrar a operação de contratos de opção sobre futuros, considere a posição do investidor que comprou uma opção de compra sobre o futuro de ouro para julho com preço de exercício de US$300 por onça. O ativo subjacente ao contrato são 100 onças de ouro. Como nas outras bolsas que negociam contratos de opções, o investidor tem de pagar pela opção no momento em que adquire o contrato. Se a opção de compra sobre futuros for exercida, o investidor obterá posição comprada no contrato futuro e haverá ajuste em dinheiro para refletir a entrada do investidor no contrato futuro ao preço de exercício. Suponha que o futuro de julho no momento em que a opção for exercida seja 340 e o preço de ajuste mais recente para o contrato de julho seja 338.

O investidor recebe valor em dinheiro igual ao excesso do preço de ajuste mais recente sobre o preço de exercício. Esse valor (338 – 300) × 100 = US$3.800, no exemplo, é adicionado à conta margem do investidor.

Tabela 13.3 – Preços de fechamento das opções sobre futuros publicados no *Wall Street Journal* de 15/3/2001

FUTURES OPTIONS PRICES

Thursday, March 15, 2001

AGRICULTURAL

Corn (CBT)
5,000 bu.; cents per bu.

STRIKE PRICE	CALLS-SETTLE Apr	May	Jly	PUTS-SETTLE Apr	May	Jly
190	...	20¾	...	...	⅛	1
200	...	12	...	⅛	1¼	2¾
210	...	5¼	14½	2	4¾	6
220	½	2¼	9⅝	9¼	11½	11⅛
230	⅛	⅞	6⅜	19¼	20	17¼
240	⅛	½	4½	...	29½	25½

Est vol 25,000 Wd 10,993 calls 6,347 puts
Op int Wed 265,371 calls 147,975 puts

Soybeans (CBT)
5,000 bu.; cents per bu.

STRIKE PRICE	CALLS-SETTLE Apr	May	Jly	PUTS-SETTLE Apr	May	Jly
400	...	46	53¼	...	½	2¼
420	...	28	36¾	¼	2¼	5½
440	8½	13¾	23⅞	3	8½	12¾
460	1⅛	5¾	15¼	15¾	20	24
480	⅛	2¼	10½	34½	36½	38¼
500	⅛	¾	6¾	54½	55	54¾

Est vol 15,000 Wd 16,691 calls 6,884 puts
Op int Wed 122,249 calls 53,376 puts

Soybean Meal (CBT)
100 tons; $ per ton

STRIKE PRICE	CALLS-SETTLE Apr	May	Jly	PUTS-SETTLE Apr	May	Jly
140	...	...	...	0.10	0.85	...
145	...	...	...	0.25	1.50	3.75
150	...	5.00	...	...	3.25	5.75
155	1.00	2.75	4.75	4.00	5.85	8.75
160	0.10	1.50	3.35	8.25	9.80	12.40
165	...	0.90	2.35	...	13.90	16.40

Est vol 2,500 Wd 2,266 calls 3,582 puts
Op int Wed 21,870 calls 18,231 puts

Soybean Oil (CBT)
60,000 lbs.; cents per lb.

STRIKE PRICE	CALLS-SETTLE Apr	May	Jly	PUTS-SETTLE Apr	May	Jly
150	1.100	1.150	1.590	.030	.090	.160
155	...	.750	1.200	.060	.190	.280
160	.250	.450	.920	.200	.400	.500
165	.100	.260	.700	.520	.700	.770
170	.030	.150	.550	...	1.090	1.120
175	.005	.090	.400	...	...	...

Est vol 1,400 Wd 598 calls 350 puts
Op int Wed 40,326 calls 16,503 puts

Wheat (CBT)
5,000 bu.; cents per bu.

STRIKE PRICE	CALLS-SETTLE Apr	May	Jly	PUTS-SETTLE Apr	May	Jly
250	...	24¼	36½	⅛	½	2
260	...	16	28¾	¼	2¼	4
270	5	9½	22	1¼	5¾	7¼
280	1½	5½	16½	7¾	11¾	11½
290	½	2⅞	12	...	19	17
300	⅛	1⅜	9	...	28	24

Est vol 12,000 Wd 1,397 calls 1,133 puts
Op int Wed 72,666 calls 50,935 puts

Cotton (NYBOT)
50,000 lbs.; cents per lb.

STRIKE PRICE	CALLS-SETTLE May	Jly	Oct	PUTS-SETTLE May	Jly	Oct
48	...	4.25	...	0.80	1.00	...
49	...	...	...	1.10	1.33	...
50	1.70	3.01	...	1.61	1.73	...
51	1.26	...	...	2.17	2.18	...
52	0.93	2.02	...	2.83	2.71	...
53	0.68	1.71	...	3.58	3.38	...

Est vol 8,300 Wd 3,159 calls 1,262 puts
Op int Wed 73,892 calls 39,850 puts

Orange Juice (NYBOT)
15,000 lbs.; cents per lb.

STRIKE PRICE	CALLS-SETTLE May	Jly	Sep	PUTS-SETTLE May	Jly	Sep
60	...	...	...	...	...	...
65	...	...	...	0.10	...	...
70	5.05	8.80	...	0.35	...	0.65
75	1.55	5.15	8.20	1.75	1.85	1.65
80	0.35	2.65	5.60	5.65	4.15	3.50
85	0.20	1.30	...	10.45	7.70	6.50

Est vol 300 Wd 124 calls 30 puts
Op int Wed 14,097 calls 14,686 puts

Coffee (NYBOT)
37,500 lbs.; cents per lb.

STRIKE PRICE	CALLS-SETTLE May	Jun	Jly	PUTS-SETTLE May	Jun	Jly
55	6.33	9.46	9.88	0.35	0.55	1.00
57.5	4.44	7.47	8.10	0.95	1.05	1.70
60	3.00	5.88	6.57	1.90	1.95	2.65
62.5	1.90	4.44	5.29	3.40	3.00	3.85
65	1.20	3.40	4.25	5.19	4.44	5.29
67.5	0.75	2.50	3.40	7.23	6.03	6.92

Est vol 3,176 Wd 1,898 calls 1,213 puts
Op int Wed 44,460 calls 14,659 puts

Sugar-World (NYBOT)
112,000 lbs.; cents per lb.

STRIKE PRICE	CALLS-SETTLE May	Jun	Jly	PUTS-SETTLE May	Jun	Jly
800	0.98	0.70	0.81	0.06	0.28	0.39
850	0.58	0.45	0.56	0.16	0.53	0.64
900	0.31	0.27	0.38	0.39	0.85	0.96
950	0.14	0.16	0.25	0.72	1.23	1.32
1000	0.06	0.09	0.16	1.14	1.66	1.73
1050	0.02	0.05	0.11	1.60	2.12	2.18

Est vol 5,293 Wd 5,532 calls 1,636 puts
Op int Wed 68,646 calls 52,440 puts

Cocoa (NYBOT)
10 metric tons; $ per ton

STRIKE PRICE	CALLS-SETTLE May	Jun	Jly	PUTS-SETTLE May	Jun	Jly
900	117	135	142	2	8	15
950	75	97	107	10	19	30
1000	42	67	81	27	39	53
1050	20	42	57	55	64	79
1100	10	26	42	93	98	113
1150	7	16	31	142	137	152

Est vol 2,376 Wd 369 calls 450 puts
Op int Wed 25,586 calls 18,254 puts

OIL

Crude Oil (NYM)
1,000 bbls.; $ per bbl.

STRIKE PRICE	CALLS-SETTLE Apr	May	Jun	PUTS-SETTLE Apr	May	Jun
2550	1.05	1.97	2.44	0.01	0.66	0.98
2600	0.55	1.66	2.13	0.01	0.84	1.17
2650	0.05	1.37	1.85	0.01	1.05	1.38
2700	0.01	1.11	1.57	0.45	1.29	1.60
2750	0.01	0.90	1.35	0.95	1.58	1.88
2800	0.01	0.69	1.13	.45	1.87	2.15

Est vol 50,195 Wd 15,823 calls 23,794 puts
Op int Wed 298,568 calls 366,294 puts

Heating Oil No.2 (NYM)
42,000 gal.; $ per gal.

STRIKE PRICE	CALLS-SETTLE Apr	May	Jun	PUTS-SETTLE Apr	May	Jun
69	.0295	.0318	.0391	.0130	.0331	.0419
70	.0230	.0277	.0347	.0165	.0390	.0475
71	.0196	.0240	.0307	.0231	.0452	.0534
72	.0140	.0207	.0271	.0275	.0519	.0597
73	.0100	.0179	.0238	.0335	.0590	.0663
74	.0085	.0154	.0208	.0419	.0664	.0732

Est vol 4,562 Wd 1,672 calls 1,373 puts
Op int Wed 37,794 calls 25,749 puts

Gasoline-Unlead (NYM)
42,000 gal.; $ per gal.

STRIKE PRICE	CALLS-SETTLE Apr	May	Jun	PUTS-SETTLE Apr	May	Jun
85	.0339	.0474	.0504	.0160	.0360	.0495
86	.0282	.0424	.0462	.0203	.0410	.0553
87	.0231	.0380	.0422	.0252	.0466	.0612
88	.0189	.0340	.0386	.0310	.0525	.0675
89	.0153	.0304	.0352	.0374	.0589	.0740
90	.0110	.0270	.0321	.0430	.0654	.0808

Est vol 3,077 Wd 1,768 calls 676 puts
Op int Wed 77,653 calls 23,889 puts

Natural Gas (NYM)
10,000 MMBtu.; $ per MMBtu.

STRIKE PRICE	CALLS-SETTLE Apr	May	Jun	PUTS-SETTLE Apr	May	Jun
485	.202	...	.476	.125	...	.327
490	.174	.331	.451	.147	.271	.351
495	.149	.305	...	.172	.296	...
500	.130	.283	.400	.203	.323	.400
505	.112	.258	.377	.235	.348	...
510	.096	.238	.354	.269	.378	.454

Est vol 15,918 Wd na calls na puts
Op int Wed 168,492 calls 212,884 puts

Brent Crude (IPE)
1,000 net bbls.; $ per bbl.

STRIKE PRICE	CALLS-SETTLE May	Jun	Jly	PUTS-SETTLE May	Jun	Jly
2400	1.51	2.06	2.50	0.50	0.84	1.21
2450	1.20	1.78	2.20	0.69	1.06	1.41
2500	0.93	1.54	1.92	0.92	1.32	1.63
2550	0.71	1.32	1.66	1.20	1.60	1.87
2600	0.53	1.11	1.43	1.52	1.89	2.14
2650	0.39	0.92	1.23	1.88	2.20	2.44

Est vol 700 Wd 600 calls 0 puts
Op int Wed 8,139 calls 12,408 puts

Gas Oil (IPE)
100 metric tons; $ per ton

STRIKE PRICE	CALLS-SETTLE Apr	May	Jun	PUTS-SETTLE Apr	May	Jun
20000	12.75	14.65	18.05	3.50	5.65	7.80
20500	9.60	12.00	15.20	3.53	8.00	9.95
21000	7.00	9.50	12.65	7.75	10.50	12.40
21500	4.85	7.65	10.45	10.60	13.65	15.20
22000	3.15	6.15	8.55	13.90	17.15	18.30
22500	2.00	4.70	6.95	...	20.70	21.70

Est vol 175 Wd 1,810 calls 0 puts
Op int Wed 3,799 calls 467 puts

LIVESTOCK

Cattle-Feeder (CME)
50,000 lbs.; cents per lb.

STRIKE PRICE	CALLS-SETTLE Mar	Apr	May	PUTS-SETTLE Mar	Apr	May
8450	...	...	...	...	...	...
8500	0.65	1.70	...	0.20	0.75	...
8550	...	...	...	...	...	...
8600	0.20	1.15	1.77	0.75	1.25	1.70
8650	0.12	...	...	...	...	...
8700	0.05	...	...	1.60	1.70	...

Est vol 628 Wd 376 calls 787 puts
Op int Wed 6,063 calls 20,057 puts

Cattle-Live (CME)
40,000 lbs.; cents per lb.

STRIKE PRICE	CALLS-SETTLE Apr	Jun	Aug	PUTS-SETTLE Apr	Jun	Aug
76	2.42	0.55	0.67	0.45	3.97	...
77	1.70	0.32	...	0.72	...	...
78	1.15	0.22	0.30	1.17	...	...
79	0.70	0.15	...	1.72	...	...
80	0.40	0.07	0.22	2.42	...	...
81	0.22	...	...	3.25	8.42	...

Tabela 13.3 – Preços de fechamento das opções sobre futuros publicados no *Wall Street Journal* de 15/3/2001

Est vol 3,375 Wd 1,688 calls 2,277 puts
Op int Wed 32,648 calls 63,310 puts

Hogs-Lean (CME)
40,000 lbs.; cents per lb.

STRIKE	CALLS-SETTLE			PUTS-SETTLE		
PRICE	Apr	Jun	Jly	Apr	Jun	Jly
64	3.47	7.92	5.67	1.80	1.10	2.50
65	2.87	7.20	....	2.20	1.35	....
66	2.32	6.55	4.45	2.65	1.70	3.25
67	1.85	5.97	....	....	2.10	....
68	1.50	5.37	3.45	....	2.50	4.20
69	1.20	4.80	....	....	2.90	....

Est vol 1,195 Wd 491 calls 568 puts
Op int Wed 7,287 calls 5,918 puts

METALS

Copper (CMX)
25,000 lbs.; cents per lb.

STRIKE	CALLS-SETTLE			PUTS-SETTLE		
PRICE	Apr	May	Jun	Apr	May	Jun
76	4.75	5.80	6.45	0.15	0.80	1.20
78	3.05	4.25	5.00	0.45	1.25	1.70
80	1.70	2.95	3.80	1.10	1.90	2.50
82	0.80	1.85	2.80	2.20	2.80	3.50
84	0.35	1.15	2.05	3.70	4.10	4.70
86	0.10	0.65	1.40	5.50	5.60	6.10

Est vol 125 Wd 26 calls 69 puts
Op int Wed 2,926 calls 942 puts

Gold (CMX)
100 troy ounces; $ per troy ounce

STRIKE	CALLS-SETTLE			PUTS-SETTLE		
PRICE	May	Jun	Aug	May	Jun	Aug
250	14.00	14.20	16.90	1.50	2.20	3.70
255	9.40	11.20	13.30	2.20	3.60	5.10
260	6.00	7.60	10.50	3.90	5.30	7.00
265	3.90	5.40	8.50	6.90	7.70	10.20
270	2.20	3.90	6.70	10.20	11.60	13.10
275	1.50	2.90	5.50	14.30	15.60	16.70

Est vol 13,000 Wd 5,232 calls 2,333 puts
Op int Wed 221,107 calls 68,332 puts

Silver (CMX)
5,000 troy ounces; cts per troy ounces

STRIKE	CALLS-SETTLE			PUTS-SETTLE		
PRICE	May	Jun	Jly	May	Jun	Jly
375	60.5	65.2	65.2	0.3	1.2	1.0
400	36.3	41.0	41.7	1.0	1.8	2.5
425	13.8	19.5	22.0	3.5	5.3	7.8
450	3.3	8.0	9.5	18.0	18.8	20.3
475	1.3	3.4	5.3	41.0	39.1	41.1
500	0.8	2.2	3.2	65.5	63.0	64.0

Est vol 1,500 Wd 1,708 calls 496 puts
Op int Wed 37,475 calls 12,284 puts

INTEREST RATE

T-Bonds (CBT)
$100,000; points - 64ths of 100%

STRIKE	CALLS-SETTLE			PUTS-SETTLE		
PRICE	Apr	May	Jun	Apr	May	Jun
104	2-11	2-35	2-61	0-03	0-28	0-54
105	1-20	1-54	2-20	0-11	0-47	1-13
106	0-41	1-18	1-49	0-32	1-10	1-41
107	0-16	0-54	1-19	1-06	1-46	....
108	0-05	0-34	0-60	1-61	....	2-52
109	0-01	0-19	0-44	....	....	3-33

Est vol 53,000;
Wd vol 42,385 calls 34,000 puts
Op int Wed 239,691 calls 181,312 puts

T-Notes (CBT)
$100,000; points - 64ths of 100%

STRIKE	CALLS-SETTLE			PUTS-SETTLE		
PRICE	Apr	May	Jun	Apr	May	Jun
105	1-34	1-53	2-10	0-04	0-23	0-44
106	0-46	1-11	1-33	0-16	0-45	1-04
107	0-16	0-45	1-04	0-50	....	1-38
108	0-05	0-25	0-46	....	....	2-16
109	0-02	0-14	0-30	2-35	....	2-63
110	0-01	....	0-19	....	....	3-51

Est vol 65,000 Wd 44,195 calls 41,055 puts
Op int Wed 346,907 calls 249,181 puts

5 Yr Treas Notes (CBT)
$100,000; points - 64ths of 100%

STRIKE	CALLS-SETTLE			PUTS-SETTLE		
PRICE	Apr	May	Jun	Apr	May	Jun
10450	1-11	2-13	1-37	0-03	0-16	0-30
10500	0-47	....	1-17	0-07	....	0-41
10550	0-26	1-23	0-63	0-18	0-38	0-55
10600	0-13	1-01	0-48	....	0-55	....
10650	0-05	0-46	0-36	....	....	....
10700	0-03	0-32	0-26	....	....	....

Est vol 23,000 Wd 12,507 calls 10,564 puts
Op int Wed 126,217 calls 97,191 puts

Eurodollar (CME)
$ million; pts of 100%

STRIKE	CALLS-SETTLE			PUTS-SETTLE		
PRICE	Mar	Apr	May	Mar	Apr	May
9450	5.92	10.30	....	0.00	0.00	....
9475	3.42	7.80	....	0.00	0.00	0.07
9500	0.95	5.30	5.50	0.02	0.00	0.22
9525	0.05	3.15	3.35	1.62	0.35	....
9550	0.00	1.50	....	....	1.20	....
9575	0.00	0.65	....	....	....	....

Est vol 233,398;
Wd vol 183,411 calls 101,539 puts
Op int Wed 1,845,759 calls 1,911,991 puts

1 Yr. Mid-Curve Eurodlr (CME)
$1 million contract units; pts of 100%

STRIKE	CALLS-SETTLE			PUTS-SETTLE		
PRICE	Mar	Apr	May	Mar	Apr	May
9475	6.20	4.25	4.65	0.00	0.30	....
9500	3.70	2.40	2.85	0.00	0.95	1.40
9525	1.30	1.10	1.65	0.10	....	....
9550	0.15	0.35	0.80	....	....	....
9575	0.00	0.10	....	....	....	....
9600	....	....	....	....	....	....

Est vol 72,910 Wd 60,260 calls 31,975 puts
Op int Wed 671,496 calls 460,417 puts

2 Yr. Mid-Curve Eurodlr (CME)
$1million contract units; pts of 100%

STRIKE	CALLS-SETTLE			PUTS-SETTLE		
PRICE	Mar	Jun		Mar	Jun	
9425	4.10	4.35	....	0.00	1.25	....
9450	1.65	2.90	....	0.05	2.25	....
9475	....	1.75	....	....	....	....
9500	....	....	....	....	....	....
9525	....	....	....	....	....	....
9550	....	....	....	....	....	....

Est vol 250 Wd 0 calls 0 puts
Op int Wed 16,185 calls 19,908 puts

Euribor (LIFFE)
Euro 1,000,000

STRIKE	CALLS-SETTLE			PUTS-SETTLE		
PRICE	Mar	Apr	May	Mar	Apr	May
95000	0.25	0.58	0.58	....	....	....
95125	0.12	0.46	0.46	....	....	0.00
95250	0.01	0.33	0.34	0.01	....	0.01
95375	....	0.22	0.24	0.12	0.01	0.03
95500	....	0.12	0.15	0.25	0.03	0.06
95625	....	0.05	0.09	0.37	0.09	0.13

Vol Th 48,655 calls 9,669 puts
Op int Wed 886,103 calls 752,794 puts

10 Yr. German Euro Gov't Bd (Eurobund) (Eurex)100,000;pts In 100%

STRIKE	CALLS-SETTLE			PUTS-SETTLE		
PRICE	Apr	May	Jun	Apr	May	Jun
10850	1.16	1.33	1.52	0.02	0.19	0.38
10900	0.72	0.98	1.19	0.08	0.33	0.55
10950	0.37	0.68	0.90	0.24	0.53	0.77
11000	0.15	0.45	0.67	0.52	0.81	1.03
11050	0.06	0.28	0.50	0.92	1.14	1.36
11100	0.01	0.17	0.36	1.37	1.52	1.72

Vol Th 55,671 calls 28,301 puts
Op int Wed 586,672 calls 353,718 puts

CURRENCY

Japanese Yen (CME)
12,500,000 yen; cents per 100 yen

STRIKE	CALLS-SETTLE			PUTS-SETTLE		
PRICE	Apr	May	Jun	Apr	May	Jun
8060	....	....	....	0.38	....	1.29
8100	....	....	3.12	0.51	0.98	1.44
8150	....	....	....	0.64	1.13	....
8200	1.54	....	....	0.84	1.32	1.80
8250	....	....	....	1.04	1.54	2.02
8300	0.95	....	1.96	1.25	1.78	2.26

Est vol 3,247 Wd 8,400 calls 9,234 puts
Op int Wed 39,710 calls 38,759 puts

Deutschemark (CME)
125,000 marks; cents per mark

STRIKE	CALLS-SETTLE			PUTS-SETTLE		
PRICE	Apr	May	Jun	Apr	May	Jun
4500	....	....	....	....	....	....
4550	....	....	....	....	....	....
4600	....	....	....	....	....	....
4650	....	....	....	....	....	....
4700	....	....	....	....	....	....
4750	....	....	....	....	....	....

Est vol 5 Wd 1 calls 1 puts
Op int Wed 440 calls 19 puts

Canadian Dollar (CME)
100,000 Can.$, cents per Can.$

STRIKE	CALLS-SETTLE			PUTS-SETTLE		
PRICE	Apr	May	Jun	Apr	May	Jun
6300	....	....	1.42	....	0.21	0.35
6350	....	....	....	0.17	0.33	0.51
6400	....	....	0.80	0.35	0.53	0.72
6450	0.22	0.40	....	0.64	....	0.98
6500	0.10	0.25	0.40	1.02	1.16	1.31
6550	0.05	....	0.28	1.47	....	1.68

Est vol 176 Wd 370 calls 376 puts
Op int Wed 15,899 calls 3,557 puts

British Pound (CME)
62,500 pounds; cents per pound

STRIKE	CALLS-SETTLE			PUTS-SETTLE		
PRICE	Apr	May	Jun	Apr	May	Jun
1420	....	....	3.48	0.62	....	1.76
1430	....	....	....	0.98	1.72	....
1440	1.24	....	2.46	1.50	....	2.72
1450	0.84	1.46	1.98	2.10	2.72	3.22
1460	0.52	1.08	1.58	2.78	3.22	3.82
1470	0.30	0.80	1.32	3.56	3.82	4.54

Est vol 258 Wd 68 calls 231 puts
Op int Wed 4,499 calls 3,507 puts

Swiss Franc (CME)
125,000 francs; cents per franc

STRIKE	CALLS-SETTLE			PUTS-SETTLE		
PRICE	Apr	May	Jun	Apr	May	Jun
5750	1.51	....	....	....	....	....
5800	....	....	....	....	....	1.00
5850	....	....	....	0.52	....	....
5900	0.57	....	1.28	0.78	....	1.48
5950	0.39	....	....	1.10	....	....
6000	0.27	....	0.89	1.48	....	2.08

Est vol 410 Wd 79 calls 177 puts
Op int Wed 6,888 calls 3,808 puts

INDEX

DJ Industrial Avg (CBOT)
$100 times premium

STRIKE	CALLS-SETTLE			PUTS-SETTLE		
PRICE	Mar	Apr	May	Mar	Apr	May
98	....	49.20	....	0.05	18.80	....
99	....	....	....	0.15	21.95	....
100	2.50	....	....	2.15	25.60	36.00
101	0.05	30.20	....	7.50	29.70	....
102	0.05	24.85	35.00	17.50	34.30	....
103	0.05	20.50	....	27.50	39.95	....

Est vol 1,100 Wd 974 calls 1,839 puts
Op int Wed 7,614 calls 11,905 puts

S&P 500 Stock Index (CME)
$250 times premium

STRIKE	CALLS-SETTLE			PUTS-SETTLE		
PRICE	Mar	Apr	May	Mar	Apr	May
1165	....	....	....	2.90	30.80	44.00
1170	7.80	47.30	....	4.50	32.70	46.00
1175	5.00	44.30	....	6.70	34.70	48.10
1180	3.00	41.50	....	9.70	36.80	50.20
1185	1.70	38.70	47.80	13.40	39.00	52.20
1190	1.10	36.00	45.40	17.80	41.30	54.50

Est vol 22,943 Wd 10,913 calls 32,911 puts
Op int Wed 111,149 calls 220,300 puts

Se o investidor fechar a posição imediatamente, o ganho no contrato futuro será (340 – 338) × 100, ou US$200. O *payoff* total do exercício do contrato de opção sobre futuro é, portanto, de US$4.000. Isso corresponde ao preço do contrato futuro de julho no momento de exercício menos o preço de exercício. Se o investidor mantiver o contrato futuro, a margem adicional será requerida. O exemplo está sumarizado na Tabela 13.1.

O investidor que vende (ou lança) a opção de compra sobre futuros recebe um prêmio, mas toma o risco de exercício do contrato. Quando o contrato é exercido, o investidor assume posição vendida em futuro. O montante igual a $F - X$ é deduzido da conta margem do investidor, onde F é o preço de ajuste mais recente. A *clearinghouse* providencia que essa soma seja transferida à contraparte, ou seja, ao titular que exerceu a opção.

Opções de venda sobre futuros funcionam de forma análoga às opções de compra. Considere o investidor que compra a opção de venda sobre futuros de milho para setembro ao preço de exercício de 200 *cents* por *bushel*. Cada contrato corresponde a 5.000 *bushels* de milho. Se a opção de venda sobre futuros for exercida, o investidor receberá uma posição *short* em futuro mais valor em dinheiro. Suponha que o contrato seja exercido quando o preço futuro para setembro seja 180 *cents* e o preço de ajuste mais recente seja 179 *cents*. O investidor recebe valor em dinheiro igual ao excesso do preço de exercício sobre o preço de ajuste mais recente. O valor recebido, no exemplo, (2,00 – 1,79) × 5.000 = US$1.050, é adicionado à conta margem do investidor. Se o investidor fechar a posição no contrato futuro imediatamente, a perda no contrato futuro será (1,80 – 1,79) × 5.000 = US$50. Portanto, o *payoff* total proveniente do exercício da opção sobre futuro é igual a US$1.000. Isso corresponde ao preço de exercício menos o preço futuro no momento do exercício. Assim, como no caso da opção de compra, a margem adicional será requerida se o investidor decidir manter a posição futura. Esse exemplo está sumarizado na Tabela 13.2.

O investidor do outro lado da transação (ou seja, o investidor que vende a opção de venda sobre futuros) obtém posição longa em futuros quando a opção é exercida e o excesso do preço de exercício sobre o preço de ajuste mais recente é deduzido de sua conta margem.

13.2 COTAÇÕES

Como mencionado, a maioria das opções sobre futuros é do tipo americano. Estas são referidas pelo mês em que os contratos futuros subjacentes vencem – não pelo mês de expiração da opção. A data de vencimento do contrato de opções sobre futuros ocorre em geral no mesmo dia, ou poucos dias antes, do vencimento mais próximo do contrato futuro subjacente. Por exemplo, as opções sobre os futuros do índice S&P 500 expiram no mesmo dia dos contratos futuros subjacentes. O contrato de opção sobre futuro de moeda da CME expira dois dias úteis antes do vencimento dos contratos futuros. As opções sobre futuros de bônus do Tesouro (dos Estados Unidos) da CBOT expiram na primeira sexta-feira que precede os últimos cinco dias úteis do fim do mês, exatamente antes do mês de vencimento do contrato futuro. A exceção é o contrato de *mid-curve* sobre futuros de eurodólar[N.T.], negociado na CME, em que o contrato futuro expira um ou dois anos depois das opções.

A Tabela 13.3 traz as cotações para os contratos de opções sobre futuros publicadas pelo *Wall Street Journal*, em 16 de março de 2001. Os contratos mais populares incluem aqueles sobre milho, soja, trigo, açúcar, petróleo, óleo para aquecimento, gás natural, ouro, bônus do Tesouro [*Treasury bonds*], notas do Tesouro [*Treasury notes*], notas do Tesouro de cinco anos, eurodólares, *one-year-mid-curve* eurodólares, euribor, eurobonds e S&P 500.

13.3 RAZÕES PARA A POPULARIDADE DAS OPÇÕES SOBRE FUTUROS

É natural perguntar por que os investidores escolhem negociar opções sobre futuros em vez de opções sobre o ativo subjacente ou ativo-objeto [*underlying asset*]. Aparentemente, a principal razão é que o contrato futuro é, em muitas circunstâncias, mais líquido ou mais fácil de negociar do que o ativo subjacente. Além disso, o preço futuro é conhecido imediatamente a partir de sua negociação na bolsa, enquanto o preço a vista do ativo subjacente pode não ser prontamente conhecido.

Considere os bônus do Tesouro. O mercado para futuros sobre bônus do Tesouro é muito mais ativo que o mercado para qualquer bônus do Tesouro. Adicionalmente, seu preço futuro é conhecido imediatamente a partir das negociações na Chicago Board of Trade. Em contraste, o preço corrente de um bônus no mercado pode ser obtido apenas ao se entrar em contato com um ou mais *dealers*.

Não é surpresa que os investidores preferirão receber a entrega de contratos futuros de bônus do Tesouro do que os próprios bônus do Tesouro.

Futuros sobre commodities são também freqüentemente mais fáceis de ser negociados do que as próprias commodities. Por exemplo, é muito mais fácil e mais conveniente realizar ou receber a entrega de contratos futuros de suínos vivos do que receber ou entregar esses animais.

Um aspecto importante quanto a opções sobre futuros é que o exercício não implica necessariamente a entrega do ativo subjacente, à medida que, na maioria das vezes, o contrato futuro subjacente é fechado antes da data de entrega. Em geral, as opções sobre futuros são liquidadas em dinheiro. Isso é atrativo para muitos investidores, particularmente para aqueles que possuem capital limitado, os quais podem ter dificuldades para levantar fundos com o objetivo de comprar o ativo subjacente quando uma opção é exercida.

Outra vantagem que às vezes é citada consiste no fato de as opções sobre futuros serem negociadas em rodas de negociação [*pits*] dispostas lado a lado na mesma bolsa.

[N.T.] *Mid-curve options* são opções cujo ativo subjacente é um contrato futuro com vencimento distante. Possuem vencimento bastante anterior ao contrato futuro subjacente. Os contratos de opção de eurodólares *one-year mid-curve* possuem vencimento em três meses; o contrato futuro subjacente expira 12 meses após o vencimento da opção.

Isso facilita a atividade de *hedge*, arbitragem e especulação. Também tende a fazer os mercados mais eficientes.

Finalmente, opções sobre futuros, em muitas situações, têm custos de transação mais baixos que as opções sobre spot.

13.4 PARIDADE *PUT–CALL*

No Capítulo 8, derivou-se a relação denominada paridade *put–call* para opções européias sobre ações. Aqui, trata-se de uma teoria similar para derivar a paridade *put–call* para opções européias sobre futuros.

Considere uma opção de compra e uma opção de venda européias sobre futuros, com preço de exercício X e tempo até a expiração T. Podem ser criados dois portfólios:

- portfólio A: uma opção de compra européia sobre futuros mais o montante em dinheiro igual a Xe^{-rT};
- portfólio B: uma opção de venda européia sobre futuros mais uma posição longa no contrato futuro mais o valor em dinheiro igual a F_0e^{-rT}, onde F_0 é o preço futuro.

Em A, o dinheiro pode ser investido à taxa de juro livre de risco, r, aumentando para X na data T. Seja F_T o preço futuro na data de maturidade da opção. Se $F_T > X$, a opção de compra será exercida e o portfólio valerá F_T. Se $F_T \leq X$, a opção de compra não será exercida e o portfólio valerá X. Portanto, o valor do portfólio A na data T é:

$$\text{máx}\,(F_T, X)$$

No portfólio B, o dinheiro pode ser investido à taxa de juro livre de risco, aumentando para F_0 na data T. A opção de venda proporciona *payoff* de máx $(X - F_T, 0)$. O contrato futuro proporciona *payoff* de $F_T - F_0$[1]. Portanto, o valor do portfólio B na data T é:

$$F_0 + (F_T - F_0) + \text{máx}\,(X - F_T, 0) = \text{máx}\,(F_T, X)$$

Como os dois portfólios têm o mesmo valor na data T e não há oportunidade de exercício antecipado, possuem o mesmo valor hoje. O valor do portfólio A hoje é:

$$c + Xe^{-rT}$$

onde c é o preço da opção de compra sobre futuros. O processo de marcação a mercado assegura que o contrato futuro no portfólio B vale zero hoje. O portfólio B, portanto, vale:

---

[1] Essa análise assume que o contrato futuro é igual ao contrato forward e é liquidado apenas no final de sua vida em vez de diariamente.

$$p + F_0 e^{-rT}$$

onde p é o preço da opção de venda sobre futuros. Logo:

$$c + Xe^{-rT} = p + F_0 e^{-rT} \tag{13.1}$$

Exemplo

Suponha que o preço de uma opção de compra européia sobre futuros de prata para entrega em seis meses seja US$0,56 por onça quando o preço de exercício for US$8,50. Assuma que o preço futuro da prata para entrega em seis meses seja igual a US$8 e a taxa de juro livre de risco para seis meses seja 10% ao ano. Rearranjando a equação (13.1), o preço da opção de venda européia sobre futuros de prata com o mesmo vencimento e data de exercício da opção de compra é:

$$0,56 + 8,50e^{-0,1\times 6/12} - 8,00e^{-0,1\times 6/12} = 1,04$$

Para opções americanas, a paridade *put–call* é (ver o problema 13.19):

$$F_0 e^{-rT} - X < C - P < F_0 - Xe^{-rT} \tag{13.2}$$

13.5 LIMITES PARA OPÇÕES SOBRE FUTUROS

A paridade *put–call* na equação (13.1) fornece os limites para as opções de compra e de venda européias. Como o preço de uma *put*, p, não pode ser negativo, tem-se da equação (13.1) que:

$$c + Xe^{-rT} \geq F_0 e^{-rT}$$

ou

$$c \geq (F_0 - X)e^{-rT} \tag{13.3}$$

De modo similar, como o preço de uma opção de compra não pode ser negativo, tem-se pela equação (13.1) que:

$$Xe^{-rT} \leq F_0 e^{-rT} + p$$

ou

$$p \geq (X - F_0)e^{-rT} \tag{13.4}$$

Esses limites são similares àqueles derivados para opções européias sobre ações no Capítulo 8. Os preços das opções de compra e de venda européias são muito próximos de seus limites inferiores quando as opções estão muito dentro do dinheiro. Para examinar a razão desse fato, retorna-se à paridade *put–call* na equação (13.1). Quando a opção de compra está muito dentro do dinheiro, a opção de venda correspondente está muito fora do dinheiro. Isso significa que p é próximo de zero. A diferença entre c e seu limite inferior é igual a p, de tal maneira que o preço da opção de compra deve ser muito próximo de seu limite inferior. Raciocínio semelhante pode ser usado para as opções de venda.

Como as opções americanas sobre futuro podem ser exercidas a qualquer tempo, tem-se:

$$C \geq F_0 - X$$

e

$$P \geq X - F_0$$

Assim, se as taxas de juro forem positivas, o limite inferior para uma opção americana será sempre maior que o limite inferior para uma opção européia. Isso se deve ao fato de que sempre há alguma chance de que o exercício antecipado da opção americana possa ser realizado.

13.6 APREÇAMENTO DE OPÇÕES SOBRE FUTUROS COM ÁRVORES BINOMIAIS

Nesta seção, utiliza-se o método da árvore binomial, similar àquele desenvolvido no Capítulo 10, para apreçar opções sobre futuros. A principal diferença entre opções sobre futuros e opções sobre ações consiste no fato de não existirem pagamentos antecipados quando se entra em um contrato futuro.

Suponha que o preço futuro corrente seja 30 e que irá se mover para cima até 33 ou para baixo até 28 no próximo mês. Considere a opção de compra sobre futuros com vencimento em um mês e preço de exercício igual a 29. A situação está indicada na Figura 13.1. Se o preço futuro se mover para 33, o *payoff* da opção será igual a 4 e o valor dos contratos futuros igual a 3. Se o preço futuro chegar a 28, o *payoff* da opção será igual a 0 e o valor do contrato futuro igual a – 2.

Para criar *hedge* sem risco, considere um portfólio composto de posição *short* em um contrato de opção e posição longa em Δ contratos futuros. Se o preço futuro subir para 33, o valor do portfólio será $3\Delta - 4$; se cair para a 28, será -2Δ. O portfólio é sem risco quando os dois valores são iguais, ou seja, quando:

$$3\Delta - 4 = -2\Delta$$

ou $\Delta = 0{,}8$.

Para esse valor de Δ, sabe-se que o portfólio valerá 3 × 0,8 – 4 = –1,6 em um mês. Assumindo-se a taxa de juro livre de risco de 6%, o valor do portfólio hoje deve ser:

$$-1,6^{-0,06\times 1/12} = -1,592$$

O portfólio consiste em uma posição *short* em opção e Δ contratos futuros. Como o valor do contrato futuro hoje é zero, o valor da opção hoje deve ser de 1,592.

Generalização

Pode-se generalizar essa análise considerando-se um preço futuro que começa em F_0 e suba para F_0u ou caia para F_0d no período de tempo T. Suponha uma opção com vencimento na data T com *payoff* de f_u, se o preço futuro subir; e de f_d, se esse preço cair. A situação está resumida na Figura 13.2.

Figura 13.1 – Movimentos dos preços futuros em exemplo numérico

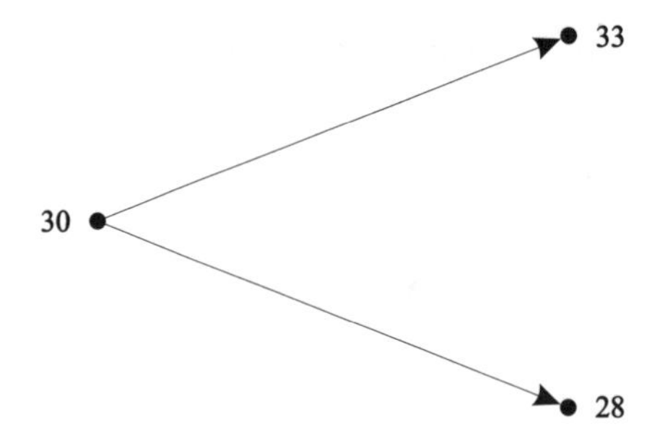

Figura 13.2 – Preço futuro e da opção em situação genérica

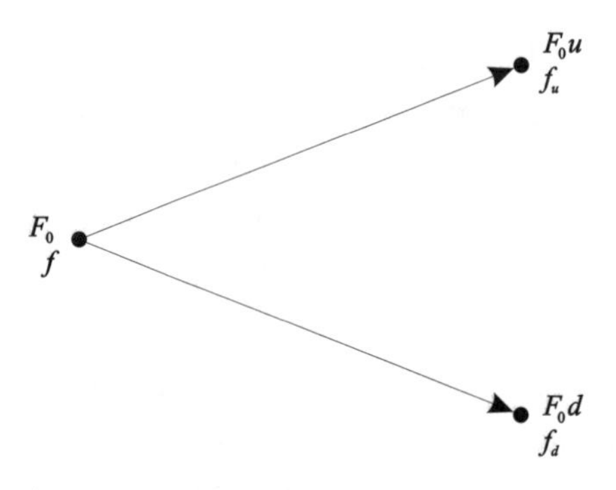

O portfólio sem risco, nesse caso, consiste em posição *short* em uma opção combinada com posição longa em Δ contratos futuros, onde:

$$\Delta = \frac{f_u - f_d}{F_0u - F_0d}$$

Portanto, o valor do portfólio na data *T* será sempre:

$$(F_0u - F_0)\Delta - f_u$$

Denotando-se a taxa de juro livre de risco por *r,* obtém-se o valor do portfólio hoje:

$$\left[(F_0u - F_0)\Delta - f_u\right]e^{-rT}$$

Outra expressão para o valor presente do portfólio é $-f$, onde f é o valor da opção hoje. Isso permite deduzir que:

$$-f = \left[(F_0u - F_0)\Delta - f_u\right]e^{-rT}$$

Substituindo-se o valor de Δ e simplificando-se, pode-se reduzir a equação a:

$$f = e^{-rT}\left[pf_u + (1-p)f_d\right] \qquad (13.5)$$

onde

$$p = \frac{1-d}{u-d} \qquad (13.6)$$

No exemplo numérico, considerado previamente (ver a Figura 13.1), $u = 1{,}1$; $d =$ 0,9333; $r = 0{,}06$; $T = 1/12$; $f_u = 4$; e $f_d = 0$. Da equação (13.6), tem-se:

$$p = \frac{1-0{,}9333}{1{,}1-0{,}9333} = 0{,}4$$

e da equação (13.5), tem-se:

$$f = e^{-0{,}06\times 1/12}\left[0{,}4\times 4 + 0{,}6\times 0\right] = 1{,}592$$

Esse resultado está de acordo com o obtido anteriormente para esse exemplo.

13.7 PREÇO FUTURO COMO ATIVO QUE PROPORCIONA RENDIMENTO

Existe um resultado geral que permite que a análise das opções sobre futuros seja análoga à análise de opções sobre ações que pagam rendimento de dividendos (ou seja, pagam dividendos a determinada taxa). Esse resultado baseia-se no fato de que os preços futuros se comportam da mesma forma que uma ação que paga renda de dividendos a uma taxa de juro doméstica livre de risco, r.

Há indicação de que essa analogia pode ser feita quando comparadas as equações (13.5) e (13.6) com as equações (12.7) e (12.8). Os dois conjuntos de equações são idênticos quando se estabelece $q = r$. Outra indicação é que os limites inferiores e a paridade *put–call* para os preços das opções sobre futuros são os mesmos das opções sobre ações que pagam dividendos à taxa q, quando o preço da ação é substituído pelo preço futuro e $q = r$.

Entende-se o resultado quando se observa que o contrato futuro não requer investimento. Em um mundo *risk-neutral*, o lucro esperado da manutenção de uma posição em investimento que custa zero deve ser zero. Logo, o *payoff* esperado de um contrato futuro deve ser zero. Deduz-se, então, que a taxa de crescimento esperada do preço futuro também deve ser zero. Como realçado no Capítulo 12, uma ação, que paga dividendos à taxa q, cresce à taxa esperada $r - q$ em um mundo *risk-neutral*. Estabelecendo-se $q = r$, a taxa de crescimento esperada do preço da ação será zero, tornando-a análoga ao preço futuro.

13.8 MODELO DE BLACK PARA APREÇAMENTO DAS OPÇÕES SOBRE FUTUROS

As opções européias podem ser apreçadas com as equações (12.4) e (12.5) com $q = r$. Fisher Black foi o primeiro a mostrar isso em artigo publicado em 1976. A suposição básica é que os preços futuros têm a mesma propriedade lognormal assumida para os preços das ações no Capítulo 11. O preço da opção de compra européia, c, e o preço da opção de venda européia, p, para opções sobre futuros são dados pelas equações (12.4) e (12.5) com S_0 sendo substituído por F_0 e $q = r$:

$$c = e^{-rT}\left[F_0 N(d_1) - XN(d_2)\right] \tag{13.7}$$

$$p = e^{-rT}\left[XN(-d_2) - F_0 N(-d_1)\right] \tag{13.8}$$

onde

$$d_1 = \frac{\ln(F_0/X) + \sigma^2 T/2}{\sigma\sqrt{T}}$$

$$d_2 = \frac{\ln(F_0/X) - \sigma^2 T/2}{\sigma\sqrt{T}} = d_1 - \sigma\sqrt{T}$$

e σ é a volatilidade do preço futuro. Quando custo de carregamento e *convenience yield* são funções apenas do tempo, verifica-se que a volatilidade do preço futuro é igual à volatilidade do ativo subjacente. Note que a fórmula de Black não requer que os contratos futuros e de opções sobre futuros vençam na mesma data.

Exemplo

Considere uma opção de venda européia sobre futuros de petróleo. O tempo até a maturidade é de quatro meses, o preço futuro corrente é US\$20, o preço de exercício é US\$20, a taxa de juro livre de risco é 9% ao ano e a volatilidade do preço futuro é igual a 25% ao ano. Nesse caso, $F_0 = 20$; $X = 20$; $r = 0{,}09$; $T = 4/12$; $\sigma = 0{,}25$; e $\ln(F_0 / X) = 0$, de tal modo que:

$$d_1 = \frac{\sigma\sqrt{T}}{2} = 0{,}07216$$

$$d_2 = -\frac{\sigma\sqrt{T}}{2} = -0{,}07216$$

$$N(-d_1) = 0{,}4712 \quad N(-d_2) = 0{,}5288$$

e o preço da opção de venda, p, é dado por:

$$p = e^{-0{,}09\times 4/12}\left(20\times 0{,}5288 - 20\times 0{,}4712\right) = 1{,}12$$

ou US\$1,12.

13.9 COMPARAÇÃO DOS PREÇOS DAS OPÇÕES SOBRE FUTUROS COM OS PREÇOS DAS OPÇÕES SOBRE AÇÕES

O *payoff* de uma opção de compra européia sobre spot com preço de exercício X é:

$$\text{máx}\ (S_T - X, 0)$$

onde S_T é o preço spot na data de vencimento da opção. O *payoff* da opção de compra européia sobre futuros com mesmo preço de exercício é:

$$\text{máx}\ (F_T - X, 0)$$

onde F_T é o preço futuro na data de vencimento da opção. Se as opções européias sobre futuro vencerem na mesma data dos contratos futuros, $F_T = S_T$ e as duas opções serão teoricamente equivalentes. Se as opções de compra sobre futuros européias vencerem antes do contrato futuro, estas deverão valer mais que sua correspondente opção sobre spot em um mercado normal (onde os preços futuros são maiores que os preços spot) e deverão valer menos que sua correspondente opção sobre spot em um mercado invertido (onde os preços futuros são menores que os preços spot)[2].

De maneira similar, a opção de venda européia sobre futuros valerá o mesmo que sua correspondente opção sobre spot se a opção vencer na mesma data do contrato futuro. Se a opção de venda européia sobre futuros vencer antes do contrato futuro, valerá menos que sua correspondente opção sobre spot em um mercado normal e valerá mais que sua correspondente opção sobre spot em um mercado invertido.

Resultados para opções americanas

As opções sobre futuros negociadas são, em geral, americanas. Assumindo-se que a taxa de juro livre de risco, r, seja positiva, haverá sempre alguma chance de que o exercício antecipado venha a ser vantajoso. As opções americanas sobre futuros, portanto, valem mais que suas correspondentes européias. Os procedimentos numéricos para apreçar opções americanas sobre futuros são analisados no Capítulo 17.

Nem sempre a opção americana sobre futuro vale o mesmo que sua correspondente opção americana sobre o ativo subjacente (ou seja, sobre o spot), quando os contratos futuros e de opções têm a mesma maturidade. Suponha, por exemplo, que haja mercado normal com os preços futuros consistentemente maiores que os preços spot, antes da data de vencimento. Isso acontece para a maioria dos índices de ações, ouro, prata, moedas que pagam baixas taxas de juro e algumas commodities. A opção americana de compra sobre futuro deve valer mais que sua correspondente opção americana de compra sobre o ativo subjacente. A razão é que, em algumas situações, a opção sobre futuro pode ser exercida antecipadamente e, nesse caso, proporcionará ganho maior ao titular da opção. De forma similar, a opção americana de venda sobre futuro deve valer menos que sua correspondente opção americana de venda sobre o ativo-objeto. Se houver mercado invertido com os preços futuros consistentemente menores que os preços spot, como é o caso de moedas que pagam altas taxas de juro e algumas commodities, o inverso poderá ser verdadeiro. Opções americanas de compra sobre futuro valem menos que suas correspondentes opções de compra sobre o ativo subjacente, enquanto opções americanas de venda sobre futuro valem mais que suas correspondentes opções de venda sobre o ativo subjacente.

Essas diferenças entre opções americanas sobre futuro e opções americanas sobre ativos também se verificam quando os contratos futuros possuem vencimento posterior às opções, assim como quando ambos expiram juntos. Na verdade, as diferenças tendem a ser maiores quanto mais distante for a data de vencimento do contrato futuro.

---

[2] A opção sobre spot "correspondente" à opção sobre futuro é definida aqui como uma opção com mesmo preço de exercício e mesma data de expiração.

13.10 SUMÁRIO

Opções sobre futuros exigem a entrega do contrato futuro subjacente na data de exercício. Quando a *call* é exercida, o titular recebe posição longa em futuro mais valor em dinheiro igual ao excesso do preço futuro sobre o preço de exercício. Similarmente, quando a *put* é exercida, o titular adquire posição vendida mais valor em dinheiro igual ao excesso do preço de exercício sobre o preço futuro. O contrato futuro, em geral, vence um pouco depois da opção.

O preço futuro comporta-se da mesma forma que o preço de uma ação que proporciona renda de dividendos igual à taxa de juro livre de risco, r. Isso significa que os resultados produzidos no Capítulo 12 para opções que pagam rendimento de dividendos se aplicam às opções sobre futuros quando substituído o preço da ação pelo preço futuro e quando se estabelece o rendimento de dividendo igual à taxa de juro livre de risco.

Fórmulas para apreçamento de opções européias sobre futuro foram primeiramente produzidas por Fischer Black em 1976. Assume-se que o preço futuro tem volatilidade constante, de tal modo que os preços futuros são lognormalmente distribuídos na data de expiração da opção.

A opção européia sobre futuro irá valer o mesmo que sua correspondente opção européia sobre o ativo subjacente se as duas opções tiverem as mesmas datas de expiração. Isso não é verdade para opções americanas. Se o mercado futuro for normal, a opção americana sobre futuro valerá mais que a opção americana sobre o ativo subjacente, enquanto a opção de venda americana sobre futuros valerá menos que a opção de venda americana sobre o ativo subjacente. Se o mercado estiver invertido, valerá o contrário.

SUGESTÕES PARA LEITURAS COMPLEMENTARES

BLACK, F. The Pricing of Commodity Contracts. *Journal of Financial Economics* 3, pp. 167–179, 1976.

BRENNER, M.; COURTADON, G.; SUBRAHMANYAM, M. Options on Spot and Options on Futures. *Journal of Finance* 40, pp. 1303–1317, December 1985.

RAMASWAMY, K.; SUNDARESAN, S. M. The Valuation of Options on Futures Contracts. *Journal of Finance* 40, pp. 1319–1340, December 1985.

WOLF, A. Fundamentals of Commodity Options on Futures. *Journal of Futures Markets* 2, pp. 391–408, 1982.

PERGUNTAS RÁPIDAS (RESPOSTAS NO FINAL DO LIVRO)

13.1 Explique a diferença entre uma opção de compra sobre o iene e uma opção de compra sobre futuros de iene.

13.2 Por que as opções sobre futuros de bônus são mais negociadas do que as opções sobre bônus?

13.3 “Um preço futuro é igual a uma ação que paga rendimento de dividendos”. Qual é o rendimento dos dividendos?

13.4 O preço futuro corrente é 50. No fim de seis meses, será 56 ou 46. A taxa de juro livre de risco é 6% ao ano. Qual é o valor da opção de compra européia sobre futuros de seis meses com preço de exercício de 50?

13.5 Em que a fórmula da paridade *put–call* para opções sobre futuros difere da fórmula da paridade *put–call* para uma ação que não paga dividendos?

13.6 Considere uma opção de compra americana sobre futuros em que o contrato futuro e o contrato de opção expiram juntos. Sob que circunstâncias a opção sobre futuro vale mais que sua correspondente opção americana sobre o ativo subjacente?

13.7 Calcule o valor da opção de venda européia sobre futuros, com vencimento em cinco meses, quando preço futuro é US$19; o preço de exercício é US$20; a taxa de juro livre de risco é 12% ao ano e a volatilidade do preço futuro é 20% ao ano.

QUESTÕES E PROBLEMAS (RESPOSTAS NO MANUAL DE SOLUÇÕES)

13.8 Suponha que você compre um contrato de opção de venda sobre o futuro de ouro para outubro, com preço de exercício de US$400 a onça. Cada contrato implica a entrega de 100 onças. O que acontece se você exercer quando o preço do futuro de outubro for de US$380?

13.9 Suponha que você venda um contrato de opção de compra sobre o futuro de boi gordo para abril com preço de exercício de 70 *cents* por libra. Cada contrato implica a entrega de 40.000 libras. O que acontece se o contrato é exercido quando o preço futuro é de 75 *cents*?

13.10 Considere a opção de compra sobre futuros de dois meses de prazo com preço de exercício de 40, quando a taxa de juro livre de risco é 10% ao ano. O preço futuro corrente é de 47. Qual é o limite inferior para o valor da opção sobre futuro se for (a) européia e (b) americana?

13.11 Considere a opção de venda sobre futuros de quatro meses com preço de exercício de 50, quando a taxa de juro livre de risco é 10% ao ano. O preço futuro corrente é 47. Qual é o limite inferior para o valor da opção sobre futuro se for (a) européia e (b) americana?

13.12 O preço futuro corrente é 60. Sabe-se que no fim de cada um dos próximos dois trimestres o preço vai subir ou cair 10%. A taxa de juro livre de risco é 8% ao ano. Qual é o valor da opção de compra européia de seis meses sobre o futuro, com preço de exercício de 60? Se a opção de compra fosse americana, valeria a pena exercê-la antecipadamente?

13.13 No problema 13.12, qual é o valor da opção de venda sobre futuros européia de seis meses com preço de exercício de 60? Se a opção de venda fosse americana, valeria a pena exercê-la antecipadamente? Verifique se os preços das opções de compra calculados no problema 13.12 e os preços das opções de venda calculados aqui satisfazem as relações de paridade *put–call*.

13.14 O preço futuro corrente é igual a 25, a volatilidade é 30% ao ano e a taxa de juro livre de risco é 10% ao ano. Qual é o valor da opção de compra européia sobre futuros de nove meses de prazo com preço de exercício de 26?

13.15 O preço futuro corrente é igual a 70, a volatilidade é 20% ao ano e a taxa de juro livre de risco é 6% ao ano. Qual é o valor da opção de venda européia sobre futuros de cinco meses de prazo com preço de exercício de 65?

13.16 Suponha que o preço futuro corrente para um ano seja 35. A opção de compra européia sobre futuros de um ano e a opção de venda européia sobre futuros de um ano com preços de exercício de 34 valem, ambas, 2, no mercado. A taxa de juro livre de risco seja 10% ao ano. Identifique oportunidades de arbitragem.

13.17 "O preço da opção de compra européia sobre futuros, no dinheiro, sempre é igual ao preço da opção de venda européia sobre futuros, no dinheiro." Explique por que essa afirmação é verdadeira.

13.18 Suponha que o preço futuro corrente seja 30. A taxa de juro livre de risco, de 5% ao ano. A opção americana de compra sobre futuros de três meses, com preço de exercício igual a 28, vale 4. Calcule os limites para o preço da opção americana de venda sobre futuro de três meses com preço de exercício de 28.

13.19 Mostre que se C for o preço de uma opção de compra americana sobre futuros com preço de exercício X e maturidade T, e P for o preço de uma opção de venda americana sobre futuros com mesmo preço de exercício e mesma data de expiração, então:

$$F_0 e^{-r(T-t)} - X < C - P < F_0 - Xe^{-r(T-t)}$$

onde F_0 é o preço futuro e r a taxa de juro livre de risco. Assuma que $r > 0$ e que não há diferença entre contratos a termo e futuro (dica: use enfoque análogo àquele indicado para o problema 12.12).

QUESTÕES DE PROVA

13.20 O preço futuro corrente é igual a 40. Sabe-se que ao fim de três meses o preço será 35 ou 45. Qual será o valor de uma opção de compra sobre futuros européia de três meses com preço de exercício de 42 se a taxa de juro livre de risco for de 7% ao ano?

13.21 Calcule a volatilidade implícita dos preços do futuro de soja a partir das seguintes informações a respeito das opções de venda européias sobre futuro de soja:

- preço futuro corrente: 525;
- preço de exercício: 525;

- taxa de juro livre de risco: 6% ao ano;
- prazo: 5 meses;
- preço da opção de venda: 20.

13.22 Use o DerivaGem para calcular as volatilidades implícitas das opções sobre futuro de milho para maio da Tabela 13.3. Os preços futuros da Tabela 2.2 são os correntes e a taxa de juro livre de risco é 5% ao ano. Trate as opções como americanas e use 100 passos. As opções vencem em 21 de abril de 2001. Você pode tirar alguma conclusão a partir dos padrões de volatilidade implícita obtidos?

Capítulo

SMILES DE VOLATILIDADE

14

Quão próximos estão os preços de mercado e os apurados pelo modelo de Black e Scholes? Os *traders* realmente utilizam esse modelo quando determinam o preço de uma opção? As distribuições de probabilidade dos preços dos ativos são lognormais? Que pesquisas foram realizadas para testar a validade das fórmulas de Black e Scholes? Neste capítulo, essas questões são respondidas. Explica-se como os *traders* usam o modelo de Black e Scholes, embora não da forma que esses autores intencionavam. Isso se justifica pelo fato de indicarem que a volatilidade usada no apreçamento de uma opção seja uma função do preço de exercício e do tempo até o vencimento.

O gráfico da volatilidade implícita de uma opção como função de seu preço de exercício é conhecido como *smile de volatilidade*. Neste capítulo, descrevem-se os *smiles* de volatilidade utilizados nos mercados de ações e de moedas estrangeiras. Aborda-se a relação entre o *smile* de volatilidade e a distribuição de probabilidade assumida para o preço futuro do ativo. Discute-se também como os *traders* de opção consideram a volatilidade como função da maturidade e como usam matrizes de volatilidade como ferramentas de apreçamento. A parte final do capítulo resume alguns dos trabalhos que os pesquisadores realizaram para testar o modelo de Black e Scholes.

14.1 PARIDADE *PUT–CALL* REVISITADA

A paridade *put–call*, explicada nos Capítulos 8 e 12, proporciona um bom ponto de partida para o entendimento do *smile* de volatilidade. A paridade é uma importante relação entre o preço, c, de uma opção de compra européia e o preço, p, de uma opção de venda européia:

$$p + S_0e^{-qT} = c + Xe^{-rT} \qquad (14.1)$$

A *call* e a *put* têm o mesmo preço de exercício, X, e o mesmo tempo até a maturidade, T. A variável S_0 é o preço do ativo subjacente hoje, r é a taxa de juro livre de risco para a maturidade T, e q é o rendimento do ativo.

Uma das principais características da paridade *put–call* consiste no fato de estar fundamentada em uma simples teoria de arbitragem, não requerendo qualquer hipótese acerca da futura distribuição de probabilidade do preço do ativo. Isso vale tanto quando a distribuição dos preços do ativo for lognormal, quanto quando não for lognormal.

Suponha que, para determinado valor de volatilidade, p_{bs} e c_{bs} sejam os valores das opções européias de venda e de compra calculadas com o modelo de Black e Scholes. Suponha adicionalmente que p_{mkt} e c_{mkt} sejam os valores de mercado para essas opções. Como a paridade *put–call* se verifica para o modelo de Black e Scholes, tem-se:

$$p_{bs} + S_0 e^{-qT} = c_{bs} + Xe^{-rT}$$

Como a paridade também se verifica para os preços de mercado, tem-se:

$$p_{mkt} + S_0 e^{-qT} = c_{mkt} + Xe^{-rT}$$

Subtraindo-se uma equação da outra, tem-se:

$$p_{bs} - p_{mkt} = c_{bs} - c_{mkt} \tag{14.2}$$

Isso mostra que o erro do apreçamento em dólar, quando o modelo de Black e Scholes é utilizado para apreçar a opção de venda européia, deve ser exatamente o mesmo quando é usado para apreçar a opção de compra européia com o mesmo preço de exercício e tempo de maturidade.

Suponha que a volatilidade implícita para a opção de venda seja 22%. Isso significa que $p_{bs} = p_{mkt}$ quando a volatilidade de 22% é utilizada no modelo de Black e Scholes. Da equação (14.2), segue que $c_{bs} = c_{mkt}$ quando se emprega essa volatilidade. A volatilidade implícita da opção de compra é, portanto, 22%. Essa teoria mostra que a volatilidade implícita da opção de compra européia é sempre a mesma volatilidade implícita de uma opção de venda européia quando as duas têm o mesmo preço de exercício e a mesma data de maturidade. Colocando-se isso de outra maneira, para determinado preço de exercício e maturidade, a volatilidade correta para usar no modelo de Black e Scholes, com o objetivo de apreçar a opção de compra, deve sempre ser a mesma que a usada para apreçar a opção de venda européia. Isso se verifica em termos para as opções americanas. Desse modo, quando os *traders* se referem à relação entre a volatilidade implícita e o preço de exercício ou a relação entre a volatilidade implícita e a maturidade, não é preciso expressar se é uma opção de venda ou de compra. A relação é a mesma para ambas.

Exemplo

O valor do dólar australiano é US$0,60. A taxa de juro livre de risco é 5% ao ano nos Estados Unidos e 10% ao ano na Austrália. O preço de mercado para uma opção de compra européia sobre o dólar australiano, com maturidade de um ano e preço de exercício de US$0,59, é 0,0236. O software DerivaGem mostra que a volatilidade implícita da opção de compra é 14,5%. Para que não haja arbitragem, a paridade *put–call* na equação (14.1) deve ser verificada com q igual à taxa de juro externa livre de risco. O preço, p, da opção de venda européia com preço de exercício de US$0,59 e maturidade de um ano, portanto, satisfaz:

$$p + 0,60e^{-0,10\times 1} = 0,0236 + 0,59e^{-0,05\times 1}$$

de tal forma que $p = 0,0419$. O software DerivaGem mostra que, quando a opção de venda tem esse preço, sua volatilidade implícita também é 14,5%. Esse resultado é exatamente o que se esperava da análise feita.

14.2 OPÇÕES SOBRE MOEDAS ESTRANGEIRAS

O *smile* de volatilidade usado por *traders* para apreçar opções sobre moedas estrangeiras tem a forma geral mostrada na Figura 14.1. A volatilidade é relativamente baixa para opções no dinheiro. Torna-se progressivamente maior à medida que a opção se move para dentro ou para fora do dinheiro.

O *smile* de volatilidade da Figura 14.1 corresponde à distribuição de probabilidade mostrada pela linha cheia na Figura 14.2. Aqui, denota-se tal distribuição como *distribuição implícita*. A distribuição lognormal com a mesma média e o mesmo desvio-padrão que a distribuição implícita é indicada pela linha pontilhada na Figura 14.2. Nota-se que a distribuição implícita tem caudas mais pesadas que a distribuição lognormal[1].

Para verificar que as Figuras 14.1 e 14.2 são consistentes entre si, considere primeiramente uma opção de compra bastante fora do dinheiro com alto preço de exercício, X_2. Essa opção terá *payoff*, ou seja, proporcionará fluxo de caixa positivo, apenas se a taxa de câmbio ficar acima de X_2. A Figura 14.2 revela que a probabilidade de isso acontecer é maior pela distribuição de probabilidade implícita que pela distribuição de probabilidade lognormal. Assim, espera-se que a distribuição implícita produza preço relativamente alto para a opção. Preço relativamente alto implica volatilidade implícita relativamente alta – é exatamente o que se observa na Figura 14.1. As duas figuras são, portanto, consistentes uma com a outra para altos preços de exercício. Considere, em seguida, uma opção de venda muito fora do dinheiro com baixo preço de exercício, X_1. Essa opção terá *payoff* apenas se a taxa de câmbio se movimentar para baixo de X_1. A

[1] Isso é conhecido como curtose. Note que, além de ter caudas mais pesadas, a distribuição implícita é mais "levantada". Assim, tanto os movimentos grandes quanto os pequenos da taxa de câmbio têm maior probabilidade do que com a distribuição lognormal. Movimentos intermediários são menos prováveis.

Figura 14.2 mostra que a probabilidade de isso acontecer é maior para a distribuição de probabilidade implícita que para a distribuição de probabilidade lognormal. Por conseguinte, espera-se que a distribuição implícita produza preço relativamente alto e volatilidade implícita relativamente alta para a opção. Novamente, é exatamente o que se observa na Figura 14.1.

Figura 14.1 – *Smile* de volatilidade para opções sobre moedas estrangeiras

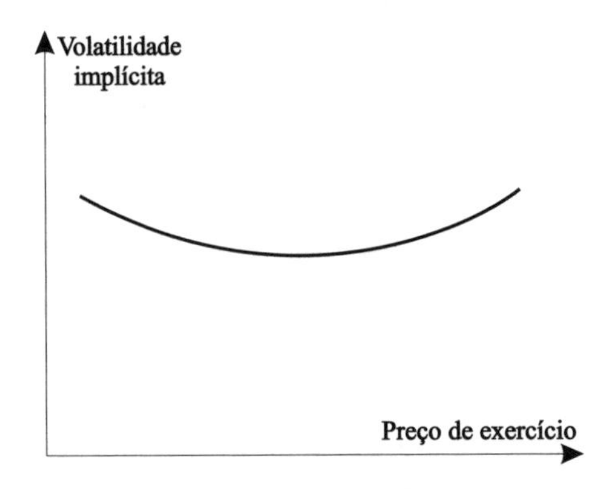

Figura 14.2 – Distribuição implícita e lognormal para opções sobre moedas estrangeiras

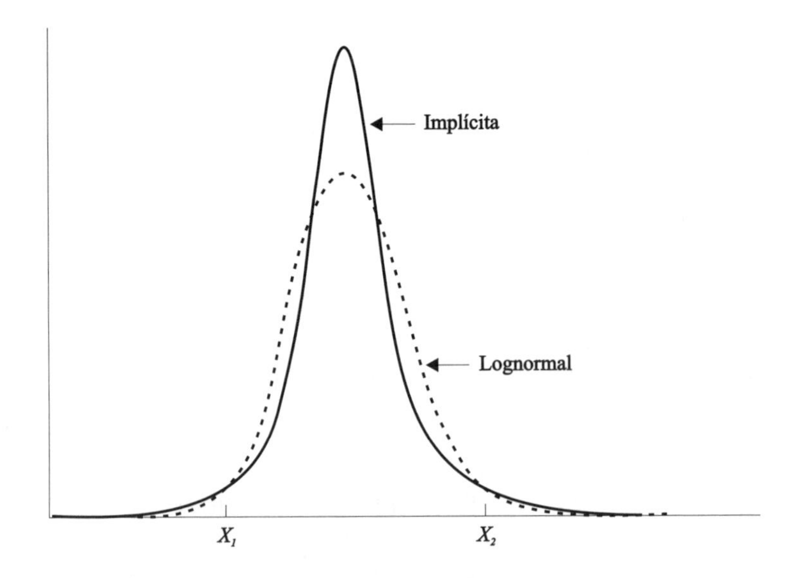

Razões para o *smile* nas opções sobre moedas estrangeiras

Mostrou-se que o *smile* usado pelos *traders* para opções sobre moedas estrangeiras implica sua consideração de que a distribuição lognormal subestima a probabilidade de movimentos extremos nas taxas de câmbio. Para testar se estão certos, examinam-se os movimentos diários em 12 diferentes taxas de câmbio em um período de 10 anos. Como primeiro passo, calcula-se o desvio-padrão da mudança percentual diária para cada taxa. Depois, verifica-se quão freqüentemente a mudança percentual efetiva excedeu um desvio-padrão, dois desvios-padrão, e assim por diante. Finalmente, calcula-se quão freqüentemente isso teria acontecido se as mudanças percentuais tivessem distribuição normal (o modelo lognormal implica assumir que as mudanças percentuais são sempre normalmente distribuídas por período de tempo de um dia). Os resultados estão na Tabela 14.1[2].

As variações diárias excedem três desvios-padrão em 1,34% dos dias. O modelo lognormal prevê que isso deveria acontecer em apenas 0,27% dos dias. As variações diárias excedem quatro, cinco e seis desvios-padrão em 0,29%; 0,08%; e 0,03% dos dias, respectivamente. O modelo lognormal prevê que dificilmente tal fato ocorreria. A tabela, portanto, proporciona evidência que suporta a existência de caudas pesadas e *smile* de volatilidade usada pelos *traders*.

Por que as taxas de câmbio não são lognormalmente distribuídas? São duas as condições para que um ativo tenha uma distribuição lognormal:

- a volatilidade do ativo deve ser constante;
- o preço do ativo varia suavemente sem saltos.

Na prática, nenhuma dessas condições é satisfeita por uma taxa de câmbio. A volatilidade de uma taxa de câmbio está longe de ser constante e, além disso, essas taxas freqüentemente dão saltos[3]. Portanto, o efeito dos saltos e de volatilidade não-constante faz que valores extremos sejam mais prováveis.

Tabela 14.1 – Percentual de dias em que as taxas de câmbio diárias são maiores que um, dois, ..., seis desvios-padrão

	Mundo real	Modelo lognormal
>1 DP	25,04	31,73
>2 DP	5,27	4,55
>3 DP	1,34	0,27
>4 DP	0,29	0,01
>5 DP	0,08	0,00
>6 DP	0,03	0,00

DP = desvio-padrão de um movimento diário.

[2] Essa tabela foi extraída de Hull e White. Value at Risk When Daily Changes in Market Variables Are Not Normally Distributed. *Journal of Derivatives*, 5 (3), pp. 9–19, spring 1988.

[3] Freqüentemente, os saltos ocorrem em resposta às ações dos bancos centrais.

O impacto dos saltos e da volatilidade não-constante depende da maturidade da opção. O impacto percentual de volatilidade não-constante nos preços torna-se mais pronunciado à medida que a maturidade da opção aumenta, mas o *smile* de volatilidade criado pela volatilidade não-constante, em geral, é menos pronunciado. O impacto percentual dos saltos, tanto nos preços quanto no *smile* de volatilidade, torna-se menos pronunciado à medida que a maturidade da opção aumenta. Quando analisadas as opções de prazo longo, os saltos tendem a se anular de tal modo que quando há saltos a distribuição dos preços das ações é sempre indistinguível daquela obtida quando os preços das ações variam suavemente.

14.3 OPÇÕES SOBRE AÇÕES

O *smile* de volatilidade usado pelos *traders* para apreçar opções sobre ações (e sobre índices de ações), em geral, tem a forma mostrada na Figura 14.3. Também é chamado de *volatilidade skew* [*skew volatility*][N.T.]. A volatilidade decresce à medida que o preço de exercício aumenta. A volatilidade usada para apreçar a opção com baixo preço de exercício (isto é, *put* muito fora do dinheiro ou *call* muito dentro do dinheiro) é significativamente maior que a utilizada para apreçar a opção com alto preço de exercício (isto é, *put* muito dentro do dinheiro ou *call* muito fora do dinheiro).

Figura 14.3 – *Smile* de volatilidade para ações

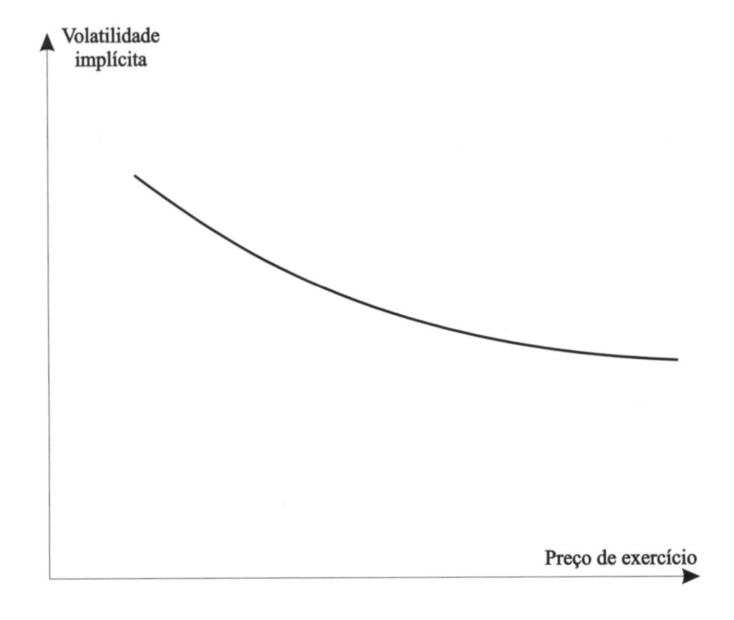

[N.T.] Os termos *volatility smile* ou *volatility skew* referem-se à relação entre a volatilidade implícita de opções com mesma maturidade e seus respectivos preços de exercício. A volatilidade *skew* é um caso particular de *smile* de volatilidade, em que a volatilidade implícita e os preços de exercício são inversamente relacionados.

O *smile* de volatilidade para opções sobre ações corresponde à distribuição de probabilidade implícita dada pela linha cheia na Figura 14.4. Uma distribuição lognormal com mesma média e mesmo desvio-padrão da distribuição implícita é representada pela linha pontilhada. Nota-se que a distribuição implícita tem a cauda esquerda mais pesada e a cauda direita mais fina que a distribuição lognormal.

Figura 14.4 – Distribuição implícita e lognormal para opções sobre ações

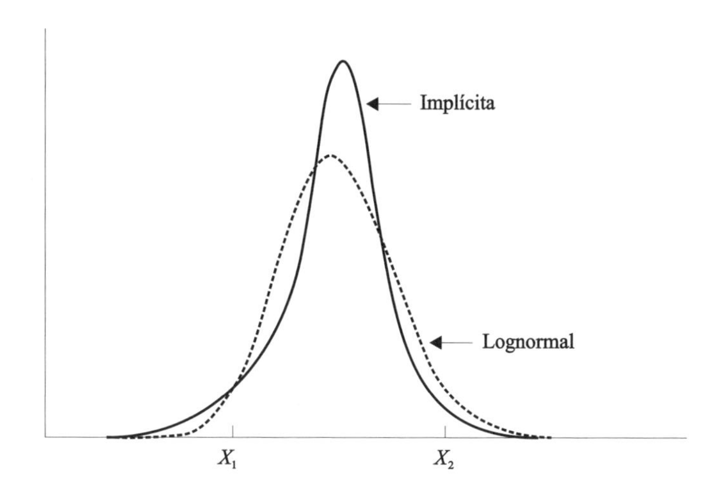

Para provar a consistência das Figuras 14.3 e 14.4, procede-se como nas Figuras 14.1 e 14.2 e consideram-se as opções que estão muito fora do dinheiro.

A partir da Figura 14.4, a opção de compra muito fora do dinheiro com preço de exercício de X_2 tem preço mais baixo quando se utiliza a distribuição implícita do que quando se utiliza a distribuição lognormal. Isso se deve ao fato de que a opção pagará alguma coisa apenas se o preço da ação se mover acima de X_2 e a probabilidade de tal fato é mais baixa pela distribuição de probabilidade implícita que pela distribuição lognormal. Portanto, espera-se que a distribuição implícita produza preços relativamente baixos para a opção. Preço relativamente baixo implica volatilidade implícita relativamente baixa – é exatamente o que se observa na Figura 14.3 para a opção. Considere agora uma opção de venda muito fora do dinheiro com preço de exercício de X_1. Essa opção pagará alguma coisa apenas se o preço da ação ficar abaixo de X_1. A Figura 14.4 mostra que a probabilidade de isso acontecer é maior para a distribuição de probabilidade implícita que para a distribuição lognormal. Assim, espera-se que a distribuição implícita produza preço relativamente alto e volatilidade implícita relativamente alta para essa opção. Novamente, é exatamente o que se observa na Figura 14.3.

Razão para o *smile* de volatilidade nas opções sobre ações

Uma possível explicação para o *smile* em opções sobre ações relaciona-se com a alavancagem. À medida que o valor da ação de uma companhia declina, sua alavancagem aumenta. Isso significa que a ação se torna mais arriscada e sua volatilidade aumenta. À medida que a ação da companhia aumenta em valor, sua alavancagem diminui. A ação, então, torna-se menos arriscada e sua volatilidade cai. Essa teoria mostra que a volatilidade das ações pode ser uma função decrescente do preço, o que é consistente com as Figuras 14.3 e 14.4.

É interessante notar que o padrão da Figura 14.3 para ações passou a existir apenas a partir do *crash* do mercado de ações de outubro de 1987. Antes dessa data, as volatilidades implícitas eram muito menos dependentes do preço de exercício. Isso levou Mark Rubinstein a afirmar que uma das razões para o padrão da Figura 14.3 podia ser a "*crashfobia*". Os *traders*, preocupados com a possibilidade de outro *crash* como o de 1987, apreçam as opções com base nessa possibilidade. Essa explicação tem alguma validade. Embora a evidência seja algo ainda confuso, parece que a distribuição de probabilidade implícita para preços de ações tem caudas esquerdas mais pesadas que a distribuição de probabilidade calculada a partir de dados empíricos sobre os retornos de mercado dessas ações. Outra mudança é que o *skew* se tornou mais pronunciado depois das quedas de outubro de 1997 e agosto de 1998.

14.4 ESTRUTURA A TERMO DA VOLATILIDADE E MATRIZES DE VOLATILIDADE

Além do *smile* de volatilidade, os *traders* usam a estrutura a termo da volatilidade para apreçar opções. Isso significa que a volatilidade empregada para apreçar uma opção no dinheiro depende da maturidade da opção. A volatilidade tende a ser uma função crescente da maturidade quando as volatilidades de curto prazo são historicamente baixas. Isso se explica pelo fato de existir expectativa de que as volatilidades irão aumentar. De maneira similar, a volatilidade tende a ser uma função decrescente da maturidade quando as volatilidades de curto prazo são historicamente altas. Há expectativa de que as volatilidades irão cair.

As matrizes de volatilidade combinam o *smile* de volatilidade com a estrutura a termo de volatilidade para tabular as volatilidades apropriadas para o apreçamento de uma opção com qualquer preço de exercício e qualquer maturidade. Exemplo de matriz de volatilidade, que pode ser usada para opções sobre moedas estrangeiras, está na Figura 14.2.

Uma dimensão da matriz de volatilidade é o preço de exercício; a outra é o prazo até o vencimento. O corpo principal da matriz mostra as volatilidades implícitas calculadas a partir do modelo de Black e Scholes. Para qualquer prazo, algumas das entradas na matriz são, provavelmente, correspondentes às opções para as quais os dados de mercado estão disponíveis. As volatilidades implícitas dessas opções foram calculadas diretamente a partir de seus preços de mercado e colocadas na tabela. O restante da matriz foi determinado usando interpolação linear.

Quando uma nova opção precisa ser apreçada, os engenheiros financeiros procuram a volatilidade apropriada na tabela. Por exemplo, quando se apreça a opção de nove meses com preço de exercício de 1,05, o engenheiro financeiro interpola entre 13,4 e 14,0 para obter a volatilidade de 13,7%. Esta é a volatilidade que seria usada no modelo de Black e Scholes (ou no modelo de árvore binomial, que será visto mais adiante no Capítulo 17).

O formato do *smile* de volatilidade depende da maturidade da opção. Como ilustrado na Tabela 14.2, o *smile* tende a se tornar menos pronunciado à medida que a maturidade da opção aumenta. Seja T o tempo até a maturidade e F_0 o preço a termo [*forward*] do ativo. Alguns engenheiros financeiros definem o *smile* de volatilidade como a relação entre a volatilidade implícita e:

$$\frac{1}{\sqrt{T}} \ln \frac{X}{F_0}$$

em vez da relação entre a volatilidade implícita e X. O *smile*, dessa forma, é bem menos dependente do tempo até a maturidade[4].

Tabela 14.2 – Matriz de volatilidade

	Preço de exercício				
	0,90	0,95	1,00	1,05	1,10
1 mês	14,2	13,0	12,0	13,1	14,5
3 meses	14,0	13,0	12,0	13,1	14,2
6 meses	14,1	13,3	12,5	13,4	14,3
1 ano	14,7	14,0	13,5	14,0	14,8
2 anos	15,0	14,4	14,0	14,5	15,1
5 anos	14,8	14,6	14,4	14,7	15,0

Papel do modelo

Qual é a importância do modelo se os *traders* usam volatilidades diferentes para todos os negócios? Argumentar que o modelo de Black e Scholes é nada mais que uma sofisticada ferramenta de interpolação utilizada pelos *traders* para assegurar que uma opção esteja apreçada de modo consistente com os preços de mercado de outras opções ativamente negociadas. Se os *traders* parassem de usar o Black e Scholes e mudassem para outro modelo plausível, a matriz de volatilidades mudaria e o formado do *smile* também se alteraria. Mas, os preços do dólar cotados no mercado não mudariam, provavelmente.

[4] Para detalhes sobre esse método, ver Natenberg, S. *Option Pricing Volatility: Advanced Trading Strategies Techniques*. McGraw–Hill, 1994; Tompkins, R. *Options Analysis: A State of the Art Guide to Options Pricing*. Burr Ridge, IL: Irwin, 1994.

14.5 QUANDO UM ÚNICO GRANDE SALDO É ANTECIPADO

Suponha que o preço corrente de uma ação seja US$50. Espera-se importante notícia em poucos dias que fará o preço da ação subir US$8 ou reduzir US$8 (esse anúncio poderia ser o resultado da tentativa de tomada de controle de uma empresa – *takeover* – ou o veredicto em importante ação judicial). A distribuição de probabilidade do preço da ação em, digamos, três meses, pode consistir na mistura de duas distribuições lognormais, a primeira correspondente à notícia favorável e a segunda à notícia desfavorável. A situação é ilustrada na Figura 14.5. A linha cheia mostra a distribuição de misturas de lognormais para o preço da ação em três meses; a linha pontilhada mostra a distribuição lognormal com a mesma média e o mesmo desvio-padrão. Assuma que notícias favoráveis ou desfavoráveis sejam igualmente prováveis[5]. Admita também que, depois de as notícias terem sido anunciadas (favoráveis ou desfavoráveis), a volatilidade será constante em torno de 20% para três meses.

Figura 14.5 – Efeito de um único grande salto

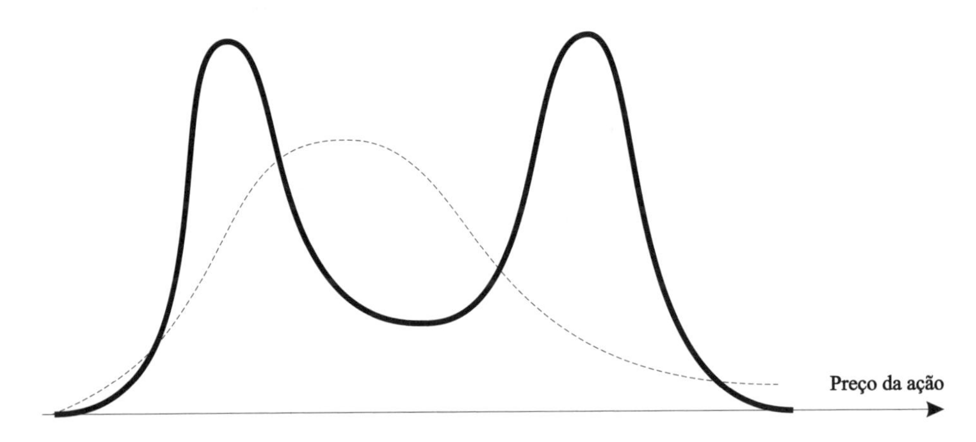

Nota: a linha cheia corresponde à verdadeira distribuição e a linha pontilhada corresponde à distribuição lognormal.

Considere a opção de compra européia de três meses sobre a ação, com preço de exercício de US$50. Assuma que a taxa de juro livre de risco seja 5% ao ano. Como o anúncio é esperado para muito breve, o valor da opção, assumindo-se notícia favorável, pode ser calculado pelo modelo de Black e Scholes, com $S_0 = 58$; $X = 50$; $r = 5\%$; $\sigma = 20\%$; e $T = 0{,}25$. O resultado é 8,743. De modo similar, o valor da opção, assumindo-se a notícia ruim, pode ser calculado pelo modelo de Black e Scholes, com $S_0 = 42$; $X = 50$; $r = 5\%$; $\sigma = 20\%$; e $T = 0{,}25$. O resultado é 0,101. Portanto, o valor da opção de compra hoje deve ser de:

$$0{,}5 \times 8{,}743 + 0{,}5 \times 0{,}101 = 4{,}422$$

---

[5] Estritamente, assume-se que as probabilidades sejam igualmente prováveis em um mundo *risk-neutral*.

A volatilidade implícita calculada para esse preço de opção é 41,48%.

Cálculo similar pode ser feito para outros preços de exercício e um *smile* de volatilidade pode ser construído. Os resultados disso estão na Tabela 14.3. O *smile* de volatilidade está representado na Figura 14.6[6]. Agora, está-se em uma situação oposta àquela da Figura 14.1. As opções no dinheiro têm maiores volatilidades que as opções fora do dinheiro e as opções dentro do dinheiro.

Tabela 14.3 – Volatilidades implícitas quando um importante anúncio é eminente

Preço de exercício (US$)	Preço da *call* com notícias boas (US$)	Preço da *call* com notícias ruins (US$)	Preço da *call* hoje (US$)	Volatilidade implícita (%)
35	23,435	7,471	15,453	30,95
40	18,497	3,169	10,833	35,46
45	13,565	0,771	7,168	39,94
50	8,743	0,101	4,422	41,48
55	4,546	0,008	2,277	39,27
60	1,764	0,000	0,882	35,66
65	0,494	0,000	0,247	32,50

14.6 PESQUISA EMPÍRICA

Grande número de problemas surge na realização de pesquisas empíricas para testar o modelo Black e Scholes e outros modelos de apreçamento de opções[7]. O primeiro deles é que qualquer hipótese estatística sobre como as opções são apreçadas tem de considerar também as hipóteses de que (1) a fórmula de apreçamento de opções está correta e (2) os mercados são eficientes.

Se a hipótese for rejeitada, pode ser que (1) não seja verdadeira, (2) não seja verdadeira ou ambas e (1) e (2) não sejam verdadeiras. O segundo problema é que a volatilidade do preço da ação é uma variável não-observável. Uma solução é estimar a volatilidade a partir dos dados históricos dos preços das ações. Alternativamente, as volatilidades implícitas podem ser usadas em alguns casos. O terceiro problema para o pesquisador é certificar-se de que os dados sobre os preços das ações e os dados sobre os preços das opções são sincrônicos. Por exemplo, se a opção é pouco negociada, não é aceitável comparar os preços de fechamento da opção com os preços de fechamento das ações. O preço de fechamento da opção pode corresponder a um negócio realizado às 13:00, enquanto o preço de fechamento da ação corresponde a um negócio realizado às 16:00.

---

[6] Nesse caso, o *smile*, ou seja, o sorriso, é uma carranca!

[7] Ver as referências de estudos mencionados nesta seção no final do capítulo.

Figura 14.6 – *Smile* de volatilidade para a situação da Tabela 14.3

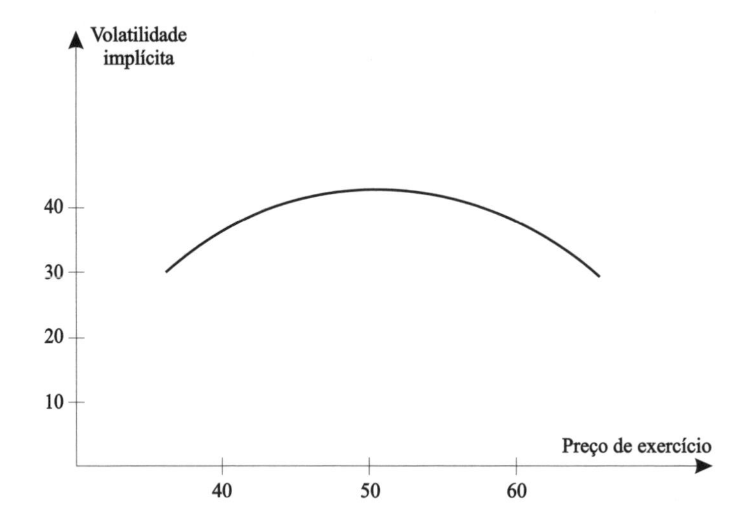

Black, Scholes e Galai testaram se é possível ter retornos acima da taxa de juro livre de risco por meio da compra de opções que são subavaliadas pelo mercado (em relação ao preço teórico) e da venda de opções que são superavaliadas pelo mercado (em relação ao preço teórico). Black e Scholes usaram dados das opções de balcão onde as opções são protegidas para dividendos (ou seja, quando ocorre o anúncio de dividendo, há ajuste para baixo no preço de exercício da opção no valor desse dividendo). Galai empregou dados da Chicago Board Options Exchange (CBOE), onde as opções não são protegidas contra os efeitos de pagamentos de dividendos em dinheiro. Galai usou a aproximação de Black descrita na seção 11.10 para incorporar o efeito de antecipação de dividendos no preço da opção. Os dois estudos mostraram que, na ausência de custos de transação, retornos significativos acima da taxa de juro livre de risco podem ser obtidos pela compra de opções subavaliadas e venda de opções superavaliadas. Mas, é possível que esses retornos excessivos estejam disponíveis apenas para os *market makers* e que, quando os custos de transação forem considerados, os retornos desapareçam.

Grande número de pesquisadores tem escolhido não fazer suposições acerca do comportamento dos preços das ações e tem testado se as estratégias de arbitragem podem ser usadas para auferir lucro sem risco nos mercados de opções. Garman criou procedimento computacional para encontrar qualquer possibilidade de arbitragem que exista em uma dada situação. Um estudo de Klemkosky e Resnick, freqüentemente citado, testa se a relação da equação (8.8) é sempre violada. Esse trabalho conclui que apenas pequenos lucros de arbitragem são possíveis a partir do uso daquela relação. Tais lucros são devidos principalmente à superavaliação das opções de compra americanas.

Chiras e Manaster realizaram uma pesquisa usando os dados da CBOE para comparar a volatilidade implícita ponderada para opções sobre ações em determinado momento do tempo com a volatilidade calculada a partir de dados históricos. Os autores consideraram que a primeira proporciona muito melhor previsão sobre a volatilidade do preço da ação durante a vida da opção. Conclui-se que os *traders* de opção estão usando mais do que dados históricos para determinar as volatilidades futuras. Chiras e Manaster também testaram se era possível obter retornos acima da média ao comprar opções com baixas volatilidades implícitas e vender opções com altas volatilidades implícitas. A estratégia mostrou lucro de 10% ao mês. O estudo de Chiras e Manaster pode ser interpretado como um bom suporte para o modelo de Black e Scholes e mostra que os preços praticados na CBOE, em alguns aspectos, são ineficientes.

MacBeth e Merville testaram o modelo de Black e Scholes com enfoque diverso. Examinaram diferentes opções de compra sobre a mesma ação, no mesmo momento, e compararam as volatilidades implícitas dos preços das opções. As ações escolhidas foram AT&T, Avon, Kodak, Exxon, IBM e Xerox. O período considerado foi o ano de 1976. Descobriam que as volatilidades implícitas tendem a ser relativamente altas para as opções dentro do dinheiro e relativamente baixas para as opções fora do dinheiro. Volatilidade implícita relativamente alta indica preço de opção relativamente alto. Volatilidade implícita relativamente baixa indica preço de opção relativamente baixo. Portanto, com base no estudo, ao se assumir que o modelo de Black e Scholes apreça opções no dinheiro corretamente, é possível concluir que o modelo superavalia opções de compra fora do dinheiro (alto preço de exercício) e subavalia opções de compra dentro do dinheiro (baixos preços de exercício). Esses efeitos se tornam mais pronunciados à medida que o tempo até a maturidade e o grau ao qual a opção está dentro ou fora do dinheiro aumentam. Os resultados de MacBeth e Merville estão consistentes com a Figura 14.3. Os resultados foram confirmados por Lauterbach e Schultz em estudo posterior sobre apreçamento de *warrants*.

Rubinstein fez um grande trabalho de pesquisa similar ao de MacBeth e Merville. Nenhum padrão claro surgiu de seus estudos anteriores, mas os trabalhos de 1994 e de 1996, este junto com Jackwerth, proporcionaram resultados consistentes com a Figura 14.3. Opções com baixos preços de exercício possuem volatilidades muito maiores que as opções com altos preços de exercícios. Como já foi mencionado neste capítulo, a alavancagem e a resultante correlação negativa entre volatilidade e preço da ação podem parcialmente explicar esse fato. É também possível que os investidores temam a repetição do *crash* de 1987.

Vários autores têm pesquisado o apreçamento de opções sobre ativos que não ações. Por exemplo, Shastri e Tandon e Bodurtha e Courtadon examinaram os preços de mercado de opções sobre moedas; em outro trabalho, Shastri e Tandon analisaram os preços de mercado de opções sobre futuros; Chance observou os preços de mercado para opções sobre índices.

Na maior parte dos casos, o fato de os preços serem diferentes daqueles apurados por meio do uso do modelo de Black e Scholes não é suficiente para proporcionar oportunidades lucrativas aos investidores quando os custos de transação e os *bid-offer spreads* são levados em consideração. Quando se procura oportunidade lucrativa, é importante ter em mente que, mesmo para o *market maker*, algum tempo pode ter decorrido entre a identificação da oportunidade e a operação. Esse atraso, mesmo que o negócio seja o próximo, pode ser suficiente para eliminar a oportunidade lucrativa.

14.7 SUMÁRIO

O modelo de Black e Scholes e suas extensões assumem que a distribuição de probabilidade de um ativo subjacente para qualquer data no futuro seja lognormal. Essa suposição não é a única feita pelos *traders*. Eles admitem que a distribuição de probabilidade do preço de uma ação tem a cauda esquerda mais pesada e a cauda direita mais fina que a distribuição lognormal. Assumem também uma probabilidade de uma taxa de câmbio ter a cauda direita e a esquerda mais pesadas que a distribuição lognormal.

Os *traders* usam o *smile* de volatilidade para permitir a não-lognormalidade. O *smile* de volatilidade define a relação entre a volatilidade implícita da opção e seu preço de exercício. Para opções sobre ações, o *smile* de volatilidade tende a ter inclinação negativa. Isso significa que opções de venda fora do dinheiro e opções de compra dentro do dinheiro tendem a ter altas volatilidades implícitas, enquanto opções de compra fora do dinheiro e opções de venda dentro do dinheiro tendem a ter baixas volatilidades implícitas. Para opções sobre moedas estrangeiras, o *smile* de volatilidade tem o formato de U. As opções muito fora do dinheiro e as opções muito dentro do dinheiro têm volatilidades implícitas maiores que as opções no dinheiro.

Freqüentemente, os *traders* também utilizam a estrutura a termo da volatilidade. A volatilidade implícita da opção depende de sua maturidade. Quando o *smile* de volatilidade e a estrutura a termo da volatilidade são combinados, forma-se uma matriz de volatilidade. Isso define a volatilidade implícita como uma função do preço de exercício e do tempo até a maturidade da opção.

SUGESTÕES PARA LEITURAS COMPLEMENTARES

BAKSHI, G.; CAO, C.; CHEN, Z. Empirical Performance of Alternative Option Pricing Models. *Journal of Finance* 52(5), pp. 2004–2049, December 1997.

BLACK, F. How to Use the Holes in Black and Scholes. *Risk*, March 1988.

BLACK, F.; SCHOLES, M. The Valuation of Option Contracts a Test of Market Efficiency. *Journal of Finance* 27, pp. 399–418, May 1972.

BODURTHA, J. N.; COURTADON, G. R. Tests of an American Option Pricing Model on the Foreign Currency Options Market. *Journal of Financial Quantitative Analysis* 22, pp. 153–168, June 1987.

CHANCE, D. M. Empirical Tests of the Pricing of Index Call Options. *Advances in Futures Options Research* 1, pt. A, pp. 141–166, 1986.

CHIRAS, D.; MANASTER, S. The Information Content of Option Prices a Test of Market Efficiency. *Journal of Financial Economics* 6, pp. 213–234, September 1978.

DUMAS, B.; FLEMING, J.; WHALEY, R. E. Implied Volatility Functions: Empirical Tests. *Journal of Finance* 53, 6, pp. 2059–2106, December 1998.

GALAI, D. Tests of Market Efficiency the Chicago Board Options Exchange. *Journal of Business* 50, pp. 167–197, April 1977.

GARMAN, M. An Algebra for Evaluating Hedge Portfolios. *Journal of Financial Economics* 3, pp. 403–427, October 1976.

HARVEY, C. R.; WHALEY, R. E. S&P 100 Index Option Volatility. *Journal of Finance* 46, pp. 1551–1561, 1991.

HARVEY, C. R.; WHALEY, R. E. Market Volatility Prediction Efficiency of the S&P 100 Index Option Market. *Journal of Financial Economics* 31, pp. 43–73, 1992.

HARVEY, C. R.; WHALEY, R. E. Dividends the S&P 100 Index Option Valuations. *Journal of Futures Markets* 12, pp. 123–137, 1992.

JACKWERTH, J. C.; RUBINSTEIN, M. Recovering Probability Distributions from Option Prices. *Journal of Finance* 51, pp. 1611–1631, December 1996.

KLEMKOSKY, R. C.; RESNICK, B. G. Put–Call Parity Market Efficiency. *Journal of Finance* 34, pp. 1141–55, December 1979.

LAUTERBACH, B.; SCHULTZ, P. Pricing Warrants: An Empirical Study of the Black & Scholes Model Its Alternatives. *Journal of Finance* 4(4), pp. 1181–1210, September 1990.

MACBETH, J. D.; MERVILLE, L. J. An Empirical Examination of Black & Scholes Call Option Pricing Model. *Journal of Finance* 34, pp. 1173–1186, December 1979.

MELICK, W. R.; THOMAS, C. P. Recovering an Asset's Implied Probability Density Function from Option Prices: An Application to Crude Oil during the Gulf Crisis. *Journal of Financial Quantitative Analysis* 32, pp. 91–115, March 1997.

RUBINSTEIN, M. Nonparametric Tests of Alternative Option Pricing Models Using All Reported Trades Quotes on the 30 Most Active CBOE Options Classes from August 23, 1976 through August 31, 1978. *Journal of Finance* 40, pp. 455–480, June 1985.

RUBINSTEIN, M. Implied Binomial Trees. *Journal of Finance* 49, 3, pp. 771–818, July 1994.

SHASTRI, K.; TANDON, K. An Empirical Test of a Valuating Model for American Options on Futures Contracts. *Journal of Financial Quantitative Analysis* 21, pp. 377–392, December 1986.

SHASTRI, K.; TANDON, K. Valuation of Foreign Currency Options: Some Empirical Tests. *Journal of Financial Quantitative Analysis* 21, pp. 145–160, June 1986.

XU, X.; TAYLOR , S. J. The Term Structure of Volatility Implied by Foreign Exchange Options. *Journal of Financial Quantitative Analysis* 29, pp. 57–74, 1994.

PERGUNTAS RÁPIDAS (RESPOSTAS NO FINAL DO LIVRO)

14.1 Que padrão de volatilidade implícita provavelmente será observado quando:

a) as duas caudas da distribuição de probabilidade para os preços das ações são mais finas que as caudas da distribuição lognormal?

b) a cauda direita é mais pesada e a cauda esquerda é mais fina que as caudas da distribuição lognormal?

14.2 Que padrão de volatilidade implícita provavelmente será observado para opções de seis meses quando a volatilidade é incerta e positivamente correlacionada como preço da ação?

14.3 Que padrões de volatilidades implícitas são provavelmente causados por saltos no preço do ativo subjacente? É mais provável que o padrão seja mais pronunciado para a opção de seis meses do que para a opção de três meses?

14.3 Uma opção de compra e uma opção de venda têm o mesmo preço de exercício e o mesmo tempo até a maturidade. Mostre que a diferença entre seus preços deve ser a mesma para qualquer modelo de apreçamento de opções.

14.5 Explique cuidadosamente porque a Figura 14.4 é consistente com a Figura 14.3.

14.6 O preço de mercado da opção de compra européia é igual a US$3 e seu preço pelo modelo de Black e Scholes é US$3,50. O preço fornecido pelo modelo para uma opção de venda européia com mesmo preço de exercício e prazo de maturidade é US$1. Qual deve ser o preço de mercado dessa opção? Explique as razões de sua resposta.

14.7 O preço corrente da ação é igual a US$20. Amanhã, serão divulgadas notícias que podem aumentar o preço para US$5 ou diminuir para US$5. Quais são os problemas no uso do modelo de Black e Scholes para apreçar uma opção sobre essa ação de um mês de prazo?

QUESTÕES E PROBLEMAS (RESPOSTAS NO MANUAL DE SOLUÇÕES)

14.8 Quais são os principais problemas para se testar um modelo de apreçamento de opções empiricamente?

14.9 Suponha que a política do Banco Central permita a flutuação da taxa de câmbio entre 0,97 e 1,03. Que padrão de volatilidades implícitas para opções sobre a taxa de câmbio você espera observar?

14.10 Os *traders* de opções, às vezes, referem-se às opções muito fora do dinheiro como opções sobre a volatilidade. Explique por quê.

14.11 A opção de compra européia sobre determinada ação tem preço de exercício de US$30, prazo até a maturidade de um ano e volatilidade implícita de 30%. A opção de venda européia sobre a mesma ação tem preço de exercício de US$30, prazo até a maturidade de um ano e volatilidade implícita de 33%. Que oportunidades de arbitragem estão abertas ao *trader*? A arbitragem funciona apenas quando a hipótese de distribuição lognormal utilizada pelo modelo de Black e Scholes se verifica? Explique as razões de sua resposta cuidadosamente.

14.12 Suponha que o resultado de uma importante ação judicial que afeta a Microsoft será anunciado amanhã. O preço corrente da ação da Microsoft é igual a US$60. Se a decisão for favorável à Microsoft, o preço da ação subirá para US$75. Se for desfavorável, o preço cairá para US$50. Qual é a probabilidade *risk-neutral* de uma decisão favorável? Assuma que a volatilidade de seis meses da ação da Microsoft, depois do anúncio, seja 25%, se este for favorável, e de 40%, se desfavorável. Use o DerivaGem para calcular a relação entre a volatilidade implícita e o preço de exercício para opções européias de seis meses sobre a ação da Microsoft hoje. A Microsoft não paga dividendos. Assuma que a taxa de juro livre de risco para seis meses seja 6%. Considere opções de compra com preços de exercício de 30, 40, 50, 60, 70 e 80.

14.13 A taxa de câmbio é igual a 0,8000. A volatilidade da taxa de câmbio é 12% e as taxas de juro nos dois países são as mesmas. Usando a hipótese de lognormalidade, estime a probabilidade de que a taxa de câmbio em três meses seja (a) menor que 0,7000, (b) entre 0,7000 e 0,7500, (c) entre 0,7500 e 0,8000, (d) entre 0,8000 e 0,8500, (e) entre 0,8500 e 0,9000 e (f) maior que 0,9000. Com base no *smile* de volatilidade observado no mercado para taxas de câmbio, quais dessas estimativas de volatilidade você considera muito baixas ou muito altas?

14.14 O preço corrente da ação é igual a US$40. A opção de compra européia de seis meses sobre uma ação, com preço de exercício de US$30, tem volatilidade implícita de 35%. A opção de compra européia de seis meses sobre uma ação, com preço de exercício de US$50, tem volatilidade implícita de 28%. A taxa de juro livre de risco é 5% e não haverá pagamento de dividendos. Explique por que as duas volatilidades implícitas são diferentes. Use o DerivaGem para calcular os preços das duas opções. Use a paridade *put–call* para calcular os preços de opções de venda européias de seis meses com preços de exercício de US$30 e US$50. Use o DerivaGem para calcular as volatilidades implícitas dessas duas opções de venda.

14.15 O modelo de Black e Scholes é usado pelos *traders* como ferramenta de interpolação. Discuta esse ponto de vista.

QUESTÕES DE PROVA

14.16 A ação da companhia é negociada por US$4. A companhia não tem passivos significativos. Analistas consideram que o valor de liquidação da companhia seja no mínimo de US$300.000 e há 100.000 ações em circulação. Que *smile* de volatilidade você esperaria encontrar?

14.17 A companhia espera o resultado de uma importante ação judicial. O anúncio será feito dentro de um mês. O preço corrente da ação é US$20. Se o resultado for positivo, o preço da ação subirá para US$24 em um mês. Se negativo, cairá para US$18, neste mesmo prazo. A taxa de juro livre de risco é 8% ao ano.

a) Qual é a probabilidade *risk-neutral* de um resultado positivo?

b) Quais são os valores para as opções de compra de um mês com preços de exercício de US$19; US$20; US$21; US$22; e US$23?

c) Use o DerivaGem para calcular o *smile* de volatilidade para opções de compra de um mês.

d) Cheque se o mesmo *smile* de volatilidade pode ser obtido para as opções de venda de um mês.

14.18 O preço futuro de um ativo é igual a US$40. A taxa de juro livre de risco é 5%. As notícias esperadas para amanhã farão que a volatilidade para os próximos três meses seja 10% ou de 30%. Há chance de 60% de que ocorra a primeira e 40% de que ocorra a segunda. Use o DerivaGem para calcular o *smile* de volatilidade para opções de três meses.

14.19 Dados para várias moedas estrangeiras estão disponíveis no website do autor: www.rotman.utoronto.ca/~hull. Escolha uma moeda e use os dados para produzir uma tabela similar à Tabela 14.1.

14.20 Dados para vários índices de ações estão disponíveis no website do autor: www.rotman.utoronto.ca/~hull. Escolha um índice e teste se os movimentos de queda de três desvios-padrão acontecem mais freqüentemente do que movimentos de alta de três desvios-padrão.

Capítulo

LETRAS GREGAS

15

Uma instituição financeira que vende uma opção a um cliente no mercado de balcão enfrenta o problema de ter de administrar seu risco. Se acontecer de a opção ser igual a outra negociada em bolsa, a instituição pode neutralizar sua exposição pela compra em bolsa da mesma opção que foi vendida. Mas, quando a opção é feita sob medida para atender às necessidades de determinado cliente e não corresponde a nenhum produto listado em bolsa, o *hedge* da exposição é mais difícil.

Neste capítulo, discutem-se algumas alternativas para esse problema. Analisa-se o que é comumente chamado de "letras gregas" ou simplesmente "gregas".

Cada letra grega mede uma dimensão diferente para o risco de uma posição de opções. O objetivo do *trader* é administrar as gregas de tal modo que os riscos sejam aceitáveis. A análise, apresentada neste capítulo, aplica-se aos *market makers* em opções de bolsa e aos *traders* que trabalham para instituições financeiras.

Mais para o final do capítulo, considera-se a criação de opções sintéticas, um processo bem parecido com o *hedge* de opções. De fato, criar posição sintética de opções é essencialmente a mesma tarefa de *hedgear* posição oposta em opções. Por exemplo, criar posição comprada (*long*) em opção de compra sintética é o mesmo que *hedgear* posição vendida (*short*) em opção de compra.

15.1 ILUSTRAÇÃO

Nas próximas seções, utiliza-se como exemplo a posição da instituição financeira que vendeu por US$300.000 uma opção de compra européia sobre 100.000 ações que não pagam dividendos. Seja o preço da ação US$49; o preço de exercício US$50; a taxa de juro livre de risco 5% ao ano; a volatilidade do preço da ação 20% ao ano; o prazo até a maturidade de 20 semanas (0,3846 ano); e o retorno esperado da ação de 13% ao ano[1]. Tendo como referência a notação usual, isso significa que:

$S_0 = 49$;

$X = 50$;

$r = 0,05$;

$\sigma = 0,20$;

$T = 0,3846$;

$\mu = 0,13$.

O preço da opção, dado pelo modelo de Black e Scholes, é aproximadamente US$240.000. A instituição financeira, portanto, vendeu a opção por US$60.000 a mais que seu valor teórico. Mas, agora, tem de *hedgear* o risco da posição[2].

15.2 POSIÇÕES DESCOBERTAS E COBERTAS

Uma estratégia disponível às instituições financeiras é não fazer nada. Essa estratégia, às vezes, é denominada *posição descoberta* e funciona bem se o preço da ação ficar abaixo de US$50 no fim de 20 semanas. A opção, então, não custará nada e a instituição financeira terá lucro de US$300.000. A posição descoberta não funciona tão bem se a opção de compra for exercida, já que a instituição financeira terá de comprar 100.000 ações ao preço de mercado que estiver prevalecendo ao fim de 20 semanas para cobrir a opção. O custo para a instituição financeira será 100.000 vezes a diferença entre o preço da ação e o preço de exercício, se o primeiro exceder o segundo. Por exemplo, se depois de 20 semanas o preço da ação for de US$60, a opção custará para a instituição financeira US$1.000.000. Esse valor é bem maior que o prêmio de US$300.000 recebido.

Como alternativa à opção descoberta, a instituição financeira pode adotar *posição coberta*. Isso envolve a compra de 100.000 ações tão logo a opção tenha sido vendida. Se a opção for exercida a estratégia funcionará bem, mas em outras circunstâncias poderá levar à perda significativa. Por exemplo, se o preço da ação cair para US$40, a instituição financeira perderá US$900.000 na sua posição em ações. Tal perda é consideravelmente maior que os US$300.000 cobrados pela opção[3].

Nem a posição descoberta nem a posição coberta proporcionam *hedge* satisfatório. Se as hipóteses subjacentes ao modelo de Black e Scholes se verificam, o custo da instituição financeira deve sempre ser US$240.000, na média, para ambos os enfoques[4].

---

[1] Como demonstrado nos Capítulos 10 e 11, o retorno esperado é irrelevante para o apreçamento da opção. Foi dado aqui porque pode ter alguma influência na eficiência do esquema de *hedge*.

[2] Em geral, as instituições financeiras não lançam opções sobre ações individuais. Entretanto, uma opção de compra sobre uma ação é um exemplo conveniente para desenvolver as idéias aqui apresentadas. As conclusões aplicam-se para outros tipos de opções e derivativos.

[3] A paridade *put–call* mostra que a exposição pelo lançamento de uma *call* coberta é a mesma do lançamento de uma *put* descoberta.

[4] Mais precisamente, o valor presente do custo esperado é US$240.000 para ambas as estratégias, assumindo-se que as taxas de desconto ajustadas ao risco apropriadas foram usadas.

Mas, em qualquer ocasião, o custo está sujeito a variar de zero a mais de US$1.000.000. Um *hedge* perfeito deveria assegurar que o custo fosse sempre de US$240.000. Para *hedge* perfeito, o desvio-padrão do custo de lançar e *hedgear* uma opção é zero.

15.3 ESTRATÉGIA DE *STOP-LOSS*

Um esquema de *hedge* interessante, que algumas vezes se propõe, envolve a *estratégia de stop-loss*. Para ilustrar a idéia básica, suponha a instituição que tenha lançado uma opção de compra sobre uma ação com preço de exercício X. O esquema de *hedge* implica a compra de uma unidade da ação tão logo seu preço aumente para mais de X e a sua venda tão logo seu preço caia abaixo de X. O objetivo é manter uma posição descoberta sempre que o preço da ação estiver abaixo de X e uma posição coberta sempre que o preço da ação for maior que X. O esquema é estruturado para assegurar que na data T a instituição possuirá a ação se a opção estiver dentro do dinheiro e não terá a ação se a opção estiver fora do dinheiro. Essa estratégia parece produzir *payoffs* idênticos aos de uma opção. A situação ilustrada na Figura 15.1 envolve a compra da ação na data t_1, venda da ação na data t_2, compra na data t_3, venda na data t_4, compra na data t_5 e entrega na data T.

Figura 15.1 – Estratégia de *stop-loss*

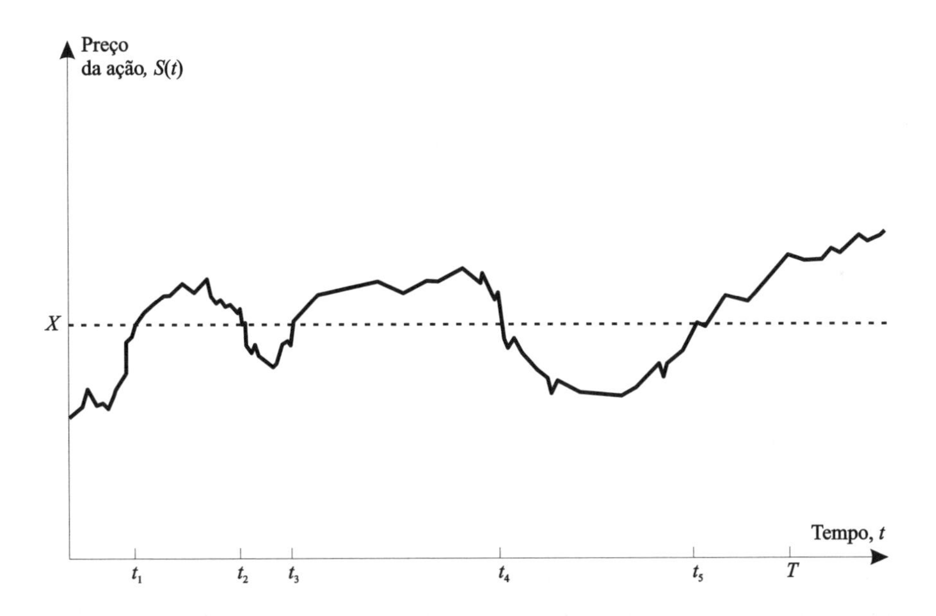

Como de costume, denota-se o preço inicial da ação como S_0. O custo de criar o *hedge* inicialmente é S_0 se $S_0 > X$ e zero nos demais casos. À primeira vista, o custo total, Q, de lançar e *hedgear* a opção parece ser igual ao valor intrínseco da opção:

$$Q = \text{máx}\left(S_0 - X, 0\right) \tag{15.1}$$

Isso se deve ao fato de que todas as compras e as vendas subseqüentes ao momento zero são feitas ao preço X. Se isso fosse de fato correto, o esquema de *hedge* funcionaria perfeitamente na ausência de custos de transação. Adicionalmente, o custo de *hedgear* uma opção sempre seria menor que seu preço dado pelo modelo de Black e Scholes. Assim, o investidor poderia ganhar lucros sem risco apenas por lançar opções e *hedgeá-las*.

Há duas razões básicas pelas quais a equação (15.1) é incorreta. A primeira é que o fluxo de caixa para o *hedger* ocorre em diferentes momentos e deve ser descontado. A segunda é que as compras e as vendas não podem ser feitas exatamente ao preço X. Este último ponto é crítico. Assumindo-se um mundo *risk-neutral* com taxas de juro iguais a zero, justifica-se o fato de o custo do dinheiro no tempo ser ignorado. Mas, ainda assim, não se pode legitimamente supor que tanto as compras como as vendas sejam feitas ao mesmo preço. Se os mercados são eficientes, o *hedger* não pode saber se, quando o preço da ação se iguala a X, o próximo movimento será para mais ou para menos de X.

De forma prática, as compras serão feitas ao preço de $X + \varepsilon$ e as vendas ao preço de $X - \varepsilon$, sendo ε um número positivo e pequeno. Assim, toda a compra e a subseqüente venda envolve custos (não considerando os custos de transação) de 2ε. Uma resposta natural da parte do *hedger* é monitorar os movimentos de preço mais acuradamente de tal modo que ε seja reduzido ao máximo. Assumindo-se que os preços das ações mudam continuamente, ε pode ser estabelecido arbitrariamente pequeno por meio do monitoramento mais freqüente dos preços das ações. Mas, à medida que ε fica menor, os negócios tendem a ocorrer mais freqüentemente. Assim, embora o custo por negócio seja reduzido, essa redução acaba sendo eliminada pela freqüência de negociação. À medida que $\varepsilon \to 0$, o número esperado de negócios tende ao infinito.

Tabela 15.1 – Performance de estratégia de *stop-loss*

δt (semanas)	5	4	2	1	0,50	0,25
Performance do *hedge*	1,02	0,93	0,82	0,77	0,76	0,76

Nota: a mensuração da performance é igual à razão entre o desvio-padrão do custo de lançamento da opção e seu *hedging* em relação ao preço teórico da opção.

A estratégia de *stop-loss*, embora superficialmente atrativa, não funciona tão bem como o esquema de *hedge*. Considere seu uso para a opção fora do dinheiro. Se o preço da ação não alcançar o preço de exercício X, o esquema de *hedge* não custará nada. Porém, se o caminho dos preços cruzar o preço de exercício várias vezes, o esquema se tornará muito caro. A simulação de Monte Carlo pode ser empregada para avaliar o desempenho do *hedge stop-loss*. Isso envolve a escolha aleatória de caminhos para o preço da ação e a observação dos resultados usando o esquema. A Tabela 15.1 traz os resultados para a opção considerada anteriormente. O preço da ação é observado no fim de intervalos de tempo de extensão igual a δt[5]. A medida de performance do *hedge* é a razão entre o desvio-padrão do custo de *hedgear* a opção e o preço da opção dado pelo modelo de Black e Scholes. Cada resultado é baseado em uma amostra de 1.000 caminhos para o preço da ação e tem erro-padrão de aproximadamente 2%. Parece ser impossível produzir um valor para a medida da performance do *hedge* abaixo de 0,70, independentemente de quão pequeno seja δt.

15.4 DELTA *HEDGING*

A maioria dos *traders* utiliza esquemas de *hedge* mais sofisticados que os mencionados até aqui. Esses esquemas envolvem o cálculo de medidas como delta, gama e vega. Nesta seção, analisa-se o papel do delta.

O *delta* de uma opção, Δ, foi introduzido no Capítulo 10. É definido como a taxa de variação do preço da opção em relação ao preço do ativo subjacente. Consiste na inclinação da curva que relaciona o preço da opção ao preço do ativo subjacente. Suponha que o delta de uma opção de compra sobre uma ação seja 0,6. Isso significa que, quando o preço da ação sofrer pequena variação, o preço da opção será alterado em 60% dessa variação no preço da ação. A Figura 15.2 mostra a relação entre o preço de uma opção de compra e o preço da ação subjacente. Quando o preço da ação corresponde ao ponto A, o preço da opção corresponde ao ponto B e o Δ é o gradiente indicado. Em geral, o delta de uma opção de compra é igual a:

$$\frac{\delta c}{\delta S}$$

onde δS é uma pequena variação no preço da ação e δc é a conseqüente variação no preço da opção de compra.

Suponha que, na Figura 15.2, o preço da ação seja US$100 e o preço da opção seja US$10. O investidor vendeu 20 contratos de opção de compra – isto é, opções para comprar 2.000 ações. A posição poderia ser *hedgeada* pela compra de $0{,}6 \times 2.000 = 1.200$ ações. O ganho (a perda) na posição em opção tenderia a ser compensado pela perda (pelo ganho) na posição em ações. Por exemplo, se o preço da ação tiver aumento de US$1 (produzindo ganho de US$1.200 nas ações compradas), o preço da opção

[5] A regra de *hedge* usada foi a seguinte: quando o preço se movia de um nível abaixo de X para um nível acima de X, em um intervalo de extensão δt, a compra era realizada no fim do período; quando se movia de um nível acima de X para um nível abaixo de X no mesmo intervalo de tempo, a venda era realizada no fim do período. Fora disso, não se fazia nada.

tenderá a subir de 0,6 × US$1 = US$0,60 (produzindo perda de US$1.200 nas opções lançadas); se o preço da ação tiver queda de US$1 (produzindo perda de US$1.200 nas ações compradas), o preço da opção tenderá a cair de US$0,60 (produzindo ganho de US$1.200 nas opções lançadas).

Figura 15.2 – Cálculo do delta

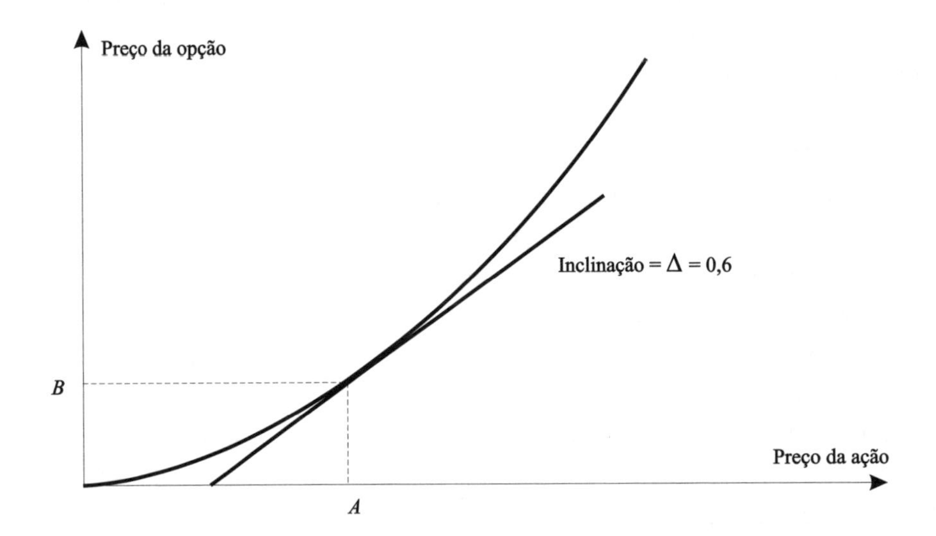

Nesse exemplo, o delta da posição em opções é 0,6 × (–2.000) = –1.200. Em outras palavras, o investidor perde 1.200 δS na posição *short* em opções quando o preço da ação aumenta em δS. O delta da ação é 1,0 e a posição longa (comprada) em 1.200 ações tem delta de +1.200. O delta da posição global do investidor é, portanto, zero. O delta da posição em ações compensa o delta da posição em opções. O delta zero de uma posição é chamado de *delta neutro*.

É importante observar que, como o delta varia, a posição do investidor permanece *hedgeada* no delta – delta *hedge* ou delta neutro – apenas por um período de tempo relativamente curto. O *hedge* tem de ser ajustado periodicamente. Isso é conhecido como *rebalanceamento*. No exemplo, ao fim de três dias, o preço da ação pode aumentar para US$110. Como indicado pela Figura 15.2, aumento no preço da ação resulta aumento no delta. Suponha que o delta suba de 0,60 para 0,65. Se isso acontecer, 0,05 × 2.000 = 100 ações extras terão de ser compradas para manter o *hedge*. Esse exemplo está sumarizado na Tabela 15.2.

O esquema delta *hedge* descrito é um exemplo de *esquema de hedge dinâmico* [*dynamic-hedging scheme*]. Pode ser contrastado com o *esquema de hedge estático* [*static-hedging scheme*], em que o *hedge*, uma vez montado, nunca é ajustado. Esquemas de *hedge* estáticos, às vezes, são denominados *hedge-forget*.

O delta é totalmente relacionado à análise de Black e Scholes. Como explicado no Capítulo 11, esses autores mostraram que é possível criar portfólio livre de risco composto de uma posição em uma opção sobre uma ação e uma posição em uma ação. Quando expresso em termos de Δ, o portfólio de Black e Scholes é igual a:

$$\begin{aligned} -1 &= \text{opção} \\ +\Delta &= \text{ação} \end{aligned}$$

Usando a nova terminologia, pode-se dizer que Black e Scholes apreçaram opções por meio de uma posição delta neutro, definindo que o retorno nessa posição tinha de ser a taxa de juro livre de risco.

Tabela 15.2 – Uso do delta *hedging*

Da mesa de operações
O investidor vendeu 20 contratos de opção (2.000 opções) sobre determinada ação. O preço da opção é US$10, o preço da ação, US$100 e o delta da opção, 0,6. O investidor deseja *hedgear* a posição.

Estratégia
O investidor imediatamente compra $0{,}6 \times 2.000 = 1.200$ ações. Sobre um período de tempo curto à frente, há tendência de que o preço da *call* varie 60% do preço da ação e o ganho (perda) na opção seja compensado pela perda (ganho) na ação. À medida que o tempo passar, o delta mudará e a posição em ações terá de ser ajustada. Por exemplo: se, depois de três dias, o delta aumentar para 0,65, será necessária a compra de mais $0{,}05 \times 2.000 = 100$ ações.

Delta de opções européias sobre ações

Para uma opção de compra européia sobre uma ação que não paga dividendos, pode ser demonstrado que:

$$\Delta = N\left(d_1\right)$$

onde d_1 é definido na equação (11.5). Portanto, o uso do delta *hedging* para posição *short* em uma opção de compra européia envolve a manutenção de posição longa de $N(d_1)$ ações a qualquer momento. De forma similar, o uso de delta *hedging* para posição longa em opções de compra européias envolve a manutenção de posição *short* de $N(d_1)$ ações a qualquer momento.

Para uma opção de venda européia sobre uma ação que não paga dividendos, o delta é dado por:

$$\Delta = N\left(d_1\right) - 1$$

O delta é negativo, o que significa que posição longa em uma opção de venda deve ser *hedgeada* com uma posição longa na ação subjacente e posição *short* em uma opção de venda deve ser *hedgeada* com uma posição *short* na ação subjacente. A Figura 15.3 mostra a variação do delta de uma opção de compra e de uma opção de venda em relação ao preço da ação. A Figura 15.4 mostra a variação do delta em relação ao tempo até a maturidade para opções de compra dentro do dinheiro, no dinheiro e fora do dinheiro.

Figura 15.3 – Variação do delta em relação ao preço da ação que não paga dividendos

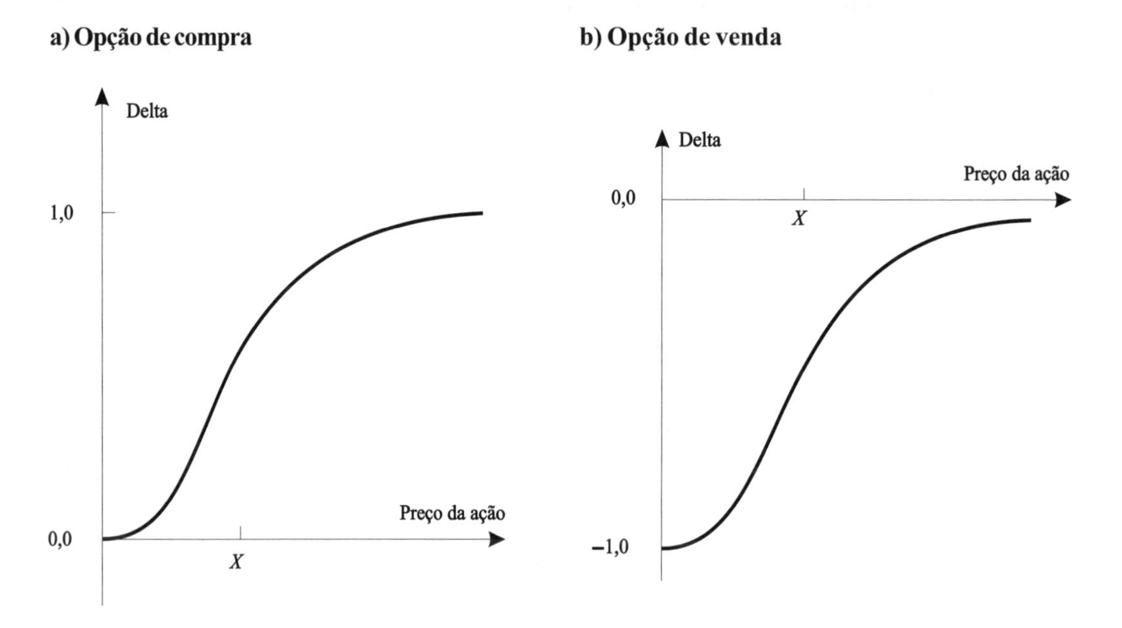

Figura 15.4 – Padrões típicos da variação do delta em relação ao tempo até o vencimento para opção de compra

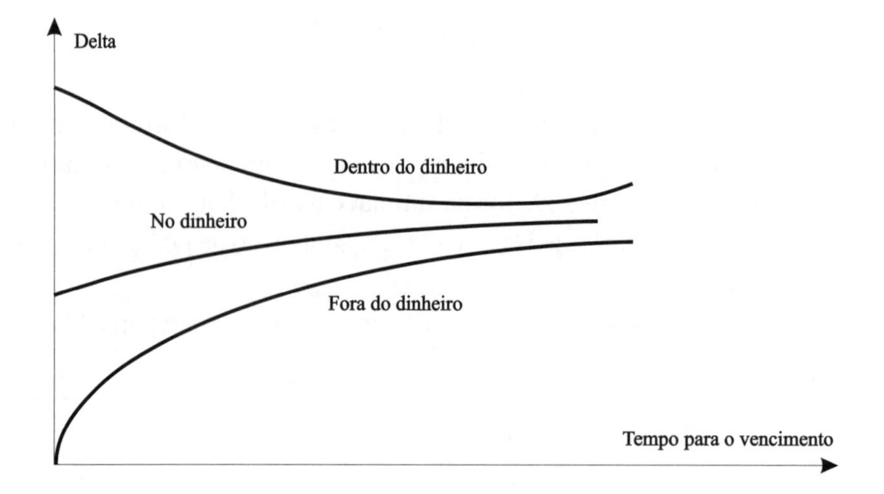

Delta de outras opções européias

Para opções de compra européias sobre ativo que paga dividendos à taxa q:

$$\Delta = e^{-qT} N\left(d_1\right)$$

onde d_1 é definido na equação (12.4). Para opção de venda européia sobre ativo:

$$\Delta = e^{-qT}\left[N\left(d_1\right)-1\right]$$

Quando o ativo for um índice de ações, essas fórmulas estarão corretas para q igual à taxa de dividendos sobre o índice. Quando o ativo for uma moeda, estarão corretas para q igual à taxa de juro externa livre de risco, r_f. Quando o ativo for um contrato futuro, estarão corretas para q igual à taxa de juro doméstica livre de risco, r.

Exemplo

Um banco norte-americano lançou opções de venda sobre £1 milhão, com vencimento em seis meses e preço de exercício igual a 1,6000. A instituição deseja que seu portfólio seja delta neutro. Suponha que a taxa de câmbio corrente seja 1,6200, a taxa de juro livre de risco na Inglaterra seja 13% ao ano, a taxa de juro livre de risco nos Estados Unidos seja 10% ao ano e a volatilidade da libra esterlina seja 15%. Nesse caso, $S_0 = 1{,}6200$; $X = 1{,}6000$; $r = 0{,}10$; $r_f = 0{,}13$; $\sigma = 0{,}15$; e $T = 0{,}5$. O delta da opção de venda sobre a moeda é:

$$\left[N\left(d_1\right)-1\right]e^{-r_f T}$$

onde d_1 é definido na equação (12.9). Pode-se mostrar que:

$$d_1 = 0{,}0287 \qquad N\left(d_1\right) = 0{,}5115$$

Assim, o delta da opção de venda é –0,458. Este é o delta de uma posição longa em uma opção de venda (isso significa que quando a taxa de câmbio aumentar em δS, o preço da opção de venda diminuirá na proporção de 45,8% de δS). O delta da posição vendida total do banco é +458.000. Para fazer uma posição de delta neutro, deve-se adicionar uma posição vendida em libras esterlinas de £458.000 junto à posição em opções. Essa posição vendida em libras esterlinas possui delta de –458.000 e neutraliza o delta da posição em opções.

Delta de contratos a termo

O conceito do delta pode ser aplicado a outros instrumentos financeiros diferentes das opções. Considere um contrato a termo [*forward*] sobre uma ação que não paga dividendos. A equação (3.9) mostra que o valor do contrato a termo é igual a $S_0 - Ke^{-rT}$, onde K é o preço de entrega e T é o prazo até a maturidade do contrato a termo. Quando o preço da ação muda de δS e tudo o mais permanece constante, o valor do contrato a termo sobre a ação também muda de δS. O delta de um contrato a termo sobre uma ação é, portanto, sempre igual a 1. Isso significa que a posição *short* em um contrato a termo sobre uma ação pode ser *hedgeada* pela compra de uma ação; e uma posição longa em um contrato a termo sobre uma ação pode ser *hedgeada* pela venda de uma ação[6].

Para um ativo que proporciona dividendos à taxa q, a equação (3.11) mostra que o delta do contrato a termo é e^{-qT}. No caso de um índice de ações, q é igual à taxa de dividendos proporcionada pelas ações que compõem a carteira teórica do índice. Para uma moeda, q é igual à taxa de juro externa livre de risco.

Delta de contrato futuro

Da equação (3.5), o preço de um contrato futuro sobre uma ação que não paga dividendos é S_0e^{rT}, onde T é o prazo até a maturidade do contrato futuro. Isso mostra que quando o preço da ação muda de δS e tudo o mais permanece constante, o preço futuro muda para $\delta S e^{rT}$. Como os contratos futuros são marcados a mercado diariamente, o detentor de posição longa em futuros ganha esse valor quase imediatamente. O delta de um contrato futuro é, portanto, e^{rT}. Para contratos futuros sobre ativos que proporcionam dividendos à taxa q, a equação (3.7) mostra que o delta é $e^{(r-q)T}$. É interessante notar que o impacto da marcação a mercado permite que os deltas para contratos futuros e contratos a termo sejam ligeiramente diferentes. Isso é verdade mesmo quando as taxas de juro são constantes e o preço a termo é igual ao preço futuro.

Às vezes, o contrato futuro é utilizado para se obter posição delta neutro. Considere:

T = maturidade do contrato futuro;

H_A = posição necessária em um ativo para o delta *hedging*;

H_F = posição alternativa em contratos futuros para o delta *hedging*.

Quando o ativo subjacente é uma ação que não paga dividendos, a análise apresentada mostra que:

$$H_F = e^{-rT} H_A \tag{15.2}$$

Quando o ativo paga dividendo à taxa q:

$$H_F = e^{-(r-q)T} H_A \tag{15.3}$$

[6] Esses são esquemas *hedge-forget*. Como o delta é sempre 1,0, nenhum ajuste se faz necessário durante a vida do contrato.

Para um índice de ações, q será igual à taxa de dividendos proporcionada pela carteira teórica. Para uma moeda, q será igual à taxa de juro externa livre de risco, r_f, de tal modo que:

$$H_F = e^{-(r-r_f)T} H_A \qquad (15.4)$$

Exemplo

Considere a opção do exemplo anterior, em que o *hedge* com uma moeda requer posição *short* em 458.000. Da equação (15.4), o *hedge* com um contrato futuro de nove meses de maturidade sobre essa moeda requer posição *short* em futuros de:

$$e^{-(0,10-0,13)\times 9/12} 458.000$$

ou £468.442. Como cada contrato futuro permite a compra ou a venda de £62.500, sete contratos devem ser vendidos (sete é o número inteiro mais próximo de 468.442/62.500).

Aspectos dinâmicos do delta *hedging*

As Tabelas 15.3 e 15.4 fornecem dois exemplos de operação de delta *hedging* para o exemplo da seção 15.1. Assume-se que o *hedge* é ajustado ou rebalanceado semanalmente. O valor inicial do delta, calculado a partir dos dados da seção 15.1, é 0,522. Isso significa que logo que a opção é lançada, toma-se US$2.557.800 para comprar 52.200 ações ao preço de US$49. A taxa de juro é 5%. O custo de juros de US$2.500 é, portanto, incorrido na primeira semana.

Na Tabela 15.3, o preço da ação cai ao fim da primeira semana para US$48,12. O delta cai para 0,458 e 6.400 ações são vendidas para manter o *hedge*. A estratégia proporciona o recebimento de US$308.000 e o empréstimo acumulado ao fim da semana 1 é reduzido para US$2.252.300. Durante a segunda semana, o preço da ação cai para US$47,37, o delta diminui de novo, e assim por diante. À medida que se aproxima a data de expiração da opção, a opção será exercida e o delta se aproximará de 1,0. Na vigésima semana, portanto, o *hedger* tem a posição totalmente coberta. O *hedger* recebe US$5 milhões pelas ações mantidas, o que faz que o custo de lançar a opção e *hedgeá-la* seja US$263.300.

A Tabela 15.4 ilustra uma seqüência alternativa de eventos de tal modo que a opção fecha fora do dinheiro. Como se torna claro que a opção não será exercida, o delta se aproxima de zero. Na semana 20, o *hedger* possui uma posição descoberta e incorre no custo total de US$256.600.

Nas Tabelas 15.3 e 15.4, os custos de *hedgear* uma opção, quando descontados para o início do período, são próximos, mas não exatamente os mesmos do valor gerado pelo modelo de Black e Scholes de US$240.000. Se o esquema de *hedge* funcionasse perfeitamente, o custo de *hedging* seria, após o desconto, exatamente igual ao preço de

Black e Scholes para todos os caminhos simulados para o comportamento do preço da ação. A razão para a variação no custo do delta *hedging* é o fato de o *hedge* ser rebalanceado apenas uma vez por semana. À medida que o rebalanceamento se torna mais freqüente, a variação no custo do *hedge* também é reduzida. É claro que os exemplos das Tabelas 15.3 e 15.4 são idealizados, uma vez que assumem volatilidade constante e sem custo de transação.

A Tabela 15.5 mostra estatísticas sobre a performance do delta *hedging* obtida de 1.000 caminhos aleatórios para o preço da ação no exemplo. Como na Tabela 15.1, a medida de performance é a razão entre o desvio-padrão do custo de *hedgear* a opção e o preço da opção dado pelo modelo de Black e Scholes. É claro que o delta *hedging* é uma evolução muito grande em relação à estratégia de *stop-loss*. Diferentemente da estratégia de *stop-loss*, a performance da estratégia de delta *hedging* torna-se melhor quanto mais freqüente o *hedge* for monitorado.

Tabela 15.3 – Simulação do delta *hedging*: a opção fecha dentro do dinheiro, o custo do *hedging* é US$263.300

Semana	Preço da ação	Delta	Ações adquiridas	Custo das ações adquiridas (US$mil)	Custo acumulado incluindo os juros (US$mil)	Custo dos juros (US$mil)
0	49	0,522	52.200	2.557,80	2.557,80	2,50
1	48,12	0,458	(6.400)	(308)	2.252,30	2,20
2	47,37	0,400	(5.800)	(274,70)	1.979,80	1,90
3	50,25	0,596	19.600	984,90	2.996,60	2,90
4	51,75	0,693	9.700	502	3.471,50	3,30
5	53,12	0,774	8.100	430,30	3.905,10	3,80
6	53	0,771	(300)	(15,90)	3.893	3,70
7	51,87	0,706	(6.500)	(337,20)	3.559,50	3,40
8	51,38	0,674	(3.200)	(164,40)	3.398,50	3,30
9	53	0,787	11.300	598,90	4.000,70	3,80
10	49,88	0,550	(23.700)	(1.182,20)	2.822,30	2,70
11	48,50	0,413	(13.700)	(664,40)	2.160,60	2,10
12	49,88	0,542	12.900	643,50	2.806,20	2,70
13	50,37	0,591	4.900	246,80	3.055,70	2,90
14	52,13	0,768	17.700	922,70	3.981,30	3,80
15	51,88	0,759	(900)	(46,70)	3.938,40	3,80
16	52,87	0,865	10.600	560,40	4.502,60	4,30
17	54,87	0,978	11.300	620,0	5.126,90	4,90
18	54,62	0,990	1.200	65,50	5.197,30	5
19	55,87	1.000	1.000	55,90	5.258,20	5,10
20	57,25	1.000	0	0,0	5.263,30	–

Tabela 15.4 – Simulação do delta *hedging*: a opção fecha fora do dinheiro, o custo do *hedging* é US$256.600

Semana	Preço da ação	Delta	Ações adquiridas	Custo das ações adquiridas (US$mil)	Custo acumulado incluindo os juros (US$mil)	Custo dos juros (US$mil)
0	49	0,522	52.200	2.557,80	2.557,80	2,50
1	49,75	0,568	4.600	228,90	2.789,20	2,70
2	52	0,705	13.700	712,40	3.504,30	3,40
3	50	0,579	(12.600)	(630)	2.877,70	2,80
4	48,38	0,459	(12.000)	(580,60)	2.299,90	2,20
5	48,25	0,443	(1.600)	(77,20)	2.224,90	2,10
6	48,75	0,475	3.200	156	2.383	2,30
7	49,63	0,540	6.500	322,60	2.707,90	2,60
8	48,25	0,420	(12.000)	(579)	2.131,50	2,10
9	48,25	0,410	(1.000)	(48,20)	2.085,40	2
10	51,12	0,658	24.800	1.276,80	3.355,20	3,20
11	51,50	0,692	3.400	175,10	3.533,50	3,40
12	49,88	0,542	(15.000)	(748,20)	2.788,70	2,70
13	49,88	0,538	(400)	(20)	2.771,40	2,70
14	48,75	0,400	(13.800)	(672,70)	2.101,40	2
15	47,50	0,236	(16.400)	(779)	1.324,40	1,30
16	48	0,261	2.500	120	1.445,70	1,40
17	46,25	0,062	(19.900)	(920,40)	526,70	0,50
18	48,13	0,183	12.100	582,40	1.109,60	1,10
19	46,63	0,007	(17.600)	(820,70)	290	0,30
20	48,12	0	(700)	(33,70)	256,60	–

Tabela 15.5 – Performance do delta *hedging*

Tempo entre o rebalanceamento do *hedge* (semanas)	5	4	2	1	0,50	0,25
Medida de performance	0,43	0,39	0,26	0,19	0,14	0,09

Nota: a mensuração da performance é igual a razão entre o desvio-padrão do custo de lançamento de uma opção e seu *hedging* em relação ao preço teórico da opção.

A estratégia de delta *hedging* objetiva manter o valor da posição da instituição financeira inalterado tanto quanto possível. Inicialmente, o valor da opção lançada é US$240.000. Na situação da Tabela 15.3, o valor da opção pode ser calculado como US$414.500 na nona semana. Assim, a instituição financeira tem perda de US$174.500 em sua posição de opção. Sua posição em dinheiro, medida pelo custo acumulado, é US$1.442.900, valor pior na semana 9 que na semana zero. O valor das ações mantidas aumentou de US$2.557.800 para US$4.171.100. O efeito líquido de tudo isso é que o valor da posição da instituição financeira mudou apenas US$4.100 durante o período de nove semanas.

De onde vêm os custos

O esquema de delta *hedging* das Tabelas 15.3 e 15.4, na verdade, cria uma posição longa sintética na opção. Isso neutraliza a posição *short* na opção que foi lançada. O esquema em geral envolve a venda da ação imediatamente após o preço ter caído e a compra da ação imediatamente após o preço ter subido. Pode ser denominado esquema de compra na alta e venda na baixa! O custo de US$240.000 vem da diferença média entre o preço pago pelas ações e o preço auferido em sua venda.

Delta de portfólio

O delta de um portfólio de opções ou de outros derivativos que dependem de um ativo simples de preço S é igual a:

$$\frac{\delta\Pi}{\delta S}$$

onde δS consiste em pequena mudança no preço do ativo e $\delta\Pi$ é a mudança resultante no valor do portfólio.

O delta do portfólio pode ser calculado a partir dos deltas das opções individuais que o compõem. Se o portfólio contém o montante w_i da opção i ($1 \leq i \leq n$), o delta do portfólio é dado por:

$$\Delta = \sum_{i=1}^{n} w_i \Delta_i$$

onde Δ_i é o delta da i-ésima opção. A fórmula pode ser usada para calcular a posição no ativo subjacente, ou em um contrato futuro sobre o ativo subjacente, necessária para realizar delta *hedging*. Quando a posição for tomada, o delta do portfólio é zero e o portfólio é chamado de delta neutro.

Suponha uma instituição financeira norte-americana que tenha as três seguintes posições em opções sobre o dólar australiano:

- posição longa em 100.000 opções de compra com preço de exercício de 0,55 e data de expiração em três meses. O delta de cada opção é 0,533;
- posição *short* em 200.000 opções de compra com preço de exercício de 0,56 e data de expiração em cinco meses. O delta de cada opção é 0,468;
- posição *short* em 50.000 opções de venda com preço de exercício 0,56 e data de expiração em dois meses. O delta de cada opção é –0,508.

O delta do portfólio como um todo é:

$$100.000 \times 0{,}533 - 200.000 \times 0{,}468 - 50.000 \times (-0{,}508) = -14.900$$

Isso significa que é possível transformar o portfólio em delta neutro por meio da compra de 14.900 dólares australianos.

O contrato a termo de seis meses também pode ser usado para obter a neutralidade do delta nesse exemplo. Suponha que a taxa de juro livre de risco seja 8% ao ano na Austrália e 5% nos Estados Unidos ($r = 0{,}05$ e $r_f = 0{,}08$). O delta de um contrato a termo com data de vencimento T sobre um dólar australiano é $e^{-r_f T}$ ou $e^{-0{,}08 \times 0{,}5} = 0{,}9608$. A posição longa em contratos a termo sobre dólares australianos necessária para se obter a neutralidade do delta do portfólio é, portanto, 14.900/0,9608 =15.508.

Outra alternativa é usar o contrato futuro de seis meses. Da equação (15.4), a posição longa em futuros sobre dólares australianos para se obter a neutralidade do delta do portfólio é:

$$14.900e^{-(0{,}05-0{,}08)\times 0{,}5} = 15.125$$

Custos de transação

A manutenção de portfólio delta neutro em uma posição simples de uma opção mais o ativo subjacente, conforme descrito, pode ter custos proibitivos em face dos custos de transação que terão de ser incorridos na realização das operações. Para um grande portfólio de opções, a neutralidade do delta é mais factível. Apenas uma operação no ativo-objeto se faz necessária para tornar zero o delta para todo o portfólio. Os custos de transação do *hedge* são absorvidos pelos lucros nos diferentes negócios.

15.5 TETA

O *teta* de um portfólio de opções, Θ, é a taxa de mudança no valor do portfólio em função da passagem do tempo, considerando que tudo o mais permaneça constante. Especificamente:

$$\Theta = \frac{\delta \Pi}{\delta t}$$

onde $\delta\Pi$ é a mudança no valor do portfólio quando um montante de tempo δt passa e tudo o mais permanece constante. O teta, algumas vezes, é denominado *time decay* do portfólio. Para a opção de compra européia sobre uma ação que não paga dividendos, pode-se demonstrar, por meio da fórmula de Black e Scholes, que:

$$\Theta = -\frac{S_0 N'(d_1)\sigma}{2\sqrt{T}} - rXe^{-rT}N(d_2)$$

onde d_1 e d_2 são definidos na equação (11.5) e:

$$N'(x) = \frac{1}{\sqrt{2\pi}} e^{-x^2/2} \tag{15.5}$$

Para uma opção de venda européia sobre uma ação:

$$\Theta = -\frac{S_0 N'(d_1)\sigma}{2\sqrt{T}} + rXe^{-rT}N(-d_2)$$

Para a opção de compra européia sobre um ativo que paga dividendo à taxa q:

$$\Theta = -\frac{S_0 N'(d_1)\sigma e^{-qT}}{2\sqrt{T}} + qS_0 N(d_1)e^{-qT} - rXe^{-rT}N(d_2)$$

onde d_1 e d_2 são definidos da mesma maneira que na equação (12.4). Para a opção de venda européia sobre um ativo:

$$\Theta = -\frac{S_0 N'(d_1)\sigma e^{-qT}}{2\sqrt{T}} - qS_0 N(-d_1)e^{-qT} + rXe^{-rT}N(-d_2)$$

Quando o ativo é um índice de ações, as duas últimas equações são verdadeiras com q sendo igual à taxa de dividendos no índice. Quando é uma moeda, são verdadeiras quando q é igual à taxa de juro externa livre de risco, r_f. Quando se trata de um contrato futuro, são verdadeiras quando $q = r$.

Nessas fórmulas, o tempo é medido em anos. Em geral, quando o teta é cotado, o tempo é medido em dias e, dessa forma, o significado do teta é a mudança no valor do portfólio em função da passagem de um dia, com tudo o mais constante. Pode-se medir o teta tanto por dia de calendário, quanto por dia útil. Para obter o teta por dia de calendário, a fórmula do teta deve ser dividida por 365; para obter o teta por dia útil, deve-se dividir por 252 (o DerivaGem mede o teta por dia de calendário).

Exemplo

Considere a opção de venda de quatro meses de prazo sobre um índice de ações. O valor corrente do índice é 305; o preço de exercício, 300; a taxa de dividendo, 3% ao ano; a taxa de juro livre de risco, 8% ao ano; e a volatilidade do índice é de 25% ao ano.

Figura 15.5 – Variação do teta de opção de compra européia em relação ao preço da ação

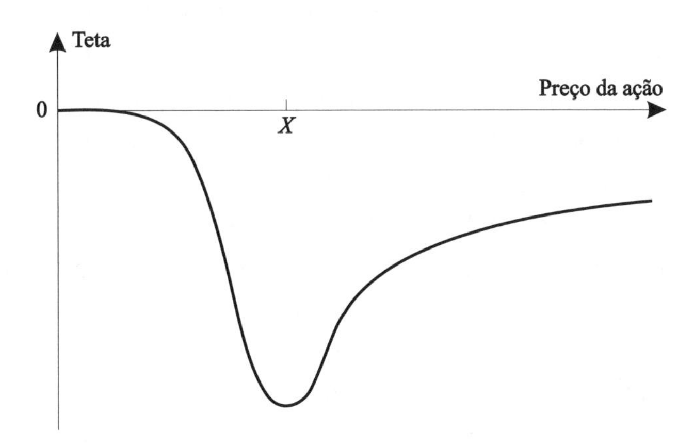

Figura 15.6 – Padrões típicos de variação do teta em relação ao tempo até o vencimento para opção de compra européia

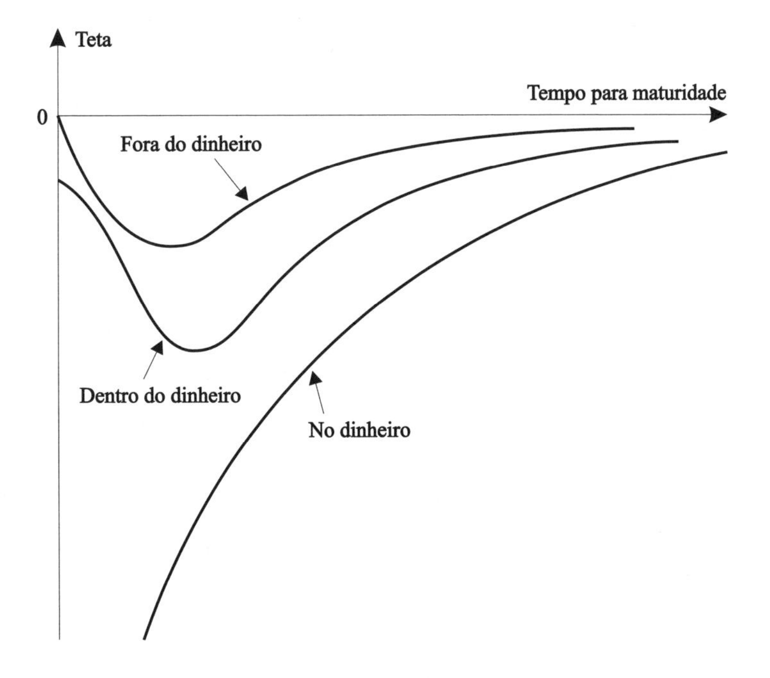

Nesse caso, $S_0 = 305$; $X = 300$; $q = 0{,}03$; $r = 0{,}08$; $\sigma = 0{,}25$; e $T = 0{,}3333$. O teta da opção é igual a:

$$-\frac{S_0 N'(d_1)\sigma e^{-qT}}{2\sqrt{T}} - qS_0 N(-d_1)e^{-qT} + rXe^{-rT}N(-d_2) = -18{,}15$$

O teta é igual a –18,15/365 = –0,0497 por dia calendário ou –18,15/252 = – 0,0720 por dia de negociação.

Em geral, o teta é negativo para uma opção[7]. Isso ocorre porque, à medida que o tempo para a maturidade decresce e tudo o mais permanece constante, a opção tende a perder valor. A variação do Θ em função do preço da ação para a opção de compra sobre ação é mostrada na Figura 15.5. Quando o preço da ação é muito baixo, o teta é próximo de zero. Para a opção de compra no dinheiro, o teta é maior e negativo. À medida que o preço da ação se torna maior, o teta tende para $-rXe^{-rT}$. A Figura 15.6 traz os padrões típicos para a variação do Θ em função do tempo até a maturidade para opções de compra dentro do dinheiro, no dinheiro e fora do dinheiro.

O teta não é um parâmetro de *hedge* do mesmo tipo do delta. Há incerteza sobre o preço futuro da ação, mas não há incerteza sobre a passagem do tempo. Assim, faz sentido realizar *hedge* contra mudanças no preço do ativo subjacente, mas não faz qualquer sentido contra o efeito da passagem do tempo sobre a carteira de opções. Apesar disso, muitos *traders* consideram que o teta é uma estatística descritiva muito útil para portfólio. Como será visto adiante, no portfólio delta neutro, o teta serve como *proxy* para o gama.

15.6 GAMA

O *gama*, Γ, de um portfólio de opções sobre um ativo subjacente é a taxa de mudança do delta do portfólio em relação ao preço do ativo-objeto. Quando o gama é pequeno, o delta muda devagar e os ajustes para manter o portfólio delta neutro não precisam ser feitos com muita freqüência. Entretanto, quando o gama é grande em termos absolutos, o delta é altamente sensível ao preço do ativo subjacente. É, portanto, bastante arriscado deixar o portfólio delta neutro inalterado por longo período de tempo. A Figura 15.7 ilustra esse ponto. Quando o preço da ação se move de *S* para *S'*, o delta assume que o preço da opção alterou-se de *C* para *C'*, quando na verdade se moveu de *C* para *C''*. A diferença entre *C'* e *C''* provoca erro no *hedge*. Esse erro depende da curvatura da relação entre o preço da opção e o preço da ação. O gama mede essa curvatura[8].

Suponha que δS seja a mudança no preço do ativo subjacente em um pequeno intervalo de tempo, δt, e $\delta \Pi$ seja a correspondente mudança no valor do portfólio. Pode ser demonstrado que para o portfólio delta neutro é razoável admitir que:

$$\delta\Pi = \Theta\delta t + \frac{\Gamma\delta S^2}{2} \tag{15.6}$$

onde Θ é o teta do portfólio.

---

[7] A exceção é a opção de venda européia dentro do dinheiro sobre uma ação que não paga dividendos ou a opção de compra européia dentro do dinheiro sobre uma moeda com alta taxa de juro.

[8] De fato, os participantes do mercado referem-se ao gama de uma opção como sendo sua curvatura.

Exemplo

Suponha que o gama do portfólio delta neutro de opções sobre um ativo seja igual a –10.000. A equação (15.6) mostra que se uma mudança de +2 ou –2 no preço do ativo ocorrer em um curto período de tempo, haverá decréscimo inesperado no valor do portfólio de aproximadamente $0,5 \times 10.000 \times 2^2 =$ US\$ 20.000.

A Figura 15.8 mostra a natureza da relação entre $\delta\Pi$ e δS para o portfólio delta neutro. Quando o gama é positivo, o portfólio cai em valor se não houver mudança em *S*, mas aumenta em valor se houver grande mudança, negativa ou positiva, em *S*. Quando o gama é negativo, o inverso é verdadeiro: o portfólio aumenta em valor se não houver mudança em *S*, mas cai em valor se houver mudança significativa em *S*, positiva ou negativa.

À medida que o valor absoluto do gama aumenta, a sensibilidade do valor do portfólio a δS também aumenta.

Figura 15.7 – Erro de *hedging* causado pela curvatura ou gama

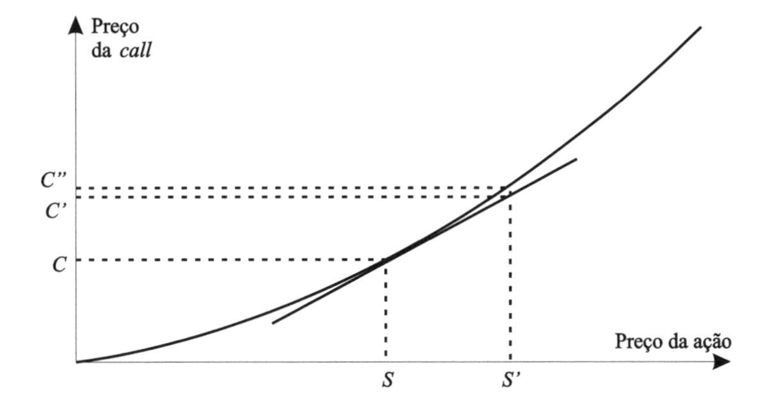

Criação de portfólio gama neutro

Uma posição no próprio ativo subjacente ou no contrato a termo sobre esse ativo tem gama zero e não pode ser usada para modificar o gama do portfólio. O que é necessário é uma posição em um instrumento, como uma opção, que não tem dependência linear no ativo subjacente.

Suponha que o portfólio delta neutro tenha gama igual a Γ e a opção tenha gama de Γ_T. Se o número de opções negociadas adicionadas ao portfólio for w_T, o gama do portfólio será:

$$w_T \Gamma_T + \Gamma$$

Logo, a posição em opção necessária para criar o portfólio gama neutro é $-\Gamma/\Gamma_T$. A inclusão da opção altera o delta do portfólio e a posição no ativo tem de ser mudada para manter a neutralidade do delta. Note que o portfólio é gama neutro apenas por curto período de tempo. À medida que o tempo passa, a neutralidade do gama pode ser mantida apenas se a posição na opção for ajustada de forma a ser sempre igual a $-\Gamma/\Gamma_T$.

Figura 15.8 – Relações alternativas entre $\delta\Pi$ e δS para portfólio delta neutro

a) Gama ligeiramente positivo

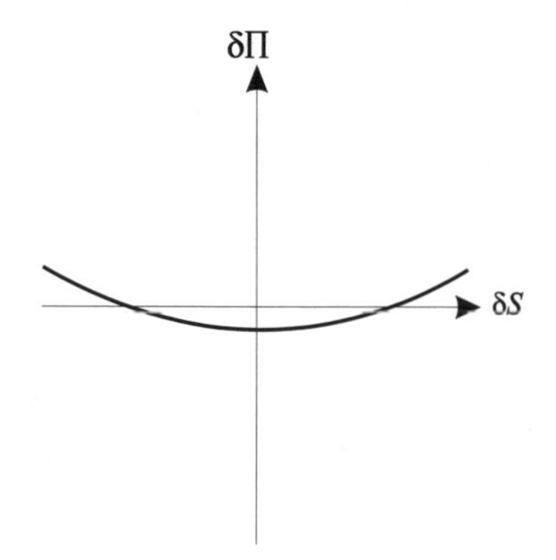

b) Gama amplamente positivo

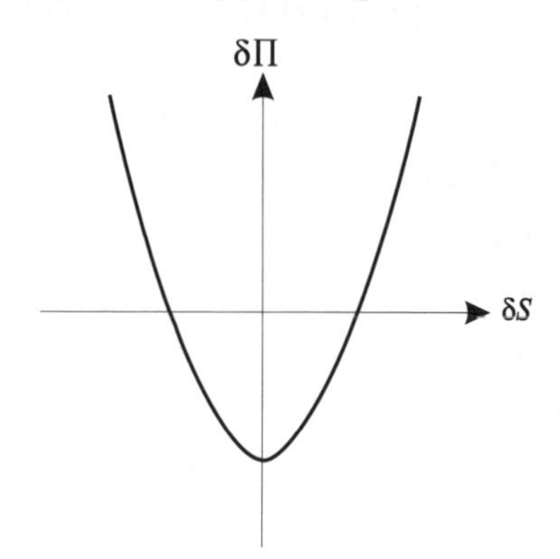

c) Gama ligeiramente negativo

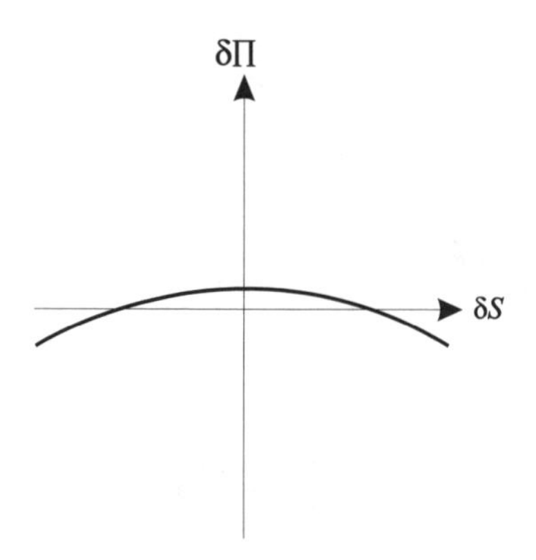

d) Gama amplamente negativo

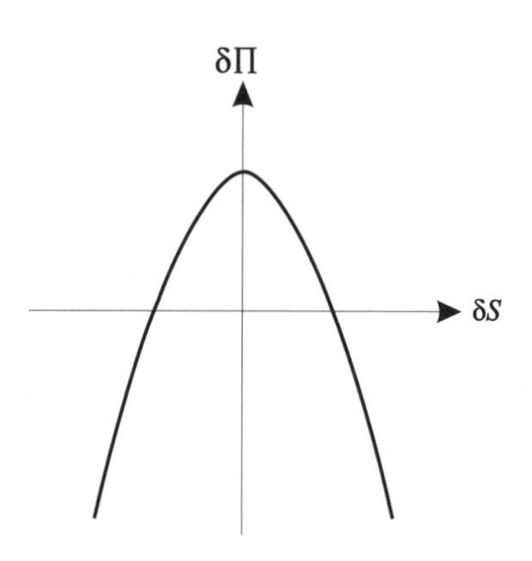

Tabela 15.6 – Criação de portfólio gama e delta neutro

Da mesa de operações

O portfólio do investidor é delta neutro e tem gama de –3.000. O delta e o gama de determinada opção de compra são 0,62 e 1,50, respectivamente. O investidor quer transformar seu portfólio em gama neutro e também em delta neutro.

Estratégia

O portfólio pode ser transformado em gama neutro por meio da compra de 2.000 opções (20 contratos). Entretanto, essa compra cria delta de 1.240. Deve-se, então, vender a quantidade de 1.240 do ativo no mesmo momento da compra da opção.

A criação de portfólio delta neutro e gama neutro pode ser vista como a primeira correção do fato de que a posição no ativo subjacente não pode ser modificada continuamente quando o delta *hedging* é utilizado. A neutralidade do delta proporciona proteção contra movimentos no preço da ação relativamente pequenos entre os rebalanceamentos do *hedge*. A neutralidade do gama proporciona proteção contra movimentos maiores. Suponha que um portfólio seja delta neutro e tenha gama de –3.000. O delta e o gama de determinada opção de compra particular são 0,62 e 1,50, respectivamente. O portfólio pode ser transformado em gama neutro por meio da inclusão no portfólio de uma posição longa de:

$$\frac{3.000}{1,5} = 2.000$$

Entretanto, o delta do portfólio passará de zero para $2.000 \times 0,62 = 1.240$. Faz-se necessário, então, vender 1.240 ativos para manter o portfólio delta neutro. Esse exemplo está resumido na Tabela 15.6.

Cálculo do gama

Para a opção de compra ou de venda européia sobre uma ação que não paga dividendos, o gama é dado pela fórmula:

$$\Gamma = \frac{N'(d_1)}{S_0\sigma\sqrt{T}}$$

onde d_1 é definido como na equação (11.5) e $N'(x)$ é definido como na equação (15.5). O gama é sempre positivo e varia com S_0 na forma indicada na Figura 15.9. A variação do gama em função do tempo até o vencimento para opções fora do dinheiro, no dinheiro e dentro do dinheiro é exibida na Figura 15.10. Para a opção no dinheiro, o gama aumenta à medida que o tempo até o vencimento diminui. Opções de prazo curto no dinheiro têm altos gamas, o que significa que o valor da posição do titular é bastante sensível a saltos no preço da ação.

Para *call* ou *put* européia sobre um ativo que paga dividendos contínuos à taxa q:

$$\Gamma = \frac{N'(d_1)e^{-qT}}{S_0\sigma\sqrt{T}}$$

onde d_1 é definido como na equação (12.4). Quando o ativo é um índice de ações, q é igual à taxa de dividendos do índice. Quando se trata de moeda, q é igual à taxa de juro livre de risco externa, r_f. Quando é um contrato futuro, $q = r$.

Figura 15.9 – Variação do gama em relação ao preço da ação para opção

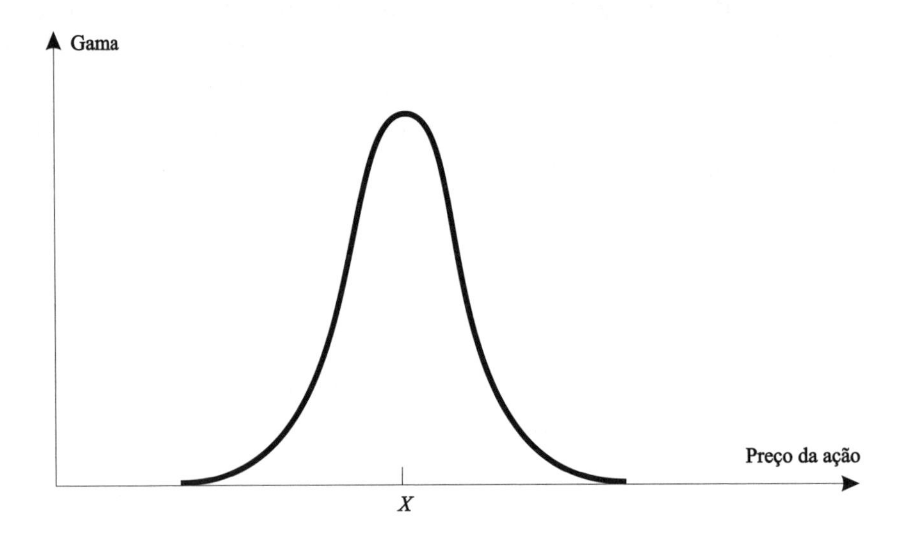

Figura 15.10 – Variação do gama em relação ao tempo até o vencimento para opção sobre ação

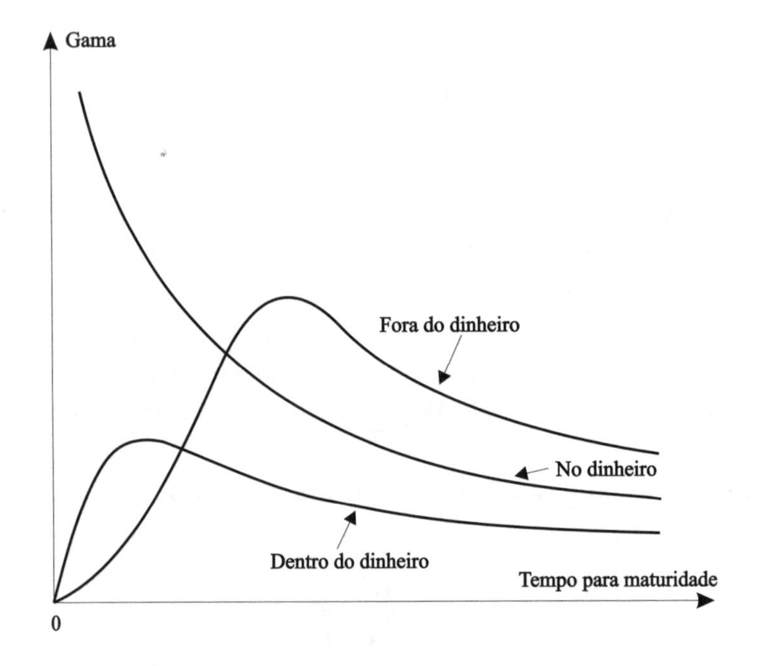

Exemplo

Considere a opção de venda de quatro meses de prazo sobre um índice de ações. O valor corrente do índice é 305, o preço de exercício é 300, a taxa de dividendos é 3% ao ano, a taxa de juro livre de risco é 8% ao ano e a volatilidade do índice é 25% ao ano.

Nesse caso, $S_0 = 305$; $X = 300$; $q = 0{,}03$; $r = 0{,}08$; $\sigma = 0{,}25$; e $T = 4/12$. O gama da opção sobre índice é dado por:

$$\frac{N'(d_1)e^{-qT}}{S_0\sigma\sqrt{T}} = 0{,}00866$$

Assim, o aumento de 1 no índice (de 305 para 306) eleva o delta da opção em aproximadamente 0,00866.

15.7 RELAÇÕES ENTRE DELTA, TETA E GAMA

Pode ser demonstrado que as letras gregas para um portfólio de opções de compra, opções de venda e outros instrumentos financeiros que dependem do preço de um ativo que paga dividendos à taxa q devem satisfazer à seguinte condição:

$$\Theta + (r-q)S_0\Delta + \frac{1}{2}\sigma^2 S_0^2\Gamma = r\Pi \qquad (15.7)$$

onde S é o preço da ação e Π o valor do portfólio.

Para o portfólio delta neutro, $\Delta = 0$ de modo que:

$$\Theta + \frac{1}{2}\sigma^2 S_0^2\Gamma = r\Pi$$

Isso mostra que quando o Θ é grande e positivo, o *gama* tende a ser grande e negativo, e vice-versa. Isso é consistente com a forma como a Figura 15.8 foi desenhada e explica a razão pela qual o teta pode ser considerado *proxy* do gama em um portfólio delta neutro.

15.8 VEGA

Até aqui, assumiu-se implicitamente que a volatilidade do ativo subjacente a um derivativo é constante. Na prática, as volatilidades alteram-se com o tempo. Isso significa que o valor de um derivativo pode mudar em função dos movimentos na volatilidade, como também por causa das mudanças no preço do ativo e da passagem do tempo.

O *vega* de um portfólio de derivativos, υ, é a taxa de mudança no valor de um portfólio em função da variação na volatilidade do ativo subjacente[9]. Se o vega for alto, em termos absolutos, o valor do portfólio será muito sensível a pequenas mudanças da volatilidade. Se o vega for baixo em termos absolutos, mudanças na volatilidade terão pouco impacto no valor do portfólio.

[9] Vega é o nome dado a uma das letras gregas no apreçamento de opções. Entretanto, não é uma letra do alfabeto grego.

Uma posição no ativo subjacente tem vega zero. Todavia, o vega do portfólio pode ser modificado pela adição de opções. Se υ for o vega da carteira e υ_T o vega da opção, a posição de $-\upsilon/\upsilon_T$ na opção faz que o portfólio se torne instantaneamente vega neutro. Infelizmente, um portfólio que é gama neutro não é vega neutro e vice-versa. Se o *hedger* desejar uma carteira que seja tanto gama quanto vega neutro, no mínimo dois derivativos, que dependem do preço do ativo subjacente, deverão ser utilizados.

Exemplo

Considere o portfólio que seja delta neutro, com gama de –5.000 e vega de –8.000. A opção tem gama de 0,5, vega de 2,0 e delta de 0,6. O portfólio pode ser transformado em vega neutro pela inclusão de uma posição longa de 4.000 opções. Isso aumentaria o delta para 2.400 e requereria que 2.400 unidades do ativo fossem vendidas para manter a neutralidade do delta. O gama do portfólio seria mudado de –5.000 para –3.000.

Para deixar o portfólio gama e vega neutro, supõe-se que haja outra opção com gama de 0,8, vega de 1,2 e delta de 0,5. Se w_1 e w_2 forem os montantes das duas opções a serem incluídas no portfólio, será necessário atingir o seguinte:

$$-5.000 + 0{,}5w_1 + 0{,}8w_2 = 0$$

$$-8.000 + 2{,}0w_1 + 1{,}2w_2 = 0$$

Figura 15.11 – Variação do vega em relação ao preço de uma ação para uma opção

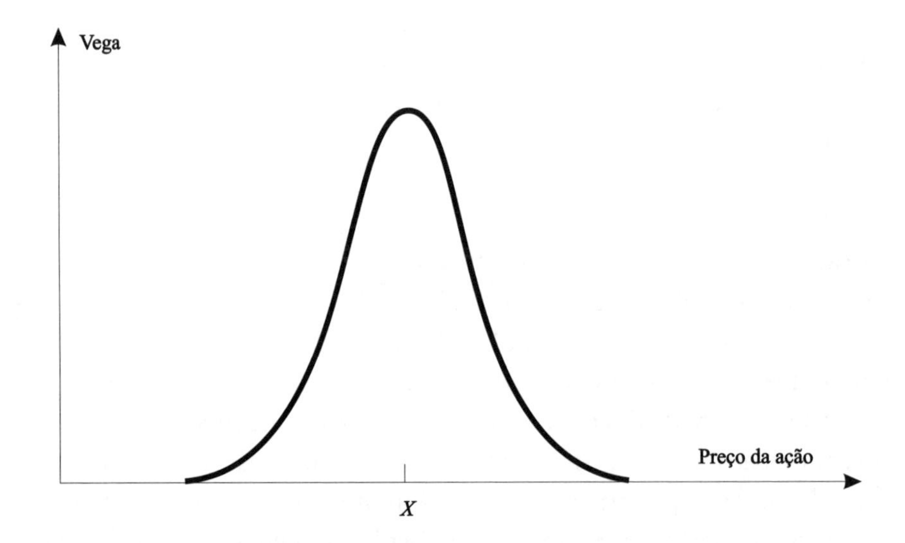

A solução para essas equações é $w_1 = 400$, $w_2 = 6.000$. O portfólio pode, portanto, ser gama e vega neutro com a inclusão de 400 unidades da primeira opção e 6.000 unidades da segunda. O delta do portfólio depois da adição das posições será $400 \times 0{,}6 + 6.000$

$\times$ 0,5 = 3.240. Logo, 3.240 unidades do ativo devem de ser vendidas para manter a neutralidade do delta.

Para a opção de compra ou de venda européia sobre a ação que não paga dividendos, o vega é dado por:

$$\upsilon = S_0 \sqrt{T} N'(d_1)$$

onde d_1 é definido como na equação (11.5). A fórmula para $N'(x)$ é dada na equação (15.5). Para a opção de compra ou de venda européia sobre o ativo que paga dividendos à taxa q,

$$\upsilon = S_0 \sqrt{T} N'(d_1) e^{-qT}$$

onde d_1 é definido como na equação (12.4).

Quando o ativo é um índice de ações, q é a taxa de dividendos no índice. Quando é uma moeda, q é a taxa de juro livre de risco externa, r_f. Quando é um contrato futuro, $q = r$.

O vega de uma opção européia ou americana comum é sempre positivo. O modo geral como o vega varia em função de S_0 é mostrado na Figura 15.11.

Exemplo

Considere a opção de venda de quatro meses sobre um índice de ações. O valor corrente do índice é 305, o preço de exercício é US$300, a taxa de dividendos é 3% ao ano, a taxa de juro livre de risco é 8% ao ano e a volatilidade do índice é 25% ao ano. Nesse caso, $S_0 = 305$; $X = 300$; $q = 0{,}03$; $r = 0{,}08$; $\sigma = 0{,}25$; e $T = 4/12$. O vega da opção será:

$$S_0 \sqrt{T} N'(d_1) e^{-qT} = 66{,}44$$

Isso significa que a elevação na volatilidade de 1% (0,01), isto é, de 25% para 26% fará o preço da opção aumentar em aproximadamente 0,6644 (=0,01 $\times$ 66,44).

Calcular o vega a partir do modelo de Black e Scholes e suas extensões pode parecer estranho, posto que uma das duas suposições básicas é que a volatilidade é constante. Teoricamente, seria mais correto apurar a volatilidade com um modelo em que a volatilidade fosse estocástica. Porém, o vega, calculado com esse tipo de modelo, é muito similar ao vega de Black e Scholes. Assim, o cálculo do vega, a partir de um modelo em que a volatilidade é constante, funciona razoavelmente bem[10].

---

[10] Ver Hull; White. The Pricing of Options on Assets with Stochastic Volatilities. *Journal of Finance* 42, pp. 281–300, June 1987.; e An Analysis of the Bias in Option Pricing Caused by a Stochastic Volatility. *Advances in Futures Options Research* 3, pp. 27–61, 1988.

A neutralidade do gama protege contra grandes mudanças no preço do ativo subjacente entre os rebalanceamentos do *hedge*. A neutralidade do vega protege contra a variação de σ. Como é de se esperar, o uso de uma opção para o *hedge* do gama ou do vega depende do tempo entre os rebalanceamentos do *hedge* e a variabilidade da volatilidade[11].

15.9 RÔ

O *rô* de um portfólio de opções é a taxa de mudança no valor do portfólio em função da taxa de juro. Mede a sensibilidade do valor do portfólio à taxa de juro. Para a opção de compra européia sobre a ação que não paga dividendos:

$$\text{rô} = XTe^{-rT}N(d_2)$$

onde d_2 é definido como na equação (11.5). Para a *put* européia:

$$\text{rô} = -XTe^{-rT}N(-d_2)$$

Essas mesmas fórmulas aplicam-se às opções de compra ou de venda sobre ações e índices de ações que pagam rendimentos de dividendos conhecidos, fazendo-se as mudanças apropriadas para a definição de d_2.

Exemplo

Considere a opção de venda de quatro meses sobre um índice de ações. O valor corrente do índice é igual a 305, o preço de exercício é 300, os dividendos são pagos à taxa de 3% ao ano, a taxa de juro livre de risco é 8% ao ano e a volatilidade do índice é 25% ao ano. Nesse caso $S_0 = 305$; $X = 300$; $q = 0{,}03$; $r = 0{,}08$; $\sigma = 0{,}25$; e $T = 4/12$. O rô da opção é:

$$-XTe^{-rT}N(-d_2) = -42{,}60$$

Isso significa que para a mudança de 1% (0,01) na taxa de juro livre de risco (de 8% para 9%), o valor da opção diminui de 0,426 ($= 0{,}01 \times 42{,}6$).

No caso de opções sobre moedas, há dois rôs correspondentes às duas taxas de juro. O rô correspondente à taxa de juro doméstica é dado pelas fórmulas já apresentadas. O rô correspondente à taxa de juro externa para a opção de compra européia sobre moeda é dado por:

[11] Para discussão desse assunto, ver Hull; White. Hedging the Risks from Writing Foreign Currency Options. *Journal of International Money Finance* 6, pp. 131–152, June 1987.

$$\text{rô} = -Te^{-r_f T} S_0 N(d_1)$$

Para a opção de venda européia:

$$\text{rô} = Te^{-r_f T} S_0 N(-d_1)$$

15.10 *HEDGING* NA PRÁTICA

Em um mundo ideal, os *traders* que trabalham para instituições financeiras seriam capazes de rebalancear suas carteiras com bastante freqüência a fim de manter delta zero, gama zero, vega zero e assim por diante. Na prática, isso não é possível. Quando se administra um portfólio grande, que depende do preço de um ativo subjacente, zera-se o delta no mínimo uma vez ao dia negociando-se o ativo subjacente. Infelizmente, gama zero e vega zero são mais difíceis de serem obtidos, porque é raro encontrar opções ou outros derivativos não-lineares que possam ser negociados no volume demandado a preços competitivos. Na maior parte dos casos, o gama e o vega são monitorados. Quando se tornam muito grandes, tanto positiva quanto negativamente, ou se toma uma ação corretiva ou a operação é encerrada antecipadamente.

Há grandes economias de escala quando há o *trader* de opções. Como visto, manter a neutralidade do delta para a opção individual, digamos, sobre o S&P 500, por meio da negociação diária, trará custos proibitivos. Porém, isso é possível para o portfólio de várias centenas de opções sobre o S&P 500. Isto se dá porque o custo de rebalanceamento diário (seja pela negociação das ações que compõem o índice, seja pela negociação de contratos futuros do índice) é coberto pelo lucro nos muitos diferentes negócios.

Em muitos mercados, a maioria dos negócios das instituições financeiras consiste em vendas de opções de compra e de opções de venda a seus clientes. Posições *short* em *call*s e em *put*s têm gamas e vegas negativos. Dessa forma, com o passar do tempo, tanto o gama quanto o vega da carteira de uma instituição financeira tornam-se progressivamente mais negativos. Os *traders* que trabalham para instituições financeiras estão, portanto, sempre procurando formas para comprar opções (ou seja, adquirir gamas e vegas positivos) a preços competitivos. Há um aspecto que, de alguma maneira, mitiga esse problema. Freqüentemente, as opções estão perto do dinheiro quando são vendidas pela primeira vez, o que implica altos gamas e vegas. Mas, depois de algum tempo, tendem a ficar muito fora ou muito dentro do dinheiro. Nesse caso, gamas e vegas tornam-se muito pequenos e de pouca influência. A pior situação para o *trader* de opções é quando a opção fica perto do dinheiro até sua maturidade.

15.11 ANÁLISE DE CENÁRIO

Em adição ao monitoramento de riscos como delta, gama e vega, os *traders* de opções sempre realizam análise de cenário, que envolve o cálculo do ganho ou da perda no portfólio para um período de tempo determinado sob uma variedade de diferentes cenários. O período de tempo escolhido depende da liquidez dos instrumentos. Os cenários podem ser escolhidos pela administração ou gerados por modelo.

Considere um banco com portfólio de opções sobre moedas estrangeiras. Há duas principais variáveis sobre as quais o valor do portfólio depende. Essas variáveis são a taxa de câmbio e a volatilidade da taxa de câmbio. Suponha que a taxa de câmbio corrente seja 1,000 e a volatilidade de 10% ao ano. O banco pode criar uma tabela como a 15.7, mostrando lucro ou perda durante o período de duas semanas sob diferentes cenários. Essa tabela leva em conta sete diferentes taxas de câmbio e três diferentes volatilidades. Como a variação de um desvio-padrão na taxa de câmbio durante o período de duas semanas é aproximadamente 0,02, os movimentos na taxa de câmbio são em torno de um, dois e três desvios-padrão.

Tabela 15.7 – Lucro ou prejuízo realizados em duas semanas sob diferentes cenários (US$ milhões)

	Taxa de câmbio						
Volatilidade	0,94	0,96	0,98	1	1,02	1,04	1,06
8%	+102	+55	+25	+6	–10	–34	–80
10%	+80	+40	+17	+2	–14	–38	–85
12%	+60	+25	+9	–2	–18	–42	–90

Na Tabela 15.7, a maior perda está no canto inferior à direita. Essa perda corresponde ao aumento da volatilidade para 12% e ao movimento da taxa de câmbio para 1,06. Em geral, as maiores perdas ocorrem nos cantos, como na Tabela 15.7, mas isso nem sempre acontece. Na situação, por exemplo, em que o portfólio do banco consiste em *spread* calendário reverso (veja a seção 9.2), a maior perda ocorrerá se a taxa de câmbio não sofrer variações.

15.12 CRIAÇÃO DE OPÇÕES SINTÉTICAS POR MEIO DE SEGURO DE PORTFÓLIO

O administrador de portfólio está sempre interessado em adquirir uma opção de venda sobre seu portfólio. Isso proporciona proteção contra quedas do mercado, ao mesmo tempo em que preserva o potencial para ganho se o mercado tiver boa performance. Uma alternativa (discutida no Capítulo 12) é comprar opções de venda sobre um índice de mercado, como o S&P 500. Outra é criar uma opção sintética.

A elaboração da opção sintética envolve a manutenção de uma posição do ativo (ou posição no futuro sobre o ativo subjacente) de tal modo que o delta da posição seja igual ao delta da opção que se quer desenvolver. A posição necessária para criar a opção sintética é a inversa daquela necessária para realizar seu *hedge*. Isso ocorre porque o procedimento para *hedgear* uma opção envolve a criação de uma opção igual e oposta sinteticamente.

Criar uma opção de venda sintética em vez de adquiri-la no mercado pode ser mais atraente para o administrador por duas razões. A primeira é que as opções disponíveis no mercado nem sempre têm a liquidez suficiente para absorver os negócios que os administradores de grandes fundos querem realizar. A segunda é que os administradores de fundos sempre demandam preços de exercício e datas de expiração diferentes daquelas disponíveis nos mercados de opções listados em bolsas.

A opção sintética pode ser elaborada por meio da negociação do portfólio ou da negociação em contratos futuros de índice. Examina-se a criação de uma opção de venda pela negociação do portfólio. Lembre que o delta da opção de venda européia sobre um portfólio é:

$$\Delta = e^{-qT}\left[N(d_1) - 1\right] \tag{15.8}$$

onde, com a notação usual:

$$d_1 = \frac{\ln(S_0/X) + (r - q + \sigma^2/2)T}{\sigma\sqrt{T}}$$

S_0 é o valor do portfólio, X é o preço de exercício, r é a taxa de juro livre de risco, q é o rendimento do dividendo sobre o portfólio, σ é a volatilidade do portfólio e T é o prazo da opção.

Para criar uma opção de venda sinteticamente, o administrador do fundo tem de se assegurar que, a qualquer tempo, a proporção:

$$e^{-qT}\left[1 - N(d_1)\right]$$

de ações no portfólio original foi vendida e os recursos foram investidos em ativos sem risco. À medida que o valor do portfólio original declina, o delta da *put* dada pela equação (15.8) torna-se mais negativo, e a proporção do portfólio original vendido deve ser aumentada. À medida que o valor original do portfólio aumenta, o delta da opção torna-se menos negativo, e a proporção do portfólio original vendido deve ser diminuída (ou seja, parte do portfólio original deve ser recomprada).

O uso dessa estratégia para criar seguro de portfólio significa que a qualquer momento os fundos estão divididos entre o portfólio de ações sobre o qual o seguro é requerido e ativos sem risco. À medida que o valor do portfólio de ações aumenta, os ativos sem risco são vendidos e a posição no portfólio de ações é aumentada. À medida que o valor do portfólio de ações diminui, a posição no portfólio de ações diminui e ativos sem risco são comprados. O custo do seguro ocorre porque o administrador está sempre vendendo após uma queda e comprando após uma elevação nos preços do mercado.

Exemplo

O portfólio vale US$90 milhões. Para protegê-lo contra as quedas do mercado, os administradores precisam de uma opção de venda européia de seis meses sobre o portfólio com preço de exercício de US$87 milhões. A taxa de juro livre de risco é 9% ao ano, o rendimento do dividendo, 3% ao ano e a volatilidade do portfólio, 25% ao ano. O S&P 500 está em 900 pontos. Como o portfólio tenta replicar o S&P, uma alternativa é comprar 1.000 contratos de opção de venda sobre o S&P 500 com preço de exercício de 870. Outra é criar a opção sinteticamente. Nesse caso, $S_0 = 90$ milhões; $X = 87$ milhões; $r = 0{,}09$; $q = 0{,}03$; $\sigma = 0{,}25$; e $T = 0{,}5$.

$$d_1 = \frac{\ln(90/87) + (0{,}09 - 0{,}03 + 0{,}25^2/2)0{,}5}{0{,}25\sqrt{0{,}5}} = 0{,}4499$$

e o delta da opção demandada é, inicialmente, de:

$$e^{-qT}\left[N(d_1) - 1\right] = -0{,}3215$$

Isso mostra que a venda inicial de 32,15% do portfólio deve ser feita para se contrapor à opção requerida. O montante do portfólio vendido deve ser monitorado freqüentemente. Por exemplo, se o valor do portfólio for reduzido para US$88 milhões depois de um dia, o delta da opção requerida mudará para –0,3679 e a venda adicional de 4,64% do portfólio original deverá ser feita. Se o valor do portfólio aumentar para US$92 milhões, o delta da opção requerida mudará para –0,2787 e 4,28% do portfólio original deverá ser recomprado.

Uso de futuros de índice

O uso de futuros de índice para criar opções sinteticamente pode ser preferível ao uso das ações subjacentes porque os custos de transação associados aos negócios no futuro de índice são geralmente mais baixos que aqueles associados com os negócios equivalentes nas ações subjacentes. O valor financeiro das posições em contratos futuros a serem vendidos como proporção do valor do portfólio deve ser, com base nas equações (15.3) e (15.8):

$$e^{-qT}e^{-(r-q)T^*}\left[1 - N(d_1)\right] = e^{q(T^*-T)}e^{-rT^*}\left[1 - N(d_1)\right]$$

onde T^* é o tempo de maturidade do contrato futuro. Se o portfólio vale K_1 vezes o índice e cada índice futuro é K_2 vezes o índice, o número de contratos futuros que deve estar vendido a qualquer tempo deve ser:

$$e^{q(T^*-T)}e^{-rT^*}\left[1-N(d_1)\right]\frac{K_1}{K_2}$$

Exemplo

Suponha que, no exemplo anterior, sejam usados contratos futuros de nove meses sobre o S&P 500 para criar uma opção sintética. Nesse caso, inicialmente $T = 0{,}5$; $T^* = 0{,}75$; $K_1 = 100.000$; $K_2 = 250$; e $d_1 = 0{,}4499$. Dessa forma, o número de contratos futuros que deve ser vendido é:

$$e^{q(T^*-T)}e^{-rT^*}\left[1-N(d_1)\right]\frac{K_1}{K_2}=123,20$$

ou 123, arredondando-se para o número inteiro mais próximo. À medida que o tempo passa e o índice se altera, a posição no contrato futuro deve ser ajustada.

Até aqui, assumiu-se que o portfólio espelha o índice. Como foi discutido no Capítulo 12, o esquema de *hedge* pode ser ajustado para lidar com outras situações. O preço de exercício para as opções deve ser o nível esperado para o índice de mercado quando o valor do portfólio alcança seu valor segurado. O número de opções usadas deve ser β vezes o número de opções que seriam necessárias se o portfólio tivesse beta igual a 1,0. A volatilidade do portfólio pode ser assumida como sendo o beta vezes a volatilidade de um índice bem diversificado.

19 de outubro de 1987

A criação de opções de venda sinteticamente não funciona bem se a volatilidade do índice se modificar muito rapidamente ou se o índice variar em saltos. Na segunda-feira, 19 de outubro de 1987, o Dow Jones Industrial Average caiu mais de 20%. Os administradores que fizeram seguro comprando opções de venda nas bolsas ou no mercado de balcão sobreviveram bem ao *crash*. Entretanto, aqueles que preferiram criar opções de venda sinteticamente se viram incapazes de vender suas ações ou índices futuros na velocidade necessária para proteger suas posições.

Relatório da Comissão Brady

O relatório da Comissão Brady, sobre o *crash* de 19 de outubro de 1987, mostra aspectos interessantes sobre o efeito do seguro de portfólio no mercado naquela data[12]. A

---

[12] Ver *Report of the Presidential Task Force on Market Mechanisms*, 1988.

Comissão Brady estimou que US$60 bilhões a US$90 bilhões de ações estavam administrados sob a forma de seguro de portfólio em outubro de 1987. Durante o período da quarta-feira, dia 14, à sexta-feira, dia 16, o mercado caiu cerca de 10%, sendo a maior parte dessa queda ocorrida na sexta-feira à tarde. A queda deve ter gerado no mínimo US$12 bilhões em ordens de vendas de ações ou de índices futuros em função dos esquemas de seguro de portfólio[13]. Na verdade, menos que US$4 bilhões foram vendidos, o que significa que na semana seguinte os administradores executaram substanciais montantes de vendas que já haviam sido determinadas por seus modelos. A Comissão Brady estimou que, na segunda-feira, 19 de outubro, as vendas comandadas por computador por três administradores de portfólio responderam por 10% de todas as vendas na Nyse e que as vendas em função de seguro de portfólio responderam por 21,3% de todas as vendas nos mercados futuros de índice. Parece provável que o seguro de portfólio causou alguma pressão para baixo no mercado.

Como o mercado caiu muito rápido e os sistemas da bolsa ficaram sobrecarregados, os administradores não foram capazes de executar a maior parte dos negócios gerados por seus modelos e fracassaram na tentativa de obter a proteção desejada. É desnecessário dizer que a popularidade dos esquemas de seguro de portfólio baseados em negociação dinâmica de ações e contratos futuros caiu consideravelmente desde outubro de 1987.

15.13 VOLATILIDADE DO MERCADO DE AÇÕES

Já foi discutido se a volatilidade é causada apenas pelas novas informações que chegam ao mercado ou se os negócios por si mesmos geram volatilidade. Esquemas de seguro de portfólio, como os descritos, têm o potencial para aumentar a volatilidade. Quando o mercado cai, forçam os administradores de portfólio a vender ações ou contratos futuros de índice. Ambas as ações podem acentuar a queda. A venda de ações faz o mercado cair diretamente. A venda de contratos futuros de índice força os preços futuros para baixo. Essa queda cria pressão de venda nas ações por meio do mecanismo de arbitragem (veja o Capítulo 3), de forma que o índice também é forçado para baixo da mesma forma. De forma similar, quando os preços do mercado sobem, os esquemas de seguro de portfólio obrigam os administradores a comprar ações ou contratos futuros de índice. Isso acentua a alta.

Além dos esquemas de seguro de portfólio formais, especula-se que muitos investidores conscientemente ou inconscientemente seguem os esquemas de seguro de portfólio por sua própria conta. Por exemplo, o investidor está inclinado a entrar no mercado quando este está subindo, mas irá vender quando estiver caindo de modo a limitar o risco de queda.

---

[13] Para se ter uma perspectiva a respeito disso, na segunda-feira, 19 de outubro de 1987, todos os recordes anteriores foram quebrados quando 604 milhões de ações, valendo US$21 bilhões, foram negociados na Bolsa de Valores de Nova Iorque. Aproximadamente, US$20 bilhões em contratos futuros de S&P foram negociados naquele dia.

Se os esquemas de seguro de portfólio (formais ou informais) afetarem a volatilidade, depende de quão facilmente o mercado pode absorver os negócios gerados por tais esquemas. Se os negócios gerados por seguro de portfólio representarem uma fração pequena de todos os negócios, provavelmente não haverá impacto. À medida que o seguro de portfólio se torna mais popular, é provável que haja algum efeito de desestabilização no mercado.

15.14 SUMÁRIO

As instituições financeiras oferecem uma variedade de produtos de opções para seus clientes. Freqüentemente, as opções não correspondem aos produtos padronizados negociados pelas bolsas. As instituições financeiras, então, têm de enfrentar o problema de *hedgear* sua exposição. Opções descobertas e cobertas causam risco inaceitável para essas instituições. Uma forma de lidar com o problema é o uso de estratégias de *stop-loss*. Isso envolve a manutenção de uma posição descoberta quando a opção está fora do dinheiro e a sua cobertura quando a opção entra no dinheiro. Embora superficialmente atraente, a estratégia não funciona bem.

O delta, Δ, de uma opção é a taxa de mudança no seu preço em relação ao preço do ativo subjacente. O delta *hedging* envolve a criação de uma posição com delta zero (também denominada posição delta neutro). Como o delta do ativo subjacente é igual a 1,0, uma maneira de *hedgear* é tomar uma posição de $-\Delta$ no ativo subjacente para cada opção longa a ser *hedgeada*. O delta da opção muda ao longo do tempo. Isso significa que a posição no ativo subjacente tem de ser freqüentemente ajustada.

Uma vez que a posição foi transformada em delta neutro, o próximo passo é examinar seu gama. O gama de uma opção é a taxa de mudança de seu delta em relação ao preço do ativo subjacente. É a medida da curvatura da relação entre o preço da opção e o preço do ativo. O impacto dessa curvatura na performance do delta *hedging* pode ser reduzido por meio da elaboração de uma posição em opções que seja gama neutro. Se Γ é o gama de uma posição *hedge*ada, sua redução pode ser obtida ao se tomar uma posição em uma outra opção negociada que tenha gama de $-\Gamma$.

O delta e o gama *hedging* são baseados na suposição de que a volatilidade do ativo subjacente é constante. Na prática, as volatilidades mudam com o passar do tempo. O vega de uma opção ou de um portfólio de opções mede a taxa de mudança de seu valor em relação à volatilidade. O *trader*, que desejar *hedgear* uma posição em opções contra as mudanças na volatilidade, precisa criar uma posição vega neutro. Assim como no procedimento para se criar a neutralidade do gama, isso requer tomar uma posição em uma opção negociada para eliminar o vega. Se o *trader* deseja obter neutralidade de gama e de vega, duas opções são necessárias.

Duas outras medidas de risco de uma opção são o teta e o rô. O teta mede a taxa de mudança do valor de uma posição em relação à passagem do tempo, considerando-se tudo o mais constante. O rô mede a taxa de mudança no valor da posição em relação à taxa de juro de curto prazo, considerando-se tudo o mais constante.

Na prática, os *traders* de opção em geral rebalanceiam seus portfólio no mínimo uma vez ao dia. Em geral, não é factível manter a neutralidade do gama e do vega. Na verdade, os *traders* monitoram essas medidas. Quando se tornam grandes, uma medida corretiva é tomada ou a negociação é encerrada antecipadamente.

Os administradores de portfólio, às vezes, estão interessados na elaboração de opções de venda sinteticamente com o objetivo de fazer seguro de portfólio. Eles podem fazer isso tanto pela negociação do portfólio ou pela compra de contratos futuros sobre o portfólio. A negociação do portfólio envolve a divisão do portfólio entre ações e títulos de renda fixa. À medida que o mercado cai, mais dinheiro é investido nos títulos de renda fixa. Se o mercado subir, mais dinheiro será investido em ações. A negociação de contratos futuros de índice envolve a manutenção do portfólio de ações intacto e a venda do índice futuro. À medida que o mercado cai, mais contratos de índice futuro são vendidos; à medida que o mercado sobe, menos contratos são vendidos. A estratégia funciona bem sob condições de mercado normais. Em 19 de outubro de 1987, uma segunda-feira, quando o Dow Jones Industrial Average caiu mais de 500 pontos, o esquema funcionou muito mal. Os administradores de portfólios segurados não conseguiram vender ações ou contratos futuros de índice de forma rápida suficiente para proteger suas posições. Em conseqüência, a popularidade desses esquemas caiu bastante.

SUGESTÕES PARA LEITURAS COMPLEMENTARES

Sobre posições de *hedge* com opções

BOYLE, P. P.; EMANUEL, D. Discretely Adjusted Option Hedges. *Journal of Financial Economics* 8, pp. 259–282, 1980.

FIGLEWSKI, S. Option Arbitrage in Imperfect Markets. *Journal of Finance* 44, pp. 1289–1311, December 1989.

GALAI, D. The Components of the Return from Hedging Options against Stocks. *Journal of Business* 56, pp. 45–54, January 1983.

HULL, J. C.; WHITE, A. Hedging the Risks from Writing Foreign Currency Options. *Journal International Money Finance* 6, pp. 131–152, June 1987.

Sobre seguro de portfólio

ASAY, M.; EDELBERG, C. Can a Dynamic Strategy Replicate the Returns on an Option? *Journal of Futures Markets* 6, pp. 63-70, spring 1986.

BOOKSTABER, R.; LANGSAM, J. A. Portfolio Insurance Trading Rules. *Journal of Futures Markets* 8, pp. 15–31, February 1988.

ETZIONI, E. S. Rebalance Disciplines for Portfolio Insurance. *Journal of Portfolio Insurance* 13, pp. 59–62, fall 1986.

LELAND, H. E. Option Pricing Replication with Transaction Costs *Journal of Finance* 40, pp. 1283–1301, December 1985.

LELAND, H. E. Who Should Buy Portfolio Insurance? *Journal of Finance* 35, pp. 581–594, May 1980.

RUBINSTEIN, M. Alternative Paths for Portfolios Insurance. *Financial Analysts Journal* 41, pp. 42–52, July–August 1985.

RUBINSTEIN, M.; LELAND, H. E. Replicating Options with Positions in Stock Cash. *Financial Analysts Journal* 37, pp. 63–72, July–August 1981.

TILLEY, J. A.; LATAINER, G. O. A Synthetic Option Framework for Asset Allocation. *Financial Analysts Journal* 41, pp. 32–41, May–June 1985.

PERGUNTAS RÁPIDAS (RESPOSTAS NO FIM DO LIVRO)

15.1 Explique como o esquema de *hedge stop-loss* pode ser implementado pelo lançador de uma opção de compra fora do dinheiro. Por que esse esquema proporciona *hedge* relativamente pobre?

15.2 O que significa afirmar que o delta de uma opção de compra é igual a 0,7? Como se pode transformar uma posição vendida em 1.000 opções em delta neutro quando o delta de cada opção é igual a 0,7?

15.3 Calcule o delta de uma opção de compra européia no dinheiro, de seis meses de prazo, sobre uma ação que não paga dividendos, quando a taxa de juro livre de risco é 10% ao ano e a volatilidade do preço da ação é 25% ao ano.

15.4 O que significa afirmar que o teta de uma opção é –0,1, quando o tempo é medido em anos? Se o *trader* sentir que nem o preço da ação nem sua volatilidade implícita vão mudar, que tipo de posição em opções será apropriado?

15.5 O que significa o gama de uma posição em opções? Quais os riscos em uma situação em que o gama de uma posição é grande e negativo e o delta é zero?

15.6 O procedimento para criar uma posição em opções sintética é o reverso do procedimento para *hedgear* a posição em opções. Explique essa afirmação.

15.7 Por que o seguro de portfólio não funcionou bem em 19 de outubro de 1987?

QUESTÕES E PROBLEMAS (RESPOSTAS NO MANUAL DE SOLUÇÕES)

15.8 O preço dado pelo modelo de Black e Scholes para uma opção de compra fora do dinheiro, com preço de exercício de US$40, é US$4. O *trader*, que lançou a opção, planeja usar a estratégia de *stop-loss*. O plano é comprar a US$40,10 e vender a US$39,90. Estime o número esperado de vezes em que a ação será comprada ou vendida.

15.9 Suponha que o preço corrente de uma ação seja US$20 e a opção de compra, com preço de exercício de US$25, seja criada sinteticamente usando uma posição na ação que é modificada continuadamente. Considere os seguintes cenários:

a) o preço da ação aumenta continuadamente US$20 para US$35 durante a vida da opção;

b) o preço da ação oscila bruscamente, chegando a US$35.

Qual cenário torna a criação sintética da opção mais cara? Explique sua resposta.

15.10 Qual é o delta de uma posição *short* em 1.000 opções de compra européias sobre o futuro de prata? As opções vencem em oito meses e o contrato futuro subjacente à opção tem maturidade de nove meses. O preço do futuro é US$8 por onça, o preço de exercício das opções é US$8, a taxa de juro livre de risco é 12% e a volatilidade da prata é 18% ao ano.

15.11 No problema 15.10, qual posição inicial no contrato futuro de prata, com vencimento em nove meses, é necessária para o delta *hedging*? Se a prata for usada, qual será a posição inicial? Se o futuro de um ano for usado, qual será a posição inicial? Suponha que não haja custos de armazenagem ou custódia para a prata.

15.12 A companhia usa a estratégia delta *hedging* para *hedgear* um portfólio de posições longas (compradas) em opções de venda e opções de compra sobre moedas. Qual das seguintes alternativas proporcionaria um resultado mais favorável?

a) Uma taxa spot constante;

b) Uma taxa spot com movimentos bruscos.

Explique sua resposta.

15.13 Repita o problema 15.12 para uma instituição financeira com um portfólio de posições curtas (vendidas) em opções de venda e opções de compra sobre moeda.

15.14 A instituição financeira acabou de vender 1.000 opções de compra européia de sete meses sobre o iene japonês. Suponha que a taxa de câmbio spot seja 0,80 *cent* por iene, o preço de exercício, seja 0,81 *cent* por iene, a taxa de juro livre de risco seja 8% ao ano nos Estados Unidos e a taxa de juro livre de risco no Japão seja 5% ao ano. A volatilidade do iene seja 15% ao ano. Calcule o delta, o gama, o vega, o teta e o rô da posição da instituição financeira. Interprete cada número.

15.15 Sob que condições é possível fazer que uma opção européia sobre um índice de ações seja gama e vega neutro por meio da adição de uma posição em uma outra opção européia?

15.16 O administrador de fundos tem portfólio bem diversificado que espelha a performance do S&P 500 e vale US$360 milhões. O valor do S&P 500 é 1.200 e o administrador do portfólio gostaria de comprar um seguro contra a redução de mais de 5% no valor do portfólio para os próximos seis meses. A taxa de juro livre de risco é 6% ao ano. A taxa de dividendos tanto para o portfólio quanto para o S&P é 3% e a volatilidade do índice é 30% ao ano.

a) Se o administrador do fundo comprar opções de venda européias, de quanto seria o custo do seguro?

b) Explique detalhadamente as estratégias alternativas disponíveis ao administrador do fundo envolvendo a negociação de opções de compra européias e mostre que estas produzem o mesmo resultado.

c) Se o administrador decidir providenciar seguro aplicando parte do portfólio em títulos de renda fixa, qual deverá ser a posição inicial?

d) Se o administrador decidir providenciar o seguro por meio do uso de contratos futuros sobre o índice de nove meses de maturidade, qual deverá ser a posição inicial?

15.17 Repita o problema 15.16 assumindo a hipótese de que o portfólio tem beta de 1,5. Admita que os dividendos sobre o portfólio são distribuídos à taxa de 4% ao ano.

15.18 Mostre, por meio da substituição dos vários termos na equação (15.7), que a equação é válida para:

a) opção européia de compra sobre uma ação que não paga dividendos;

b) opção européia de venda sobre uma ação que não paga dividendos;

c) qualquer portfólio de opções de compra e opções de venda européias sobre ações que não pagam dividendos.

15.19 Suponha que US$70 bilhões em ações estejam sujeitos aos esquemas de seguro de portfólio. Suponha que tais esquemas sejam construídos para proporcionar seguro contra uma queda no valor dos ativos maior que 5% dentro de um ano. Fazendo as estimativas que julgar necessárias, use o software DerivaGem para calcular o valor das ações ou dos contratos futuros que o administrador do portfólio tentará vender se o mercado cair 23% em um único dia.

15.20 Um contrato a termo sobre um índice de ações tem o mesmo delta que o seu contrato futuro correspondente? Explique sua resposta.

15.21 A posição de um banco em opções sobre a taxa de câmbio dólar-euro tem delta de 30.000 e gama de –80.000. Explique como esses números podem ser interpretados. A taxa de câmbio (dólares por euro) é 0,90. Que posição você tomaria para criar uma posição delta neutro? Depois de curto período de tempo, a taxa de câmbio se move para 0,93. Estime o novo delta. Que operação adicional é necessária para manter a posição delta neutro? Assumindo-se que o banco tenha criado uma posição delta neutro originalmente, o banco ganhou ou perdeu dinheiro com o movimento da taxa de câmbio?

QUESTÕES DE PROVA

15.22 Considere uma opção de compra européia de um ano sobre uma ação quando o preço da ação é US$30, o preço de exercício é US$30, a taxa de juro livre de risco é 5% e a volatilidade é 25% ao ano. Use o software DerivaGem para calcular o preço, o delta, o gama, o vega, o teta e o rô da opção. Verifique qual é o delta correto ao alterar o preço da ação para US$30,10 e recalcular o preço da opção. Verifique qual é o gama correto ao recalcular o delta para a situação em que o preço da ação é US$30,10. Execute cálculos semelhantes para checar o vega, o teta, e o rô corretos. Use o software DerivaGem para plotar o preço da ação, o delta, o gama, o vega, o teta e o rô em função do preço da ação.

15.23 A instituição financeira tem o seguinte portfólio de opções de balcão sobre a libra esterlina:

Tipo	Posição da opção	Delta da opção	Gama da opção	Vega
Call	–1.000	0,50	2,2	1,8
Call	–500	0,80	0,6	0,2
Put	–2.000	–0,40	1,3	0,7
Call	–500	0,70	1,8	1,4

Uma opção está disponível com delta de 0,6, gama de 1,5 e vega de 0,8.

a) Que posições na opção e na libra seriam necessárias para criar um portfólio ao mesmo tempo gama neutro e delta neutro?

b) Que posições na opção seriam necessárias para criar um portfólio ao mesmo tempo vega neutro e delta neutro?

15.24 Considere novamente a situação do problema 15.23. Suponha que uma segunda opção com delta de 0,1, gama de 0,5 e vega de 0,6 esteja disponível. Como criar um portfólio que seja delta, gama e vega neutro?

15.25 Um instrumento de depósito, oferecido por um banco, garante aos investidores retorno, durante um período de seis meses, maior que: (a) zero e (b) 40% do retorno verificado no índice de mercado. O investidor está planejando colocar US$100.000 nesse instrumento. Descreva o *payoff* do investimento como uma opção sobre o índice. Supondo-se que a taxa de juro livre de risco seja 8% ao ano, a taxa de dividendos, 3% ao ano e a volatilidade do índice, 25% ao ano, esse produto é um bom negócio para o investidor?

Capítulo 16
VALUE AT RISK

No Capítulo 15, foram examinadas medidas como delta, gama e vega para descrever os diferentes aspectos do risco de um portfólio de opções e outros ativos financeiros. Em geral, uma instituição financeira calcula cada uma dessas medidas diariamente para todas as variáveis às quais está exposta. Existem centenas ou mesmo milhares dessas variáveis de mercado. Uma análise delta-gama-vega, portanto, implica o cálculo diário de grande número de diferentes medidas de risco. Essas medidas proporcionam informações valiosas para os *traders* responsáveis pela administração de vários componentes do portfólio das instituições financeiras, mas são de uso limitado da administração sênior.

O *value at risk* (VAR) é um esforço para proporcionar à alta administração números que sumarizem o risco total de um portfólio de ativos financeiros. Esse instrumento tem se tornado amplamente utilizado por tesoureiros e administradores de fundos como também por instituições financeiras. Os reguladores dos bancos centrais também empregam o VAR para determinar o capital que um banco deve manter e que reflita os riscos de mercado a que está exposto[1].

Neste capítulo, explica-se a medida VAR e descrevem-se os dois principais métodos para seu cálculo: *simulação histórica* e *model-building*. Ambos são amplamente utilizados por instituições financeiras e empresas não-financeiras. Não há consenso sobre qual deles é o melhor.

16.1 MEDIDA VAR

Ao usar a medida *value at risk*, o administrador responsável por um portfólio de instrumentos financeiros está interessado em afirmar o seguinte: existe $X\%$ de certeza de que não haverá perdas maiores que V dólares nos próximos N dias.

---

[1] Para mais detalhes, ver Jackson; Maude; Perraudin. Bank Capital and Value at Risk. *Journal of Derivatives* 4 (3), pp. 73–90, spring 1997.

A variável *V* é o VAR do portfólio. Esta é função de dois parâmetros: *N*, o horizonte de tempo e *X*, o nível de confiança. É o nível de perda em *N* dias que o administrador está *X*% certo de que não será excedido.

No cálculo do capital de um banco para fazer face ao risco de mercado, os reguladores usam $N = 10$ e $X = 99$. Isso significa que estão interessados no nível de perda no período de 10 dias, em que se espera não seja excedido além de 1% das vezes. O capital que os reguladores requerem deve ser no mínimo três vezes a medida de VAR[2].

Figura 16.1 – Cálculo do VAR a partir da distribuição de probabilidade das variações no valor do portfólio

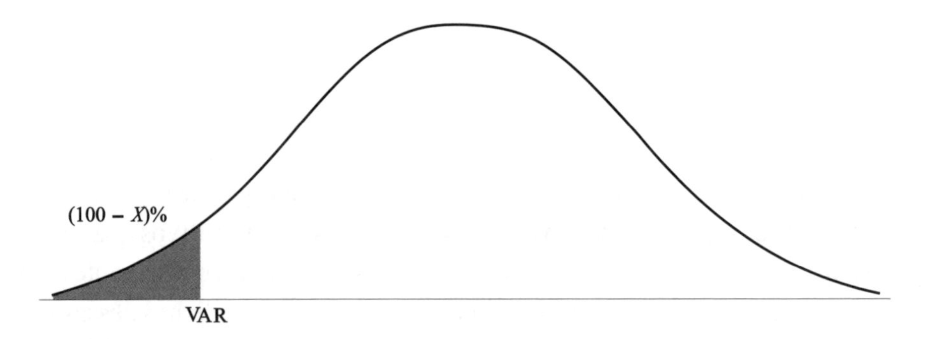

Nota: nível de confiança de *X*%.

Figura 16.2 – Situação alternativa à Figura 16.1

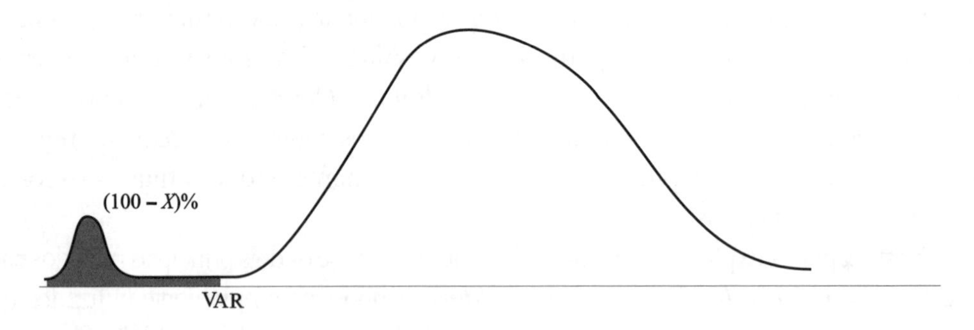

Nota: mesmo VAR e maior perda potencial.

Em geral, quando *N* dias é o horizonte de tempo e *X*% o nível de confiança, o VAR é a perda correspondente ao (100 – *X*) ponto percentil da distribuição das variações no

[2] Para ser mais exato, o capital requerido para o risco de mercado para um banco particular é *k* vezes o VAR para 10 dias com nível de confiança de 99%. O multiplicador *k* é escolhido pelos reguladores e deve ser no mínimo igual a três.

valor do portfólio para os próximos N dias. Por exemplo, quando $N = 5$ e $X = 97$, o VAR é o terceiro percentil da distribuição de variações no valor do portfólio para os próximos cinco dias. O VAR é ilustrado na Figura 16.1 para a situação em que as variações no valor do portfólio são, aproximadamente, normalmente distribuídas.

O VAR é uma medida atrativa porque é muito fácil de ser entendido. Em essência, é feita uma pergunta muito simples: até que ponto as coisas podem piorar? Esta é a questão que todos os administradores seniores querem ver respondida. Sentem-se confortáveis com a idéia de ter todas as letras gregas para todas as variáveis de mercado subjacentes aos portfólios resumidas em um único número.

Quando se aceita que é útil ter um único número para descrever o risco de um portfólio, uma questão interessante é se o VAR consiste na melhor alternativa. Alguns pesquisadores têm argumentado que o VAR pode influenciar os *traders* a escolher uma carteira com a distribuição de retorno similar à da Figura 16.2. Os portfólios nas Figuras 16.1 e 16.2 têm o mesmo VAR, mas o da Figura 16.2 é muito mais arriscado porque as perdas potenciais são muito maiores.

Uma medida que lida com esse problema é o *VAR condicional* (C-VAR)[3]. Enquanto o VAR responde à pergunta "até que ponto as coisas podem piorar?", o C-VAR responde à questão: "se as coisas piorarem, quanto se pode esperar perder?" O C-VAR é a perda esperada durante o período de N-dias, condicionada ao fato de se estar no ponto $(100 - X)\%$ da cauda esquerda da distribuição. Por exemplo, com $X = 99$ e $N = 10$, C-VAR é o valor médio que se perde sobre o período de 10 dias, assumindo-se que haja o pior evento, que possui 1% de chance de ocorrer.

Apesar de sua pouca robustez, o VAR (e não o C-VAR) é a medida de risco mais popular entre os reguladores e administradores seniores. Por essa razão, dedica-se a maior parte do restante deste capítulo para explicar como o VAR pode ser medido.

Horizonte de tempo

Teoricamente, o VAR tem dois parâmetros: N, o horizonte de tempo medido em dias; e X, o intervalo de confiança. Na prática, os analistas estabelecem $N = 1$ no primeiro momento. Isso se deve ao fato de não haver dados suficientes para estimar diretamente o comportamento das variáveis de mercado para períodos maiores que um dia. A hipótese normalmente aceita é:

$$\text{VAR para } N \text{ dias} = \text{VAR para 1 dia} \times \sqrt{N}$$

---

[3] Essa medida foi sugerida por Artzner; Delbaen; Eber; Heath. Coherent Measures of Risk. *Mathematical Finance* 9, pp. 203–228, 1999. Esses autores definem certas propriedades que uma boa medida de risco deve ter e mostram que o VAR não tem todas.

Essa fórmula é válida quando as mudanças no valor do portfólio em dias sucessivos possuem distribuições normais, idênticas e independentes com média zero. Em outros casos, é apenas uma aproximação.

Foi mencionado que os reguladores exigem que o capital do banco seja no mínimo três vezes o VAR para 10 dias com 99% de confiança. Assim, para todos os efeitos, o capital exigido será $3 \times \sqrt{10} = 9,49$ vezes o VAR de 1 dia com 99% de confiança.

16.2 SIMULAÇÃO HISTÓRICA

Simulação histórica é um meio popular de estimar o VAR, pois envolve o uso de dados passados de forma muito direta, como um guia para estabelecer o que pode acontecer no futuro. Suponha que se deseja calcular o VAR para um portfólio usando o horizonte de tempo de um dia, nível de confiança de 99% e dados relativos a 500 dias. O primeiro passo é identificar as variáveis de mercado que afetam o portfólio. Tipicamente, essas variáveis são as taxas de câmbio, os preços das ações, as taxas de juro etc. Depois, coletam-se os dados relativos às variações dessas variáveis de mercado nos últimos 500 dias. Isso nos dá 500 cenários alternativos para o que pode acontecer entre hoje e amanhã. No cenário 1, assume-se que as mudanças percentuais nos valores de todas as variáveis serão iguais àquelas observadas no primeiro dia para os quais os dados foram coletados; no cenário 2, assume-se que as mudanças serão aquelas observadas no segundo dia e assim por diante. Para cada cenário, calcula-se a mudança em dinheiro no valor do portfólio entre hoje e amanhã. Isso define a distribuição de probabilidade para variações diárias no valor do nosso portfólio. A quinta pior variação diária é o ponto percentil 1 da distribuição. O VAR estimado é a perda quando se está nesse ponto. Assumindo-se que as variações dos últimos 500 dias sejam um bom guia para dizer o que pode acontecer durante o próximo dia, há 99% de certeza de que não haverá perda maior que a estimativa de VAR.

A metodologia de simulação histórica, ilustrada nas Tabelas 16.1 e 16.2, mostra observações nas variáveis de mercado para os últimos 500 dias. As observações são tomadas em algum ponto do tempo durante o dia (em geral no fechamento dos negócios). Denota-se o primeiro dia como dia 0; o segundo como dia 1 etc. Hoje é o dia 500; amanhã, 501.

A Tabela 16.2 traz os valores das variáveis de mercado amanhã se as percentagens de variação entre hoje e amanhã forem as mesmas do dia $i-1$ e o dia i para $1 \leq i \leq 500$. A primeira coluna na Tabela 16.2 indica os valores das variáveis de mercado amanhã, assumindo-se que as variações percentuais entre hoje e amanhã são as mesmas verificadas entre o dia 0 e o dia 1; a segunda coluna exibe os valores das variáveis de mercado amanhã, assumindo-se que as variações percentuais entre o dia 1 e o dia 2 vão ocorrer, e assim sucessivamente. As 500 colunas da Tabela 16.2 apresentam os 500 cenários considerados.

Seja v_i o valor da variável de mercado no dia i e m o número de dias dos dados que estão sendo usados. O i-ésimo cenário supõe que o valor da variável de mercado amanhã será:

$$v_m \frac{v_i}{v_{i-1}}$$

Tabela 16.1 – Dados para cálculo do VAR via simulação histórica

Dia	Variável de mercado 1	Variável de mercado 2	...	...	Variável de mercado N
0	20,33	0,1132	...	...	65,37
1	20,78	0,1159	...	...	64,91
2	21,44	0,1162	...	...	65,02
3	20,97	0,1184	...	...	64,90
...	...	...	...	...	...
...	...	...	...	...	...
498	25,72	0,1312	...	...	62,22
499	25,75	0,1323	...	...	61,99
500	25,85	0,1343	...	...	62,10

No exemplo, $m = 500$. Para a primeira variável, o valor hoje, v_{500}, é 25,85. Além disso, v_0 é 20,33 e v_1 é igual a 20,78. Então, o valor para a primeira variável no primeiro cenário é:

$$25,85 \times \frac{20,78}{20,33} = 26,42$$

A coluna final da Tabela 16.2 revela o valor do portfólio amanhã para cada um dos 500 cenários. O valor do portfólio hoje é conhecido: US$23,50 milhões. Calcula-se a variação no valor do portfólio entre hoje e amanhã para todos os diferentes cenários. Para o cenário 1, o valor é US$210.000; para o cenário 2, é –US$380.000 e assim por diante.

Essas mudanças no valor do portfólio são então ordenadas. A quinta pior perda é o VAR de um dia com 99% de confiança. Como mencionado nesta seção, o VAR para N dias com 99% de confiança é calculado como $\sqrt{N}$ vezes o VAR para um dia.

A cada dia, o VAR estimado no exemplo poderia ser atualizado usando-se os mais recentes 500 dias de dados. Considere, por exemplo, o que acontece no dia 501. Encontram-se novos valores para todas as variáveis de mercado e calcula-se novo valor para o portfólio[4]. Continua-se o procedimento estabelecido para apurar o novo VAR. Utilizam-se os dados das variáveis de mercado do dia 1 ao dia 501 (isso dá as 500 observações relativas a variações percentuais nas variáveis de mercado; os valores das variáveis de mercado no dia 0 não serão mais usados). Similarmente, no dia 502, utilizam-se os dados do dia 2 ao dia 502 para determinar o VAR, e assim por diante.

[4] Note que a composição do portfólio pode ter sido mudada entre o dia 500 e o dia 501.

Tabela 16.2 – Cenários gerados para amanhã (dia 501) utilizando-se a Tabela 16.1

Cenários	Variável de mercado 1	Variável de mercado 2	...	...	Variável de mercado N	Valor do portfólio (US$milhões)
1	26,42	0,1375	...	...	61,66	23,71
2	26,67	0,1346	...	...	62,21	23,12
3	25,28	0,1368	...	...	61,99	22,94
...	...	...	...	...	...	...
...	...	...	...	...	...	...
499	25,88	0,1354	...	...	61,87	23,63
500	25,95	0,1363	...	...	62,21	22,87

16.3 MÉTODO *MODEL-BUILDING*

A principal alternativa à simulação histórica é o *model-building* (também denominado modelo de variância-covariância). Antes de entrar nos detalhes desse método, é apropriado mencionar um aspecto relativo às unidades de medida da volatilidade.

Volatilidades diárias

Em apreçamento de opções, em geral, utiliza-se o tempo em anos. A volatilidade de um ativo é cotada como a volatilidade ao ano. Quando se emprega o *model-building* para calcular o VAR, em geral, mede-se o tempo em dias e a volatilidade do ativo é cotada em volatilidade ao dia.

Qual é a relação entre a volatilidade ao ano usada no apreçamento de opções e a volatilidade ao dia usada nos cálculos de VAR? Define-se σ_{ano} como a volatilidade ao ano de determinado ativo e σ_{dia} como a volatilidade equivalente ao dia do ativo. Assumindo-se 252 dias úteis no ano, emprega-se a equação (11.4) para escrever o desvio-padrão dos retornos dos ativos, compostos continuamente em um ano, como σ_{ano} ou como $\sigma_{dia}\sqrt{252}$. Portanto:

$$\sigma_{ano} = \sigma_{dia}\sqrt{252}$$

ou

$$\sigma_{dia} = \frac{\sigma_{ano}}{\sqrt{252}}$$

Logo, a volatilidade diária é cerca de 6% da volatilidade anual.

Como salientado na seção 11.3, σ_{dia} é aproximadamente igual ao desvio-padrão da mudança percentual no preço do ativo em um dia. Para efeito do cálculo do VAR, supõe-se igualdade exata. Definiu-se a volatilidade diária do preço de um ativo (ou qualquer outra variável) como igual ao desvio-padrão da mudança percentual em um dia.

Nas próximas seções, assume-se que haja estimativas das volatilidades diárias e das correlações. Mais adiante neste capítulo, é explicado como essas estimativas foram produzidas.

Caso de um único ativo

Mostra-se como o VAR é calculado usando-se o enfoque *model-building* em uma situação muito simples, em que o portfólio consiste de uma posição em uma única ação. O portfólio é composto de US$10 milhões em ações da Microsoft. $N = 10$ e $X = 99$, de modo que o nível de perda para 10 dias com 99% de confiança não seja excedido. Inicialmente, considera-se o horizonte de tempo de um dia.

Supõe-se que a volatilidade de Microsoft seja 2% ao dia (correspondente a 32% ao ano). Como o tamanho da posição é US$10 milhões, o desvio-padrão das variações diárias no valor da posição é 2% de US$10 milhões, ou US$200.000.

No método *model-building*, é comum supor que a variação esperada em uma variável de mercado para determinado período de tempo seja zero. Isso não é totalmente verdadeiro, mas é uma suposição razoável. A variação esperada no preço de uma variável de mercado para curto período de tempo é geralmente menor quando comparada com o desvio-padrão da variação. Suponha, por exemplo, que a ação da Microsoft tenha retorno esperado de 20% ao ano. Para o período de um dia, o retorno esperado é 0,20/252, ou 0,08%, enquanto o desvio-padrão é 2%. Para o período de 10 dias, o retorno esperado é 0,20/25,2, ou 0,8%, enquanto o desvio-padrão dos retornos é $2\sqrt{10}$, ou 6,3%.

Até aqui, estabeleceu-se que a variação no valor do portfólio de ações da Microsoft para um período de tempo de um dia tem desvio-padrão de US$200.000 e (pelo menos aproximadamente) média igual a zero. Supõe-se que as variações sejam normalmente distribuídas[5]. Das tabelas no fim do livro, $N(-2{,}33) = 0{,}01$. Isso significa que existe 1% de probabilidade de que uma variável normalmente distribuída irá decrescer em valor mais que 2,33 desvios-padrão. De forma equivalente, significa que temos 99% de certeza de que a variável normalmente distribuída não irá decrescer em valor mais de 2,33 desvios-padrão. Portanto, o VAR para um dia, com 99% de confiança, do portfólio de US$10 milhões em ações da Microsoft é:

$$2{,}33 \times 200.000 = \text{US\$}466.000$$

[5] Para ser consistente com a hipótese de apreçamento de opção do Capítulo 11, assume-se que o preço de Microsoft para amanhã seja lognormal. Como um dia é um período de tempo muito curto, praticamente não é distinguível a diferença entre essa hipótese e a suposição de que a variação de preços entre hoje e amanhã se comporte segundo uma distribuição normal.

Como discutido anteriormente, o VAR para N dias é calculado como $\sqrt{N}$ vezes o VAR de um dia. O VAR para 10 dias com 99% de confiança para o portfólio de ações da Microsoft é:

$$466.000 \times \sqrt{10} = \text{US\$}1.473.621$$

Considere o portfólio com uma posição de US$5 milhões em ações da AT&T e suponha que sua volatilidade seja 1% (aproximadamente 16% ao ano). Cálculo similar àquele realizado para Microsoft mostra que o desvio-padrão das variações no valor do portfólio em um dia é:

$$5.000.000 \times 0,01 = 50.000$$

Assumindo-se que as variações sejam normalmente distribuídas, o VAR para um dia com 99% de confiança será:

$$50.000 \times 2,33 = \text{US\$}116.500$$

e o VAR para 10 dias, a 99% será:

$$116.500 \times \sqrt{10} = \text{US\$}368.405$$

Tabela 16.3 – Cálculo do VAR em uma situação simples

Da mesa de operações

A companhia tem portfólio de US$10 milhões investidos em ações da Microsoft e US$5 milhões investidos em ações da AT&T. A volatilidade diária de Microsoft é 2%; a volatilidade diária de AT&T, 1%; e o coeficiente de correlação entre os retornos de Microsoft e AT&T é igual a 0,3.

Cálculo do VAR

O desvio-padrão das variações diárias no valor da posição de Microsoft é $10.000.000 \times 0,02 =$ US$200.000. O desvio-padrão das variações diárias no valor de AT&T é $5.000.000 \times 0,01 =$ US$50.000. O desvio-padrão da mudança no valor do portfólio, por dia, é:

$$\sqrt{200.000^2 + 50.000^2 + 2 \times 200.000 \times 50.000} = 220.227$$

Portanto, o VAR de um dia a 99% é:

$$220.227 \times 2,33 = \text{US\$}513.129$$

O VAR para 10 dias a 99% de confiança é $\sqrt{10}$ vezes o valor descrito acima ou US$1.622.657.

Caso de dois ativos

Considere o portfólio de US$10 milhões em ações da Microsoft e US$5 milhões em ações da AT&T. Supõe-se que os retornos nas duas ações tenham distribuição normal bivariada com correlação de 0,3. Um resultado padrão em estatística revela que, se duas variáveis X e Y têm desvios-padrão iguais a σ_X e σ_Y com o coeficiente de correlação entre eles igual a ρ, o desvio-padrão de $X + Y$ é dado por:

$$\sigma_{X+Y} = \sqrt{\sigma_X^2 + \sigma_Y^2 + 2\rho\sigma_X\sigma_Y}$$

Para aplicar esse resultado, supõe-se X igual à variação no valor da posição de Microsoft durante o período de um dia e Y igual à variação no valor da posição de AT&T pelo período de um dia, de tal modo que:

$$\sigma_X = 200.000 \qquad \sigma_Y = 50.000$$

Portanto, o desvio-padrão da variação no valor do portfólio com as duas ações pelo período de um dia é:

$$\sqrt{200.000^2 + 50.000^2 + 2 \times 0,3 \times 200.000 \times 50.000} = 220.227$$

Assume-se que a variação média seja zero. Portanto, o VAR de um dia a 99% é:

$$220.227 \times 2,33 = \text{US\$}513.129$$

O VAR de 10 dias a 99% é $\sqrt{10}$ vezes esse valor ou US$1.622.657. Esse exemplo está ilustrado na Tabela 16.3.

Benefícios da diversificação

No exemplo, tem-se:

- VAR de 10 dias a 99% para o portfólio de Microsoft = US$1.473.621;
- VAR de 10 dias a 99% para o portfólio de AT&T = US$368.405;
- VAR de 10 dias a 99% para o portfólio conjunto de Microsoft e AT&T = US$1.622.657.

O valor

$$(1.473.621 + 368.405) - 1.622.657 = \text{US\$}219.369$$

representa os benefícios da diversificação. Se Microsoft e AT&T fossem perfeitamente correlacionadas, o VAR para o portfólio conjunto seria igual ao VAR para o portfólio de

Microsoft mais o VAR para o portfólio de AT&T. Correlações não totalmente perfeitas levam a algum grau de diversificação[6].

16.4 MODELO LINEAR

Os exemplos apresentados são simples ilustrações para o uso do modelo linear para cálculo do VAR. Suponha o portfólio de valor P de n ativos com um montante α_i investidos no ativo i $(1 \leq i \leq n)$. Seja δx_i o retorno no ativo i em um dia. Assim, a variação em dólares no valor do investimento no ativo i em um dia é $\alpha_i\,\delta x_i$ e:

$$\delta P = \sum_{i=1}^{n} \alpha_i \delta x_i \tag{16.1}$$

onde δP é a variação em dólares no valor de todo o portfólio em um dia.

No exemplo da seção anterior, US$10 milhões foram investidos no primeiro ativo (Microsoft) e US$5 milhões no segundo ativo (AT&T) de tal maneira que (em milhões de dólares) $\alpha_1 = 10$, $\alpha_2 = 5$ e

$$\delta P = 10\ \delta x_1 + 5\ \delta x_2$$

Se δx_i na equação (16.1) forem normais multivariadas, δP será normalmente distribuído. Para calcular o VAR, precisa-se, portanto, calcular apenas a média e o desvio-padrão de δP. Como discutido na seção anterior, o valor esperado de cada δx_i é zero. Isso implica média zero para δP.

Para calcular o desvio-padrão de δP, define-se σ_i como a volatilidade diária do i-ésimo ativo e ρ_{ij} como o coeficiente de correlação entre os retornos no ativo i e o ativo j. Isso significa que σ_i é o desvio-padrão de δx_i e ρ_{ij} é o coeficiente de correlação entre δx_i e δx_j. A variância de δP, denotada por σ_P^2, é dada por:

$$\sigma_P^2 = \sum_{i=1}^{n} \sum_{j=1}^{n} \rho_{ij} \alpha_i \alpha_j \sigma_i \sigma_j$$

A equação também pode ser escrita da seguinte forma:

$$\sigma_P^2 = \sum_{i=1}^{n} \alpha_i^2 \sigma_i^2 + 2 \sum_{i=1}^{n} \sum_{j<i} \rho_{ij} \alpha_i \alpha_j \sigma_i \sigma_j \tag{16.2}$$

[6] Harry Markowitz foi um dos primeiros pesquisadores a estudar os benefícios da diversificação para o administrador de portfólio. Sua pesquisa rendeu-lhe o prêmio Nobel em 1990. Veja Markowitz, Portfolio Selection. *Journal of Finance* 7(1), pp. 77–91, March 1952.

O desvio-padrão das variações em N dias é $\sigma_P\sqrt{N}$ e o VAR a 99% para um período de tempo de N dias é $2{,}33\,\sigma_P\sqrt{N}$.

No exemplo da seção anterior, $\sigma_1 = 0{,}02$, $\sigma_2 = 0{,}01$ e $\rho_{12} = 0{,}3$. Como já notado, $\alpha_1 = 10$ e $\alpha_2 = 5$ de tal forma que:

$$\sigma_P^2 = 10^2 \times 0{,}02^2 + 5^2 \times 0{,}01^2 + 2 \times 10 \times 5 \times 0{,}3 \times 0{,}02 \times 0{,}01 = 0{,}0485$$

e $\sigma_P = 0{,}220$. Este é o desvio-padrão das variações no valor do portfólio por dia (em milhões de dólares). O VAR para 10 dias a 99% é $2{,}33 \times 0{,}220 \times \sqrt{10}$ = US$1,623 milhão. Esse valor coincide com os cálculos da seção anterior.

Lidando com taxas de juro

Está fora de questão definir um mercado separado para cada preço de bônus ou taxa de juro a que a companhia está exposta. Porém, algumas simplificações são necessárias. O procedimento usual é escolher como variáveis de mercado os preços dos bônus de cupom zero com maturidades padrão: 1 mês, 3 meses, 6 meses, 1 ano, 2 anos, 5 anos, 7 anos, 10 anos e 30 anos. Para efeito de cálculo do VAR, os fluxos de caixa dos instrumentos no portfólio são transformados em fluxos de caixa que ocorrem nas datas de maturidade padrão.

Considere uma posição de US$1 milhão em bônus do Tesouro com prazo de 1,2 ano que paga cupom de 6% semestralmente. Cupons são pagos em 0,2; 0,7; e 1,2 ano – o principal é pago em 1,2 ano. Esse bônus é, portanto, no primeiro momento, considerado como uma posição de US$30.000 em um bônus de cupom zero de 0,2 ano mais uma posição de US$30.000 em um bônus de cupom zero de 0,7 ano mais uma posição de US$1,03 milhão em um bônus de cupom zero de 1,2 ano. Em seguida, a posição em bônus de 0,2 ano é substituída por posições equivalentes em bônus de 1 mês e de 3 meses; a posição em bônus de 0,7 ano é substituída por uma posição equivalente em bônus de cupom zero de 6 meses e de 1 ano; a posição em bônus de 1,2 ano é substituída por posições equivalentes em bônus de cupom zero de 1 ano e 2 anos. O resultado final é que a posição em um bônus de 1,2 ano com cupom é, para efeitos de apuração do VAR, considerada uma posição em bônus de cupom zero com maturidades de 1 mês, 3 meses, 6 meses, 1 ano e 2 anos.

Esse procedimento é conhecido como *cash-flow mapping*. Um dos modos de realizá-lo é explicado no Apêndice localizado no final deste capítulo.

Aplicações do modelo linear

A aplicação mais simples do modelo linear é para portfólio sem derivativos compostos de posições em ações, bônus, moedas estrangeiras e commodities. Nesse caso, a variação no valor do portfólio é linearmente dependente das variações percentuais nos preços dos ativos que compõem o portfólio. Note que para os propósitos do cálculo do VAR, todos os preços dos ativos são medidos na moeda doméstica. As variáveis de mercado consideradas por um grande banco nos Estados Unidos, portanto, devem incluir o índice FT-SE 100 medido em dólares, o preço de uma letra do Tesouro britânico, de três meses, medido em dólares, o preço de uma letra do Tesouro britânico, de seis meses, medido em dólares e assim por diante.

Exemplo de derivativo que pode ser tratado por modelo linear é o contrato a termo para comprar moeda estrangeira. Suponha que o contrato vence na data T. Pode-se considerar essa posição como a troca de um bônus de cupom zero estrangeiro com vencimento na data T por um bônus de cupom zero doméstico com vencimento na data T. Para efeito do cálculo do VAR, esse contrato a termo é, portanto, tratado como posição longa em um bônus estrangeiro combinado com posição *short* em um bônus doméstico. Todos os bônus podem ser mapeados com o procedimento de *cash-flow mapping* descrito acima.

Considere, agora, um swap de taxa de juro. Como explicado no Capítulo 6, esse swap pode ser considerado a troca de um bônus em taxa flutuante por um bônus em taxa fixa. O bônus em taxa fixa é tratado como bônus normal que paga cupom. O bônus em taxa flutuante terá valor igual ao par, imediatamente após o próximo pagamento de cupom. Pode ser considerado como um bônus de cupom zero com data de maturidade igual à do próximo pagamento. O swap de taxa de juro, portanto, é reduzido a um portfólio de posições longas e *short* em bônus e pode ser tratado com o procedimento *cash-flow mapping*.

Modelo linear e opções

Agora, considera-se como o modelo linear pode ser empregado quando há opções. Supõe-se que o portfólio composto de opções sobre uma ação cujo preço corrente seja S e o delta da posição (calculado de acordo com o método descrito no Capítulo 15) seja Δ. Como Δ é a taxa de variação do valor do portfólio em relação a S, pode-se dizer que, aproximadamente:

$$\Delta = \frac{\delta P}{\delta S}$$

ou

$$\delta P = \Delta \delta S \tag{16.3}$$

onde δS é a variação em dólares no preço da ação em um dia e δP é a variação em dólares no valor do portfólio em um dia. Definindo-se δx como a variação percentual no preço da ação em um dia, tem-se:

$$\delta x = \frac{\delta S}{S}$$

Assim, a relação aproximada entre δP e δx é:

$$\delta P = S\Delta\delta x$$

Quando há uma posição em várias variáveis de mercado subjacentes que incluem opções, deriva-se uma relação linear aproximada entre δP e os δx_i de forma similar. Essa relação é:

$$\delta P = \sum_{i=1}^{n} S_i \Delta_i \delta x_i \tag{16.4}$$

onde S_i é o valor da i-ésima variável de mercado e Δ_i é o delta do portfólio relativo à i-ésima variável de mercado. Essa equação corresponde à equação (16.1):

$$\delta P = \sum_{i=1}^{n} \alpha_i \delta x_i$$

em que $\alpha_i = S_i \Delta_i$. A equação (16.2) pode, portanto, ser usada para calcular o desvio-padrão de δP.

Exemplo

O portfólio é composto de opções sobre Microsoft e AT&T. As opções sobre Microsoft têm delta de 1.000 e as opções sobre AT&T têm delta de 20.000. O preço da ação da Microsoft é US$120 e o preço da ação da AT&T é US$30. Da equação (16.4), pode-se dizer que aproximadamente:

$$\delta P = 120 \times 1.000 \times \delta x_1 + 30 \times 20.000 \times \delta x_2$$

ou

$$\delta P = 120.000\delta x_1 + 600.000\delta x_2$$

onde δx_1 e δx_2 são os retornos de Microsoft e AT&T em um dia e δP é a variação resultante no valor do portfólio (assume-se que o portfólio é equivalente ao investimento de US$120.000 em ações da Microsoft e de US$600.000 em ações da AT&T). Assumindo-se que a volatilidade diária de Microsoft seja 2% ao dia e a volatilidade diária de AT&T de 1% e a correlação entre as variações diárias de 0,3, o desvio-padrão de δP (em milhares de dólares) será:

$$\sqrt{(120 \times 0{,}02)^2 + (600 \times 0{,}01)^2 + 2 \times 120 \times 0{,}02 \times 600 \times 0{,}01 \times 0{,}3} = 7{,}099$$

Como $N(-1{,}65) = 0{,}05$, o VAR para cinco dias, a 95% é:

$$1{,}65 \times \sqrt{5} \times 7{,}099 = \text{US\$}26.193$$

16.5 MODELO QUADRÁTICO

Quando o portfólio inclui opções, o modelo linear é uma aproximação, e não leva em conta o gama do portfólio. Como discutido no Capítulo 15, o delta é a taxa de variação no valor do portfólio em relação à variável de mercado subjacente e o gama, a taxa de variação do delta em relação à variável de mercado subjacente. O gama mede a curvatura da relação entre o valor do portfólio e a variável de mercado subjacente.

A Figura 16.3 mostra o impacto de gama diferente de zero na distribuição de probabilidade de δP. Quando o gama é positivo, a distribuição de probabilidade de δP tende a ser positivamente assimétrica; quando o gama é negativo, tende a ser negativamente assimétrica. As Figuras 16.4 e 16.5 ilustram a razão desse resultado. A Figura 16.4 traz a relação entre o valor de uma posição longa em uma opção de compra e o preço do ativo subjacente. Uma posição longa em opção de compra é um exemplo de posição em opção com gama positivo. A figura mostra que, quando a distribuição de probabilidade para o preço do ativo subjacente no fim de um dia é normal, a distribuição de probabilidade para o preço da opção é positivamente assimétrica[7]. A Figura 16.5 apresenta a relação entre o valor de uma posição *short* em opção de compra e o preço do ativo subjacente. Uma posição *short* em opção de compra tem gama negativo. Nesse caso, observa-se que, quando a distribuição de probabilidade para o preço do ativo subjacente no fim de um dia é normal, a distribuição para o valor da posição em opção é negativamente assimétrica para o valor da posição em opção.

Figura 16.3 – Distribuição de probabilidade para o valor do portfólio

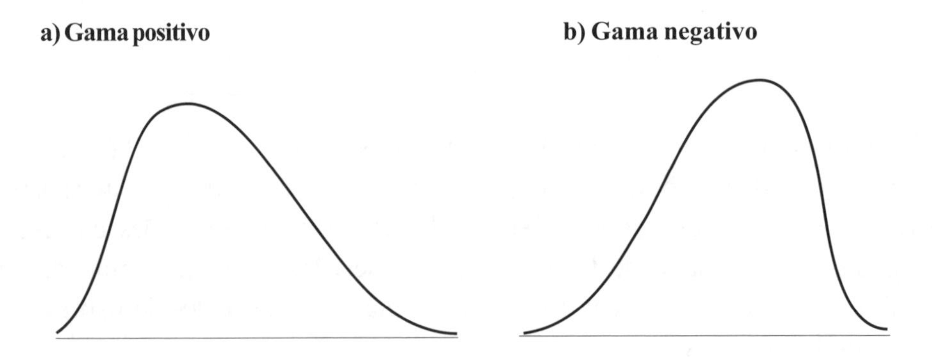

[7] Como mencionado na nota de rodapé 5, pode-se usar a distribuição normal como aproximação da distribuição lognormal para cálculo do VAR.

Figura 16.4 – Transformação da distribuição de probabilidade normal para um ativo em uma distribuição de probabilidade para o valor de posição *long* em *call* sobre o ativo

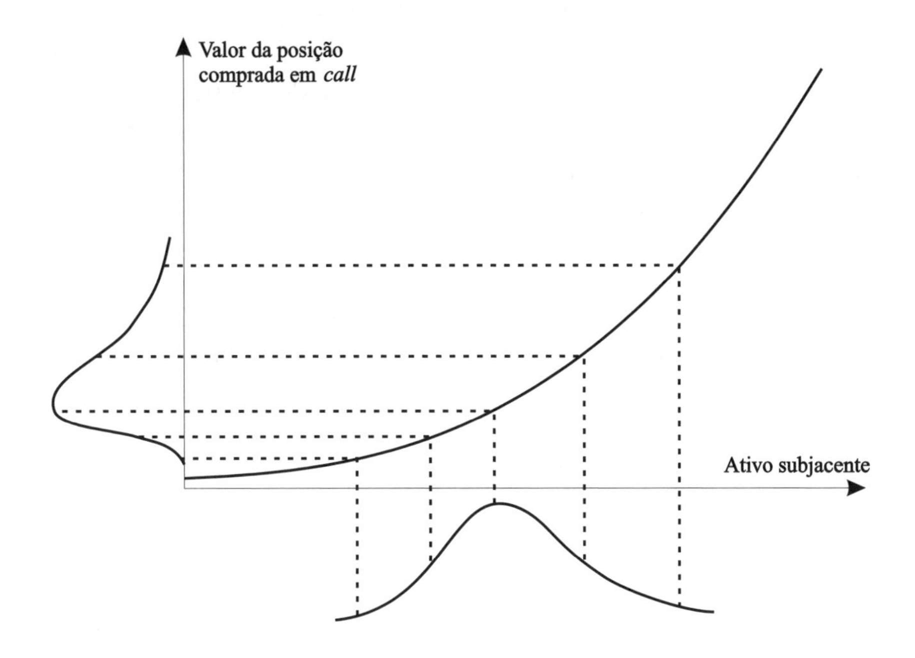

Figura 16.5 – Transformação da distribuição de probabilidade normal para um ativo em uma distribuição de probabilidade para o valor de posição *short* em *call* sobre o ativo

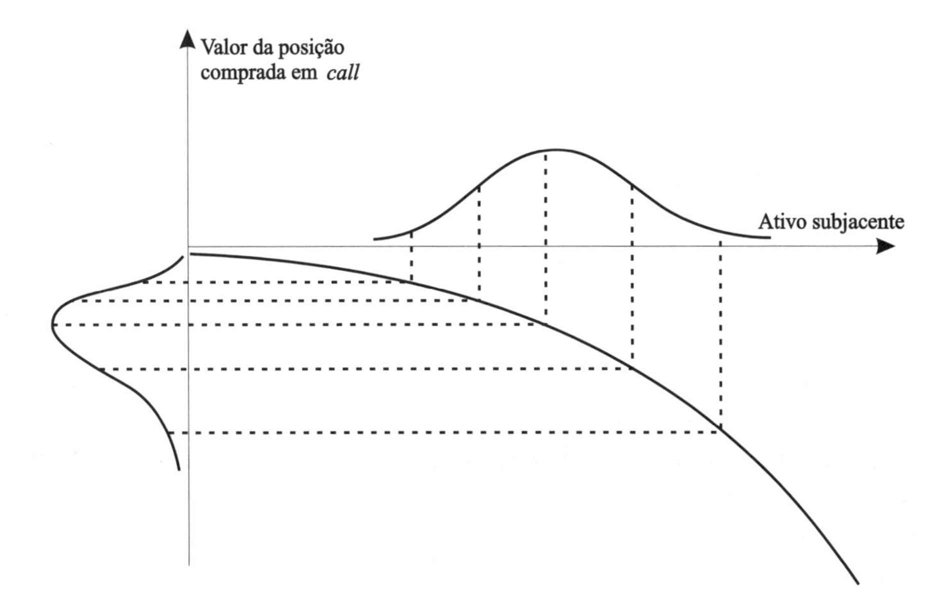

O VAR para um portfólio é criticamente dependente da cauda esquerda da distribuição de probabilidade de δP. Por exemplo, quando o nível de confiança utilizado é 99%, o VAR é o valor na cauda esquerda abaixo do ponto em que há apenas 1% da distribuição. Como indicado nas Figuras 16.3 (a) e 16.4, o portfólio com gama positivo tende a ter a cauda esquerda mais fina do que em uma distribuição normal. Supondo-se que a distribuição seja normal, a tendência é calcular um VAR muito alto. De forma similar, como demonstrado na Figura 16.3 (b) e 16.5, o portfólio com gama negativo tende a ter a cauda esquerda mais pesada do que em uma distribuição normal. Assumindo-se que a distribuição seja normal, a tendência é calcular um VAR muito baixo.

Para estimar um VAR mais preciso do que aquele dado pelo modelo linear, pode-se usar tanto o delta quanto o gama para relacionar δP a δx_i. Considere o portfólio que seja dependente de um único ativo cujo preço é S. Suponha que o delta do portfólio seja Δ e o gama seja Γ. Aprimorando-se a equação (16.3):

$$\delta P = \Delta \delta S + \frac{1}{2}\Gamma(\delta S)^2$$

Fixando:

$$\delta x = \frac{\delta S}{S}$$

Tem-se:

$$\delta P = S\Delta \delta x + \frac{1}{2}S^2\Gamma(\delta x)^2 \tag{16.5}$$

Equações quadráticas similares relacionando δP a δx_i se aplicam quando há mais de uma variável de mercado. Um meio de calcular o VAR é usar a simulação de Monte Carlo. Isso envolve os seguintes passos:

- selecionar valores para cada δx_i a partir da distribuição de probabilidade conjunta dos δx_i. Pode se assumir que essa distribuição de probabilidade conjunta é uma normal multivariada (como na Seção 16.4) ou calculada a partir de dados históricos ou mesmo derivada de alguma forma alternativa;
- usar a relação quadrática entre δx_i e δP para calcular valor amostral para δP a partir dos valores amostrais de δx_i;
- repetir os passos anteriores muitas vezes para obter muitos valores amostrais para δP. Esses valores amostrais definem uma distribuição de probabilidade completa para δP.

O VAR é calculado como o percentil apropriado da distribuição de probabilidade de δP. Suponha, por exemplo, que foram calculados 5.000 diferentes valores amostrais de δP na forma descrita acima. O VAR para um dia a 99% é o valor de δP para o 50º pior resultado; o VAR para um dia a 95% é o valor de δP para o 250º pior resultado, e assim por diante. Para apurar o VAR para N dias, basta estimar o VAR para um dia e multiplicar por $\sqrt{N}$.

16.6 ESTIMAÇÃO DE VOLATILIDADES E CORRELAÇÕES

O *model-building* requer volatilidades diárias para todas as variáveis de mercado e as correlações entre cada par de variáveis de mercado. Agora, examina-se a forma como essas estatísticas podem ser obtidas.

Nesta seção, define-se σ_n como a volatilidade ao dia de uma variável de mercado no dia n, estimada no fim do dia $n - 1$ (esta é uma alteração na notação. Antes, neste capítulo, σ_n foi utilizada para denotar a volatilidade da n-ésima variável). O quadrado da volatilidade no dia n, σ_n^2, é a *taxa de variância*. O enfoque para estimar σ_n, a partir dos dados históricos, foi descrito na seção 11.4. Suponha que o valor da variável de mercado no fim do dia i seja S_i. A variável u_i é definida como o retorno composto continuamente durante o dia i (entre o fim do dia $i-1$ e o fim do dia i):

$$u_i = \ln \frac{S_i}{S_{i-1}}$$

Uma estimativa não-viesada da taxa de variância ao dia, σ_n^2, usando as m observações mais recentes de u_i é:

$$\sigma_n^2 = \frac{1}{m-1} \sum_{i=1}^{m} \left(u_{n-i} - \bar{u}\right)^2 \qquad (16.6)$$

onde $\bar{u}$ é a média dos u_i:

$$\bar{u} = \frac{1}{m} \sum_{i=1}^{m} u_{n-i}$$

Para efeito de cálculo do VAR, a fórmula na equação (16.6) é, em geral, modificada de várias maneiras:

- u_i é definida como a variação percentual na variável de mercado entre o fim do dia $i-1$ e o fim do dia i, de tal forma que[8]:

---

[8] Isso é consistente com o ponto discutido, na seção 16.3, sobre a forma que a volatilidade é definida para efeito do cálculo do VAR.

$$u_i = \frac{S_i - S_{i-1}}{S_{i-1}} \tag{16.7}$$

- assume-se que $\overline{u}$ seja zero[9];
- $m - 1$ é substituído por m.

Essas três mudanças fazem pouca diferença para as estimativas de variância a serem calculadas. Permitem que a equação (16.6) seja substituída por:

$$\sigma_n^2 = \frac{1}{m}\sum_{i=1}^{m} u_{n-i}^2 \tag{16.8}$$

onde u_i é dado pela equação (16.7).

Esquemas de ponderação

A equação (16.8) atribui pesos iguais a todos u_i^2. Dado que o objetivo é monitorar o nível corrente de volatilidade, é apropriado dar mais peso aos dados mais recentes. Um modelo que faz isso é o seguinte:

$$\sigma_n^2 = \sum_{i=1}^{m} \alpha_i u_{n-i}^2 \tag{16.9}$$

A variável α_i é o peso dado à observação verificada i dias atrás. Os α são positivos. Como queremos dar menor peso para as observações mais antigas, $\alpha_i < \alpha_j$ quando $i > j$.

A soma dos pesos deve ser igual a 1:

$$\sum_{i=1}^{m} \alpha_i = 1$$

O modelo de média móvel ponderada exponencialmente (exponentially weighted moving average ou EWMA) é um caso particular do modelo da equação (16.9), em que os pesos, α_i, decrescem exponencialmente à medida que se move para trás no tempo. Especificamente, $\alpha_{i+1} = \lambda\,\alpha_i$, onde λ é uma constante entre 0 e 1.

Assim, o esquema de ponderação dá uma fórmula particularmente simples para atualizar as estimativas de volatilidade:

---

[9] Como explicado na seção 16.3, a hipótese usual tem muito pouco efeito nas estimativas de variância porque a variação esperada na variável em um dia é muito pequena quando comparada com o desvio-padrão das variações. Como alternativa a essa hipótese, pode-se definir u_i como o retorno realizado menos o retorno esperado no dia i.

$$\sigma_n^2 = \lambda\sigma_{n-1}^2 + (1-\lambda)u_{n-1}^2 \quad (16.10)$$

A estimativa, σ_n, da volatilidade para o dia n (feita no fim do dia $n-1$) é calculada a partir de σ_{n-1} (a estimativa que foi feita um dia antes para a volatilidade do dia $n-1$) e u_{n-1} (a mais recente observação de variação na variável de mercado).

Exemplo

O parâmetro EWMA, λ, é 0,90, a volatilidade estimada para o dia $n-1$ é 1% ao dia, e a variação na variável de mercado durante o dia $n-1$ é 2%. Nesse caso: $\sigma_{n-1}^2 = 0,01^2 = 0,0001$; e $u_{n-1}^2 = 0,02^2 = 0,0004$. A equação (16.10) fornece:

$$\sigma_n^2 = 0,9 \times 0,0001 + 0,1 \times 0,0004 = 0,00013$$

Portanto, a estimativa de volatilidade para o dia n, σ_n, é $\sqrt{0,00013}$ ou 1,14% ao dia. Note que o valor esperado de u_{n-1}^2 é σ_{n-1}^2 ou 0,0001. Nesse exemplo, o valor realizado de u_{n-1}^2 é maior que o valor esperado e, como resultado, a volatilidade estimada aumenta. Se o valor realizado u_{n-1}^2 tivesse sido menor que seu valor esperado, a estimativa de volatilidade teria diminuído.

Para entender por que a equação (16.10) corresponde a pesos que diminuem exponencialmente, substitui-se por σ_{n-1}^2 para obter:

$$\sigma_n^2 = \lambda\left[\lambda\sigma_{n-2}^2 + (1-\lambda)u_{n-2}^2\right] + (1-\lambda)u_{n-1}^2$$

ou

$$\sigma_n^2 = (1-\lambda)\left(u_{n-1}^2 + \lambda u_{n-2}^2\right) + \lambda^2\sigma_{n-2}^2$$

Substituindo-se σ_{n-2}^2, tem-se:

$$\sigma_n^2 = (1-\lambda)\left(u_{n-1}^2 + \lambda u_{n-2}^2 + \lambda^2 u_{n-3}^2\right) + \lambda^3\sigma_{n-3}^2$$

Mantendo-se esse método, observa-se que:

$$\sigma_n^2 = (1-\lambda)\sum_{i=1}^{m}\lambda^{i-1}u_{n-i}^2 + \lambda^m\sigma_0^2$$

Para um m maior, o termo $\lambda^m\sigma_0^2$ é muito pequeno e, por isso, pode ser ignorado. Assim, a equação (16.10) é igual à equação (16.9) com $\alpha_i = (1-\lambda)\lambda^{i-1}$. Os pesos para os u_i declinam à taxa λ à medida que se move para trás no tempo. Cada peso é λ vezes o peso anterior.

O EWMA tem como atrativo o fato de que poucos dados precisam ser armazenados. A qualquer momento, precisa-se lembrar apenas a estimativa corrente da taxa de variância e a mais recente observação no valor da variável de mercado. Quando temos nova observação para o valor da variável de mercado, calculamos um novo u^2 e usamos a equação (16.10) para atualizar nossa estimativa de taxa de variância. Então, a estimativa anterior da taxa de variância e o valor anterior da variável de mercado podem ser descartados.

O método do EWMA permite travar as variações na volatilidade. Suponha que haja grande variação na variável de mercado no dia $n-1$ de tal forma que u_{n-1}^2 seja grande. Da equação (16.10), nota-se que σ_n, nossa estimativa para a volatilidade ao dia para o dia n, move-se para cima. O valor de λ estabelece quão sensível a estimativa da volatilidade diária será em relação às observações mais recentes de u_i^2. Um baixo valor de λ faz que boa parte do peso seja atribuída a u_{n-1}^2 quando σ_n for calculado. Nesse caso, as estimativas calculadas para a volatilidade para dias sucessivos serão altamente voláteis. Um alto valor de λ (ou seja, valor próximo a 1,0) faz que as estimativas de volatilidade sejam pouco sensíveis às novas informações de u_i^2.

Correlações

A correlação entre duas variáveis X e Y pode ser definida como:

$$\frac{\text{cov}(X,Y)}{\sigma_X \sigma_Y}$$

onde σ_X e σ_Y são os desvios-padrão de X e Y e cov(X, Y) é a covariância entre X e Y. A covariância entre X e Y é definida como:

$$E\left[(X-\mu_X)(Y-\mu_Y)\right]$$

onde μ_X e μ_Y são as médias de X e Y, e E denota o valor esperado. Embora seja mais fácil desenvolver uma intuição acerca da correlação do que da covariância, é a covariância a variável fundamental nessa análise.

Considere duas diferentes variáveis de mercado, U e V. Definem-se u_i e v_i como variações percentuais em U e V entre o fim do dia $i-1$ e o fim do dia i:

$$u_i = \frac{U_i - U_{i-1}}{U_{i-1}} \qquad v_i = \frac{V_i - V_{i-1}}{V_{i-1}}$$

onde U_i e V_i são os valores de U e V no fim do dia i.

São definidos também:

$\sigma_{u,n}$ = volatilidade diária da variável *U*, estimada para o dia *n*;
$\sigma_{v,n}$ = volatilidade diária da variável *V*, estimada para o dia *n*;
cov_n = estimativa da covariância entre as variações diárias em *U* e *V*, calculada no dia *n*.

Nossa estimativa para a correlação entre *U* e *V* no dia *n* é:

$$\frac{\text{cov}_n}{\sigma_{u,n}\sigma_{v,n}}$$

Usando-se o esquema de pesos equivalentes [*equal-weighting*] e assumindo-se que as médias de u_i e v_i sejam zero, a equação (16.8) mostra que as taxas de variância de *U* e *V* das *m* observações mais recentes podem ser estimadas da seguinte forma:

$$\sigma_{u,n}^2 = \frac{1}{m}\sum_{i=1}^{m} u_{n-i}^2 \qquad \sigma_{v,n}^2 = \frac{1}{m}\sum_{i=1}^{m} v_{n-i}^2$$

Estimativa similar para a covariância entre *U* e *V* é:

$$\text{cov}_n = \frac{1}{m}\sum_{i=1}^{m} u_{n-i}v_{n-i} \tag{16.11}$$

A alternativa é um modelo EWMA similar ao da equação (16.10). Portanto, a fórmula para atualizar a estimativa da covariância é:

$$\text{cov}_n = \lambda\text{cov}_{n-1} + (1-\lambda)u_{n-1}v_{n-1} \tag{16.12}$$

Análise similar ao modelo de volatilidade EWMA revela que os pesos dados às observações de $u_i v_i$ decrescem à medida que se move para trás no tempo. Quanto mais baixo for o valor de λ, maior será o peso dado às observações mais recentes.

Exemplo

O parâmetro λ do modelo EWMA é 0,95 e a estimativa de correlação entre as variáveis *U* e *V* no dia $n - 1$ é 0,6. A estimativa das volatilidades de *U* e *V* no dia $n - 1$ são de 1% e 2%. As variações efetivas de *U* e *V* no dia $n - 1$ são 0,5% e 2,5%, respectivamente. Nesse caso, a partir da relação entre correlação e covariância, a estimativa de covariância entre *U* e *V* no dia $n - 1$ é:

$$0{,}6 \times 0{,}01 \times 0{,}02 = 0{,}00012$$

A variância e covariância para o dia n são calculadas como segue:

$$\sigma^2_{u,n} = 0,95 \times 0,01^2 + 0,05 \times 0,005^2 = 0,00009625$$

$$\sigma^2_{v,n} = 0,95 \times 0,02^2 + 0,05 \times 0,025^2 = 0,00041125$$

$$\text{cov}_n = 0,95 \times 0,00012 + 0,05 \times 0,005 \times 0,025 = 0,00012025$$

A nova volatilidade de U é $\sqrt{0,00009625} = 0,981\%$ e a nova volatilidade de V é $\sqrt{0,00041125} = 2,028\%$. O novo coeficiente de correlação entre U e V é

$$\frac{0,00012025}{0,00981 \times 0,02028} = 0,6044$$

RiskMetrics

Muitas companhias utilizam dados proporcionados pelo modelo RiskMetrics (www.riskmetrics.com) para calcular o VAR. O RiskMetrics usa o EWMA para atualizar diariamente as variâncias e as covariâncias para um grande número de variáveis de mercado diferentes. Nesse modelo λ é igual a 0,94. A empresa concluiu que esse valor de λ é o que proporciona a menor diferença entre as previsões da taxa de variância e as taxas de variâncias observadas para um grande número de variáveis de mercado. A taxa de variância, para um dia específico, foi definida, para esse objetivo, como sendo a média ponderada de u_i^2 nos 25 dias subseqüentes.

16.7 COMPARAÇÃO DE MÉTODOS

Foram discutidos dois métodos para a estimação do VAR: a simulação histórica e o *model-building*. A vantagem deste último é que os resultados podem ser produzidos rapidamente e usados em conjunto com os esquemas de atualização de volatilidade como o EWMA. A principal desvantagem é que nesse modelo as variáveis de mercado têm distribuição normal multivariada. Na prática, as variações diárias nos valores das variáveis de mercado quase sempre têm distribuições diferentes da distribuição normal (veja, por exemplo, a Tabela 14.1).

O método de simulação histórica tem a vantagem de que os dados históricos determinam a distribuição de probabilidade conjunta das variáveis de mercado. Isso também evita a necessidade de *cash-flow mapping*. A principal desvantagem está no fato de ser computacionalmente pesado e não permitir facilmente atualização das volatilidades.

Na prática, os analistas de risco estão divididos: metade usa simulação histórica e metade usa *model-building*. Ambos dão bons resultados se forem implementados corretamente.

16.8 TESTE DE ESTRESSE E *BACK TESTING*

Em adição ao cálculo do VAR, muitas companhias realizam o que se conhece como teste de estresse [*stress test*] de seus portfólios. O teste de estresse envolve estimativas sobre a performance do portfólio sob algumas situações extremas, verificadas nos 10 ou 20 anos passados.

Por exemplo, para testar o impacto de movimento extremo nos preços das ações norte-americanas, uma companhia pode estabelecer variações percentuais em todas as variáveis de mercado igual àquelas de 19 de outubro de 1987 (quando o S&P 500 variou 22,3 desvios-padrão). Se tal variação for considerada muito extrema, a companhia pode escolher a data de 8 de janeiro de 1988 (quando o S&P 500 variou 6,8 desvios-padrão). Para testar o efeito de movimentos extremos nas taxas de juro britânicas, a companhia deveria estabelecer variações percentuais em todas as variáveis de mercado iguais àquelas de 10 de abril de 1992 (quando o rendimento do bônus de 10 anos variou 7,7 desvios-padrão).

O teste de estresse é uma forma de considerar eventos extremos que podem ocorrer de tempos em tempos, mas que são virtualmente impossíveis de acordo com as distribuições de probabilidade assumidas para as variáveis de mercado. Uma variação diária em uma variável de mercado de cinco desvios-padrão é um evento bastante extremo. Sob a hipótese de distribuição normal, isso acontece apenas uma vez a cada 7.000 anos. Mas, na prática, não é tão incomum haver variações diárias iguais a cinco desvios-padrão uma ou duas vezes a cada 10 anos.

Independentemente do critério utilizado para calcular o VAR, outro teste importante de checagem é o *back testing*. Trata-se de testar a performance do VAR em um momento do passado. Suponha que se esteja calculando o VAR para um dia a 99%. O *back testing* analisa com que freqüência a perda de um dia excedeu o VAR de um dia a 99%. Se isso aconteceu em torno de 1% das vezes, pode-se estar razoavelmente confortável com a metodologia utilizada para calcular o VAR. Porém, se isso aconteceu, digamos, 7% dos dias analisados, nossa metodologia é suspeita.

16.9 SUMÁRIO

O cálculo do *value at risk* (VAR) tem como objetivo permitir a seguinte afirmação: “estamos X% seguros de que não teremos perda maior que V dólares nos próximos N dias”. A variável V é o VAR, X é o nível de confiança e N é o horizonte de tempo.

Um método para calcular o VAR é usar a simulação histórica. Isso envolve a criação de banco de dados com as variações diárias de todas as variáveis de mercado por determinado período de tempo. A primeira simulação assume que a variação percentual em cada variável de mercado é a mesma do primeiro dia do período coberto pelo nosso banco de dados; a segunda assume que a variação percentual será a mesma que aquela verificada para o segundo dia do período, e assim por diante. A variação no valor do portfólio, δP, é calculada para cada simulação e o VAR é calculado como o percentil apropriado da distribuição de probabilidade de δP.

Uma alternativa à simulação histórica é o *model-building*, que tem aplicação direta se duas suposições forem feitas:

- a variação no valor do portfólio (δP) é linearmente dependente de determinado número de variáveis de mercado (os δx_i);
- os δx_i têm distribuição normal multivariada.

Portanto, a distribuição de probabilidade de δP é normal e existem fórmulas analíticas relacionando o desvio-padrão de δP às volatilidades e correlações das variáveis de mercado subjacentes. O VAR pode ser calculado a partir das propriedades bastante conhecidas da distribuição normal.

Quando o portfólio inclui opções, δP não pode ser linearmente relacionado aos δx_i. Porém, conhecendo o gama do portfólio, pode-se derivar uma aproximação quadrática entre δP e os δx_i. A simulação de Monte Carlo pode ser utilizada para simular o VAR.

Quando se utiliza o *model-building*, as volatilidades e as correlações devem ser atualizadas diariamente. Uma forma bem conhecida de fazer isso é usar o método Exponentially Weighted Moving Average (EWMA). Nesse método, os pesos dados às observações declinam à medida que estas se tornam mais antigas. O peso dado à informação de i dias atrás é λ vezes o peso dado à informação de $i - 1$ dias atrás, sendo o parâmetro λ um número entre zero e um.

SUGESTÕES PARA LEITURAS COMPLEMENTARES

BOUDOUKH, J.; RICHARDSON, M.; WHITELAW, R. The Best of Both Words. *Risk*, pp. 64–67, May 1998.

DOWD, K. *Beyond Value at Risk: The New Science of Risk Management*. New York: John Wiley & Sons, 1998.

DUFFIE, D.; PAN, J. An Overview of Value at Risk. *Journal of Derivatives* 4(3), pp. 7–49, spring 1997.

EMBRECHTS, P.; KLUPPELBERG, C.; MIKOSCH, T. *Modeling Extremal Events for Insurance and Finance*. New York: Springer, 1997.

FRYE, J. Principals of Risk: Finding VAR through Factor-Based Interest Rate Scenarios. In *VAR: Understanding and Applying Value at Risk*, pp. 275–288. London: Risk Publications, 1997.

HENDRICKS, D. Evaluation of Value-at-Risk Models Using Historical Data. *Economic Policy Review*, Federal Reserve Bank of New York, 2, pp. 39–69, April 1996.

HOPPER, G. Value at Risk: A New Methodology for Measuring Portfolio Risk. *Business Review*, Federal Reserve Bank of Philadelphia, pp. 19–29, July–August 1996.

HUA, P.; WILMOTT, P. Crash Courses. *Risk*, pp. 64–67, June 1997.

HULL, J. C.; WHITE, A. Value at Risk When Daily Changes in Market Variables Are Not Normally Distributed. *Journal of Derivatives* 5, pp. 9–19, spring 1998.

HULL, J. C.; WHITE, A. Incorporating Volatility Updating into the Historical Simulation Method for Value at Risk. *Journal of Risk* 1(1), pp. 5–19, 1998.

JACKSON, P.; MAUDE, D. J.; PERRAUDIN, W. Bank Capital and Value at Risk. *Journal of Derivatives* 4(3), pp. 73–90, spring 1997.

JAMSHIDIAN, F.; Y. ZHU. Scenario Simulation Model: Theory and Methodology. *Finance and Stochastics* 1, pp. 43–67, 1997.

JORION, P. *Value at Risk: The New Benchmark for Controlling Market Risk*. Burr Ridge, IL: Irwin, 1997.

RISK PUBLICATIONS. Value at Risk. *Risk Supplement*, June 1996.

PERGUNTAS RÁPIDAS (RESPOSTAS NO FINAL DO LIVRO)

16.1 Explique o modelo EWMA para estimação da volatilidade a partir de dados históricos.

16.2 A estimativa de volatilidade diária mais recente do ativo é 1,5% e seu preço no fechamento dos negócios de ontem foi US$30. O parâmetro λ no modelo EWMA é 0,94. Suponha que o preço do ativo no fechamento dos negócios de hoje seja US$30,50. Qual será a nova volatilidade pelo método EWMA?

16.3 Considere uma posição que consiste de US$300.000 investidos no ativo A e US$500.000 investidos no ativo B. Assuma que as volatilidades diárias dos ativos sejam 1,8% e 1,2%, respectivamente, e que o coeficiente de correlação entre seus retornos seja 0,3. Qual é o *value at risk* do portfólio para cinco dias com 95% de confiança?

16.4 A companhia, que usa o modelo EWMA para previsão de volatilidade, decidiu mudar o parâmetro λ de 0,95 para 0,85. Explique o provável impacto nas previsões.

16.5 A instituição financeira possui portfólio de opções sobre a taxa de câmbio dólar/libra esterlina. O delta do portfólio é 56,0. A taxa de câmbio corrente é 1,5000. Derive uma relação linear aproximada entre a variação no valor do portfólio e a variação percentual na taxa de câmbio. Se a volatilidade diária da taxa de câmbio for 0,7%, estime o VAR para dez dias a 99%.

16.6 Suponha que o gama do portfólio da pergunta anterior seja 16,0. Como isso modifica a sua estimativa para a relação entre a variação no valor do portfólio e a variação percentual da taxa de câmbio?

16.7 Suponha o portfólio composto de posições em ações, bônus, taxa de câmbio e commodities. Assuma que não haja derivativos. Explique as hipóteses assumidas para o cálculo do VAR com base nos métodos (a) simulação histórica e (b) *model-building*.

QUESTÕES E PROBLEMAS (RESPOSTAS NO MANUAL DE SOLUÇÕES)

16.8 Explique a diferença entre *value at risk* e *value at risk* condicional.

16.9 Considere a posição de investimento de US$100.000 no ativo A e de

US$100.000 no ativo B. Assuma que as volatilidades diárias de ambos ativos sejam de 1% e que o coeficiente de correlação entre seus retornos seja 0,3. Qual é o *value at risk* para cinco dias a 99%?

16.10 A volatilidade de determinada variável de mercado é 30% ao ano. Calcule um intervalo de confiança a 99% para a magnitude da variação percentual diária na variável.

16.11 Explique como o swap de taxa de juro pode ser transformado (mapeado) em portfólio de bônus de cupom zero com maturidades-padrão para efeito de cálculo do VAR.

16.12 Por que o modelo linear pode dar apenas uma estimativa aproximada do VAR para um portfólio que inclua opções?

16.13 Demonstre como o bônus de cupom zero de 0,3 ano foi transformado, por meio de *cash-flow mapping*, no Apêndice do fim deste capítulo, em uma posição de bônus de três meses no valor de US$37.397 e em uma posição de bônus de seis meses no valor de US$11.793.

16.14 Suponha que a taxa para cinco anos é 6%, a taxa para sete anos é 7% (ambas expressas em capitalização anual), a volatilidade diária de um bônus de cupom zero de cinco anos é 0,5% e a volatilidade diária de um bônus de cupom zero de sete anos é 0,58%. A correlação entre os retornos diários dos dois bônus é 0,6. Mapeie o fluxo de caixa de US$1.000 a ser recebido em 6,5 anos em uma posição de bônus de cinco anos e uma posição de bônus de sete anos usando o método do Apêndice do fim deste capítulo. Que fluxos de caixa em cinco e sete anos são equivalentes ao fluxo de caixa em 6,5 anos?

16.15 Há alguns anos a companhia comprou £1 milhão a termo por US$1,5 milhão. Hoje, o contrato tem seis meses de maturidade. A volatilidade diária de um bônus de seis meses de cupom zero em libra (quando o preço é transformado em dólares) é 0,06% e a volatilidade diária de um bônus norte-americano de cupom zero de seis meses é 0,05%. A correlação entre os retornos dos dois bônus é 0,8. A taxa de câmbio corrente é 1,53. Calcule o desvio-padrão da variação no valor em dólares de um contrato a termo em um dia. Qual é o VAR para dez dias a 99%? Assuma que a taxa de juro para seis meses tanto na libra quanto no dólar seja 5% ao ano com capitalização contínua.

16.16 A estimativa mais recente para a volatilidade diária da taxa de câmbio dólar-libra é 0,6. Ontem, a taxa de câmbio às 16 horas era 1,5000. O parâmetro λ no modelo EWMA é 0,9. Suponha que a taxa de câmbio às 16 horas de hoje seja 1,4950. Qual seria a nova estimativa para a volatilidade diária?

16.17 Suponha que as volatilidades diárias para o ativo A e o ativo B sejam correntemente 1,6% e 2,5%, respectivamente. Os preços dos ativos no fechamento de ontem foram de US$20 e US$40 e a estimativa para a correlação entre seus retornos, nesse momento, foi de 0,25. O parâmetro λ usado no modelo EWMA é 0,95.

a) Calcule a estimativa corrente de covariância entre os ativos.

b) Na hipótese de que os preços dos ativos no fechamento das negociações de hoje sejam de US$20,50 e US$40,50, atualize a estimativa de correlação.

16.18 Suponha que a volatilidade diária do índice de ações FT-SE 100 (medido em libras) seja 1,8% e a volatilidade diária da taxa de câmbio dólar/libra seja 0,9%. Admita que a correlação entre o FT-SE 100 e a taxa de câmbio dólar/libra seja 0,4. Qual é a volatilidade do FT-SE quando for transformado em dólares? Assuma que a taxa de câmbio dólar/libra seja expressa em número de dólares por libra. Dica: quando $Z = XY$, a mudança percentual diária em Z é aproximadamente igual à mudança percentual diária em X mais a mudança percentual diária em Y.

16.19 Suponha que no problema 16.18 a correlação entre o índice S&P 500 (medido em dólares) e o índice FT-SE 100 (medido em libras) seja 0,7, a correlação entre o índice S&P 500 (medido em dólares) e a taxa de câmbio dólar-libra seja 0,3 e a volatilidade diária do índice S&P 500 seja 1,6%. Qual é a correlação entre o S&P 500 (medido em dólares) e o FT-SE 100 quando este é transformado em dólares? Dica: para três variáveis, X, Y e Z, a covariância entre $X + Y$ e Z é igual à covariância entre X e Z mais a covariância entre Y e Z.

QUESTÕES DE PROVA

16.20 Considere a posição de investimento de US$300.000 em ouro e de US$500.000 em prata. Suponha que as volatilidades diárias desses dois ativos sejam 1,8% e 1,2%, respectivamente, e que o coeficiente de correlação entre seus retornos seja 0,6. Qual é o *value at risk* para dez dias a 97,5% para o portfólio? Em quanto a diversificação reduz o VAR?

16.21 Considere o portfólio de opções em um único ativo. Suponha que o delta do portfólio seja 12, o valor do ativo seja US$10 e a volatilidade do ativo seja 2%. Estime o VAR do portfólio para um dia a 95%. Assuma que o gama do portfólio seja –2,6. Derive a relação quadrática entre a variação no valor do portfólio e a variação percentual no preço do ativo subjacente em um dia.

16.22 O banco lançou uma opção de compra sobre uma ação e uma opção de venda sobre outra ação. Para a primeira opção, o preço a vista é US$50, o preço de exercício é US$51, a volatilidade é 28% ao ano e a maturidade é nove meses. Para a segunda opção, o preço a vista é US$20, o preço de exercício é US$19, a volatilidade é 25% ao ano e a maturidade é um ano. Nenhuma das duas ações paga dividendos, a taxa de juro livre de risco é 6% ao ano e a correlação entre os retornos dos preços das ações é 0,4. Calcule o VAR para 10 dias a 99% usando o software DerivaGem e o modelo linear.

16.23 Suponha que o preço do ouro no fechamento dos negócios ontem foi US$300 e sua volatilidade estimada foi 1,3% ao dia. O preço no fechamento hoje é US$298.

Atualize a estimativa de volatilidade usando o modelo EWMA com $\lambda = 0{,}94$.

16.24 Suponha que no problema 16.23 o preço da prata no fechamento dos negócios ontem foi US$8, sua volatilidade estimada foi 1,5% ao dia e sua correlação com o ouro foi estimada em 0,8. O preço da prata no fechamento dos negócios de hoje ficou inalterado ao nível de US$8. Atualize a volatilidade da prata e a correlação entre a prata e o ouro usando o modelo EWMA com $\lambda = 0{,}94$.

16.25 Você pode fazer o *download* de uma planilha de Excel contendo os dados diários de várias e diferentes taxas de câmbio e índices de ações no web site do autor: http://www.rotman.utoronto.ca/~hull.

Escolha uma taxa de câmbio e um índice de ações. Estime o valor de λ no modelo EWMA que minimize o valor de:

$$\sum_i (v_i - \beta_i)^2$$

onde v_i é a previsão da variância feita no fim do dia $i-1$ e β_i é a variância calculada dos dados entre o dia i e $i+25$. Use a ferramenta Excel Solver. Fixe a variância no fim do primeiro dia igual ao quadrado do retorno nesse dia para começar os cálculos do EWMA.

APÊNDICE

Cash-flow mapping

Neste Apêndice, explica-se o procedimento para realizar a tranformação do fluxo de caixa [*cash-flow mapping*] para datas de maturidade. Para ilustrar esse procedimento, considera-se o portfólio composto de uma posição longa em um único bônus do Tesouro com principal de US$1 milhão e maturidade de 0,8 ano. O bônus fornece cupom de 10% ao ano pago semestralmente. Isso significa que o bônus realiza pagamento de cupom de US$50.000 em 0,3 ano e 0,8 ano. Também fornece o pagamento de US$1 milhão em 0,8 ano. O bônus do Tesouro pode, portanto, ser estimado como uma posição em bônus de cupom zero de 0,3 ano com principal de US$50.000 e uma posição em bônus de cupom zero de 0,8 ano com principal de US$1.050.000.

A posição em bônus de cupom zero de 0,3 ano é transformada em uma posição equivalente em bônus de cupom zero de três e seis meses. A posição em bônus de cupom zero de 0,8 ano é transformada em uma posição equivalente em bônus de cupom zero de seis meses e um ano. O resultado é que a posição em bônus de 0,8 ano que paga cupom é, para os propósitos do VAR, observado como uma posição em bônus de cupom zero com maturidades de três meses, seis meses e um ano.

Mapping procedure

Considere os US$1.050.000 que serão recebidos em 0,8 ano. Supõe-se que as taxas zero, as volatilidades diárias dos preços dos bônus e as correlações entre os retornos dos bônus sejam as mostradas na Tabela 16.4.

A primeira etapa é realizar a interpolação entre a taxa de seis meses de 6,0% e a taxa de um ano de 7,0% para obter uma taxa de 0,8 ano de 6,6% (assume-se capitalização anual para todas as taxas). O valor presente do fluxo de caixa de US$1.050.000 a ser recebido em 0,8 ano é igual a:

$$\frac{1.050.000}{1,066^{0,8}} = 997.662,00$$

Pode-se fazer a interpolação entre a volatilidade do bônus de seis meses de 0,1% e a volatilidade do bônus de um ano de 0,2% para obter a volatilidade de 0,16% para o bônus de 0,8 ano.

Suponha que α seja alocado do valor presente para o bônus de seis meses e $1-\alpha$ do valor presente para o bônus de um ano. Usando-se a equação (16.2) e combinando-se as variâncias, obtém-se:

$$0,0016^2 = 0,001^2\alpha^2 + 0,002^2(1-\alpha)^2 + 2\times 0,7\times 0,001\times 0,002\alpha(1-\alpha)$$

Tabela 16.4 – Dados para o exemplo

Maturidade	3 meses	6 meses	1 ano
Taxa zero (% com capitalização anual)	5,50	6	7
Volatilidade do preço do bônus (% ao dia)	0,06	0,10	0,20

Correlação entre os retornos diários	Bônus de 3 meses	Bônus de 6 meses	Bônus de 1 ano
Bônus de 3 meses	1,0	0,9	0,6
Bônus de 6 meses	0,9	1,0	0,7
Bônus de 1 ano	0,6	0,7	1,0

Tabela 16.5 – Exemplo ilustrado no esquema de *mapping*

	Recebimento de US$50.000 em 0,3 ano	Recebimento de US$1.050.000 em 0,8 ano	Total
Posição em bônus de 3 meses (US$)	37.397		37.397
Posição em bônus de 6 meses (US$)	11.793	319.589	331.382
Posição em bônus de 1 ano (US$)		678.074	678.074

Esta é a equação quadrática que pode ser resolvida pelo modo usual que resulta $\alpha = 0{,}320337$. Isso significa que 32,0337% do valor deve ser alocado para o bônus de cupom zero de seis meses e 67,9663% do valor deve ser alocado para o bônus de cupom zero de um ano. Portanto, o bônus de 0,8 ano, que vale US$997.662, é substituído por um bônus de seis meses que vale:

$$997.662 \times 0{,}320337 = \text{US\$}319.589$$

E por um bônus de um ano que vale:

$$997.662 \times 0{,}679663 = \text{US\$}678.074$$

Esse esquema de *cash-flow mapping* possui a vantagem de preservar o valor e a variância do fluxo de caixa. Além disso, pode ser mostrado que os pesos designados aos dois bônus de cupom zero adjacentes são sempre positivos.

Para o fluxo de caixa de US$50.000 recebido no momento 0,3 ano, realizam-se cálculos similares (veja o problema 16.13), o que leva ao valor presente do fluxo de caixa igual a US$49.189. Isso pode ser organizado em uma posição que vale US$37.397 em um bônus de três meses e uma posição de US$11.793 em um bônus de seis meses.

Os resultados desses cálculos estão resumidos na Tabela 16.5. O bônus de 0,8 ano, que paga cupom, é transformado na posição de US$37.397 em um bônus de três meses, uma posição de US$331.382 em um bônus de seis meses e uma posição de US$678.074 em um bônus de um ano.

Usando as volatilidades e as correlações da Tabela 16.4, a equação (16.2) fornece a variância da mudança no preço do bônus de 0,8 ano com $n = 3$; $\alpha_1 = 37.397$; $\alpha_2 = 331.382$; $\alpha_3 = 678.074$; $\sigma_1 = 0{,}0006$; $\sigma_2 = 0{,}001$; $\sigma_3 = 0{,}002$; $\rho_{12} = 0{,}9$; $\rho_{13} = 0{,}6$; $\rho_{23} = 0{,}7$. A variância é 2.628.518. Portanto, o desvio-padrão da mudança no preço do bônus é de $\sqrt{2.628.518} = 1.621{,}30$. Como foi assumido que o bônus é o único instrumento no portfólio, o VAR de dez dias a 99% é igual a:

$$1.621{,}30 \times \sqrt{10} \times 2{,}33 = 11.946$$

Ou aproximadamente US$11.950.

Capítulo 17

APREÇAMENTO COM ÁRVORES BINOMIAIS

Como visto nos Capítulos 11, 12 e 13, o modelo de Black e Scholes e suas extensões podem ser utilizados no apreçamento de opções de compra e de venda européias sobre ações, índices de ações, moedas e contratos futuros. Neste capítulo, aborda-se procedimento numérico bastante popular para apreçar opções americanas sobre esses ativos. Esse procedimento é extensão da análise do Capítulo 10 e, além do apreçamento de opções, pode ser utilizado para calcular as letras gregas introduzidas no Capítulo 15. O software DerivaGem, que acompanha este livro, pode ser empregado para executar os cálculos descritos neste capítulo e observar as árvores que são produzidas.

17.1 MODELO BINOMIAL PARA AÇÃO QUE NÃO PAGA DIVIDENDOS

No Capítulo 10, foram introduzidas as árvores binomiais de um e de dois passos para ações que não pagam dividendos, mostrando-se como podem ser usadas para apreçar opções européias e americanas. Aquelas árvores são modelos bastante imprecisos. Um modelo mais realista assume que os movimentos de preço das ações sejam compostos de número muito maior de pequenos movimentos binomiais. Esta é a suposição em que se baseia o procedimento numérico proposto por Cox, Ross e Rubinstein[1].

Considere o apreçamento de uma opção sobre ação que não paga dividendos. Inicialmente, divide-se a vida da opção em grande número de pequenos intervalos de tempo de comprimento δt. Supõe-se que, a cada intervalo de tempo, o preço da ação se mova de seu valor inicial S_0 para um de dois novos valores, S_0u e S_0d. Esse modelo está ilustrado na Figura 17.1. Em geral, $u > 1$ e $d < 1$. O movimento de S_0 para S_0u é, portanto, de alta [*up*] e o movimento de S_0 para S_0d é de baixa [*down*]. A probabilidade de movimento *up* será denotada por p. A probabilidade de movimento *down* por $1-p$.

---

[1] Veja Cox, J. C.; Ross, S. A.; Rubinstein, M. Option Pricing: A Simplified Approach. *Journal of Financial Economics*, 7, pp. 229–264, October 1979.

Figura 17.1 – Movimento do preço da ação no período δt sob o modelo binomial

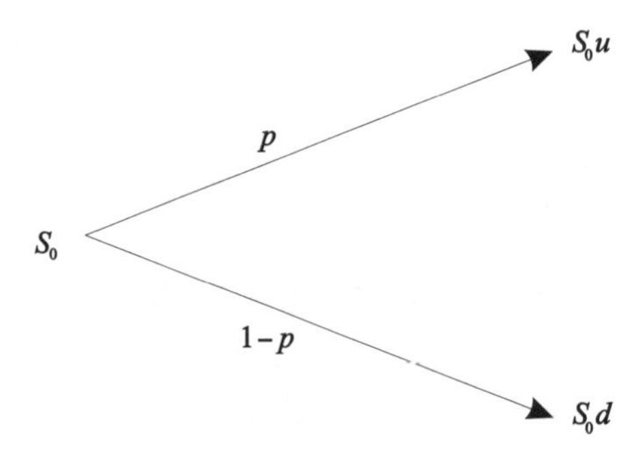

Risk-neutral valuation

O princípio de avaliação neutra em relação ao risco [*risk-neutral valuation*], discutido nos Capítulos 10 e 11, afirma que qualquer título que dependa do preço de uma ação pode ser apreçado na hipótese de que o mundo é *risk-neutral*. Para os objetivos de apreçamento de opções (ou de qualquer outro derivativo), pode-se assumir que:

- o retorno esperado de todos os títulos negociados é a taxa de juro livre de risco;
- os fluxos de caixa futuros podem ser estimados descontando-se seus valores esperados à taxa de juro livre de risco.

Esse resultado será utilizado quando da produção de uma árvore binomial.

Determinação de *p*, *u* e *d*

A seguir, desenha-se uma árvore para representar o comportamento do preço de uma ação em um mundo *risk-neutral*. Os parâmetros p, u e d devem dar valores corretos para a média e a variância do preço da ação durante o intervalo de tempo δt nesse mundo. O retorno esperado da ação é a taxa de juro livre de risco, r. Logo, o valor esperado do preço da ação no fim do intervalo de tempo δt é $Se^{r\delta t}$, onde S é o preço da ação no começo do intervalo de tempo. Segue que:

$$Se^{r\delta t} = pSu + (1-p)Sd \tag{17.1}$$

ou

$$e^{r\delta t} = pu + (1-p)d \tag{17.2}$$

Como explicado no Capítulo 11, o desvio-padrão da mudança percentual no preço da ação no pequeno intervalo de tempo δt é $\sigma\sqrt{\delta t}$. A variância desse percentual é $\sigma^2\delta t$. A variância de uma variável Q é definida como $E(Q^2) - E(Q)^2$, em que E denota o valor esperado. Assim:

$$\sigma^2\delta t = pu^2 + (1-p)d^2 - \left[pu + (1-p)d\right]^2 \tag{17.3}$$

As equações (17.2) e (17.3) impõem duas condições em p, u e d. A terceira condição usada por Cox, Ross e Rubinstein é:

$$u = \frac{1}{d}$$

Pode ser demonstrado que, sendo δt pequeno, as três condições implicam:

$$p = \frac{a-d}{u-d} \quad (17.4)$$

$$u = e^{\sigma\sqrt{\delta t}} \quad (17.5)$$

$$d = e^{-\sigma\sqrt{\delta t}} \quad (17.6)$$

onde:

$$a = e^{r\delta t} \quad (17.7)$$

a variável a é, às vezes, chamada de fator de crescimento [*growth factor*]. Note que as equações (17.4) e (17.7) são consistentes com a equação (10.3) do Capítulo 10.

Figura 17.2 – Árvore para apreçar opção sobre ação

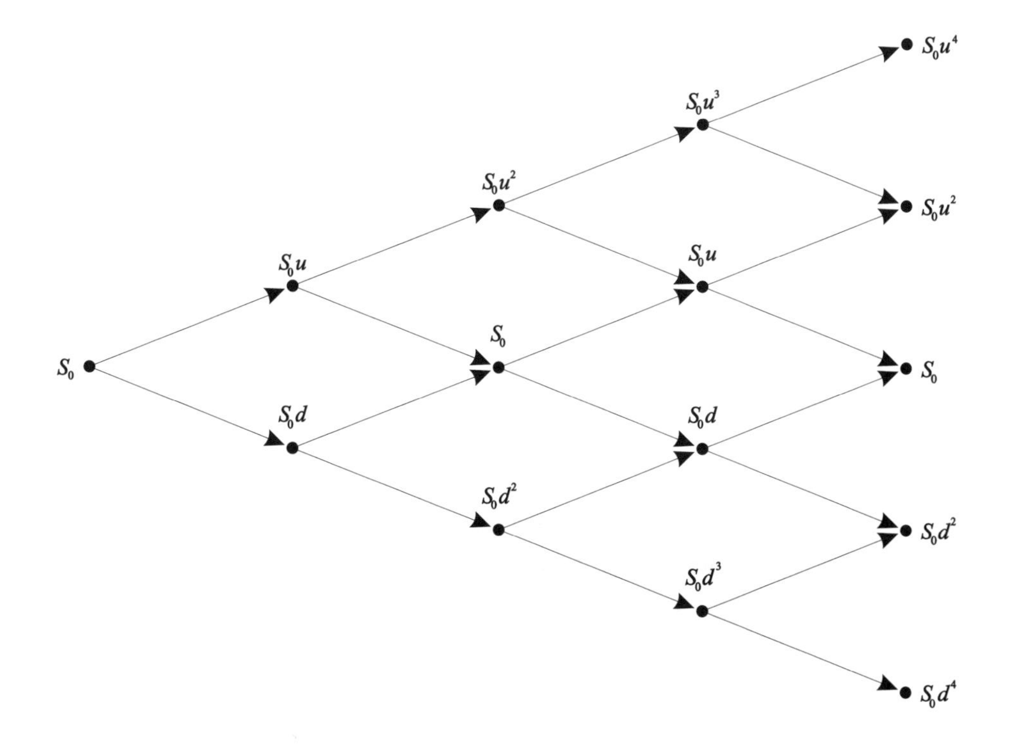

Árvore de preços de ações

A Figura 17.2 ilustra uma árvore completa dos preços de uma ação quando o modelo binomial é usado. No momento zero, o preço da ação, S_0, é conhecido. No momento δt, há dois preços possíveis para a ação, S_0u e S_0d; no momento $2\delta t$, há três preços possíveis para a ação, S_0u^2, S_0, S_0d^2; e assim por diante. Em geral, no momento $i\delta t$, $i + 1$ preços possíveis são considerados. São eles:

$$S_0u^jd^{i-j}$$
$$(j = 0, 1, ..., i)$$

Observe que a relação $u = 1/d$ é usada no cômputo do preço da ação a cada nó da árvore na Figura 17.2. Por exemplo, $S_0u^2d = S_0u$. Note também que a árvore é "recombinante" no sentido de que um movimento *up* (de alta) seguido por um movimento *down* (de baixa) leva ao mesmo preço de ação que *down* seguido por *up*.

Trabalhando para trás na árvore

Faz-se o apreçamento das opções do fim da árvore (momento T) para seu início (esse procedimento é chamado de *backwards induction*). O valor da opção é conhecido no momento T. Por exemplo, a opção de venda vale máx($X - S_T$, 0) e a opção de compra vale máx($S_T - X$, 0), onde S_T é o preço da ação na data T e X é o preço de exercício. Como se assume um mundo *risk-neutral*, o valor em cada nó na data ($T - \delta t$) poderá ser calculado como o valor esperado na data T descontado à taxa r para o período de tempo δt. De forma similar, o valor em cada nó na data ($T - 2\delta t$) pode ser calculado como o valor esperado na data ($T - \delta t$) descontado pelo período de tempo δt à taxa r, e assim por diante. Se a opção for americana, é necessário checar a cada nó para ver se o exercício antecipado é preferível à manutenção da posição na opção para um período de tempo adicional δt. Trabalhando para trás por meio dos nós, pode-se obter o valor da opção na data zero.

Ilustração

Um exemplo tornará esse procedimento mais claro. Considere a opção de venda americana de cinco meses sobre a ação que não paga dividendos. O preço da ação é US\$50; o preço de exercício, US\$50; a taxa de juro livre de risco, 10% ao ano; e a volatilidade, 40% ao ano. Com nossa notação usual, isso significa que $S_0 = 50$; $X = 50$; $r = 0{,}10$; $\sigma = 0{,}40$; e $T = 0{,}4167$. Divide-se a vida da opção em cinco intervalos de extensão igual a um mês para os objetivos de construção de uma árvore binomial. Então, $\delta t = 1/12$. Utilizando as equações (17.4) a (17.7), tem-se:

$$u = e^{\sigma\sqrt{\delta t}} = 1{,}1224 \qquad d = e^{-\sigma\sqrt{\delta t}} = 0{,}8909$$

$$a = e^{r\delta t} = 1,0084 \qquad p = \frac{a-d}{u-d} = 0,5073$$

$$1 - p = 0,4927$$

A Figura 17.3 mostra a árvore binomial produzida pelo DerivaGem. A cada nó, há dois números. O superior mostra o preço da ação no nó; o inferior, o valor da opção nesse nó. A probabilidade de movimento *up* é sempre 0,5073; a probabilidade de movimento *down* é sempre 0,4927.

O preço da ação no j-ésimo nó (j = 0, 1, ..., i) na data $i\delta t$ (i = 0, 1, ..., 5) é calculado por $S_0 u^j d^{i-j}$ Por exemplo, o preço da ação no nó A (i = 4, j = 1) (isto é, o segundo nó para cima, no fim do quarto passo) é $50 \times 1,1224 \times 0,8909^3$ = US\$39,69.

Os preços da opção nos nós finais são calculados como máx($X - S_T$, 0). Por exemplo, o preço da opção no nó G é 50,00 – 35,36 = 14,64. Os preços da opção nos penúltimos nós são calculados a partir dos preços da opção nos nós finais. Assume-se, primeiramente, que não há exercício nos nós. Isso significa que o preço da opção é calculado como o valor presente do preço esperado da opção no passo seguinte. Por exemplo, no nó E, o preço da opção é calculado como se segue:

$$\left(0,5073 \times 0 + 0,4927 \times 5,45\right) e^{-0,10 \times 1/12} = 2,66$$

enquanto, no nó A, o preço é calculado da seguinte forma:

$$\left(0,5073 \times 5,45 + 0,4927 \times 14,64\right) e^{-0,10 \times 1/12} = 9,90$$

Depois, verifica-se se o exercício antecipado é preferível. No nó E, o exercício antecipado daria o valor zero para a opção, porque tanto o preço da ação quanto de exercício são iguais a US\$50. Claramente, é melhor esperar. Portanto, o valor correto para a opção no nó E é US\$2,66. No nó A, a história é diferente. Se a opção for exercida, haverá recebimento de US\$50 – US\$39,69 ou US\$10,31 que é maior que US\$9,90. Então, se o nó A for alcançado, a opção deve ser exercida e o valor correto para a opção no nó A é US\$10,31.

Os preços da opção nos nós anteriores são calculados de maneira similar. Note que nem sempre o melhor é exercer a opção *in the money*. Considere o nó B. Se a opção for exercida, esta valerá US\$50 – US\$39,69, ou US\$10,31. No entanto, se for mantida, valerá:

$$\left(0,5073 \times 6,38 + 0,4927 \times 14,64\right) e^{-0,10 \times 1/12} = 10,36$$

Figura 17.3 – Árvore binomial produzida pelo DerivaGem para opção de venda americana sobre ação que não paga dividendo

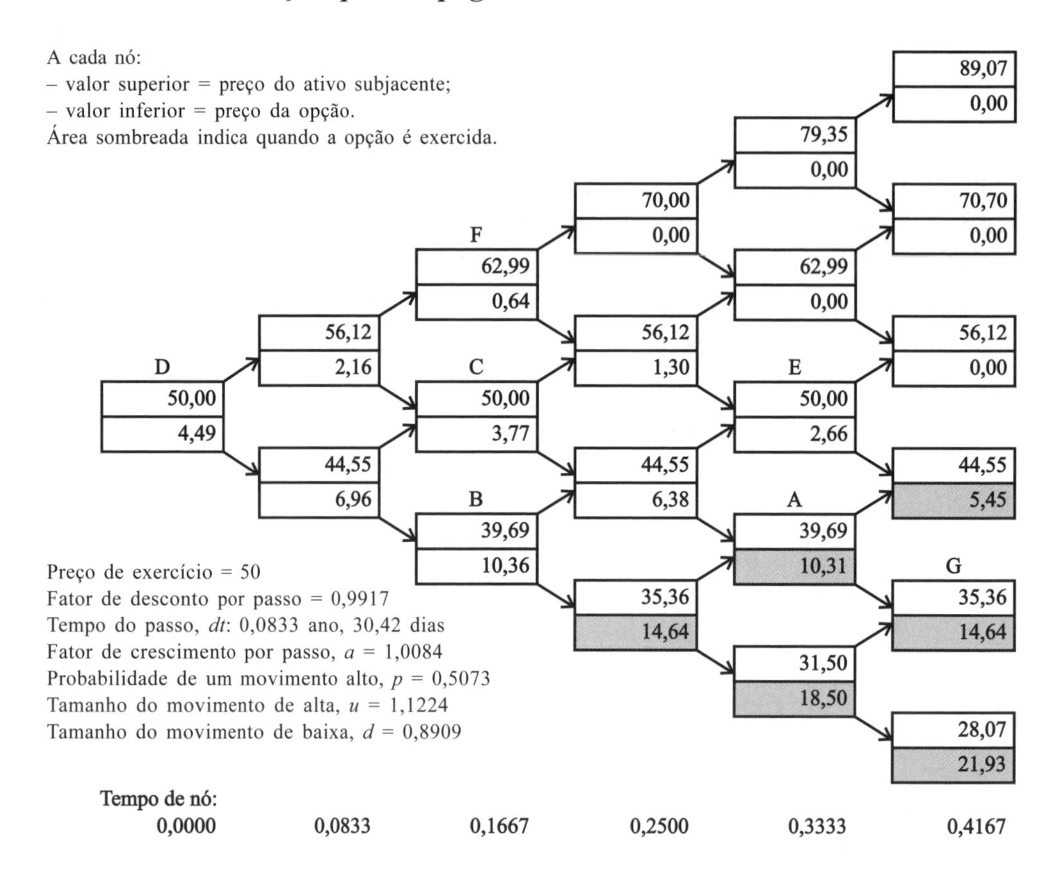

A opção, portanto, não será exercida nesse nó e seu valor correto é US$10,36.

Trabalhando para trás na árvore, descobre-se que o valor da opção no nó inicial é US$4,49. Esse valor é a estimativa numérica para o valor corrente da opção. Na prática, seriam usados valor menor de δt e mais nós. O software DerivaGem mostra que com 30, 50 e 100 passos de tempo obtêm-se valores para a opção de 4,263; 4,272; e 4,278, respectivamente.

Expressão algébrica do método

Suponha que a vida da opção de venda americana sobre ação que não paga dividendos seja dividida em N subintervalos de tempo δt. Refere-se ao j-ésimo nó na data $i\delta t$ como o nó (i, j) $(0 \leq i \leq N, 0 \leq j \leq i)$. Seja $f_{i,j}$ o valor da opção no nó (i, j). O preço da ação no nó (i, j) é $S_0 u^j d^{i-j}$. Como o valor da opção de venda americana na data de expiração é $\max(X - S_T, 0)$, sabe-se que:

$$f_{N,j} = \text{máx}\left(X - S_0 u^j d^{N-j}, 0\right) \qquad \left(j = 0, 1, \ldots, N\right)$$

A probabilidade de movimento do nó (i, j) na data $i\delta t$ para o nó $(i + 1, j + 1)$ na data $(i + 1)\,\delta t$ é p; e a probabilidade de movimento do nó (i, j) na data $i\delta t$ para o nó $(i + 1, j)$ na data $(i + 1)\,\delta t$ é $1 - p$. Assumindo-se que não haja exercício antecipado, o *risk-neutral valuation* fornece:

$$f_{i,j} = e^{-r\delta t}\left[pf_{i+1,j+1} + (1-p)f_{i+1,j}\right]$$

Para $0 \le i \le N - 1$ e $0 \le j \le i$. Quando o exercício antecipado é levado em consideração, o valor de $f_{i,j}$ deve ser comparado com o valor intrínseco da opção e, assim, obtém-se:

$$f_{i,j} = \text{máx}\left\{X - S_0 u^j d^{i-j},\ e^{-r\delta t}\left[pf_{i+1,j+1} + (1-p)f_{i+1,j}\right]\right\}$$

Note que, como o cálculo se inicia na data T e trabalha-se para trás, o valor no tempo $i\delta t$ captura não só o efeito da possibilidade de exercício antecipado na data $i\delta t$, mas também o efeito de exercício antecipado em datas posteriores. No limite, à medida que δt tende a zero, obtém-se um valor exato para a *put* americana. Na prática, $N = 30$ é suficiente para produzir resultados satisfatórios.

Estimação de delta e outras letras gregas

Lembre-se que o Δ de uma opção é a taxa de variação de seu preço em relação ao preço da ação subjacente. Em outras palavras:

$$\Delta = \frac{\delta f}{\delta S}$$

onde δS consiste em pequena mudança no preço da ação e δf em pequena mudança resultante no preço da opção. Na data δt, estima-se o preço da opção como f_{11} com o preço da ação igual a $S_0 u$; e o preço da opção em f_{10} quando o preço da ação é $S_0 d$. Em outras palavras, quando $\delta S = S_0 u - S_0 d$, $\delta f = f_{11} - f_{10}$. Portanto, a estimativa de Δ na data δf é:

$$\Delta = \frac{f_{11} - f_{10}}{S_0 u - S_0 d} \qquad (17.8)$$

Para determinar o gama, Γ, note que há duas estimativas para Δ na data $2\delta t$. Quando o preço da ação é $\left(S_0 u^2 + S_0\right)/2$ (metade do caminho entre o segundo e o terceiro nós na data $2\delta t$), o delta é $\left(f_{22} - f_{21}\right)/\left(S_0 u^2 - S_0\right)$; quando o preço da ação é $\left(S_0 + S_0 d^2\right)/2$ (metade do caminho entre o primeiro e segundo nós na data $2\delta t$), o delta é $\left(f_{21} - f_{20}\right)/\left(S_0 - S_0 d^2\right)$. A diferença entre os preços da ação é h, onde:

$$h = 0,5\left(S_0u^2 - S_0d^2\right)$$

O gama é a mudança no delta dividido por h ou:

$$\Gamma = \frac{\left[\left(f_{22} - f_{21}\right)/\left(S_0u^2 - S_0\right)\right] - \left[\left(f_{21} - f_{20}\right)/\left(S_0 - S_0d^2\right)\right]}{h} \qquad (17.9)$$

Esses procedimentos fornecem estimativas para o delta na data δt e para o gama na data $2\delta t$. Na prática, são utilizados como se fossem estimativas para o delta e o gama na data zero[2].

Um parâmetro de *hedge* adicional que pode ser obtido diretamente da árvore é o teta, Θ, que é a taxa de variação no preço da opção em relação ao tempo, considerando-se tudo o mais constante. Portanto, a estimativa do teta é:

$$\Theta = \frac{f_{21} - f_{00}}{2\delta t} \qquad (17.10)$$

O vega pode ser calculado fazendo-se pequena variação na volatilidade, $\delta\sigma$, e construindo-se nova árvore para obter novo valor da opção (δt deve se manter constante). A estimativa de vega é:

$$\upsilon = \frac{f^* - f}{\delta\sigma}$$

onde f e f^* são as estimativas para o preço da opção a partir da árvore original e da nova árvore, respectivamente. O rô pode ser calculado de forma similar.

Como ilustração, considere a árvore na Figura 17.3. Nesse caso, $f_{1,0} = 6{,}96$ e $f_{1,1} = 2{,}16$. A equação (17.8) dá a seguinte estimativa para o delta:

$$\frac{2{,}16 - 6{,}96}{56{,}12 - 44{,}55} = -0{,}41$$

Da equação (17.9), pode-se estimar o gama da opção por meio dos valores dos nós B, C e F da seguinte forma:

---

[2] Se for necessária maior precisão para o delta e o gama, pode-se começar a árvore na data $-2\delta t$ e assumir que o preço da ação é S_0 nessa data. Isso permitirá calcular o preço da opção para três diferentes preços de ação na data zero.

$$\frac{[(0,64-3,77)/(62,99-50,00)]-[(3,77-10,36)/(50,00-39,69)]}{11,65}=0,03$$

Da equação (17.10), a estimativa do teta da opção pode ser obtida com os valores nos nós D e C:

$$\frac{3,77-4,49}{0,1667}=-4,3$$

por ano ou –0,012 por dia corrido. Essas estimativas são, na verdade, valores aproximados. Tornam-se progressivamente mais acuradas à medida que o número de passos na árvore é aumentado. Usando-se 50 passos, o DerivaGem oferece estimativas de –0,414; 0,033; e –0,0117 para delta, gama e teta, respectivamente.

17.2 ÁRVORES BINOMIAIS PARA OPÇÕES SOBRE ÍNDICES, MOEDAS E CONTRATOS FUTUROS

Como mostrado na seção 12.3, o método de árvore binomial para apreçamento de opções sobre ações que não pagam dividendos pode ser facilmente adaptado para apreçar opções americanas de compra e de venda sobre ações que pagam dividendos à taxa contínua q.

Como os dividendos proporcionam retorno de q, o preço da ação deve, na média, em um mundo *risk-neutral*, proporcionar retorno $r-q$. Assim, a equação (17.1) torna-se:

$$Se^{(r-q)\delta t}=pSu+(1-p)Sd$$

De tal modo que:

$$e^{(r-q)\delta t}=pu+(1-p)d$$

Os parâmetros p, u e d devem satisfazer essa equação e a equação (17.3). Por sua vez, as equações (17.4), (17.5) e (17.6) continuam consistentes, mas com novo valor para a:

$$a=e^{(r-q)\delta t} \tag{17.11}$$

Portanto, o procedimento da árvore binomial pode ser utilizado exatamente como antes, modificando-se apenas o valor de a.

Figura 17.4 – Árvore binomial produzida pelo DerivaGem para opção de compra americana sobre contratos futuros de índice (Exemplo 1)

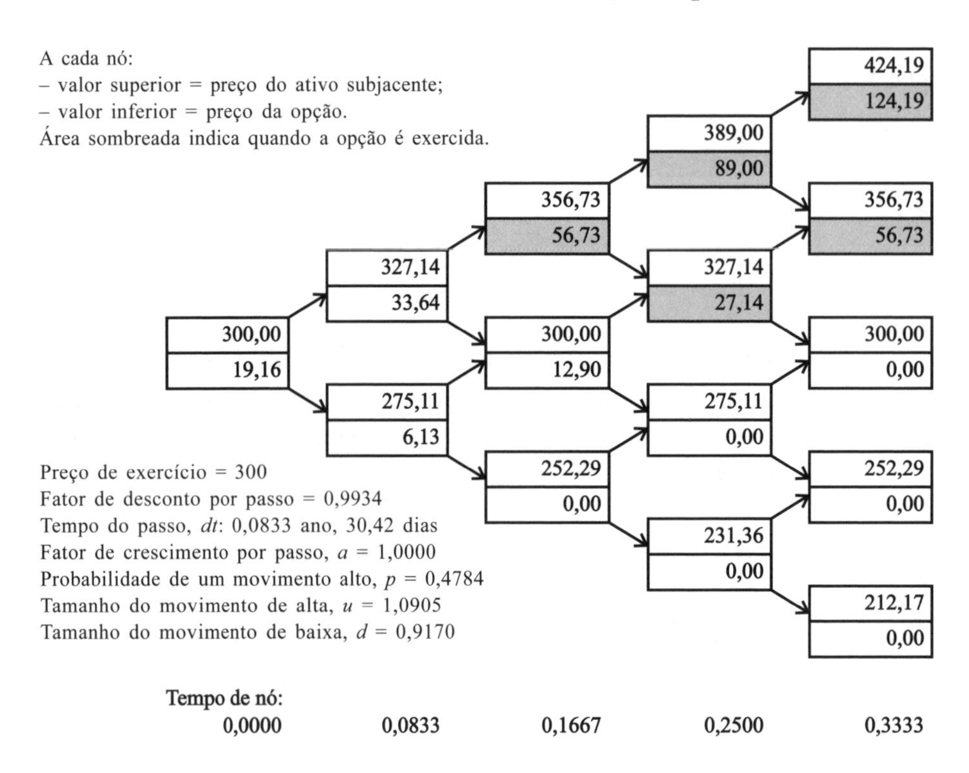

Relembre, dos Capítulos 12 e 13, que os índices de ações, moedas e contratos futuros podem, para efeito de apreçamento de opções, ser considerados como ações que pagam taxas contínuas de dividendos. No caso de um índice de ações, a taxa de dividendos relevante é aquela verificada para o portfólio de ações que compõe o índice; no caso de uma moeda, é a taxa de juro externa livre de risco; no caso de um contrato futuro, é a taxa de juro doméstica livre de risco. Pode-se, agora, partir para o apreçamento sobre índices, moedas e contratos futuros utilizando-se as árvores binomiais.

Exemplo 1

Considere a opção de compra americana de quatro meses sobre índice futuro. O preço futuro corrente é 300; o preço de exercício, 300; a taxa de juro livre de risco, 8% ao ano; e a volatilidade do índice, de 30% ao ano. Divide-se a vida da opção em quatro intervalos de um mês para construir a árvore binomial. Nesse caso, $F_0 = 300$; $X = 300$; $r = 0{,}08$; $\sigma = 0{,}3$; $T = 4/12$; e $\delta t = 1/12$. Como o contrato futuro é similar a uma ação que paga dividendos à taxa contínua r, q deve ser igual a r na equação (17.11). Isso resulta em $a = 1$. Os outros parâmetros necessários à construção da árvore são:

$$u = e^{\sigma\sqrt{\delta t}} = 1,0905 \qquad d = \frac{1}{u} = 0,9170$$

$$p = \frac{a-d}{u-d} = 0,4784 \qquad 1 - p = 0,5216$$

A árvore é mostrada na Figura 17.4 (o número superior é o preço futuro; o inferior é o preço da opção). O valor estimado para a opção é 19,16. Maior precisão pode ser obtida quando se aumenta o número de passos. Com 50 passos, o DerivaGem calcula o valor de 20,18; com 100 passos, fornece o valor de 20,22.

Figura 17.5 – Árvore binomial produzida pelo DerivaGem para opção de venda americana sobre moeda (Exemplo 2)

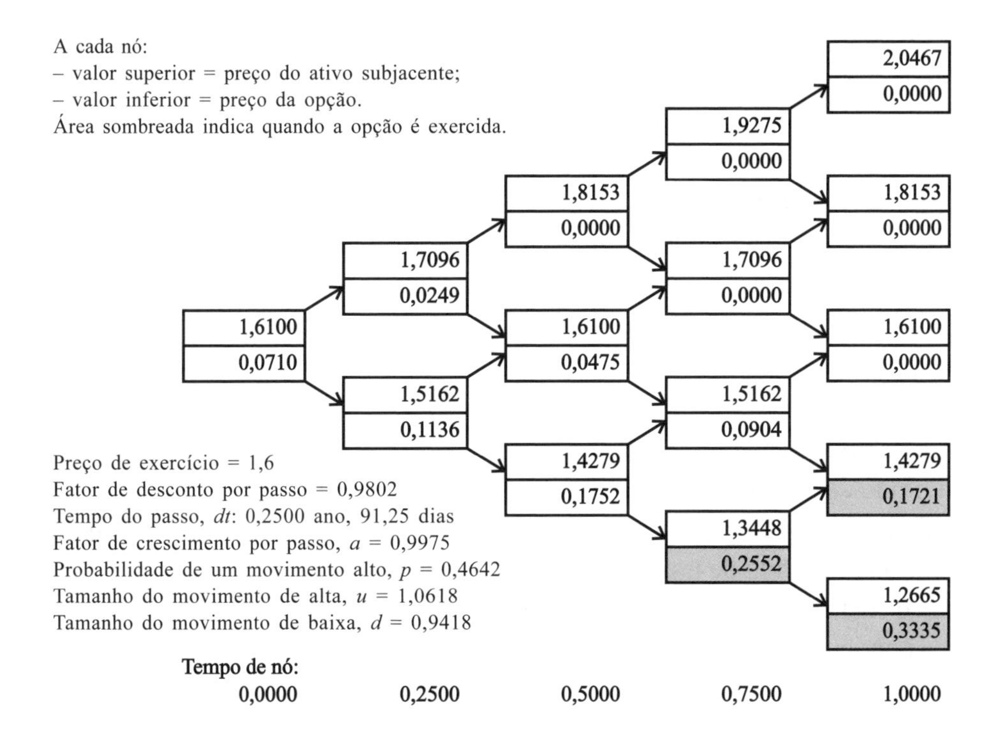

Exemplo 2

Considere a opção de venda americana de um ano sobre a libra esterlina. A taxa de câmbio corrente é 1,6100; o preço de exercício, 1,6000; a taxa de juro americana livre de risco, 8% ao ano; a taxa de juro britânica livre de risco, 9% ao ano; e a volatilidade da taxa de câmbio da libra, de 12%. Nesse caso, $S_0 = 1,61$; $X = 1,60$; $r = 0,08$; $r_f = 0,09$; $\sigma = 0,12$; e $T = 1,0$.

Divide-se a vida da opção em quatro períodos de três meses para efeito de construção da árvore, de tal modo que $\delta t = 0{,}25$. Nesse caso, $q = r_f$. A equação (17.11) fornece:

$$a = e^{(0{,}08-0{,}09)\times 0{,}25} = 0{,}9975$$

Outros parâmetros necessários para construir a árvore são:

$$u = e^{\sigma\sqrt{\delta t}} = 1{,}0618 \qquad d = \frac{1}{u} = 0{,}9418$$

$$p = \frac{a-d}{u-d} = 0{,}4642 \qquad 1 - p = 0{,}5358$$

A árvore é mostrada na Figura 17.5 (o número superior é a taxa de câmbio; o inferior é o preço da opção). O valor estimado da opção é US$0,0710 (usando-se 50 passos, o DerivaGem fornece o valor para a opção de US$0,0738; com 100 passos, o valor também é de US$0,0738).

17.3 MODELO BINOMIAL PARA AÇÕES QUE PAGAM DIVIDENDOS

Agora, aborda-se assunto mais complicado: a maneira pela qual o modelo binomial pode ser usado para uma ação que paga dividendos discretos. Como estabelecido no Capítulo 11, a palavra *dividendo*, para efeito de discussão, será empregada para denotar a redução no preço da ação na data ex-dividendo em face do pagamento desse provento.

Rendimento de dividendo conhecido

Assumindo-se que um dividendo simples será pago em certa data em uma proporção, δ, do preço da ação nessa data, a árvore terá a forma mostrada na Figura 17.6 e poderá ser analisada de modo análogo àquela descrita. Se o tempo por ano $i\delta t$ ocorrer antes da data em que a ação é negociada na condição ex-dividendos, os nós na árvore correspondentes aos preços das ações serão:

$$S_0 u^j d^{i-j}$$
$$(j = 0, 1, ..., i)$$

onde u e d são definidos da mesma maneira que nas equações (17.5) e (17.6). Se a data $i\delta t$ ocorrer depois da data ex-dividendos, os nós corresponderão aos preços das ações:

$$S_0 (1-\delta) u^j d^{i-j}$$
$$(j = 0, 1, ..., i)$$

Figura 17.6 – Árvore quando a ação paga rendimento conhecido em um momento particular do tempo

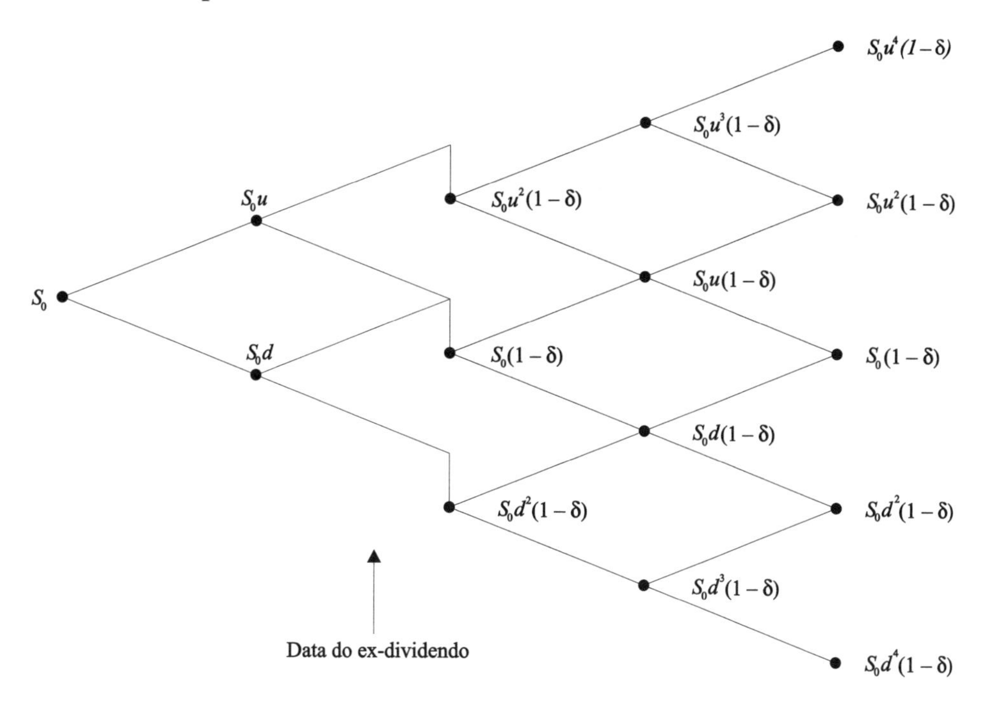

Dividendos conhecidos durante a vida da opção podem ser tratados de modo similar. Se δ_i é o rendimento de dividendo total associado com todas as datas ex-dividendos entre a data zero e a data $i\delta t$, os nós na data $i\delta t$ correspondem aos seguintes preços de ações:

$$S_0\left(1-\delta_i\right)u^j d^{i-j}$$

Dividendos conhecidos em valor

Em algumas situações, a suposição mais realista é considerar que se conhece antecipadamente o valor em dólares do dividendo do que uma taxa (ou rendimento) de dividendos. Se a volatilidade da ação, σ, é constante, as árvores tomam a forma mostrada na Figura 17.7. Isto é, não é recombinante, o que significa que o número de nós a ser calculado, principalmente se houver vários dividendos, pode se tornar muito grande. Suponha que haja apenas um dividendo, que a data ex-dividendo, τ, esteja entre $k\delta t$ e $(k+1)\,\delta t$ e que o valor em dólares dos dividendos seja D. Quando $i \leq k$, os nós na árvore na data $i\delta t$ correspondem aos seguintes preços de ações:

$$S_0u^j d^{i-j}$$
$$(j = 0, 1, ..., i)$$

como antes. Quando $i = k + 1$, os nós na árvore correspondem aos seguintes preços de ações:

$$S_0 u^j d^{i-j} - D$$
$$(j = 0, 1, ..., i)$$

Figura 17.7 – Árvore com dividendo igual a um montante de dólar conhecido e com volatilidade constante

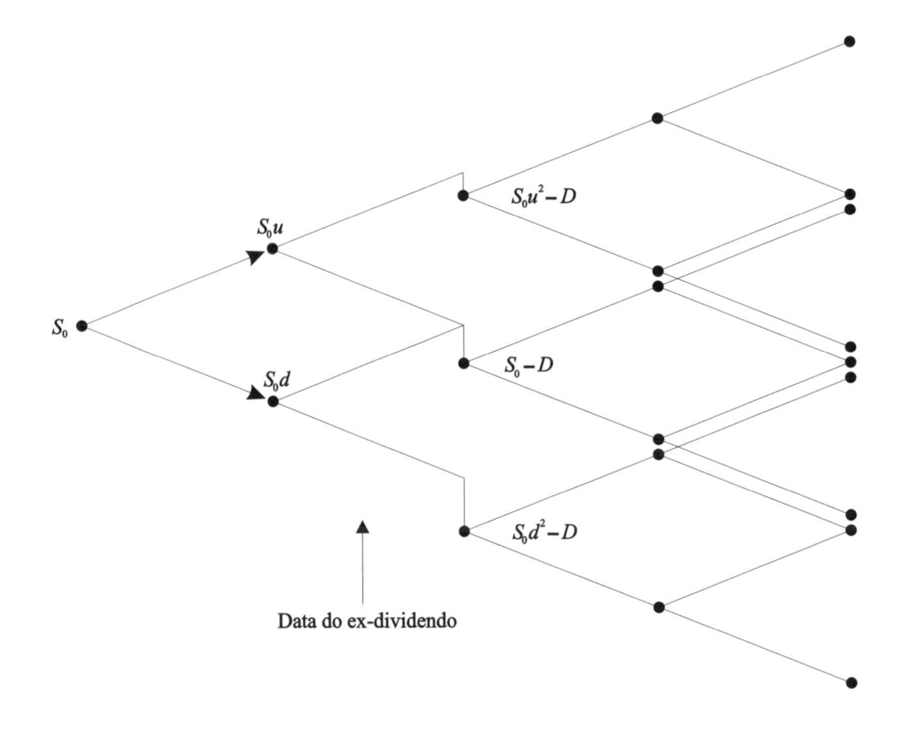

Quando $i = k + 2$, os nós na árvore correspondem aos seguintes preços das ações:

$$\left(S_0 u^j d^{i-1-j} - D\right) u \text{ e } \left(S_0 u^j d^{i-1-j} - D\right) d$$

para $j = 0, 1, 2, ..., i - 1$, de tal forma que haverá $2i$ nós em vez de $i + 1$. Na data $(k + m)\ \delta t$, há $m(k + 2)$ nós em vez de $k + m + 1$ nós.

O problema pode ser simplificado assumindo-se, como na análise para opções européias no Capítulo 11, que o preço da ação tem dois componentes: uma parte incerta e uma parte composta do valor presente de todos os dividendos futuros durante a vida da opção. Suponha, como antes, que há apenas uma data ex-dividendo, τ, durante a vida da opção e que $k\delta t \leq \tau \leq (k + 1)\delta t$. O valor do componente incerto, S^*, na data $i\delta t$ é dado por:

$$S^* = S \text{ quando } i\delta t > \tau$$

e

$$S^* = S - De^{-r(\tau - i\delta t)} \text{ quando } i\delta t \leq \tau$$

onde D é o dividendo. Defina σ^* como a volatilidade de S^* e assuma que σ^* seja constante[3]. Os parâmetros p, u e d podem ser calculados das equações (17.4), (17.5), (17.6) e (17.7) substituindo σ por σ^* e a árvore pode ser construída da maneira usual para modelar S^*. Adicionando-se ao preço da ação em cada nó o valor presente dos dividendos futuros (se houver), a árvore pode ser convertida em outra árvore para a modelagem de S.

Suponha que S_0^* seja o valor de S^* na data zero. Na data $i\delta t$, os nós da árvore correspondentes aos preços das ações serão:

$$S_0^* u^j d^{i-j} + De^{-r(\tau - i\delta t)}$$
$$(j = 0, 1, ..., i)$$

quando $i\delta t < \tau$ e:

$$S_0^* u^j d^{i-j}$$
$$(j = 0, 1, ..., i)$$

quando $i\delta t > \tau$. Esse método, que tem a vantagem de ser consistente com o método para opções européias da seção 11.12, é bem-sucedido na obtenção de situação em que a árvore é recombinante, de tal modo que há $i + 1$ nós na data $i\delta t$. Esse critério pode ser generalizado para lidar com casos nos quais haja vários dividendos.

Ilustração

Para dar um exemplo de como o método funciona em um caso particular, considere a opção de venda sobre a ação que pagará dividendo de US$2,06 durante a vida da opção. O preço inicial da ação é US$52,00; o preço de exercício, US$50; a taxa de juro livre de risco, 10% ao ano; a volatilidade, de 40% ao ano; e a data ex-dividendos ocorre em 3,5 meses.

Primeiramente, constrói-se uma árvore para modelar S^*, o preço da ação menos o valor presente dos dividendos futuros a serem pagos durante a vida da opção. Inicialmente, o valor presente do dividendo é:

$$2{,}06e^{-0{,}1 \times 3{,}5/12} = 2{,}00$$

---

[3] Na teoria, σ^* é suavemente maior que σ, a volatilidade de S. Na prática, não se faz qualquer distinção entre os dois parâmetros.

O valor inicial de S^*, portanto, é 50. Assumindo-se que a volatilidade de 40% ao ano se refere a S^*, a Figura 17.3 proporciona uma árvore binomial para S^* (S^* tem os mesmos valor inicial e volatilidade do preço da ação nos quais a Figura 17.3 se baseou). Adicionando-se o valor presente do dividendo a cada nó, chega-se à Figura 17.8, que é o modelo binomial para S. As probabilidades em cada nó são, como na Figura 17.3, 0,5073 para movimento *up* e 0,4927 para movimento *down*. Trabalhando-se para trás da forma usual, encontra-se o preço de opção de US$4,44.

17.4 EXTENSÕES DO MODELO DE ÁRVORE BINOMIAL

Agora, são discutidas duas formas para estender o enfoque do modelo de árvore binomial proposto.

Taxas de juro dependentes do tempo

Quando opções americanas estão sendo apreçadas, é comum assumir que as taxas de juro são constantes. Quando a estrutura a termo é inclinada para cima ou para baixo, essa suposição pode não ser satisfatória. É mais apropriado assumir que a taxa de juro para o período de tempo δt no futuro será igual à taxa de juro *forward* corrente relativa a tal período. Pode-se ajustar essa suposição estabelecendo:

$$a = e^{f(t)\delta t} \tag{17.12}$$

para nós na data t, onde $f(t)$ é a taxa forward entre as datas t e $t + \delta t$. Isso não muda a geometria da árvore porque u e d não dependem de a.

As probabilidades nos ramos da árvore que possuem origem dos nós da data t são, como antes, iguais a[4]:

$$p = \frac{a-d}{u-d}$$

$$1-p = \frac{u-a}{u-d}$$

O restante do caminho é o mesmo que antes, exceto que, quando se desconta de $t + \delta t$ para t, deve-se usar $f(t)$. Modificação similar no modelo básico de árvore pode ser usada para apreçar opções sobre índice, opções sobre taxas de câmbio e opções sobre futuros. Nessas aplicações, a taxa de dividendo de um índice ou a taxa de juro externa livre de risco pode ser definida como uma função do tempo de maneira similar ao método descrito.

[4] Para um número de passos suficientemente grande, tais probabilidades são sempre positivas.

Figura 17.8 – Árvore produzida pelo DerivaGem para opção de venda sobre ação que paga um único dividendo

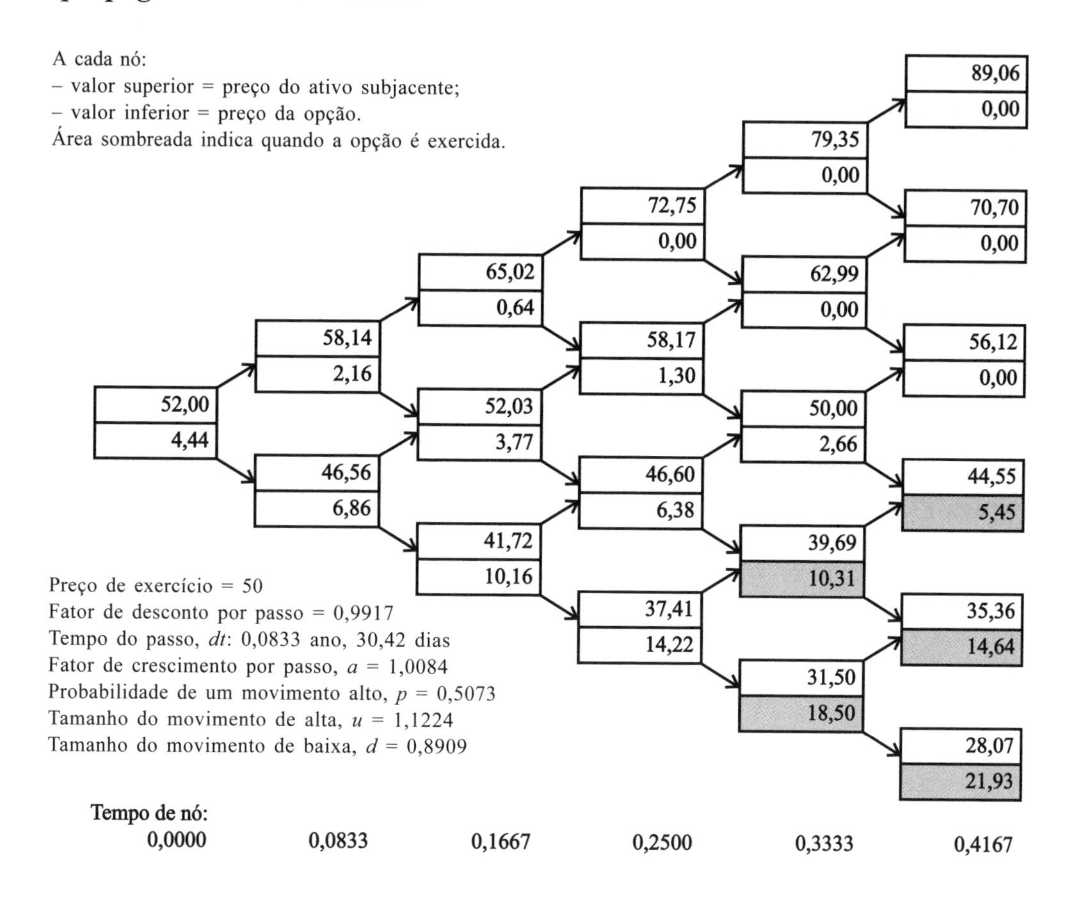

Técnica *control variate*

Uma técnica conhecida como *control variate* pode ser usada para apreçar uma opção americana[5]. Isso envolve a mesma árvore para calcular tanto o valor de opção americana, f_A, quanto o valor de opção européia correspondente, f_E. Calcula-se também o preço da opção européia pelo modelo de Black e Scholes, f_{BS}. Assumiu-se que o erro dado pela árvore no apreçamento da opção européia é igual ao erro no apreçamento da opção americana. Isso dá uma estimativa para o preço da opção americana como se segue:

$$f_A + f_{BS} - f_E$$

---

[5] Veja Hull; White. The Use of the Control Variate Technique in Option Pricing. *Journal of Financial and Quantitative Analysis* 23, pp. 237–251, September 1988.

Para ilustrar esse método, a Figura 17.9 faz o apreçamento da opção da Figura 17.3, supondo-se que seja européia. O preço obtido é US$4,32. Da fórmula de Black e Scholes, o preço verdadeiro da opção européia é US$4,08. A estimativa do preço da opção americana na Figura 17.3 é US$4,49. Portanto, a estimativa do preço da opção americana utilizando o *control variate* é:

$$4{,}49 + 4{,}08 - 4{,}32 = 4{,}25$$

Uma boa estimativa para o preço de opção americana, calculada com 100 passos, é 4,278. O método *control variate* produz melhora considerável em relação à estimativa original de US$4,49, pois calcula a diferença entre os preços para opção européia e opção americana em vez de apenas calcular o preço para opção americana.

Figura 17.9 – Árvore produzida pelo DerivaGem para versão européia de opção da Figura 17.3

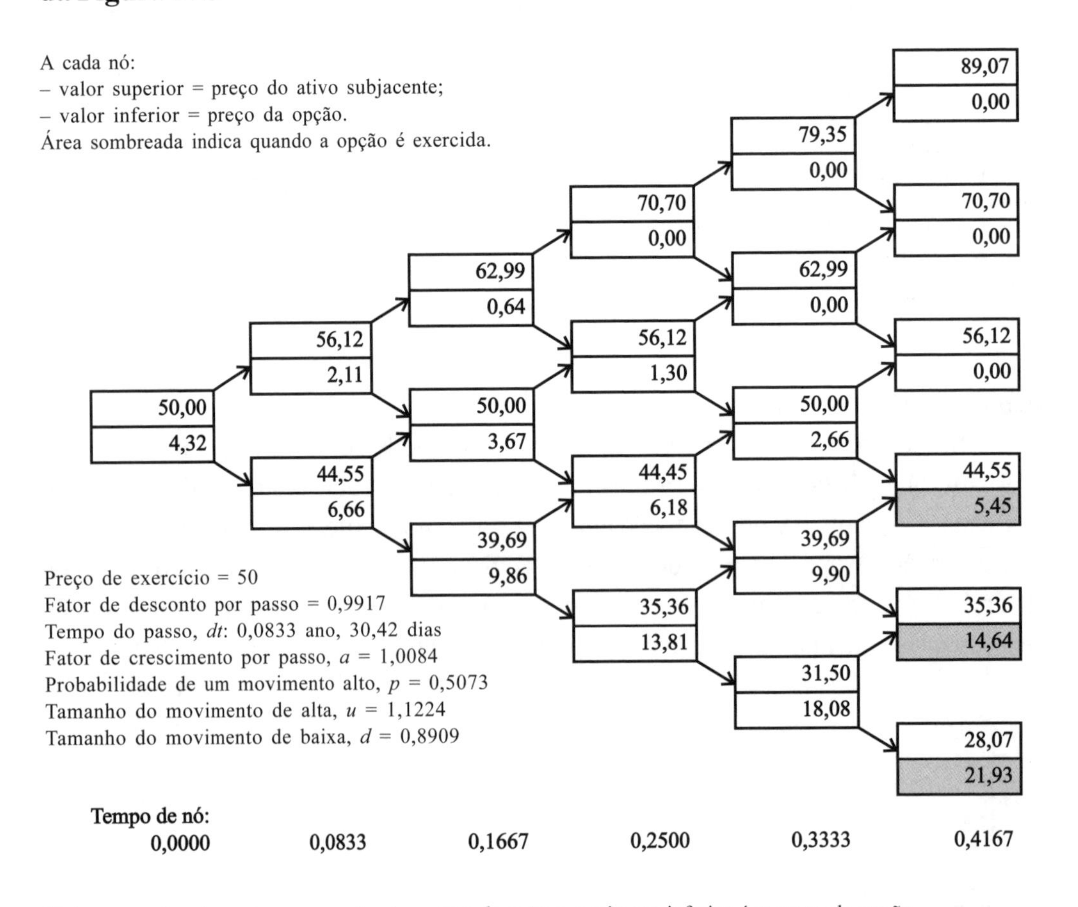

Nota: em cada nó, o número superior é o preço da ação e o número inferior é o preço da opção.

17.5 PROCEDIMENTO ALTERNATIVO PARA CONSTRUÇÃO DE ÁRVORES

O modelo original de Cox, Ross e Rubinstein não é o único modo para construir árvore binomial. Em vez de impor a hipótese de $u = 1/d$ nas equações (17.2) e (17.3), pode-se estabelecer $p = 0{,}5$. A solução das equações, quando os termos de ordem superior a δt são ignorados, é:

$$u = e^{\left(r-\sigma^2/2\right)\delta t+\sigma\sqrt{\delta t}}$$

$$d = e^{\left(r-\sigma^2/2\right)\delta t-\sigma\sqrt{\delta t}}$$

Figura 17.10 – Árvore binomial para opção de compra americana sobre dólar canadense

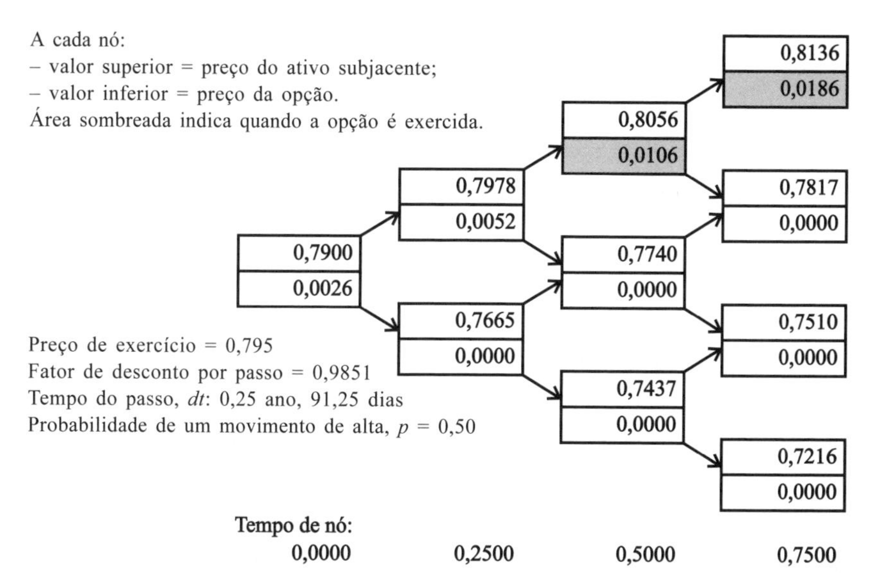

Nota: em cada nó, o número superior é a taxa de câmbio spot. Todas as probabilidades são de 0,5 e o número inferior é o preço da opção.

Quando a ação oferece a taxa de dividendos contínua q, a variável r se torna $r - q$ nessas fórmulas. Isso permite que se construam árvores com $p = 0{,}5$ para opções sobre índices, taxas de câmbio e futuros.

Essa alternativa de construção de árvores tem uma vantagem sobre o modelo de Cox, Ross e Rubinstein baseada no fato de a probabilidade ser sempre 0,5, independentemente do valor de σ ou do número de passos no tempo[6]. Já a desvantagem

[6] Na situação incomum em que os passos são muito grandes a ponto de $\sigma < \left|(r-q)\sqrt{\delta t}\right|$, o modelo de Cox, Ross e Rubinstein dá probabilidades negativas. Esse procedimento alternativo não tem esse problema.

é que o cálculo do delta, do gama e do teta, a partir da árvore, não é exato, porque os valores do ativo subjacente nas datas δt e $2\delta t$ não estão mais centrados em S_0.

Exemplo

A opção de compra americana de nove meses sobre o dólar canadense tem preço de exercício de 0,7950. A taxa de câmbio corrente é 0,7900; a taxa de juro livre de risco americana, 6% ao ano; a taxa de juro livre de risco canadense, 10% ao ano; e a volatilidade da taxa de câmbio, de 4% ao ano. Nesse caso, $S_0 = 0,79$; $X = 0,795$; $r = 0,06$; $r_f = 0,10$; $\sigma = 0,04$; e $T = 0,75$. Divide-se a vida da opção em períodos de três meses para efeito de construção da árvore, de tal modo que $\delta t = 0,25$. São estabelecidas as probabilidades em cada ramo da árvore igual a 0,5 e:

$$u = e^{(0,06-0,10-0,0016/2)0,25+0,04\sqrt{0,25}} = 1,0098$$

$$d = e^{(0,06-0,10-0,0016/2)0,25-0,04\sqrt{0,25}} = 0,9703$$

A árvore para a taxa de câmbio está na Figura 17.10 e traz o valor de 0,0026 para a opção.

17.6 SIMULAÇÃO DE MONTE CARLO

As árvores binomiais podem ser utilizadas em conjunto com a simulação de Monte Carlo para o apreçamento de derivativos (a metodologia dessa simulação foi descrita no cálculo do *value at risk* na seção 16.5). Uma vez que a árvore tenha sido construída, podem ser criados caminhos aleatórios por meio dela. Em vez de trabalhar para trás na árvore, faz-se o caminho inverso, trabalhando para frente. O procedimento básico é o seguinte: no primeiro nó, escolhe-se aleatoriamente um número entre 0 e 1. Se o número ficar entre 0 e p, toma-se o ramo superior, se ficar entre p e 1, toma-se o ramo inferior. Repete-se esse procedimento no nó que for alcançado e em todos os nós subseqüentes até que o fim da árvore seja alcançado. Então, calcula-se o *payoff* da opção para um caminho particular amostrado. Isso completa a primeira tentativa. Depois, são realizadas outras, repetindo-se o mesmo procedimento por inteiro. A estimativa do valor da opção será a média aritmética dos *payoffs* de todas as tentativas descontados à taxa de juro livre de risco.

A simulação de Monte Carlo não pode ser utilizada para opções americanas porque não há como saber se o exercício antecipado será vantajoso quando determinado nó for alcançado. A simulação pode ser empregada para apreçar opções européias de tal modo que sejam verificadas as fórmulas de apreçamento para essas opções. Também pode ser usada para apreçar algumas opções exóticas abordadas no Capítulo 19, como opções asiáticas e opções *lookback*.

17.7 SUMÁRIO

Este capítulo descreveu como as opções podem ser apreçadas com árvores binomiais. Esse enfoque, quando usado para opções sobre ações, implica a divisão do tempo de vida da opção em um número de intervalos de tempo δt e assume que o preço da ação no começo de um intervalo leve a apenas dois preços alternativos no fim dos intervalos. Uma dessas alternativas envolve movimento de alta [*up*]; a outra, movimento de baixa [*down*].

A magnitude dos movimentos *up* e *down* e suas probabilidades associadas são escolhidas de modo que a variação no preço da ação tenha média e desvio-padrão iguais aos de um mundo *risk-neutral*. Os preços das opções são calculados trabalhando-se na árvore do fim para o início. No fim da árvore, o preço da opção é seu valor intrínseco. Nos nós anteriores, o valor da opção, se for americana, deve ser calculado como o maior dos seguintes valores:

- o valor que teria se pudesse ser exercida imediatamente;
- o valor que teria se fosse mantida por mais um período de tempo de extensão δt.

Se a opção for exercida em determinado nó, seu valor será o valor intrínseco. Se for mantida para um período de tempo adicional de extensão δt, o valor da opção será seu valor esperado no fim do período δt, descontado à taxa de juro livre de risco.

Delta, gama e teta podem ser estimados diretamente dos valores da opção nos vários nós da árvore. O vega pode ser calculado ao realizar pequena variação na volatilidade e, assim, no valor da opção de maneira idêntica, usando a mesma árvore. O rô pode ser estimado por meio de pequena variação na taxa de juro e do novo cálculo da árvore.

O modelo binomial pode ser facilmente estendido para se lidar com opções sobre ações que pagam dividendos à taxa contínua. Como os índices de ações, as moedas e a maioria dos contratos futuros podem ser considerados análogos às ações que pagam dividendos a taxas contínuas, o modelo binomial também pode ser utilizado para apreçar opções sobre esses ativos.

Quando o modelo de árvore binomial é utilizado para apreçar opções sobre ações que pagam dividendos de valor conhecido, é conveniente usar a árvore para modelar o preço da ação menos o valor presente de todos os dividendos futuros durante a vida da opção. Isso evita que o número de nós na árvore se torne não-administrável.

A eficiência de cálculo do modelo binomial pode ser melhorada usando a técnica *control variate*. Isso envolve o apreçamento da opção americana e da opção européia correspondente usando a mesma árvore. O erro no preço da opção européia (em relação ao modelo de Black e Scholes) é utilizado para estimar o erro no preço da opção americana.

SUGESTÕES PARA LEITURAS COMPLEMENTARES

BOYLE, P. P. A Lattice Framework for Option Pricing with Two State Variables. *Journal of Financial and Quantitative Analysis* 23, pp. 1–12, March 1988.

COX, J. C.; ROSS, S. A.; RUBINSTEIN, M. Option Pricing: A Simplified Approach. *Journal of Financial Economics* 7, pp. 229–264, October 1979.

HULL, J. C.; WHITE, A. The Use of Control Variate Technique in Option Pricing. *Journal of Financial and Quantitative Analysis* 23, pp. 237–251, September 1988.

RENDLEMAN, R.; BARTTER, B. Two State Option Pricing. *Journal of Finance* 34, pp. 1092–1110, 1979.

PERGUNTAS RÁPIDAS (RESPOSTAS NO FINAL DO LIVRO)

17.1 Quais das seguintes medidas podem ser estimadas para uma opção americana por meio da construção de uma árvore binomial: delta, gama, vega, teta, rô?

17.2 Calcule o preço da opção de venda americana de três meses sobre a ação que não paga dividendos quando o preço da ação é US$60; o preço de exercício, US$60; a taxa de juro livre de risco, 10% ao ano; e a volatilidade, de 45% ao ano. Use árvore binomial com três passos de um mês.

17.3 Explique como a técnica *control variate* pode ser implementada.

17.4 Calcule o preço da opção de compra americana de nove meses sobre futuro de milho quando o preço futuro corrente é de 198 *cents*, o preço de exercício é de 200 *cents*, a taxa de juro livre de risco é de 8% ao ano e a volatilidade de 30% ao ano. Use árvore binomial com passos de três meses.

17.5 Considere a opção que paga montante igual ao excedente do preço final da ação em relação ao preço médio da ação obtido durante a vida da opção. Essa opção pode ser apreçada por meio de árvore binomial em que se trabalha para trás [*backwards induction*]?

17.6 "Para a ação que paga dividendos, a árvore para o preço da ação não é recombinante, mas a árvore para o preço da ação menos o valor presente dos futuros dividendos é recombinante." Explique essa afirmação.

17.7 Explique a razão pela qual a simulação de Monte Carlo não pode ser utilizada para apreçar opções americanas.

QUESTÕES E PROBLEMAS (RESPOSTAS NO MANUAL DE SOLUÇÕES)

17.8 A opção de venda americana de nove meses sobre a ação que não paga dividendos tem preço de exercício de US$49. O preço da ação é US$50; a taxa de juro livre de risco, 5% ao ano; e a volatilidade, 30% ao ano. Use árvore binomial de três passos para calcular o preço da opção.

17.9 Use uma árvore de três passos para apreçar a opção de compra americana de nove meses sobre futuro de trigo. O preço futuro corrente é 400 *cents*; o preço de exercício, 420 *cents*; a taxa de juro livre de risco, 6%; e a volatilidade, 35% ao ano. Estime o delta da opção utilizando a árvore.

17.10 A opção de compra americana de três meses sobre a ação tem preço de exercício de US$20. O preço da ação é US$20; a taxa de juro livre de risco, 3% ao ano; e a volatilidade, de 25% ao ano. O dividendo de US$2 será pago em 1,5 mês.

Use árvore binomial de três passos para calcular o preço da opção.

17.11 A opção de venda americana de um ano sobre a ação que não paga dividendos tem preço de exercício de US$18. O preço corrente da ação é de US$20,00; a taxa de juro livre de risco, 15% ao ano; e a volatilidade da ação, de 40% ao ano. Use o software DerivaGem com quatro passos de três meses para estimar o valor da opção. Mostre a árvore e verifique se os preços da opção nos nós finais e nos penúltimos estão corretos. Use o DerivaGem para apreçar a opção européia correspondente e a técnica de *control variate* para melhorar a estimativa do preço da opção americana.

17.12 A opção de venda americana de dois meses sobre um índice de ações tem preço de exercício de 480. O nível corrente do índice é 484; a taxa de juro livre de risco, 10% ao ano; o rendimento de dividendos nas ações do índice, de 3% ao ano; e a volatilidade do índice, de 25% ao ano. Divida a vida da opção em quatro períodos de meio mês e use o modelo binomial para estimar o valor da opção.

17.13 Como você usaria a técnica de *control variate* para melhorar a estimativa do delta de uma opção americana quando o modelo binomial é utilizado?

17.14 Como você usaria o modelo binomial para apreçar uma opção americana sobre um índice de ações quando a taxa de dividendos do índice depende do tempo?

QUESTÕES DE PROVA

17.15 A opção de venda americana sobre francos suíços tem preço de exercício de US$0,80 e prazo de um ano. A volatilidade do franco suíço é 10%; a taxa de juro em dólar, 6%; a taxa de juro em francos suíços, 3%; e a taxa de câmbio corrente, 0,81. Use árvore de três passos para apreçar a opção. Estime o delta da opção a partir da árvore.

17.16 A opção de compra americana de um ano sobre futuro de prata tem preço de exercício de US$9. O preço futuro corrente é US$8,5; a taxa de juro livre de risco, 12% ao ano; e a volatilidade do preço futuro, 25% ao ano. Use o DerivaGem com quatro passos de três meses para estimar o valor da opção. Mostre a árvore e verifique se os preços nos últimos e penúltimos nós estão corretos. Use o DerivaGem para apreçar a opção européia correspondente e a técnica de *control variate* para melhorar sua estimativa para o preço da opção americana.

17.17 Considere a opção de compra americana de seis meses sobre a ação que pagará dividendos de US$1 por ação no fim do segundo e do quinto mês. O preço corrente da ação é US$30; o preço de exercício, US$34; a taxa de juro livre de risco, 10% ao ano; e a volatilidade da parte do preço da ação que não será usada para pagar dividendos, de 30% ao ano. Use o DerivaGem com 100 passos para estimar o valor da opção. Compare sua resposta com o resultado obtido com a aproximação de Black (veja a seção 11.10).

Capítulo 18

OPÇÕES SOBRE TAXAS DE JURO

Opções sobre taxas de juro são aquelas cujos *payoffs* dependem, em alguma medida, do nível das taxas de juro. Nos anos recentes, tornaram-se cada vez mais populares. Atualmente, são muitos os diferentes tipos de opções sobre taxas de juro negociados tanto no mercado de balcão quanto nas bolsas. Neste capítulo, são discutidos alguns desses produtos e descritos, com algum grau de detalhamento, os modelos de mercado de apreçamento de três instrumentos de balcão muito conhecidos: opções sobre bônus europeus, *caps* e *floors* de taxas de juro e opções européias sobre swaps. Esses modelos são, em sua essência, semelhantes ao modelo de Black e Scholes para opções européias sobre ações e são baseados na suposição de que a variável-chave de mercado terá distribuição lognormal no momento futuro.

18.1 OPÇÕES SOBRE TAXA DE JURO NEGOCIADAS EM BOLSA

Dentre as opções sobre taxa de juro mais negociadas, oferecidas pelas bolsas nos Estados Unidos, encontram-se aquelas sobre futuros de bônus do Tesouro, de notas do Tesouro e de eurodólar. A Tabela 13.3 no Capítulo 13 indica os preços de fechamento para esses instrumentos no dia 15 março de 2001.

Uma opção sobre futuro de bônus é aquela que dá o direito de assumir posição em contrato futuro de bônus do Tesouro. Como mencionado no Capítulo 5, o contrato futuro de bônus estabelece a entrega de US$100.000 em bônus do Tesouro. O preço da opção sobre futuro de bônus é cotado como uma percentagem do valor de face dos bônus do Tesouro subjacentes, o mais próximo de 1/64 de 1%. A Tabela 13.3 fornece o preço da opção de compra para abril sobre o futuro de bônus no dia 15 de março de 2001, como 2-11, ou 2 11/64 % do principal do bônus, para o preço de exercício de 104. Isso significa que o contrato custa US$2.171,87. As cotações para opções sobre notas do Tesouro são similares.

Uma opção sobre futuro de eurodólar é aquela que dá o direito de assumir um contrato futuro de eurodólar. Como explicado no Capítulo 5, quando a cotação do futuro de eurodólar muda de um ponto-base, ou 0,01, há ganho ou perda de US$25 em um contrato futuro. De modo similar, no apreçamento de opções sobre futuro de eurodólar, um ponto-base representa US$25. No contrato de maturidade mais curta, os preços são cotados para o mais próximo de um quarto de ponto-base; para os dois próximos meses de entrega, as cotações são para a mais próxima metade de ponto-base. As cotações do *Wall Street Journal* para o contrato futuro de eurodólar da CME (Tabela 13.3) devem ser multiplicadas por 10 para se chegar à cotação da CME em pontos-base. A cotação de 5,92 para opções de compra sobre futuro da CME, com vencimento em março e preço de exercício de 94,50 (Tabela 13.3), deve ser interpretada como 5,925 e indica que a cotação na CME é 59,25 pontos-base. O contrato custa 59,25 × US$25 = US$1.481,25; a cotação de 10,30 para o contrato de abril indica que a cotação da CME é de 103 pontos-base e assim por diante.

Os contratos de opções sobre futuro de taxa de juro funcionam da mesma maneira que os demais contratos discutidos no Capítulo 13. Por exemplo, o *payoff* da opção de compra é máx($F - X$, 0), onde F é o preço futuro na data de exercício e X é o preço de exercício. Além do pagamento em dinheiro, o titular da opção de compra assume posição comprada [*long* ou longa] no contrato futuro quando a opção é exercida e o lançador assume posição vendida [*short*] correspondente.

Os preços do futuro de taxa de juro aumentam quando o preço do bônus aumenta (ou seja, quando as taxas de juro caem). Decrescem quando os preços dos bônus decrescem (ou seja, quando as taxas de juro sobem). O investidor que acredita que as taxas de juro de curto prazo vão subir pode especular comprando opções de venda sobre futuro de eurodólar, enquanto o investidor que pensa que as taxas vão cair pode especular comprando opções de compra sobre futuro de eurodólar. O investidor que acredita que as taxas de juro de longo prazo vão subir pode especular comprando opções de venda sobre futuro de notas ou futuro de bônus do Tesouro, enquanto o investidor que acredita que as taxas vão cair pode especular comprando opções de compra sobre esses instrumentos.

Exemplo 1

Suponha que seja fevereiro e que o preço futuro para o contrato de eurodólar de junho seja 93,82 (isso corresponde a uma taxa de juro de eurodólar de três meses de 6,18% ao ano). O preço da opção de compra no contrato com preço de exercício de US$94 é cotado na CME a 20 pontos-base. Essa opção pode ser atraente para o investidor que sente que as taxas de juro vão cair. Suponha que as taxas de juro de curto prazo realmente caíam cerca de 100 pontos-base e o investidor exerce a opção de compra quando o preço do futuro de eurodólar é de 94,78 (isso corresponde a uma taxa de juro de eurodólar de três meses de 5,22% ao ano). O *payoff* é 25 × (94,78 – 94) × 100 =

US$1.950. O custo do contrato é 20×25 = US$500. O lucro do investidor é, portanto, de US$1.450.

Exemplo 2

Suponha que seja agosto e o preço para o contrato futuro de bônus do Tesouro, com vencimento em dezembro, negociado na CBOT seja 96-09 (ou 96 9/32 = 96,28125). O rendimento [*yield*] nos bônus do governo de longo prazo é cerca de 8,4% ao ano. O investidor, que acredita que esse rendimento vá cair por volta de dezembro, deve escolher comprar opções de compra com vencimento em dezembro e com preço de exercício de US$98. Assuma que o preço dessas opções de compra seja 1-04 (ou 1 4/64 = 1,0625% do principal). Se as taxas de longo prazo caírem para 8% ao ano e o preço dos bônus do Tesouro subir para 100-00, o investidor lucrará liquidamente, para cada US$100 em bônus do Tesouro, o valor:

$$100 - 98 - 1{,}0625 = 0{,}9375$$

Como o contrato de opção implica a compra ou a venda de instrumentos com valor de face de US$100.000, o lucro do investidor seria de US$937,50 por contrato de opção que houvesse adquirido.

18.2 OPÇÕES EMBUTIDAS EM BÔNUS

Alguns bônus contêm opções de compra e de venda embutidas. Por exemplo, o *bônus callable*[N.T.] contém provisões que permitem seu emissor comprá-los de volta a preço predeterminado em certa data no futuro. Pode-se dizer que o detentor do bônus vendeu a opção de compra ao emissor. O preço de exercício ou o *call price* nessa opção é o preço predeterminado que deve ser pago pelo emissor ao dono do título para comprá-lo de volta. Os bônus *callable*, em geral, não podem ser exercidos [*called*] nos primeiros anos de vida (esse período é conhecido como período *lock out*). Depois desse período, o *call price* normalmente decresce com o passar do tempo. Por exemplo, o bônus *callable* de dez anos pode não ter os privilégios de *call* durante os dois primeiros anos. Depois disso, o emissor tem o direito de comprar o bônus de volta ao preço de US$110 nos anos 3 e 4 da vida do bônus; a US$107,50 nos anos 5 e 6; a US$106 nos anos 7 e 8; e a US$103 nos anos 9 e 10. O valor da opção de compra está refletido no rendimento sobre o bônus cotado no mercado. Os bônus com tais características oferecem rendimentos maiores que bônus sem essas *calls* embutidas.

[N.T.] Conforme mencionado no Capítulo 3, o título *callable* é resgatável antecipadamente por meio do exercício de uma opção de compra embutida no próprio título.

Um bônus com *put* embutida [*puttable bond*] contém provisões que permitem a seu detentor solicitar resgate antecipado a preço predeterminado em certas datas no futuro. O detentor de bônus como este, na verdade, comprou não só o bônus como também uma opção de venda sobre este. Como a *put* aumenta o valor do bônus para seu detentor, os bônus com essas *puts* embutidas pagam rendimentos mais baixos que os bônus sem as *puts* embutidas. Exemplo simples de *puttable bond* é o *retractable bond* de dez anos no qual seu detentor tem o direito de resgatá-lo ao fim de cinco anos.

Grande número de instrumentos, além dos bônus, tem opções sobre taxa de juro embutidas. Algumas vezes, são opções sobre bônus. Por exemplo, os privilégios de resgate antecipado em um certificado de depósito são opções de venda sobre bônus. Os privilégios de pré-pagamentos em empréstimo, a taxas prefixadas, são opções de compra sobre bônus. Há também acordos de empréstimos feitos por bancos ou instituições financeiras que podem ser considerados opções de venda sobre bônus. Por exemplo, quando um banco oferece empréstimo à taxa de 10% ao ano e diz que essa taxa vale para os próximos dois meses. O tomador, na verdade, obteve o direito de vender um bônus de cinco anos com cupom de 10% para a instituição financeira pelo seu valor de face, a qualquer tempo durante os dois próximos meses.

18.3 MODELO DE BLACK

Desde que o modelo de Black e Scholes foi publicado pela primeira vez em 1973, tem se tornado ferramenta cada vez mais conhecida. Como explicado nos Capítulos 12 e 13, foi estendido para poder ser usado no apreçamento de opções sobre moedas estrangeiras, opções sobre índices e opções sobre contratos futuros. No Capítulo 14, observou-se que os *traders* têm encontrado maneiras flexíveis de usar o método para refletir suas apostas. Não surpreende, portanto, que o modelo tenha sido estendido para cobrir os derivativos de taxas de juro.

A extensão do modelo de Black e Scholes mais utilizada para opções sobre taxas de juro é conhecida como modelo de Black[1]. Conforme discutido na seção 13.8, foi originalmente desenvolvido para apreçamento de opções sobre commodities. Neste capítulo, explica-se como pode ser empregado para apreçar vários e diferentes tipos de derivativos sobre taxa de juro.

Modelo de Black para apreçar opções européias

Considere a opção de compra européia sobre a variável V. São definidos:

T = tempo de maturidade da opção;

F = preço futuro de V para contrato com maturidade na data T;

---

[1] Veja Black, F. The Pricing of Commodity Contracts. *Journal of Financial Economics* 3, pp. 167–179, March 1976.

F_0 = valor de F na data zero;
F_T = valor de F na data T;
X = preço de exercício da opção;
R = taxa de juro para a maturidade T;
σ = volatilidade de F;
V_T = valor de V na data T.

A opção terá *payoff* na data T de máx($V_T - X$, 0). Como $F_T = V_T$, pode-se também considerar que na data T o *payoff* da opção será máx($F_T - X$, 0). Como mostrado no Capítulo 13, o modelo de Black dá um valor, c, para a opção no momento zero igual a:

$$c = e^{-rT}\left[F_0 N(d_1) - XN(d_2)\right] \tag{18.1}$$

onde:

$$d_1 = \frac{\ln(F_0/X) + \sigma^2 T/2}{\sigma\sqrt{T}}$$

$$d_2 = \frac{\ln(F_0/X) - \sigma^2 T/2}{\sigma\sqrt{T}} = d_1 - \sigma\sqrt{T}$$

O valor, p, da opção de venda correspondente é dado por:

$$p = e^{-rT}\left[XN(-d_2) - F_0 N(-d_1)\right] \tag{18.2}$$

Extensão do modelo de Black

Para estender o modelo de Black, pode-se fazer que a data em que o *payoff* ocorre seja diferente de T. Assuma que o *payoff* da opção é calculado a partir do valor da variável V na data T, mas é adiado até a data T^*, onde $T^* \geq T$. Nesse caso, é necessário descontar o *payoff* da data T^* e não da data T. Define-se como r^* a taxa de juro para a maturidade T^*. As equações (18.1) e (18.2) ficam iguais a:

$$c = e^{-r^*T^*}\left[F_0 N(d_1) - XN(d_2)\right] \tag{18.3}$$

$$p = e^{-r^*T^*}\left[XN(-d_2) - F_0 N(-d_1)\right] \tag{18.4}$$

onde

$$d_1 = \frac{\ln(F_0/X) + \sigma^2 T/2}{\sigma\sqrt{T}}$$

$$d_2 = \frac{\ln(F_0/X) - \sigma^2 T/2}{\sigma\sqrt{T}} = d_1 - \sigma\sqrt{T}$$

Utilização do modelo

Quando o modelo de Black é empregado para apreçar opções européias sobre taxa de juro no mercado de balcão, a variável F_0 das equações (18.1) a (18.4) é, em geral, estabelecida como o valor a termo [*forward*] de V em vez de seu preço futuro. Relembre do Capítulo 5 que o preço futuro e o preço a termo são iguais quando as taxas de juro são constantes, mas são diferentes quando são estocásticas. Quando se está lidando com opções sobre taxas de juro que sejam variáveis dependentes, a suposição de que F_0 é um preço *forward* é questionável. Entretanto, acontece que essa suposição (pelo menos para os produtos considerados neste capítulo) compensa integralmente outra hipótese levantada quando o modelo de Black é usado. Trata-se do fato de que as taxas de juro são constantes para efeito de desconto. Assim, no apreçamento de opções sobre taxa de juro, o modelo de Black tem base teórica mais forte do que se supõe[2].

18.4 OPÇÕES EUROPÉIAS SOBRE BÔNUS

A opção européia sobre bônus permite a compra ou venda de bônus a certo preço, X, em determinada data, T. Suposição comum no apreçamento de opções sobre bônus é que o preço do bônus tem distribuição lognormal da data T. As equações (18.1) e (18.2) podem ser utilizadas com F_0 igual ao preço forward do bônus. A variável σ é a volatilidade de F de tal modo que $\sigma\sqrt{T}$ é o desvio-padrão do logaritmo do preço do bônus na data T.

Como explicado no Capítulo 5, F_0 pode ser calculado a partir do preço spot do bônus hoje, B, com a seguinte fórmula:

$$F_0 = (B - I)e^{rT} \tag{18.5}$$

onde I é o valor presente dos cupons que serão pagos durante a vida da opção e r é a taxa de juro para a maturidade T. Nessa fórmula, tanto o preço spot quanto o preço forward do bônus são *cash prices* e não *quoted prices* (essa relação é explicada no Capítulo 5; o *cash price* é o *quoted price* mais os juros acruados). Os *traders* referem-se ao *quoted price* de um bônus como o preço limpo [*clean price*], enquanto o *cash price* é o preço sujo [*dirty price*] [N.T.].

---

[2] Para explanação sobre o assunto, veja o Capítulo 19 de Hull, J. C. *Options, Futures and Other Derivatives*. Upper Saddle River, N. J.: Prentice Hall, 2000.

[N.T.] Tanto para o preço spot, quanto para o preço forward, a fórmula utiliza o conceito de *cash price* em que os juros acruados estão incluídos.

O preço de exercício, X, nas equações (18.1) e (18.2) deve ser o preço sujo (ou seja, o preço de exercício *cash*). Portanto, na escolha do valor correto para X, os termos precisos da opção são importantes. Se o preço de exercício for definido como o montante em dinheiro que será pago pelo bônus quando a opção for exercida, X deverá ser fixado igual a seu preço de exercício. Se o preço de exercício for o *clean price* aplicável quando a opção for exercida (como é na maioria das opções sobre bônus listadas em bolsa), X deverá ser fixado igual ao preço de exercício mais os juros acruados na data de expiração da opção.

Exemplo

Considere a opção de compra européia de dez meses sobre um bônus de 9,75 anos com valor de face de US$1.000 (quando a opção expirar, o bônus terá oito anos e 11 meses remanescentes). Suponha que o *cash price* corrente do bônus seja US$960; o preço de exercício da opção, US$1.000; a taxa de juro livre de risco para dez meses, 10% ao ano; e a volatilidade do preço a termo do bônus, 9% ao ano. O bônus paga cupom semestral de 10%. Pagamentos de cupom de US$50 estão previstos para três meses e noves meses (isso significa que o juro acruado é de US$25 e o *quoted price* do bônus é US$935). Suponha que as taxas de juro livres de risco para três e nove meses sejam de 9,0% e 9,5% ao ano, respectivamente. O valor presente dos pagamentos de cupom será:

$$50e^{-0,09\times0,25} + 50e^{-0,095\times0,75} = 95,45$$

ou US$95,45. O preço forward do bônus, da equação (18.5), é dado por:

$$F_0 = (960 - 95,45)e^{0,1\times10/12} = 939,68$$

a) Se o preço de exercício for o *cash price* que será pago pelo bônus no exercício, os parâmetros para a equação (18.1) serão $F_0 = 939,68$; $X = 1.000$; $r = 0,1$; $\sigma = 0,09$; e $T = 0,8333$. O preço da opção de compra é US$9,49.
b) Se o preço de exercício for o *quoted price* que será pago pelo bônus no exercício, o juro acruado de um mês deverá ser somado a X, porque a maturidade da opção é um mês depois da data de pagamento do cupom. Isso dará o valor para X de:

$$1.000 + 50 \times 0,16667 = 1.008,33$$

Os valores para os outros parâmetros na equação (18.1) ficam inalterados ($F_0 =$ 939,68; $r = 0,1$; $\sigma = 0,09$; e $T = 0,8333$). O preço da opção é US$7,97.

A volatilidade utilizada no modelo de Black para apreçamento de opção sobre bônus depende do tempo de vida tanto da opção quanto do bônus subjacente. A Figura 18.1 mostra como o desvio-padrão do logaritmo do preço do bônus muda com o tempo.

O desvio-padrão é zero hoje, porque não há incerteza sobre o preço do bônus hoje. É também zero na maturidade, porque se sabe que o preço do bônus será igual a seu valor de face na maturidade. Entre hoje e a maturidade do bônus, o desvio-padrão primeiro aumenta e depois diminui. A volatilidade, σ, usada no modelo de Black é:

$$\frac{\text{desvio-padrão do logaritmo do preço do bônus na maturidade da opção}}{\sqrt{\text{tempo para o vencimento da opção}}}$$

A Figura 18.2 traz um padrão típico para σ em função da vida da opção. Em geral, σ declina à medida que a vida da opção aumenta. Também tende a ser uma função crescente da vida do bônus subjacente quando a vida da opção é mantida fixa.

Figura 18.1– Desvio-padrão do logaritmo do preço do bônus como uma função de tempo

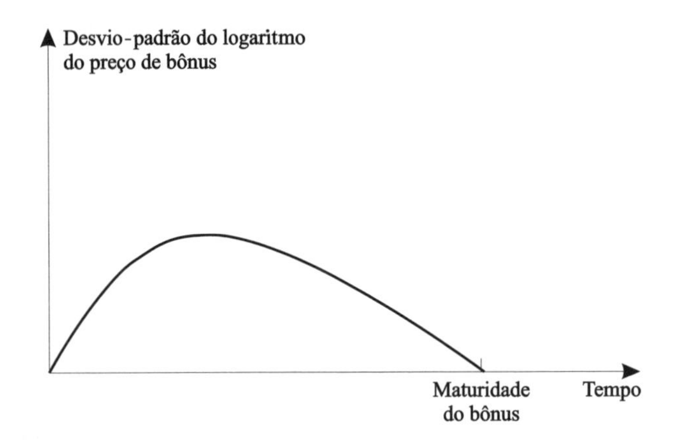

Figura 18.2 – Variação de σ durante a vida da opção sobre bônus

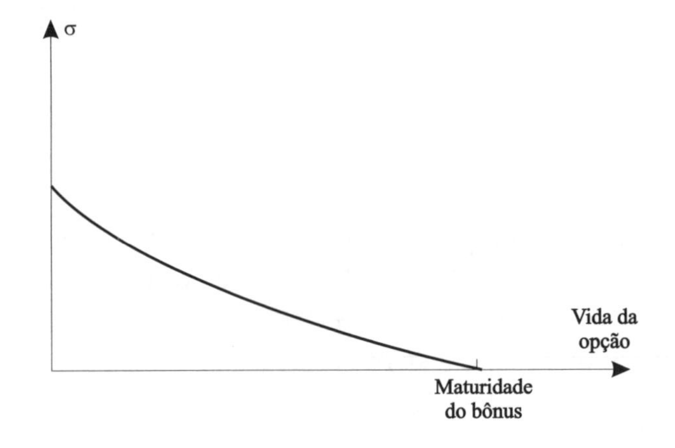

Volatilidades do rendimento

As volatilidades cotadas para opções de bônus são freqüentemente volatilidades de rendimento [*yield volatilities*] em vez de volatilidades de preços. O conceito de duração, introduzido no Capítulo 5, é empregado pelo mercado para converter a volatilidade de rendimento cotada em volatilidade de preço. Suponha que D seja a duração modificada de um bônus subjacente a uma opção na maturidade da opção, como definida no Capítulo 5. A relação entre a mudança no preço forward do bônus, F, e seu rendimento, y_F, na maturidade da opção é:

$$\frac{\delta F}{F} \approx -D\delta y_F$$

ou

$$\frac{\delta F}{F} \approx -Dy_F \frac{\delta y_F}{y_F}$$

A volatilidade é uma medida do desvio-padrão das variações percentuais no valor de uma variável. Portanto, essa equação sugere que a volatilidade do preço a termo do bônus, σ, usada no modelo de Black pode ser aproximadamente relacionada à volatilidade a termo do rendimento [*forward yield volatility*] do bônus, σ_y, por:

$$\sigma = Dy_0\sigma_y \tag{18.6}$$

onde y_0 é o valor inicial de y_F. Quando a volatilidade do rendimento é cotada para a opção sobre bônus, a hipótese implícita é que será convertida em volatilidade de preço por meio da equação (18.6) e que essa volatilidade será usada em conjunto com a equação (18.1) ou (18.2) para obtenção do preço. Suponha que o bônus subjacente a uma opção de compra tenha duração modificada de cinco anos na maturidade da opção, o rendimento a termo seja de 8% e a volatilidade a termo do rendimento cotada por um *broker* seja de 20%. Isso significa que o preço de mercado para a opção, correspondente à cotação do *broker*, é o preço dado pela equação (18.1), quando a variável volatilidade, σ, é:

$$5 \times 0{,}08 \times 0{,}2 = 0{,}08$$

ou 8% ao ano.

A planilha *Bond_Options* do software DerivaGem, que acompanha este livro, pode ser empregada para apreçar opções européias sobre bônus usando-se o modelo de Black. Para tanto, selecione *Black European* como o *Pricing Model*. O usuário fornece a volatilidade do rendimento, que é computada na forma descrita. O preço de exercício pode ser tanto o *cash price* quanto o *quoted price*.

Exemplo

Considere a opção de venda européia sobre um bônus de dez anos com o principal de 100. O cupom é de 8% ao ano pagável semestralmente. A vida da opção é de 2,25 anos e o preço de exercício é 115. A volatilidade a termo do rendimento é de 20%. A curva zero é horizontal [*flat*] no nível de 5% com capitalização contínua. O DerivaGem mostra que o *quoted price* do bônus é 122,055. O preço da opção quando o preço de exercício é o *quoted price* é US$2,613. Quando o preço de exercício é o *cash price*, o preço da opção é US$1,938 (note que os preços do DerivaGem podem não ser exatamente iguais àqueles calculados manualmente porque o software assume 365 dias por ano e arredonda o tempo para o número inteiro de dias mais próximo.)

18.5 *CAPS* DE TAXA DE JURO

Uma opção sobre taxa de juro bastante popular oferecida pelas instituições financeiras no mercado de balcão é o *cap* de taxa de juro [*interest rate cap*]. *Caps* de taxas de juro podem ser mais bem entendidos quando considerados uma "nota" com taxas flutuantes [*floating rate note*] onde a taxa de juro é repactuada [*reset*] periodicamente para a Libor. O tempo entre as repactuações é conhecido como *tenor.* Suponha que o *tenor* seja de três meses. A taxa de juro dessa nota, para os três primeiros meses, é a taxa Libor de três meses verificada no início do período; a taxa de juro para os três meses seguintes será igual à taxa Libor vigente no início do segundo período de três meses e assim sucessivamente.

O *cap* de taxa de juro é construído para oferecer seguro contra a elevação da taxa de juro de uma nota com taxas flutuantes a partir de certo nível, conhecido como a taxa do *cap* [*cap rate*]. A operação de *cap* é ilustrada na Figura 18.3.

Figura 18.3 – Efeito do *cap* em seguro contra elevação da Libor acima da taxa do *cap*

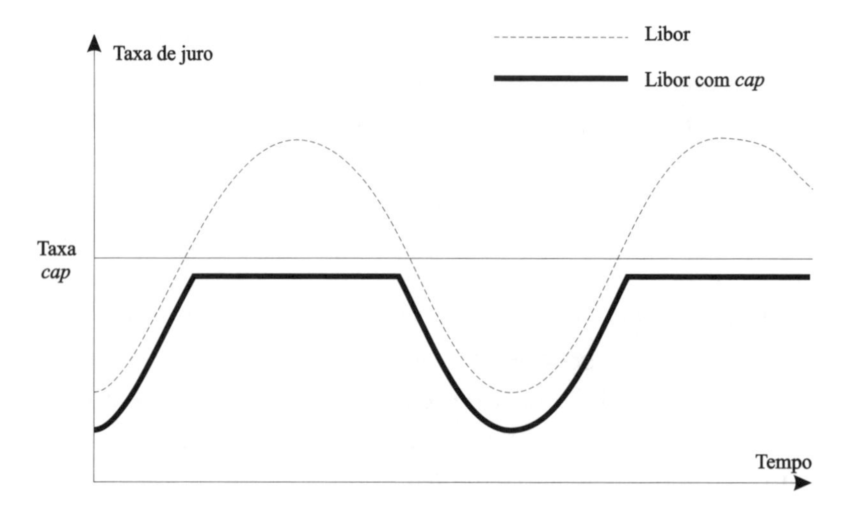

Suponha que o principal seja de US$10 milhões, a vida do *cap* de cinco anos e a taxa do *cap* 8% (como o prazo entre os *resets*, *tenor* é de três meses, a taxa de *cap* é expressa com capitalização trimestral). Assuma que em determinada data de *reset*, a Libor de três meses seja 9%.

A nota iria requerer pagamento de:

$$0{,}25 \times 0{,}09 \times \text{US\$}10.000.000 = \text{US\$}225.000$$

relativos a juros a serem pagos daqui a três meses. Com uma Libor de 8%, o pagamento de juros seria:

$$0{,}25 \times 0{,}08 \times \text{US\$}10.000.000 = \text{US\$}200.000$$

Tabela 18.1 – Uso de *cap* de taxa de juro

Da mesa de operações
A empresa contrata empréstimo de US$10 milhões à taxa flutuante e está preocupada com os possíveis aumentos das taxas de juro. A taxa sobre o empréstimo é a Libor de três meses mais 30 pontos-base. A empresa deseja comprar proteção contra o aumento da taxa acima de 8,3% ao ano em qualquer das 19 datas de *reset*.

Estratégia
A empresa compra de uma instituição financeira um *cap* de taxa de juro de cinco anos com taxa de 8% ao ano e de US$10 milhões de principal. A taxa de juro do *cap* garante que, em todo o momento em que a Libor de três meses for maior que 8% ao ano na data de *reset*, a instituição financeira pagará a diferença entre a Libor de três meses e os 8% ao ano. O *cap* pode ser visto como um portfólio de opções de compra sobre a Libor de três meses.

O *cap*[3] garante *payoff* de US$25.000 (= US$225.000 – US$200.000). Note que o *payoff* não ocorre na data em que a taxa de 9% é observada, mas três meses mais tarde. Reflete, portanto, a defasagem de tempo entre o momento em que a taxa é observada e a data em que o pagamento correspondente é requerido.

Se a empresa obtiver empréstimo a taxas flutuantes onde a taxa de juro é baseada na Libor, um *cap* pode ser usado para limitar o juro pago. Por exemplo, se a taxa flutuante de um empréstimo for a Libor mais 30 pontos-base e o empréstimo tiver prazo de cinco anos, o *cap* considerado garantiria que a taxa a ser paga nunca seria maior que 8,30%. A cada data de *reset* durante a vida do *cap*, é necessário verificar a Libor. Se a Libor for menor que 8%, não haverá *payoff* no *cap* daqui a três meses. Se a Libor for maior que

[3] O cálculo assume que o prazo entre as datas de *reset* é de exatamente um trimestre. Na prática, o cálculo leva em conta o número exato de dias entre essas datas, usando uma convenção de contagem de dias específica.

8%, o *payoff* será um quarto do excesso aplicado ao principal de US$10 milhões. Note que os *caps* são normalmente definidos de tal modo que, mesmo que a Libor inicial seja maior que a taxa do *cap*, não há *payoff* na primeira data de *reset*. No exemplo, o *cap* é para cinco anos. Há, portanto, o total de 19 datas de *reset* (nas datas 0,25; 0,5; 0,75; ...; 4,75 anos) e 19 *payoffs* potenciais dos *caps* (nas datas 0,50; 0,75; 1,00; ... ; 5,00 anos). Esse exemplo está ilustrado na Tabela 18.1.

Cap como portfólio de opções sobre taxas de juro

Considere um *cap* com principal de L e taxa de *cap* de R_X. Suponha que as datas de *reset* sejam $t_1, t_2, ..., t_n$ e as datas de pagamento correspondentes sejam $t_2, t_3, ..., t_{n+1}$. Seja R_k a taxa de juro para o período entre a data t_k e t_{k+1} observada na data t_k $(1 \leq k \leq n)$.

O *cap* produz *payoff* na data t_{k+1} igual a:

$$L\delta_k \text{máx}\left(R_k - R_X, 0\right) \tag{18.7}$$

onde $\delta_k = t_{k+1} - t_k$[4].

A equação (18.7) é uma opção de compra sobre a taxa Libor observada na data t_k com *payoff* ocorrendo na data t_{k+1}. O *cap* é um portfólio de n opções de compra como estas. Tais opções de compra são conhecidas como *caplets*.

Floors e *collars*

Floors e *collars* de taxa de juro (algumas vezes, também chamados de contratos de *floor-ceiling*) são definidos de forma análoga aos *caps*. Um *floor* proporciona *payoff* quando a taxa de juro sobre a nota subjacente cai abaixo de determinado nível. Utilizando a notação já introduzida, um *floor* proporciona *payoffs* na data t_{k+1} $(k = 1, 2, ..., n)$ igual a:

$$L\delta_k \text{máx}\left(R_X - R_K, 0\right)$$

Analogamente ao *cap* de taxa de juro, o *floor* de taxa de juro é um portfólio de opções de venda sobre taxa de juro. Cada opção individual que compõe o *floor* é chamada de *floorlet*. O *collar* é um instrumento estruturado para garantir que a taxa de juro sobre a nota subjacente fique sempre entre dois níveis. O *collar* é a combinação de posição longa em um *cap* e posição *short* em um *floor*. Em geral, é estruturado de tal modo que o preço de *cap* é inicialmente igual ao preço do *floor*. Dessa forma, o custo de entrar em um *collar* é zero.

---

[4] Na equação, tanto R_k quanto R_X são expressas com freqüência de capitalização igual à freqüência dos *resets*. Assume-se que são medidas na contagem de dias efetivo/efetivo. Nos Estados Unidos, a Libor é cotada na base efetivo/360. Na equação (18.7) e em outras equações neste capítulo, assumiu-se que as cotações são multiplicadas por 365/360 ou 366/360 para convertê-las para a base efetivo/efetivo.

Há paridade *put-call* entre os preços de *caps* e *floors*. Essa relação é igual a:

preço do *cap* = preço do *floor* + valor do swap

Nessa relação, *cap* e *floor* têm o mesmo preço de exercício, R_X. O swap é um contrato para receber taxa flutuante e pagar taxa fixa R_X sem troca de pagamentos na primeira data de *reset*[5]. Os três instrumentos têm a mesma duração e mesma freqüência de pagamentos. Esse resultado pode ser comprovado ao se perceber que posição longa em um *cap* combinada com posição *short* em um *floor* resulta em fluxos de caixas iguais ao de um swap.

Apreçamento de *caps* e *floors*

Como demonstrado na equação (18.7), o *caplet* corresponde à taxa observada na data t_k que resulta em *payoff* na data t_{k+1} de:

$$L\delta_k \text{máx}\,(R_k - R_X, 0)$$

Ao se assumir que a taxa R_k é lognormal com volatilidade σ_k, a equação (18.3) dá o valor de *caplet* igual a:

$$L\delta_k e^{-r_{k+1}t_{k+1}}\left[F_k N(d_1) - R_X N(d_2)\right] \tag{18.8}$$

onde r_{k+1} é uma taxa capitalizada continuamente para a maturidade t_{k+1}

$$d_1 = \frac{\ln(F_k/R_X) + \sigma_k^2 t_k/2}{\sigma_k\sqrt{t_k}}$$

$$d_2 = \frac{\ln(F_k/R_X) - \sigma_k^2 t_k/2}{\sigma_k\sqrt{t_k}} = d_1 - \sigma_k\sqrt{t_k}$$

e F_k é a taxa a termo para o período entre t_k e t_{k+1}. O valor do *floorlet* correspondente, de acordo com a equação (18.4), é:

$$L\delta_k e^{-r_{k+1}t_{k+1}}\left[R_X N(-d_2) - F_k N(-d_1)\right] \tag{18.9}$$

[5] Note que os swaps são estruturados de tal modo que a taxa no momento zero determina a troca de pagamentos na primeira data de *reset*. Como indicado anteriormente, *caps* e *floors* são estruturados de tal forma que não há *payoff* na primeira data de *reset*. Essa diferença explica porque é necessário excluir a primeira troca de pagamentos do swap.

Note que R_X e F_k são expressas em freqüência de capitalização igual à freqüência de *resets* nessas equações.

Exemplo

Considere um contrato que limita a taxa de juro sobre o empréstimo de US$10.000 a 8% ao ano (com capitalização trimestral) para três meses iniciando-se em um ano. Este é um *caplet* e poderia ser um elemento do *cap*. Suponha que a curva zero seja *flat* 7% ao ano com capitalização trimestral e a volatilidade anual para a taxa de três meses subjacente ao *caplet* seja 20% ao ano. A taxa zero capitalizada continuamente para todas as maturidades é 6,9394%. Na equação (18.8), $F_k = 0{,}07$; $\delta_k = 0{,}25$; $L = 10.000$; $R_X = 0{,}08$; $r_{k+1} = 0{,}069394$; $\sigma_k = 0{,}20$; $t_k = 1{,}0$; e $t_{k+1} = 1{,}25$. Ainda:

$$d_1 = \frac{\ln(0,07/0,08) + 0,2^2 \times 1/2}{0,2 \times 1} = -0,5677$$

$$d_2 = d_1 - 0,20 = -0,7677$$

de tal modo que o preço do *caplet* é:

$$0,25 \times 10.000 \times e^{-0,069394 \times 1,25} \left[0,07 N(-0,5677) - 0,08 N(-0,7677)\right] = \text{US\$}5,162$$

Note que o DerivaGem dá o preço para o *caplet* de US$5,146. Isso se deve ao fato de o *software* assumir 365 dias por ano e arredondar os prazos para o número inteiro de dias mais próximo.

Cada *caplet* de um *cap* deve ser apreçado separadamente usando a equação (18.8). Um meio é usar volatilidade diferente para cada *caplet*. As volatilidades são denominadas como *volatilidades spot*[6]. Forma alternativa é utilizar a mesma volatilidade para todos os *caplets* que compreendem um *cap* particular, mas variando-a de acordo com a vida do *cap*. Essas volatilidades são denominadas volatilidades *flat*. Em geral, as volatilidades cotadas no mercado são *flat*. Entretanto, muitos *traders* gostam de trabalhar com volatilidades spot porque permitem identificar *caplets* e *floorlets* subavaliados e superavaliados. As opções sobre futuro de eurodólar negociadas na Chicago Mercantile Exchange são similares a *caplets*. A volatilidade spot implícita para *caplets* sobre a Libor de três meses é freqüentemente comparada com as volatilidades calculadas para os preços das opções de futuro de eurodólar.

[6] A expressão volatilidades a termo é, às vezes, também utilizada para descrever tais volatilidades.

A Figura 18.4 mostra padrão típico para volatilidades spot e *flat* em função da maturidade (no caso da volatilidade *spot*, a maturidade é a de um *caplet*; no caso da volatilidade *flat*, é a de um *cap*). As volatilidades *flat* são semelhantes às médias acumuladas das volatilidades spot e, por conseguinte, exibem menor variabilidade. Como indicado na Figura 18.4, normalmente há um *hump* nas volatilidades para os prazos de dois a três anos. O *hump* é observado não só quando as volatilidades são implícitas nos preços das opções como também quando são calculadas a partir de dados históricos. Não há uma razão que todos concordem para a existência de *hump*. Uma explicação possível é a seguinte: as taxas no curto prazo da curva zero são controladas pelos bancos centrais. Diferentemente, as taxas de juro de dois e três anos são determinadas, principalmente, pelas atividades dos *traders*. Estes podem ter reações exageradas em face das mudanças que observam nas taxas de juro de curto prazo fazendo que a volatilidade dessas taxas seja maior que as volatilidades das taxas de curto prazo. Para maturidades superiores a dois e três anos, a reversão à média, que será discutida mais adiante neste capítulo, faz que a volatilidade decline.

Figura 18.4 – A volatilidade *hump*[N.T.]

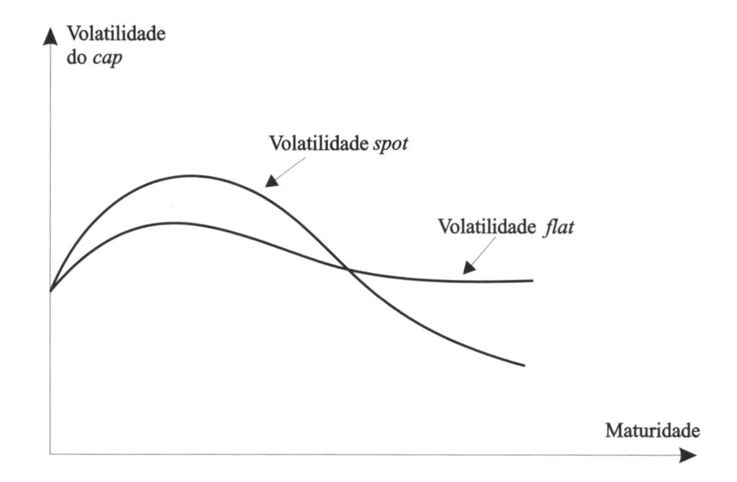

Os *brokers* colocam à disposição tabelas de volatilidade implícitas *flat* para *caps* e *floors*. Os instrumentos subjacentes às cotações estão, em geral, no dinheiro. Isso significa que a taxa de *cap/floor* é igual à taxa de swap para um swap que tenha as mesmas datas de pagamento do *cap*. A Tabela 18.2 traz as cotações típicas de um *broker* para o mercado de dólares norte-americanos. O *tenor* do *cap* é de três meses e a vida do *cap* varia de um a dez anos. As volatilidades são *flat* e não spot. Os dados exibem o tipo de *hump* mostrado na Figura 18.4.

[N.T.] O termo *hump* significa corcunda, dobra.

Tabela 18.2 – Típicas cotações de volatilidade de um *broker* para *caps* e *floors* no mercado de dólares norte-americanos (% ao ano)

Tempo de vida	Oferta de compra do *cap*	Oferta de venda do *cap*	Oferta de compra do *floor*	Oferta de venda do *floor*
1 ano	18	20	18	20
2 anos	23,25	24,25	23,75	24,75
3 anos	24	25	24,50	25,50
4 anos	23,75	24,75	24,25	25,25
5 anos	23,50	24,50	24	25
7 anos	21,75	22,75	22	23
10 anos	20	21	20,25	21,25

Uso do DerivaGem

O software DerivaGem que acompanha este livro pode ser usado para apreçar *caps* e *floors* de taxas de juro usando-se o modelo de Black. Na planilha *Cap_and_Swap_Option* selecione *Cap/Floor* como *Underlying Type* e *Black-European* como *Pricing Model*. A curva zero é informada considerando taxas capitalizadas continuamente. As informações incluem a data inicial e a data final do período coberto pelo *cap*, a volatilidade *flat*, o *tenor*, ou seja, a freqüência de *reset* do *cap*. O software calcula as datas de pagamento trabalhando do fim do período do *cap* para seu início. Assume-se que o *caplet/floorlet* inicial cubra período de extensão entre 0,5 e 1,5 vezes o período regular. Suponha, por exemplo, que o período coberto pelo *cap* seja de 1,2 a 2,80 anos e a freqüência de *reset* seja trimestral. Há seis *caplets* cobrindo os períodos de 2,55 a 2,80 anos; 2,30 a 2,55 anos; 2,05 a 2,30 anos; 1,80 a 2,05 anos; 1,55 a 1,80 anos; e 1,20 a 1,55 anos.

18.6 OPÇÕES EUROPÉIAS SOBRE SWAP

Opções sobre swaps ou *swaptions* são opções sobre swaps de taxas de juro. Consistem em um tipo de opção sobre taxa de juro que tem se tornado cada vez mais conhecido. Dão ao titular o direito de tomar uma posição de swap de taxa de juro em determinada data no futuro (o titular não é obrigado a exercer esse direito). Muitas grandes instituições financeiras que oferecem contratos de swap de taxa de juro a seus clientes corporativos também negociam *swaptions* com tais clientes.

Para dar exemplo de como o *swaption* pode ser empregado, considere a companhia que sabe que em seis meses terá de tomar empréstimo de cinco anos a taxas flutuantes e certamente vai desejar "swapar" os pagamentos em taxa flutuante para pagamentos a taxas fixas de modo a converter o empréstimo de taxas flutuantes em taxa fixa (veja o Capítulo 6 para discussão sobre como swaps podem ser usados para esse fim). A determinado custo, a companhia poderia entrar em *swaption* que lhe desse o direito de receber Libor de seis meses e pagar taxa de juro fixa, digamos de 6% ao ano, para o período de cinco anos, começando daqui a seis meses. Se daqui a seis meses a taxa fixa em um swap de cinco anos for menor que 6% ao ano, a companhia preferirá não exercer o swap e tomará um swap à taxa corrente no mercado. Entretanto, se a taxa fixa for maior que 6% ao ano, a companhia exercerá o *swaption* e obterá um swap em termos mais favoráveis que aqueles disponíveis no mercado. Esse exemplo está ilustrado na Tabela 18.3.

Tabela 18.3 – Uso de *swaption*

Da mesa de operações
Uma companhia sabe que terá de tomar um empréstimo de cinco anos a taxas flutuantes daqui a seis meses e planeja trocar (*swapar*) os pagamentos de juros a taxas flutuantes por pagamentos a taxas fixas. A companhia quer se assegurar que a taxa fixa trocada pela Libor não seja superior a 6%.

Estratégia
A companhia compra um *swaption*. O *swaption* dá-lhe o direito (não a obrigação) de tomar um swap em que se recebe Libor e se paga 6% pelo período de cinco anos, começando daqui a seis meses. Se a taxa fixa de um swap de cinco anos, daqui a seis meses, for maior que 6%, a companhia exercerá o swap; sob outras circunstâncias, não exercerá a opção e tomará um swap no mercado à taxa corrente.

Quando utilizados da maneira descrita, os *swaption*s podem proporcionar às companhias que estiverem planejando tomar empréstimos futuros proteção contra elevações das taxas de juro. *Swaption*s são alternativa aos swaps a termo (às vezes chamados de swaps diferidos). Os swaps a termo implicam custo inicial zero, mas têm a desvantagem de obrigar a companhia a tomar o contrato de swap. Com *swaption*, a companhia pode se beneficiar de movimentos favoráveis da taxa de juro, enquanto adquire proteção contra os movimentos desfavoráveis. A diferença entre *swaption* e swap a termo é análoga à diferença entre a opção sobre moeda estrangeira e o contrato a termo sobre moeda estrangeira.

Relação com as opções sobre bônus

Relembre do Capítulo 6 que o swap de taxa de juro pode ser considerado um acordo para trocar um bônus à taxa fixa por um bônus à taxa flutuante. No início do swap, o valor o bônus à taxa flutuante é sempre igual ao principal do swap. O *swaption* pode, portanto, ser visto como uma opção para trocar um bônus à taxa fixa pelo principal de um swap. Se o *swaption* der ao titular o direito de pagar taxa fixa e receber taxa flutuante, será uma opção de venda sobre um bônus à taxa fixa com preço de exercício igual ao principal. Se o *swaption* der ao titular o direito de pagar taxa flutuante e receber taxa fixa, será uma opção de compra sobre o bônus à taxa fixa com preço de exercício igual ao principal.

Apreçamento de *swaption*s europeus

Como explicado no Capítulo 6, a taxa de swap para maturidade e data particulares é a taxa fixa que será trocada pela Libor em swap recentemente emitido com essa maturidade. O modelo utilizado para apreçamento de uma opção européia sobre um swap assume que a taxa de swap, na maturidade da opção, é lognormal. Considere o *swaption* em que há o direito de pagar a taxa R_X e receber a Libor sobre um swap de n anos de prazo, começando em T anos. Supõe-se que o contrato de swap estabeleça m pagamentos por ano e que o principal seja L.

Suponha que a taxa de swap para um swap de n anos na maturidade da opção sobre swap seja R (tanto R quanto R_X são expressas com freqüência de capitalização de m vezes por ano). Comparando-se os fluxos de caixa de um swap onde a taxa fixa é R com os fluxos de caixa de um swap onde a taxa fixa é R_X, nota-se que o *payoff* do *swaption* consiste de uma série de fluxos de caixa iguais a:

$$\frac{L}{m}\text{máx}\left(R-R_X,0\right)$$

Os fluxos de caixa são recebidos m vezes por ano para os n anos da vida do swap. Suponha que as datas de pagamento sejam $t_1, t_2, ..., t_{mn}$ medidas em anos a partir de hoje (pode-se dizer que $t_i = T + i/m$, aproximadamente). Cada fluxo de caixa é o *payoff* da opção de compra sobre R com preço de exercício R_X.

Usando-se a equação (18.3), o valor de cada fluxo de caixa recebido na data t_i é:

$$\frac{L}{m}e^{-r_it_i}\left[F_0N\left(d_1\right)-R_XN\left(d_2\right)\right]$$

onde

$$d_1=\frac{\ln\left(F_0/R_X\right)+\sigma^2T/2}{\sigma\sqrt{t}}$$

$$d_2=\frac{\ln\left(F_0/R_X\right)-\sigma^2T/2}{\sigma\sqrt{t}}=d_1-\sigma\sqrt{T}$$

F_0 é a taxa *forward* de swap e r_i é a taxa de juro de cupom zero capitalizada continuamente para a maturidade t_i.

O valor total do *swaption* é:

$$\sum_{i=1}^{mn}\frac{L}{m}e^{-r_it_i}\left[F_0N\left(d_1\right)-R_XN\left(d_2\right)\right]$$

Define-se A como o valor do contrato que paga $1/m$ nas datas t_i $(1 \le i \le mn)$ de tal maneira que:

$$A = \frac{1}{m}\sum_{i=1}^{mn} e^{-r_i t_i}$$

O valor do *swaption* torna-se:

$$LA\left[F_0 N(d_1) - R_X N(d_2)\right] \quad (18.10)$$

Se o *swaption* dá a seu titular o direito de receber a taxa fixa R_X em vez de pagá-la, o *payoff* do *swaption* é:

$$\frac{L}{m}\,\text{máx}(R_X - R, 0)$$

Isso consiste em uma opção de venda sobre R. Como antes, os *payoffs* são recebidos nas datas t_i ($1 \leq i \leq mn$). A equação (18.4) dá o valor de *swaption* igual a:

$$LA\left[R_X N(-d_2) - F_0 N(-d_1)\right] \quad (18.11)$$

O software DerivaGem permite a implementação das equações (18.10) e (18.11). Na planilha *Cap_and_Swap_Options* selecione *Swap Option* como o *Underlying Type* e *Black-European* como o *Pricing Model*.

Exemplo

Suponha que a curva de juros da Libor seja *flat* a 6% ao ano com capitalização composta. Considere o *swaption* que dá a seu titular o direito de pagar 6,2% em um swap de três anos, começando em cinco anos. A volatilidade da taxa do swap é 20%. Os pagamentos são feitos semestralmente e o principal é US$100. Nesse caso:

$$A = \frac{1}{2}\left(e^{-0,06\times5,5} + e^{-0,06\times6} + e^{-0,06\times6,5} + e^{-0,06\times7} + e^{-0,06\times7,5} + e^{-0,06\times8}\right) = 2,0035$$

A taxa de 6% ao ano com capitalização contínua corresponde à taxa de 6,09% com capitalização semestral. Nesse exemplo, $F_0 = 0,0609$; $R_X = 0,062$; $T = 5$; $\sigma = 0,02$, de tal forma que:

$$d_1 = \frac{\ln(0,0609/0,062) + 0,2^2 \times 5/2}{0,2\sqrt{5}} = 0,1836$$

$$d_2 = d_1 - 0,2\sqrt{5} = -0,2636$$

Pela equação (18.10), o valor do *swaption* é:

$$100 \times 2{,}0035\ [0{,}0609 \times N(0{,}1836) - 0{,}062 \times N(-0{,}2636)] = 2{,}07$$

ou US$2,07 (esse resultado também é verificado ao utilizar o DerivaGem).

Os *brokers* fornecem tabelas de volatilidade implícita para opções européias sobre swaps. Os instrumentos subjacentes às cotações estão, em geral, no dinheiro. Isso significa que a taxa de exercício do swap é igual à taxa a termo do swap. A Tabela 18.4 traz as cotações típicas de um *broker* para o mercado norte-americano. O *tenor* dos swaps subjacentes (ou seja, a freqüência de *resets* sobre a taxa flutuante) é de seis meses. A vida da opção é mostrada na escala vertical e varia de um mês a cinco anos. A vida do swap subjacente na maturidade da opção é apresentada na escala horizontal e varia de 1 a 10 anos. As volatilidades na coluna mais à esquerda da tabela correspondem a instrumentos que são similares aos *caps* e exibem o *hump* discutido anteriormente. À medida que se move para as colunas correspondentes às opções sobre swaps mais longos, o *hump* persiste, mas se torna menos pronunciado.

Tabela 18.4 – Cotações típicas de um *broker* para opções sobre swaps européias no mercado norte-americano (volatilidade média em % ao ano)

	Duração do swap						
Expiração	**1 ano**	**2 anos**	**3 anos**	**4 anos**	**5 anos**	**7 anos**	**10 anos**
1 mês	17,75	17,75	17,75	17,50	17	17	16
3 meses	19,50	19	19	18	17,50	17	16
6 meses	20	20	19,25	18,50	18,75	17,75	16,75
1 ano	22,50	21,75	20,50	20	19,50	18,25	16,75
2 anos	22	22	20,75	19,50	19,75	18,25	16,75
3 anos	21,50	21	20	19,25	19	17,75	16,50
4 anos	20,75	20,25	19,25	18,50	18,25	17,50	16
5 anos	20	19,50	18,50	17,75	17,50	17	15,50

18.7 MODELOS DE ESTRUTURA A TERMO

O modelo para apreçamento de opção européia sobre bônus apresentado assume que o preço de um bônus para uma data futura é lognormalmente distribuído; o modelo de apreçamento do *cap* assume que a taxa de juro para uma data futura é lognormalmente distribuída; o modelo de apreçamento de opção européia sobre swap assume que a taxa do swap para uma data futura é lognormalmente distribuída. Essas hipóteses não são consistentes entre si. Torna-se difícil para os *traders* comparar as maneiras que o mercado apreça tipos diferentes de instrumentos.

Uma desvantagem clara dos modelos é que não podem ser facilmente estendidos para o apreçamento de instrumentos diferentes daqueles para os quais foram construídos. Por exemplo, o modelo de Black para apreçamento de uma opção européia sobre swap não pode ser facilmente estendido para o apreçamento de uma opção americana sobre swap.

Figura 18.5 – Reversão à média

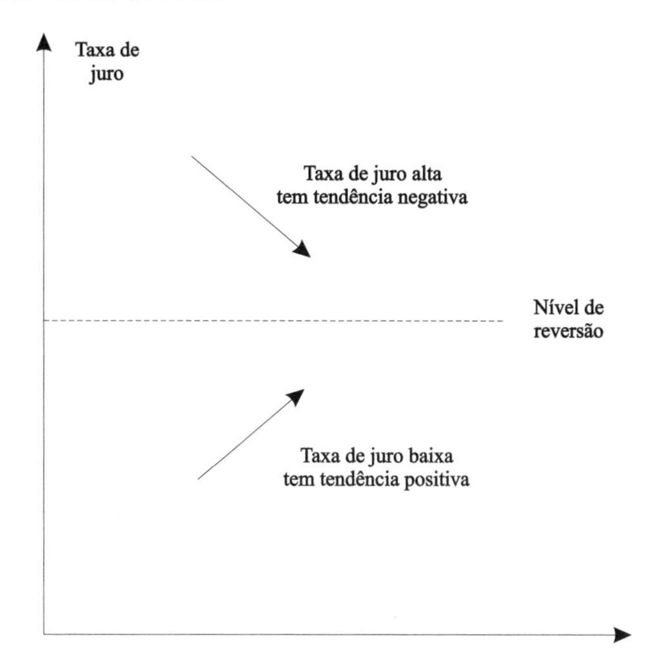

Enfoque mais sofisticado para o apreçamento de derivativos de taxas de juro requer a construção de um *modelo de estrutura a termo*, que descreve o comportamento probabilístico da estrutura a termo das taxas de juro. Os modelos de estrutura a termo são mais complicados que os utilizados para descrever os movimentos de preços de ações ou de moedas. Isso se deve ao fato de se estar lidando com movimentos em toda a curva de juros e não apenas com variações em uma simples variável. À medida que o tempo passa, as taxas de juro não se movem necessariamente na mesma magnitude para todas as maturidades, de modo que o formato da curva de juros é sujeito a alterações.

Dar descrição completa de como os modelos de curva de juros são construídos vai além do escopo deste livro. Mas vale notar uma propriedade da taxa de juro que a distingue do preço de ação ou de taxa de câmbio – ou do preço de qualquer ativo de investimento. A taxa de juro de curto prazo (digamos, a taxa para três meses) parece exibir uma propriedade conhecida como *reversão à média*. Sempre que se move parece ser puxada para trás para um nível médio de longo prazo. Quando a taxa de juro de curto prazo é muito alta, tende a se mover para baixo; quando é muito baixa, tende a se mover para cima. Por exemplo, se a taxa de juro para três meses nos Estados Unidos alcançar 15%, o próximo movimento é mais provável de ser para baixo que para cima; se alcançar 2%, o próximo movimento é mais provável de ser para cima que para baixo. Isso é ilustrado na Figura 18.5.

Se o preço de uma ação exibisse reversão à média, resultaria em estratégia de *trading* óbvia: comprar a ação quando seu preço estivesse em patamar mínimo histórico; vender a ação quando seu preço estivesse em patamar máximo histórico. A reversão à média das taxas de juro de três meses não possibilita a mesma estratégia. A taxa de juro não é o preço de um título que pode ser negociado. Não há nenhum instrumento cujo preço seja sempre igual à taxa de juro de três meses.

18.8 SUMÁRIO

Opções sobre taxa de juro, na prática, aparecem de várias maneiras. Por exemplo, opções sobre futuro de bônus do Tesouro, futuro de notas do Tesouro e sobre futuro de eurodólar são ativamente negociadas pelas bolsas. Muitos bônus negociados incluem características que são opções. Os empréstimos e os instrumentos de depósito oferecidos pelas instituições financeiras freqüentemente contêm opções embutidas.

Três instrumentos bastante conhecidos no mercado de balcão são: opções sobre bônus, *caps* e *floors* de taxas de juro e opções sobre swap. A opção sobre bônus é uma opção para comprar ou vender determinado bônus. O *cap* de taxa de juro (*floor*) proporciona *payoff* quando a taxa de juro flutuante sobe acima (cai abaixo) da taxa de exercício. A opção sobre swap permite entrar em posição de swap, onde uma taxa fixa específica será trocada por taxa flutuante em determinada data no futuro. O modelo de Black é utilizado pelo mercado para o apreçamento desses instrumentos. No caso das opções sobre bônus, assume-se que a distribuição de probabilidade do bônus subjacente é lognormal. No caso de *caps* e *floors*, assume-se que as taxas de juro são lognormais. No caso de opções de swap, também se assume que a taxa do swap subjacente é lognormal.

SUGESTÕES PARA LEITURAS COMPLEMENTARES

BLACK, F. The Pricing of Commodity Contracts. *Journal of Financial Economics* 3, pp. 167–179, 1976.

BLACK, F.; DERMAN, E.; TOY, W. A One-Factor Model of Interest Rates and its Application to Treasury Bond Options. *Financial Analysts Journal*, pp. 33–39, January–February 1990.

COX, J. C.; INGERSOLL, J. E.; ROSS, S. A. A Theory of the Term Structure of Interest Rates. *Econometrica* 53, pp. 385–407, 1985.

HEATH, D.; JARROW, R.; MORTON, A. Bond Pricing and the Term Structure of Interest Rates: A New Methodology. *Econometrica* 60, pp. 77–105, 1992.

HEATH, D.; JARROW, R.; MORTON, A.; SPINDEL, M. Easier Done than Said. *Risk*, pp. 77–80, May 1993.

HO, T. S. Y.; LEE, S. B. Term Structure Movements and Pricing Interest-Rate Contingent Claims. *Journal of Finance* 41, pp. 1011–1029, December 1986.

HULL, J. C. *Options, Futures and Other Derivatives*. Upper Saddle River, N. J.: Prentice Hall, 2000.

HULL, J. C.; WHITE, A. Princing Interest Rate Derivatives Securities. *The Review of Financial Studies* 3(4), pp. 573–592, 1990.

HULL, J. C.; WHITE, A. Using Hull-White Interest Rate Trees. *Journal of Derivatives*, pp. 26–36, spring 1996.

JAMES, J.; WEBBER, N. *Interest Rate Modeling*. Chichester, UK: John Wiley & Sons, 2000.

REBONATO, R. *Interest Rate Option Models*. New York: John Wiley & Sons, 1996.

VASICEK, O. A. An Equilibrium Characterization of Term Structure. *Journal of Financial Economics* 5, pp. 177–188, 1977.

PERGUNTAS RÁPIDAS (RESPOSTAS NO FINAL DO LIVRO)

18.1 A companhia negocia um *cap* de três meses para limitar a Libor a 10% ao ano. O valor do principal é US$20 milhões. Na data de *reset*, a Libor de três meses é 12% ao ano. Que pagamento teria de ser feito quanto ao *cap*? Quando esse pagamento seria feito?

18.2 Explique as características de bônus (a) *callable* e (b) *puttable*.

18.3 Explique por que um *swaption* pode ser considerado um tipo de opção sobre bônus.

18.4 Use o modelo de Black para apreçar a opção européia de venda de um ano sobre um bônus de 10 anos. Assuma que o valor corrente do bônus é US$125; o preço de exercício, US$110; a taxa de juro de um ano, 10% ao ano; a volatilidade do preço do bônus, 8% ao ano; e o valor presente dos cupons que serão pagos durante a vida da opção é de US$10.

18.5 Suponha que a curva de juros Libor seja *flat* ao nível de 8% com capitalização anual. O *swaption* dá a seu titular o direito de receber 7,6% em um swap de cinco anos, começando em quatro anos. Os pagamentos são feitos anualmente. A volatilidade para a taxa do swap é 25% ao ano e o principal é de US$1 milhão. Use o modelo de Black para apreçar o *swaption*.

18.6 Calcule o preço de uma opção que limite a taxa de juro de três meses começando daqui a 18 meses em 13% (cotada com capitalização trimestral) sobre o principal de US$1.000. A taxa de juro *forward* para o período em questão é 12% ao ano (cotada com capitalização trimestral), a taxa de juro livre de risco para 21 meses (capitalização contínua) é 11,5% ao ano e a volatilidade da taxa a termo é 12% ao ano.

18.7 Quais são as vantagens de modelos de curva de juros sobre o modelo de Black para o apreçamento de derivativos de taxa de juro?

QUESTÕES E PROBLEMAS (RESPOSTAS NO MANUAL DE SOLUÇÕES)

18.8 O banco usa o modelo de Black para apreçar opções européias sobre bônus. Suponha que a volatilidade implícita do preço para uma opção de cinco anos sobre um bônus com maturidade de dez anos seja usada para apreçar uma opção de nove anos sobre o bônus. Você esperaria que o preço resultante fosse maior ou menor? Por quê?

18.9 Considere a opção de compra européia de quatro anos sobre bônus com maturidade de cinco anos. O preço do bônus de cinco anos é US$105, o preço do bônus de quatro anos com o mesmo cupom é US$102, o preço de exercício da opção é US$100, a taxa de juro livre de risco para quatro anos é de 10% ao ano (capitalizada continuamente) e a volatilidade para o preço forward do bônus subjacente à opção é de 2% ao ano. Qual é o valor presente do principal para o bônus de quatro anos? Qual é o valor presente dos cupons do bônus de quatro anos? Qual é o preço forward do bônus subjacente à opção? Qual é o valor da opção?

18.10 Se a volatilidade do rendimento para a opção de venda de cinco anos sobre um bônus de maturidade de dez anos for de 22%, como a opção deveria ser apreçada? Assuma que a duração modificada do bônus na data de maturidade da opção será de 4,2 anos e o rendimento a termo do bônus será de 7%.

18.11 A companhia sabe que em três meses terá US$5 milhões para investir por 90 dias à Libor menos 50 pontos-base e deseja assegurar-se que a taxa obtida será no mínimo 6,5%. Que posição em opções sobre taxa de juro negociadas em bolsa a empresa deve tomar?

18.12 Explique cuidadosamente como você usaria (a) a volatilidade spot e (b) a volatilidade *flat*, para o apreçamento de um *cap* de cinco anos.

18.13 Que outros instrumentos são iguais ao *collar* de cinco anos sem custo no qual o preço do *cap* é igual ao preço de exercício do *floor*? O que faz os preços de exercício serem iguais?

18.14 Suponha que as taxas zero para um ano, dois anos, três anos, quatro anos e cinco anos sejam de 6%, 6,4%, 6,7%, 6,9% e 7%. O preço de um *cap* semestral de cinco anos com principal de US$100 a uma taxa de *cap* de 8% é US$3. Use o software DerivaGem para determinar:

a) A volatilidade *flat* de cinco anos para *caps* e *floors*;

b) A taxa do *floor* em um *collar* sem custo de cinco anos quando a taxa do *cap* é de 8%.

18.15 Mostre que $V_1 + f = V_2$ onde V_1 é o valor de uma opção sobre um swap para pagar a taxa fixa R_X e receber Libor entre as datas T_1 e T_2, f é o valor de um swap forward para receber a taxa fixa R_X e pagar Libor entre as datas T_1 e T_2 e V_2 é o valor de uma opção sobre um swap para receber a taxa fixa R_X entre as datas T_1 e T_2. Deduza que $V_1 = V_2$ quando R_X é igual à taxa forward corrente do swap.

18.16 Explique por que há oportunidade de arbitragem se a volatilidade implícita (*flat*) do modelo de Black para um *cap* for diferente da volatilidade do *floor*. As cotações de volatilidade do *broker* mostradas na Tabela 18.2 proporcionam oportunidades de arbitragem?

18.17 Suponha que as taxas zero sejam aquelas do problema 18.14. Use o DerivaGem para determinar o valor de uma opção que paga uma taxa fixa de 6% e recebe Libor em um swap de cinco anos, começando em um ano. Assuma que o valor do principal seja US$100, os pagamentos sejam trocados semestralmente e a volatilidade da taxa do swap seja 21%.

QUESTÕES DE PROVA

18.18 Considere uma opção de venda européia de oito meses sobre um bônus do Tesouro que tem 14,25 anos até a maturidade. O valor do principal do bônus é US$1.000. O preço a vista corrente do bônus é US$910; o preço de exercício, US$900,00; e a volatilidade do preço forward do bônus, 10% ao ano. O cupom de US$35 será pago pelo bônus em três meses. A taxa de juro livre de risco é 8% para todas as maturidades acima de um ano. Use o modelo de Black para determinar o preço da opção. Considere tanto o caso em que o preço de exercício corresponde ao *cash price* do bônus quanto o caso em que o preço de exercício corresponde ao *quoted price*.

18.19 Calcule o preço de um *cap* de nove meses sobre a Libor de três meses considerando o valor de principal de US$1.000. Use o modelo de Black e as seguintes informações:

- preço futuro do eurodólar para nove meses = 92;
- volatilidade implícita da taxa de juro para uma opção de eurodólar de nove meses = 15% ao ano;
- taxa de juro para 12 meses corrente com capitalização contínua = 7,5% ao ano;
- taxa do *cap* = 8% ao ano.

18.20 Suponha que a curva de juros da Libor seja *flat* a 8% com capitalização anual. O *swaption* dá a seu titular o direito de receber 7,6% em um swap de cinco anos, começando em quatro anos. Os pagamentos são feitos anualmente. A volatilidade da taxa do swap é de 25% ao ano e o principal é de US$1 milhão. Use o modelo de Black para apreçar o *swaption*. Compare sua resposta com a dada pelo DerivaGem.

18.21 Use o DerivaGem para apreçar um *collar* de cinco anos que garanta que as taxas de juro máxima e mínima sobre empréstimo baseado na Libor zero (com repactuações trimestrais) sejam de 5% e 7%, respectivamente. A curva zero da Libor (capitalizada continuamente) está *flat* a 6%. Use a volatilidade *flat* de 20%. Assuma que o principal seja de US$100.

18.22 Use o DerivaGem para apreçar a opção européia sobre swap que dá a seu titular o direito, em dois anos, de entrar em um swap de cinco anos no qual tem de se pagar a taxa fixa de 6% e receber flutuante. Os fluxos de caixa são trocados semestralmente no swap. As taxas de juro zero para um, dois, cinco e dez anos (capitalizadas continuamente) são 5%, 6%, 6,5% e 7%, respectivamente. Assuma que o principal seja de US$100 e a volatilidade de 15% ao ano. Dê um exemplo de como a opção sobre swap pode ser usada por uma empresa. Que opção sobre bônus é equivalente à opção sobre o swap?

Capítulo 19

OPÇÕES EXÓTICAS E OUTROS PRODUTOS NÃO-PADRONIZADOS

Os derivativos apresentados nos primeiros 18 capítulos deste livro são os chamados produtos *plain vanilla*. Estes têm propriedades bem definidas e são negociados de forma bastante ativa. Seus preços ou suas volatilidades implícitas são cotados por bolsas ou *brokers* em bases regulares. Um dos aspectos mais instigantes dos derivativos de balcão é o número de produtos não-padronizados (ou exóticos) que têm sido criados por engenheiros financeiros. Embora representem uma parte relativamente pequena do portfólio, esses produtos exóticos são importantes para bancos de investimento porque são, em geral, muito mais lucrativos do que os produtos *plain vanilla*.

Os produtos exóticos surgem por várias razões. Em alguns momentos, satisfazem a uma necessidade de *hedge* genuína no mercado; em outros, são atraentes para os tesoureiros de corporações por razões tributárias, de contabilidade, legal ou regulatórias; ou ainda são criados para refletir o ponto de vista do tesoureiro de uma corporação sobre movimentos futuros potenciais em variáveis de mercado específicas. Ocasionalmente, um produto exótico é criado por um banco de investimento para que possa parecer mais atraente do que realmente é aos olhos de um tesoureiro corporativo desavisado.

Primeiramente, aborda-se o estudo das opções exóticas. São variações das opções-padrão *call* e *put* estudadas nos Capítulos 7 a 17. Depois, são apresentados os *mortgage-backed securities*, que têm se tornado importante característica nos mercados derivativos de taxas de juro nos Estados Unidos. Finalmente, são descritos alguns produtos de swaps não-padronizados. Este capítulo não traz uma lista de todos os produtos exóticos existentes. Seu objetivo é dar noção geral sobre uma série de instrumentos que têm sido desenvolvidos.

19.1 OPÇÕES EXÓTICAS

Nesta seção, mostram-se diferentes tipos de opções exóticas que grandes bancos de investimento oferecem sobre ativos subjacentes como ações, índices de ações e moedas.

Utiliza-se categorização semelhante àquela constante da excelente série de artigos escritos por Eric Reiner e Mark Rubinstein para a revista *Risk* em 1991 e 1992.

Opções asiáticas, com barreira, binárias, *chooser*, compostas e *lookback* podem ser apreçadas com o uso do DerivaGem[1].

Packages

Package é um portfólio composto de opções européias de compra e venda padrão, contratos a termo, dinheiro e do próprio ativo subjacente. No Capítulo 9, foram discutidos vários tipos diferentes de *packages*: *spreads* de alta, *spreads* de baixa, *spreads butterfly*, *spreads* calendário, *straddles*, *strangles* etc.

Figura 19.1 – *Payoffs* de contratos *range-forward*

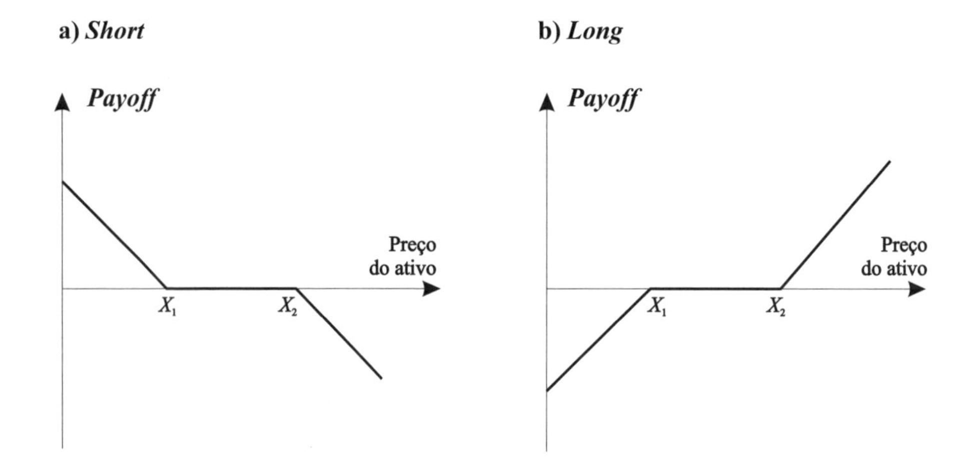

Em geral, o *package* é estruturado por *traders* de modo a ter custo inicial zero. Um exemplo é o contrato *range-forward*[2]. O contrato *range-forward short* consiste em posição longa (comprada) em uma *put* com baixo preço de exercício, X_1, e posição *short* (vendida) em uma *call* com alto preço de exercício, X_2. Isso garante que o ativo subjacente possa ser vendido por um preço entre X_1 e X_2 na data de maturidade das opções. O contrato *range-forward* longo consiste em posição *short* em uma *put* com baixo preço de exercício, X_1, e posição longa em uma *call* com alto preço de exercício, X_2. Isso assegura que o ativo subjacente possa ser comprado por um preço entre X_1 e X_2 na

[1] Os procedimentos utilizados pelo mercado para o apreçamento de todas as opções desta seção são descritos no Capítulo 18 do livro *Options, Futures and Other Derivatives*. Upper Saddle River, N.J.: Prentice Hall, 2000 (a versão em português foi publicada no Brasil pela BM&F).

[2] Outros nomes usados para o contrato *range-forward* são *collar* custo zero, termo flexível, opção cilindro, opção *fence*, mín-máx e banda *forward*.

maturidade das opções. O preço da *call* é igual ao preço da *put* quando o contrato é negociado. A Figura 19.1 mostra o *payoff* de contratos *range-forward short* e longo. À medida que X_1 e X_2 estejam mais próximos, o preço a ser recebido ou pago pelo ativo na data de maturidade torna-se mais certo. No limite, quando $X_1 = X_2$, o contrato *range-forward* formam um contrato a termo comum.

Opções americanas não-padronizadas

Em uma opção americana padrão, o exercício pode ocorrer a qualquer momento durante a vida da opção e o preço de exercício é sempre o mesmo. Na prática, as opções americanas negociadas no mercado de balcão nem sempre têm essas características.

Por exemplo:

- o exercício antecipado pode ser restrito a certas datas – o instrumento é conhecido como *opção bermuda*;
- o exercício antecipado pode ser permitido apenas durante parte da vida da opção;
- o preço de exercício pode mudar durante a vida da opção.

Os *warrants* emitidos por empresas sobre suas próprias ações têm algumas dessas características. Por exemplo, em um *warrant* de sete anos, o exercício pode ser possível em datas específicas durante os anos 3 a 7, com o preço de exercício de US$30 durante os anos 3 e 4; US$32 durante os dois anos seguintes; e US$33 durante o último ano.

As opções americanas não-padronizadas também podem ser apreçadas com árvores binomiais. A cada nó, o teste (se houver) para o exercício antecipado é ajustado para refletir os termos da opção.

Opções *forward start*

Opções forward start são aquelas que serão iniciadas em data futura. Estas são, às vezes, utilizadas em esquemas de incentivos a funcionários. Por exemplo, a companhia pode prometer ao empregado determinado número de opções sobre sua ação em certas datas de tempo no futuro. Em geral, o acordo estabelece que as opções estejam no dinheiro quando forem emitidas.

Quando o ativo subjacente não paga rendimento, a opção *forward start* vale o mesmo que a opção normal com a mesma duração (assumindo-se as premissas do modelo de Black e Scholes). Por exemplo, a opção no dinheiro, que se iniciará em três anos e cujo vencimento ocorrerá em cinco anos, vale o mesmo que a opção de dois anos iniciada hoje (veja o problema 19.10).

Opções compostas

Opções compostas são opções sobre opções. Há quatro tipos principais: *call* sobre *call*; *put* sobre *call*; *call* sobre *put*; e *put* sobre *put*. Opções compostas têm dois preços de exercício e duas datas de exercício. Considere, por exemplo, *call* sobre *call*. Na primeira data de exercício, T_1, o titular da opção composta pode pagar o primeiro preço de exercício e receber uma *call* sobre o ativo. A *call* dá ao titular o direito de comprar o ativo-objeto pelo segundo preço de exercício, X_2, na segunda data de exercício, T_2. A opção composta será exercida na primeira data de exercício apenas se o valor da segunda opção nessa data de exercício for maior que o primeiro preço de exercício. Normalmente, a opção composta é muito mais sensível à volatilidade que a opção *plain vanilla*.

Opções *chooser*

A *opção chooser* (também chamada de opção *as you like it*) tem como característica a possibilidade de o titular, depois de determinado período de tempo, escolher se a opção será de compra ou de venda. Suponha que a data em que a escolha será feita seja T_1. O valor da opção *chooser* nessa data será:

$$\text{máx}(c, p)$$

onde c é o valor da opção de compra e p o valor da opção de venda que compõem a opção *chooser*.

Se as opções subjacentes à opção *chooser* forem européias e tiverem o mesmo preço de exercício, a paridade *put–call* poderá ser usada para dar uma fórmula de apreçamento. Suponha que S_1 seja o preço da ação na data T_1; X o preço de exercício; T_2 a data de maturidade das opções; e r a taxa de juro livre de risco. A paridade *put–call* diz que:

$$\begin{aligned}\text{máx}(c, p) &= \text{máx}(c, c + Xe^{-r(T_2-T_1)} - S_1e^{-q(T_2-T_1)}) \\ &= c + e^{-q(T_2-T_1)}\text{máx}\left(0, Xe^{-(r-q)(T_2-T_1)} - S_1\right)\end{aligned}$$

Isso mostra que a opção *chooser* é um pacote que consiste em:

- opção de compra com preço de exercício X e maturidade T_2;
- opções de venda $e^{-q(T_2-T_1)}$ com preço de exercício $Xe^{-(r-q)(T_2-T_1)}$ e maturidade T_1.

E como tal, pode ser prontamente apreçada.

Opções de barreira

Opções de barreira são aquelas cujo *payoff* depende de o preço do ativo subjacente alcançar determinado nível durante certo período de tempo. Diferentes tipos de opções de barreira são regularmente negociados no mercado de balcão. Estas são atrativas para os participantes de mercado porque são mais baratas que as opções comuns correspondentes. As opções de barreira podem ser classificadas como *knock-out* ou como *knock-in*. A opção *knock-out* deixa de existir se o preço do ativo subjacente alcançar determinado nível; a opção *knock-in* começa a existir apenas se o preço do ativo subjacente alcançar determinado nível.

Há quatro tipos de opções *knock-out*. A opção de compra *up-and-out* é uma opção de compra européia comum que deixa de existir tão logo o preço do ativo tenha alcançado o preço de barreira.

Esse nível de barreira é maior que o preço do ativo subjacente no momento que a opção é negociada. A opção de compra *down-and-out* é definida de modo similar exceto pelo fato de que o nível de barreira é menor que o preço do ativo quanto a opção é negociada. As opções de venda *up-and-out* e *down-and-out* são definidas de maneira análoga.

Há também quatro tipos de opções *knock-in*. A opção de compra *up-and-in* é uma opção européia comum que começa a existir tão logo o preço do ativo alcança o nível de barreira. O nível de barreira é maior que o preço do ativo quando a opção é negociada. A opção de compra *down-and-in* é similar exceto pelo fato de que o nível da barreira é menor que o preço do ativo subjacente quando a opção é negociada. As opções de venda *up-and-in* e *down-and-in* são definidas de maneira análoga.

Existem relações entre os preços de opções com barreira e opções comuns. Por exemplo, o preço de uma opção de compra *down-and-out* mais o preço de uma opção de compra *down-and-in* deve ser igual ao preço de uma opção européia comum. Similarmente, o preço de uma opção de venda *down-and-out* mais o preço de uma opção de venda *down-and-in* deve ser igual ao preço de uma opção de venda européia comum.

Opções de barreira têm propriedades bastante diferentes das opções comuns. Por exemplo, algumas vezes o vega é negativo. Considere uma opção de compra *up-and-out* quando o preço do ativo está próximo ao nível de barreira. À medida que a volatilidade aumenta a probabilidade de que a barreira seja tocada aumenta. Como resultado, a alta de volatilidade causa o decréscimo no preço.

Para determinar se o preço de barreira foi atingido ou não, a observação pode ser feita em bases mais ou menos contínuas[3]. Outras vezes, os termos do contrato determinam que o preço seja verificado periodicamente, por exemplo, uma vez ao dia às 12 horas.

Opções binárias

Opções binárias são opções com *payoffs* descontínuos. Exemplo simples é a opção de compra caixa-ou-nada [*cash-or-nothing*]. Esta não paga nada se o preço da ação estiver abaixo do preço de exercício na data T e paga montante fixo, Q, se o preço estiver

[3] Um modo de verificar se a barreira foi tocada de cima para baixo ou inversamente é enviar uma ordem limitada a uma bolsa para vender ou comprar o ativo a certo preço e checar se a ordem foi executada.

acima do preço de exercício. Em um mundo *neutral-risk*, a probabilidade de o preço da ação ficar acima do preço de exercício na maturidade da opção é $N(d_2)$. Portanto, o valor da opção de compra caixa-ou-nada é $Qe^{-rT}N(d_2)$. A opção de venda caixa-ou-nada é definida de maneira análoga à opção de compra caixa-ou-nada. Na data T, paga Q se o preço da ação ficar abaixo do preço de exercício, e nada se o preço estiver acima. O valor da *put* caixa-ou-nada é $Qe^{-rT}N(-d_2)$.

Outro tipo de opção binária é o ativo-ou-nada [*asset-or-nothing*]. A opção de compra ativo-ou-nada não paga nada se o preço da ação ficar abaixo do preço de exercício e paga montante igual ao preço da ação se o preço ficar acima do preço de exercício. O valor dessa *call* é $S_0e^{-qT}N(d_1)$. A *put* ativo-ou-nada não paga nada se o preço da ação subjacente ficar acima do preço de exercício e montante igual ao preço a vista se este estiver abaixo do preço de exercício. O valor da *put* ativo-ou-nada é $S_0e^{-qT}N(-d_1)$.

A opção de compra européia comum é equivalente à posição longa em uma opção de compra ativo-ou-nada e posição *short* em uma opção de compra caixa-ou-nada em que o valor a ser pago é igual ao preço de exercício. De maneira similar, a opção de venda européia comum é equivalente à posição longa em uma *put* caixa-ou-nada e posição *short* em uma *put* ativo-ou-nada em que o valor a ser pago nas opções caixa-ou-nada é igual ao preço de exercício.

Opções *lookback*

O *payoff* de opções *lookback* depende do valor máximo ou mínimo alcançado pelo preço da ação durante a vida da opção. O *payoff* da opção de compra européia estilo *lookback* é a diferença, se positiva, do preço final da ação e o preço mínimo alcançado pela ação durante a vida da opção. Já o *payoff* da opção de venda européia estilo *lookback* é o montante pelo qual o preço máximo da ação observado durante a vida da opção exceder o preço final da ação.

A opção de compra *lookback* é uma forma de comprar o ativo a seu preço mais baixo observado durante a vida da opção. Analogamente, a opção de venda *lookback* é um modo de vender a ação a seu preço mais alto observado durante a vida da opção. O ativo subjacente em uma opção *lookback* freqüentemente é uma commodity. A freqüência com que o preço do ativo é observado, para efeito de computar o valor máximo ou mínimo, é importante e deve ser especificada no contrato.

Shout options

Shout option é a opção européia em que o titular pode fazer anúncio ao lançador uma vez durante a vida da opção. No fim da opção, o titular recebe o *payoff* normal de uma opção européia ou o valor intrínseco na data do anúncio (*shout*), dos dois o maior. Suponha que o preço de exercício seja US$50 e o titular da opção de compra faz o anúncio quando o preço do ativo-objeto for US$60. Se o preço final do ativo for menor que US$60, o titular recebe *payoff* de US$10. Se for maior que US$60, o titular recebe o excesso do preço do ativo sobre US$50.

A *shout option* tem algumas características de uma opção *lookback*, mas é mais barata. Esta pode ser apreçada, se houver o anúncio na data τ, quando o preço do ativo for S_τ; o *payoff* da opção é:

$$\text{máx}\left(0, S_T - S_\tau\right) + \left(S_\tau - X\right)$$

onde, como usualmente, X é o preço de exercício e S_T é o preço do ativo na data T. O valor na data τ se o anúncio for feito é, portanto, o valor presente de $S_\tau - X$ mais o valor da opção européia com preço de exercício S_τ. Isso permite que uma árvore binomial seja utilizada para apreçar a opção.

Opções asiáticas

Opções asiáticas ou opções de preço médio são aquelas em que o *payoff* depende do preço médio do ativo durante no mínimo parte da vida da opção. O *payoff* da opção de compra de preço médio é máx(0, $S_{\text{médio}} - X$) e o *payoff* da opção de venda de preço médio é máx(0, $X - S_{\text{médio}}$), onde $S_{\text{médio}}$ é o valor médio do preço do ativo calculado para período predeterminado. Opções asiáticas são mais baratas e mais apropriadas que as opções comuns para atender algumas necessidades das companhias. Suponha que o tesoureiro espera receber fluxo de caixa de 100 milhões de dólares australianos, de sua subsidiária da Austrália. O dinheiro não será recebido de uma única vez, mas regularmente durante o período de um ano. O tesoureiro certamente tem interesse em uma opção que garanta que a taxa de câmbio média observada durante o ano seja acima de determinado nível. A opção de venda asiática pode proporcionar atendimento a essa necessidade de forma mais efetiva que as opções de venda comuns.

Outro tipo de opção asiática é uma opção de preço de exercício médio. A opção de compra de preço de exercício médio paga máx(0, $S_T - S_{\text{médio}}$) e a opção de venda de preço de exercício médio paga máx(0, $S_{\text{médio}} - S_T$). Opções de preço de exercício médio podem garantir que o preço médio pago por um ativo durante um período de tempo não seja maior que o preço final. Alternativamente, pode garantir que o preço médio recebido por um ativo durante o período de tempo não seja menor que o preço final.

Opções para trocar um ativo por outro

Opções para trocar um ativo por outro (às vezes, chamadas de *exchange options*) surgem em vários contextos. Uma opção para comprar iene com dólares australianos é, do ponto de vista do investidor norte-americano, uma opção para trocar uma moeda estrangeira por outra também estrangeira. Uma oferta de aquisição de ações é uma opção para trocar ações de uma companhia por ações de outra companhia.

Uma opção para obter o melhor ou o pior de dois ativos está bastante relacionada a uma *exchange option*. É uma posição em um dos dois ativos combinada com uma opção para trocá-lo pelo outro ativo:

$$\text{mín}(U_T, V_T) = V_T - \text{máx}(V_T - U_T, 0)$$

$$\text{máx}(U_T, V_T) = U_T + \text{máx}(V_T - U_T, 0)$$

Opções envolvendo vários ativos

Opções envolvendo dois ou mais ativos de risco são, às vezes, denominadas opções arco-íris [*rainbow options*]. Um exemplo é o contrato futuro de bônus negociado na CBOT descrito no Capítulo 5. O detentor da posição vendedora pode escolher entre um grande número de diferentes bônus para entregar. Outro exemplo é a opção Libor-Contigent FX, opção em moeda estrangeira cujo *payoff* ocorre apenas se uma específica taxa de juro estiver dentro de certo intervalo na data de maturidade.

Provavelmente, o exemplo mais comum de opção envolvendo vários ativos seja a opção *basket*. É uma opção em que o *payoff* depende do valor do portfólio (ou cesta) de ativos. Os ativos são, em geral, ações individuais ou índices de ações ou moedas.

19.2 TÍTULOS LASTREADOS EM HIPOTECAS

Uma característica do mercado de derivativos de taxas de juro nos Estados Unidos é a ativa negociação de títulos lastreados em hipotecas [*mortgage-backed securities*]. O *mortgage-backed security* (MBS) é criado quando a instituição decide vender parte de seu portfólio de hipotecas residenciais aos investidores. As hipotecas são colocadas em um *pool* e os investidores adquirem seu risco comprando unidades, conhecidas como *mortgage-backed securities*.

O mercado secundário, em geral, é formado para as unidades de tal modo que os investidores possam vendê-las a outros investidores da maneira que desejarem. O investidor que compra unidades que representam X% de determinado *pool* faz jus a X% do principal e juros recebidos das hipotecas no *pool*.

Em geral, as hipotecas em um *pool* são garantidas por uma agência governamental como a Government National Mortgage Association (GNMA) ou a Federal National Mortgage Association (FNMA) de tal forma que os investidores estão protegidos contra o risco de inadimplência. Isso faz que um MBS se pareça com um título de renda fixa emitido pelo governo.

Entretanto, há uma diferença crítica entre MBS e investimento de renda fixa comum. As hipotecas em um *pool* de MBS têm privilégios de pagamentos antecipados, que podem ser bastante vantajosos para o proprietário da residência. Nos Estados Unidos, as hipotecas típicas duram 25 anos e podem ser pagas antecipadamente a qualquer tempo. Isso significa que o proprietário da residência tem, por 25 anos, a opção de vender a hipoteca de volta para o investidor, pelo seu valor de face.

Na prática, os pagamentos antecipados das hipotecas ocorrem por várias razões. Algumas vezes, as taxas de juro caem e o proprietário da casa decide refinanciar a dívida a uma taxa de juro mais baixa. Em outras ocasiões, uma hipoteca é paga antecipadamente simplesmente porque a casa está sendo vendida. Um elemento crítico no apreçamento de MBS é a determinação da *função de pagamento antecipado*. Essa função descreve os pagamentos antecipados esperados no *pool* subjacente de hipotecas em determinada data em termos de taxas de juro e outras variáveis relevantes.

Uma função de pagamento antecipado não é confiável como previsor do pagamento antecipado efetivo para a hipoteca individual. Quando muitos empréstimos hipotecários são combinados no mesmo *pool*, há um efeito de "lei dos grandes números" e os pagamentos antecipados podem ser previstos a partir de análise de dados históricos mais precisa. Como mencionado, os pagamentos antecipados nem sempre são motivados puramente por questões de taxa de juro. Não obstante, os pagamentos tendem a ser mais prováveis quando as taxas de juro são baixas do que quando são altas. Isso significa que os investidores devem requerer taxa de juro mais alta que a de MBS ou outros títulos de renda fixa por causa da possibilidade de ter de investir o dinheiro recebido dos pagamentos antecipados a taxas de juro mais baixas.

Obrigações garantidas por hipotecas

Os MBS descritos são, às vezes, denominados *pass-throughs*. Todos os investidores recebem o mesmo retorno e carregam o mesmo risco de pagamento antecipado. Mas, nem todos os títulos lastreados em hipotecas funcionam assim. Em uma obrigação garantida por hipoteca [*collateralized mortgage obligation* – CMO], os investidores são divididos em um número de classes e regras são desenvolvidas para determinar de que forma os pagamentos antecipados de principal serão canalizados para as diferentes classes.

A título de exemplo de CMO, considere um MBS com os investidores divididos em três classes: A, B e C. Todos os pagamentos de principal pelos devedores (tanto aqueles que estão programados quanto os antecipados) são canalizados para a classe A de investidores até que estes tenham sido totalmente reembolsados. Os pagamentos são dirigidos para os investidores da classe B até que estes também tenham sido completamente reembolsados. Finalmente, os pagamentos de principal são encaminhados para a classe C. Nessa situação, os investidores da classe A carregam a maior parte do risco de pagamento antecipado. Os títulos da classe A terão duração menor que os títulos da classe B e estes terão duração menor que os títulos da classe C.

O objetivo desse tipo de estrutura é gerar classes de títulos que são mais atraentes para os investidores institucionais que aqueles criados pelo MBS *pass-through*. Os riscos de pagamentos antecipados assumidos pelas diferentes classes dependem do valor par de cada classe. Por exemplo, a classe C carrega muito pouco risco de pagamento antecipado se os valores par nas classes A, B e C forem, por exemplo, 400, 300 e 100, respectivamente. Por outro lado, carrega mais risco de pagamento antecipado se os valores par nas classes forem de 100, 200 e 500.

IOs e POs

Em um MBS "estripado" [*stripped* MBS], os pagamentos de principal são separados dos pagamentos de juros. Todos os pagamentos de principal são dirigidos para a classe de título conhecida por *apenas principal* [*principal only* – PO]. Todos os pagamentos de juros são canalizados para outra classe de título, conhecidos por *apenas juros* [*interest only* – IO]. Tanto IOs quanto POs são investimento de risco. À medida que as taxas de pagamento antecipado aumentam, o PO torna-se mais valioso e o IO, menos. À medida que as taxas de pagamento antecipado decrescem, ocorre o inverso. Em um PO, o valor fixo de principal retorna para o investidor, mas em data incerta. A alta taxa de pagamentos antecipados sobre *pool* subjacente faz que o principal seja recebido mais cedo (o que é, logicamente, uma boa notícia para o titular de PO). A baixa taxa de pagamentos antecipados no *pool* subjacente atrasa o retorno do principal e reduz a renda proporcionada pelo PO. Em um IO, o total dos fluxos de caixa recebidos pelo investidor não é certo. Quanto maior a taxa de pagamentos antecipados, menor o valor dos fluxos de caixa recebidos pelo investidor e vice-versa.

19.3 SWAPS NÃO-PADRONIZADOS

No Capítulo 6, foram discutidos os swaps de taxa de juro *plain vanilla*. São contratos para trocar juros com base na taxa Libor por juros à taxa fixa. A Tabela 6.3 dá confirmação para o swap *plain vanilla* hipotético. Nesta seção, descrevem-se alguns contratos de swaps não-padronizados[4].

Variações do swap comum

Muitos swaps de taxas de juro envolvem pequenas mudanças em relação ao swap *plain vanilla* da Tabela 6.3. Em alguns, o principal nocional muda com o tempo. Swaps em que o principal nocional é uma função do tempo são conhecidos como swaps *step-up*. Swaps em que o principal nocional é uma função decrescente do tempo são conhecidos como *swaps com amortização* [*amortizing swaps*].

Swaps *step-up* podem ser úteis para uma empresa construtora que tem a intenção de tomar empréstimos em valores crescentes ao longo do tempo, a taxas flutuantes, para financiar projeto particular e quer "swapar" essas taxas para uma taxa fixa de *funding*.

---

[4] O apreçamento de muitos dos swaps apresentados é descrito nos Capítulos 19–22 de Hull, J. C. *Options, Futures, and Other Derivatives*. Upper Saddle River, N.J.: Prentice Hall, 2000.

Swaps com amortização podem ser usados por uma companhia que tomou emprestado a uma taxa fixa com certo esquema de pagamento antecipado e deseja "swapá-los" para transformar esse empréstimo a taxas flutuantes.

O principal pode ser diferente nas duas pontas do swap. Adicionalmente, as freqüências de pagamentos podem ser diferentes. Isso está ilustrado na Tabela 19.1, que mostra swap hipotético entre Microsoft e Citibank, em que o principal nocional é US$120 milhões na ponta a taxas flutuantes e US$100 milhões na ponta à taxa fixa. Os pagamentos são feitos todos os meses no lado flutuante e a cada seis meses no lado fixo.

Tabela 19.1 – Extrato de confirmação para swap hipotético quando o principal e a freqüência de pagamento são diferentes nos dois lados

Data da negociação	4 de janeiro de 2001
Data efetiva	11 de janeiro de 2001
Convenção de dias úteis (todas as datas)	Dias úteis posteriores
Calendário de feriados	Norte-americano
Data de término	11 de janeiro de 2006
Montante fixo	
Parte que paga taxa fixa	Microsoft
Principal associado à taxa fixa	US$100 milhões
Taxa fixa	6% ao ano
Convenção de dias associada à taxa fixa	Efetiva/365
Datas de pagamento associadas à taxa fixa	Cada 11 de julho e 11 de janeiro, iniciando em 11 de julho de 2001 até 11 de janeiro de 2006, inclusive
Montante flutuante	
Parte que paga taxa flutuante	Citibank
Principal associado à taxa flutuante	US$120 milhões
Taxa flutuante	Libor de um mês em US$
Convenção de dias associada à taxa flutuante	Efetiva/360
Datas de pagamento associadas à taxa flutuante	11 de julho de 2001 e 11º dia de cada mês, desde então, até 11 de janeiro de 2006, inclusive

A taxa flutuante que serve de referência para swap nem sempre é a Libor. Por exemplo, em alguns swaps é a taxa da letra do Tesouro [*Treasury Bill*] de três meses. O *basis swap* consiste na troca de fluxos de caixa calculados com uso de taxas flutuantes por fluxos de caixa calculados com o uso de outra taxa flutuante. Um exemplo seria o swap em que a taxa da *Treasury Bill* de três meses mais 30 pontos-base é trocada pela taxa Libor de três meses, sendo ambos os parâmetros aplicados ao principal nocional de US$100 milhões. O *basis swap* pode ser usado para fins de administração de risco por instituição financeira cujos ativos e passivos são dependentes de diferentes taxas de referência.

Swaps compostos

Outra variação do swap *plain vanilla* é o *swap composto*. A Tabela 19.2 dá um exemplo. Há apenas uma data tanto para o pagamento à taxa flutuante quanto para o pagamento à taxa fixa. Essa data ocorre no fim da vida do swap. A taxa de juro flutuante é a Libor mais 20 pontos-base. Em vez de serem pagos, os juros vão sendo capitalizados até o fim da vida do swap à taxa Libor mais 10 pontos-base. A taxa fixa de juro é 6%. Em vez de serem pagos, os juros são capitalizados à taxa fixa de 6,3% até o fim do swap.

Tabela 19.2 – Extrato de confirmação de swap composto hipotético

Data da negociação	4 de janeiro de 2001
Data efetiva	11 de janeiro de 2001
Calendário de feriados	Norte-americano
Convenção de dias úteis (todas as datas)	Dias úteis posteriores
Data de término	11 de janeiro de 2006
Montante fixo	
Parte que paga taxa fixa	Microsoft
Principal associado à taxa fixa	US$100 milhões
Taxa fixa	6% ao ano
Convenção de dias associada à taxa fixa	Efetiva/365
Data de pagamento associada à taxa fixa	11 de janeiro de 2006
Taxa fixa capitalizada	Aplicável a 6,3%
Datas de capitalização da taxa fixa	Cada 11 de julho e 11 de janeiro, iniciando em 11 de julho de 2001 até 11 de julho de 2005, inclusive
Montante flutuante	
Parte que paga taxa flutuante	Citibank
Principal associado à taxa flutuante	US$100 milhões
Taxa flutuante	Libor de seis meses mais 20 pontos-base em US$
Convenção de dias associada à taxa flutuante	Efetiva/360
Data de pagamento associada à taxa flutuante	11 de janeiro de 2006
Taxa flutuante capitalizada	Aplicável a Libor mais 10 pontos-base
Datas de capitalização da taxa flutuante	Cada 11 de julho e 11 de janeiro, iniciando em 11 de julho de 2001 até 11 de julho de 2005, inclusive

Swaps de moedas

Os swaps de moedas foram introduzidos no Capítulo 6. Estes permitem que a exposição em uma taxa de juro em uma moeda possa ser trocada pela exposição em uma taxa de juro em outra moeda. Em geral, os dois principais são especificados, cada um em uma moeda. Os principais são trocados no começo e no fim da vida do swap, como descrito na seção 6.4.

Suponha que as moedas envolvidas em um swap de moeda sejam dólares (US$) e libras esterlinas (GBP). Em um swap de moeda *fixed-for-fixed*, a taxa de juro fixa é especificada em cada moeda. Os pagamentos de um lado são determinados pela aplicação da taxa fixa em US$ sobre o principal em US$; os pagamentos da outra ponta são determinados pela aplicação da taxa fixa em GBP ao principal em GBP.

Outro tipo de swap bastante conhecido é o *floating-for-floating*. Nesse swap, os pagamentos de um lado são determinados pela aplicação da Libor em US$ (possivelmente com um *spread* adicionado) ao principal em US$; similarmente, os pagamentos do outro lado são determinados pela aplicação da Libor em GBP (possivelmente com *spread* adicionado) ao principal em GBP.

O terceiro tipo de swap é o de taxa de juro *cross-currency*, em que a taxa flutuante em uma moeda é trocada por uma taxa fixa em outra moeda.

Apreçamento e ajustes de convexidade

No Capítulo 6, explicou-se que os swaps de taxa de juro e de moeda *plain vanilla* podem ser apreçados assumindo-se que as taxas de juro no futuro serão iguais às taxas *forward* correspondentes observadas hoje no mercado. Os swaps não-padronizados discutidos até aqui também podem ser apreçados dessa maneira. Entretanto, para os próximos três tipos de swaps isso não se aplica. Estes são apreçados assumindo-se que as taxas de juro no futuro serão iguais às taxas forward correspondentes, observadas hoje no mercado, mais um ajustamento. O ajuste é conhecido como *ajuste de convexidade*[5].

Swaps *Libor-in-arrears*

O swap de taxa de juro *plain vanilla* é estruturado de tal forma que a taxa de juro flutuante observada em uma data de pagamento é paga no próximo pagamento. Instrumento alternativo que, às vezes, é negociado é o *swap Libor-in-arrears*. Nesse swap, a taxa flutuante paga em uma data de pagamento é igual à taxa observada nesse momento.

Swaps CMS e CMT

O swap de maturidade constante (CMS) é um swap de taxa de juro em que a taxa flutuante é igual à taxa do swap para o swap com determinado tempo de vida. Por exemplo, os pagamentos flutuantes no swap CMS podem ser feitos em todos semestres a uma taxa igual à taxa de swap de cinco anos. Em geral, há defasagem de tempo de tal modo que o pagamento em uma data de pagamento específica é igual à taxa de swap observada na

---

[5] Para discussão desses tipos de ajuste de convexidade, ver Capítulo 20 de Hull, J. C. *Options, Futures and Other Derivatives*. Upper Saddle River, N. J.: Prentice Hall, 2000.

data de pagamento anterior. Suponha que as taxas sejam fixadas nas datas $t_0, t_1, t_2,...$ e os pagamentos sejam feitos nas datas $t_1, t_2, t_3,....$. O pagamento flutuante na data t_{i+1} será:

$$\delta_i L s_i$$

onde $\delta_i = t_{i+1} - t_i$ e s_i é a taxa de swap de cinco anos na data t_i.

Swaps diferencial

O *swap diferencial*, algumas vezes denominado *diff swap*, é um swap de taxa de juro em que uma taxa de juro flutuante é observada em uma moeda e aplicada ao principal em outra moeda. Por exemplo, o swap pode envolver os pagamentos em uma direção calculados como a Libor em dólares aplicada a um principal em dólares e os pagamentos na outra direção calculados como a Libor em libras (mais ou menos um *spread*) aplicados sobre o mesmo principal em dólares. *Diff swaps* às vezes são denominados *quantos*.

Um *diff swap* consiste em pura especulação em taxa de juro. Este se distingue do swap de moeda *floating-for-floating* normal. Em nosso exemplo, a companhia que paga libras ganha se a Libor em libra decrescer em relação à Libor em dólares e perde se acontece o contrário. O valor do swap de moeda, em que pagamentos flutuantes em libra são trocados por pagamentos flutuantes em dólares, depende dos movimentos de taxas de câmbio e de taxas de juro nos dois países.

Swaps de *equity* [N.T.]

Em um swap de *equity*, uma parte promete pagar o retorno sobre um índice de *equities* sobre determinado principal nocional e a outra parte promete pagar uma taxa fixa ou um retorno flutuante sobre um principal nocional. Os swaps de *equity* permitem aos administradores de fundo aumentar ou reduzir sua exposição ao índice sem comprar ou vender a ação. Um swap de *equity* é uma alternativa interessante de juntar uma série de contratos a termo sobre um índice de forma a atender as necessidades do mercado.

O índice de *equity* normalmente é um índice de retorno total [*total return index*] em que os dividendos são reinvestidos nas ações que compõem o índice. Um exemplo de *equity* swap está na Tabela 19.3. Nesse exemplo, a Microsoft paga o retorno do S&P 500 em seis meses ao Citibank e o Citibank paga a Libor de seis meses à Microsoft. O principal em ambas as pontas do swap é de US$100 milhões e os pagamentos são feitos a cada seis meses.

[N.T.] No Brasil, havia o hábito de se traduzir *equity* como valores mobiliários. Nos anos recentes, porém, aumentou a confusão acerca do conceito do que vem a ser valores mobiliários no Brasil. Assim, *equity* deve ser entendido como títulos que implicam participação na companhia. De forma mais genérica e simples, pode-se associar o conceito de *equity* a ações.

Tabela 19.3 – Extrato de confirmação para swap de *equity*

Data da negociação	4 de janeiro de 2001
Data efetiva	11 de janeiro de 2001
Convenção de dias úteis (todas as datas)	Dias úteis posteriores
Calendário de feriados	Norte-americano
Data de término	11 de janeiro de 2006
Montante associada à *equity*	
Parte que paga	Microsoft
Índice de *equity*	Retorno total do índice S&P500
Pagamentos associados à *equity*	$100(I_1 - I_0)/I_0$, onde I_1 é o nível do índice na data de pagamento e I_0 é o nível do índice na data que antecede ao pagamento. No caso do primeiro pagamento, I_0 é o nível do índice em 11 de janeiro de 2001
Datas de pagamento associadas à *equity*	Cada 11 de julho e 11 de janeiro, iniciando em 11 de julho de 2001 até 11 de janeiro de 2006, inclusive
Montante flutuante	
Parte que paga taxa flutuante	Citibank
Principal associada à taxa flutuante	US$100 milhões
Taxa flutuante	Libor de seis meses em US$
Convenção de dias associada à taxa flutuante	Efetiva/360
Datas de pagamento associadas à taxa flutuante	Cada 11 de julho e 11 de janeiro, iniciando em 11 de julho de 2001 até 11 de janeiro de 2006, inclusive

Accrual swaps

Accrual swaps são swaps em que o juro em uma das pontas é acruado apenas quando a taxa flutuante subjacente ficar dentro de certo intervalo. Algumas vezes, o intervalo permanece fixo durante toda a vida do swap; outras vezes é repactuado periodicamente.

A título de ilustração, considere o *accrual* swap em que a taxa fixa de 6% é trocada pela Libor de três meses todo trimestre. O principal é US$10 milhões e a taxa fixa "acrua" apenas nos dias em que a Libor de três meses é menor que 8% ao ano.

Seja n_1 o número de dias úteis em um trimestre, nos quais a Libor ficou abaixo de 8%. Seja n_2 o número de dias úteis no ano. O pagamento a ser feito no fim do trimestre será:

$$10.000.000 \times 0,06 \times n_1/n_2$$

Por exemplo, quando $n_1 = 25$ e $n_2 = 252$, o pagamento deve ser de US$59.524. No swap comum, o pagamento seria de $0,25 \times 10$ milhões $\times 0,06$ ou US$150.000.

Comparado ao swap comum, o pagamento fixo economiza 10 milhões × 0,06/252 = US$2.381 a cada dia em que a taxa Libor ficar abaixo de 8%. O titular da posição em taxa fixa pode, portanto, ser considerado o detentor de swap comum mais uma série de opções binárias, uma para cada dia da vida do contrato.

Swaps passíveis de cancelamento

O swap passível de cancelamento – *cancelable* swaps – é um swap de taxa de juro *plain vanilla* em que um lado tem a opção de terminá-lo [*terminate*] em qualquer uma das datas de pagamento[N.T.]. Terminar, nesse caso, é equivalente a tomar um swap na posição contrária. Considere o swap entre Microsoft e Citibank. Se a Microsoft tiver a opção de cancelá-lo, o swap poderá ser considerado swap comum mais uma posição longa em uma opção para tomar um swap na posição contrária. Se o Citibank tiver a opção de cancelamento, a Microsoft terá um swap comum mais uma posição *short* em uma opção sobre o swap contrário.

Se há apenas uma data em que o swap pode ser cancelado [*termination date*], o swap passível de cancelamento é equivalente a um swap comum mais uma posição em uma opção sobre swap européia. Considere, por exemplo, o swap de dez anos em que a Microsoft receberá 6% e pagará Libor. Suponha que a Microsoft tenha a opção de terminar o swap ao fim de seis anos. O swap equivale a um swap comum de dez anos para receber 6% e pagar Libor mais uma posição longa em uma opção européia de seis anos para entrar no swap de quatro anos para pagar 6% ao ano e receber Libor (este último denominado opção européia 6 × 4). O modelo-padrão de mercado para apreçamento de opções européias de swap está descrito no Capítulo 18.

Quando o swap pode ser terminado em várias datas de pagamento, este é um swap comum mais uma opção sobre swap estilo bermuda. Considere, por exemplo, a situação em que a Microsoft entrou em um swap de cinco anos com pagamentos semestrais em que receberá 6% e pagará Libor. Suponha que a contraparte tenha a opção de terminar o swap nas datas de pagamento entre os anos 2 e 5. O swap equivale a um swap comum mais uma posição *short* em uma opção de swap estilo bermuda que dá à contraparte a opção para entrar em um swap com vencimento em cinco anos para pagar 6% e receber pagamentos flutuantes com base na Libor. O swap pode ser exercido em qualquer data de pagamento entre o ano dois e o ano cinco.

Há também swaps compostos que podem ser cancelados. Em geral, o contrato define que no término o devedor em taxa flutuante paga o valor composto – acumulado ou capitalizado – dos montantes auferidos às taxas flutuantes até a data de término e o devedor, em taxa fixa, paga o valor acumulado dos pagamentos em taxa fixa calculados até a data de término.

[N.T.] De acordo com o *Dicionário de Administração de Risco Financeiro*, de Gary Gastineau e Mark. P. Kritzman, o termo *termination* significa cancelar acordo ou instrumento, cuja liquidação tem por base termos estabelecidos anteriormente.

Swaps *index amortizing*

Um swap bastante conhecido nos Estados Unidos em meados dos anos 1990 é o *swap index amortizing* (às vezes, também chamado de *indexed principal swap*). Neste, o principal é reduzido de acordo com o nível das taxas de juro. Quanto mais baixa a taxa de juro, maior a redução no principal. A ponta fixa nesse swap era estruturada com o objetivo de replicar, aproximadamente, o retorno obtido por um investidor em *mortgage-backed security* (MBS). Para o investidor, o swap tinha o efeito de trocar o retorno em um MBS por uma taxa de retorno flutuante.

Swaps de commodities

Recentemente, os swaps de commodities têm se tornado bastante conhecidos. Uma companhia que consome 100.000 barris de petróleo por dia pode concordar em pagar US$2 milhões a cada ano pelos próximos dez anos e, em troca, receber 100.000S, onde S é o preço de mercado corrente do petróleo por barril. O contrato permitiria à companhia travar seu custo de compra da commodity ao preço de US$20 o barril. Um produtor de óleo poderia concordar em tomar a outra ponta, garantindo assim preço de venda para seu produto de US$20 o barril.

Swaps de volatilidade

Inovação recente nos mercados de swap é o swap de volatilidade. Nesse tipo de swap, os pagamentos dependem da volatilidade de uma ação (ou outro ativo). Suponha que o principal seja L. Em cada data de pagamento, uma ponta paga $L\sigma$ onde σ é a volatilidade histórica calculada da forma usual considerando as observações sobre a ação durante o período acruado imediatamente anterior; a outra ponta paga $L\sigma_K$, onde σ_K é um nível de volatilidade constante predeterminada. Swaps de variância, swaps de correlação e swaps de covariância também são definidos de forma similar.

Negócios bizarros

Alguns swaps envolvem a troca de pagamentos por meio de formas que poderiam ser chamadas de bizarras. Um exemplo é o conhecido swap "5/30" negociado entre Bankers Trust (BT) e Procter and Gamble (P&G) em 2 de novembro de 1993[6]. Trata-se de um swap de cinco anos com pagamentos semestrais. O principal nocional era de US$200 milhões. O BT pagaria à P&G 5,30% ao ano. A P&G pagaria ao BT a taxa média de 30 dias de *commercial paper* menos 75 pontos-base mais *spread*. A taxa média de *commercial paper* era calculada com base nas observações das taxas de *commercial paper* de 30 dias durante o período acruado.

---

[6] Veja Smith, D. J. Agressive Corporate Finance: a Close Look at the Procter and Gamble-Bankers Trust Leveraged Swap. *Journal of Derivatives* 4(4), pp. 67–79, summer 1997.

O *spread* era zero para a primeira data de pagamento (2 de maio de 1994). Para as demais nove datas de pagamento, o valor seria apurado da seguinte forma:

$$\text{máx}\left[0, \frac{98,5\left(\dfrac{\text{CMT de 5 anos\%}}{5,78\%}\right)-(\text{preço do TSY de 30 anos})}{100}\right]$$

CMT é a taxa [*yield*] denominada *Constant Maturity Treasury* (ou seja, o rendimento em uma nota do Tesouro de cinco anos, da forma reportada pelo Federal Reserve). O preço do TSY de 30 anos é o ponto intermediário entre oferta de compra e oferta de venda [*bid and offer*] para negociação a vista de bônus do Tesouro com cupom de 6,25% e maturidade em agosto de 2023. Note que o *spread* calculado na fórmula é uma taxa de juro expressa em número decimal. Não é uma taxa medida em pontos-base. Se a fórmula resultasse 0,1 e a taxa do *commercial paper* fosse 6% ao ano, a taxa a ser paga pela P&G seria 15,25%.

A P&G estava esperando que o *spread* fosse zero e que o negócio possibilitaria trocar *funding* à taxa fixa de 5,30% por *funding* à taxa de 75 pontos-base menor que a taxa do *commercial paper*. Entretanto, as taxas de juro subiram acentuadamente no começo de 1994, os preços dos bônus caíram e o swap tornou-se extremamente caro para a P&G. Esse exemplo está no Capítulo 21 (veja também o problema 19.17).

19.4 SUMÁRIO

Opções exóticas são opções cujas regras de definição dos *payoffs* não são tão óbvias como aquelas relativas às opções padronizadas. Estas permitem tesoureiros de corporações utilizarem inúmeras alternativas para atingir seus objetivos. Algumas opções exóticas não passam de portfólios de *calls* e *puts* européias e americanas comuns. Outras são mais sofisticadas.

Os *mortgage-backed securities* são criados quando uma instituição financeira decide vender parte de seu portfólio de hipotecas residenciais aos investidores. As hipotecas são colocadas em um *pool* e os investidores adquirem o risco do *pool* por meio da compra de suas frações (*units*). As hipotecas são garantidas contra o risco de inadimplemento por uma agência governamental, mas os investidores estão sujeitos ao risco de pagamento antecipado. Não raro, o retorno de um *pool* de hipotecas é desmembrado em vários componentes para atender às necessidades de diferentes tipos de investidores.

Os swaps mostraram ser instrumentos financeiros bastante versáteis. Hoje, existem muitas variações do swap *plain vanilla* em que se troca taxa fixa por taxa flutuante [*fixed-for-floating* swap], inclusive os swaps *step-up,* swaps com amortização*,* swaps compostos*,* swaps *Libor-in-arrears,* swaps diferenciais e swaps CMS/CMT, que envolvem modificações no modo como os pagamentos são calculados ou no momento em que são realizados. Outros como os *accrual* swaps e swaps passíveis de cancelamento têm opções embutidas.

SUGESTÕES PARA LEITURAS COMPLEMENTARES

BOYLE, P. P.; LAU, S. H. Bumping Up Against the Barrier with the Binomial Method. *Journal of Derivatives* 1(4), pp. 6–14, summer 1994.

BROADIE, M.; GLASSERMAN, P.; KOU, S. G. A Continuity Correction for Discrete Barrier Options. *Mathematical Finance* 7(4), pp. 325–349, October 1997.

BROADIE, M.; GLASSERMAN, P.; KOU, S. G. Connecting Discrete and Continuous Path-Dependent Options. *Finance and Stochastics* 2, pp. 1–28, 1998.

CHANCE, D.; RICH, D. The Pricing of Equity Swap and Swaptions. *Journal of Derivatives* 5(4), pp.19–31, summer 1998.

CLEWLOW, L.; STRICKLAND, C. *Exotic Options: the State of the Art*. London: Thomson Business Press, 1997.

CONZE, A.; VISWANATHAN, S. Path Dependent Options: The Case of Lookback Options. *Journal of Finance* 46, pp. 1893–1907, 1991.

CURRAN, M. Beyond Average Intelligence. *Risk*, pp. 60–62, October 1992.

DEMETERFI, K., DERMAN, E., KAMAL, M.; ZOU, J. A Guide to Volatility and Variance Swaps. *Journal of Derivatives* 6(4), pp. 9–32, summer 1999.

GARMAN, M. Recollection in Tranquility. *Risk*, March 1989.

GESKE, R. The Valuation of Compound Options. *Journal of Financial Economics* 7, pp. 63–81, 1979.

GOLDMAN, B., SOSIN, H.; GATTO, M. A. Path Dependent Options: Buy at the Low, Sell at the High. *Journal of Finance* 34, pp. 1111–1127, December 1979.

HUDSON, M. The Value of Going Out. *Risk*, March 1991.

HULL, J. C. *Options, Futures, and Other Derivatives*. Upper Saddle River, N. J.: Prentice Hall, 2000.

HULL, J. C.; WHITE, A. Efficient Procedures for Valuing European and American Path-Dependent Options. *Journal of Derivatives*, pp. 21–31, fall 1993.

HULL, J. C.; WHITE, A. Finding the Keys. *Risk*, September 1993.

LEVY, E.; TURNBULL, S. M. Average Intelligence. *Risk*, pp. 53–59, February 1992.

MARGRABE, W. The Value of an Option to Exchange One Asset for Another. *Journal of Finance* 33, pp. 177–186, March 1978.

RUBINSTEIN, M.; REINER, E. Breaking Down the Barriers. *Risk,* September 1991.

RUBINSTEIN, M. Double Trouble. *Risk*, December 1991–January 1992.

RUBINSTEIN, M. One for Another. *Risk*, July–August 1991.

RUBINSTEIN, M. Options for the Undecided. *Risk*, April 1991.

RUBINSTEIN, M. Pay Now, Choose Later. *Risk*, February 1991.

RUBINSTEIN, M. Somewhere Over the Rainbow. *Risk,* November 1991.

RUBINSTEIN, M. Two in One. *Risk,* May 1991.

RUBINSTEIN, M.; REINER., E. Unscrambling the Binary Code. *Risk,* October 1991.

SMITH, D. J. Aggressive Corporate Finance: A Close Look at the Procter and Gamble-

Bankers Trust Leveraged Swap. *Journal of Derivatives* 4(4), pp. 67–79, summer 1997.

STULZ, R. Options on the Minimum or Maximum of Two Assets. *Journal of Financial Economics* 10, pp. 161–185, 1982.

TURNBULL, S. M.; WAKEMAN, L. M. A Quick Algorithm for Pricing European Average Options. *Journal of Financial and Quantitative Analysis* 26, pp. 377–389, September 1991.

PERGUNTAS RÁPIDAS (RESPOSTAS NO FINAL DO LIVRO)

19.1 Explique a diferença entre opção *forward start* e opção *chooser*.

19.2 Descreva o *payoff* de um portfólio composto de uma *call lookback* e uma *put lookback* com a mesma maturidade.

19.3 Considere uma opção *chooser* em que o titular tem o direito de escolher entre uma *call* européia e uma *put* européia a qualquer tempo durante o período de dois anos. As datas de maturidade e os preços de exercício para *calls* e *puts* são as mesmas independentemente de quando a escolha será feita. É sempre vantajoso escolher antes do fim do período de dois anos? Explique sua resposta.

19.4 Suponha que c_1 e p_1 sejam os preços de uma opção de compra e de venda européia de preço médio com preço de exercício X e maturidade T; c_2 e p_2 sejam os preços de uma opção de compra e de venda européia de preço de exercício médio com maturidade T; c_3 e p_3 sejam os preços de uma opção de compra e de venda européias comuns com preço de exercício X e maturidade T. Mostre que:

$$c_1 + c_2 - c_3 = p_1 + p_2 - p_3$$

19.5 Explique por que IOs e POs têm sensibilidade à taxa de pagamentos antecipados contrárias.

19.6 Explique a relação entre swap passível de cancelamento e opção sobre swap.

19.7 A Libor em dólares canadenses é 2% maior que a Libor em dólares norte-americanos para todas as maturidades. Um *trader* acha que o *spread* entre a Libor americana de três meses e a Libor canadense de três meses vai abrir, mas está incerto acerca de como a taxa de câmbio entre as duas moedas irá se alterar. Explique como o *trader* poderia usar um *diff swap*. Por que seria melhor o *diff swap* do que um swap de moedas *floating-for-floating*?

QUESTÕES E PROBLEMAS (RESPOSTAS NO MANUAL DE SOLUÇÕES)

19.8 No texto, há decomposição de um tipo de opção *chooser* em uma opção de compra com vencimento em t_2 e uma opção de venda com vencimento em t_1.

Usando a paridade *put–call* para obter uma expressão para c em vez de p, derive uma decomposição alternativa em uma *call* com vencimento em t_1 e uma *put* com vencimento em t_2.

19.9 Explique por que, a *put down-and-out* vale zero quando a barreira é maior que o preço de exercício.

19.10 Prove que uma opção *forward start* no dinheiro sobre uma ação que não paga dividendos, que será iniciada em três anos e vence em cinco anos vale a mesma coisa que uma opção de dois anos que se inicia hoje.

19.11 Suponha que o preço de exercício de uma opção de compra americana sobre uma ação que não paga dividendos cresce à taxa g. Mostre que se g é menor que a taxa de juro livre de risco, r, nunca é vantajoso exercer a *call* antecipadamente.

19.12 Responda às seguintes questões sobre opções compostas:

a) Qual relação de paridade *put–call* existe entre o preço de uma opção de compra européia sobre uma *call* e uma opção de venda européia sobre uma *call*?

b) Qual relação de paridade *put–call* existe entre o preço de uma opção de compra européia sobre uma *put* e uma opção de venda européia sobre uma *put*?

19.13 Uma opção de compra *lookback* torna-se mais ou menos valiosa à medida que aumenta a freqüência com que se observa o preço do ativo para calcular o mínimo?

19.14 Uma opção de compra *down-and-out* torna-se mais ou menos valiosa à medida que se aumenta a freqüência com a qual se observa o ativo para determinar se a barreira foi atingida? Que resposta você daria para essa mesma questão aplicada a uma opção de compra *down-and-in*?

19.15 Explique por que a opção de compra européia comum é a soma de uma opção de compra européia *down-and-out* e uma opção de compra européia *down-and-in*.

19.16 Qual é o valor de um derivativo que paga US$100 em seis meses se o índice S&P for maior que 1.000 e zero caso contrário? Assuma que o nível corrente do índice seja 960, a taxa de juro livre de risco seja de 8% ao ano, o rendimento de dividendo sobre o índice seja de 3% ao ano e a volatilidade do índice seja de 20%.

19.17 Estime a taxa de juro paga pela P&G no swap 5/30 descrito na seção 19.3 se (a) a taxa do CP for 6,5% e a curva de juros do Tesouro for horizontal [*flat*] ao nível de 6% e (b) a taxa do CP for de 7,5% e a curva de juros do Tesouro for horizontal ao nível de 7%.

19.18 Use o DerivaGem para calcular o valor de:

a) Uma opção de compra européia comum sobre uma ação que não paga dividendo, sendo o preço da ação US$50; o preço de exercício, US$50; a taxa de juro livre de risco, 5% ao ano; a volatilidade, 30% ao ano e o tempo até a maturidade de um ano;

b) Uma opção de compra européia *down-and-out* com parâmetros iguais aos da opção descrita em (a) com barreira a US$45;

c) Uma opção de compra européia *down-and-in* com parâmetros iguais aos da opção descrita em (a) com barreira a US$45.

Mostre que a opção em (a) vale a soma dos valores das opções em (b) e em (c).

QUESTÕES DE PROVA

19.19 Qual é o valor em dólares de um derivativo que paga £10.000 em um ano dado que a taxa de câmbio dólar-libra é maior que 1,500 nessa data? A taxa de câmbio corrente é 1,4800. As taxas de juro em dólar e libra são 4% ao ano e 8% ao ano, respectivamente. A volatilidade da taxa de câmbio é 12% ao ano.

19.20 Considere uma opção de compra com barreira *up-and-out* sobre uma ação que não paga dividendo quando o preço da ação é US$50; o preço de exercício, US$50; a volatilidade, 30%; a taxa de juro livre de risco, 5%; o tempo até a maturidade, um ano; e a barreira, 80. Use o DerivaGem para apreçar a opção e fazer o gráfico da relação entre (a) o preço da opção e o preço da ação, (b) o preço da opção e o tempo até a maturidade e (c) o preço da opção e a volatilidade. Dê uma explicação intuitiva para os resultados a que você chegar. Mostre que delta, teta e vega para uma opção de compra com barreira *up-and-out* podem ser positivos ou negativos.

19.21 Suponha que a taxa Libor zero seja horizontal ao nível de 5% com capitalização anual. Em um swap de cinco anos, a companhia X paga a taxa fixa de 6% e recebe anualmente Libor sobre o principal de US$100 milhões. A volatilidade da taxa de swap de dois anos daqui a três anos é de 20%.

a) Qual é o valor do swap?

b) Use o DerivaGem para calcular o valor do swap se a companhia X tiver a opção de cancelá-lo em três anos.

c) Use o DerivaGem para calcular o valor do swap se a contraparte tiver a opção de cancelá-lo em três anos.

d) Qual é o valor do swap se ambos os lados puderem cancelá-lo no final de três anos?

Capítulo 20

DERIVATIVOS DE CRÉDITO, TEMPO, ENERGIA E SEGURO

Neste capítulo, são examinadas algumas recentes inovações nos mercados derivativos, como os produtos desenvolvidos para administrar risco de crédito, risco de tempo, risco de preço de energia e riscos enfrentados por companhias de seguro. Alguns mercados abordados estão em seus estágios iniciais. Mas, à medida que maturam, são observadas mudanças importantes tanto nos produtos oferecidos quanto na forma em que são utilizados.

20.1 DERIVATIVOS DE CRÉDITO

Derivativo de crédito é o contrato em que o *payoff* depende da avaliação de crédito de uma ou mais entidade soberana ou comercial. O objetivo é permitir que os riscos de crédito sejam negociados e administrados tanto quanto os riscos de mercado.

Credit default swaps

O derivativo de crédito mais conhecido é o *credit default swap* (CDS). Trata-se de contrato que oferece seguro contra o risco de inadimplemento [*default*] por determinada companhia. A companhia é denominada *entidade de referência* e seu inadimplemento é chamado de *evento de crédito.* O comprador do seguro obtém o direito de vender um bônus emitido pela companhia pelo seu valor par quando o evento de crédito ocorre. O bônus é conhecido como *obrigação de referência* e o valor par total do bônus que pode ser vendido é denominado *principal nocional* do swap.

O comprador de CDS faz pagamentos periódicos ao vendedor até o fim da vida do contrato ou até que ocorra um evento de crédito. Este, em geral, requer pagamento final pelo comprador. O swap é liquidado por entrega física ou por liquidação financeira. Se os termos do swap exigirem a entrega física, o comprador do swap entrega os bônus ao vendedor em troca de seu valor par. Quando os termos estabelecem liquidação financeira, o agente de cálculo faz pesquisa junto aos *dealers* para determinar o preço médio de mercado, *Q*, para a obrigação de referência, em data situada a alguns dias depois da ocorrência do evento de crédito, previamente estabelecido. O valor de liquidação financeira é (100 – *Q*)% do principal nocional.

Um exemplo pode ajudar a ilustrar como um típico negócio é estruturado. Suponha que duas partes entrem em *credit default* swap de cinco anos no dia 1º de março de 2000. Assuma que o principal nocional seja de US$100 milhões e que o comprador concorde em pagar 90 pontos-base anualmente pela proteção contra inadimplemento por uma entidade de referência. Se a entidade de referência não inadimplir (ou seja, não houver evento de crédito), o comprador não receberá qualquer *payoff* e pagará US$900.000 em 1º de março de cada um dos anos 2001, 2002, 2003, 2004 e 2005. Se houver evento de crédito, provavelmente haverá *payoff* significativo. Suponha que o comprador notifique o vendedor de um evento de crédito em 1º de setembro de 2003 (na metade do quarto ano). Se o contrato especificar liquidação física, o comprador terá o direito de vender o valor par de US$100 milhões da obrigação de referência por US$100 milhões. Se o contrato estabelecer liquidação financeira, o agente de cálculo irá pesquisar junto aos *dealers* para determinar o valor médio de mercado da obrigação de referência na data situada em número de dias predeterminado após a ocorrência do evento de crédito. Se o valor da obrigação de referência for de US$35 para cada US$100 do valor par, o *payoff* em dinheiro será de US$65 milhões. Tanto no caso de entrega física como no caso de liquidação financeira, o comprador será obrigado a pagar ao vendedor o montante dos pagamentos anuais, acumulados entre 1º de março de 2003 e 1º de setembro de 2003 (aproximadamente US$450.000), mas nenhum pagamento adicional terá de ser feito.

Há grande número de variações do *credit default swap*. Em *credit default* swap binário, o *payoff* no caso de ocorrência de *default* é um valor fixo em dólares. Em *basket credit default swap*, um grupo de entidades de referência é especificado e há *payoff* quando a primeira dessas entidades de referência inadimplir. Em *contingent credit default swap*, o *payoff* requer não só o evento de crédito mais um gatilho adicional. O gatilho adicional pode ser um evento de crédito com relação a outra entidade de referência ou mudança em uma variável de mercado de determinada magnitude. Em *dynamic credit default swap*, o valor nocional que determina o *payoff* está amarrado ao valor do *mark-to-market* de um portfólio de swaps.

Total return swap

Em *total return swap*, o retorno de um ativo ou grupo de ativos é "swapado" pelo retorno de outro. O swap pode ser usado para passar os riscos de créditos para outra parte ou diversificar o risco de crédito trocando (swapando) um tipo de exposição por outra. Considere dois bancos, TexBank e MicBanck. O TexBank está localizado no Texas e tem interesse em realizar empréstimos para a indústria petrolífera. O MicBank está localizado em Michigan e seu principal negócio é a realização de empréstimos para as montadoras de automóveis e seus fornecedores. Para reduzir seu risco de crédito, o TexBank poderia entrar em *total return swap* em que o retorno sobre alguns dos seus empréstimos são trocados por retorno baseado na Libor. O MicBank poderia fazer o mesmo. Isso implicaria ter de achar uma terceira parte para a qual os riscos seriam repassados. Alternativamente, os dois bancos poderiam entrar em *total return swap* em que o TexBank troca o retorno de alguns dos seus empréstimos para empresas petrolíferas pelo retorno sobre alguns dos empréstimos do MicBank para as montadoras de automóveis. Isso resultaria na diversificação do risco para ambos os lados.

Opções sobre *spread* de crédito

Opções sobre *spread* de crédito são opções sobre o *spread* entre os retornos de dois ativos. Essa opção gera pagamento a seu titular a qualquer momento em que o *spread* exceder algum nível (o *spread* de exercício). Considere o investidor com aplicações em bônus denominados em dólares emitidos pelo Brasil. Ele poderia comprar uma opção que pagasse um valor quando a taxa do bônus excedesse a taxa dos bônus do Tesouro norte-americano em 500 pontos-base. O *payoff* poderia ser calculado como a diferença entre o valor do bônus com *spread* de 500 pontos-base e o valor de mercado do bônus. Essa opção limitaria a exposição do investidor ao risco de crédito soberano subjacente.

20.2 DERIVATIVOS DE TEMPO

Muitas companhias estão em uma posição na qual sua performance pode ser prejudicada pelas condições do tempo[1]. Então, faz sentido para essas companhias considerar a possibilidade de *hedgear* seu risco ao tempo de forma bastante parecida com o *hedge* do risco de taxas de câmbio ou de juro.

O primeiro derivativo de tempo foi introduzido em 1997. Para entender como funcionam, é necessário explicar duas variáveis:

HDD = grau–dia de aquecimento;
CDD = grau–dia de resfriamento[N.T.].

O HDD de um dia é definido como:

$$HDD = máx(0; 65 - A)$$

[1] O Departamento de Energia dos Estados Unidos afirma que um sétimo da economia norte-americana está sujeita ao risco de variações das condições de tempo.

[N.T.] O HDD [*heating degree days*] é indicador de quão frio está o dia em relação à temperatura-base, o que leva à necessidade de calefação. Já o CDD [*cooling degree days*] é indicador de quão quente está o dia em relação à temperatura-base, o que leva à necessidade de refrigeração.

O CDD de um dia é definido como:

$$\text{CDD} = \text{máx}(0; A - 65)$$

onde A é a média entre a temperatura mais alta e mais baixa durante o dia em certa estação do ano, medida em graus Fahrenheit. Por exemplo, se a temperatura máxima durante um dia (de meia-noite a meia-noite) for 68° Fahrenheit e a temperatura mínima for 44° Fahrenheit, $A = 56$. Portanto, o HDD do dia é 9 e o CDD do dia é 0.

Um típico produto de balcão é o contrato a termo [*forward*] ou contrato de opção que proporciona um *payoff* dependendo do valor acumulado de HDD ou CDD durante um período. Por exemplo, o *dealer* de investimentos poderia, em janeiro de 2000, vender uma opção de compra sobre o HDD acumulado durante fevereiro de 2001 na estação de medição de tempo do aeroporto de O'Hare em Chicago com preço de exercício de 700 e taxa de pagamento de US$10.000 por grau ao dia. Se o HDD cumulativo real for 820, o *payoff* será US$1,2 milhão. Freqüentemente, os contratos incluem pagamento do tipo *cap*. Se esse pagamento *cap*, no nosso exemplo, for de US$1,5 milhão, o contrato será equivalente a *spread* de alta [*bull spread*]. O cliente tem posição longa em opção de compra sobre o HDD cumulativo com preço de exercício de 700 e posição longa em uma opção de compra com preço de exercício de 850.

Um dia de HDD é uma medida do volume de energia requerido para o aquecimento de um dia. Um dia de CDD é uma medida do volume de energia requerido para o resfriamento durante um dia. No momento em que este livro foi escrito, a maior parte dos derivativos de tempo era negociada por produtores e consumidores de energia. Mas varejistas, cadeias de supermercados, produtores de alimentos e bebidas, e companhias de serviços de saúde, agrícolas e da indústria de lazer também são usuários potenciais de derivativos de tempo. A Weather Risk Management Association (www.wrma.org) foi criada para servir aos interesses da indústria de administração de risco de tempo.

Em setembro de 1999, a Chicago Mercantile Exchange iniciou a negociação de contratos futuros e de opções européias sobre futuros de tempo. Os contratos têm como ativo subjacente o HDD cumulativo e o CDD cumulativo por um mês observado em uma estação de tempo[2]. Os contratos são liquidados financeiramente logo depois do fim do mês, uma vez que o HDD e o CDD sejam conhecidos. Um contrato futuro é US$100 vezes o HDD ou o CDD cumulativos. HDD e CDD são calculados pela companhia Earth Satellite Corporation, usando-se equipamento de coleta de dados automatizados.

Derivativos de tempo são, em geral, apreçados com dados históricos. Considere, por exemplo, uma opção de compra sobre o HDD de fevereiro de 2001 na estação do aeroporto O'Hare de Chicago, já mencionada. São coletados os dados de 50 anos e estimada a

[2] A CME lançou contratos para dez estações de tempo diferentes (Atlanta, Chicago, Cincinnati, Dallas, Des Moines, Las Vegas, Nova Iorque, Filadélfia, Portland e Tucson).

distribuição de probabilidade para o HDD. Esses valores, por sua vez, seriam usados para apurar a distribuição de probabilidade para o *payoff* da opção. Nossa estimativa do valor da opção seria a média dessa distribuição descontada pela taxa de juro livre de risco[3]. Pode-se ajustar a distribuição de probabilidade para as tendências da temperatura. Por exemplo, uma regressão linear mostra que o HDD cumulativo de fevereiro é decrescente à taxa de 15 por ano em média. O resultado da regressão é utilizado para estimar uma distribuição de probabilidade da tendência ajustada para o HDD em fevereiro de 2001.

20.3 DERIVATIVOS DE ENERGIA

Companhias de energia estão entre os mais ativos e sofisticados usuários de derivativos. Muitos produtos de energia são negociados tanto no mercado de balcão quanto nas bolsas. Nesta seção, são examinados os negócios com derivativos de petróleo, gás natural e eletricidade.

Petróleo

Petróleo ou óleo cru é uma das mais importantes commodites do mundo, com demanda global em torno de 65 milhões de barris (8,9 milhões de toneladas) diárias. Há muitos anos contratos de fornecimento a preço fixo de 10 anos têm sido bastante comuns no mercado de balcão. São swaps em que o petróleo a preço fixo é trocado por petróleo a preço flutuante.

Nos anos de 1970, o preço do petróleo era bastante volátil. Em 1973, a guerra no Oriente Médio triplicou os preços do petróleo. A queda do xá do Irã no final dos anos de 1970 novamente aumentou os preços. Tais eventos fizeram que produtores e consumidores de petróleo percebessem que necessitavam de ferramentas mais sofisticadas para administrar o risco de preço do petróleo. Nos anos de 1980, tanto o mercado de balcão quanto as bolsas desenvolveram produtos para atender a essa necessidade.

No mercado de balcão, qualquer derivativo sobre ações ou índice de ações está também disponível para petróleo como ativo subjacente. Contratos de swap, termo e opções são os mais conhecidos. Esses contratos, em alguns casos, são liquidados financeiramente e, em outros, por meio de entrega física (ou seja, a entrega do petróleo).

Também existem os contratos negociados em bolsa. A New York Mercantile Exchange (Nymex) e a International Petroleum Exchange (IPE) negociam vários contratos de futuros e opções sobre futuros de petróleo. Alguns são liquidados financeiramente; outros por entrega. Por exemplo, o contrato futuro de petróleo cru Brent negociado no IPE é liquidado financeiramente com base no Índice de Preço Brent; o futuro de petróleo *light sweet* negociado na Nymex requer entrega física. Em ambos os casos, o total de petróleo subjacente a um contrato é 1.000 barris. A Nymex também negocia contratos sobre dois produtos refinados: óleo para aquecimento e gasolina. Em ambos, cada contrato implica a entrega de 42.000 galões.

---

[3] Esse enfoque é teoricamente correto porque se assume que o tempo não tem risco não-sistemático.

Gás natural

A indústria de gás natural em todo o mundo tem experimentado a desregulamentação e a eliminação de monopólios estatais. Atualmente, o fornecedor de gás natural não é necessariamente a companhia que produz gás. Os fornecedores enfrentam o problema de encontrar demanda diária.

Um contrato de balcão típico estabelece a entrega de determinada quantidade de gás natural a uma taxa uniforme durante o período de um mês. Contratos a termo, de opções e swaps também estão disponíveis no mercado de balcão. O vendedor do gás, em geral, é responsável pelo transporte do gás dos gasodutos até o local especificado. A Nymex negocia contrato para a entrega de 10.000 milhões de unidades térmicas britânicas[N.T.] de gás natural. O contrato, se não for encerrado, requer que a entrega física seja realizada durante o mês de entrega a uma taxa aproximadamente uniforme em um *hub*[N.T.] na Louisiana. O IPE negocia contrato semelhante em Londres.

Eletricidade

Eletricidade é uma commodity incomum, pois não pode ser estocada[4]. A oferta máxima de eletricidade em uma região a qualquer momento é determinada pela capacidade máxima de todas as unidades produtoras de eletricidade na região. Nos Estados Unidos, há 140 regiões conhecidas como *áreas de controle*. Demanda e oferta são equiparadas dentro de uma área de controle e qualquer energia em excesso é vendida para outra. É essa energia em excesso que constitui o mercado atacado de eletricidade. A capacidade de uma região de controle para vender energia a outra depende da capacidade de transmissão das linhas entre as duas áreas. A transmissão de uma área para outra envolve custo de transmissão, suportado pelo proprietário da linha e há, geralmente, algum nível de transmissão ou perda de energia.

O principal uso da eletricidade é para sistemas de ar-condicionado. Como resultado, a demanda por eletricidade, e conseqüentemente seu preço, é muito maior nos meses de verão que nos meses de inverno. A impossibilidade de estocagem de eletricidade faz que o preço spot sofra grandes variações. Ondas de calor às vezes fazem o preço spot aumentar até 1.000% em curtos períodos de tempo.

Assim como o gás natural, a eletricidade tem experimentado período de desregulamentação e eliminação de monopólios estatais. Esse movimento tem sido acompanhado pelo desenvolvimento dos mercados derivativos de eletricidade. A Nymex

---

[N.T.] A unidade térmica britânica (BTU) é uma medida da energia de calor requerida para levar ao aumento de uma libra-massa de água em um grau Fahrenheit.

[N.T.] O termo *hub* refere-se ao local onde grande número de agentes negociam e também entregam fisicamente o gás natural.

[4] Produtores de eletricidade com capacidade de reserva freqüentemente usam-na para bombear água para o topo de suas unidades hidroelétricas de tal forma que possa produzir eletricidade mais tarde. Isso é o mais próximo que eles fazem para estocar a commodity.

negocia o contrato futuro sobre o preço da eletricidade. Há, ainda, mercado de balcão ativo em contratos a termo, opções e swaps. Um típico contrato (negociado em bolsa ou em balcão) permite a um lado receber número especificado de megawatt/horas por determinado preço em certa região durante certo mês. Em um contrato 5×8, a energia é recebida por cinco dias na semana (segunda a sexta) durante o horário de baixa demanda (das 23:00 às 7:00), para determinado mês. Em um contrato 5×16, a energia é recebida cinco dias na semana durante o horário de pico (7:00 às 23:00) para determinado mês. Em um contrato 7×24, a energia é recebida o dia todo, durante todos os dias, por um mês. Contratos de opção têm dia ou mês de exercício. No caso de exercício diário, o titular da opção pode escolher qualquer dia do mês (por meio de um aviso de entrega com um dia de antecedência) para receber a quantidade especificada de energia ao preço de exercício. Quando há um mês de exercício, no início do mês toma-se a decisão de receber ou não a energia durante todo o mês ao preço de exercício especificado.

Um contrato muito interessante usado nos mercados de eletricidade e de gás natural é o opção *swing* ou opção *take-and-pay*. Nesse contrato, quantidades mínima e máxima, que têm de ser compradas a certo preço pelo titular da opção, são especificadas para cada dia durante um mês e também para o mês no total. O titular da opção pode trocar [*swing*] a taxa à qual a energia é comprada durante o mês, mas em geral há limite no número total de mudanças que podem ser feitas.

Características dos preços de energia

Preços de energia, assim como preços de ações, apresentam volatilidade. Diferentemente dos preços de ações, estes também apresentam sazonalidade e reversão à média (veja a seção 18.7 para discussão sobre reversão à média). A sazonalidade surge em função da demanda sazonal por energia e das dificuldades de estocá-la. A reversão à média ocorre por causa dos desequilíbrios entre demanda e oferta de curto prazo, que fazem que os preços se movam para níveis diferentes de sua média sazonal. Mas, uma vez que as condições normais de mercado tenham sido restauradas, estes tendem a ser empurrados de volta a sua média sazonal. Para o petróleo, a volatilidade, a sazonalidade e a reversão à média são relativamente baixas. Para o gás natural, estas são mais altas; e para eletricidade, bem mais altas. A volatilidade típica para petróleo é 20% ao ano; para gás natural é 40% ao ano; para eletricidade, fica entre 100% e 200% ao ano.

Como o produtor de energia pode se proteger dos riscos

Há dois componentes no risco enfrentado pelo produtor de energia. Um é o risco de preço; o outro é o risco de volume. Embora os preços se ajustem de forma a refletir os volumes, não existe relação perfeita entre os dois, mas os produtores de energia têm de levar ambos em consideração para desenvolver a estratégia de *hedging*. O risco de preço pode ser *hedgeado* por meio do uso de contratos derivativos de energia discutidos nesta seção.

O risco de volume pode ser *hedge*ado com derivativos de tempo vistos na seção anterior.

Seja:

Y = lucro para um mês;

P = preço médio da energia em um mês;

T = variável de temperatura (HDD ou CDD) para um mês.

O produtor de energia pode usar dados históricos para obter a relação de regressão linear, no modo abaixo, que oferece o melhor ajustamento:

$$Y = a + bP + cT + \varepsilon$$

onde ε é o termo relativo ao erro. O produtor de energia pode *hedgear* os riscos para um mês tomando uma posição de $-b$ em contratos a termo ou futuros de energia e uma posição de $-c$ em contratos a termo ou futuros de tempo. A relação pode também ser utilizada para analisar a eficiência de estratégias alternativas com opções.

20.4 DERIVATIVOS DE SEGURO

Quando contratos de derivativos são usados para fins de *hedge*, assemelham-se em muito a contratos de seguro. Ambos os tipos de contratos são estruturados para oferecer proteção contra eventos adversos. Não surpreende que muitas companhias de seguro tenham subsidiárias que negociam derivativos e que muitas das atividades dessas companhias estejam se tornando muito similares às atividades dos bancos de investimento.

Tradicionalmente, a indústria de seguro faz *hedge* de sua exposição ao risco de catástrofe (CAT), como furacões e terremotos, usando a prática do resseguro. Contratos de resseguros podem assumir diversas formas. Suponha que a companhia de seguro tenha a exposição de US$100 milhões para terremotos na Califórnia e quer limitá-la a US$30 milhões. Uma alternativa é tomar contratos anuais de resseguro que cubram sua exposição em uma base *pro rata* de 70%. Se os pedidos de indenização referentes a terremoto na Califórnia forem de US$50 milhões em um ano, os custos da companhia seriam de apenas US$15 milhões. Outra alternativa, envolvendo prêmios de resseguro mais baixos, é comprar uma série de contratos de resseguro cobrindo o chamado *excess cost layers*. A primeira camada pode prover indenização para perdas entre US$30 milhões e US$40 milhões; a próxima camada cobre perdas entre US$40 milhões e US$50 milhões, e assim em diante. Cada contrato de resseguro é conhecido como contrato de resseguro *excess-of-loss*. É como se o ressegurador tivesse lançado *spread* de alta sobre o total das perdas. Está comprado em uma opção de compra com preço de exercício igual ao nível mais baixo da camada; e vendido em uma opção de compra com preço de exercício igual ao limite superior da camada[5].

[5] O resseguro é oferecido também sob a forma de um montante a ser pago caso certo nível de perda seja alcançado. O ressegurador tem uma posição equivalente ao lançamento de opção de compra binária do tipo *cash-or-nothing* sobre as perdas.

Os principais vendedores de resseguros de CAT tradicionalmente têm sido empresas de resseguro e sindicatos do tipo Lloyds (que são companhias de resseguro, estruturadas sob a forma de sindicatos de passivos ilimitados, formadas por indivíduos detentores de grandes fortunas). Nos anos recentes, representantes da indústria chegaram à conclusão de que suas necessidades de resseguro haviam superado o que poderia ser atendido por essas fontes tradicionais. Começaram, então, a procurar novas formas por meio das quais os mercados de capitais poderiam oferecer resseguros. Um dos eventos, que forçou a indústria a repensar suas práticas, foi o furacão Andrew em 1992, que causou danos de US$15 bilhões na Flórida. Esse valor excedia o total de prêmios de seguro recebidos na Flórida nos sete anos anteriores. Se o furacão Andrew tivesse atingido Miami, estima-se que as perdas seguradas teriam excedido US$40 bilhões. O furacão Andrew e outras catástrofes têm provocado aumentos nos prêmios de resseguro.

Contratos futuros de resseguro foram desenvolvidos pela CBOT, mas não estão sendo bem-sucedidos. O mercado de balcão tem criado vários produtos que são alternativas ao resseguro tradicional. O mais conhecido é o bônus CAT, emitido por subsidiária de companhia de resseguro que paga uma taxa de juro maior que a normal. Em troca desse juro maior, o detentor do bônus aceita oferecer um contrato de resseguro do tipo *excess-of-cost*. Dependendo dos termos do bônus CAT, o juro ou o principal (ou mesmo ambos) pode ser utilizado para atender aos sinistros. No exemplo anterior, em que a companhia de seguro quer proteção para perdas com terremotos na Califórnia entre US$30 milhões e US$40 milhões, esta poderia emitir bônus CAT com o principal de US$10 milhões. Na eventualidade de as perdas com terremotos na Califórnia excederem US$30 milhões, os proprietários dos bônus perderiam parte ou mesmo todo o seu principal. Como alternativa, a companhia de seguro poderia cobrir essa camada de custo em excesso [*excess cost layer*] emitindo bônus bem maior em que apenas os juros dos proprietários dos bônus estivessem em risco.

Bônus CAT têm alta probabilidade de taxa de juro acima do normal e baixa probabilidade de perdas altas. Por que os investidores estariam interessados nesses instrumentos? A resposta é que não há correlações estatisticamente significantes entre os riscos de CAT e os retornos de mercado[6]. Bônus CAT são, portanto, aditivo atrativo para o portfólio do investidor, pois não têm risco não-sistemático de tal modo que seu risco total pode ser completamente diversificado em um grande portfólio. Se o retorno esperado de bônus CAT é maior que a taxa de juro livre de risco (e normalmente o é), este tem potencial para melhorar os *trade-offs* de risco e retorno.

---

[6] Veja Litzenberger, R. H.; Beaglehole, D. R.; Reynolds, C. E. Assessing Catastrophe Reinsurance-Linked Securities as a New Asset Class. *Journal of Portfolio Management*, pp. 76–86, winter 1996.

20.5 SUMÁRIO

Este capítulo mostrou que, quando há riscos a serem administrados, os mercados derivativos têm sido bastante inovadores ao criar produtos que vão ao encontro das necessidades dos participantes do mercado.

O objetivo dos derivativos de crédito é possibilitar a negociação e a administração dos riscos de crédito da mesma forma que os riscos de mercado. O *credit default* swap (CDS) provê seguro contra o risco de determinada companhia inadimplir. O *total return* swap permite administrar um portfólio de riscos de crédito. A opção *credit spread* provê pagamento em função da magnitude do *spread* entre duas taxas.

O mercado de derivativos de tempo é relativamente novo, mas já tem atraído bastante atenção. Duas medidas, HDD e CDD, foram desenvolvidas para descrever a temperatura durante um mês. Estas são empregadas para definir os *payoffs* de contratos derivativos negociados em bolsa e no mercado de balcão. Não há dúvidas de que, à medida que os derivativos de tempo se desenvolverem, serão mais comuns contratos sobre chuva, neve e variáveis similares.

Nos mercados de energia, derivativos de petróleo têm sido importantes há algum tempo e desempenham papel fundamental ao auxiliar produtores e consumidores de petróleo a administrar seus riscos de preços. Derivativos de gás e eletricidade são relativamente novos. Estes se tornaram importantes para a administração de risco quando da desregulamentação desses mercados e da extinção dos monopólios estatais.

Os derivativos de seguro estão começando a se tornar alternativa tradicional de resseguro para que as companhias de seguro possam administrar os riscos de evento catastrófico como furacão ou terremoto. Não há dúvidas de que veremos outros tipos de instrumentos (por exemplo, seguro de vida e seguro de automóveis) sendo securitizados de forma similar à medida que o mercado se desenvolve.

SUGESTÕES PARA LEITURAS COMPLEMENTARES

ARDITTI, F.; CAI, L.; CAO, M. Whether to Hedge. *Risk Supplement and Weather Risk*, pp. 9–12, 1999.

CANTER, M. S.; COLE, J. B.; SANDOR, R. L. Insurance Derivatives: A New Asset Class for the Capital Markets and a New Hedging Tool for the Insurance Industry. *Journal of Applied Corporate Finance*, pp. 69–83, autumn 1997.

CLEWLOW, L.; STRICKLAND, C. Energy *Derivatives: Pricing and Risk Management*. Lacima Group, 2000.

DAS, S. *Credit Derivatives: Trading & Management of Credit & Default Risk*. Singapore: John Wiley & Sons, 1998.

EYDELAND, A.; GEMAN, H. Princing Power Derivatives. *Risk*, pp. 71–73, October 1998.

GEMAN, H. CAT Calls. *Risk*, pp. 86–89, September 1994.

HANLEY, M. A Catastrophe too Far. *Risk Supplement on Insurance*, July 1998.

HULL, J. C., WHITE, A. Valuing Credit Default Swaps I: No Counterparty Default Risk. *Journal of Derivatives* 8(1), pp. 29–40, 2000.

HUNTER, R. Managing Mother Nature. *Derivatives Strategy*, February 1999.

JOSKOW, P. Electricity Sectors in Transition. *The Energy Journal* 19, pp. 25–52, 1998.

KENDALL, R. Crude Oil: Price Shocking, *Risk Supplement on Commodity Risk*, May 1999.

LITZENBERGER, R. H., BEAGLEHOLE, D. R.; REYNOLDS, C. E. Assessing Catastrophe Reinsurance-Linked Securities as a New Asset Class. *Journal of Portfolio Management*, pp. 76–86, winter 1996.

TAVAKOLI, J. M. *Credit Derivatives: A Guide to Instruments and Applications.* New York: John Wiley & Sons, 1998.

PERGUNTAS RÁPIDAS (RESPOSTAS NO FINAL DO LIVRO)

20.1 Explique a diferença entre *credit default* swap e *total return* swap.

20.2 O *credit default* swap requer prêmio de 60 pontos-base por ano, pagos semestralmente. O principal é US$300 milhões e o *credit default* swap é liquidado financeiramente. O inadimplemento ocorre depois de quatro anos e dois meses e o agente de cálculo estima que o preço do bônus de referência seja 40% de seu valor de face, logo depois do *default*. Liste os fluxos de caixa e as datas de seu pagamento para o vendedor do swap.

20.3 O contrato provê *payoff* em dólares igual ao HDD observado em um dia. Caracterize esse contrato como uma opção.

20.4 Suponha que a cada dia durante o mês de julho a temperatura mínima seja 68° Fahrenheit e a temperatura máxima seja 82° Fahrenheit. Qual será o *payoff* de uma opção de compra sobre o CDD cumulativo durante o mês de julho com preço de exercício de 250 e taxa de pagamento de US$5.000 para cada grau/dia?

20.5 Quais são as características de uma fonte de energia em que o preço tem volatilidade muito alta e taxa de reversão à média muito alta? Dê exemplo de uma fonte de energia como essa.

20.6 Como o produtor de gás pode usar derivativos para *hedgear* seu risco?

20.7 Explique como o bônus CAT funciona.

QUESTÕES E PROBLEMAS (RESPOSTAS NO MANUAL DE SOLUÇÕES)

20.8 "A posição de um comprador de *credit default* swap é similar à posição de alguém que está comprado [*long*] em um título do Tesouro e vendido [*short*] em um bônus corporativo". Explique essa afirmação.

20.9 Suponha que você tenha dados de temperatura de 50 anos à disposição. Explique que análise você realizaria para calcular o CDD cumulativo a termo para o próximo mês de julho.

20.10 A reversão à média faria que a volatilidade do preço a termo para três meses fosse maior ou menor que a volatilidade do preço spot? Explique.

20.11 Explique como o contrato de opção 5 × 8 para maio de 2001 sobre eletricidade com preço diário de exercício e o contrato de opção 5 × 8 para maio de 2001 sobre eletricidade com exercício mensal funcionam. Qual vale mais?

20.12 Considere dois bônus que tenham o mesmo cupom, tempo até a maturidade e preço. Um é o bônus corporativo com *rating* B. Outro é o bônus CAT. A análise baseada em dados históricos mostra que o valor esperado das perdas nos dois bônus para cada ano de suas vidas é o mesmo. Que bônus você sugeriria ao administrador de portfólio comprá-lo e por quê?

20.13 Em uma *basket credit default* swap, o custo de seguro aumenta ou diminui à medida que as correlações entre os inadimplementos das entidades de referência incluídas na cesta aumentam?

QUESTÕES DE PROVA

20.14 As perdas da companhia de seguros são, de forma razoavelmente aproximada, normalmente distribuídas com média de US$150 milhões e desvio-padrão de US$50 milhões (assuma que não haja diferenças entre as perdas em um mundo *risk-neutral* e em um mundo real). A taxa de juro livre de risco para um ano é 5%. Estime o custo do que se segue:

a) um contrato que pagará, no prazo de um ano, 60% dos custos da companhia de seguro em taxa *pro rata*;

b) um contrato que paga US$100 no prazo de um ano, se as perdas excederem US$200 milhões.

20.15 Suponha que:

a) o rendimento (*yield*) em um bônus do Tesouro de cinco anos seja 7%;

b) o *yield* em um bônus corporativo de cinco anos emitido pela companhia X seja 9,5%;

c) o *credit default* swap de cinco anos que provê seguro contra o inadimplemento da companhia X custe 150 pontos-base por ano.

Que estratégia de negociação você recomendaria e por quê?

Capítulo 21

INFORTÚNIOS COM DERIVATIVOS E O QUE SE PODE APRENDER COM ELES

No fim dos anos de 1980 e 1990, houve algumas perdas espetaculares nos mercados derivativos. As Tabelas 21.2 e 21.1 fornecem uma lista de algumas dessas perdas. Na Tabela 21.1, foram incorridas por instituições financeiras; na Tabela 21.2, por organizações não-financeiras. O que é notável é o número de casos em que grandes perdas foram decorrentes das atividades desenvolvidas por um único funcionário. Em 1995, as operações de Nick Leeson quebraram o Barings, banco britânico de 200 anos; em 1994, as operações de Robert Citron fizeram o Condado de Orange na Califórnia perder US$2 bilhões. Joseph Jett, ao operar para a Kidder Peabody, perdeu US$350 milhões. As grandes perdas de Daiwa, Shell e Sumitomo também foram, em cada caso, resultado das atividades de um único funcionário.

As perdas não devem ser vistas como indiciamento de toda a indústria de derivativos. Derivativos consistem em vasto mercado de milhares de trilhões de dólares, que de modo surpreendente, têm tido bastante sucesso e atendido às necessidades de seus usuários. Os eventos descritos nas tabelas representam uma pequena proporção do total de negócios (tanto em número quanto em valor). Não obstante, vale a pena considerar cuidadosamente as lições que podem ser aprendidas a partir deles. É o que se faz neste capítulo final.

21.1 LIÇÕES PARA TODOS OS USUÁRIOS DE DERIVATIVOS

Primeiro, consideram-se as lições apropriadas para todos os usuários de derivativos sejam instituições financeiras ou companhias não-financeiras.

Defina limites de risco

É essencial que todas as companhias definam, de forma clara, os limites para os riscos financeiros assumidos. Estas devem estabelecer procedimentos para assegurar que os limites sejam obedecidos. O ideal é que os limites de risco gerais sejam estabelecidos pelo conselho de administração. A partir daí, devem ser convertidos em limites que possam ser aplicáveis aos indivíduos responsáveis por administrar os riscos particularmente. Relatórios diários devem indicar o ganho ou a perda que poderão advir de movimentos especiais nas variáveis de mercado. Estes devem ser confrontados com as perdas realmente verificadas a fim de assegurar que os procedimentos de avaliação nos quais os relatórios se baseiam sejam aprimorados.

Tabela 21.1 – Grandes perdas incorridas por instituições financeiras

Barings
Esse banco de 200 anos de existência foi riscado do mapa em 1995 devido às atividades de um de seus *traders*, Nick Leeson, em Cingapura. A autorização que Leeson tinha era para arbitrar entre as cotações do futuro de Nikkei 225 em Cingapura e Osaka. Em vez disso, fez altas apostas na direção futura do Nikkei 225 usando futuros e opções. A perda total foi próxima de US$1 bilhão.

Chemical Bank
Esse banco usou modelo incorreto para o apreçamento de *caps* de taxas de juro no final dos anos de 1980, o que resultou em perda de US$33 milhões.

Daiwa
Um *trader* que trabalhava em Nova Iorque para esse banco japonês perdeu mais de US$1 bilhão nos anos 1990.

Kidder Peabody
As atividades de um único *trader*, Joseph Jett, levaram esse banco de investimentos de Nova Iorque a perder US$350 milhões na negociação de títulos do governo norte-americano e seus *strips* (*strips* são criados quando cada um dos fluxos de caixa de um bônus é vendido como um título separado). A perda deu-se por causa do erro na forma que o sistema de computador da companhia apurava os lucros.

Long-Term Capital Management
Esse *hedge fund* perdeu cerca de US$4 bilhões em 1998. A estratégia seguida pelo fundo era de *convergence-arbitrage*. Isso envolvia um esforço para identificar dois títulos semelhantes cujos preços estavam temporariamente desalinhados entre si. A companhia deveria comprar o título mais barato e vender o título mais caro, fazendo *hedge* dos riscos residuais. Em meados de 1998, a companhia foi terrivelmente atingida com a abertura dos *spreads* de crédito resultantes do *default* nos bônus da Rússia. O *hedge fund* foi considerado grande demais para quebrar. Assim, o Federal Reserve de Nova Iorque organizou uma operação de emergência de US$3,5 bilhões, encorajando 14 bancos a investir no fundo.

Midland Bank
Esse banco inglês perdeu US$500 milhões no começo dos anos 1990 devido a uma aposta errada na direção das taxas de juro. Mais tarde, foi incorporado pelo banco de Hong Kong e de Xangai.

National Westminster Bank
Esse banco britânico perdeu cerca de US$130 milhões por usar modelo inadequado para o apreçamento de opções sobre swap em 1997.

Sumitomo
Um único *trader* desse banco japonês perdeu cerca de US$2 bilhões nos mercados spot, futuro e de opções sobre cobre nos anos 1990.

Tabela 21.2 – Grandes perdas incorridas por organizações não-financeiras

Allied Lyons
A tesouraria dessa companhia de bebidas e alimentos perdeu US$150 milhões em 1991 vendendo opções de venda sobre a taxa de câmbio dólar-libra.

Gibson Greetings
A tesouraria dessa indústria de cartões em Cincinnati perdeu cerca de US$20 milhões em 1994 ao negociar contratos derivativos de taxa de juro muito exóticos com o Bankers Trust. Posteriormente, processaram o Truster Bank, mas fecharam acordo extrajudicial.

Hammersmith and Fulham
Essa autoridade britânica perdeu cerca de US$600 milhões em swaps e opções sobre taxa de juro em libras em 1988. Todos os seus contratos foram mais tarde declarados nulos e cancelados por uma corte britânica para desgosto dos bancos que estavam na outra ponta das operações.

Metallgesellschaft
Essa companhia alemã vendeu contratos a termo de longo prazo sobre petróleo e gasolina e fez *hedge* rolando posições em contratos futuros de curto prazo (veja a seção 6.8). Perdeu US$1,8 milhão quando foi forçada a encerrar essa atividade.

Condado de Orange
As atividades do tesoureiro Robert Citron levou o município da Califórnia a perder cerca de US$2 bilhões em 1994. Ele usava derivativos para especular que as taxas de juro não aumentariam.

Procter and Gamble
A tesouraria dessa grande companhia norte-americana perdeu cerca de US$90 milhões em 1994 negociando contratos derivativos de taxas de juro altamente exóticos com o Bankers Trust (um dos contratos está descrito na seção 21.8). Posteriormente, processaram o Truster Bank, mas fecharam acordo extrajudicial.

Shell
Um único empregado, que trabalhava na subsidiária japonesa dessa companhia, perdeu US$1 bilhão em negócios não-autorizados em contratos futuros de moedas.

É particularmente importante que as companhias monitorem os riscos de forma cuidadosa quando utilizam derivativos. Como visto no Capítulo 1, estes servem para *hedging*, especulação e arbitragem. Sem zeloso monitoramento é impossível saber se o *trader* de derivativos não mudou a posição da companhia de *hedge* para especulação ou de arbitragem para especulação. O caso do Barings é um típico exemplo de como as coisas podem dar errado. Nick Leeson estava autorizado a fazer arbitragens de baixo risco no mercado futuro de Nikkei 225 em Osaka e Cingapura. Sem o conhecimento de seus superiores em Londres, mudou a posição de arbitragem para posições altamente especulativas na direção futura do Nikkei 225. Os sistemas internos do Barings eram de tal modo inadequados que ninguém sabia o que estava acontecendo.

Não se está afirmando que riscos não devam ser tomados. Tesoureiros, *traders* ou administradores de fundos devem ter permissão para tomar posições que explorem os movimentos futuros das variáveis de mercado relevantes. O que se argumenta é que o tamanho que essas posições tomam deve ser limitado e que os sistemas devem reportar de maneira acurada os riscos tomados.

Respeite os limites de risco

O que acontece se um indivíduo exceder os limites de risco e obtiver lucro? Esta é uma questão ardilosa para a alta administração. É tentador fingir que não viu as violações de risco quando a operação dá lucro. Entretanto, isso é ter visão míope, pois leva a uma cultura em que os limites de risco não são levados em consideração de maneira séria. É uma forma de pavimentar o caminho para o desastre. Em muitas situações listadas nas Tabelas 21.1 e 21.2, as companhias foram complacentes acerca dos riscos que estavam correndo porque assumiram riscos semelhantes em anos anteriores e tinham lucrado nessas situações.

Exemplo clássico é o Condado de Orange. As atividades de Robert Citron, de 1991 a 1993, foram bastante lucrativas para o município, que confiou em seus negócios para a obtenção de recursos adicionais. As pessoas preferiram ignorar os riscos que ele estava tomando porque tinha produzido lucros. Infelizmente, as perdas de 1994 excederam, de longe, os lucros dos anos anteriores.

As penalidades por exceder os limites de risco devem ser as mesmas seja quando há lucros, seja quando há perdas. Caso contrário, os *traders* que realizam perdas serão encorajados a aumentar suas posições e suas apostas na esperança de eventualmente ter grande lucro e o resto ser esquecido.

Não assuma que você pode ser melhor que o mercado

Alguns *traders* são provavelmente melhores que outros. Mas, nenhum *trader* está certo todas as vezes. O *trader* que em 60% das vezes prevê corretamente a direção na qual as variáveis de mercado se moverão certamente terá bom desempenho. Se tiver um passado de excelentes performances (como tinha Robert Citron no início dos anos de 1990), é provável que isso seja o resultado de sorte e não de suas habilidades superiores em negociar.

Suponha que uma instituição financeira empregue 16 *traders* e que um deles apresente lucros todos os trimestres. Ele deve receber bônus especial? Os seus limites de risco devem ser aumentados? A resposta à primeira questão é que inevitavelmente o *trader* receberá um bom bônus. A resposta à segunda questão deve ser não. A chance de lucrar em quatro trimestres consecutivos a partir de negócios aleatórios é de $0,5^4$ ou uma a cada 16 vezes. Isso significa que, com base apenas na sorte, uma a cada 16 vezes o *trader* vai lucrar em todos os trimestres do ano. Por isso, não se deve acreditar que sua sorte irá continuar e não se deve aumentar seus limites de risco.

Não subestime os benefícios da diversificação

Quando um *trader* parece bom na previsão de determinada variável de mercado, há a tendência em aumentar seus limites de operação. Esta é uma má idéia porque é bastante provável que ele tenha tido mais sorte do que sido esperto. Entretanto, supõe-se que o *trader* realmente tenha talentos especiais. Em que grau de não-diversificação pode-se permitir que nossos negócios sejam administrados para tentar tirar proveito das habilidades especiais do *trader*? A resposta é que os benefícios da diversificação são muito grandes e é pouco provável que qualquer *trader* seja tão bom que valha a pena abrir mão desses benefícios para especular pesadamente em apenas uma variável de mercado.

Um exemplo pode ilustrar esse ponto. Suponha que haja dez ações e cada uma tenha retorno esperado de 10% ao ano e desvio-padrão dos retornos de 30%. A correlação entre os retornos de qualquer conjunto de duas ações é de 0,2. Dividindo o investimento igualmente entre as 10 ações, o investidor tem retorno esperado de 10% ao ano e desvio-padrão dos retornos de 14,7%. A diversificação capacita o investidor a reduzir os riscos à metade. Uma outra forma de expressar isso é que a diversificação capacita o investidor a dobrar o retorno esperado por unidade de risco assumida. O investidor teria de ser extremamente bom na escolha de ações para obter o mesmo resultado de um investimento em apenas uma ação.

Faça análise de cenário e testes de estresse

As medidas de cálculos de risco como o VAR devem sempre ser acompanhadas por análises de cenários e testes de estresse [*stress testing*] para obter melhor compreensão do que pode dar errado. Essas técnicas foram mencionadas no Capítulo 16 e são muito importantes. Os seres humanos têm a infeliz tendência de se basear em um ou dois cenários quando tomam decisões. Em 1993 e 1994, por exemplo, a Procter & Gamble e a Gibson Greetings estavam tão convencidas de que as taxas de juro permaneceriam baixas que ignoraram em suas tomadas de decisão a possibilidade de aumento de 10%.

É importante ser criativo quanto à forma em que os cenários são gerados. Uma delas é analisar 10 ou 20 anos de dados e escolher os eventos mais extremos como cenários. Algumas vezes, há escassez de dados em uma variável-chave. Então, faz sentido escolher uma similar para a qual os dados estejam disponíveis e utilizar as variações percentuais diárias históricas em substituição às mudanças percentuais diárias da variável-chave. Por exemplo, se houver poucos dados sobre os preços dos bônus emitidos por determinado país do terceiro mundo, poderão ser analisados os dados históricos sobre os preços dos bônus emitidos por países similares para desenvolver cenários possíveis.

21.2 LIÇÕES PARA AS INSTITUIÇÕES FINANCEIRAS

Agora, são consideradas as lições relevantes às instituições financeiras.

Monitore os *traders* de maneira cuidadosa

Nas salas de negociação, há a tendência de considerar os *traders* de alto desempenho "intocáveis" e de não sujeitar suas atividades à mesma avaliação detalhada dos demais. Aparentemente, Joseph Jett, a estrela entre os *traders* da Kidder Peabody, estava freqüentemente "muito ocupado" para responder a certas questões e ou discutir suas posições com os administradores de risco da companhia.

É importante que todos os *traders* – particularmente aqueles que produzem altos lucros – sejam totalmente responsáveis. É importante para a instituição financeira saber se os altos lucros estão sendo feitos por meio de posições de riscos muito altos e se os sistemas de computadores e os modelos de apreçamento são corretos e não sujeitos à manipulação de alguma forma.

Separe *front*, *middle* e *back office*

O *front office* de uma instituição financeira é composto de *traders* que executam ordens, tomam posições etc. O *middle office* mantém administradores que monitoram os riscos que estão sendo tomados. No *back office*, são feitos os registros e a contabilidade. Alguns dos piores desastres com derivativos ocorreram porque essas funções não estavam separadas. Nick Leeson controlava tanto o *front office* quanto o *back office* em Cingapura e, como resultado, foi capaz de esconder a desastrosa natureza de seus negócios de seus superiores em Londres durante algum tempo. Embora todos os detalhes não estejam disponíveis, parece que a falta de separação do *front office* e do *back office* foi no mínimo parcialmente responsável pelas estrondosas perdas experimentadas pelo Banco Sumitomo em negócios com cobre.

Não confie cegamente em modelos

Algumas das grandes perdas indicadas na Tabela 21.1 aconteceram porque foram utilizados modelos e sistemas de computador. Talvez o mais famoso problema com sistemas seja o experimentado pela Kidder Peabody. Joseph Jett comprou alguns *strips* (títulos de cupom zero) e vendeu-os a termo. Os *strips* não pagam juros e, assim, como explicado no Capítulo 3, o preço a termo é maior que o preço spot. No momento da operação, os sistemas da Kidder reportaram a diferença entre o preço a termo e o preço spot como lucro. É claro que a diferença representava os custos de financiamento do *strip*. Mas, rolando os contratos a termo para frente, Jett foi capaz de evitar que esse custo de financiamento fosse considerado. Como resultado, o sistema reportou lucro de US$100 milhões e Jett recebeu um grande bônus, quando, na verdade, houve perda de US$350 milhões.

Exemplos de modelos incorretos que levaram a perdas também são dados pelos bancos Chemical e National Westminster. O Chemical Bank possuía modelo incorreto de apreçamento para *caps* sobre taxas de juro e o National Westminster Bank, modelo incorreto para apreçamento de opções sobre swap.

Se lucros altos forem obtidos com estratégias de negociação relativamente simples, existirá uma boa chance de os modelos subjacentes aos cálculos dos lucros estarem incorretos. Similarmente, se a instituição financeira parecer competitiva em suas cotações para determinado tipo de operação, existirá a hipótese de estar usando modelo diferente de outros participantes de mercado e, portanto, deveria analisar cuidadosamente o que está acontecendo. Para o chefe da sala de operações, assumir muitos negócios de certo tipo pode ser tão preocupante quanto assumir poucos negócios desse tipo.

Seja conservador ao reconhecer lucros de abertura

Quando uma instituição financeira vende um instrumento muito exótico para uma companhia não-financeira, o apreçamento pode ser altamente dependente do modelo subjacente. Por exemplo, instrumentos com opções sobre taxa de juro de longo prazo embutidas podem ser muito dependentes do modelo de taxas de juro utilizado. Nessas circunstâncias, o termo utilizado para descrever a marcação a mercado diária do negócio é "*marcação ao modelo*". Isso ocorre porque não há preços para negócios similares que possam ser empregados como parâmetros.

Suponha que a instituição financeira consiga vender um instrumento por US$10 milhões a mais do que vale – ou no mínimo US$10 milhões a mais do que o modelo diz que vale. Os US$10 milhões são conhecidos como lucro de abertura [*inception profits*]. Quando deve ser reconhecido? Existe grande variação de procedimento entre as instituições financeiras. Algumas reconhecem os US$10 milhões imediatamente, enquanto outras são mais conservadoras e o reconhecem de forma mais lenta, durante a vida do negócio.

Reconhecer lucros de abertura imediatamente pode ser bastante perigoso. Isso encoraja os *traders* a usar modelos agressivos, pegar seus bônus e sair da instituição antes que o modelo e o valor do negócio possam ser cuidadosamente avaliados. É melhor reconhecer os lucros de abertura suavemente de tal modo que os *traders* tenham motivação para investigar o impacto de vários diferentes modelos e conjuntos de hipóteses antes de se comprometerem com determinado negócio.

Não venda produtos inadequados a seus clientes

É tentador vender produtos inadequados a clientes corporativos, especialmente quando estes parecem ter apetite para riscos subjacentes. Mas, essa é outra visão míope. O exemplo mais dramático é a atividade do Bankers Trust (BT) em 1994. Muitos dos clientes do BT foram persuadidos a comprar produtos de alto risco e totalmente inapropriados. Um produto típico (por exemplo, o swap 5/30 discutido na seção 19.3) daria ao cliente boa chance de poupar uns poucos pontos-base em seus empréstimos e pequena chance de que isso viesse a custar bastante dinheiro. Os produtos funcionaram melhor para os clientes do BT em 1992 e 1993, mas explodiram em 1994 quando as taxas de juro subiram acentuadamente. A má publicidade que se seguiu feriu enormemente o BT. Os anos que o banco gastou tentando construir uma imagem de confiança entre seus clientes corporativos e desenvolver reputação invejável na inovação com derivativos foram totalmente perdidos por causa das atividades de uns poucos vendedores excessivamente agressivos. O Bankers foi forçado a pagar grandes somas de dinheiro a seus clientes para evitar ações judiciais. Foi incorporado pelo Deutsche Bank em 1999.

Não ignore o risco de liquidez

Engenheiros financeiros, em geral, baseiam o preço de instrumentos exóticos ou outros que pouco negociam nos preços dos instrumentos ativamente negociados. Por exemplo, um engenheiro financeiro freqüentemente:

- calcula uma curva zero a partir dos bônus do governo ativamente negociados (bônus *on-the-run*), usando-a para apreçar bônus que negociam com menos freqüência (bônus *off-the-run*);
- apura a volatilidade implícita de um ativo a partir de opções ativamente negociadas, usando-a para apreçar opções pouco negociadas;
- apura os parâmetros implícitos do processo para taxa de juro a partir de *caps* sobre taxas de juro e opções sobre swap, ativamente negociados, usando-os para o apreçamento de produtos que são altamente estruturados.

Essa prática é razoável. Entretanto, é perigoso assumir que os instrumentos pouco negociados podem sempre ser negociados a preços próximos de seus preços teóricos. Quando os mercados financeiros experimentam choque de um ou outro tipo, há sempre um "vôo para a qualidade [*flight to quality*]". A liquidez torna-se muito importante para os investidores e os instrumentos ilíquidos sempre são vendidos com grande desconto em relação a seus valores teóricos. Estratégias de operação que supõem que grandes volumes de instrumentos pouco líquidos possam ser vendidos imediatamente a preços próximos de seus valores teóricos são bastante perigosas.

No verão de 1998, o LTCM teve perda substancial devido, em grande parte, ao *default* da Rússia causado por um *flight to quality*. O LTCM, na verdade, não tinha grande exposição aos instrumentos de débito russos, mas estava comprado em instrumentos ilíquidos e vendido em líquidos (por exemplo, estava longo em *off-the-run* bônus e *short* em bônus *on-the-run*). Os *spreads* entre os preços dos instrumentos ilíquidos e seus correspondentes instrumentos líquidos alargaram-se acentuadamente depois do inadimplemento da Rússia. Os *spreads* de crédito também aumentaram. O LTCM estava altamente alavancado. Teve perda considerável. Além disso, havia requerimentos de margem sobre suas posições que não teve condições de atender.

A história do LTCM reforça a importância da análise de cenário e do teste de estresse para examinar o que pode acontecer se tudo der errado. Para quantificar os riscos que estava correndo, o LTCM deveria ter tentado examinar outros momentos da história e quanto houve de situações extremas de *fligth to quality*.

Tome cuidado quando todos estão seguindo a mesma estratégia de negociação

Algumas vezes, acontece de muitos participantes do mercado seguirem essencialmente a mesma estratégia de operação. Isso cria um ambiente perigoso em que pode haver grandes movimentos de mercado, situações de instabilidade e grandes perdas para os participantes.

Exemplo disso está no Capítulo 15, na abordagem do seguro de portfólio e do *crash* do mercado em outubro de 1987. Nos meses que precederam o *crash*, grande número de administradores foi tentado a fazer seguro de seus portfólios, criando opções de venda sintéticas. Compravam ações ou futuros de índice de ações depois de alta no mercado e vendiam depois de queda. Isso criou um mercado instável. Um pequeno declínio nos preços levou a uma onda de venda pelos administradores de carteiras. Isso, por sua vez, gerou declínio subseqüente no mercado, o que levou a outra onda de venda, e assim por diante. Há pouca dúvida de que, sem a estratégia de seguro de portfólio, o *crash* de outubro de 1987 teria sido muito menos severo.

Outro exemplo é proporcionado pelo LTCM em 1998. Sua posição ficou ainda mais difícil porque muitos outros *hedge funds* estavam seguindo estratégias de arbitragem similares. Depois do *default* da Rússia e do vôo para a qualidade, o LTCM tentou liquidar parte do seu portfólio para atender às chamadas de margem. Infelizmente, outros *hedge funds* também enfrentavam problemas similares e tentaram fazer o mesmo. Isso exacerbou a situação, fazendo que os *spreads* de liquidez fossem mais altos do que seriam em situações normais e reforçaram o vôo para a qualidade. Considere, por exemplo, a posição do LTCM em bônus do Tesouro. Este estava longo em bônus *off-the-run* ilíquidos e *short* nos bônus *on-the-run* líquidos. Quando o vôo para a qualidade fez que os *spreads* entre os rendimentos dos dois tipos de bônus se alargassem, o LTCM teve de liquidar suas posições por meio da venda dos bônus *off-the-run* e da compra dos bônus *on-the-run*. Outros grandes *hedge funds* tiveram de fazer o mesmo. Como resultado, o preço dos bônus *on-the-run* subiu em relação aos bônus *off-the-run* e o *spread* entre os dois rendimentos abriu mais ainda.

Mais um exemplo são as atividades das companhias de seguro britânicas no fim dos anos de 1990. Essas companhias entraram em contratos que prometiam que a taxa de juro aplicada a uma anuidade recebida por um indivíduo aposentado seria a maior entre a taxa de mercado e uma taxa garantida. Mais ou menos na mesma época, todas as companhias de seguro decidiram *hedgear* parte dos seus riscos nesses contratos comprando opções sobre swap de longo prazo das instituições financeiras. Essas instituições tentaram *hedgear* seus riscos comprando elevado número de bônus de longo prazo em libras. Como resultado, o preço dos bônus subiu e as taxas de longo prazo em libras caíram. Mais bônus tiveram de ser comprados para manter o *hedge* dinâmico, as taxas em libra caíram de novo, e assim por diante. As instituições financeiras perderam dinheiro e, devido à queda das taxas de longo prazo, as companhias de seguro encontraram-se em situação pior nos riscos que não foram *hedgeados*.

A maior lição a ser aprendida dessas histórias é a importância de se ter visão global do que está acontecendo nos mercados financeiros e entender os riscos inerentes às situações quando muitos participantes de mercado estão seguindo a mesma estratégia de operação.

21.3 LIÇÕES PARA AS CORPORAÇÕES NÃO-FINANCEIRAS

Nesta seção, são abordadas as lições aplicáveis fundamentalmente às empresas não-financeiras.

Tenha certeza de entender totalmente os negócios que está fazendo

As empresas nunca deveriam fazer uma operação ou negociar uma estratégia que não entendem completamente. Esta é de, algum modo, uma afirmação óbvia, mas é surpreendente a freqüência com que operadores que trabalham para empresas não-financeiras admitem, depois de uma grande perda, que não sabiam o que realmente acontecia, culpando os bancos de investimento por tê-los enganados. Robert Citron, o tesoureiro do Condado de Orange, fez isso. E fizeram isso os *traders* que trabalhavam para a Hammersmith and Fulham, os quais, independentemente de suas enormes posições, estavam surpreendentemente mal informados sobre como funcionavam os swaps e outros derivativos de taxas de juro que negociaram.

Se a alta gerência da empresa não entende um negócio proposto por um subordinado, o negócio não deve ser aprovado. Uma regra simples a ser seguida é que se um negócio é tão complicado que não pode ser entendido pela gerência, é quase certamente inapropriado para a companhia. Os negócios realizados pela Procter and Gamble e Gibson Greetings teriam sido vetados usando esse critério.

Uma forma de se assegurar que você entendeu o problema completamente é tentar apreçá-lo. Se uma corporação não tem capacidade interna para apreçar um instrumento, não deve negociá-lo. Na prática, empresas confiam freqüentemente em seus banqueiros de investimento para recomendações sobre apreçamento. Isso é perigoso, como os casos da Procter and Gamble e da Gibson Greetings mostraram. Quando quiseram se desfazer de seus negócios, encontraram preços produzidos pelos proprietários dos modelos do Bankers Trust, os quais não tinham condições de verificar.

Tenha certeza de que o *hedger* não se tornará um especulador

Infelizmente, a atividade de *hedging* é maçante, enquanto a especulação é muito excitante. Quando a companhia contrata um operador para administrar seu risco de taxa de câmbio ou taxa de juro, há o risco de acontecer o seguinte: no começo, o *trader* faz seu trabalho de forma diligente e ganha a confiança da alta administração. Ele estima a exposição de risco da companhia e faz o *hedge* necessário. À medida que o tempo passa, o *trader* torna-se convencido de que pode sobrepujar o mercado. Aos poucos, torna-se um especulador. No começo, as coisas vão bem, mas ocorre uma perda. Para recuperar a perda, o *trader* dobra a aposta. Novas perdas ocorrem e assim por diante. O resultado provavelmente é um desastre.

Como mencionado, a alta administração deve estabelecer limites muito claros para os riscos que podem ser tomados. Os controles devem ser implementados para assegurar que os limites serão obedecidos. A estratégia de negociação de uma corporação deve começar com a análise de seus riscos nos mercado de moeda estrangeira, taxas de juro, commodities etc. Deve-se tomar a decisão sobre como os riscos devem ser reduzidos para níveis aceitáveis. Claro sinal de que alguma coisa está errada dentro da companhia é quando a estratégia de negociação não é derivada diretamente a partir das exposições de risco da companhia.

Seja cauteloso ao fazer da tesouraria um centro de lucro

Nos últimos 20 anos, tem havido a tendência de fazer do departamento de tesouraria um centro de lucro. Isso parece ser recomendável. O tesoureiro fica motivado a reduzir os custos de financiamento e administrar os riscos da forma mais lucrativa possível. O problema é que o potencial para o tesoureiro produzir lucros é bastante limitado. Quando levanta fundos e investe sobras de caixa, o tesoureiro tem de enfrentar um mercado eficiente. O tesoureiro pode aumentar o potencial de lucro se tomar riscos adicionais. O programa de *hedge* da companhia dá-lhe algum espaço para tomar decisões astutas que possam elevar os lucros. Mas, deve ser lembrado que o objetivo do programa de *hedge* é reduzir riscos, não aumentar lucros. Como foi apontado no Capítulo 5, a decisão de fazer *hedge* pode gerar resultado pior do que o resultado que poderia ser obtido sem *hedge* aproximadamente 50% das vezes. O perigo de fazer da tesouraria um centro de lucro é que o tesoureiro fica motivado a se tornar um especulador. Assim, pode ocorrer uma situação do tipo Condado de Orange, Procter and Gamble ou Gibson Greetings.

21.4 SUMÁRIO

As enormes perdas que aconteceram com o uso de derivativos fizeram os tesoureiros ficar muito precavidos. Desde a imensa quantidade de infortúnios ocorridas em 1994 e 1995, algumas corporações não-financeiras anunciaram planos de reduzir ou mesmo eliminar o uso de derivativos. Esta não é uma decisão feliz porque os derivativos proporcionam muitas formas diferentes e eficientes de administrar riscos.

As histórias por trás das perdas enfatizam a questão, já mencionada no Capítulo 1, que os derivativos podem ser usados tanto para *hedge* como para especulação, ou seja, tanto para reduzir riscos como para tomar riscos. Muitas perdas ocorreram porque os derivativos foram usados de maneira inadequada. Empregados que tinham autorização implícita ou explícita para *hedgear* os riscos da companhia decidiram, em vez disso, especular.

A principal lição a ser aprendida a partir dessas perdas é a importância de *controles internos*. A alta administração da companhia deve anunciar, de forma clara e não ambígua, a política sobre como os derivativos podem ser usados e em que extensão é permitido aos funcionários tomar posições sobre movimentos futuros nas variáveis de mercado. A administração deve instituir controles para assegurar que a política está sendo respeitada. Dar aos indivíduos autoridade para negociar derivativos sem monitoramento rígido dos riscos que estão sendo tomados é uma receita para o desastre.

SUGESTÕES PARA LEITURAS COMPLEMENTARES

DUNBAR, N. *Inventing Money: The Story of Long-Term Capital Management and the Legends Behind It*. Chichester, UK: John Wiley & Sons, 2000.

JORION, P. *Big Bets Gone Bad: Derivatives and Bankruptcy in Orange County*. New York: Academic Press, 1995.

JORION, P. How Long-Term Lost Its Capital. *Risk*, September 1999.

JU, X.; PEARSON, N. Using Value-at-Risk to Control Risk Taking: How Wrong Can You Be? *Journal of Risk* 1(2), pp. 5–36, 1999.

THOMSOM, R. *Apocalypse Roulette: The Lethal World of Derivatives*. London: Macmillan, 1998.

ZHANG, P. G. *Baring Bankruptcy and Financial Derivatives*. Singapore: World Scientific Publishing, 1995.

SOLUÇÕES DAS PERGUNTAS RÁPIDAS

CAPÍTULO 1

1.1 O operador que entra em posição longa em futuros está concordando em comprar o ativo especificado no contrato por certo preço em determinado período futuro. O operador que entra em uma posição vendida em futuros está concordando em vender o ativo especificado no contrato por certo preço em determinado período futuro.

1.2 A companhia faz *hedge* quando está exposta ao risco de preço de um ativo, assumindo uma posição nos mercados futuros ou de opções para compensar tal risco. Na especulação, a companhia não possui uma exposição para compensar. É uma aposta nos movimentos futuros do preço do ativo. A arbitragem envolve a tomada de uma posição em dois ou mais diferentes mercados visando travar lucro.

1.3 Em (a), o investidor é obrigado a comprar o ativo a US$50 (esse agente não possui escolha). Em (b), o investidor possui a opção de comprar o ativo a US$50 (o agente não é obrigado a exercer a opção).

1.4 a) O investidor é obrigado a vender as libras por US$1,5000 quando valem US$1,4900. O ganho é igual a (1,5000 – 1,4900) × 100.000 = US$1.000.
   b) O investidor é obrigado a vender as libras por US$1,5000, quando valem US$1,5200. A perda é igual a (1,5200 – 1,5000) × 100.000 = US$2.000.

1.5 Você lançou uma opção de venda (*put*). Concordou em comprar 100 ações da American Online por US$40/ação caso a contraparte do contrato exerça o direito de vender por esse preço. A opção será exercida somente quando o preço da ação da AOL for menor que US$40. Suponha, por exemplo, que a opção seja exercida com o preço igual a US$30. Você terá de comprar a ação por US$40, a qual vale somente US$30; perda de US$10 por ação, ou US$1.000 no total. Se a opção for exercida quando o preço for de US$20, a perda será de US$20, ou US$2.000 no total. O pior que pode ocorrer é o preço da ação declinar para quase zero durante o período de três meses. Esse evento bastante improvável custaria US$4.000. Em contrapartida a essas possíveis perdas futuras, você recebe o preço da opção do comprador.

1.6 Uma estratégia é baseada na compra de 200 ações. A outra se refere à compra de 2.000 opções (20 contratos). Se o preço da ação subir, a segunda estratégia proporcionará maiores ganhos. Por exemplo, se o preço da ação aumentar para US$40, você lucrará [2.000 × (US$40 – US$30)] – US$5.800 = US$14.200; e apenas 200 × (US$40 – US$29) = US$2.200 na primeira estratégia. Entretanto, se o preço da ação cair, a segunda estratégia trará maiores perdas. Por exemplo, se o preço da ação declinar para US$25, a primeira conduz à perda de 200 × (US$29 – US$25) = US$800, enquanto na segunda o prejuízo será igual ao investimento total, US$5.800.

1.7 Você deve comprar 50 opções de venda (*puts*) com preço de exercício de US$25 com vencimento em quatro meses. Se, no final desses quatro meses, o preço do ativo-objeto for menor que US$25, você poderá exercer sua opção de venda e vender cada ação a US$25.

CAPÍTULO 2

2.1 O saldo das posições em aberto de um contrato futuro em determinado momento é igual ao total de posições compradas (ou, de forma equivalente, igual ao total de posições vendidas). O volume de negociação durante certo período de tempo é igual ao número de contratos negociados nesse período.

2.2 O corretor negocia em benefício de um cliente e cobra comissão. O operador especial opera em benefício próprio.

2.3 Existirá a chamada de margem quando o valor de US$1.000 de sua conta margem tiver sido utilizado. Isso ocorrerá quando o preço da prata aumentar em 1.000/5.000 = US$0,20. Portanto, o preço da prata precisa ser elevado para US$5,40 por onça para existir a chamada de margem. Caso não seja atendida, o corretor liquida a posição.

2.4 O lucro total é (US$20,50 – US$18,30) × 1.000 = US$2.200. Desse total, (US$19,10 – US$18,30) × 1.000 = US$800 é auferido por meio dos ajustes diários entre setembro de 2000 e dezembro de 2000. O restante (US$20,50 – US$19,10) × 1.000 = US$1.400 é obtido da mesma forma entre 1º de janeiro e março de 2001. O *hedger* seria taxado sobre o montante de US$2.200 em 2001. O especulador seria taxado em US$800 em 2000 e US$1.400 em 2001.

2.5 A ordem de *stop* para vender a US$2 é uma ordem para vender pelo melhor preço disponível logo que o preço de US$2 ou menos seja alcançado. Pode ser usada para limitar as perdas de posição comprada. Uma ordem limitada para vender a US$2 consiste em uma ordem para vender ao preço de US$2 ou mais. Pode ser usada para instruir um operador que uma posição vendida deve ser tomada, com a condição de que isso seja feito a preço mais favorável que US$2.

2.6 A conta de margem administrada por *clearinghouse* é marcada a mercado diariamente, sendo exigido do membro da clearing que este mantenha a conta no nível diário preestabelecido. A conta margem administrada por corretora é também marcada a mercado diariamente. Porém, não precisa ser mantida no nível da margem inicial em base diária. Deve ser trazida ao valor da margem inicial apenas quando o saldo da conta margem cair abaixo do nível da margem de manutenção ou 75% da margem inicial.

2.7 Nos mercados futuros, os preços são cotados em quantidade de dólares norte-americanos por unidade de moeda estrangeira. As taxas spot e a termo são cotadas dessa forma para a libra esterlina, o euro, o dólar australiano e o dólar neozelandês. Para a maioria das outras moedas estrangeiras, as taxas spot e a termo são cotadas em quantidade de unidades da moeda estrangeira por unidade de dólar norte-americano.

CAPÍTULO 3

3.1 a) A taxa com capitalização contínua é igual a:

$$4\ln\left(1+\frac{0,14}{4}\right)=0,1376$$

ou de 13,76% a.a.

b) A taxa com capitalização anual é igual a:

$$\left(1+\frac{0,14}{4}\right)^4=0,1475$$

ou de 14,75% a.a.

3.2 O corretor desse investidor toma emprestadas as ações da conta de outro cliente e as vende pela maneira usual. Para liquidar a posição, o investidor deve adquirir as ações. O corretor, então, devolve as ações para a conta do cliente que as emprestou. O agente com posição *short* deve remeter ao corretor os dividendos e outras rendas pagas pela ação. O corretor transfere esses fundos para a conta do cliente que realizou o empréstimo das ações. Ocasionalmente, o corretor pode ter de devolver as ações e não ter de quem tomar emprestado novamente. O investidor que vendeu a descoberto está então *short-squeezed* e deve liquidar sua posição imediatamente.

3.3 O preço a termo é:

$$30\,e^{0,12\times 0,5}=\text{US\$}31,86$$

3.4 O preço futuro é:

$$350\ e^{(0{,}08\ -\ 0{,}04)\ \times\ 0{,}3333} = \text{US\$}354{,}70$$

3.5 O ouro é um ativo de investimento. Se o preço futuro for muito alto, os investidores acharão lucrativo aumentar suas reservas de ouro e assumir posição vendida (*short*) em contratos futuros. Se o preço for muito baixo, acharão lucrativo diminuir suas reversas de ouro e assumir posições compradas (*long*) em contratos futuros. O cobre é um ativo de consumo. Se o seu preço futuro for muito alto, a estratégia de comprar cobre e vender contratos funcionará. Entretanto, como o cobre não é um ativo de investimento, os investidores, em geral, não possuem o ativo. A estratégia de vender cobre e comprar contratos futuros se aplica, portanto. Assim, há limite superior, mas não limite inferior, para os preços futuros.

3.6 O *convenience yield* mensura a extensão dos benefícios obtidos em se manter em posse o ativo físico, o qual não é obtido pelos agentes que estão comprados em contratos. O custo de carregamento é o custo dos juros somado ao custo de estocagem menos a renda obtida. O preço futuro, F_0, e o preço a vista, S_0, são relacionados por:

$$F_0 = S_0\, e^{(c-y)T}$$

onde c é o custo de carregamento, y é a *convenience yield* e T é o período de tempo até o vencimento do contrato.

3.7 O preço futuro de um índice de ações é sempre menor que o valor esperado do índice para o futuro. Isso segue da seção 3.15 e do fato de o índice ter um risco sistemático positivo. Para argumento alternativo, assuma μ como retorno esperado solicitado pelos investidores em um índice, de modo que: $E\left(S_T\right) = S_0\, e^{(\mu-q)T}$. Como $\mu > r$ e $F_0 = S_0\, e^{(r-q)T}$, segue que $E(S_T) > F_0$.

CAPÍTULO 4

4.1 O *hedge* de venda é apropriado quando a empresa possui o ativo e espera vendê-lo no futuro. Também pode ser usado quando a empresa não possui atualmente o ativo, mas espera tê-lo em algum momento futuro. *Hedge* de compra é apropriado quando a empresa sabe que comprará o ativo no futuro. Também pode ser usado para compensar o risco de uma posição vendida existente.

4.2 O risco de base surge da incerteza do *hedger* em relação à diferença entre o preço a vista e o preço futuro no vencimento do *hedge*.

4.3 O *hedge* perfeito é aquele que elimina completamente o risco do *hedger*. Entretanto nem sempre conduz a melhor resultado em relação ao *hedge* imperfeito. Apenas elimina a incerteza com relação a esse resultado. Considere a empresa que faz *hedge* de sua exposição ao preço de um ativo. Suponha que os movimentos de preço do ativo mostram-se favoráveis à empresa. O *hedge* perfeito neutraliza totalmente o ganho proveniente dessa oscilação favorável dos preços. O *hedge* imperfeito neutralizará parcialmente os ganhos, levando a resultado melhor.

4.4 O *hedge* de mínima variância não leva a nenhuma proteção contra o risco de preço quando o coeficiente de correlação entre o preço futuro e o preço a vista do ativo *hedgeado* for igual a zero.

4.5 a) Se os concorrentes da companhia não estiverem *hedgeando*, o tesoureiro poderá achar que a companhia terá menor risco ao não fazer o *hedge*.
b) O tesoureiro poderá perceber que os acionistas da companhia têm diversificado o risco de outra forma.
c) Se existir prejuízo no *hedge* e ganho na exposição da companhia em relação ao risco de preço do ativo-objeto, o tesoureiro terá dificuldades em justificar o *hedge* perante os outros executivos da organização.

4.6 A razão ótima de *hedge* é:

$$0,8 \times \frac{0,65}{0,81} = 0,642$$

Isso significa que o tamanho da posição em futuros deve ser 64,2% do tamanho da exposição da empresa para *hedge* que vence em três meses.

4.7 A fórmula para o número de contratos que devem ser vendidos fornece:

$$1,2 \times \frac{20.000.000}{1080 \times 250} = 88,9$$

Arredondando-se para o número inteiro mais próximo, 89 contratos devem ser vendidos. Para reduzir o beta a 0,6, é necessária metade dessa posição ou posição vendida em 44 contratos.

CAPÍTULO 5

5.1 Existem 89 dias entre 12 de outubro de 2000 e 9 de janeiro de 2001. Existem 182 dias entre 12 de outubro de 2000 e 12 de abril de 2001. O preço a vista do título é obtido pela soma dos juros acumulados com o preço cotado. O preço cotado é 102 7/32 ou 102,21875. Portanto, o preço a vista é:

$$102,21875 + \frac{89}{182} \times 6 = \text{US\$ } 105,15$$

5.2 Usando-se a equação 5.1, as taxas forward (percentual ao ano com capitalização contínua) são iguais a:
ano 2 = 7,0;
ano 3 = 6,6;
ano 4 = 6,4;
ano 5 = 6,5.

5.3 Quando a estrutura a termo é ascendente, $c > a > b$. Quando for descendente, $b > a > c$.

5.4 Suponha que o título tenha valor de face de US$100. Esse preço é obtido descontando o fluxo de caixa a 10,4%. O preço é:

$$\frac{4}{1,052}+\frac{4}{1,052^2}+\frac{104}{1,052^3}=\text{US\$}96,74$$

Se a taxa a vista a 18 meses do vencimento for R, tem-se:

$$\frac{4}{1,05}+\frac{4}{1,05^2}+\frac{104}{(1+R/2)^3}=\text{US\$}96,74$$

que fornece $R = 10,42\%$.

5.5 O preço a vista de uma nota do Tesouro é:

$$100-\frac{90}{360}\times 10=\text{US\$}97,50$$

A taxa de retorno anual capitalizado continuamente é:

$$\frac{365}{90}\ln\left(1+\frac{2,5}{97,5}\right)=10,27\%$$

5.6 A estratégia de *hedge* baseada na duração assume que os deslocamentos da estrutura a termo são sempre paralelos. Em outras palavras, assume-se que a taxa de juro em todos os vencimentos sempre variam no mesmo montante em dado período de tempo.

5.7 O valor do contrato é $108\frac{15}{32}\times 1.000=\text{US\$}108.468,75.$ O número de contratos que deve ser vendido é:

$$\frac{6.000.000}{108.468,75} \times \frac{8,2}{7,6} = 59,7$$

Arredondando-se para o número inteiro mais próximo, 60 contratos devem ser vendidos. A posição deve ser encerrada no final de julho.

CAPÍTULO 6

6.1 *A* possui aparente vantagem comparativa em taxa prefixada, mas deseja tomar emprestado em taxa flutuante. *B* possui aparente vantagem comparativa no mercado de taxa flutuante, mas deseja tomar emprestado em taxa prefixada. Isso fornece a base para o swap. Existe o diferencial de 1,4% a.a. entre as taxas prefixadas e 0,5% a.a. entre as taxas flutuantes oferecidas às duas empresas. O ganho total das partes com o swap é 1,4 – 0,5 = 0,9% a.a. Como o banco obtém 0,1% a.a. desse ganho, o swap deve melhorar a posição de *A* e *B*, em 0,4% por ano. Isso significa que *A* deve tomar emprestado à Libor –0,3% e *B* a 13%. O diagrama mostra o procedimento apropriado.

Figura swap da pergunta 6.1

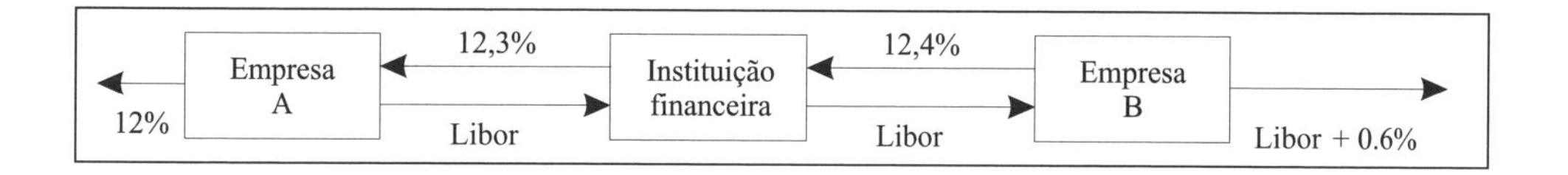

6.2 *X* possui vantagem comparativa nos mercados de iene, mas deseja tomar emprestados dólares. *Y* possui vantagem comparativa nos mercados de dólar, porém deseja tomar emprestados ienes. Isso fornece a base para o swap. Existe o diferencial de 1,5% a.a. entre as taxas de juro relativas ao iene e de 0,4% a.a. entre as taxas de juro relativas ao dólar. O ganho total das partes com o swap é 1,5 – 0,4 = 1,1% a.a. O banco exige 0,5% a.a., deixando 0,3% a.a. para cada parte, *X* e *Y*. O swap deve levar *X* a tomar emprestados dólares a 9,6 – 0,3 = 9,3% a.a. e *Y* a captar ienes a 6,5 – 0,3 = 6,2% a.a. O diagrama a seguir mostra o procedimento apropriado. Todo o risco de preço da moeda estrangeira é assumido pelo banco.

Figura swap da pergunta 6.2

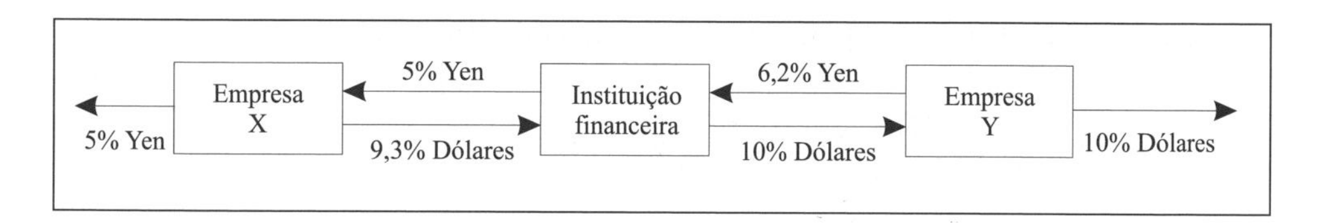

6.3 Em quatro meses, US$6 milhões (= 0,5 × 0,12 × US$100 milhões) serão recebidos e US$4,8 milhões (= 0,5 × 0,096 × US$100 milhões) serão pagos (ignora-se o fluxo de contagem dos dias do ano). Em 10 meses, US$6 milhões serão recebidos e a taxa Libor prevalecente nesse período será paga. O valor do título com taxa prefixada, objeto do swap, é:

$$6e^{-0,1\times4/12} + 106e^{-0,1\times10/12} = \text{US\$}103,328 \text{ milhões}$$

O valor do título com taxa flutuante, objeto do swap, é:

$$(100 + 4,8)e^{-0,1\times4/12} = \text{US\$}101,364 \text{ milhões}$$

O valor do swap para a parte que paga juros flutuantes é US$103,328 – US$101,364 = US$1,964 milhão; e para a parte que paga juros fixos, é –US$1,964 milhão. Esses resultados podem ser derivados decompondo-se o swap em contratos forward. Considere a parte que paga juros flutuantes. O primeiro contrato a termo envolve o pagamento de US$4,8 milhões e o recebimento de US$6 milhões em quatro meses. Possui valor de $1,2e^{-0,1\times4/12}$ = US$1,161 milhão. Para calcular o valor do segundo contrato, nota-se que a taxa de juro a termo é 10% a.a. com capitalização contínua ou 10,254% a.a. com capitalização semestral. O valor do contrato forward é:

$$100\times(0,12\times0,5 - 0,10254\times0,5)e^{-0,1\times10/12} = \text{US\$}0,803 \text{ milhão}$$

Portanto, o valor total do contrato forward é US$1,161 milhão + US$0,803 = US$1,964 milhão.

6.4 A taxa do swap para determinado vencimento é a média entre as taxas prefixadas – *bid and offer* – cobradas pelo *market maker* para a troca com a Libor em um swap *plain vanilla* com essa maturidade. A freqüência de pagamentos e as convenções quanto à contagem dos dias varia de país para país. Nos Estados Unidos, os pagamentos no swap são semestrais e a convenção quanto à contagem dos dias para cotação da Libor é efetivo/360 dias. A taxa do swap para determinada maturidade é igual à Libor *par yield* para essa maturidade.

6.5 O swap envolve a troca dos juros da libra esterlina de 20 × 0,14 = 2,8 milhões pelos juros do dólar 30 × 0,1 = 3 milhões. Os valores do principal também são trocados no vencimento do swap. O valor do bônus em libras, objeto do swap, é:

$$\frac{2,8}{1,11^{1/4}} + \frac{22,8}{1,11^{5/4}} = 22,739 \text{ milhões de libras}$$

O valor do bônus em dólares, objeto do swap, é:

$$\frac{3}{1,08^{1/4}} + \frac{33}{1,08^{5/4}} = \text{US\$}32,916 \text{ milhões}$$

Portanto, o valor do swap para a parte que paga em libras é:

$$32,916 - (22,739 \times 1,65) = -\text{ US\$}4,604 \text{ milhões}$$

O valor do swap para a parte que paga em dólares é +US$4,604 milhões. Os resultados podem ser também obtidos considerando-se o swap uma carteira de contratos a termo. As taxas de juro capitalizadas continuamente para a libra e para o dólar são de 10,436% e 7,696% a.a., respectivamente. As taxas de câmbio a termo para três e 15 meses são:

$$1,65e^{-(0,10436-0,07696)\times 0,25} = 1,6387 \text{ e } 1,65e^{-(0,10436-0,07696)\times 1,25} = 1,5944$$

Para a parte que paga em libras, os valores dos dois contratos a termo referentes à troca dos juros são, portanto, de:

$$\left(3-2,8\times 1,6387\right)e^{-0,07696\times 0,25} = -\text{ US\$}1,558 \text{ milhão}$$

$$\left(3-2,8\times 1,5944\right)e^{-0,07696\times 1,25} = -\text{ US\$}1,330 \text{ milhão}$$

O valor do contrato a termo referente à troca do principal é:

$$\left(30-20\times 1,5944\right)e^{-0,07696\times 1,25} = -\text{ US\$}1,716 \text{ milhão}$$

O valor total do swap é US$1,558 – US$1,330 – US$1,716 = – US$4,604 milhões.

6.6 O risco de crédito surge da possibilidade de inadimplência da contraparte. O risco de mercado advém dos movimentos das variáveis de mercado, como as taxas de juro e taxas de câmbio. A complicação baseia-se no fato de o risco de crédito em um swap ser dependente dos valores das variáveis de mercado. A posição da companhia no swap possui risco de crédito somente quando o valor do swap para a companhia é positivo.

6.7 No início do swap, ambos os contratos possuem valor de aproximadamente zero. À medida que o tempo passa, é provável que os valores do swap se modificarão de forma que uma ponta terá valor positivo e a outra terá valor negativo para o banco. Se a contraparte do swap com valor positivo ficar inadimplente, o banco terá de honrar o contrato com a outra contraparte. Assim, o banco se sujeita a perder quantidade igual ao valor positivo do swap.

CAPÍTULO 7

7.1 O investidor terá ganho se o preço da ação na data de vencimento for menor que US$37. Nessas circunstâncias, o ganho advindo do exercício da opção é maior que US$3. A opção será exercida se o preço da ação for menor que US$40 no vencimento do contrato. A variação do lucro do investidor em função do preço da ação é mostrada no diagrama a seguir.

Lucro do investidor da pergunta 7.1

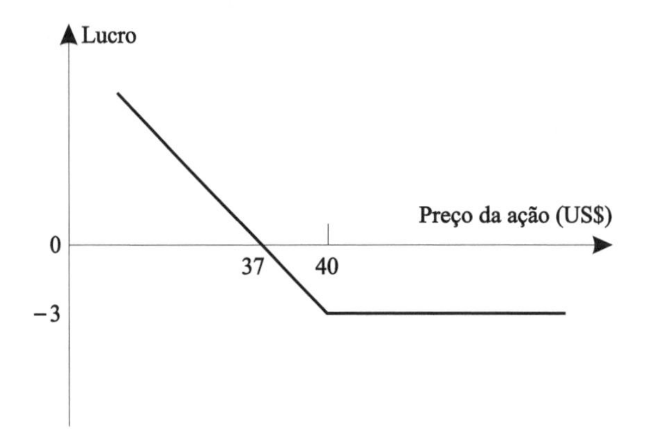

7.2 O investidor realiza ganho se o preço da ação for menor que US$54 na data de vencimento. Se o preço da ação for menor que US$50, a opção não será exercida e o investidor terá lucro de US$4. Se o preço da ação estiver entre US$50 e US$54, a opção será exercida e o investidor terá lucro entre US$0 e US$4. A variação do lucro do investidor em função ao preço da ação é mostrada no diagrama a seguir.

Lucro do investidor da pergunta 7.2

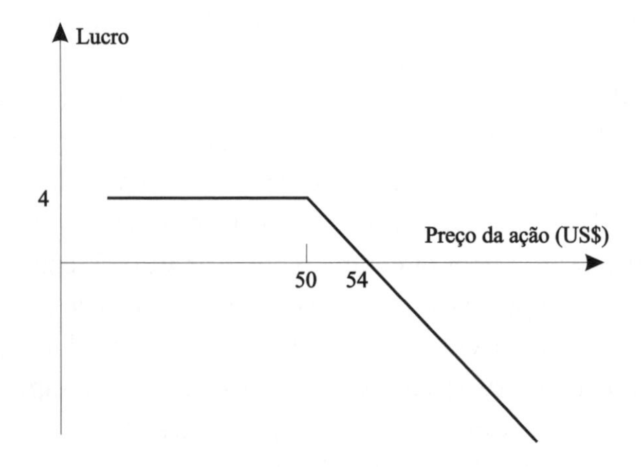

7.3 O retorno do investidor é:

$$\text{máx}\left(S_T - X, 0\right) - \text{máx}\left(X - S_T, 0\right)$$

Em todas as circunstâncias, será igual a $S_T - X$. A posição do investidor é a mesma que em um contrato a termo com preço de entrega X.

7.4 Quando o investidor compra uma opção, deve pagar uma quantia no momento da compra. Não existe nenhuma possibilidade de obrigações futuras e, portanto, não é preciso existir conta de margem. Quando o investidor vende uma opção, existem obrigações futuras potenciais. Para proteção contra risco de inadimplência, são requeridas margens.

7.5 Em 1º de abril, as opções são negociadas para vencimento em abril, maio, agosto e novembro. Em 30 de maio, as opções são negociadas para vencimento em junho, julho, agosto e novembro.

7.6 O preço de exercício é reduzido para US$20 e a opção fornece a seu detentor (titular) o direito de comprar três vezes mais ações.

7.7 A Philadelphia Exchange oferece opções européias e americanas com preços de exercício e datas de vencimento padrão. As opções, negociadas no mercado de balcão, possuem a vantagem de serem montadas para atender necessidades específicas de um tesoureiro. Sua desvantagem consiste no fato de expor o tesoureiro ao risco de crédito. As bolsas organizam as negociações, por isso, na prática, não existe nenhum risco de crédito.

CAPÍTULO 8

8.1 Os seis fatores que afetam o preço das opções sobre ações são preço da ação, preço de exercício, taxa de juro livre de risco, volatilidade, tempo para expiração (vencimento) e dividendos.

8.2 O limite inferior é:

$$28 - 25\,e^{-0{,}08 \times 0{,}3333} = \text{US\$3,66}$$

8.3 O limite inferior é:

$$15\,e^{-0{,}06 \times 0{,}08333} - 12 = \text{US\$2,93}$$

8.4 Ao retardar o exercício, o pagamento do preço de exercício é adiado. Isso significa que o titular da opção pode ganhar juros sobre o preço de exercício por longo período de tempo. O retardamento do exercício também proporciona seguro contra a queda do preço da ação abaixo do preço de exercício perto da data de vencimento.

Assuma que o titular da opção possua o montante de dinheiro X e a taxa de juro seja zero. Ao exercer antecipadamente, a posição do titular da opção será igual a S_T na data de vencimento. Retardando o exercício, a posição irá valer máx(X, S_T).

8.5 A opção de venda americana, quando mantida em conjunto com a ação subjacente, proporciona seguro. Garante que a ação pode ser vendida pelo preço de exercício X. Se a *put* for exercida antecipadamente, o seguro cessa. Entretanto, o titular da opção recebe o preço de exercício imediatamente e pode ganhar juros sobre esse montante entre o momento do exercício antecipado e a data de expiração.

8.6 A opção de compra americana pode ser exercida a qualquer instante. Se for exercida, o titular ganha seu valor intrínseco. Isso significa que a opção de compra americana deve valer no mínimo seu valor intrínseco. A opção de compra européia pode valer menos que seu valor intrínseco. Considere, por exemplo, a situação na qual uma ação tenha a expectativa de receber dividendo alto. Como a opção européia somente pode ser exercida depois de o dividendo ter sido pago, seu valor deve ser menor que seu valor intrínseco atual.

8.7 Quando o exercício antecipado não é possível, pode-se argumentar que dois portfólios que possuem o mesmo valor no instante T devem valer o mesmo em instantes anteriores. Quando o exercício antecipado é possível, esse argumento não se verifica. Suponha $P + S > C + X e^{-rT}$. Essa situação não leva a oportunidades de arbitragem. Se a *call* for comprada e a *put* e a ação forem vendidas, não se poderá ter certeza do resultado, pois não se saberá quando a *put* será exercida.

CAPÍTULO 9

9.1 Uma *protective put* consiste em uma posição longa (comprada) em uma *put* combinada com uma posição longa nas ações subjacentes. É equivalente a uma posição longa em uma *call* somada a certo montante de dinheiro. Isso se explica pela paridade *put–call*:

$$p + S_0 = c + X e^{-rT} + D$$

9.2 O *spread* de baixa (*bear spread*) pode ser criado utilizando duas *calls* com a mesma maturidade (vencimento) e diferentes preços de exercício. O investidor vende a opção de compra com preço de exercício mais baixo e compra a outra opção de compra com preço de exercício mais alto. O *spread* de baixa também pode ser montado usando duas *puts* com a mesma maturidade e diferentes preços de exercício. Nesse caso, o investidor vende a opção de venda com preço de exercício mais baixo e compra a opção de venda com preço de exercício mais alto.

9.3 O *spread* borboleta (*butterfly spread*) envolve posição em opções com três preços de exercício diferentes (X_1, X_2 e X_3). Esse *spread* deve ser negociado quando o investidor considerar que o preço da ação subjacente ficará perto do preço de exercício intermediário (X_2).

9.4 O investidor pode montar um *butterfly spread* comprando duas *calls* com preço de exercício US\$15 e US\$20, vendendo duas *calls* com preço de exercício US\$17,50. O investimento inicial é $4 + 0,5 - 2 \times 2 =$ US\$0,50. A tabela a seguir mostra a variação do lucro com relação ao preço final da ação:

Preços da ação S_T	**Lucro**
$S_T < 15$	$-0,50$
$15 < S_T < 17,50$	$(S_T - 15) - 0,50$
$17,50 < S_T < 20$	$(20 - S_T) - 0,50$
$S_T > 20$	$-0,50$

9.5 O *spread* calendário reverso pode ser criado ao comprar uma opção com vencimento curto e vender opção com vencimento longo, ambas com o mesmo preço de exercício.

9.6 Ambos *straddle* e *strangle* são montados pela combinação de posição longa em uma *call* com posição longa em uma *put*. No *straddle*, as opções possuem o mesmo preço de exercício e mesma data de expiração. No *strangle*, as opções possuem diferentes preços de exercício e a mesma data de expiração.

9.7 O *strangle* é criado pela compra de duas opções. O modelo de lucro está demonstrado a seguir:

Preços da ação S_T	**Lucro**
$S_T < 45$	$(45 - S_T) - 5$
$45 < S_T < 50$	-5
$S_T > 50$	$(S_T - 50) - 5$

CAPÍTULO 10

10.1 Considere o portfólio composto de:

−1: opção de compra;

+Δ: ações.

Se o preço da ação subir para US\$42, o portfólio valerá $42\Delta - 3$. Se o preço da ação cair para US\$38, valerá 38Δ. Esses serão iguais quando:

$$42\Delta - 3 = 38\Delta$$

ou $\Delta = 0,75$. O valor do portfólio em um mês será de US\$28,50 para ambos os preços da ação. Esse valor hoje deve ser o valor presente de 28,50; ou:

$$28,50e^{-0,08\times 0,08333} = 28,31$$

Isso significa que $-f + 40\Delta = 28,31$.

onde f é igual ao preço da opção de compra. Como $\Delta = 0,75$, o preço da opção de compra é $40 \times 0,75 - 28,31$ = US\$1,69. Como abordagem alternativa, pode-se calcular a probabilidade, p, de movimento de alta em um mundo *risk-neutral*. Isso deve satisfazer:

$$42p + 38(1-p) = 40e^{0,08\times 0,08333}$$

Então:

$$4p = 40e^{0,08\times 0,08333} - 38$$

ou $p = 0,5669$. O valor de uma opção é igual ao seu *payoff* esperado descontado à taxa de juro livre de risco:

$$[3\times 0,5669 + 0\times 0,4331]e^{-0,08\times 0,08333} = 1,69$$

ou US\$1,69. O resultado confere com o cálculo anterior.

10.2 Na teoria de não-arbitragem, montamos um portfólio sem risco composto de posições na opção e na ação. Estabelecendo-se o retorno do portfólio igual à taxa de juro livre de risco, está-se apto para apreçar a opção. Quando se usa o *risk-neutral valuation*, escolhe-se, em primeiro lugar, as probabilidades para os ramos da árvore, de forma que o retorno esperado sobre ação seja igual à taxa de juro livre de risco. Então, apreça-se a opção ao calcular o valor esperado do *payoff* e ao descontar, desse *payoff* esperado, a taxa de juro livre de risco.

10.3 O delta de uma opção sobre ação mede a sensibilidade do preço da opção em relação ao preço da ação, quando pequenas oscilações são consideradas. Especificamente, consiste na razão entre a mudança no preço da opção e a mudança no preço da ação subjacente.

10.4 Considere um portfólio composto de:
-1: opção de venda;
$+\Delta$: ações.
Se o preço da ação subir para US\$55, o portfólio valerá 55Δ. Se o preço da ação cair para US\$45, valerá $45\Delta - 5$. Estes serão iguais quando:

$$45\Delta - 5 = 55\Delta$$

ou $\Delta = -0{,}50$. O valor do portfólio em um mês será de –US$27,50 para ambos os preços da ação. Esse valor de hoje deve ser o valor presente de –27,50; ou $-27{,}50e^{-0{,}10\times 0{,}50} = -26{,}16$. Isso significa que:

$$-f + 50\Delta = -26{,}16$$

onde f é igual ao preço da opção de venda. Como $\Delta = -0{,}50$, o preço da opção de venda é US$1,16. Como abordagem alternativa, pode-se calcular a probabilidade, p, de movimento de alta em um mundo *risk-neutral*. Isso deve satisfazer:

$$55p + 45(1-p) = 50e^{0{,}10\times 0{,}50}$$

Então:

$$10p = 50e^{0{,}10\times 0{,}50} - 45$$

ou $p = 0{,}7564$. O valor de uma opção é igual ao *payoff* esperado descontado à taxa de juro livre de risco:

$$[0\times 0{,}7564 + 5\times 0{,}2436]e^{-0{,}10\times 0{,}50} = 1{,}16$$

ou US$1,16. O resultado confere com o cálculo anterior.

10.5 Nesse caso, $u = 1{,}10$; $d = 0{,}90$; $\delta t = 0{,}5$; e $r = 0{,}08$. Então:

$$p = \frac{e^{0{,}08\times 0{,}50} - 0{,}9}{1{,}1 - 0{,}9} = 0{,}7041$$

A árvore para os movimentos do preço da ação é mostrada no diagrama abaixo. Pode-se trabalhar de trás para frente para obter o valor da opção de USUS9,61. A opção também pode ser apreçada de forma direta a partir da equação (10.8):

$$\left[0{,}7041^2\times 21 + 2\times 0{,}7041\times 0{,}2959\times 0 + 0{,}2959^2\times 0\right]e^{-2\times 0{,}08\times 0{,}5} = 9{,}61$$

ou US$9,61.

Árvore para a pergunta 10.5

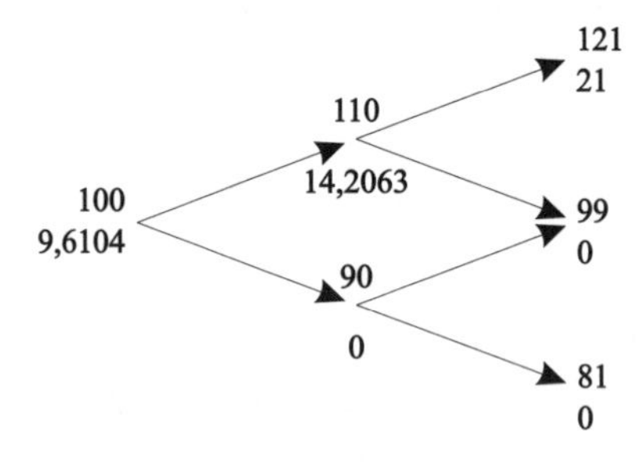

10.6 O diagrama a seguir mostra como se pode apreçar uma opção de venda com a mesma árvore da pergunta 10.5. O valor da opção é igual a US$1,92. Este também pode ser obtido a partir da equação (10.8):

$$e^{-2\times 0,08\times 0,5}\left[0,7041^2\times 0+2\times 0,7041\times 0,2959\times 1+0,2959^2\times 19\right]=1,92$$

ou US$1,92. O preço da ação somada ao preço da opção de venda é 100 + 1,92 = US$101,92. O valor presente do preço de exercício mais o preço da opção de compra é $100e^{-0,08\times 1}+9,61=101,92$. Os valores são iguais, provando que a paridade *put–call* se verifica.

Árvore para a pergunta 10.6

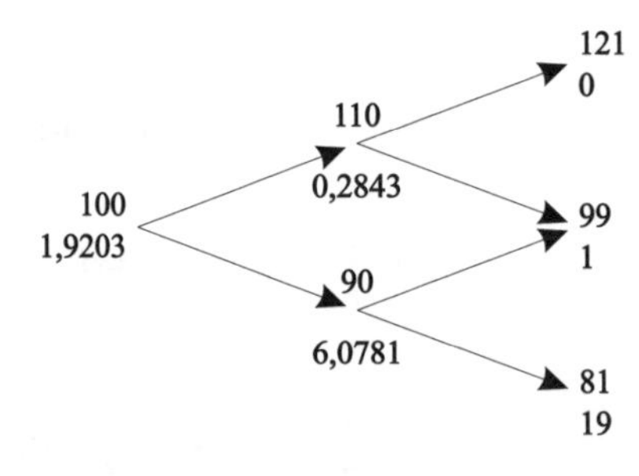

10.7 O portfólio sem risco consiste em uma posição *short* em uma opção e uma posição longa em Δ ações. Como Δ se altera ao longo da vida da opção, o portfólio sem risco também deve se alterar.

CAPÍTULO 11

11.1 O modelo de apreçamento de opções de Black e Scholes assume que a distribuição de probabilidade do preço da ação em um ano (ou em qualquer outro momento futuro) é lognormal. Equivalentemente, assume que a taxa de retorno da ação, capitalizada continuamente, possui distribuição normal.

11.2 O desvio-padrão de uma mudança proporcional no preço no período δt é $\sigma\sqrt{\delta t}$, onde σ é a volatilidade. Nesse problema, σ = 0,30 e, ao assumir 252 dias de negociação em um ano, δt = 1/252 = 0,003968; então $\sigma\sqrt{\delta t} = 0,30\sqrt{0,003968} = 0,019$ ou 1,9%.

11.3 Assumindo que o retorno esperado de uma ação seja a taxa de juro livre de risco, calculamos o *payoff* esperado de uma opção de compra. Feito isso, descontamos esse retorno do final da vida da opção para o início à taxa de juro livre de risco.

11.4 Nesse caso, S_0 = 50; X = 50; r = 0,1; σ = 0,3; T = 0,25.

$$d_1 = \frac{\ln(50/50) + (0,1 + 0,09/2) \times 0,25}{0,3\sqrt{0,25}} = 0,2417$$

$$d_2 = d_1 - 0,3\sqrt{0,25} = 0,0917$$

O preço da opção de venda européia é igual a:

$$50N(-0,0917)e^{-0,1\times 0,25} - 50N(-0,2417) = 50 \times 0,4634e^{-0,1\times 0,25} - 50 \times 0,4045 = 2,37$$

ou US$2,37.

11.5 Nesse caso, precisamos subtrair o valor presente do dividendo do preço da ação antes de usar o modelo de Black e Scholes. Assim, o valor apropriado de S_0 é:

$$S_0 = 50 - 1,50e^{-0,1\times 0,1667} = 48,52$$

Como antes, X = 50; r = 0,1; σ = 0,3; e T = 0,25. Nesse caso:

$$d_1 = \frac{\ln(48,52/50) + (0,1 + 0,09/2) \times 0,25}{0,3\sqrt{0,25}} = 0,0414$$

$$d_2 = d_1 - 0,3\sqrt{0,25} = -0,1086$$

O preço da opção de venda européia é igual a:

$$50N(0,1086)e^{-0,1\times 0,25} - 48,52N(-0,0414) = 50 \times 0,5432e^{-0,1\times 0,25} - 48,52 \times 0,4835 = 3,03$$

ou US$3,03.

11.6 A volatilidade implícita é aquela que faz com que o preço de uma opção, calculado pelo modelo de Black e Scholes, se iguale ao seu preço de mercado. É calculado por tentativa e erro. Testamos, sistematicamente, as diferentes volatilidades até encontrar aquela que fornece o preço da opção de venda européia, quando substituída na fórmula de Black e Scholes.

11.7 Na aproximação de Black, calculamos o preço de uma opção de compra européia que vence no mesmo instante que a opção de compra americana e o preço da opção de compra européia que vence justamente antes da última data ex-dividendo. Estabelecemos o preço da opção de compra americana igual ao maior dos dois valores.

CAPÍTULO 12

12.1 Quando o S&P 100 cair para 700, o valor esperado do portfólio é 10 × (700/800) = US$8,75 milhões (assumindo que o rendimento do dividendo sobre o portfólio e sobre o índice sejam iguais). A compra de opções de venda sobre 10.000.000/800 = 12.500 vezes o índice, com preço de exercício de 700 fornece, portanto, proteção contra a queda no valor do portfólio abaixo de US$8,75 milhões. Como cada contrato é sobre 100 vezes o índice, o total de 125 contratos deve ser adquirido.

12.2 Um índice sobre ações é análogo a uma ação que paga rendimento de dividendo, sendo este igual ao rendimento de dividendo sobre o índice. Uma moeda é análoga a uma ação que paga rendimento de dividendo, sendo esse rendimento igual à taxa de juro livre de risco do país estrangeiro.

12.3 O limite inferior é dado pela equação (12.1) como:

$$300\, e^{-0,03 \times 0,5} - 290\, e^{-0,08 \times 0,5} = 16,90$$

12.4 A árvore dos movimentos da taxa de câmbio é mostrada no diagrama a seguir. Nesse caso, $u = 1,02$ e $d = 0,98$. A probabilidade de movimento para cima em um mundo *risk-neutral* é:

$$p = \frac{e^{(0,06-0,08)\times 0,08333} - 0,98}{1,02 - 0,98} = 0,4584$$

A árvore mostra que o valor da opção para trocar uma unidade de moeda é igual a US$0,0067.

Árvore da pergunta 12.4

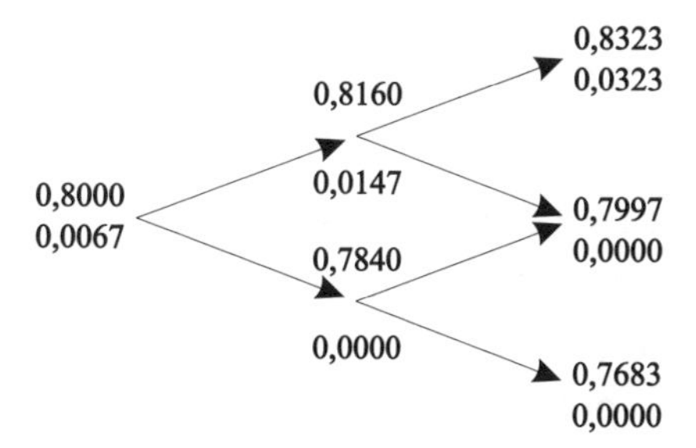

12.5 Uma empresa, ao saber que está para receber moeda estrangeira em certo período futuro, pode comprar uma opção de venda. Isso garante que o preço de venda desta moeda será igual ou acima de determinado patamar. Uma empresa, ao saber que está para pagar em moeda estrangeira em um período futuro, pode comprar uma opção de compra. Isso garante que o preço de compra dessa moeda será igual ou abaixo de determinado patamar.

12.6 Nesse caso, $S_0 = 250$; $X = 250$; $r = 0{,}10$; $\sigma = 0{,}18$; $T = 0{,}25$; $q = 0{,}03$; e

$$d_1 = \frac{\ln(250/250) + (0{,}1 - 0{,}03 + 0{,}18^2/2) \times 0{,}25}{0{,}18\sqrt{0{,}25}} = 0{,}2394$$

$$d_2 = d_1 - 0{,}18\sqrt{0{,}25} = 0{,}1494$$

O preço da opção de compra é igual a:

$$250N(0{,}2394)e^{-0{,}03\times 0{,}25} - 250N(0{,}1494)e^{-0{,}10\times 0{,}25} =$$
$$= 250 \times 0{,}5946e^{-0{,}03\times 0{,}25} - 250 \times 0{,}5594e^{-0{,}10\times 0{,}25} = 11{,}14$$

12.7 Nesse caso, $S_0 = 0{,}52$; $X = 0{,}50$; $r = 0{,}04$; $r_f = 0{,}08$; $\sigma = 0{,}12$; $T = 0{,}6667$; e

$$d_1 = \frac{\ln(0{,}52/0{,}50) + (0{,}04 - 0{,}08 + 0{,}12^2/2) \times 0{,}6667}{0{,}12\sqrt{0{,}6667}} = 0{,}1771$$

$$d_2 = d_1 - 0{,}12\sqrt{0{,}6667} = 0{,}0791$$

O preço da opção de venda é:

$$0{,}50N(-0{,}0791)e^{-0{,}04\times 0{,}6667} - 0{,}52N(-0{,}1771)e^{-0{,}08\times 0{,}6667} =$$
$$= 0{,}50\times 0{,}4685e^{-0{,}04\times 0{,}6667} - 0{,}52\times 0{,}4297e^{-0{,}08\times 0{,}6667} = 0{,}0162$$

CAPÍTULO 13

13.1 A opção de compra sobre iene fornece ao seu titular o direito de comprar essa moeda no mercado spot a uma taxa de câmbio igual ao preço de exercício. A opção de compra sobre futuros de iene fornece ao seu titular o direito de receber um montante ao qual o preço futuro excede o preço de exercício. Se a opção sobre futuros de iene for exercida, o titular também obterá uma posição longa (comprada) em contratos futuros de iene.

13.2 A principal razão é que o contrato futuro sobre um bônus é mais líquido que o próprio bônus. O preço de um contrato futuro sobre bônus do Tesouro (norte-americano) é conhecido imediatamente a partir de sua negociação na CBOT. O preço de um bônus só pode ser obtido entrando em contato com os *dealers*.

13.3 O preço futuro comporta-se como uma ação que paga rendimento de dividendo igual à taxa de juro livre de risco.

13.4 Nesse caso, $u = 1{,}12$ e $d = 0{,}92$. A probabilidade de movimento de alta em um mundo *risk-neutral* é:

$$\frac{1-0{,}92}{1{,}12-0{,}92} = 0{,}4$$

A partir do *risk-neutral valuation*, o valor de uma opção de compra é:

$$e^{-0{,}06\times 0{,}5}\left(0{,}4\times 6 - 0{,}6\times 0\right) = 2{,}33$$

13.5 A fórmula da paridade *put–call* para opções sobre futuros é a mesma que para opções sobre ações, exceto que o preço da ação é substituído por F_0e^{-rT}, onde F_0 é o preço futuro corrente; r a taxa de juro livre de risco; e T o prazo para o vencimento da opção.

13.6 A opção de compra americana sobre futuros vale mais que sua correspondente sobre o ativo subjacente quando o preço futuro é maior que o preço spot antes do vencimento do contrato futuro.

13.7 Nesse caso, $F_0 = 19$; $X = 20$; $r = 0{,}12$; $\sigma = 0{,}20$; $T = 0{,}4167$. O valor de uma opção de venda européia sobre futuros é igual a:

$$20N(-d_2)e^{-0{,}12\times 0{,}4167} - 19N(-d_1)e^{-0{,}12\times 0{,}4167}$$

onde:

$$d_1 = \frac{\ln(19/20) + (0,04/2)0,4167}{0,2\sqrt{0,4167}} = -0,3327$$

$$d_2 = d_1 - 0,2\sqrt{0,4167} = -0,4618$$

Isso é igual a:

$$e^{-0,12\times 0,4167}\left[20N(0,4618) - 19N(0,3327)\right] =$$

$$= e^{-0,12\times 0,4167}(20\times 0,6778 - 19\times 0,6303) = 1,50$$

ou US$1,50.

CAPÍTULO 14

14.1 Quando ambas as caudas da distribuição dos preços da ação são mais finas que da distribuição lognormal, o modelo de Black e Scholes tenderá a produzir preços relativamente altos para opções significativamente fora ou dentro do dinheiro. Isso leva a um padrão de volatilidade implícita similar à Figura 14.6. Quando a cauda direita é mais pesada e a cauda esquerda é mais fina, esse modelo tenderá a produzir preços relativamente baixos para opções de compra fora do dinheiro e para opções de venda dentro do dinheiro. Tenderá a produzir preços relativamente altos para opções de venda fora do dinheiro e opções de compra dentro do dinheiro. Isso implica que a volatilidade implícita seja uma função crescente do preço de exercício.

14.2 Quando o preço do ativo é positivamente correlacionado com a volatilidade, esta última tende a crescer quando o preço do ativo aumenta, produzindo caudas esquerdas finas e caudas direitas pesadas. Então, a volatilidade implícita cresce com o preço de exercício.

14.3 Saltos tendem a produzir caudas (esquerdas e direitas) da distribuição dos preços da ação mais pesadas que aquelas da distribuição lognormal. Isso cria um *smile* de volatilidade similar à Figura 14.1. O *smile* de volatilidade é, provavelmente, mais pronunciado para opções de três meses de prazo.

14.4 A paridade *put–call*:

$$c - p = S_0 e^{-qT} - Xe^{-rT}$$

deve permanecer a mesma para todos os modelos de apreçamento de opções.

Como os termos do lado direito da equação são independentes do modelo de apreçamento de opções utilizado, $c - p$ também é independente desse modelo de apreçamento de opções.

14.5 Como a distribuição de probabilidade na Figura 14.4 possui a cauda esquerda mais fina que na distribuição lognormal, isso leva a preços mais baixos para opções de compra fora do dinheiro. Como possui a cauda direita mais pesada, isso leva a preços mais altos para opções de venda fora do dinheiro. Esse argumento mostra que, se σ^* é a volatilidade correspondente a uma distribuição lognormal da Figura 14.4, a volatilidade implícita para opções de compra com alto preço de exercício deve ser menor que σ^* e a volatilidade implícita para opções de venda com baixo preço de exercício deve ser maior que σ^*. Isso significa que a Figura 14.3 é consistente com a Figura 14.4.

14.6 Com as notações do texto:

$$c_{\text{bs}} + Xe^{-rT} = p_{\text{bs}} + Se^{-qT}$$
$$c_{\text{mkt}} + Xe^{-rT} = p_{\text{mkt}} + Se^{-qT}$$

segue que:

$$c_{\text{bs}} - c_{\text{mkt}} = p_{\text{bs}} - p_{\text{mkt}}$$

Nesse caso, $c_{\text{mkt}} = 3{,}00$; $c_{\text{bs}} = 3{,}50$; e $p_{\text{bs}} = 1{,}00$. Logo, p_{mkt} deve ser 0,50.

14.7 A distribuição de probabilidade do preço da ação em um mês não é lognormal. Possivelmente, isso consiste em duas distribuições lognormais sobrepostas uma sobre a outra, sendo bimodal (possui duas modas). O modelo de Black e Scholes é inapropriado, pois assume que o preço da ação em um momento futuro do tempo é lognormal.

CAPÍTULO 15

15.1 A estratégia de *stop-loss* pode ser implementada ao assumir uma posição coberta, quando a opção estiver dentro do dinheiro, e uma posição descoberta, quando a opção estiver fora do dinheiro. Ao usar esse esquema, o lançador da opção de compra fora do dinheiro deve comprar o ativo subjacente tão logo seu preço se mova para cima do preço de exercício, X, e deve vender o ativo tão logo seu preço se mova para baixo de X. Na prática, quando o preço do ativo se iguala a X, não existe como saber se, em seguida, o preço irá se mover para cima ou para baixo de X. Portanto, o ativo será comprado a $X + \varepsilon$ e vendido a $X - \varepsilon$, para um valor pequeno de ε. O custo do *hedge* depende do número de vezes que o preço do ativo se iguala a X. Assim, o *hedge* é relativamente pobre. Não custará nada se o preço do ativo nunca atingir X. Por outro lado, poderá ser muito caro se o preço do ativo alcançar X várias vezes. Em um bom *hedge*, seu custo é conhecido antecipadamente com nível razoável de precisão.

15.2 Um delta de 0,7 significa que quando o preço da ação aumentar em pequeno montante, o preço da opção terá aumento de 70% desse montante. Similarmente, quando o preço da ação tiver diminuição, o preço da opção terá queda de 70%. A posição vendida em 1.000 opções possui delta de –700 e pode passar a ter delta neutro com a compra de 700 ações.

15.3 Nesse caso, $S_0 = X$; $r = 0,10$; $\sigma = 0,25$; e $T = 0,5$. Além disso:

$$d_1 = \frac{\ln\left(S_0 / X\right) + \left[\left(0,1 + 0,25^2 / 2\right)\right] \times 0,5}{0,25\sqrt{0,5}} = 0,3712$$

O delta da opção é $N(d_1)$ ou 0,64.

15.4 Um teta de –0,1 significa que se δt unidade de tempo passarem, sem nenhuma alteração no preço da ação ou em sua volatilidade, o valor da opção declina $0,1\delta t$. O *trader*, que sente que o preço da ação e sua volatilidade não irão se alterar, deve lançar a opção com o mais alto e negativo teta possível. Opções no dinheiro, com prazo relativamente curto, possuem os maiores tetas negativos.

15.5 O gama de uma posição em opções é a taxa de variação do delta da posição em relação ao preço do ativo. Por exemplo, um gama de 0,1 indica que, quando o preço do ativo aumenta em pequeno montante, o delta tem aumento de 0,1 vez esse montante. Quando o gama da posição do lançador de opções for grande e negativo e seu delta for zero, o lançador da opção irá perder dinheiro se existir forte movimento no preço do ativo (aumento ou queda).

15.6 Para *hedgear* uma posição em opções, é necessário criar uma posição oposta em opções sintéticas. Por exemplo, para realizar o *hedge* de posição comprada em uma opção de venda, é necessário criar uma posição vendida em opção de venda sintética. Logo, o procedimento para a criação de uma posição em opções sintéticas é o reverso do procedimento para *hedgear* uma posição em opções.

15.7 O seguro de portfólio envolve a criação de opções sintéticas de venda. Assume-se que tão logo o valor da carteira tenha pequena queda, a posição do administrador será rebalanceada mediante: (a) a venda de parte do portfólio ou (b) venda de alguns contratos futuros de índice. Em 19 de outubro de 1987, o mercado caiu de forma tão rápida que o tipo de rebalanceamento previsto nos esquemas de seguro de portfólio não pôde ser realizado.

CAPÍTULO 16

16.1 Defina u_i como $(S_i - S_{i-1})/S_{i-1}$, onde S_i é o valor da variável de mercado no dia i. No modelo de EWMA, a taxa de variância da variável de mercado (ou seja, o quadrado de sua volatilidade) é a média ponderada dos u_i^2. Para qualquer constante λ ($0 < \lambda < 1$), o peso dado a u_{i-1}^2 (que é calculado no dia $i - 1$) é λ vezes o peso dado a u_i^2 (calculado no dia i). A volatilidade estimada no final do dia $n - 1$, σ_n, é relacionada à volatilidade estimada no final do dia $n - 2$, σ_{n-1}, por:

$$\sigma_n^2 = \lambda\sigma_{n-1}^2 + (1-\lambda)u_{n-1}^2$$

Essa fórmula mostra que o modelo EWMA possui propriedade bastante atrativa. Para calcular a estimativa da volatilidade para o dia n, é suficiente saber a estimativa da volatilidade para o dia $n - 1$ e u_{n-1}^2.

16.2 Nesse caso, $\sigma_{n-1} = 0{,}015$ e $u_n = 0{,}5/30 = 0{,}01667$. Então, a equação (16.10) fornece:

$$\sigma_n^2 = 0{,}94 \times 0{,}015^2 + 0{,}06 \times 0{,}01667^2 = 0{,}0002282$$

A volatilidade estimada no dia n é, portanto, $\sqrt{0{,}0002282}$ ou 1,51%.

16.3 Mensurando em milhares de dólares, a variância das variações diárias no valor do portfólio é:

$$300^2 \times 0{,}018^2 + 500^2 \times 0{,}012^2 + 2 \times 300 \times 500 \times 0{,}018 \times 0{,}012 \times 0{,}3 = 84{,}60$$

O desvio-padrão das variações diárias no portfólio é $\sqrt{84{,}60} = 9{,}20$ e durante os cinco dias é $9{,}20\sqrt{5} = 20{,}57$. O VAR de cinco dias a 95% para o portfólio é, portanto, $1{,}65 \times 20{,}57 = 33{,}94$ ou US\$33.940.

16.4 Reduzindo λ de 0,95 para 0,85 significa que mais peso será dado para observações recentes de u_i^2 e menos peso para as observações mais antigas. As volatilidades calculadas com $\lambda = 0{,}85$ reagirão mais rapidamente às novas informações e terão saltos maiores que as volatilidades calculadas com $\lambda = 0{,}95$.

16.5 A relação aproximada entre a variação diária no valor do portfólio, δP, e a variação diária na taxa de câmbio, δS, é:

$$\delta P = 56\delta S$$

A variação diária na taxa de câmbio proporcional, δx, iguala $\delta S/1{,}5$. Isso significa que:

$$\delta P = 56 \times 1{,}5\delta x$$

ou

$$\delta P = 84\delta x$$

O desvio-padrão de δx iguala a volatilidade diária da taxa de câmbio, ou 0,7%. Portanto, o desvio-padrão de δP é $84 \times 0{,}007 = 0{,}588$. Isso significa que o VAR do portfólio de 10 dias a 99% é igual a:

$$0{,}588 \times 2{,}33 \times \sqrt{10} = 4{,}33$$

16.6 Da equação (16.5), a relação é:

$$\delta P = 56 \times 1{,}5\delta x + \frac{1}{2} \times 1{,}5^2 \times 16{,}2 \times \delta x^2$$

ou

$$\delta P = 84\delta x + 18{,}225\delta x^2$$

16.7 O método de simulação histórica assume que a distribuição de probabilidade conjunta das variáveis de mercado é a distribuição dada pelos dados históricos. O método *model building* assume, normalmente, que as variáveis de mercado possuem distribuição normal multivariada. Nesse método, as volatilidades das variáveis de mercado e a correlação entre tais variáveis são, usualmente, calculadas com procedimentos como o modelo de EWMA, o qual aplica mais peso aos dados mais recentes.

CAPÍTULO 17

17.1 Delta, gama e teta podem ser determinados a partir de uma única árvore binomial. O vega é determinado ao se fazer pequena variação na volatilidade e, assim, recalcular o preço da opção com nova árvore. O rô é calculado ao se fazer pequena variação na taxa de juro e, assim, recalcular o preço da opção com nova árvore.

17.2 Nesse caso, $S_0 = 60$; $X = 60$; $r = 0{,}10$; $\sigma = 0{,}45$; $T = 0{,}25$; e $\delta t = 0{,}0833$. Também:

$$u = e^{\sigma\sqrt{\delta t}} = e^{0{,}45\sqrt{0{,}0833}} = 1{,}1387$$

$$d = \frac{1}{u} = 0{,}8782$$

$$a = e^{r\delta t} = e^{0{,}1 \times 0{,}0833} = 1{,}0084$$

$$p = \frac{a-d}{u-d} = 0{,}4998$$

$$1 - p = 0{,}5002$$

A árvore é mostrada no diagrama a seguir. O preço calculado da opção é US$5,16.

Árvore para a pergunta 17.2

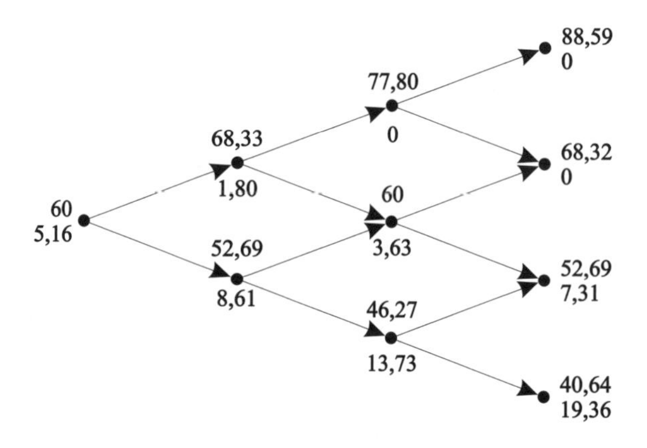

17.3 A técnica de *control variate* é implementada ao:

a) apreçar uma opção americana com a árvore binomial, na forma usual (para obter f_A);

b) apreçar uma opção européia com os mesmos parâmetros da opção americana, usando a mesma árvore (para obter f_E);

c) apreçar a opção européia usando o modelo de Black e Scholes (para obter f_{BS}).

O preço da opção americana é estimado como $f_A + f_{BS} - f_E$.

17.4 Nesse caso, $F_0 = 198$; $X = 200$; $r = 0{,}08$; $\sigma = 0{,}30$; $T = 0{,}75$; e $\delta t = 0{,}25$. Além disso:

$$u = e^{0,3\sqrt{0,25}} = 1{,}1618$$

$$d = \frac{1}{u} = 0{,}8607$$

$$a = 1$$

$$p = \frac{a-d}{u-d} = 0{,}4626$$

$$1 - p = 0{,}5373$$

A árvore é mostrada no diagrama a seguir. O preço calculado da opção é 20,3 *cents*.

Árvore para a pergunta 17.4

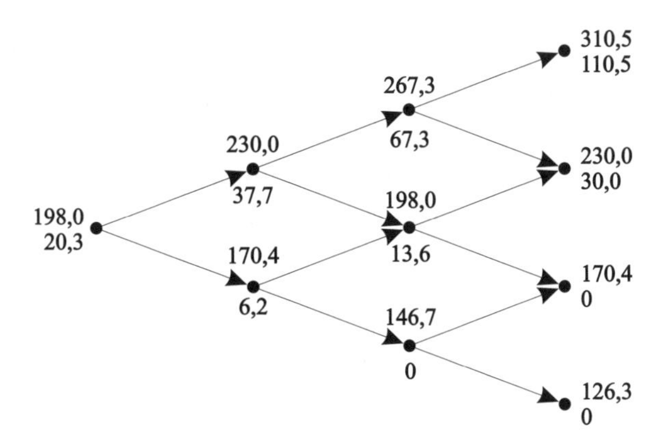

17.5 Não! Isso é um exemplo de *path-dependent option*. O *payoff* depende do caminho seguido pelo preço da ação e de seu valor final. A opção não pode ser apreçada ao se iniciar do fim da árvore e trabalhar de trás para frente, pois o *payoff* no ramo final depende do ramo usado. Opções européias para as quais o *payoff* depende da média dos preços da ação podem ser apreçadas utilizando simulação de Monte Carlo.

17.6 Suponha que um dividendo igual a D é pago durante certo intervalo de tempo. Se S é o preço da ação no início do intervalo de tempo, este será $Su - D$ ou $Sd - D$ no final desse intervalo. No final do próximo intervalo de tempo, será um desses: $(Su - D)u$, $(Su - D)d$, $(Sd - D)u$ e $(Sd - D)d$. Como $(Su - D)d$ não é igual a $(Sd - D)u$, a árvore não é recombinante. Se S for igual ao preço da ação menos o valor presente dos dividendos futuros, esse problema é evitado.

17.7 Na simulação de Monte Carlo, são escolhidos, aleatoriamente, os caminhos ao longo da árvore, trabalhando-se do começo para o fim. Quando um nó é atingido, não há como saber quando um exercício antecipado é ótimo.

CAPÍTULO 18

18.1 O montante de:

$$US\$20.000.000 \times (0{,}12 - 0{,}10) \times 0{,}25 = US\$100.000$$

deve ser pago três meses depois.

18.2 O bônus *callable* é aquele em que o emissor possui a opção de comprá-lo de volta do detentor em certos momentos a preço predeterminado. O bônus *puttable* é aquele em que o detentor possui o direito de vender o bônus de volta ao emissor em certos momentos a preço pré-especificado.

18.3 O *swaption* é uma opção para entrar em um swap de taxa de juro em certa data futura, com determinada taxa fixa sendo trocada por taxa flutuante. O swap de taxa de juro pode ser considerado a troca de um bônus de taxa fixa por um bônus de taxa flutuante. Assim, o *swaption* é uma opção para trocar um bônus de taxa fixa por um de taxa flutuante. O bônus de taxa flutuante será igual a seu valor de face no início da vida do swap. O *swaption* é, portanto, uma opção sobre um bônus de taxa fixa com preço de exercício igual ao valor de face do bônus.

18.4 Nesse caso, $F_0 = (125-10)e^{0,1\times 1} = 127,09$, $X = 110$, $r = 0,1$, $\sigma = 0,08$ e $T = 1,0$.

$$d_1 = \frac{\ln(127,09/110) + 0,08^2/2}{0,08} = 1,8456$$

$$d_2 = d_1 - 0,08 = 1,7656$$

O valor da opção de venda é:

$$110e^{-0,1}N(-1,7656) - 115N(-1,8456) = 0,12$$

ou US$0,12.

18.5 O *payoff* de um *swaption* é uma série de cinco fluxos de caixa iguais a máx(0,076 – R, 0) em milhões de dólares, onde R é a taxa do swap de cinco anos nos quatro anos. O valor de uma anuidade que fornece US$1 por ano no final dos anos 5, 6, 7, 8 e 9 é igual a:

$$\sum_{i=5}^{9} \frac{1}{1,08^i} = 2,9348$$

Portanto, o valor do *swaption* em milhões de dólares é:

$$2,9348\left[0,076N(-d_2) - 0,08N(-d_1)\right]$$

onde:

$$d_1 = \frac{\ln(0,08/0,076) + 0,25^2 \times 4/2}{0,25\sqrt{4}} = 0,3526$$

$$d_2 = \frac{\ln(0,08/0,076) - 0,25^2 \times 4/2}{0,25\sqrt{4}} = -0,1474$$

O valor do *swaption* é:

$$2{,}9348\left[0{,}076N(0{,}1474)-0{,}08N(-0{,}3526)\right]=0{,}0396$$

ou US$39.600.

18.6 Nesse caso, L = 1.000; δ_k = 0,25; F_k = 0,12; R_X = 0,13; σ_k = 0,12; t_k = 1,5; e $e^{-0{,}115\times1{,}75}=0{,}8177$.

$$d_1=\frac{\ln(0{,}12/0{,}13)+0{,}12^2\times1{,}5/2}{0{,}12\sqrt{1{,}5}}=-0{,}4711$$

$$d_2=-0{,}4711-0{,}12\sqrt{1{,}5}=-0{,}6181$$

O valor da opção é:

$$1000\times0{,}25\times0{,}8177\left[0{,}12N(-0{,}4711)-0{,}13N(-0{,}6181)\right]=0{,}69$$

ou US$0,69.

18.7 Existem duas vantagens principais dos modelos de curva de juros. Em primeiro lugar, permitem que todos os derivativos de taxas de juro sejam apreçados em base consistente. Em segundo lugar, possibilitam o apreçamento de títulos que o modelo de Black não trata. Um exemplo de título que não pode ser apreçado com esse modelo, mas pode ser apreçado pelos modelos de curva de juros, é a opção de longo prazo, do tipo americano, sobre swap.

CAPÍTULO 19

19.1 A opção *forward start* é aquela que é negociada agora, mas terá início em data futura. O preço de exercício é, em geral, igual ao preço do ativo no momento em que a opção tem início. A opção *chooser* é aquela em que, em certo momento no futuro, o titular escolhe se a opção será de compra ou de venda.

19.2 A opção de compra *lookback* fornece *payoff* de $S_T - S_{mín}$. A opção de venda *lookback* fornece *payoff* de $S_{máx} - S_T$. A combinação dessas duas opções fornece *payoff* de $S_{máx} - S_{mín}$.

19.3 Não, nunca é recomendável escolher antecipadamente. Os fluxos de caixa resultantes são os mesmos independentemente do momento em que a escolha é feita. Para o titular, não faz sentido assumir um compromisso antes do necessário. Esse argumento também se aplica quando o titular escolhe entre duas opções americanas dado que as opções não podem ser exercidas antes de dois anos. Já se o período de exercício antecipado iniciar-se tão logo a escolha seja feita, o argumento não é válido. Por exemplo, se o preço da ação cair para próximo de zero nos primeiros seis meses, o titular poderia escolher uma *put* nesse instante e exercê-la imediatamente.

19.4 Os *payoffs* são os seguintes:

$$c_1 = \text{máx}(S_{\text{médio}} - X, 0)$$
$$c_2 = \text{máx}(S_T - S_{\text{médio}}, 0)$$
$$c_3 = \text{máx}(S_T - X, 0)$$
$$p_1 = \text{máx}(X - S_{\text{médio}}, 0)$$
$$p_2 = \text{máx}(S_{\text{médio}} - S_T, 0)$$
$$p_3 = \text{máx}(X - S_T, 0)$$

O *payoff* advindo de $c_1 - p_1$ é sempre igual a $S_{\text{médio}} - X$. O *payoff* advindo de $c_2 - p_2$ é sempre igual a $S_T - S_{\text{médio}}$. O *payoff* advindo de $c_3 - p_3$ é sempre igual a $S_T - X$. Isso significa que:

$$c_1 - p_1 + c_2 - p_2 = c_3 - p_3$$

ou

$$c_1 + c_2 - c_3 = p_1 + p_2 - p_3$$

19.5 Quando pagamentos antecipados aumentam, o principal é recebido mais cedo. Isso aumenta o valor do PO. Quando pagamentos antecipados aumentam, menos juros são recebidos. Isso diminui o valor de IO.

19.6 O *cancelable swap* fornece para a companhia X uma opção para terminar o swap antecipadamente. Suponha que o swap tenha vencimento na data T e a companhia X encerra-o no momento t. Isso é equivalente a uma situação em que X entra em novo swap no momento t. Esse novo swap tem vencimento em T e possui fluxo de caixa oposto ao swap original. Essa opção fornece, portanto, à companhia X o direito de entrar em um swap, o que corresponde a uma opção sobre swap.

19.7 O *trader* pode entrar em um *diff swap*, em que paga juro sobre o principal em dólar sob a taxa Libor americana de três meses e recebe juro sobre o mesmo principal, sendo calculado pela taxa Libor canadense de três meses menos 2% de *spread*. Isso é melhor que o swap *floating-for-floating* normal, em que a Libor canadense é aplicada ao principal em dólares canadenses, pois isso evita qualquer exposição à taxa de câmbio dólar canadense/dólar norte-americano.

CAPÍTULO 20

20.1 O *credit default* swap fornece seguro contra determinada companhia inadimplente durante certo período de tempo. No *total return swap*, o retorno do ativo ou do grupo de ativos é "swapado" pelo retorno de outro.

20.2 O vendedor recebe:

$$300.000.000 \times 0{,}0060 \times 0{,}5 = \text{US\$}900.000$$

nos momentos 0,5; 1,0; 1,5; 2,0; 2,5; 3,0; 3,5; 4,0 anos. O vendedor também recebe pagamento acumulado final de cerca de US$300.000 (= US$300.000.000 $\times$ 0,060 $\times$ 2/12) no momento da inadimplência. O vendedor paga:

$$300.000.000 \times 0{,}60 = \text{US\$}180.000$$

no momento da inadimplência.

20.3 O *payoff* em dólares é máx(65 – A), onde A é a média da temperatura máxima e mínima durante o dia. Este é o *payoff* de uma opção de venda sobre A com preço de exercício de 65.

20.4 A média de temperatura a cada dia é 75°. O CDD a cada dia é, portanto, 10 e o CDD acumulado no mês é $10 \times 31 = 310$. O *payoff* de uma opção de compra é, portanto, de $(310 - 250) \times 5.000$ = US$300.000.

20.5 O preço de uma fonte de energia mostrará grandes mudanças, mas será empurrado de volta para seu nível médio de longo prazo rapidamente. Eletricidade é um exemplo de fonte de energia com essas características.

20.6 O produtor de gás pode fazer a regressão dos lucros contra o preço e a temperatura. Pode, então, usar derivativos de tempo para *hedgear* o risco de temperatura (isto é, o volume) e os derivativos de energia para *hedgear* o risco de preço.

20.7 Os bônus CAT (bônus de catástrofe) são uma alternativa de resseguro para a companhia de seguro que está exposta ao risco de catástrofe (ou seja, o risco de furacão ou terremoto) e deseja livrar-se dele. Os bônus CAT são emitidos por companhia de seguro. Fornecem taxa de juro mais alta que os bônus do governo. Entretanto, os titulares dos bônus concordam em abrir mão dos juros, e possivelmente do principal, ao encontrar qualquer pedido de indenização contra a companhia de seguro que estiver dentro de uma escala pré-especificada.

GLOSSÁRIO DE TERMOS

Accrual swap: swap de taxa de juro em que o juro de uma ponta é acumulado apenas quando determinada condição é atendida.

Accrued interest: juro ganho em bônus desde a última data de pagamento de cupom.

***American option* (opção americana)**: opção que pode ser exercida a qualquer momento durante sua vida.comi

Amortizing swap: swap em que o principal nocional diminui de forma predeterminada à medida que o tempo passa.

***Arbitrage* (arbitragem)**: estratégia de negociação que tira proveito da distorção entre os preços de dois ou mais títulos.

***Arbitrageur* (arbitrador)**: indivíduo que realiza arbitragem.

***Asian option* (opção asiática)**: opção com *payoff* dependente do preço médio do ativo subjacente durante período de tempo especificado.

***Ask price* (oferta de venda)**: preço que o *dealer* oferece para vender ativo.

Asked price: mesmo que *ask price*.

***Asset-or-nothing call option* (opção de compra ativo-ou-nada)**: opção que proporciona *payoff* igual ao preço do ativo se este ficar acima do preço de exercício e igual a zero caso contrário.

***Asset-or-nothing put option* (opção de venda ativo-ou-nada)**: opção que proporciona *payoff* igual ao preço do ativo se este ficar abaixo do preço de exercício e igual a zero caso contrário.

As-you-like-it option: ver *chooser option*.

***At-the-money option* (opção no dinheiro)**: opção na qual o preço de exercício é igual ao preço do ativo subjacente.

Average price call option: opção que proporciona *payoff* igual ao maior valor entre zero e o montante pelo qual o preço médio do ativo excede o preço de exercício.

Average price put option: opção que proporciona *payoff* igual ao maior valor entre zero e o montante pelo qual o preço de exercício excede o preço do ativo.

Average strike option: opção que proporciona *payoff* que depende da diferença entre o preço final do ativo e o preço médio do ativo.

Back testing: teste do *value at risk* ou outro modelo com dados históricos.

Backwards induction: procedimento para trabalhar do fim para o início de uma árvore com a finalidade de apreçar opção.

***Barrier option* (opção de barreira)**: opção cujo *payoff* depende de o caminho dos preços do ativo atingir a barreira (ou seja, nível de preço predeterminado).

***Basis* (base)**: diferença entre o preço spot e o preço futuro de uma commodity.

***Basis point* (ponto-base)**: usado para descrever taxa de juro; um ponto-base é um centésimo de 1% (= 0,01 por cento).

***Basis risk* (risco de base)**: risco que surge a partir da incerteza quanto à base em data futura.

Basis swap: swap em que os fluxos de caixa determinados por taxa flutuante de referência são trocados por fluxos de caixa determinados por outra taxa flutuante de referência.

***Basket option* (opção de cesta)**: opção que proporciona *payoff* que depende do valor de um portfólio de ativos.

***Bear spread* (*spread* de baixa)**: posição *short* em opção de venda com preço de exercício X_1 combinado com posição longa em opção de venda com preço de exercício X_2, em que $X_2 > X_1$ (*bear spread* também pode ser criado com opções de compra).

***Bermudan option* (opção bermuda)**: opção que pode ser exercida em datas específicas durante sua vida.

Beta: medida do risco sistemático de um ativo.

Bid-ask spread: montante pelo qual o preço pedido para venda (*ask*) excede o preço pedido para compra (*bid*).

Bid-offer spread: ver *bid-ask spread*.

***Bid price* (oferta de compra)**: preço que o *dealer* está disposto a pagar por um ativo.

***Binary option* (opção binária)**: opção com *payoff* descontínuo; por exemplo, opção caixa-ou-nada ou ativo-ou-nada.

***Binomial model* (modelo binomial)**: modelo no qual o preço de um ativo é monitorado ao longo de sucessivos e curtos períodos de tempo. Em cada período, assume-se que apenas dois movimentos de preços sejam possíveis.

***Binomial tree* (árvore binomial)**: árvore que representa como o preço de um ativo pode evoluir sob modelo binomial.

***Black's approximation* (aproximação de Black)**: procedimento de aproximação desenvolvido por Fischer Black para apreçar opção de compra sobre ação que paga dividendo.

***Black's model* (modelo de Black)**: extensão do modelo de Black e Scholes para apreçamento de opções européias sobre contratos futuros.

***Black and Scholes model* (modelo de Black e Scholes)**: modelo para apreçamento de opções européias sobre ações desenvolvido por Fischer Black, Myron Scholes e Robert Merton.

***Board broker* (operador de mesa)**: indivíduo que negocia ordens limitadas em algumas bolsas. O *board broker* produz a informação sobre as ordens limitadas e torna-a disponível aos outros *traders*.

***Bond option* (opção sobre bônus)**: opção em que bônus é o ativo subjacente.

***Bootstrap method* (método de *bootstrap*)**: procedimento para calcular a curva de juros de cupom zero a partir de dados do mercado.

Boston option: ver *deferred payment option*.

Break forward: ver *deferred payment option*.

***Bull spread* (*spread* de alta)**: posição longa em opção de compra com preço de exercício X_1, combinada com posição *short* em opção de compra com preço de exercício X_2, em que $X_2 > X_1$ (*spread* de alta também pode ser criado com opções de venda).

***Butterfly spread* (*spread* borboleta)**: posição criada tomando-se posição longa em opção de compra com preço de exercício X_1, posição longa em opção de compra com preço de exercício X_3 e posição *short* em posição com duas opções de compra com preço de exercício X_2, em que $X_3 > X_2 > X_1$ e $X_2 = 0{,}5(X_1 + X_3)$ (*spread* borboleta também pode ser criado com opções de venda).

***Calendar spread* (*spread* calendário)**: posição criada tomando-se posição longa em opção de compra que vence em determinada data e posição *short* em opção de compra similar que vence em data diferente (*spread* calendário também pode ser criado usando-se opções de venda).

Callable bond: bônus que contém provisões que permitem seu emissor comprá-lo de volta a preço predeterminado e em certas datas, durante sua vida.

***Call option* (opção de compra)**: opção para comprar ativo a certo preço em determinada data.

***Cancelable swap* (swap passível de cancelamento)**: swap que pode ser cancelado por um dos lados em datas especificadas.

Capital asset pricing model: modelo que relaciona o retorno esperado em um ativo e seu beta.

Cap: ver *interest rate cap*.

Caplet: componente de um *cap* de taxa de juro.

***Cap rate* (taxa do *cap*)**: taxa que determina os *payoffs* em *cap* de taxa de juro.

***Cash flow mapping* (mapeamento de fluxo de caixa)**: procedimento para representar instrumentos como portfólio de bônus de cupom zero, para fins de apuração do *value at risk*.

***Cash-or-nothing call option* (opção de compra caixa-ou-nada)**: opção que proporciona *payoff* fixo, se o preço final do ativo ficar acima do preço de exercício e zero em caso contrário.

***Cash-or-nothing put option* (opção de venda caixa-ou-nada)**: opção que proporciona *payoff* fixo se o preço final do ativo ficar abaixo do preço de exercício e zero em caso contrário.
***Cash settlement* (liquidação financeira)**: procedimento para liquidar contrato futuro em dinheiro em vez da entrega do ativo subjacente.
***CAT bond* (bônus CAT)**: bônus em que o juro e, possivelmente, o principal pagos são reduzidos, se determinada categoria de sinistro de catástrofe exceder certo valor.
***CDD* (*cooling degree days*) (grau-dia de resfriamento)**: máximo entre zero e o montante pelo qual a temperatura média diária é maior que 65° Fahrenheit. A temperatura média é a média entre as temperaturas mais alta e mais baixa (de meia-noite a meia-noite).
***Cheapest-to-deliver bond* (bônus mais barato para entrega)**: é o bônus mais barato e que pode ser entregue para liquidar o contrato futuro de bônus do Tesouro na Chicago Board of Trade.
Chooser option: opção em que o titular tem direito de escolher, em certa data durante a vida da opção, se esta será de compra ou de venda.
***Class of options* (classe de opções)**: todas as opções de mesmo tipo (*calls* ou *puts* sobre ação específica).
***Clean price of bond* (preço limpo de bônus)**: preço cotado de bônus. O *cash price* pago pelo bônus (ou preço sujo) é calculado adicionando-se os juros acruados ao *clean price*.
Clearinghouse: empresa que garante performance das partes em transação com derivativos negociados em bolsa (também chamada de *clearing corporation*).
Clearing margin: margem colocada por um membro da *clearinghouse*.
***CMO* (*collateralized mortgage obligations*) (obrigação garantida por hipoteca)**: título lastreado em hipotecas, em que investidores são divididos em classes e há regras para determinar como os repagamentos de principal são canalizados para as classes.
Collar: ver *interest rate collar*.
***Combination* (combinação)**: posição que envolve tanto *calls* quanto *puts* sobre mesmo ativo subjacente.
***Confirmation* (confirmação)**: contrato confirmando acordo verbal entre duas partes para negociar no mercado de balcão.
***Commission brokers* (corretores comissionados)**: indivíduos que executam negócios para outras pessoas e cobram comissão.
Commodity Futures Trading Commission: órgão que regula a negociação de contratos futuros nos Estados Unidos.
Commodity swap: swap no qual os fluxos de caixa dependem do preço de uma commodity.
***Compounding frequency* (freqüência de capitalização)**: define como a taxa de juro é mensurada.
***Compounding swap* (swap composto)**: swap no qual os juros são capitalizados em vez de serem pagos.

Compound option: opção sobre opção.
***Constant maturity swap* (swap de maturidade constante)**: swap em que uma taxa de swap é trocada por taxa fixa ou taxa flutuante a cada data de pagamento.
Constant maturity treasury swap: swap em que o rendimento em bônus do Tesouro é trocado por uma taxa fixa ou uma taxa flutuante a cada data de pagamento.
***Consumption asset* (ativo de consumo)**: ativo mantido para consumo e não para investimento.
Contango: situação em que o preço futuro está acima do preço spot esperado para o futuro.
***Continuous compounding* (capitalização contínua)**: forma de cotar taxa de juro. Nessa forma, assume-se que o intervalo de capitalização é o menor possível.
***Control variate technique* (técnica de *control variate*)**: técnica que pode, às vezes, ser utilizada para desenvolver a precisão do procedimento numérico.
Convenience yield: medida dos benefícios de ter a posse de um ativo em vez de uma posição longa em futuros.
***Conversion factor* (fator de conversão)**: fator usado para determinar o número de bônus que deve ser entregue para liquidação do contrato futuro de bônus do Tesouro na Chicago Board of Trade.
***Convertible bond* (bônus conversível)**: bônus corporativo que pode ser convertido em certa quantidade de ações da companhia em determinadas datas durante sua vida.
***Convexity* (convexidade)**: medida da curvatura na relação entre preços e rendimento dos bônus.
***Convexity adjustment* (ajustamento para convexidade)**: termo que pode significar várias coisas. Pode-se referir, por exemplo, ao ajustamento necessário para converter taxa de juro futura em taxa de juro *forward*.
***Counterparty* (contraparte)**: lado oposto em uma transação financeira.
***Cost of carry* (custo de carregamento)**: custo de armazenamento mais o custo de financiamento de ativo menos a renda auferida com o ativo.
***Coupon* (cupom)**: pagamento de juros feitos para bônus.
***Covered call* (opção de compra coberta)**: posição *short* em opção de compra sobre o ativo combinada com posição longa no ativo.
Credit default swap: instrumento que dá ao titular o direito de vender bônus pelo seu valor de face no evento de *default* pelo emissor do bônus.
***Credit derivative* (derivativo de crédito)**: derivativo cujo *payoff* depende da capacidade de crédito de uma ou mais entidades.
Credit rating: medida da capacidade de crédito do emissor de bônus.
***Credit risk* (risco de crédito)**: risco de que uma perda venha ocorrer por causa do *default* de uma contraparte em transação com derivativos.
***Credit spread option* (opção sobre *spread* de crédito)**: opção cujo *payoff* depende do *spread* entre rendimentos de dois ativos.

***Currency swap* (swap de moedas)**: swap em que o juro e o principal em uma moeda são trocados pelos juros e principal em outra moeda.
***Cumulative distribution function* (função de distribuição acumulada)**: probabilidade de que uma variável seja menor que x como uma função de x.
***Day count* (contagem de dias)**: convenção para cotar taxas de juro.
Day trade: posição aberta e fechada no mesmo dia.
Deferred payment option: opção em que o preço pago é deferido até o fim da vida da opção.
Delta: taxa de variação no preço de derivativo com o preço do ativo subjacente.
Delta hedging: estratégia de *hedge* construída para fazer o preço do portfólio de derivativos insensível a pequenas mudanças no preço do ativo subjacente.
***Delta-neutral portfolio* (portfólio delta neutro)**: portfólio com delta zero e, portanto, insensível a pequenas mudanças no preço do ativo subjacente.
***Derivative* (derivativo)**: instrumento cujo preço depende ou é derivado do preço de ativo subjacente.
***Diagonal spread* (*spread* diagonal)**: posição em duas opções de compra em que ambos os preços de exercício e prazos até a maturidade são diferentes (*spread* diagonal também pode ser criado com opções de venda).
***Differential swap* (swap diferencial)**: swap em que a taxa flutuante em uma moeda é trocada por taxa flutuante em outra moeda e ambas as taxas se aplicam ao mesmo principal.
Discount bond: ver *zero-coupon bond*.
Discount instrument: instrumento, como letra do Tesouro, que não proporciona cupom.
***Discount rate* (taxa de desconto)**: retorno em dólar, anualizado, de letra do Tesouro ou instrumento similar, expresso como porcentagem do valor de face.
***Dividend* (dividendo)**: pagamento em dinheiro feito ao proprietário de uma ação.
***Dividend yield* (rendimento do dividendo)**: dividendo como uma porcentagem do preço da ação.
Down-and-in option: opção que começa a existir quando o preço do ativo subjacente cai até o nível pré-especificado.
Down-and-out option: opção que deixa de existir quando o preço do ativo subjacente cai até o nível pré-especificado.
***Duration* (duração)**: medida da vida média de um bônus. É também aproximação da razão entre a mudança proporcional no preço do bônus e a variação absoluta em seu rendimento.
Duration matching: procedimento para casar as durações de ativos e passivos em instituição financeira.
***Early exercise* (exercício antecipado)**: exercício efetuado antes da data de maturidade.
***Efficient market hypothesis* (hipótese de mercado eficiente)**: hipótese de que os preços dos ativos refletem as informações que são relevantes.
***Embedded option* (opção embutida)**: opção que é parte inseparável de outro instrumento.

***Empirical research* (pesquisa empírica)**: pesquisa baseada nos dados históricos de mercado.

Equity swap: swap em que o retorno em um portfólio de *equities* (ações, índices de ações ou outro instrumento de participação societária) é trocado por taxa fixa ou taxa flutuante.

Eurodollar: dólar mantido em banco fora dos Estados Unidos.

***Eurodollar futures contract* (contrato futuro de eurodólar)**: contrato futuro cujo ativo subjacente é o certificado de depósito em eurodólares.

***Eurodollar interest rate* (taxa de juro de eurodólar)**: taxa de juro de certificado de depósito em eurodólar.

Eurocurrency: moeda cuja autoridade monetária do país emissor não tem controle sobre esta.

***European option* (opção européia)**: opção que pode ser exercida apenas no fim de sua vida.

***EWMA* (*exponentially weighted moving average*)**: média móvel ponderada exponencialmente.

Exchange option: opção que dá o direito de trocar um ativo por outro.

***Ex-dividend date* (data ex-dividendo)**: quando um dividendo é declarado, a data ex-dividendo é especificada. Os investidores que possuírem ações até a data ex-dividendo recebem o dividendo.

Executive stock option: quando a companhia emite opções sobre suas próprias ações e doa a seus executivos como parte de sua remuneração.

***Exercise price* (preço de exercício)**: preço ao qual o ativo-objeto pode ser comprado ou vendido em um contrato de opção. Também chamado de *strike price*.

***Exotic option* (opção exótica)**: opção não-padronizada.

***Expectations theory* (teoria das expectativas)**: teoria em que as taxas de juro forward são iguais às taxas de juro spot, esperadas para o futuro.

***Expected value of a variable* (valor esperado de uma variável)**: valor médio de uma variável obtido pela ponderação de seus valores possíveis por suas probabilidades.

***Expiration date* (data de expiração)**: fim da vida de um contrato.

***Exponentially weighted moving average model* (modelo de média móvel ponderada exponencialmente)**: modelo em que a ponderação exponencial é usada para prover previsões para uma variável a partir de seus dados históricos. Esse modelo, às vezes, é aplicado à variância diária para apuração do *value at risk*.

***Exponentially weighting* (alisamento exponencial)**: modelo de ponderação em que o peso dado a certa observação depende de quão recente seja. O peso dado à observação t períodos de tempo atrás é λ vezes o peso dado à observação $t-1$ períodos de tempo atrás, em que $\lambda < 1$.

Extendable bond: bônus cuja vida pode ser estendida à opção de seu titular.

Extendable swap: swap cuja vida pode ser estendida à opção de uma parte do contrato.

FASB: sigla de Financial Accounting Standards Board.

***Financial intermediary* (intermediário financeiro)**: banco ou outra instituição financeira que facilita os fluxos de fundos entre duas diferentes entidades em uma economia.

Flat volatility: nome da volatilidade usada para apreçar um *cap* quando a mesma volatilidade é usada para cada *caplet*.

Flex option: opção negociada com termos que são diferentes das opções-padrão negociadas em bolsa.

Floor: ver *interest rate floor*.

Floor-ceiling agreement: ver *interest rate collar*.

Floorlet: componente de um *floor*.

***Floor rate* (taxa do *floor*)**: taxa em contrato de *floor* de taxa de juro.

***Foreign currency option* (opção sobre moeda estrangeira)**: opção sobre taxa de câmbio estrangeira.

***Forward contract* (contrato a termo)**: contrato que obriga o titular a comprar ou vender um ativo por determinado preço em certa data futura.

***Forward exchange rate* (taxa de câmbio a termo)**: preço a termo de uma unidade de moeda estrangeira.

***Forward interest rate* (taxa de juro a termo)**: taxa de juro para um período futuro de tempo implícita nas taxas observáveis no mercado hoje.

***Forward price* (preço a termo)**: preço de entrega em contrato a termo que faz que o preço do contrato seja zero.

***Forward rate agreement* (FRA)**: contrato que estabelece que determinada taxa de juro seja aplicada a certo principal por determinado período de tempo no futuro.

Forward start option: opção estruturada de tal modo que estará no dinheiro em algum momento no futuro.

Forward swap: ver *deferred swap*.

***Futures contract* (contrato futuro)**: contrato que obriga o detentor da posição a comprar ou vender um ativo a determinado preço de entrega durante um período de tempo especificado no futuro. O contrato é marcado a mercado diariamente.

***Futures option* (opção sobre futuro)**: opção sobre contrato futuro.

***Futures price* (preço futuro)**: preço de entrega correntemente aplicável ao contrato futuro.

***Gamma* (gama)**: taxa de variação do delta em relação ao preço do ativo.

***Gamma-neutral portfolio* (portfólio gama neutro)**: portfólio com gama igual a zero.

***Geometric average* (média geométrica)**: n-ésima raiz do produto de n números.

***Greeks* (gregas)**: parâmetros tais como delta, gama, vega, teta e rô.

***HDD* (*heating degree days*) (grau-dia de aquecimento)**: valor máximo entre zero e o montante pelo qual a temperatura média é menor que 65° Fahrenheit. A temperatura média é o valor médio entre a máxima e a mínima temperaturas do dia (de meia-noite a meia-noite).

Hedge: operações de *hedging*; negócio estruturado para reduzir risco.

Hedger: indivíduo que realiza operações de *hedging*.

***Hedge ratio* (razão de *hedge*)**: razão entre o tamanho da posição no instrumento de *hedging* e o tamanho da posição que está sendo *hedgeada*.

***Historical simulation* (simulação histórica)**: simulação baseada em dados históricos.

***Historic volatility* (volatilidade histórica)**: volatilidade estimada a partir dos dados históricos.

***Holiday calendar* (calendário de feriados)**: calendário que define quais dias são feriados para efeito de determinação das datas de pagamento em swap.

***Implied distribution* (distribuição implícita)**: distribuição para o preço futuro do ativo obtida a partir dos preços das opções.

***Implied volatility* (volatilidade implícita)**: volatilidade implícita do preço de uma opção usando o modelo de Black e Scholes ou modelo similar.

Index amortizing swap: ver *indexed principal swap*.

***Index arbitrage* (arbitragem de índice)**: arbitragem envolvendo posição em ações que compõem um índice de ações e posição no contrato futuro desse índice.

Indexed principal swap: swap em que o principal diminui ao longo do tempo. A redução no principal na data de pagamento depende do nível das taxas de juro.

***Index futures* (futuro de índice)**: contrato futuro sobre um índice de ações ou outro índice.

***Index option* (opção sobre índice)**: contrato de opção sobre um índice de ações ou outro índice.

***Initial margin* (margem inicial)**: valor em dinheiro exigido do detentor de posição em contratos futuros, no momento em que a posição é aberta.

***Interest rate cap* (*cap* de taxa de juro)**: opção que proporciona *payoff* quando taxa de juro específica está acima de certo nível. A taxa de juro é flutuante e é atualizada periodicamente.

***Interest rate collar* (collar de taxa de juro)**: combinação de *cap* de taxa de juro e *floor* de taxa de juro.

***Interest rate derivative* (derivativo de taxa de juro)**: derivativo cujos *payoffs* dependem das taxas de juro futuras.

***Interest rate floor* (*floor* de taxa de juro)**: opção que proporciona *payoff* quando a taxa de juro está abaixo de determinado nível. A taxa de juro é uma taxa flutuante atualizada periodicamente.

***Interest rate option* (opção sobre taxa de juro)**: opção em que o *payoff* depende do nível das taxas de juro.

***Interest rate swap* (swap de taxa de juro)**: troca de pagamentos apurados por meio da aplicação de taxa de juro fixa, a certo principal, por pagamentos apurados por meio da aplicação de taxa de juro flutuante ao mesmo principal.

***In-the-money option* (opção dentro do dinheiro)**: opção de compra em que o preço do ativo é maior que o preço de exercício ou opção de venda em que o preço do ativo é menor que o preço de exercício.

***Intrinsic value* (valor intrínseco)**: para opção de compra, é o maior valor entre o excesso do preço do ativo sobre o preço de exercício e zero. Para opção de venda, é o maior valor entre o excesso do preço de exercício sobre o preço do ativo e zero.

***Inverted market* (mercado invertido)**: mercado em que os preços futuros decrescem de acordo com a maturidade do contrato.

***Investment asset* (ativo de investimento)**: ativo mantido por alguns indivíduos com objetivos de investimento.

***IO* (*interest only*) (apenas o juro)**: título lastreado em hipoteca em que o titular recebe apenas os fluxos de caixa relativos aos juros de um *pool* de hipotecas subjacente.

Kappa: ver *vega*.

***Kurtosis* (curtose)**: medida das caudas de uma distribuição.

Lambda: ver *vega*.

***Leaps* (*long-term equity anticipation securities*)**: opções bastante longas sobre ações ou índices de ações.

***Libid* (*London interbank bid rate*)**: taxa oferecida [*bid rate*] pelos bancos para depósitos em *eurocurrency* (ou seja, a taxa à qual um banco deseja tomar empréstimos de outros bancos).

***Libor* (*London interbank offer rate*)**: taxa oferecida pelos bancos para depósitos em *eurocurrency* (ou seja, a taxa à qual um banco está disposto a emprestar a outros bancos).

***Libor curve* (curva de Libor)**: estrutura a termo de taxas de juro Libor de cupom zero.

Libor-in-arrears swap: swap em que a taxa Libor observada em uma data é paga naquela mesma data e não no período acumulado seguinte.

***Limit move* (oscilação máxima diária)**: movimento de preço máximo permitido por uma bolsa em pregão.

***Limit order* (ordem limitada)**: ordem que pode ser executada apenas a preço especificado ou melhor para o investidor.

***Liquidity preference theory* (teoria da preferência pela liquidez)**: teoria que permite concluir que as taxas de juro forward são maiores que as taxas de juro spot esperadas para o futuro.

Liquidity premium: montante pelo qual as taxas de juro forward excedem as taxas de juro spot esperadas para o futuro.

***Locals* (operadores especiais)**: indivíduos no recinto de pregão de uma bolsa que negociam para si próprios e não para clientes.

***Lognormal distribution* (distribuição lognormal)**: variável que tem distribuição lognormal quando seu logaritmo natural tem distribuição normal.

***Long hedge* (*hedge* de compra)**: operação de *hedging* envolvendo posição longa (comprada).

***Long position* (posição longa ou comprada)**: posição envolvendo a compra de ativo.

Lookback option: opção cujo *payoff* depende do valor máximo ou mínimo do ativo observado em determinado período de tempo.

Maintenance margin **(margem de manutenção)**: quando o saldo na conta margem de um operador cai abaixo do nível de margem de manutenção, o operador recebe a chamada de margem requerendo que o saldo de sua conta seja recomposto até o nível da margem inicial.

Margin **(margem)**: depósito em dinheiro (ou títulos) exigido de um operador de futuros ou opções.

Margin call **(chamada de margem)**: solicitação para depósito adicional de margem quando o saldo da conta margem cai abaixo do nível de margem de manutenção.

Market maker: operador ou *trader* que está disposto a cotar tanto ofertas de compra quanto ofertas de vendas para determinado ativo.

Market model **(modelo de mercado)**: modelo comumente usado por *traders*.

Market segmentation theory **(teoria de segmentação de mercado)**: teoria em que as taxas de juro de curto prazo são determinadas pelo mercado de forma independente das taxas de juro de longo prazo.

Marking to market **(marcação a mercado)**: prática de reavaliar um instrumento para que seu valor reflita os valores correntes das variáveis de mercado relevantes.

Maturity date **(data de maturidade)**: fim da vida de um contrato.

Mean reversion **(reversão à média)**: tendência de uma variável de mercado (como taxa de juro) reverter a sua média no longo prazo.

Modified duration **(duração modificada)**: modificação na duração-padrão, medida de forma mais precisa, de tal modo que esta descreva a relação entre as variações proporcionais no preço de bônus e as variações absolutas no seu rendimento. Essa modificação leva em conta a freqüência de capitalização com a qual esse rendimento é cotado.

Monte Carlo simulation **(simulação de Monte Carlo)**: procedimento para criar, de maneira aleatória, variações nas variáveis de mercado com o objetivo de apreçar um derivativo.

Mortgage-backed security **(título lastreado em hipoteca)**: título que dá a seu detentor o direito de receber parte dos fluxos de caixa de um *pool* de hipotecas.

Naked position **(posição descoberta)**: posição *short* em opção de compra, não combinada com posição longa no ativo subjacente.

No-arbitrage assumption **(hipótese de não-arbitragem)**: suposição de que não há oportunidades de arbitragem nos preços de mercado.

Nonsystematic risk **(risco não-sistemático)**: risco que pode ser diversificado.

Normal backwardation: situação em que o preço futuro está abaixo do preço spot esperado para o futuro.

Normal distribution **(distribuição normal)**: distribuição de probabilidade estatística em forma de sino.

Normal market **(mercado normal)**: mercado em que os preços futuros aumentam com a maturidade.

Notional principal **(principal nocional)**: principal usado para calcular os pagamentos em swap de taxa de juro. O principal é nocional porque este não é pago nem recebido.

Numeric procedure **(procedimento numérico)**: método para apreçar opção quando não existe fórmula disponível.

OCC **(*options clearing corporation*)**: ver *clearinghouse*.

Offer price: ver *ask price*.

Open interest **(saldo de posições em aberto)**: número total de posições longas em aberto em um contrato futuro (que se iguala ao total de posições vendidas).

Option **(*opção*)**: direito de comprar ou vender um ativo.

Option class **(classe de opção)**: todas as opções de um mesmo tipo (*call* ou *put*) sobre uma ação em particular.

Option series **(série de opção)**: todas as opções de certa classe com mesmo preço de exercício e mesma data de expiração.

Order book official: ver *board broker*.

Out-of-the-money option **(opção fora do dinheiro)**: opção de compra em que o preço do ativo é menor que o preço de exercício ou opção de venda em que o preço do ativo é maior que o preço de exercício.

Over-the-counter market **(mercado de balcão)**: mercado em que *traders* operam por telefone. Os *traders* normalmente são instituições financeiras, corporações e administradores de fundos.

Package: derivativo que é um portfólio de opções-padrão de compra e de venda, possivelmente combinadas com posição em contratos a termo e no ativo propriamente dito.

Parallel shift **(movimento paralelo)**: movimento na curva de juros em que cada ponto na curva se modifica na mesma magnitude.

Par value **(valor par)**: valor do principal de um bônus.

Par yield **(rendimento par)**: cupom de bônus que faz que seu preço seja igual ao seu principal.

Path-dependent option: opção cujo *payoff* depende de todo o caminho seguido pela variável subjacente e não apenas seu valor final.

Payoff: valor recebido pelo titular de uma opção ou outro derivativo no fim de sua vida.

Plain vanilla: termo usado para descrever um negócio-padrão.

PO **(*principal only*) (apenas o principal)**: título lastreado em hipoteca em que o titular recebe apenas os fluxos de caixa relativos ao principal de um *pool* de hipotecas.

Portfolio immunization **(imunização de portfólio)**: tornar um portfólio insensível às variações das taxas de juro.

Portfolio insurance **(seguro de portfólio)**: realizar negócios para se assegurar que o valor do portfólio não caia abaixo de determinado nível.

Position limit **(limite de posição)**: posição máxima que o *trader* (ou um grupo de *traders* que age em conjunto) pode manter.

***Premium* (prêmio)**: preço de uma opção.

***Prepayment function* (função de pagamento antecipado)**: função que estima o pagamento antecipado em um portfólio de hipotecas em termos de outras variáveis.

Principal: valor par ou valor de face de um instrumento de débito.

Program trading: procedimento em que os negócios são gerados automaticamente por computador e transmitidos ao recinto de pregão de bolsa.

Protective put: opção de venda combinada com posição longa no ativo subjacente.

***Put–call parity* (paridade *put–call*)**: relação entre o preço de uma opção de compra européia e o preço de uma opção de venda européia quando ambas têm o mesmo preço de exercício e data de maturidade.

***Put option* (opção de venda)**: opção de vender um ativo por determinado preço em certa data.

Puttlable bond: bônus em que o titular tem o direito de vendê-lo de volta ao emissor em datas e preços predeterminados.

Puttlable swap: swap em que uma parte tem o direito de terminar (liquidar) o contrato antecipadamente.

Quanto: derivativo em que o *payoff* é definido por variáveis associadas a uma moeda, mas é pago em outra moeda.

Rainbow option: opção cujo *payoff* depende de duas ou mais variáveis subjacentes.

Range-forward contract: combinação de posição longa em opção de compra e posição *short* em opção de venda ou combinação em posição *short* em opção de compra e posição longa em opção de venda.

***Rebalancing* (rebalanceamento)**: processo de ajustar posição periodicamente. Em geral, o objetivo é manter posição delta neutro.

***Repo* (*repurchase agreement*) (acordo de recompra)**: procedimento para tomar dinheiro emprestado por meio da venda de títulos a uma contraparte e sua recompra posterior a preço maior.

***Repo rate* (taxa do acordo de recompra)**: taxa de juro em acordo de recompra.

***Reset date* (data da repactuação)**: data em swap, *cap* ou *floor*, quando a taxa flutuante para o próximo período será fixada.

***Reversion level* (nível de reversão)**: nível a que o valor de uma variável de mercado (taxa de juro, por exemplo) tende a reverter.

***Rho* (rô)**: taxa de mudança no preço de um derivativo em função da taxa de juro.

***Rights issue* (direito de subscrição)**: emissão para os atuais acionistas de uma ação que lhes dá o direito de comprar novas ações a determinado preço.

***Risk-free rate* (taxa de juro livre de risco)**: taxa de juro que pode ser auferida sem que se assuma qualquer risco.

Risk-neutral valuation: apreçamento de opção ou outro derivativo assumindo-se que o mundo é *risk-neutral*. O apreçamento *risk-neutral* dá o preço correto para um derivativo em qualquer mundo e não apenas em um mundo *risk-neutral*.

Risk-neutral world: mundo em que os investidores não requerem retorno médio extra por carregar riscos.
Roll back: ver *backwards induction*.
Scalper: *trader* que mantém posições por curto período de tempo.
***Scenario analysis* (análise de cenário)**: análise dos efeitos de possíveis movimentos alternativos futuros nas variáveis de mercado sobre o valor do portfólio.
SEC: sigla de Securities Exchange Commission[N.T.].
***Settlement price* (preço de ajuste)**: média dos preços de um contrato nos momentos finais da sessão de pregão. Esse preço é usado para os cálculos de *mark-to-market*.
***Short hedge* (*hedge* de venda)**: *hedge* em que se assume posição vendida.
***Short position* (posição vendida)**: posição envolvendo a venda de ativo.
***Short rate* (taxa de curto prazo)**: taxa de juro para curto período de tempo.
Short selling: vender ações tomadas emprestadas de outro investidor.
***Short-term risk-free rate* (taxa de juro de curto prazo livre de risco)**: ver *short rate*.
Shout option: opção em que o titular tem o direito de travar valor mínimo para o *payoff* uma vez durante sua vida.
***Simulation* (simulação)**: ver *Monte Carlo simulation*.
***Specialist* (especialista)**: indivíduo responsável por administrar ordens limitadas em algumas bolsas. Os especialistas não deixam disponíveis as informações sobre as ordens limitadas aos demais *traders*.
Spot interest rate: ver *zero-coupon interest rate*.
***Spot price* (preço spot ou preço a vista)**: preço para entrega imediata.
***Spot volatilities* (volatilidades spot)**: volatilidades utilizadas para apreçamento de *cap* quando uma volatilidade diferente é usada para cada *caplet*.
***Spread transaction* (operação de *spread*)**: posição em duas ou mais opções do mesmo tipo.
***Static hedge* (*hedge* estático)**: *hedge* que não tem de ser modificado uma vez que é estruturado inicialmente.
Step-up swap: swap em que o principal aumenta ao longo do tempo de forma predeterminada.
***Stochastic variable* (variável estocástica)**: variável cujo valor futuro é incerto.
***Stock dividend* (dividendo em ações)**: dividendo pago sob a forma de ações adicionais.
***Stock index* (índice de ações)**: índice que espelha o valor de portfólio de ações.
Stock index futures: futuro de índice de ações.
Stock index option: opção sobre índice de ações.
Stock option: opção sobre uma ação.
***Stock split* (bonificação)**: conversão de cada ação existente em mais de uma nova ação.
***Storage costs* (custos de estocagem)**: custos para estocar uma commodity.

[N.T.] No Brasil, o papel da SEC é realizado pela CVM (Comissão de Valores Mobiliários).

Straddle: posição comprada em opção de compra e em opção de venda com mesmo preço de exercício.

Strangle: posição comprada em opção de compra e em opção de venda com preços de exercícios diferentes.

Strap: posição comprada em duas opções de compra e em uma opção de venda com mesmo preço de exercício.

Stress testing: teste do impacto de movimentos de mercado extremos sobre o valor de um portfólio.

***Strike price/exercise price* (preço de exercício)**: preço ao qual o ativo pode ser comprado ou vendido em contrato de opção.

Strip: posição comprada em opção de compra e duas opções de venda com mesmo preço de exercício.

Swap: contrato para trocar fluxos de caixa no futuro de acordo com fórmula pré-arranjada.

Swap rate: taxa fixa de swap de taxa de juro que faz que o valor do swap seja zero.

Swaption: opção para tomar posição de swap de taxa de juro, em que determinada taxa fixa é trocada por taxa flutuante.

Swing option: opção sobre energia, na qual a taxa de consumo deve estar entre nível mínimo e nível máximo. Em geral, há limite no número de vezes que o titular da opção pode mudar a taxa à qual a energia é consumida.

***Synthetic option* (opção sintética)**: opção criada por meio da negociação do ativo subjacente.

***Systematic risk* (risco sistemático)**: risco que não pode ser diversificado.

Take-and-pay option: ver *swing option*.

***Term structure of interest rates* (estrutura a termo das taxas de juro)**: relação entre as taxas de juro e suas maturidades.

Terminal value: valor na maturidade.

***Theta* (teta)**: taxa de mudança no preço de uma opção ou outro derivativo com a passagem do tempo.

Time decay: ver *theta*.

Time value: valor de uma opção em função do tempo restante até a maturidade (igual ao preço de uma opção menos seu valor intrínseco).

Total return swap: troca do retorno em um portfólio de ativos pelo retorno em outro portfólio de ativos.

***Transactions cost* (custos de transação)**: custo de executar um negócio (comissões mais a diferença entre o preço obtido e a média do *bid-offer spread*).

***Treasury bill* (letra do Tesouro)**: instrumento de curto prazo sem cupom emitido pelo governo para financiar seu débito.

***Treasury bond* (bônus do Tesouro)**: instrumento de longo prazo que paga cupom emitido pelo governo para financiar seu débito.

***Treasury bond futures* (futuro de bônus do Tesouro)**: contrato futuro de bônus do Tesouro.
***Treasury note* (notas do Tesouro)**: ver *Treasury bond* (notas do Tesouro têm maturidades de menos de 10 anos).
***Treasury note futures* (futuro de notas do Tesouro)**: contrato futuro sobre notas do Tesouro.
***Tree* (árvore)**: representação da evolução do valor de uma variável de mercado para efeito de apreçamento de opção ou outro derivativo.
***Underlying variable* (variável subjacente)**: variável da qual depende o preço de opção ou outro derivativo.
Unsystematic risk: ver *nonsystematic risk*.
Up-and-in option: opção que passa a existir quando o preço do ativo subjacente aumenta até o nível pré-especificado.
Up-and-out option: opção que pára de existir quando o preço do ativo subjacente aumenta até o nível pré-especificado.
Value at risk: perda que não será excedida em um intervalo de confiança especificado.
***Variance-covariance matrix* (matriz de variância-covariância)**: matriz que mostra variâncias e covariâncias entre várias e diferentes variáveis de mercado.
***Variance rate* (taxa de variância)**: volatilidade ao quadrado.
***Variation margin* (margem de variação)**: um depósito extra de margem requerido para fazer que o saldo de margem volte aos níveis da margem inicial.
Vega: taxa de mudança no preço de uma opção ou outro derivativo com a volatilidade.
***Vega-neutral portfolio* (porfólio vega neutro)**: portfólio com vega igual a zero.
***Volatility* (volatilidade)**: medida da incerteza do retorno realizado em um ativo.
Volatility skew: termo usado para descrever o *smile* de volatilidade quando este não é simétrico.
***Volatility smile* (*smile* de volatilidade)**: variação da volatilidade implícita em função do preço de exercício.
Volatility swap: swap em que a volatilidade verificada durante um período acumulado é trocada por volatilidade fixa. Os dois percentuais de volatilidade são aplicados a um principal nocional.
***Volatility term structure* (estrutura a termo da volatilidade)**: variação da volatilidade implícita em função do tempo até a maturidade.
***Volatility matrix* (matriz de volatilidade)**: tabela que mostra a variação das volatilidades implícitas com o preço de exercício e o tempo de maturidade.
Warrant: opção emitida por companhia ou instituição financeira. *Call warrants* são freqüentemente emitidos por companhias sobre suas próprias ações.
Wild card play: direito de entregar commodities para liquidação de contrato futuro ao preço de fechamento por um período de tempo após o fechamento.

***Writing an option* (lançar uma opção)**: vender uma opção.
***Yield* (rendimento)**: retorno proporcionado por um instrumento.
***Yield curve* (curva de juros)**: ver *term structure of interest rate.*
Zero-coupon bond: bônus que não paga cupom.
Zero-coupon interest rate: taxa de juro auferida em bônus que não paga cupom.
Zero-coupon yield curve: gráfico que mostra as taxas de juro de cupom zero em relação ao tempo de maturidade.
Zero curve: ver *zero-coupon yield curve.*
Zero rate: ver *zero-coupon interest rate.*

SOFTWARE DERIVAGEM

O software que acompanha este texto é o DerivaGem para Excel (versão 1.22), que requer a versão 7.0 do Excel ou posteriores.

O DerivaGem é composto de três arquivos: Dg_122.xls, DG122.xla e DG122.dll. Para instalá-lo, crie um diretório com o nome DerivaGem e carregue os dois primeiros arquivos nesse diretório. O DG122.dll deve ser carregado no diretório Windows\System.

Note que não é incomum para o Windows Explorer ser configurado de forma que os arquivos *.dll não sejam exibidos. Para mudar a configuração de tal modo que o arquivo *.dll possa ser visto, proceda como se segue.

No Windows 98, clique *View*, seguido de *Folder Options*, de *View*, de *Show All Files*. No Windows 2000, clique *Tools*, seguido de *Folder Options*, de *View*, de *Show Hidden Files and Folders*.

Os usuários de Excel 2000 devem se assegurar que a *Security for Macros* está fixada em *Medium* ou *Low*. Cheque *Tools*, seguido por *Macros* no Excel para mudar isso.

As atualizações podem ser obtidas no site do autor: www.rotman.utoronto.ca/~hull.

Muito raramente, os usuários que instalaram a última versão demo do Excel em seus computadores tiveram problemas usando esse software. Esses usuários devem baixar a versão 1.22a (ou mais recente: ***a) do site.

CARACTERÍSTICAS DO SOFTWARE

O software possui três planilhas Excel. A primeira é usada para executar cálculos para opções sobre ações, opções sobre moedas, opções sobre índices e opções sobre futuros; a segunda, para opções européias e americanas sobre bônus; e a terceira, para *caps*, *floors* e opções européias sobre swaps.

O DerivaGem produz preços, letras gregas e volatilidades implícitas para diferentes instrumentos. Exibe gráficos que mostram como os preços das opções e as letras gregas dependem dos dados; e árvores binomiais e trinomiais, acompanhadas de cálculos.

OPERAÇÃO GERAL

Para usar o software, deve-se escolher uma planilha e clicar nos botões apropriados, selecionando *Options Type*, *Underlying Type* e assim por diante. Entre com os parâmetros para a opção considerada, pressione *Enter* no teclado e clique em *Calculate*. O DerivaGem exibirá o preço ou a volatilidade implícita para a opção considerada junto com as letras gregas. Se o preço foi calculado a partir de uma árvore e a primeira ou segunda planilha estão sendo utilizadas, pode-se clicar em *Display Tree* para poder ver a árvore. Os exemplos das árvores estão nas Figuras 17.3, 17.4, 17.5, 17.8 e 17.9.

É possível exibir diferentes gráficos nas três planilhas. Deve-se primeiro escolher a variável que se deseja no eixo vertical e no eixo horizontal e o intervalo de valores a ser considerado no eixo horizontal. Em seguida, pressione *Enter* no teclado e clique *Draw Graph*.

Note que, quando os valores em uma ou mais células são modificados, é necessário pressionar *Enter* no teclado antes de clicar em um dos botões.

Se a versão de Excel for posterior à versão 7.0, será perguntado se deseja atualizar para a nova versão quando salvar o software pela primeira vez. Deve-se escolher *Yes*.

OPÇÕES SOBRE AÇÕES, MOEDAS, ÍNDICES E FUTUROS

A primeira planilha é usada para opções sobre ações, moedas, índices e futuros. Para usá-la, deve-se selecionar *Underlying Type* (*Equity*, *Currency*, *Index* ou *Futures*). Depois, seleciona-se *Option Type* (*Analytic European*, *Binomial European*, *Binomial American*, *Asian*, *Barrier Up and In*, *Barrier Up and Out*, *Barrier Down and In*, *Barrier Down and Out*, *Binary Cash or Nothing*, *Binary Asset or Nothing*, *Chooser*, *Compound Option on Call*, *Compound Option on Put* ou *Lookback*). Entra-se com os dados sobre o ativo subjacente e os dados sobre a opção. Note que todas as taxas de juro são expressas com capitalização contínua.

No caso de opções européias e americanas sobre *equity*, uma tabela permite que se entre com dividendos. Entre com o prazo para cada data ex-dividendo (em anos) na primeira coluna e o montante de dividendos na segunda. Os dividendos devem ser digitados em ordem cronológica.

Clique os botões para escolher se a opção é uma *call* ou uma *put* e se deseja calcular a volatilidade implícita. Se desejar calcular uma volatilidade implícita, o preço da opção deve ser indicado na célula indicada como *Price*.

Uma vez que todos os dados tenham sido informados, tecle *Enter* e clique *Calculate*. Se *Implied Volatility* tiver sido selecionada, o DerivaGem exibe a volatilidade implícita na célula *Volatility* (% por ano). Se a *Implied Volatility* não tiver sido selecionada, o software utiliza a volatilidade que se colocou nessa célula e exibe o preço da opção na célula *Price*.

Quando os cálculos estiverem completos, pode-se examinar a árvore (se utilizada) e exibir os gráficos.

Se for selecionado *Analityc European*, o DerivaGem usará as equações dos Capítulos 11, 12 e 13 para calcular os preços; e as equações do Capítulo 15 para calcular as letras gregas. Quando *Binomial European* ou *Binomial American* for selecionado, uma árvore binomial será construída na forma descrita nas seções 17.1 a 17.3.

Os dados a serem inseridos são auto-explicativos. No caso de opção asiática, o *Current Average* é o preço médio desde o início. Se a opção asiática for nova (o tempo desde o início é igual a zero), então a célula *Current Average* será irrelevante e poderá ser deixada em branco. No caso de opção *Lookback*, o *Minimum to Date* é usado quando uma *call* é apreçada e o *Maximum to Date*, para *put*. Para novo negócio, esses parâmetros deverão ser fixados iguais ao preço corrente do ativo subjacente.

OPÇÕES SOBRE BÔNUS

A segunda planilha é usada para opções européias e americanas sobre bônus. Deve-se primeiro selecionar o modelo de apreçamento (*Black European*, *Normal-Analytic European, Normal-Tree European*, *Normal American*, *Lognormal European*, ou *Lognormal American*) e entrar com os dados do bônus e da opção. O cupom é a taxa paga por ano e a freqüência de pagamentos pode ser selecionada como trimestral, semestral ou anual. A curva de juros de cupom zero é informada na tabela denominada *Term Structure*.

Entre com as maturidades (medidas em anos) na primeira coluna e as taxas correspondentes capitalizadas continuamente na segunda coluna. As maturidades devem ser informadas em ordem cronológica. O DerivaGem assume uma *zero curve* linear por trechos, similar àquela da Figura 5.1. Note que, quando estiver apreçando derivativos de taxa de juro, o DerivaGem arredonda todas as datas para o número inteiro de dias mais próximo.

Quando todos os dados estiverem informados, tecle *Enter* no teclado. O preço cotado do bônus por US$100 de principal, calculado a partir da curva zero, é exibido quando os cálculos estiverem completos. Deve-se indicar se a opção é uma *call* ou uma *put* e se o preço de exercício é sujo ou limpo (veja a discussão e o exemplo na seção 18.4 para entender a diferença entre os dois). Note que o preço de exercício é informado como o preço por US$100,00 de principal. Indique se você está considerando uma *call* ou uma *put* e se deseja calcular a volatilidade implícita. Se for selecionada a volatilidade implícita e o modelo normal ou o modelo lognormal for utilizado, o DerivaGem indicará a taxa de volatilidade de curto prazo que mantém fixa a taxa de reversão.

Depois que todos os *inputs* estiverem completos, tecle *Enter* e clique *Calculate*. Depois disso, é possível examinar a árvore (se utilizada) e exibir os gráficos. Observe que a árvore exibida dura até o fim da vida da opção. O DerivaGem usa sempre uma árvore grande em seus cálculos para apreçar o bônus subjacente.

Note que, quando o modelo de Black é selecionado, o DerivaGem utiliza as equações da seção 18.3 e o procedimento da seção 18.4 para converter a volatilidade do rendimento em volatilidade do preço.

CAPS E OPÇÕES SOBRE SWAPS

A terceira planilha é usada para *caps* e opções sobre swaps. Deve-se selecionar primeiro *Option Type* (*Swap Option* ou *Cap/Floor*) e *Pricing Model* (*Black*, *Normal European* ou *Normal American*). Entre com os dados sobre as opções consideradas. O *Settlement Frequency* indica a freqüência de pagamentos, que pode ser anual, semestral trimestral ou mensal. O software calcula as datas de pagamento trabalhando para trás na árvore do fim para o início da vida do *cap* ou da opção sobre swap. O período acumulado inicial pode ser de uma extensão não-padrão entre 0,5 e 1,5 vezes um período acumulado normal. O software pode ser usado para indicar a volatilidade ou a taxa do *cap*/taxa do swap a partir do preço. Quando for utilizado modelo normal ou lognormal, o DerivaGem indica a taxa de volatilidade de curto prazo que mantém fixa a taxa de reversão. A curva de juros de cupom zero é informada na tabela denominada *Term Structure*. Entre com as maturidades (medidas em anos) na primeira coluna e as correspondentes taxas capitalizadas continuamente na segunda. As maturidades devem ser informadas em ordem cronológica. O DerivaGem assume uma *zero curve* linear por trechos similar àquela da Figura 5.1.

Depois que os dados estiverem completos, clique *Calculate*. Depois disso, os gráficos podem ser exibidos.

Observe que, quando o modelo de Black é selecionado, o DerivaGem usa as equações das seções 18.5 e 18.6

LETRAS GREGAS

Na planilha *Equity*_FX_*Index*_*Futures*, as letras gregas são calculadas como se segue:

- delta: mudança no preço da opção devido ao aumento de um dólar no preço do ativo subjacente;
- gama: mudança no delta devido ao aumento de um dólar no preço do ativo subjacente;
- vega: mudança no preço da opção devido ao aumento de 1% na volatilidade (por exemplo, a volatilidade varia de 20% para 21%);
- rô: mudança no preço da opção devido ao aumento de 1% na taxa de juro (por exemplo, a taxa de juro aumenta de 5% para 6%);
- teta: mudança no preço da opção devido à passagem de um dia no calendário.

Nas planilhas *Bond*_*Options* e *Caps*_*and*_*Swap*_*Options*, as letras gregas são calculadas como se segue:

- DV01: alteração no preço da opção devido à mudança paralela de um ponto-base na *zero curve*;
- Gama01: alteração em DV01 devido à mudança paralela para cima de um ponto-base na *zero curve*, multiplicada por 100;
- Vega: mudança no preço da opção quando o parâmetro de volatilidade aumenta 1% (por exemplo, a volatilidade aumenta de 20% para 21%).

PRINCIPAIS BOLSAS DO MUNDO QUE NEGOCIAM FUTUROS E OPÇÕES

American Stock Exchange	AMEX
Amsterdam Exchanges	AEX
Australian Stock Exchange, Sydney	ASX
Brussels Exchanges	BXS
Bolsa de Mercadorias & Futuros	BM&F
Chicago Board of Trade	CBOT
Chicago Board Options Exchange	CBOE
Chicago Mercantile Exchange	CME
Coffee, Sugar & Cocoa Exchange	CSCE
Commodity Exchange, Nova Iorque	COMEX
Deutsche Börse	DTB
Eurex	EUREX
Hong Kong Futures Exchange	HKFE
International Petroleum Exchange	IPE
Kansas City Board of Trade	KCBT
Kuala Lumpur Options and Financial Futures Exchange	KLOFFE
London Futures and Options Exchange	FOX
London International Financial Futures Exchange	LIFFE
London Metal Exchange	LME
London Traded Options Market	LTOM
Marché à Terme International de France	MATIF
Marché des Options Négociables de Paris	MONEP
MEFF Renta Fija and Variable, Spain	MEFF
MidAmerica Commodity Exchange	MidAm
Minneapolis Grain Exchange	MGE
Montreal Exchange	ME
New York Board of Trade	NYBOT
New York Cotton Exchange	NYCE
New York Futures Exchange	NYFE
New York Mercantile Exchange	NYMEX
New York Stock Exchange	NYSE
New Zealand Futures & Options Exchange	NZFOE
Osaka Securities Exchange	OSE
Pacific Stock Exchange	PSE
Philadelphia Stock Exchange	PHLX
Singapore International Monetary Exchange	SIMEX
Stockholm Options Market	OM
Sydney Futures Exchange	SFE
Tokyo Grain Exchange	TGE
Tokyo International Financial Futures Exchange	TIFFE
Toronto Stock Exchange	TSE
Winnipeg Commodity Exchange	WCE

TABELA PARA $N(x)$, QUANDO $x \leq 0$

Esta tabela mostra os valores de $N(x)$ para $x \leq 0$ e deve ser usada com interpolação. Por exemplo:

$$N(-0{,}1234) = N(-0{,}12) - 0{,}34[N(-0{,}12) - N(-0{,}13)]$$
$$= 0{,}4522 - 0{,}34 \times (0{,}4522 - 0{,}4483)$$
$$= 0{,}4509$$

x	,00	,01	,02	,03	,04	,05	,06	,07	,08	,09
−0,0	0,5000	0,4960	0,4920	0,4880	0,4840	0,4801	0,4761	0,4721	0,4681	0,4641
−0,1	0,4602	0,4562	0,4522	0,4483	0,4443	0,4404	0,4364	0,4325	0,4286	0,4247
−0,2	0,4207	0,4168	0,4129	0,4090	0,4052	0,4013	0,3974	0,3936	0,3897	0,3859
−0,3	0,3821	0,3783	0,3745	0,3707	0,3669	0,3632	0,3594	0,3557	0,3520	0,3483
−0,4	0,3446	0,3409	0,3372	0,3336	0,3300	0,3264	0,3228	0,3192	0,3156	0,3121
−0,5	0,3085	0,3050	0,3015	0,2981	0,2946	0,2912	0,2877	0,2843	0,2810	0,2776
−0,6	0,2743	0,2709	0,2676	0,2643	0,2611	0,2578	0,2546	0,2514	0,2483	0,2451
−0,7	0,2420	0,2389	0,2358	0,2327	0,2296	0,2266	0,2236	0,2206	0,2177	0,2148
−0,8	0,2119	0,2090	0,2061	0,2033	0,2005	0,1977	0,1949	0,1922	0,1894	0,1867
−0,9	0,1841	0,1814	0,1788	0,1762	0,1736	0,1711	0,1685	0,1660	0,1635	0,1611
−1,0	0,1587	0,1562	0,1539	0,1515	0,1492	0,1469	0,1446	0,1423	0,1401	0,1379
−1,1	0,1357	0,1335	0,1314	0,1292	0,1271	0,1251	0,1230	0,1210	0,1190	0,1170
−1,2	0,1151	0,1131	0,1112	0,1093	0,1075	0,1056	0,1038	0,1020	0,1003	0,0985
−1,3	0,0968	0,0951	0,0934	0,0918	0,0901	0,0885	0,0869	0,0853	0,0838	0,0823
−1,4	0,0808	0,0793	0,0778	0,0764	0,0749	0,0735	0,0721	0,0708	0,0694	0,0681
−1,5	0,0668	0,0655	0,0643	0,0630	0,0618	0,0606	0,0594	0,0582	0,0571	0,0559
−1,6	0,0548	0,0537	0,0526	0,0516	0,0505	0,0495	0,0485	0,0475	0,0465	0,0455
−1,7	0,0446	0,0436	0,0427	0,0418	0,0409	0,0401	0,0392	0,0384	0,0375	0,0367
−1,8	0,0359	0,0351	0,0344	0,0336	0,0329	0,0322	0,0314	0,0307	0,0301	0,0294
−1,9	0,0287	0,0281	0,0274	0,0268	0,0262	0,0256	0,0250	0,0244	0,0239	0,0233
−2,0	0,0228	0,0222	0,0217	0,0212	0,0207	0,0202	0,0197	0,0192	0,0188	0,0183
−2,1	0,0179	0,0174	0,0170	0,0166	0,0162	0,0158	0,0154	0,0150	0,0146	0,0143
−2,2	0,0139	0,0136	0,0132	0,0129	0,0125	0,0122	0,0119	0,0116	0,0113	0,0110
−2,3	0,0107	0,0104	0,0102	0,0099	0,0096	0,0094	0,0091	0,0089	0,0087	0,0084
−2,4	0,0082	0,0080	0,0078	0,0075	0,0073	0,0071	0,0069	0,0068	0,0066	0,0064
−2,5	0.0062	0,0060	0,0059	0,0057	0,0055	0,0054	0,0052	0,0051	0,0049	0,0048
−2,6	0,0047	0,0045	0,0044	0,0043	0,0041	0,0040	0,0039	0,0038	0,0037	0,0036
−2,7	0,0035	0,0034	0,0033	0,0032	0,0031	0,0030	0,0029	0,0028	0,0027	0,0026
−2,8	0,0026	0,0025	0,0024	0,0023	0,0023	0,0022	0,0021	0,0021	0,0020	0,0019
−2,9	0,0019	0,0018	01,0018	0,0017	0,0016	0,0016	0,0015	0,0015	0,0014	0,0014
−3,0	0,0014	0,0013	0,0013	0,0012	0,0012	0,0011	0,0011	0,0011	0,0010	0,0010
−3,1	0,0010	0,0009	0,0009	0,0009	0,0008	0,0008	0,0008	0,0008	0,0007	0,0007
−3,2	0,0007	0,0007	0,0006	0,0006	0,0006	0,0006	0,0006	0,0005	0,0005	0,0005
−3,3	0,0005	0,0005	0,0005	0,0004	0,0004	0,0004	0,0004	0,0004	0,0004	0,0003
−3,4	0,0003	0,0003	0,0003	0,0003	0,0003	0,0003	0,0003	0,0003	0,0003	0,0002
−3,5	0,0002	0,0002	0,0002	0,0002	0,0002	0,0002	0,0002	0,0002	0,0002	0,0002
−3,6	0,0002	0,0002	0,0001	0,0001	0,0001	0,0001	0,0001	0,0001	0,0001	0,0001
−3,7	0,0001	0,0001	0,0001	0,0001	0,0001	0,0001	0,0001	0,0001	0,0001	0,0001
−3,8	0,0001	0,0001	0,0001	0,0001	0,0001	0,0001	0,0001	0,0001	0,0001	0,0001
−3,9	0,0000	0,0000	0,0000	0,0000	0,0000	0,0000	0,0000	0,0000	0,0000	0,0000
−4,0	0,0000	0,0000	0,0000	0,0000	0,0000	0,0000	0,0000	0,0000	0,0000	0,0000

TABELA PARA $N(x)$, QUANDO $x \geq 0$

Esta tabela mostra os valores de $N(x)$ para $x \geq 0$ e deve ser usada com interpolação. Por exemplo:

$$N(0{,}6278) = N(0{,}62) + 0{,}78\,[N(0{,}63) - N(0{,}62)]$$
$$= 0{,}7324 + 0{,}78 \times (0{,}7357 - 0{,}7324)$$
$$= 0{,}7350$$

x	,00	,01	,02	,03	,04	,05	,06	,07	,08	,09
0,0	0,5000	0,5040	0,5080	0,5120	0,5160	0,5199	0,5239	0,5279	0,5319	0,5359
0,1	0,5398	0,5438	0,5478	0,5517	0,5557	0,5596	0,5636	0,5675	0,5714	0,5753
0,2	0,5793	0,5832	0,5871	0,5910	0,5948	0,5987	0,6026	0,6064	0,6103	0,6141
0,3	0,6179	0,6217	0,6255	0,6293	0,6331	0,6368	0,6406	0,6443	0,6480	0,6517
0,4	0,6554	0,6591	0,6628	0,6664	0,6700	0,6736	0,6772	0,6808	0,6844	0,6879
0,5	0,6915	0,6950	0,6985	0,7019	0,7054	0,7088	0,7123	0,7157	0,7190	0,7224
0,6	0,7257	0,7291	0,7324	0,7357	0,7389	0,7422	0,7454	0,7486	0,7517	0,7549
0,7	0,7580	0,7611	0,7642	0,7673	0,7704	0,7734	0,7764	0,7794	0,7823	0,7852
0,8	0,7881	0,7910	0,7939	0,7967	0,7995	0,8023	0,8051	0,8078	0,8106	0,8133
0,9	0,8159	0,8186	0,8212	0,8238	0,8264	0,8289	0,8315	0,8340	0,8365	0,8389
1,0	0,8413	0,8438	0,8461	0,8485	0,8508	0,8531	0,8554	0,8577	0,8599	0,8621
1,1	0,8643	0,8665	0,8686	0,8708	0,8729	0,8749	0,8770	0,8790	0,8810	0,8830
1,2	0,8849	0,8869	0,8888	0,8907	0,8925	0,8944	0,8962	0,8980	0,8997	0,9015
1,3	0,9032	0,9049	0,9066	0,9082	0,9099	0,9115	0,9131	0,9147	0,9162	0,9177
1,4	0,9192	0,9207	0,9222	0,9236	0,9251	0,9265	0,9279	0,9292	0,9306	0,9319
1,5	0,9332	0,9345	0,9357	0,9370	0,9382	0,9394	0,9406	0,9418	0,9429	0,9441
1,6	0,9452	0,9463	0,9474	0,9484	0,9495	0,9505	0,9515	0,9525	0,9535	0,9545
1,7	0,9554	0,9564	0,9573	0,9582	0,9591	0,9599	0,9608	0,9616	0,9625	0,9633
1,8	0,9641	0,9649	0,9656	0,9664	0,9671	0,9678	0,9686	0,9693	0,9699	0,9706
1,9	0,9713	0,9719	0,9726	0,9732	0,9738	0,9744	0,9750	0,9756	0,9761	0,9767
2,0	0,9772	0,9778	0,9783	0,9788	0,9793	0,9798	0,9803	0,9808	0,9812	0,9817
2,1	0,9821	0,9826	0,9830	0,9834	0,9838	0,9842	0,9846	0,9850	0,9854	0,9857
2,2	0,9861	0,9864	0,9868	0,9871	0,9875	0,9878	0,9881	0,9884	0,9887	0,9890
2,3	0,9893	0,9896	0,9898	0,9901	0,9904	0,9906	0,9909	0,9911	0,9913	0,9916
2,4	0,9918	0,9920	0,9922	0,9925	0,9927	0,9929	0,9931	0,9932	0,9934	0,9936
2,5	0,9938	0,9940	0,9941	0,9943	0,9945	0,9946	0,9948	0,9949	0,9951	0,9952
2,6	0,9953	0,9955	0,9956	0,9957	0,9959	0,9960	0,9961	0,9962	0,9963	0,9964
2,7	0,9965	0,9966	0,9967	0,9968	0,9969	0,9970	0,9971	0,9972	0,9973	0,9974
2,8	0,9974	0,9975	0,9976	0,9977	0,9977	0,9978	0,9979	0,9979	0,9980	0,9981
2,9	0,9981	0,9982	0,9982	0,9983	0,9984	0,9984	0,9985	0,9985	0,9986	0,9986
3,0	0,9986	0,9987	0,9987	0,9988	0,9988	0,9989	0,9989	0,9989	0,9990	0,9990
3,1	0,9990	0,9991	0,9991	0,9991	0,9992	0,9992	0,9992	0,9992	0,9993	0,9993
3,2	0,9993	0,9993	0,9994	0,9994	0,9994	0,9994	0,9994	0,9995	0,9995	0,9995
3,3	0,9995	0,9995	0,9995	0,9996	0,9996	0,9996	0,9996	0,9996	0,9996	0,9997
3,4	0,9997	0,9997	0,9997	0,9997	0,9997	0,9997	0,9997	0,9997	0,9997	0,9998
3,5	0,9998	0,9998	0,9998	0,9998	0,9998	0,9998	0,9998	0,9998	0,9998	0,9998
3,6	0,9998	0,9998	0,9999	0,9999	0,9999	0,9999	0,9999	0,9999	0,9999	0,9999
3,7	0,9999	0,9999	0,9999	0,9999	0,9999	0,9999	0,9999	0,9999	0,9999	0,9999
3,8	0,9999	0,9999	0,9999	0,9999	0,9999	0,9999	0,9999	0,9999	0,9999	0,9999
3,9	1,0000	1,0000	1,0000	1,0000	1,0000	1,0000	1,0000	1,0000	1,0000	1,0000
4,0	1,0000	1,0000	1,0000	1,0000	1,0000	1,0000	1,0000	1,0000	1,0000	1,0000